NOUVELLE ANTHOLOGIE FRANÇAISE

Revised Edition

EDITED BY

ALBERT SCHINZ

OSMOND T. ROBERT

PIERRE FRANÇOIS GIROUD

New York

HARCOURT, BRACE AND COMPANY

PRINTED IN THE UNITED STATES OF AMERICA

PREFACE

The wide use of *Nouvelle Anthologie Française* by college classes has led the editors to prepare a revised edition. As in its original form, this anthology proposes to offer an easy and interesting approach to the study of French literature. It provides works of excellence which can be read with reasonable fluency and enjoyment after two years of intelligent French language-study in college, or three years in high school. Only a few of the selections have been abridged, but then never in such a way as to destroy the unity of the narrative.

It has not been the editors' intention to prepare a conventional and systematic survey of the evolution of French literature. To have done so and yet included complete works would have required more space than was available, and a far wider representation of authors than students could possibly read in one or two years. The dominating aim of this anthology is to offer opportunity for close acquaintance with a few important and interesting authors rather than a passing acquaintance with many.

Most of the changes in the new edition have been made on the advice of college instructors who used the original *Nouvelle Anthologie Française* in the classroom. Such suggestions were made in response to a questionnaire of the editors, and whatever improvements have resulted are directly due to the intelligent criticism, the valuable advice, and the generous co-operation of those teachers.

Most of the changes asked for have been made. The number of short narratives has been increased by adding "Le Chevalier au barizel," a *conte dévot* of the Middle Ages given in a modern octosyllabic version especially prepared by M. Giroud, and Flaubert's "Un Cœur simple" in a slightly abridged form. This last selection answers the request for a more generous inclusion of the Realists.

The selections from Rousseau and Voltaire have been strengthened. Two short narrative passages from Rousseau's *Émile* complement the selections from his *Confessions* which were given in the original edition; and Voltaire's *conte philosophique*, *Zadig*, replaces the shorter and less-known "Jeannot et Colin." Considerations of space made it necessary to omit a few episodes from *Zadig* but every attempt has been made to retain the sequence and unity of the narrative.

Michelet's *Jeanne d'Arc* proved too long in the original edition of this anthology. It has, therefore, been abridged about one-third, but care has been taken to maintain the sequence of the narrative and to sacrifice no details essential to a clear appreciation of the heroine's character or of the spirit of the times in which she lived.

iii

Labiche's *La Poudre aux yeux* has been dropped in favor of Augier and Sandeau's *Le Gendre de M. Poirier*.

Obviously not all suggestions which the editors received could be taken. Some selections desired were outside the scope of this text; for example, Montaigne's essay "L'Éducation des enfants," since it was not a narrative, could not replace "Les Cannibales," which recounts the discovery of America. Nor could a funeral oration by Bossuet be included for the same reason. Nodier's "Le Chien de Brisquet" has been deleted by request, but Daudet's "La Chèvre de M. Seguin" and Maupassant's "Apparition" have been retained from the first edition to give representation to the animal story and to the supernatural story.

As they now stand, the selections in this volume represent, in our belief, a wide range of good authors. They have been chosen so as to illustrate practically the whole range of literary types, and, as the reader will soon notice, with a view to satisfy as much as possible the natural desire of youth for narratives. In addition to the fresh short narratives already mentioned, the editors have carried over from the first edition the love story of *Aucassin et Nicolette*, the popular story of *Les Trois Bossus*, a memoir story from the first book of Rousseau's *Confessions*, and Chateaubriand's *Atala* with its brilliant descriptions of nature. Balzac and Vigny tell of the Revolution and of the Napoleonic period; Zola represents the war story; Anatole France, the story of the irony of justice unintelligently dispensed; Daudet, the animal and nature story; and Maupassant, the ghost story. History is represented by Michelet, and the essay by Montaigne. The drama is represented by the farce of *Maître Pathelin* and two modern plays, while three seventeenth-century plays have been included to introduce the student to the French dramatic literature of the Classical period. Finally, all the poems, included in the first edition by request, have been retained. Some were chosen for their narrative appeal, others for their artistic value alone — the two criteria which, after all, governed the choice of all the selections.

The *Aperçu* of the history of French literature carried over from the first edition will help the student to see each selection in its proper perspective as part of the broad panorama of French literature and thought. It will be valuable either for intensive study or for reference, as the instructor may prefer.

Each selection is preceded by a biographical sketch of the author to provide a fuller understanding of his life and work than is provided by the *Aperçu*.

To assist in rapid reading, the usual explanatory notes have been supplemented to include translations and paraphrases of expressions most likely to offer difficulties, and have been placed at the foot of the page for quick and easy reference. Instructors will find these notes a powerful ally in combatting the all too prevalent tendency toward the guesswork type of reading.

Since some instructors may prefer to take the selections in another than the chronological order, we have not hesitated to repeat in the notes information already given in earlier selections, thereby eliminating the inconvenience of numerous cross-references. In deciding what expressions should be elucidated, we have relied less upon the various published vocabulary lists which mark the deadline of permissible ignorance at various stages of French language learning, than upon our own long experience of the hesitations and misinterpretations of third- and fourth-year students.

The medieval texts have been modernized, as literally as possible, to avoid cluttering the student's mind with archaic and little-used constructions. The modernizing of the poetry would have spoiled its rhythm and destroyed its charm; therefore, wherever possible, we have not gone beyond modernizing the spelling of words so as to make them easily recognizable.

In a work of this kind, it was necessary to take precautions to preserve uniformity of treatment in the matter of notes, introductions, and modernizing of the texts. This was achieved by dividing the responsibility for preparing these departments of editing among ourselves, subject to agreement on the manuscript in its final form. The instructor who uses this anthology will, therefore, find a sustained continuity of editing.

It is our hope in offering this *Nouvelle Anthologie Française* that the excellence and completeness of the selections, the breadth of representation both in authors and literary types, and the quality and fullness of the editorial equipment will make it indispensable in those courses where a major aim is the reading of a number of selections from different periods of French literature.

It would be difficult to overestimate the value of the assistance given by Professor Hélène Cattanès, of Smith College, and Madame V. Dedeck-Héry, Ph.D., of the Spence School, New York City, who very unselfishly devoted many hours to the necessary but tedious labor of running down imperfections. Professor Cattanès read through considerable portions of the manuscript and some of the proofs, while Madame Dedeck-Héry read all the proofs. The many valuable suggestions they made have contributed not a little to the accuracy, clearness, and usefulness of the editorial material.

Our thanks are due also to Miss Elise Robert of Westgate-on-Sea, England, for checking and supplementing the notes of two of the selections.

Finally, we wish to thank those college and university instructors — too many for separate mention — who made suggestions regarding texts they wished to see included in the book. It was not possible, of course, to comply with all of them, but we trust we have succeeded in preparing a satisfactory synthesis of their suggestions.

A.S.

O.T.R.

P.F.G.

TABLE DES MATIÈRES

APERÇU HISTORIQUE
DE LA LITTÉRATURE FRANÇAISE

LE MOYEN-ÂGE

Apr ̀es la chute de l'empire romain et les invasions des barbares venus du nord et de l'est de l'Europe, une nouvelle civilisation — la civilisation chrétienne — se développa en France sous l'égide (*protection*) de l'Église.

La littérature de cette époque fut entièrement dominée par les idées nouvelles, d'autant plus que les « clerici » ou membres du clergé, étaient les seuls qui fussent capables de lire et d'écrire. Ils écrivaient, tout d'abord, dans la langue de l'Église, le latin. Ce n'est que graduellement que l'on en vint à se servir, pour les livres, de la langue vulgaire, c'est-à-dire de la « langue romane », dérivée du langage des soldats et des colons romains. Quelques chants d'Église, quelques vies des Saints que l'on récitait dans les assemblées, et qui datent du Xe siècle, nous sont parvenus; comme ils étaient en langue romane, on les appelait *écrits romans*, ou, en abrégeant, *romans* [1] — en anglais *romances*.

Romans et Chansons de Geste. Les grands romans qui, à cette époque, plaisaient au peuple et surtout (ce qui importait davantage) aux chevaliers, présentaient des caractères fort différents. Beaucoup d'entre eux étaient des chants de guerre racontant les hauts-faits (*deeds*) des chevaliers qui défendaient la cause du Dieu chrétien contre les païens (Mahométans, Sarrasins, Mores, à l'est et au sud), lesquels depuis le VIIe siècle, essayaient de conquérir le monde pour Allah, et contre les Saxons ou Saisnes, au nord-est de l'Europe. Ces romans écrits, pour la plupart, aux XIe et XIIe siècles, sont connus sous le nom de *Chansons de Geste* [2]; et, notons-le en passant, la plupart des exploits qu'ils relatent furent accomplis par des chevaliers français, parce que les rois de France furent les premiers à embrasser résolument la nouvelle foi. C'est aussi pour cette raison que, dans l'histoire, on parle de la France comme de la « Fille aînée (*oldest daughter*) de l'Église. » La plus fameuse de toutes ces épopées, la *Chanson de Roland*, célèbre la gloire de Charlemagne et de ses capitaines: Roland, Olivier, l'Archevêque Turpin. Ailleurs il est question des exploits de Guillaume d'Orange, Raoul de Cambrai, Huon de Bordeaux, et d'autres encore. A propos des Croisades on retrouvera des échos de ces « chansons » dans la poésie lyrique et dans le théâtre.

1. Comme on dit: une *indienne*, pour une étoffe (*fabric*) indienne, ou une *polonaise*, pour une danse polonaise. 2. Du latin *gesta*: action, haut-fait, exploit.

Certaines épopées traitaient à la fois de la guerre et de l'amour. Elles sont connues sous le nom de *Romans courtois* parce qu'elles décrivent les mœurs de cour, en particulier de la cour du roi Arthur et de ses chevaliers de la Table Ronde: Lancelot, Perceval (*Parsival*), Tristan, etc.

Il y avait enfin les *trouvères* (mot vieux-français pour « poètes ») qui se faisaient applaudir en récitant les aventures extraordinaires, pour ne pas dire fantastiques, de leurs intrépides héros. Ce sont les *romans d'aventure*, ou encore les *romans de l'antiquité*, car les poètes se plaisaient parfois à faire revivre la mémoire des héros classiques d'autrefois: Agamemnon, Achille, Pâris, Hélène, Énée et Didon, ou mettaient en vers les récits légendaires des César et des Alexandre.

Contes dévots, Fabliaux, Lais. A côté de ces longs récits du monde de la chevalerie, il nous en reste de cette même époque qui sont courts, moins prétentieux, et qui portent des noms divers. A l'exception d'un certain nombre de *contes dévots* et de *fabliaux* tant aimés du peuple (XIIe et XIIIe siècles), les sujets de ces histoires étaient, comme dans les grands poèmes mentionnés plus haut, la guerre et l'amour — traités soit séparément, soit ensemble. Il faut noter, comme étant d'un intérêt spécial, les *Lais bretons* de Marie de France; et mieux encore cette histoire anonyme du commencement du XIIIe siècle, si connue dans le monde entier, *Aucassin et Nicolette*, où l'amour, la chevalerie, les aventures, la théologie, et jusqu'aux Mores d'Afrique, trouvent leur place dans un récit plein de charme et d'humour.

Le Théâtre: Les Mystères, Les Farces. Le théâtre du Moyen-âge reflète les mêmes préoccupations que les vieux poèmes épiques. Comme en Angleterre, comme d'ailleurs dans tous les pays d'Europe, on met en scène en France des sujets bibliques, des miracles des Saints, et fréquemment la passion du Christ. On donnait à ces pièces des noms divers, comme « drames liturgiques, » « miracles »; vers la fin du Moyen-âge tout spectacle présenté sous les auspices de l'Église, ou avec son approbation, était appelé mystère ou mistère (probablement dérivé du latin *ministerium*, service, culte).

Ce qui paraît s'être développé plus rapidement en France qu'ailleurs, c'est la comédie. Toutefois, le terme de « comédie » n'était pas employé alors. On appelait *farces* les pièces destinées à l'amusement du public et non à son édification; c'étaient, au début, de simples monologues récités entre les actes des mystères, à seule fin de reposer et de détendre l'esprit des spectateurs. Plus tard, ces monologues, satiriques la plupart du temps, cédèrent la place (*gave way*) à des dialogues, et finalement à de véritables pièces de théâtre avec plusieurs personnages. La plus connue, aussi célèbre dans l'histoire du théâtre qu'*Aucassin et Nicolette* dans celle du roman, fut composée au XVe siècle par un auteur inconnu — mais qui fut néanmoins (*none the less*) le précurseur de Molière, le grand auteur comique du XVIIe siècle; c'est *La Farce de Maître Pierre Pathelin*, dont on trouvera le texte traduit en français moderne dans ce volume.

La Satire au Moyen-âge, *Le Roman de Renart*.[1] Le contrôle qu'exerçait d'abord indiscutablement (*unquestionably*) l'Église sur la littérature s'affaiblit (*weakened*) peu à peu. D'assez bonne heure un certain esprit d'indépendance s'était parfois manifesté. Ainsi en fut-il dans les fabliaux, mentionnés plus haut, aux XIIe et XIIIe siècles; cet esprit satirique s'accusa définitivement dans une longue épopée, *Le Roman de Renart*, où les personnages revêtent la figure d'animaux. Bien qu'un grand nombre d'animaux y figurent (le lion, l'ours, le chat, le coq et d'autres), ce sont le loup et le renard qui jouent les rôles principaux, celui-là symbolisant la force brutale et souvent cruelle des barons, celui-ci l'astuce par laquelle le paysan et le bourgeois s'efforçaient, non sans succès parfois, de triompher de leurs oppresseurs. Il est possible de voir dans le tableau de cette lutte de classes, ainsi que dans une attitude assez frondeuse (*rebellious*) vis-à-vis du clergé, comme une première manifestation de l'esprit de la Révolution Française qui ne devait éclater que cinq siècles plus tard. Le succès du *Roman de Renart* fut tel que plusieurs imitations connues sous le nom de *branches*, parurent ensuite: *Renart le Nouveau*, *Renart le Contrefait*, *Le Couronnement de Renart*, etc.

Le Roman de la Rose. Vers la même époque, c'est-à-dire au XIIIe siècle, paraît un autre long poème, *Le Roman de la Rose*. Le thème à lui seul suffit à faire constater encore l'affranchissement (*emancipation*) de plus en plus réel de la littérature vis-à-vis de l'Église; car un jeune poète, Guillaume de Lorris, y décrit les joies et les tristesses de l'amour, cette passion contre laquelle, par la voie de la littérature même, l'homme avait été mis en garde plus que contre nulle autre, comme étant dangereuse pour son salut (*salvation*). Dans ce poème allégorique de plus de quatre mille vers, l'amour est présenté sous la figure d'une rose qui s'épanouit (*blossoms*) dans un beau verger; le poète l'aperçoit et désire aussitôt la cueillir (*pluck*); la réalisation de ce désir, cependant, n'est pas tout à fait aisée, car, s'il y a certes autour de la rose des personnages qui favorisent son effort, comme *Bel-accueil* (*Welcome*), *Bonté*, *Franchise*, *Pitié*, etc., il en est d'autres comme *Jalousie*, *Malebouche* (*Slander*), *Danger*, *Honte*, *Peur*, qui cherchent de toute manière à lui créer des obstacles. Pour arriver à ses fins, le poète doit observer tout un code de règles aussi rigide que le code d'honneur auquel se soumettait le chevalier en quête d'aventures glorieuses. Le *Roman de la Rose* connut à l'époque un succès aussi grand que le *Roman de Renart*, bien que Guillaume de Lorris — pour une raison que nous ignorons — ne l'ait pas achevé. Un demi-siècle plus tard, un autre poète, Jean de Meung, se proposa de raconter la fin de l'aventure; mais il le fit dans un esprit tout différent: il montra les dangers d'une conception trop romanesque de l'amour; pour cela il accumula de nombreuses discussions morales, citant à l'appui (*support*) de ses théories les écrivains de

---

1. « Renart, » ou Renard, fut un nom propre de personnage avant de devenir un nom commun; on dit aujourd'hui un *renard*, pour l'animal rusé, ou même un homme rusé, comme on dit en anglais un Hamlet pour un personnage mélancolique, un Falstaff pour un bon vivant, ou en français un Tartuffe pour un faux dévot.

l'antiquité; il n'empêcha pas, cependant, l'amant de cueillir la rose — mais ce ne fut qu'après dix-huit mille vers.

La Poésie Lyrique au Moyen-âge. L'esprit du Moyen-âge ne fut d'abord guère favorable au lyrisme, si l'on entend par là une littérature exprimant les émotions individuelles du poète. L'autorité de l'Église, qui prétendait dicter à tous les hommes leurs manières de sentir, de penser et d'agir, était trop absolue; et, en effet, pendant longtemps, il y eut, il est vrai, des poètes qui développèrent des *thèmes* lyriques — la religion ou l'amour par exemple; mais la note *personnelle* fut lente à percer. Elle perça cependant; et on ne peut nier une certaine originalité à des poètes tels que Rutebeuf (XIIIe siècle), et surtout tels que, au XVe siècle, Charles d'Orléans avec ses « rondeaux » (dont l'un est reproduit dans ce livre), et François Villon, universellement admiré pour ses ballades: *Prière à la Vierge Marie*, et la *Ballade des Dames du Temps jadis* (méditation sur le mystère de la mort qui emporte aveuglément (*blindly*) le bon avec le mauvais, n'épargnant rien, pas même la femme, symbole et incarnation de la beauté [1]); on cite souvent aussi de lui un poème touchant de repentir, composé un jour qu'il attendait la mort, condamné pour vol à la potence (*gibbet*): la *Ballade des Pendus* — il fut d'ailleurs grâcié (*pardoned*), et on ne sait exactement ni quand ni où il mourut. Dans la plupart de ses autres poèmes, il chanta de même, avec un pathétique profond, les misères des déshérités (*disinherited*) de ce monde.

Ces poètes, en même temps qu'ils méditaient d'une façon personnelle, s'efforçaient d'améliorer la qualité de leur versification; et c'est ainsi que vinrent à s'établir, par l'arrangement des strophes, suivies généralement d'un refrain, et par l'ordre des rimes dans la strophe, ce qu'on a appelé les « poèmes à forme fixe, » tels le « rondeau, » la « ballade, » le « triolet. » [2] Bien des poètes des XIVe et XVe siècles se livrèrent trop à ce culte de la forme aux dépens de l'idée; on les désignait ironiquement sous le nom de « Grands Rhétoriqueurs. »

Les Historiens au Moyen-âge: Villehardouin, Joinville, Froissart, Commines. L'intérêt que prend l'écrivain aux choses de la vie réelle — intérêt qui devait aller toujours croissant avec les siècles — apparaît dans les œuvres de certains historiens fort remarquables du Moyen-âge: Villehardouin (XIIe siècle) et Joinville (XIIIe siècle) nous offrent le récit des grands événements auxquels ils ont été mêlés et surtout des Croisades auxquelles ils ont pris part. En outre Joinville nous a raconté la vie de Louis IX, plus connu sous le nom de Saint Louis. Froissart (XIVe siècle) est l'historien par excellence de la période à la fois brillante et sombre qui fut marquée par la Guerre de Cent Ans. Enfin, Commines — au XVe siècle — qui, au récit de la lutte formidable entre Charles le Téméraire, duc de Bourgogne, et Louis XI, roi de France (lutte qui marque la fin de l'ère féodale en France et la réalisation

---

1. Traduite en anglais par Dante Gabriel Rossetti: *The Ballad of Dead Ladies.* **2.** Le « sonnet » est postérieur.

de l'unité politique du royaume), ajoute des commentaires philosophiques sur les conditions du succès pour un prince à cette époque. On l'appelle parfois le Machiavel [1] de la France.

LA RENAISSANCE

Au XVIe siècle, on vit s'accentuer encore l'affaiblissement de l'influence de l'Église dans le domaine des lettres et des arts. L'attention des écrivains se tourna vers les chefs-d'œuvre (*masterpieces*) de l'antiquité que l'on venait de découvrir, ou plutôt de redécouvrir. Le mouvement, dit « de la Renaissance, » fut un des résultats de la longue lutte entre la civilisation mahométane et la civilisation chrétienne dont on a déjà eu des échos dans les Chansons de Geste et dans les récits relatifs aux Croisades. Après le succès des armes turques en 1453, et la prise de Constantinople par Mahomet II, les savants chrétiens, chassés de l'Orient qui, eux, n'avaient jamais perdu contact avec la pensée grecque, se réfugièrent dans les pays d'Occident, surtout en Italie; comme il était facile de le prévoir, ils y furent accueillis (*welcomed*) avec enthousiasme.

La Pléiade et Ronsard. En France, cette Renaissance de l'esprit des belles littératures antiques fut puissamment secondée par un groupe de jeunes hommes — les poètes de la Pléiade.[2] Jean Dorat, qui fut un des premiers maîtres au Collège Royal (plus tard Collège de France) fondé par François Ier, les avait initiés aux beautés de la langue grecque. L'un d'eux, Joachim Du Bellay, dans un manifeste énergique, *Défense et Illustration de la Langue Française*, condamne, fort injustement du reste, toute la littérature du Moyen-âge comme naïve et puérile, et il annonce l'aurore (*dawn*) d'une ère nouvelle qui prouverait que la langue française était capable de produire des œuvres aussi belles que celles des anciens. Le plus grand poète du groupe fut Pierre Ronsard (1524–1585) qui fit revivre les genres classiques de la poésie lyrique: l'ode, l'élégie, l'épigramme, et d'autres encore; il commença même la composition d'un poème épique, *La Franciade*, sur le modèle de l'*Odyssée* et de l'*Énéide*. A ces genres vint s'ajouter le sonnet, produit original de l'époque de la Renaissance, importé d'Italie. L'un des thèmes de prédilection de Ronsard est le charme fugitif de cette jeunesse dont la sagesse nous conseille de profiter sans attendre au lendemain. Nous reproduisons dans ce volume plusieurs admirables sonnets. Ronsard négligea l'art dramatique; mais son ami Jodelle (1532–1573) essaya d'imiter le drame antique et fut le précurseur de Corneille, de Racine et de Molière qui allaient illustrer le théâtre du XVIIe siècle.

1. Florentin (1469–1527) qui écrivit un traité de politique, *Le Prince*, enseignant à un souverain la manière d'affermir son trône. 2. nom emprunté à une constellation de sept étoiles et qui avait servi déjà à un groupe de poètes à Alexandrie au 3e siècle avant Jésus-Christ.

Rabelais. La prose était maintenant devenue un moyen d'expression artistique définitivement admis, au même titre que la poésie. L'œuvre de Rabelais (1490 ?–1553 ?) en fournit un brillant exemple. Cet écrivain avait un profond respect pour la culture des anciens, et même pour leurs connaissances scientifiques, ainsi que l'attestent ses travaux sur Galien et Hippocrate, les deux plus fameux médecins de l'antiquité. Mais il ne se borna (*limited himself*) pas à admirer les anciens, il s'efforça de répandre parmi ses contemporains leur philosophie, une philosophie qui s'opposait en un frappant contraste à la morne théologie de l'Église médiévale; comme Ronsard, il prônait (*extolled*) la joie de vivre. Rabelais n'abandonna certes pas ses croyances religieuses, mais il n'avait que faire (*had no use for*) d'un Dieu qui, d'une part, convie (*invites*) les hommes au bonheur, et, d'autre part, exige d'eux qu'ils s'abstiennent des plaisirs du monde pour mériter la félicité éternelle. Pour Rabelais, la vie doit être sainement (*wholesomely*) heureuse. Le « rire rabelaisien » est un bon rire sonore et franc. Dans un long roman, dont le sujet est le royaume d'Utopie, il offre le tableau d'une organisation sociale dont le dessein n'est pas de satisfaire à l'ambition des rois, mais de rendre un peuple content. Les trois rois de son roman, Grandgousier, Gargantua et Pantagruel, visent tous à ce même but. Rabelais proteste, entre autres choses, contre les guerres si fréquentes faites par des princes à seule fin (*aim*) d'agrandir leurs États, sans se soucier des terribles misères endurées en conséquence par leurs sujets. Un des récits les plus frappants est celui d'une guerre défensive entreprise par le bon roi Grandgousier et son fils Gargantua contre un cruel voisin, le roi Picrochole. Cet éloquent plaidoyer (*plea*) en faveur des idées de paix est demeuré célèbre et sera reproduit dans notre recueil.

Rabelais proposa aussi une nouvelle théorie d'éducation toute empreinte (*tinged*) de l'esprit de la Renaissance — le désir d'accumuler les connaissances et de jouir de tout ce qui est beau et bon dans ce monde. Il s'y attache à développer le corps aussi bien qu'à former l'esprit et l'âme. Il exalte de toute manière une vie remplie de joyeuse activité, et ne manque pas l'occasion de flétrir (*brand*) l'existence oisive (*idle*) des moines (*monks*) et du clergé de ce temps. On l'a parfois accusé de partager les idées de la Réforme.

Montaigne. Un autre très grand écrivain de la Renaissance, mais qui appartient à la seconde moitié du XVIe siècle, est Michel de Montaigne (1533–1592). Dans ses *Essais*, genre littéraire imité bientôt après en Angleterre par Francis Bacon, et plus récemment en Amérique par Ralph Waldo Emerson, il traite, sans aucune méthode, mais avec une charmante nonchalance et en invoquant fort souvent son expérience personnelle de la vie, mille problèmes qui préoccupent les hommes de tous les pays et de tous les temps. Il condamne le dogmatisme du Moyen-âge en y opposant la sagesse des anciens et parfois même celle des peuples primitifs. Son chapitre, *Des Cannibales*, sur les sauvages de l'Amérique alors récemment découverte, figure dans ce recueil.

Les Écrivains de la Réforme. Outre l'assaut qu'elle eut à subir de la part des écrivains dont il vient d'être question, l'Église eut à en soutenir un autre, mené avec vigueur par quelques-uns des hommes les plus brillants du XVIe siècle, ceux qui cherchaient à faire prévaloir (*prevail*) en France, comme en Angleterre et en Allemagne, les principes d'une Réforme religieuse. Les « Protestants » marchaient la main dans la main avec les poètes de la Pléiade, les Rabelais, les Montaigne — les « humanistes » comme on les appelait — pour attaquer certains abus du dogmatisme clérical; mais, loin de préconiser (*commend*) comme ceux-là la sagesse grecque et latine qu'ils considéraient comme un retour au paganisme, ils demandaient un retour aux doctrines du Christianisme primitif; et, en conséquence, ils prétendaient s'inspirer, eux, des livres sacrés de la Bible. Parmi leurs ouvrages, il en est deux au moins qu'on ne peut passer sous silence: l'*Institution Chrétienne* [1] de Jean Calvin, exposé, en un langage d'une belle fermeté, du *credo* protestant, et un grand poème: *Les Tragiques*,[2] d'Agrippa d'Aubigné; dans une série de sept tableaux ou chants, le poète évoque les horreurs des guerres religieuses qui coûtèrent tant de sang à la France; c'est en outre une véhémente diatribe dirigée contre les puissants de ce monde, responsables en grande partie de ces luttes fratricides faites au nom de la religion, mais ayant trop souvent pour cause réelle l'ambition politique des princes.

LES ÉCRIVAINS DE L'ÂGE CLASSIQUE OU SIÈCLE DE LOUIS XIV

Les guerres longues et cruelles dans une Europe que l'esprit de la Renaissance et de la Réforme avait émancipée, avaient entraîné (*brought about*), particulièrement en France, une profonde anarchie. Il fallait à tout prix ramener l'ordre. Cette tâche fut entreprise par Henri IV, dont l'Édit de Nantes (Édit de Tolérance — 1598) mit fin, ou au moins mit un frein (*curbed*) aux passions religieuses. Malheureusement, il fut assassiné en 1610, et il fallut toute l'énergie du ministre de Louis XIII, le cardinal de Richelieu, pour rétablir la paix dans l'État. Richelieu mourut en 1642 et Louis XIII quelques mois après. Pendant la minorité de Louis XIV, Mazarin continua à son tour la même politique de fermeté. Enfin, Louis XIV, devenu majeur en 1661, profita de ce qu'avaient accompli ces grands hommes d'État; il révoqua même l'Édit de Nantes, en 1685, pour tâcher de ramener l'unité religieuse dans le royaume. Ce fut sous son règne que la période littéraire glorieuse connue sous le nom de classique atteignit son apogée (*highest point*). On a donné maintes définitions du « classicisme français » dont aucune n'a jamais

---

1. *L'Institution* (instruction, éducation) *Chrétienne:* édition latine, 1536; édition française, 1541. C'est le premier ouvrage sérieux (théologie, philosophie, etc.) qui ait été rédigé en langue vulgaire. Jusqu'alors ces œuvres-là étaient rédigées en latin. **2.** Composé à partir de 1577, et publié en 1616.

satisfait tout le monde[1]; contentons-nous de dire que ce fut une littérature qui se développa sous un gouvernement puissant et tout disposé à protéger les arts et les lettres; le roi avait établi un système de pensions payées aux hommes qui honoraient son règne par leurs ouvrages. De cette manière les écrivains, affranchis des préoccupations d'ordre matériel, pouvaient s'élever librement dans des sphères de pensée idéales.

La Préciosité. Déjà, sous le règne de Louis XIII et le gouvernement de Richelieu, on avait vu les débuts d'une ère de grande activité artistique. Elle commença avec la publication d'un long roman, *L'Astrée* par H. d'Urfé, et fut secondée par les salons de grandes dames, surtout celui de la Marquise de Rambouillet. On se proposait d'y raffiner les manières et le langage, que les guerres incessantes du dernier siècle avaient rendus quelque peu grossiers en transportant la rudesse des camps dans la société et même à la cour. Les hôtes de ces réunions mondaines avaient choisi eux-mêmes le nom de « Précieux et Précieuses. » On désigne aujourd'hui sous ce nom des personnes dont les manières et le langage semblent plutôt affectés, surtout depuis que Molière, dans sa comédie des *Précieuses ridicules* (1659), s'est moqué des maladroits (*blundering*) imitateurs des habitués de l'Hôtel de Rambouillet.

L'Académie Française. Il y avait à cette époque un groupe d'hommes qui tenaient des réunions d'un caractère plus sérieux, d'où était exclue cette mondanité — cette « préciosité » — assez naturelle dans un salon. Le cardinal de Richelieu, en ayant entendu parler, proposa à ces hommes de former une association officielle sous la haute protection de l'État; c'est ainsi que fut fondée, en 1635, l'Académie Française qui a exercé et exerce encore une grande influence dans le domaine des lettres. C'est à Valentin Conrart que revient l'honneur d'avoir groupé les premiers membres de cette illustre assemblée.

Citons maintenant les plus grandes figures du monde des lettres pendant cette glorieuse période:

Descartes. Par la publication de son *Discours de la Méthode pour bien conduire sa Raison et trouver la Vérité dans les Sciences* (1637) Descartes mérite, avec Francis Bacon, d'être considéré avant tout comme fondateur de la philosophie moderne. Mais il exerça aussi une influence considérable sur la littérature: par la fermeté de son style d'abord; puis, parce que, dans un *Traité des Passions* (1649), il affirmait qu'avec l'aide de la volonté, conduite par la raison, tout homme peut gouverner ses passions. On était à une époque où les problèmes de dogme théologique cédaient de plus en plus la place aux questions de morale.

Corneille. Cette exaltation de la volonté et de l'intelligence dans les luttes de l'homme contre ses appétits inférieurs et dans les conflits de devoirs

---

1. Voici la définition de M. Henri Peyre qui a eu récemment le courage d'écrire un volume sur cette question si controversée: « recherche d'un équilibre intérieur et profond, sérénité de l'artiste patiemment appliquée à atteindre une perfection achevée et finie. » Son livre est intitulé *Qu'est-ce que le classicisme? Essai de mise au point* (Yale Press, 1934).

forme aussi le thème que Pierre Corneille (1606–1684) traite au théâtre avec une éloquence entraînante (*stirring*). Corneille appartient à la même génération que Descartes; il inaugure la série des très grands noms dans le domaine de la littérature proprement dite (Descartes appartenant en partie à la philosophie et aux sciences). Né à Rouen où, depuis le Moyen-âge, le théâtre avait toujours été particulièrement florissant, Corneille était bien préparé pour l'œuvre de rénovation qu'il accomplit si brillamment dans la tragédie. On lui doit entre autres chefs-d'œuvre *Le Cid* (1636), *Cinna ou la Clémence d'Auguste* (1640), *Horace ou Les Horace* (1640), *Polyeucte* (1643). Il écrivit aussi une comédie qui fit époque, *Le Menteur* (1643); mais sa principale activité demeura dans le genre sérieux. *Le Cid* est la première des grandes tragédies françaises; aussi l'avons-nous mise au nombre des pièces de ce recueil.

Racine. Corneille vivait encore lorsque parut un jeune poète dramatique dont le génie égalait le sien, Jean Racine (1639–1699). Les tragédies de Racine trahissent les mêmes préoccupations que celles de son grand précurseur, mais considérées d'un point de vue assez différent. Il sait, aussi bien que Corneille, la puissance des passions humaines; mais, pour lui, ce qui constitue la tragédie, ce n'est pas la *lutte* contre la passion ni le conflit de certains devoirs d'importance relative (comme l'amour ou l'honneur, le sentiment de la patrie ou celui de la famille), mais bien le fait que les plus nobles humains ne trouvent pas en eux-mêmes la force morale qu'il faut pour lutter contre les passions. On pourrait donner comme épigraphe à ses pièces la parole de Saint Paul: « Je ne fais pas le bien que je voudrais faire, je fais le mal que je ne voudrais pas faire. » C'est l'idée qui domine déjà son premier chef-d'œuvre, *Andromaque* (1667). Ses sujets sont empruntés, comme quelques-uns de ceux de Corneille, à l'antiquité classique: *Andromaque* évoque la guerre de Troie, *Britannicus*, la Rome impériale, et la dernière de ses pièces classiques, *Phèdre*, de nouveau l'ancienne Grèce.[1] Après cette tragédie qui fut représentée en 1677, Racine se détourna momentanément du théâtre; les raisons en sont encore discutées aujourd'hui; on sait que Racine s'était aliéné des courtisans qui essayèrent de faire échouer sa pièce; mais, est-ce là toute la vérité? En tout cas, Racine rentra dans le sein de l'Église qui l'avait attaqué précisément pour son goût du théâtre. Il fut nommé historiographe du roi; et douze ans plus tard il revint à la scène, mais ce fut pour écrire deux pièces inspirées de l'histoire sainte, *Esther* et *Athalie*, dans lesquelles il oppose la toute-puissance de Dieu au néant (*nothingness*) des plus puissants rois de la terre. *Athalie*, que Voltaire appellera « le chef-d'œuvre de l'esprit humain », ne le cède en rien aux plus belles pièces inspirées au grand écrivain par l'antiquité grecque ou romaine. Racine, comme son prédécesseur Corneille, abandonna un jour la tragédie pour la comédie; ayant à se venger des juges qui l'avaient desservi (*ill used*) dans un procès (*lawsuit*), il écrivit

1. Il y a une exception, *Bajazet* (1672), qui nous transporte dans le lointain Orient.

une satire exquise, *Les Plaideurs* (1668), pleine de réminiscences d'une comédie grecque d'Aristophane, *Les Guêpes* (*The Wasps*).

Molière. La comédie, de même que la tragédie, atteignit son apogée pendant le règne de Louis XIV. Dans ce genre, le grand génie fut Molière (1622–1673). On peut dire qu'il n'eut de rivaux ni de son temps ni depuis.

Tandis que la tragédie exalte la vertu ou l'héroïsme, ou représente les souffrances morales des humains, la comédie met en scène leurs ridicules et leurs défauts. Bien que son action morale soit généralement négative, la comédie de Molière, grâce à un art admirable, a souvent été, comme les grandes tragédies, une école de bonnes mœurs. Molière a dirigé sa satire tantôt contre les vices communs à l'humanité entière (*Le Misanthrope, Tartuffe ou L'Imposteur, L'Avare*), tantôt contre les travers (*faults*) particuliers à ses contemporains: dans *Les Précieuses ridicules* et dans *Les Femmes savantes*, c'est le snobisme, dans *Le Médecin malgré lui* et *Le Malade imaginaire*, c'est le pédantisme des médecins ignorants.

La satire du parvenu vaut (*remains true*) pour tous les temps; aussi avons-nous mis *Le Bourgeois Gentilhomme* (1670) au nombre des comédies choisies pour cette collection.

Certaines des pièces de Molière ont conservé le caractère de la vieille « farce » du Moyen-âge où il s'agissait simplement de divertir les auditeurs; la plus connue de ces farces, *Les Fourberies de Scapin*, porte à la scène un des personnages les plus populaires de Molière, le valet qui met au service de son maître — généralement pour en favoriser les amours ou les intérêts — toutes les ressources de l'esprit et de la ruse.

La profonde vérité de Molière lui valut des animosités sérieuses de la part de personnages haut placés, médecins, courtisans, membres du clergé; il ne fallut rien moins que la ferme protection du roi pour lui permettre de triompher de l'opposition qu'ils faisaient à la représentation de ses pièces. Louis XIV l'avait autorisé à prendre pour sa troupe le nom de « Comédiens du Roi »; c'est de cette compagnie que sortit l'organisation aujourd'hui encore en honneur en France, « La Comédie Française, » parfois désignée sous le nom de « Maison de Molière. » Au foyer (*lobby*) de ce théâtre, subventionné (*subsidized*) par le gouvernement, on voit à la place d'honneur la statue de Molière.

Bossuet. Comme nous l'avons déjà indiqué, l'ordre traditionnel fondé sur l'alliance du trône et de l'autel, fut affermi au XVIIe siècle, après les menaces de désorganisation sociale qui avaient marqué l'époque de la Renaissance et de la Réforme. Avant la majorité de Louis XIV (1661), les grands ministres d'État étaient des princes de l'Église (cardinal de Richelieu, cardinal Mazarin), et, bien que le roi prît ensuite lui-même en main les rênes de l'État, l'Église ne perdit pas tout le prestige qu'elle avait gagné. Cet aspect de l'esprit du XVIIe siècle s'incarna (*was impersonated*) admirablement en la personne de Jacques-Bénigne Bossuet (1627–1704). Il était prédicateur de la cour, et c'est comme tel qu'il prononça ses célèbres « oraisons funèbres » qui constituent peut-être son principal titre de gloire [1]; ce fut lui, en tout cas, qui donna à l'éloquence religieuse sa forme classique comme Descartes l'avait fait pour la philosophie, Corneille et Racine pour la tragédie, Molière pour la comédie. Mais Bossuet joua un rôle des plus importants aussi dans d'autres domaines encore. Il faisait partie du Conseil privé du Roi, et fut chargé de l'éducation du Dauphin (fils aîné du roi). Son exposé de la doctrine du « droit divin des rois » fit autorité jusqu'à la Révolution Française en matière politique. Il fit valoir cette doctrine à l'occasion du fameux conflit entre son roi et le pape au sujet de leurs droits respectifs au sein de l'Église de France: la « querelle du Gallicanisme. » [2] D'autre part, il s'éleva au nom du roi contre les ambitions des Protestants qui relevaient la tête et voulaient pratiquer librement un culte qui n'était pas celui patronné par le pouvoir royal.[3] Il s'opposa pour la même raison à deux autres groupes de dissidents, les Jansénistes et les Quiétistes.

Le Jansénisme et Pascal. Les Jansénistes (disciples de Jansenius, théologien hollandais) avaient entrepris une campagne contre les prêtres qui, selon eux, promettaient le salut trop facilement à leurs pénitents. La « casuistique » des Jésuites (le jugement des *cas* de conscience selon leur mérite plutôt que selon certains principes fixes de la conscience morale) fut vivement attaquée par Blaise Pascal (1623–1662). Ses *Lettres écrites à un Provincial* (1655–1657), soulevèrent une formidable tempête; mais les Jansénistes furent condamnés par le roi (sur l'avis de Bossuet) comme aussi par le pape. Les « maisons de Port-Royal, » qui étaient à la tête de ce mouvement janséniste, furent ou bien fermées ou bien même détruites. C'est ce même Pascal qui a laissé les fragments d'une apologie remarquable de la religion chrétienne, qui ont été publiés après sa mort sous le titre modeste de *Pensées de Pascal.*

Fénelon. Dans la controverse avec les Quiétistes, Bossuet se trouva l'antagoniste de son ancien ami et protégé François de la Mothe-Fénelon (1651–1715), archevêque de Cambrai; il le réduisit à l'obéissance comme il l'avait fait pour les Jansénistes. Les Quiétistes étaient des mystiques qui prétendaient entrer directement en rapport avec la divinité par une méditation intense et sans passer par l'intermédiaire du prêtre. Fénelon s'était d'ailleurs fait connaître aussi par un ouvrage original pour l'époque sur *L'Éducation des Filles* (1687), et par ses *Aventures de Télémaque, fils d'Ulysse* (1699). Ce dernier livre était écrit pour l'éducation du Duc de Bourgogne, petit-fils de Louis XIV; c'est un récit de voyage imaginaire à travers les pays les plus divers; le sage Mentor (Minerve sous forme humaine) en discute les mœurs et les institutions pour le profit de son royal élève.

1. Celles surtout d'*Henriette-Anne d'Angleterre* (1670) et du *Prince de Condé* (1686). **2.** Le *Gallicanisme* est opposé à l'*Ultra-montanisme*, ou doctrine de Rome (*ultra montes*) laquelle affirme que l'autorité papale doit prévaloir sur celle du Conseil des évêques de France. **3.** Il écrivit contre eux son *Histoire des Variations des Églises protestantes* (1683).

La Critique Littéraire: Boileau. Dans le domaine de la critique littéraire, c'est Nicolas Boileau-Despréaux (1636–1711) qui faisait la loi, à peu près comme Bossuet dans le domaine spirituel. Prenant la succession de Malherbe (1555–1628), « le tyran des mots et des syllabes » dans la première moitié du siècle, à l'Hôtel de Rambouillet et ailleurs, Boileau adopta tout un code de règles, qu'ensuite il imposa aux écrivains de son temps. Son *Art poétique* (publié seulement en 1674) est une imitation de l'*Ars poetica* d'Horace, adaptée à son époque. On y trouve, d'une part, des préceptes généraux et qui valent pour tous les temps (nécessité pour le poète d'être doué, ordre dans les idées, travail consciencieux, etc.), d'autre part, des notions littéraires qui sont particulières au XVIIe siècle et que la postérité ne s'est pas vue obligée d'adopter (emploi d'images poétiques empruntées à la mythologie, règle des trois unités au théâtre, séparation tranchée (*sharp*) entre les genres sérieux et les genres légers, etc.). Boileau est, en outre, l'auteur de satires et d'épîtres dans l'esprit du temps, et d'un poème héroï-comique, *Le Lutrin.*

Les Moralistes: La Rochefoucauld, La Bruyère. Il était tout naturel qu'en ces temps de standardisation générale, et où toutes choses, en politique, en religion et en critique littéraire, étaient soumises à une autorité, la morale fût souvent un sujet de discussion. Aussi, le XVIIe siècle a-t-il produit les deux plus illustres « moralistes » de la littérature française: La Rochefoucauld (1613–1680), auteur des célèbres *Maximes* qui réduisent les motifs de toutes nos actions, bonnes ou mauvaises selon le code moral conventionnel, à des mobiles d'amour-propre ou de pur égoïsme; et La Bruyère (1645–1696) à qui l'on doit *Les Caractères ou les Mœurs de ce Siècle,* satire souvent cinglante (*lashing*) des mœurs de l'époque, et annonçant une réaction plus profonde qui se manifestera au cours du siècle suivant.

Madame de Lafayette. Une conception très élevée de l'amour, et qui contraste de façon frappante avec celle qu'on rencontre dans la plupart des romans d'alors où les actions des hommes sont empreintes d'un romanesque sentimental exagéré, fut présentée par Madame de Lafayette (1634–1693) dans un récit d'un intérêt saisissant, *La Princesse de Clèves;* son héroïne est une femme que la passion est impuissante à écarter de son devoir. On reconnaît là un écho des tragédies de Corneille où l'attachement au devoir est exalté au plus haut point.

Madame de Sévigné. Madame de Sévigné (1626–1696), qui, toute jeune, et avec Madame de Lafayette, avait fréquenté le salon de la Marquise de Rambouillet, doit sa renommée à sa correspondance. Ses *Lettres* pleines d'esprit, adressées pour la plupart à sa fille Madame de Grignan, dont le mari était gouverneur de Provence, nous offrent le plus vivant tableau de la société et de la cour au « grand siècle. »

La Fontaine. Cette société a été observée et dépeinte par un autre écrivain plein d'humour et d'esprit, Jean de La Fontaine (1621–1695). Ses *Fables,* véritable « comédie à cent actes divers » — comme il l'a dit lui-même pour caractériser son œuvre — exposent sans pitié comme sans indignation, les faiblesses, les folies, les iniquités de toutes les classes de la société, depuis les grands de la cour jusqu'aux bourgeois, et des paysans jusqu'au roi lui-même. On trouvera quelques-unes de ces fables dans la partie de ce livre consacrée à la poésie.

La Fontaine est un de ces noms qui appartiennent à l'humanité tout entière aussi bien qu'à la France, comme Montaigne, comme Molière.

LE SIÈCLE DES PHILOSOPHES. RÉACTION CONTRE L'ABSOLUTISME ET LE DOGMATISME. SIGNES AVANT-COUREURS DE LA RÉVOLUTION FRANÇAISE

Les Salons Philosophiques. Louis XIV vécut jusqu'en 1715. A peine eut-il rendu le dernier soupir que l'on comprit qu'une ère nouvelle avait commencé. Les salons des Précieux et des Précieuses où l'on cultivait l'esprit, le beau style dans la conversation, devaient faire place aux « salons philosophiques » où l'on s'entretenait de politique, d'histoire, de science.

Les Premiers Vulgarisateurs de la Science: Bayle, Fontenelle, Voltaire. Les femmes mêmes s'intéressaient de plus en plus aux choses sérieuses de l'esprit, comme le prouvent les *Entretiens sur la Pluralité des Mondes* (1686) de Fontenelle où l'auteur, se promenant dans un parc avec une marquise, par une belle nuit, sous un ciel parsemé (*spangled*) d'étoiles, réussit à enthousiasmer sa compagne pour les mystères du système astronomique de Copernic. On se prit aussi d'admiration dès la première partie du siècle, en bonne partie grâce aux *Lettres anglaises* (ou *Lettres philosophiques*, 1734) de Voltaire, pour les travaux de Bacon et de Newton. Ces études devaient avoir leur répercussion dans le domaine propre de la philosophie; le dogmatisme théologique fut battu en brèche (*battered down*), et rien n'empêcha qu'on en vînt peu à peu, par la voie du scepticisme, à une grande tolérance en matière de croyances religieuses. Déjà Pierre Bayle (1647-1706) avait secoué le joug de l'autorité et attaqué certaines superstitions dans ses *Pensées sur la Comète*, son *Dictionnaire historique et critique* et ses pamphlets sur la révocation, en 1685, de l'Édit de Nantes.

Buffon. Cet esprit d'observation scientifique et de critique du monde inspira deux œuvres monumentales auxquelles contribuèrent un grand nombre de savants et de penseurs. La première en date fut l'*Histoire naturelle, générale et particulière* préparée sous la direction de Georges-Louis de Buffon (1707-1788), fondateur des Jardins du Roi (aujourd'hui Muséum d'Histoire naturelle) qui sont encore une des gloires de Paris; l'autre est l'*Encyclopédie*.

L'Encyclopédie: Diderot et D'Alembert. *L'Encyclopédie*, dont la publication, commencée en 1751, s'étendit sur plus de vingt années, fut composée sous la direction de D'Alembert (1717-1783) qui en écrivit le *Discours pré-*

liminaire en se réclamant beaucoup (*making much use of*) des idées de Francis Bacon — et de Diderot (1713–1784). Celui-ci, philosophe aux idées hardies, révolutionnaires même, ne se distingua pas seulement dans le domaine de la pensée; il fit aussi œuvre d'artiste; il proposa une réforme du théâtre, voulant substituer à la tragédie classique, avec ses sujets et ses héros grecs et romains, un « drame bourgeois » qui traiterait d'une façon réaliste les épisodes de la vie journalière; il est lui-même l'auteur de deux pièces, *Le Père de Famille*, et *Le Fils naturel*. Diderot créa, en outre, ce que nous appelons aujourd'hui le genre de la « critique d'art » par ses célèbres articles sur les « salons de peinture. » Parmi ses autres œuvres citons encore un roman dialogué, retrouvé après sa mort, *Le Neveu de Rameau* — le neveu du musicien Rameau, doué d'un talent prodigieux, mais surtout d'une indépendance de caractère farouche (*fierce*).

La Critique Littéraire: Le Triomphe des Modernes. Ces différentes manifestations, qui toutes indiquaient une rupture avec le passé, ne pouvaient manquer (*fail*) d'avoir leur répercussion dans la critique littéraire. Le siècle précédent s'était terminé sur la grande « Querelle des Anciens et des Modernes »: quelques esprits indépendants, surtout un certain Charles Perrault (1628–1703), avaient essayé de secouer le joug (*yoke*) que les admirateurs passionnés des Grecs et des Latins faisaient peser sur la littérature depuis le siècle de la Renaissance; mais la victoire était restée à ceux qui, comme Boileau, déclaraient que les modernes ne pourraient jamais égaler les anciens dans la perfection artistique. Le XVIIIe siècle devait en juger autrement; les coryphées (*leaders*) des modernes furent Fontenelle et Lamotte-Houdar (1672–1731). Même au théâtre, élevé si haut par Corneille et Racine, et malgré les efforts de Voltaire qui voulait maintenir la tradition classique, la tragédie recula au second plan (*rank*), tandis que la comédie, qui s'inspirait des intrigues et des caractères de la vie réelle, passa au premier plan — sans parler des réformes de Diderot dont il vient d'être question.

La Comédie au XVIIIe Siècle: Marivaux, Lesage, Sedaine, Beaumarchais. Marivaux (1688–1763) sut intéresser ses contemporains à ce que nous appellerions aujourd'hui le théâtre psychologique. On a donné après lui au style maniéré comme le sien et à toute analyse subtile du cœur humain, le nom de « marivaudage. » Sa comédie la plus connue est *Le Jeu de L'Amour et du Hasard*. D'autres poussèrent plus loin encore le souci d'actualité dans leurs pièces; tel Lesage (1668–1747) dans son *Turcaret*, portrait d'un financier indélicat et que la société tolère; tel Sedaine qui, dans son *Philosophe sans le savoir*, réfute la croyance que le travail est chose déshonorante pour un noble de naissance; tel encore Beaumarchais (1732–1799), l'auteur du *Barbier de Séville* et du *Mariage de Figaro*. Dans cette dernière pièce surtout, certaines idées révolutionnaires se donnent libre carrière (*take full scope*); les classes privilégiées, en contraste avec le pauvre peuple privé de droits, étaient si clairement visées que pendant trois ans la représentation ne put être autorisée.

Le Roman au XVIIIe Siècle. Un changement tout aussi manifeste eut lieu parallèlement dans le roman. Aux « contes précieux » fort en honneur au siècle précédent, succédèrent des récits où s'exprimaient des passions souvent violentes, mais vraies: *Manon Lescaut* (1731) de l'abbé Prévost, *La Nouvelle Héloïse* (1761) de Jean-Jacques Rousseau, *Paul et Virginie* (1787) de Bernardin de Saint-Pierre. Ailleurs on trouve des suggestions de réformes sociales, par exemple dans le grand roman de Lesage, *Histoire de Gil-Blas de Santillane* (1º Vol. 1715, 4º Vol. 1735), mémoires imaginaires d'un valet intelligent et un peu révolté, comme le valet Figaro de Beaumarchais, ou dans les deux romans inachevés de Marivaux, *Vie de Marianne*, et *Le Paysan parvenu*.

Voltaire. C'est surtout à la plume de Voltaire que nous devons ce qu'on a appelé depuis le « roman philosophique »; dans *Zadig* (1747) et dans *Candide* (1759) — les deux plus connus — il présente avec une grande franchise le problème de « l'optimisme philosophique, » qui passionnait alors la société: le monde est-il bon? peut-on croire à une Providence? ou bien les maux que souffre l'humanité sont-ils tels que la balance penche du côté de la désespérance? Dans nombre de récits, généralement assez courts, Voltaire aborde avec la même indépendance toutes sortes de problèmes qui préoccupaient alors les esprits. On trouvera l'un d'eux, *Jeannot et Colin*, dans notre recueil.

Voltaire (1694–1778) est le plus parfait représentant des tendances du XVIIIe siècle. Dans beaucoup de ses écrits, et particulièrement dans l'*Histoire générale* et l'*Essai sur les Mœurs et l'Esprit des Nations depuis Charlemagne jusqu'à nos Jours*, il attaque avec une ironie sans merci beaucoup des croyances traditionnelles des siècles écoulés (*gone by*), et il prépare ainsi le terrain pour les idées nouvelles — celles que la Révolution Française essayera de réaliser. Il s'efforce de substituer au dogmatisme du siècle de Bossuet l'esprit de tolérance philosophique, et lorsque l'occasion se présentera, il travaillera à mettre en pratique cet esprit; c'est ainsi qu'il s'emploiera avec zèle à la réhabilitation d'une famille de Toulouse persécutée pour ses opinions religieuses: la famille du protestant Calas. En somme, il a fait dans ce domaine ce que Montaigne avait fait au XVIe siècle, mais dans un style beaucoup plus agressif.[1]

Montesquieu. L'Angleterre n'avait pas connu une civilisation aussi brillante que la France de Louis XIV, mais ses institutions sociales et politiques étaient dès cette époque beaucoup plus libérales. Certains écrivains français — dont le Baron Secondat de Montesquieu (1689–1755), le brillant auteur de *L'Esprit des Lois* — considéraient volontiers les institutions anglaises comme des modèles à imiter. Les lois, pensait Montesquieu, ne sont ni bonnes ni mauvaises en elles-mêmes; il faut en juger « l'esprit » d'après le temps et d'après les conditions du milieu. C'est dans le même ouvrage qu'il développe sa théorie de la séparation des pouvoirs législatif,

---

1. Voir son *Traité sur la Tolérance* (1763).

judiciaire et exécutif, théorie qui fut adoptée au commencement du XIXe siècle, lorsque la monarchie constitutionnelle fut établie en France.

Jean-Jacques Rousseau. Jean-Jacques Rousseau (1712–1778) plus encore que Voltaire, et plus même que Montesquieu, insista sur la nécessité de réformes sociales. La très grande influence qu'il exerça par son ouvrage, *Le Contrat social*, est due à une discussion non seulement des formes du gouvernement, mais du principe même du gouvernement. C'est lui qui traduisit en un style puissant le désir de la société d'alors de substituer à la doctrine du « droit divin des rois, » si éloquemment exposée par Bossuet au XVIIe siècle, celle du « peuple souverain, » c'est-à-dire le droit naturel de tout citoyen de réclamer une part égale des bienfaits de l'organisation sociale; il proposait donc de considérer l'État comme fondé sur un *contrat social* par lequel les citoyens s'engageaient *volontairement* à se soumettre à des lois qui seraient formulées par de sages législateurs, et à obéir à des magistrats qu'ils choisiraient eux-mêmes; il proclamait même le droit à la révolution, car ces magistrats (rois, ministres ou nobles aussi bien que fonctionnaires d'une république) pouvaient être déposés s'ils cessaient de donner satisfaction.

Derrière ce problème politique, il y en avait un autre qui lui semblait plus fondamental encore. Dans son *Discours sur les Sciences et les Arts*, dans celui sur *l'Origine de l'Inégalité parmi les Hommes*, dans sa *Lettre sur les Spectacles*, et dans ses deux œuvres capitales, un roman, *La Nouvelle Héloïse*, et un traité d'éducation, *Émile*, il s'élevait contre les conventions d'une civilisation devenue toute artificielle et inique (*iniquitous*) au cours des âges; il plaidait pour des **mœ**urs plus conformes à la nature profonde et primitive de l'homme.

Dans tout cela, Rousseau n'a pas tant inauguré une nouvelle philosophie de la vie que présenté en un style véhément les réformes que ses prédécesseurs avaient déjà envisagées. En un point, cependant, il se sépare nettement des philosophes les plus célèbres de son temps: il revendique, contre le rationalisme qui semblait gagner du terrain chaque jour, les droits de la religion. Seulement, dans un morceau intitulé *La Profession de Foi du Vicaire savoyard*, il distingue entre une « religion naturelle, » dont le germe est déposé dans le cœur de tous les hommes sans exception, et les diverses « religions révélées » (y compris le christianisme), qui réservent le salut des âmes à ceux qui acceptent un système de dogmes à l'exclusion de tout autre. Ce fut cette distinction, plus qu'aucune autre de ses doctrines, qui valut à Rousseau de longues persécutions; il dut se réfugier pendant plusieurs années en Suisse et en Angleterre, et jusqu'à sa mort demeura un suspect.

Moins de vingt ans après sa mort, cependant, ses cendres, comme celles de Voltaire, furent transportées au Panthéon, le *Westminster Abbey* de la France.

De tous ces efforts réunis, ceux de Rousseau et ceux de la plupart des meilleurs écrivains du XVIIIe siècle, et malgré la grande résistance de ceux qui soutenaient l'ordre de choses existant, est sorti le bouleversement (*up-*

heaval) profond de la Révolution Française et de l'ère napoléonienne, entre 1789 et 1815. Il est vrai qu'ensuite vinrent les années de la « Restauration » de la monarchie; mais ce ne devait plus être la monarchie absolue et irresponsable, fondée sur le « droit divin. » Louis XVIII, dès 1814, avait donné à la France une charte qui assurait à chacun l'égalité devant la loi et de précieuses franchises. Les rois et leurs ministres tentèrent bien (*attempted indeed*), au début, de ne tenir aucun compte de ces promesses solennellement jurées; mais le « mouvement romantique » dans le domaine des arts et de la littérature — mouvement qui exaltait parfois jusqu'à la folie le sentiment du « moi » en révolte contre l'ordre social et moral — allait, à sa manière, soutenir la cause des libertés conquises par la Révolution.

PREMIÈRE PARTIE DU DIX–NEUVIÈME SIÈCLE: LE ROMANTISME

Même pendant la période tumultueuse de la Révolution et de l'Empire, deux grands écrivains avaient paru: Chateaubriand (1768–1848) et Madame de Staël (1766–1817).

Chateaubriand.   François-René de Chateaubriand ne croyait pas que le temps fût venu où la France pût se passer de la direction temporelle d'un roi et de la direction spirituelle de l'Église.   Il comprenait pourtant l'élan (*impulse*) universel vers un nouvel ordre de choses, et, à sa manière, s'en inspirait.   Son grand ouvrage, *Le Génie du Christianisme* (1802), et son épopée chrétienne, *Les Martyrs* (1809), sont une nouvelle expression de ce sentiment religieux tout personnel que Rousseau avait réveillé par sa *Profession de Foi du Vicaire savoyard*.   Le court roman d'*Atala* (1801), qu'on lira plus loin, par sa nostalgie de la nature telle que Dieu l'a créée et telle qu'elle se montrait encore dans les admirables forêts vierges de l'Amérique du Nord (où Chateaubriand avait fait un voyage dans sa jeunesse), continuait également un mouvement datant du XVIIIe siècle, mouvement qui allait s'accentuer avec les poètes romantiques.   Dans *René*, un autre récit très célèbre, et qui est à demi autobiographique, Chateaubriand prévoit déjà les dangers d'un romantisme exalté et essaie de mettre en garde les générations futures — sans grand succès comme on le verra.

Madame de Staël.   Fille de Necker, surintendant des finances sous le roi Louis XVI, elle avait épousé, assez jeune, le baron de Staël-Holstein, ministre du Danemark à Paris.   Bien qu'elle fût protestante de naissance et de conviction, comme l'attestent ses deux ouvrages, *De la Littérature* (1800) et *De l'Allemagne* (1810), elle partageait les aspirations spirituelles du catholique Chateaubriand; ses écrits marquent, eux aussi, avant toute chose, une réaction décidée contre le rationalisme du XVIIIe siècle.   D'autre part, elle réclamait, avec une ardeur toute féminine, des droits absolus pour la passion, et rejetait toutes les contraintes des conventions sociales; toutefois ses romans

(*Delphine*, 1802, et *Corinne*, 1807) aboutissent (*end in*) à l'expression d'un désespoir romantique profond. Il est vrai qu'elle avait fait personnellement des expériences douloureuses (*sorrowful*) en amour, en particulier dans ses relations avec Benjamin Constant (1767–1830), connu par son activité politique, et par un roman (*Adolphe*, 1815) où l'on a vu — à tort (*erroneously*) peut-être — un récit de son orageuse (*stormy*) passion pour Madame de Staël.

Lamartine. La génération suivante, celle qui brilla surtout de 1815 à 1830, vit la pleine floraison (*blossoming*) du Romantisme: expression des émotions du poète, de ses souffrances souvent, rarement de ses joies. Les œuvres d'un précurseur, André Chénier (1762–1794), qui ne furent publiées qu'en 1819, ouvrirent la voie, l'année suivante, à la publication des *Méditations* d'Alphonse de Lamartine (1790–1869); celles-ci furent suivies en 1823 des *Nouvelles Méditations*, et en 1830 des *Harmonies poétiques et religieuses*. Ces titres, à eux seuls, indiquent le genre d'inspiration de ces recueils. Le plus fameux des poèmes de Lamartine, *Le Lac*, se trouve parmi les morceaux de ce volume. Lamartine a laissé également le récit en vers, *Jocelyn*, d'une grande passion amoureuse, où se mêlent des descriptions de la nature rappelant beaucoup les *Bucoliques* de Virgile, et un autre d'un caractère religieux, mais qui est demeuré fragmentaire, *La Chute d'un Ange*. Dans une période postérieure, Lamartine se mêla à la vie politique de la France et composa une *Histoire des Girondins* (députés de la Gironde qui, pendant la Révolution, payèrent de leur tête leur refus de voter la mort de Louis XVI); il appartenait à une famille aux traditions profondément royalistes et conta en termes émus la destinée tragique de ces martyrs d'une cause qui lui était chère.

Vigny. Le second des grands poètes romantiques fut Alfred de Vigny (1797–1863), dont l'œuvre, toute d'inspiration philosophique, est empreinte de pessimisme. Ses recueils de vers ont pour titre: *Poèmes antiques et modernes*, et *Les Destinées*. En prose, il a laissé un roman historique: *Cinq-Mars* (histoire d'une conjuration (*conspiracy*) au XVIIe siècle pour renverser Richelieu) et un recueil de trois nouvelles sous le titre de *Servitude et Grandeur militaires*. Alfred de Vigny était un enfant de l'époque des guerres glorieuses de la Révolution et de Napoléon; il aspira lui-même à faire une carrière de soldat; mais la France était lasse de la guerre et le jeune homme dut se contenter la plupart du temps de raconter l'âme du soldat d'après les récits qu'il avait entendus de la bouche de son père. Son pessimisme philosophique se retrouve tout entier dans un autre recueil en prose, *Stello* (nom par lequel il se désigne lui-même), et encore dans une pièce de théâtre célèbre, *Chatterton*, dans laquelle il déplore le sort du génie méconnu.

Victor Hugo. Victor Hugo (1802–1885) avait cédé (*yielded*) moins que ses contemporains à la tentation d'étaler (*display*) ses sentiments les plus intimes aux yeux de ses lecteurs; ou, tout au moins, quand il le fit, ce fut plutôt l'âme du poète que celle de l'homme qu'il s'attacha (*endeavored*) à révéler; car, selon lui, le génie du poète n'est que le signe d'une mission que Dieu lui a confiée, et il doit se consacrer au service de ses semblables. Au début de sa carrière, il avait partagé les idées de Chateaubriand et s'en était fait le défenseur enthousiaste. Il voyait dans la Monarchie et dans l'Église les seules garanties de stabilité sociale.[1] Dans son célèbre roman, *Notre-Dame de Paris*, il essaie de faire connaître l'esprit de la France médiévale, monarchiste et catholique. Cependant, après la Révolution de 1830, qui détrôna le roi réactionnaire, Charles X, et appela au pouvoir le roi bourgeois, Louis-Philippe, ses idées évoluèrent rapidement. Dans ses pièces de théâtre, il n'hésite pas à montrer combien de petitesse (*meanness*) peut recéler (*conceal*) l'âme d'un roi ou d'un noble,[2] et que, parfois, c'est parmi les gens du peuple que se découvrent les plus beaux traits de vertu et d'héroïsme. Ces idées nouvelles étaient d'ailleurs annoncées dès 1827 dans une *Préface* à un drame en prose, *Cromwell*, qui ne fut jamais porté à la scène; cette *Préface* est considérée comme le plus important manifeste de l'« École romantique. » Maints poèmes des recueils de Victor Hugo (*Chants du Crépuscule*, ou *Les Rayons et les Ombres*, par exemple) trahissent la même inspiration.

Ce fut entre 1840 et 1850 qu'il commença son grand roman *Les Misérables* où il développe cette pensée que la bonté envers le prochain peut guérir les misères de la grande famille humaine mieux que les lois, mieux que les institutions, mieux parfois que l'Église même. L'hostilité qu'il manifesta, après la Révolution de 1848, contre l'élévation de Louis Napoléon à l'Empire le fit bannir de France, de sorte que le roman ne fut publié qu'en 1862. Pendant cette longue période d'exil (1852–1870) aux îles anglaises de Jersey, puis de Guernesey, il écrivit ses plus beaux poèmes lyriques, contenus dans *Les Contemplations* (1856), et la plupart des poèmes épiques groupés sous le titre de *La Légende des Siècles* où il décrit la lente ascension de l'homme, des ténèbres vers l'idéal. N'oublions pas de dire que V. Hugo fut aussi le poète des enfants et qu'il publia tout un recueil de poésies qui leur est consacré, *l'Art d'être Grand-père*. Victor Hugo mourut en 1885 après des années de glorieuse vieillesse. On lui fit de magnifiques funérailles nationales au Panthéon.

Musset. Alfred de Musset (1810–1857) est le plus jeune du groupe des grands romantiques. Il est resté célèbre surtout par ses quatre poèmes, les *Nuits* (de mai, d'août, d'octobre, de décembre) et par le *Souvenir*, où s'exhale sa douleur après la romanesque passion qu'il éprouva pour une femme de lettres, George Sand. Un roman, *Confessions d'un Enfant du Siècle*, lui aussi rattaché à cet épisode vécu, est l'expression la plus raisonnée de l'illusion que se faisaient les romantiques en croyant que le bonheur est à la portée des humains. Quelques années plus tard, ce fut avec un humour ironique qu'il fit allusion encore une fois à cette aventure dans l'*Histoire d'un Merle blanc*. Tous ses poèmes, ses nouvelles, ses contes, et la plupart de ses pièces de théâtre sont caractérisés par un esprit très délicat où se mêle du pathétique.

---

1. Voir son recueil *Odes et Ballades* (1828). **2.** Voir *Hernani* (1830), *Lucrèce Borgia* (1833), *Ruy Blas* (1838) entre autres.

George Sand. Le même évangile (*gospel*) de pitié et de bonté envers les humbles et envers tous ceux qui souffrent, que nous avons déjà trouvé chez Victor Hugo, cette idée que le cœur humain est naturellement porté au bien — écho lointain de Jean-Jacques Rousseau — se retrouvent également dans les romans paysans de George Sand (1804–1876). Elle avait été d'abord animée d'un romantisme exalté, qu'elle mit en pratique du reste dans sa passion éphémère (*short-lived*) pour Alfred de Musset et qu'elle avait exprimé dans ses premiers romans (voir *Lelia*, ou *Indiana*). Quelques années plus tard, retirée dans sa propriété de Nohant, dans le Berry où elle était née, elle mérita le surnom de « bonne dame de Nohant. » C'est pendant cette seconde partie de sa carrière qu'elle écrivit ses meilleurs romans qui sont tout imprégnés de la douceur des mœurs champêtres (*rustic*); tels *La Mare au Diable*, *François le Champi* (*the foundling*), *Les Maîtres-Sonneurs* (*Bagpipe players*), et d'autres. On l'a souvent appelée « la George Eliot de la France. »

Michelet. C'est ici qu'il convient de mentionner aussi le grand historien Michelet (1798–1874) qui, dans une œuvre de profonde inspiration, a évoqué les qualités solides de la race française, et particulièrement du peuple. Nous donnons, parmi les textes de ce volume, son histoire de *Jeanne d'Arc*, la jeune Lorraine qui, touchée par « la pitié qu'il y avait au royaume de France » pendant la terrible Guerre de Cent Ans, accomplit l'œuvre de libération que tout le monde sait.

Mais Michelet n'est que le premier de toute une pléiade d'éminents historiens du « siècle de l'histoire » (le XIXe): Augustin Thierry, qui fut inspiré par Chateaubriand lorsqu'il écrivit ses *Récits des temps Mérovingiens*, Lamartine, avec son *Histoire des Girondins*, Thiers, auteur du *Consulat et de l'Empire* (épopée napoléonienne), et Guizot, auteur de l'*Histoire de la Civilisation en Europe et en France*.

DEUXIÈME PARTIE DU DIX–NEUVIÈME SIÈCLE: LE RÉALISME ET LE NATURALISME. LE PARNASSISME. LE SYMBOLISME

Les savants n'avaient cessé, même à l'époque du romantisme triomphant, de poursuivre l'œuvre des Buffon et des Encyclopédistes du XVIIIe siècle. Ces progrès dans le domaine de l'observation scientifique ne devaient pas être perdus pour les romanciers et les hommes de théâtre qui les suivirent et qui étaient portés, plus que les romantiques, à sonder les profondeurs de l'âme humaine. C'est ainsi que naquit, dès les premières années du XIXe siècle, le mouvement réaliste.

Stendhal. Henri Beyle (1783–1842), plus connu sous le nom de Stendhal, fut le premier en date des grands réalistes. Ce qui l'intéressait toutefois, c'était moins l'observation de la foule composée surtout de gens moyens, que celle d'individualités énergiques qui pouvaient en émerger. Napoléon fut son idole parce qu'il représentait le type de l'homme qui arrive à une haute destinée à force (*by dint*) d'intelligence et de volonté. Par cette exaltation de l'individualisme, Stendhal se rattache encore bien à la période romantique. Ses deux héros de roman sont Julien Sorel dans *Le Rouge et le Noir*, et Fabrice dans *La Chartreuse de Parme*.

Balzac. La renommée d'Honoré de Balzac (1799–1850) éclipsa pendant longtemps celle de Stendhal. Son réalisme est d'ailleurs loin d'être aussi exclusif. Il emprunte ses personnages à toutes les classes de la société, et il s'intéresse souvent aux caractères faibles ou effacés (*unassuming*) autant qu'à ceux qui offrent une forte individualité — les « figures saillantes (*outstanding*) » comme il appelle ces derniers. Au point de vue social, il est franchement réactionnaire. Le roi et l'Église sont, à ses yeux, comme à ceux de Chateaubriand, les seuls garants de l'ordre. Ses nombreux romans, groupés sous le nom général de *Comédie Humaine*, s'attachent à montrer les conséquences néfastes (*nefarious*) de la Révolution ; il rend celle-ci responsable du développement des basses passions humaines, surtout celle, mesquine (*mean*) et méprisable, de l'argent, tandis que les passions nobles, telles que l'ambition, l'honneur, la gloire militaire, qui avaient marqué les époques d'avant la Révolution, tombaient dans l'oubli. Toutefois, si la plupart de ses célèbres romans exposent cette théorie,[1] il en est quelques-uns où Balzac, par le simple souci d'être vrai, admet que tout ce qui est sorti de la tempête de la Révolution n'a pas été mauvais.[2]

Le roman, vers le milieu du siècle, avait pris un tel développement qu'il est impossible, sans devenir fastidieux (*tiresome*), de citer ne fût-ce que les noms qui sont restés célèbres. Il faut se borner à mentionner rapidement les plus originaux: Prosper Mérimée (1803–1870), auteur de *Colomba* et de *Carmen*, et Théophile Gautier (1811–1872), auteur de *Mademoiselle de Maupin*, du *Roman de la Momie*, du *Capitaine Fracasse*, de *Jettatura*. Tous deux, quoique nettement romantiques, ou plutôt romanesques dans le choix de leurs sujets, avaient suivi l'exemple de Stendhal et de Balzac et présentaient leurs récits avec une objectivité assaisonnée d'ironie ou d'humour.

Et comment oublier ici le prince des romanciers d'aventure, Alexandre Dumas (1803–1870), auteur des *Trois Mousquetaires*, du *Comte de Monte-Cristo*, de *La Tulipe noire?*

Flaubert. Celui qui, selon la critique littéraire, porta à sa plus grande perfection la mise en œuvre (*carrying out*) des idées réalistes, fut Gustave Flaubert (1821–1880). Il empruntait ses sujets, tantôt à la vie contemporaine, comme dans la fameuse *Madame Bovary*, tantôt à l'histoire, comme dans *Salammbô*, où il tenta de faire revivre, à l'aide de nombreux documents, la civilisation de la vieille Carthage. C'est lui aussi qui popularisa dans le monde moderne la légende de Salomé, dans *Hérodias* qui faisait partie du volume intitulé *Trois Contes*.

1. *Eugénie Grandet, Le Père Goriot.* 2. *Le Médecin de Campagne, les Paysans.*

Si Flaubert, en vérité, est encore loin d'avoir perdu toute affinité avec le romantisme, ses successeurs consommèrent la rupture.[1] C'est que le réalisme avait pénétré par ailleurs dans la littérature, en particulier par la voie de la critique dont Sainte-Beuve (1804–1869), auteur des *Causeries du Lundi*,[2] fut le représentant le plus illustre. En même temps, deux autres écrivains encourageaient la même tendance dans les domaines de la philosophie et de l'histoire: l'un, Hippolyte Taine (1828–1893), auteur de *L'Intelligence*, de plusieurs volumes d'histoire de l'art et d'une grande *Histoire de la Littérature anglaise*, dont l'introduction fit pour les idées réalistes ce qu'avait fait la *Préface de Cromwell* pour l'école romantique; l'autre, Ernest Renan (1823–1892), auteur des *Dialogues philosophiques*, et d'une *Histoire des Origines du Christianisme* dont le volume consacré à la *Vie de Jésus* créa une grosse sensation.

L'évolution du Réalisme devait conduire au Naturalisme dont il préparait le succès.

LE NATURALISME: LES FRÈRES GONCOURT, ZOLA, DAUDET, ANATOLE FRANCE

Le but nettement avoué était d'effectuer un rapprochement entre les ouvrages d'imagination et les sciences; en fait, cela revenait à adopter comme critère de l'excellence d'un roman, non pas sa valeur artistique mais sa valeur d'objectivité. Les écrivains qui les premiers favorisèrent cette tendance furent les frères Goncourt, Edmond (1822–1896) et Jules (1830–1870). Ils créèrent ce qu'on a appelé assez justement « l'école du document » pour signifier que les œuvres qu'elle produisait reposaient entièrement sur des vérités fournies par des documents scientifiques.[3] Ils furent suivis par Émile Zola (1840–1902) qui, par la vigueur de son talent, fit passer au second plan les vrais initiateurs de la formule. Ce que prétendait réaliser le « naturalisme », Zola l'explique dans son volume *Le Roman expérimental*, dont le titre évoquait l'ouvrage fameux de Claude Bernard, *La Médecine expérimentale* (1865). Il publia successivement trois séries de romans: d'abord *Les Rougon-Macquart, Histoire d'une Famille sous le Second Empire*, qui rappelle Balzac par sa manière de relier les volumes les uns aux autres, en reprenant les mêmes personnages, ici les membres d'une même famille, à travers trois générations. *Les Rougon-Macquart* prétendaient être une étude fondée sur les lois scientifiques de l'hérédité, étude de couleurs très sombres d'ailleurs. Dans la seconde série, *Les Trois Villes*, l'auteur se proposait de tirer des conclusions pratiques de ses observations: soumettant les croyances modernes à une

1. D'ailleurs Flaubert lui-même devait juger tout à fait erronées les théories de ceux-ci, et surtout celles de leur chef Émile Zola. 2. Articles de critique littéraire publiés chaque lundi dans divers journaux de l'époque. 3. Quelques romans des deux frères: *Sœur Philomène, Germinie Lacerteux, Renée Mauperin*. Romans d'Edmond de Goncourt seul, après la mort de son frère: *La Fille Élisa, Les Frères Zemganno, La Faustine*.

critique assez sévère dans *Lourdes* (la ville des guérisons miraculeuses), et dans *Rome* (la ville qui dirigeait la vie spirituelle du monde), il proposait dans *Paris* (la ville-lumière) une religion de la science destinée à réformer le monde. Toutefois, sans l'avouer explicitement, il se récusait (*retracted*) à demi aux dernières pages; et, dans sa troisième série, *Les Quatre Évangiles*, il faisait clairement appel à des forces morales pour la régénération de l'humanité: *Fécondité, Travail, Vérité* et *Justice*. La mort, cependant, interrompit l'auteur avant l'achèvement du quatrième volume.

Ajoutons qu'il y eut différentes nuances de Réalisme ou Naturalisme (les deux termes sont souvent employés l'un pour l'autre), l'élément fondamental demeurant la description objective de la vie. Si, en effet, le Réalisme de Zola était essentiellement pessimiste, au moins dans la première et plus importante partie de sa carrière,[1] celui d'Alphonse Daudet (1840–1897) était agrémenté d'un délicat sentimentalisme, et celui d'Anatole France (1844–1924) d'une pénétrante, mais souriante satire.[2]

Loti, Huysmans, Bourget, Bazin, Barrès. Mais la littérature française de la fin du XIXe siècle, dans le domaine du roman, ne fut pas exclusivement réaliste. Il y eut des hommes de très grand talent qui restèrent toujours en dehors de ce mouvement, ou bien en sortirent tôt ou tard. Chez Pierre Loti (1850–1923), nous trouvons l'exotisme; chez Karl Huysmans (1848–1907) un sensualisme mystique; chez Paul Bourget (1852–1935), René Bazin (1853–1932), et, avec une note plus personnelle, chez Maurice Barrès (1862–1923) un traditionalisme moral, social ou politique.

Les Poètes de la Seconde Partie du XIXe Siècle: Le Parnasse. Le Symbolisme. Après la glorieuse époque du Romantisme, la poésie réagissant contre le sentimentalisme exalté, connut une période caractérisée par « l'impassibilité » du poète, et par l'attention donnée à la forme — attention si grande que ce mouvement est souvent appelé celui de « l'art pour l'art. » C'est à Théophile Gautier (1811–1872), l'auteur d'un recueil admirable, *Émaux et Camées*, que revient le succès de cette formule, ainsi qu'à son ami Théodore de Banville (1823–1891).[3] Toute une école de poètes se rallia à ces précurseurs. Ils se groupèrent pour publier *Le Parnasse contemporain*,[4] d'où le nom de « Parnassiens » par lequel on les désigne. Les plus connus de ces « Parnassiens » sont: Leconte de Lisle (1818–1894), l'aîné et le chef de l'école, Sully-Prudhomme (1839–1907), François Coppée (1842–1908) et José-Maria de Hérédia (1842–1905).

Après quelques années, deux autres poètes qui, d'abord, avaient adopté les procédés parnassiens, se détachèrent pour former une nouvelle école, celle des

1. Ainsi que celui d'un de ses meilleurs disciples, Guy de Maupassant (1850–1893). **2.** Principaux romans d'Alphonse Daudet: *Le Petit Chose, Fromont jeune et Risler aîné, Le Nabab, Numa Roumestan, Tartarin de Tarascon, Lettres de mon Moulin, Contes du Lundi*, etc. Principaux romans d'Anatole France: *Le Crime de Sylvestre Bonnard, Le Livre de mon Ami, La Rôtisserie de la Reine Pédauque, Thaïs, Le Lys rouge*, etc. **3.** Auteur d'une série de petits recueils aux titres révélateurs, comme *Les Stalactites, Les Cariatides, Odes funambulesques*, etc. **4.** Sorte d'anthologie de vers dont il ne parut que trois livraisons.

« Symbolistes », dont l'activité consista surtout à assouplir le vers, et à chercher des raffinements de pensées, en un mot, à préférer une expression allégorique ou symbolique à une expression directe de leur inspiration. C'étaient Verlaine (1844–1896) et Mallarmé (1842–1898). Le premier surtout laissa une œuvre admirable, quoiqu'il eût mené une existence bohème au dernier degré; on l'a souvent comparé, et pour son inspiration poétique et pour sa vie irrégulière, à François Villon, auteur de la *Ballade des Dames du Temps Jadis*. Le second inaugura la série des poètes au style cryptique qui, par la profondeur ou l'incohérence, restent inaccessibles aux non-initiés.[1]

Il est un poète qui, lui aussi, appartient à la génération des Parnassiens mais qui, comme Verlaine et Mallarmé, n'est pas réellement des leurs, et, qui, en tout cas, leur a survécu à tous par l'influence qu'il continue d'exercer sur les plus récents écrivains en vers et même en prose. C'est Charles Baudelaire (1821–1867), auteur d'un petit volume, *Les Fleurs du Mal*[2] et d'une série de *Petits Poèmes en prose*. On a dit qu'il avait créé en littérature un « frisson nouveau » (*thrill of a new kind*). Non seulement il a, comme bien d'autres parmi ses contemporains (Gautier, Flaubert, etc.), professé la « haine du bourgeois », mais il a cherché une jouissance artistique dans les sensations de terreur[3] et, plus encore, dans celles du laid physique et moral qui avaient pour lui une fascination morbide. On est enclin aujourd'hui à voir en lui un précurseur du satanisme, du freudisme, par ses excentricités de toutes sortes.

Sans aller jusqu'à dire que les poètes qui ont succédé aux « Symbolistes » ont abandonné l'inspiration et la prosodie libre de leurs devanciers (*predecessors*), on doit reconnaître que certains d'entre eux, et non des moins estimés, sont, en somme, restés en dehors de leur influence. Il faut citer surtout le grand poète belge, Émile Verhaeren (1895–1916) qui a chanté la gloire de la civilisation moderne, y compris les succès de l'industrie, et qu'on a parfois comparé à l'Américain Walt Whitman; et la Comtesse de Noailles (1876–1933), prêtresse de l'amour panthéiste de la nature.

Le Théâtre au XIXe Siècle. A dire vrai, le théâtre au XIXe siècle, depuis l'époque romantique, c'est-à-dire depuis Victor Hugo, Vigny, Musset, ne brille (*shines*) pas par une grande originalité. Il faudrait citer, cependant, le théâtre d'Eugène Scribe (1791–1861), auteur de: *Un Verre d'eau, Adrienne Lecouvreur, Bataille de Dames;* à son nom s'attache la réputation d'auteur de la « pièce bien faite » — ce qui en somme constitue un blâme aussi bien qu'un éloge. Il y eut vers le milieu du siècle une tendance moralisatrice assez accusée (*marked*) avec Augier (1820–1899), auteur de *L'Aventurière*, du *Fils de Giboyer*, du *Gendre de M. Poirier;* et avec Alexandre Dumas, fils (1824–1895), auteur de *La Dame aux Camélias*, de *La Question d'Argent*, de *Francil-*

---

1. Les poètes « symbolistes » dont la renommée paraît le plus assurée sont: Henri de Régnier (1864–1936), Jean Moréas (1856–1910), Albert Samain (1858–1900), Paul Fort (1872–   ), Francis Jammes (1868–   ). **2.** Ce livre, jugé immoral, donna lieu à un procès retentissant. **3.** Il avait une grande admiration pour Edgar Allan Poe dont il traduisit les *Histoires extraordinaires.*

lon; avec V. Sardou (1831–1908), auteur de *La Famille Benoîton*, de *Madame Sans-Gêne;* et même avec Édouard Pailleron (1834–1899), auteur de la pièce célèbre *Le Monde où l'on s'ennuie.* Un auteur de comédies dont la réputation se maintient est Eugène Labiche (1815–1889), l'auteur bien connu du *Voyage de M. Perrichon* et de *La Poudre aux yeux* (contenue dans ce volume). Enfin on ne peut mentionner comme important au théâtre, parmi les Réalistes, que Henri Becque (1837–1899), auteur des *Corbeaux* et de *La Parisienne.*

LE VINGTIÈME SIÈCLE

Il est impossible, dans un aperçu aussi rapide, de chercher à donner une idée, même superficielle, de la littérature contemporaine; et cela non seulement à cause du nombre des écrivains qu'il faudrait nommer, mais surtout à cause des aspects si divers et si complexes qu'elle présente. On peut dire qu'aucun des genres littéraires des siècles passés n'est sans représentant aujourd'hui. Entre un individualisme poussé jusqu'aux dernières limites de l'excentricité et une conception de l'humanité vue comme une masse collective, dans laquelle les différences personnelles sont complètement noyées, entre un réalisme effréné (*frantic*) et brutal et un imagisme qui rejette toute attache avec le monde de la réalité, il y a cent nuances diverses. Tout ce qu'on peut faire, c'est tirer de cette mêlée (*confusion*) quelques noms qui, pour l'heure présente au moins, se sont imposés à l'attention.

Dans le domaine du **théâtre,** par exemple, Maeterlinck a opposé au Réalisme, dès les dernières années du siècle passé, des pièces d'une poésie transcendante (*transcendental*) et d'une fantaisie éthérée (*subtle*); sa *Princesse Maleine* date déjà de 1890. Edmond Rostand, qu'on a souvent qualifié de « néo-romantique » à cause de son antipathie (*distaste*) pour une littérature dépourvue de romanesque et d'idéal, a souvent exploité la veine chevaleresque, dans *Cyrano de Bergerac*, dans *L'Aiglon*, et même dans *Chantecler.* D'autres ont fait des drames puissants, soit avec thèse morale, soit sans aucune thèse, comme Octave Mirbeau, avec *Les Affaires sont les Affaires*, Eugène Brieux, Paul Hervieu, Henri Bataille, Henri Bernstein, Maurice Donnay, H. Lavedan, H. Lenormand, P. Raynal. D'autres encore ont penché du côté de la fantaisie: Alfred Capus, Tristan Bernard, Courteline, Sacha Guitry, Marcel Pagnol, et, avec plus de succès encore, Jules Romains et Jean Giraudoux.

Dans le domaine du **roman,** citons Henri Bordeaux, traditionaliste dans le sens de Paul Bourget et de René Bazin; Romain Rolland, l'apôtre d'un idéalisme humanitaire à la manière du Comte Tolstoï; André Gide, âme tourmentée, sceptique, d'un nihilisme qui déconcerte; Marcel Proust, représentant par excellence du roman psychologique poussé aussi loin que possible dans sa minutie et, vers la fin, s'armant d'une cinglante (*cutting*) satire morale; lui-même entouré d'une phalange d'écrivains analystes, tous divers, comme Duhamel, Vaudoyer, Miomandre, Giraudoux, Jules Romains, Roger Martin Du Gard, Madame Colette, Marcelle Tinayre, Lacretelle, Julian Green, François Mauriac, etc.   Puis il y a les romanciers qui étudient la province, et surtout les paysans, comme Pérochon, Pourrat, Escholier, Giono, Jolinon; les auteurs de romans d'aventures, comme Benoît, Béraud, de romans maritimes ou exotiques, comme Claude Farrère, Larrouy, Vercel, Morand, de romans d'apaches (*gangsters*), comme Carco, de romans de guerre, comme René Benjamin, et surtout Roland Dorgelès.

Dans le domaine de la **poésie,** jamais tout à fait délaissée (*abandoned*) en France, l'auteur qui dans ces dernières années a eu le plus d'admirateurs est Paul Valéry; symboliste dans sa jeunesse, il rentre en scène, après bien des années de silence, dans ce qui paraît être le camp opposé, c'est-à-dire celui d'un intellectualisme résolu; ses idées sont exprimées dans des poèmes d'un langage extrêmement concis et compact; c'est pourquoi, aux yeux du lecteur profane, il est aussi inaccessible depuis qu'il parle le langage de la raison analytique que quand il se servait du langage indirect et symboliste de ses frères d'armes d'autrefois.

AUCASSIN ET NICOLETTE

XIIIe SIÈCLE

Ce roman d'aventures, dont l'auteur est resté inconnu, date probablement du commencement du XIIIe siècle. Il n'en existe qu'un manuscrit qui se trouve à la Bibliothèque Nationale, à Paris.

C'est une des plus ingénieuses productions de la littérature du Moyen-âge, une *chante-fable* où la prose alterne avec des vers destinés à être chantés, la prose pour les récits, les vers pour l'expression des sentiments. L'auteur y raconte les amours d'Aucassin, fils du comte de Beaucaire (en Provence), et de Nicolette, née de sang royal, mais enlevée et vendue comme esclave par les Sarrasins. Leurs amours sont traversés par maintes (*many*) aventures.

Tout, dans cette histoire des jeunes amants, est présenté avec décence et avec une charmante simplicité. Quelques épisodes comiques ajoutent à l'intérêt du récit.

Le texte imprimé ici est celui de l'excellente traduction en vers français modernes d'Alexandre Bida, de la fin du siècle dernier.

CHANT

Qui veut écouter aujourd'hui
Les vers qu'un captif misérable [1]
A faits pour charmer son ennui?
C'est l'histoire très mémorable
De deux enfants, couple charmant, 5
D'Aucassin et de Nicolette.
Vous y verrez quel gros tourment
Au jouvenceau,[2] son cher amant,
Causa l'amour de la fillette. 9
Doux est le chant, beaux sont les vers,

Et le récit du vieux poète,
Savant, instructif et divers,
N'a rien qui ne soit fort honnête.
Nul n'est si dolent,[3] si marri,[4]
De si grand mal endolori,[5] 15
Si navré [6] de tristesse noire,
Que, s'il veut ouïr [7] cette histoire,
Il n'en soit aussitôt guéri,
  Tant elle est douce.

RÉCIT

Le comte Bougars de Valence [8] faisait au comte Garin de Beaucaire [9] une 20 guerre si grande, si terrible et si mortelle qu'il ne passait pas un seul jour sans se présenter aux portes, aux murs et aux barrières de la ville avec cent chevaliers et dix mille sergents [10] à pied et à cheval. Il lui brûlait sa terre, lui ruinait son pays et lui tuait ses hommes. Le comte Garin de Beaucaire était vieux et faible; il avait fait son temps.[11] Il n'avait aucun héritier,[12] ni 25 fils ni fille, si ce n'est un jeune garçon qui était tel que je vais vous le dire. Le

---

1. Seule indication que nous ayons sur l'auteur du récit. **2.** jeune homme. **3.** triste. **4.** contrarié, fâché. **5.** souffrant. **6.** affligé. **7.** entendre. **8.** ville des bords du Rhône, au sud de Lyon. **9.** ville sur le Rhône, au sud de Valence, mais pas sur la mer comme le suppose le poète (*voir p. 43, ll. 23–24*). **10.** sergents à pied: hommes d'armes. **11.** fait son temps: *he had lived his life.* **12.** heir.

damoiseau [1] s'appelait Aucassin.   Il était beau, gentil et grand, bien en jambes et en pieds, bien aussi de corps et de bras.   Il avait les cheveux blonds et frisés en petites boucles,[2] les yeux vairs [3] et riants, le visage clair et délicat, le nez haut et bien planté.   Et il était si bien doué de [4] toutes bonnes qualités qu'il n'y en avait en lui de mauvaise: mais il était si rudement féru [5] d'amour,   5 qui tout vainc, qu'il ne voulait ni être chevalier, ni prendre les armes, ni aller aux tournois,[6] ni rien faire de ce qu'il devait.   Son père et sa mère lui disaient:

— Fils, prends tes armes, monte à cheval, défends ta terre et viens en aide à tes hommes.   S'ils te voient parmi eux, ils défendront mieux leurs corps et leurs biens, ta terre et la mienne.   10

— Père, fait Aucassin, que dites-vous là?   Dieu ne m'accorde [7] jamais rien de ce que je lui demande, si je deviens chevalier, monte à cheval et vais à la bataille où je pourrai frapper ou être frappé, avant que vous m'ayez donné Nicolette, ma douce amie, que tant j'aime.

— Fils, dit le père, cela ne se peut.   Laisse là Nicolette.   C'est une captive 15 qui fut amenée d'une terre étrangère.   Le vicomte de cette ville l'acheta des Sarrasins et l'amena ici.   Il l'a tenue sur les fonts,[8] baptisée et faite sa filleule [9]; il lui donnera un de ces jours un bachelier [10] qui lui gagnera honorablement son pain.   Tu n'as que faire d'elle [11]; et, si tu veux prendre femme, je te donnerai la fille d'un roi ou d'un comte.   Il n'y a si grand seigneur [12] en 20 France qui ne te donne sa fille, si tu la veux.

— Ma foi,[13] père, fait Aucassin, y a-t-il aujourd'hui en ce monde si haut rang que, si Nicolette, ma très douce amie, y était placée, elle ne s'en trouvât digne?   Si elle était impératrice de Constantinople ou d'Allemagne, reine de France ou d'Angleterre, ce serait encore assez peu pour elle, tant elle est 25 noble, honnête et bonne, et douée de toutes bonnes qualités.

CHANT

Aucassin était de Beaucaire,
D'un castel au noble séjour;
Nul ne le peut jamais distraire [14]
De son cruel et cher amour.   30
Son père toujours le querelle; [15]
Et sa mère: — Méchant, dit-elle,
Que prétends-tu donc? J'en conviens,[16]
Nicolette est honnête et belle,
Mais d'une terre de païens   35

En ce pays elle est venue,
Par d'impurs [17] Sarrasins vendue.
Puisque femme tu veux choisir,
Prends donc fille de haut parage.[18]
— Mère, ce n'est pas mon désir: 40
Nicolette est gentille et sage;
Pur est son cœur, beau son visage,
Il est juste que j'aie un jour
Et son beau corps et son amour,
Qui tant m'est douce.[19]   45

1. jeune seigneur (masculin de demoiselle, archaïque et poétique).   **2.** frisés . . . boucles: lit., *curled in short curls.*   **3.** (du latin *varius*): de couleur changeante.   **4.** *endowed with.* **5.** fortement blessé (du latin *ferire*, frapper, blesser).   **6.** *tournaments.*   **7.** (Je souhaite que) Dieu ne m'accorde.   **8.** fonts (baptismaux).   **9.** *goddaughter.*   **10.** jeune chevalier. **11.** tu n'as . . . d'elle: *she is not the person for you.*   **12.** *There is no lord, however mighty in France.*   **13.** *upon my faith.*   **14.** faire oublier.   **15.** gronde.   **16.** *I agree.*   **17.** *unclean* (because not Christians).   **18.** *high lineage.*   **19.** « amour » était féminin au 13e siècle.

RÉCIT

Quand le comte Garin de Beaucaire voit qu'il ne peut distraire son fils Aucassin de l'amour de Nicolette, il va trouver le vicomte de la ville, qui était son vassal, et lui parle ainsi:

— Sire vicomte, faites disparaître Nicolette, votre filleule. Maudite [1] soit la terre d'où elle est venue en ce pays! Car à cause d'elle je perds Aucassin, 5 qui ne veut pas devenir chevalier, ni rien faire de ce qu'il doit. Et sachez bien que si je puis m'emparer [2] d'elle, je la ferai brûler vive, et vous-même pourrez avoir grand'peur pour vous.

— Sire, fait le vicomte, j'ai regret qu'Aucassin aille et vienne et cherche à lui parler. J'ai acheté cette fille de mes deniers,[3] je l'ai tenue sur les fonts et 10 baptisée et faite ma filleule. Je lui aurais donné un bachelier qui lui aurait gagné honorablement son pain. Votre fils Aucassin n'aurait eu que faire d'elle.[4] Mais, puisque c'est votre volonté et votre plaisir, je l'enverrai en tel pays et en tel lieu que jamais il ne la verra de ses yeux.

— Prenez garde à vous, fait le comte Garin: grand mal vous en pourrait 15 advenir!

Ils se quittent. Le vicomte était très riche: il avait un beau palais donnant sur [5] un jardin. Il y fait enfermer [6] Nicolette dans une chambre de l'étage le plus élevé, et il place près d'elle une vieille femme pour lui tenir compagnie. Il fait apporter pain, viande et vin, et tout ce dont elles peuvent avoir besoin. 20 Puis, il fait sceller [7] la porte afin qu'on ne puisse y entrer ni en sortir, et tout fermer, à l'exception d'une fenêtre toute petite qui donnait sur le jardin, par où venait un peu d'air pur.

CHANT

Donc Nicolette fut jetée
Dans une grand'chambre voûtée,[8] 25
Bien bâtie et peinte à ravir [9];
Mais ce n'était pour son plaisir.
Elle vint près de la fenêtre,
Et regarda dans le jardin.
Quand elle vit en son chagrin 30
Les belles fleurs prêtes à naître,
Et dans l'ombre des verts rameaux [10]
S'appeler les petits oiseaux,
Alors Nicole la blondine
Se sentit vraiment orpheline. 35

— Ah! Seigneur, pourquoi suis-je ici?
Mon damoiseau, mon cher souci,[11]
Or vous savez que je vous aime;
Et je sais bien que, Dieu merci,
Je ne vous déplais pas moi-même. 40
Ami, c'est donc pour votre amour
Que l'on m'a mise en ce séjour,
Où je traîne [12] une triste vie;
Mais, par Dieu, le Fils de Marie,
Bien longtemps je n'y resterai; 45
Et sûrement j'en sortirai
S'il se peut faire.[13]

1. *accursed.* 2. *take hold of.* 3. du latin *denarium, dime;* (idiom): *with my own money.* 4. *would not have wanted her.* 5. *opening on.* 6. emprisonner. 7. *wall up.* 8. *vaulted.* 9. *most beautifully.* 10. branches. 11. *object of my tender care.* 12. *drag.* 13. si cela peut se faire: si c'est possible.

RÉCIT

Nicolette était en prison, comme vous l'avez ouï [1] et entendu, dans cette grand'chambre. Le bruit se répandit [2] par tout le pays que Nicolette était perdue. Les uns disaient qu'elle s'était enfuie [3] hors du territoire, les autres que le comte Garin de Beaucaire l'avait fait mourir. Si quelqu'un en fut joyeux, Aucassin en eut un grand chagrin. Il va trouver le vicomte de la 5 ville et lui parle ainsi:

— Sire vicomte, qu'avez-vous fait de Nicolette, ma très douce amie, la chose que j'aimais le plus au monde? Me l'avez-vous ravie? Sachez bien que, si j'en meurs, compte vous en sera demandé [4]; et ce sera bien juste, car vous m'aurez tué de vos deux mains, en m'enlevant [5] ce que j'aimais le plus 10 au monde.

— Beau sire, fait le comte, laissez cela. Nicolette est une captive que j'amenai de la terre étrangère. Je l'achetai des Sarrasins de mes propres deniers. Je l'ai tenue sur les fonts et baptisée et faite ma filleule. Je l'ai nourrie, et je lui aurais donné un de ces jours un bachelier qui lui aurait gagné 15 honorablement son pain. Ce n'est pas votre affaire.[6] Mais prenez plutôt la fille d'un roi ou d'un comte. Au surplus,[7] que croiriez-vous avoir gagné si vous l'aviez prise pour maîtresse? Vous y feriez peu de profit; car pendant toute l'éternité votre âme serait en enfer, et vous n'entreriez jamais en paradis.

— Qu'ai-je à faire en paradis? Je n'y désire entrer, mais bien avoir Nicolette, 20 ma très douce amie que tant j'aime. Car en paradis ne vont que telles gens que je vais vous dire: de vieux prêtres, de vieux éclopés [8] et manchots [9] qui, nuit et jour, se traînent [10] devant leurs autels [11] et dans leurs vieilles cryptes; et puis ceux qui portent ces vieilles chapes [12] usées et sont vêtus de ces vieilles robes de moines, ceux qui vont nus et sans chaussures, couverts de tumeurs et 25 mourant de faim et de soif, de froid et de misère. Ceux-là vont en paradis; je n'ai que faire [13] avec eux: mais bien en enfer veux-je aller; car en enfer vont les beaux clercs [14] et les beaux chevaliers qui sont morts aux tournois et aux belles guerres, et les bons écuyers [15] et les gentils-hommes.[16] Avec ceux-là veux-je bien aller. Là vont aussi les belles et honnêtes dames qui ont deux ou 30 trois amis, avec leurs barons. Là va l'or, l'argent, les fourrures de vair et de gris,[17] et les joueurs de harpe, et les jongleurs,[18] et les rois du monde. Avec ceux-là veux-je bien aller, pourvu que j'aie Nicolette, ma très douce amie, avec moi.

— Certes, fait le comte, vous en parlez en vain: jamais ne la reverrez. Et 35 si vous lui parliez et que votre père vînt à le savoir, il nous brûlerait vifs, elle et moi, et vous-même pourriez avoir grand'peur pour vous.

---

1. *heard.* 2. *The rumor spread.* 3. *fled.* 4. compte . . . demandé: *you will be held to account.* 5. *robbing me of.* 6. *she is not the person for you.* 7. *moreover.* 8. *invalides.* 9. personnes privées d'un (ou de deux) bras. 10. *crawl.* 11. *altars.* 12. manteau sans manche, jeté sur les épaules. 13. *I wish to have nothing to do.* 14. *old word for scholars.* 15. *squires.* 16. *noblemen.* 17. petit gris (*squirrel*). 18. *minstrels.*

— Cela m'afflige, dit Aucassin.

Et tout triste, il quitte le vicomte.

CHANT

Aucassin, morne [1] et désolé,[2]
Sans plus parler s'en est allé.
De son amie au blanc visage   5
Qui donc pourrait le consoler ?
Semblablement, quel homme sage
Oserait bien le conseiller ?
Vers le riche palais du comte
Il s'en retourne lentement ;   10
Lentement les degrés [3] il monte,
Et, pour songer à ses malheurs,
Seul, dans sa chambre il se renferme.
Là ce furent des cris, des pleurs,
Et des regrets et des douleurs,   15

Qu'on n'en saurait prévoir le terme.[4]
— O Nicolette, ô mon amour,
Au doux aller, au doux retour,[5]
Au doux maintien,[6] au doux langage,
Aux doux baisers, au doux visage,   20
Au front blanc plus pur que le jour,
Pour vos beaux yeux mon âme est
    pleine
De tant de deuil [7] et de tourment
Que jamais d'une telle peine
Je ne pourrai sortir vivant,   25
    Ma sœur amie.

RÉCIT

Pendant qu'Aucassin était ainsi dans sa chambre à regretter Nicolette sa mie,[8] le comte de Valence, qui avait à soutenir sa guerre, ne s'oubliait point. Il avait mandé [9] ses hommes de cheval et de pied. Il se dirige donc vers le château pour l'assaillir.[10] Le bruit s'en répand,[11] et les chevaliers et les 30 sergents du comte Garin s'arment et courent aux murs et aux portes pour défendre le château. Et les bourgeois montent aux créneaux [12] et jettent carreaux [13] et pieux aigus.[14] Pendant que l'assaut était le plus vif, le comte de Beaucaire vient à la chambre où Aucassin menait deuil [15] et regrettait Nicolette, sa très douce amie, que tant il aimait.   35

— Ha ! fils, dit-il, es-tu assez malheureux et faible de voir ainsi assaillir ton château, le meilleur et le plus fort ! Or sache bien, si tu le perds, que tu es déshérité. Fils, allons, prends tes armes, monte à cheval et défends ton bien, prête main-forte [16] à tes hommes et va à la bataille. Point n'est besoin [17] que tu frappes un homme ou qu'un autre te frappe. Si nos vassaux te voient au 40 milieu d'eux, ils défendront mieux leur avoir et leurs corps, ta terre et la mienne, et tu es si grand et si fort que, puisque tu le peux faire, faire le dois.

— Père, dit Aucassin, que dites-vous là ? Que Dieu ne m'accorde rien de ce que je lui demande, si je me fais chevalier, monte à cheval et vais à la

1. *mournful.* 2. *grieved.* 3. *steps.* 4. *fin.* 5. au doux aller, au doux retour: *with the gentle gait; the two expressions are synonymous.* 6. *carriage.* 7. *grief.* 8. *old French for* « sa amie, » *or to-day* « son amie. » 9. sommé (*summoned*) de venir. 10. attaquer, faire l'assaut. 11. *spreads.* 12. *battlements.* 13. vieux français pour « flèches » (*arrows*). 14. *pointed stakes.* 15. menait deuil: se désolait. 16. prête main-forte: aide. 17. il n'y a pas de nécessité.

bataille où je frappe chevaliers ou chevaliers me frappent, avant que vous m'ayez donné Nicolette, ma douce amie que tant j'aime.

— Fils, dit le père, c'est impossible. J'aimerais mieux perdre tout ce que j'ai que te la donner pour femme.

Il s'en va. Et quand Aucassin le voit s'en aller, il le rappelle. 5

— Père, fait Aucassin, venez ça.[1] Je vous ferai une proposition.

— Laquelle, beau fils?

— Je prendrai les armes et j'irai à la bataille, à la condition que si Dieu me ramène sain et sauf,[2] vous me laisserez voir Nicolette, ma douce amie, le temps de lui dire deux ou trois mots et de lui donner un seul baiser. 10

— Je l'octroie,[3] fait le père.

Il lui en donne sa parole, et rend son fils heureux.

CHANT

Aucassin, sur cette promesse,	Avec l'écu [9] sur sa poitrine [10]
Eut le cœur si rempli d'ivresse [4] 14	Et sa forte lance en son poing,[11]
Que, pour cent mille marcs [5] d'or pur,	Je vous jure qu'on ne vit point
Il n'eût pas donné, j'en suis sûr,	Chevalier de plus fière mine. 25
L'espoir de si douce caresse.	De son amie il se souvient,
Il appelle son écuyer	Pique [12] son cheval, qui s'élance,[13]
Et pour la bataille il s'apprête [6]:	Et le front haut, haute la lance,
L'épée au flanc,[7] le casque en tête, 20	Tout droit à la porte il s'en vient,
Il monte sur son destrier.[8]	A la bataille. 30

RÉCIT

Aucassin s'avance, armé, sur son cheval, comme vous l'avez ouï et entendu. Dieu! comme son armure [14] lui va bien, l'écu au col,[15] le heaume [16] en tête et les glands [17] de son épée sur sa hanche [18] gauche! Et le jeune varlet [19] est grand et fort, beau et bien fait, et le cheval qu'il chevauche [20] vif et rapide; et il l'a bien dirigé par le beau [21] milieu de la porte. Or ne croyez pas qu'il 35 songe à prendre bœufs, vaches ni chèvres,[22] à tuer un chevalier ou qu'un chevalier le peut tuer. Nenni [23]: il n'y pense pas, mais rêve tant à Nicolette, sa douce amie, qu'il oublie ses rênes et ce qu'il vient faire. Et le cheval, qui avait senti l'éperon,[24] l'emporte dans la mêlée. Il se lance jusqu'au milieu des ennemis, qui jettent de toutes parts [25] les mains sur lui et le prennent. Ils lui 40 enlèvent son écu et sa lance, l'emmènent soudain prisonnier et allaient déjà s'entretenant [26] de quelle mort ils le feraient mourir. Alors seulement Aucassin

1. venez ici. 2. *sound and safe.* 3. *(archaïque): grant.* 4. *rapture.* 5. *gold coins.*
6. se prépare. 7. côté. 8. *(terme poétique):* cheval de bataille. 9. *shield.* 10. *chest.*
11. *fist.* 12. *spurs.* 13. *bounds forward.* 14. *armor.* 15. *the shield at the height of his neck.* 16. *helmet.* 17. *tassels.* 18. *hip.* 19. gentilhomme (fils de chevalier). 20. (lit., *is astride of) rides.* 21. *very (middle).* 22. *goats.* 23. *(archaïque): no, indeed.* 24. *spur.*
25. *from all sides.* 26. parlant, discutant.

les entend: — Ha! Dieu, fait-il, douce créature! Voilà les ennemis qui m'emmènent et qui vont me couper la tête! Et une fois que j'aurai la tête coupée,
jamais je ne parlerai à Nicolette, ma douce amie que tant j'aime! J'ai encore
là ma bonne épée et suis assis sur mon bon cheval tout frais; et si je ne me
défends maintenant pour elle, et qu'elle continue à m'aimer, que Dieu ne lui 5
vienne jamais en aide!

Le jeune varlet est grand et fort, le cheval qui le porte est ardent. Or il met
la main à l'épée et commence à frapper à droite et à gauche. Il coupe heaumes
et nasals,[1] poings et bras, et fait autour de lui une tuerie [2] comme le sanglier [3]
fait des chiens qui l'assaillent en forêt. Il leur abat [4] dix chevaliers, en navre [5] 10
sept, s'échappe de la mêlée et revient au galop, l'épée en main. Le comte
Bougars de Valence, ayant entendu dire qu'on allait pendre [6] son ennemi
Aucassin, vient de ce côté. Aucassin l'avise,[7] il lève son épée et le frappe sur
son heaume si rudement qu'il le lui enfonce [8] sur la tête. Le comte est si
étourdi [9] du coup qu'il tombe à terre. Aucassin allonge [10] le bras, le saisit, 15
l'emmène prisonnier par le nasal de son heaume et le conduit à son père.

— Père, fait Aucassin, voici votre ennemi qui vous a tant fait guerre et mal.
Voilà vingt ans que dure cette guerre que jamais homme ne put finir.

— Beau fils, dit le père, voilà comment tu dois débuter [11] dans la chevalerie,
et ne plus songer à tes folies.   20

— Père, répond Aucassin, n'allez pas me sermonner, mais tenez votre
promesse.

— Hé! quelle promesse, beau fils?

— Quoi! père, l'avez-vous oubliée? Par mon chef,[12] qui que ce soit qui
l'oublie, moi je ne la veux oublier; car elle me tient fort au cœur.[13] Or ne 25
m'avez-vous pas promis, quand j'ai pris les armes et que je suis allé à la
bataille, que, si Dieu me ramenait sain et sauf, vous me laisseriez voir Nicolette, ma douce amie, le temps de lui dire deux ou trois mots, et de lui donner
un seul baiser? Me l'avez-vous promis? Et je veux que vous me teniez
parole.   30

— Moi! fait le comte, que Dieu ne me vienne en aide si je tiens une pareille
promesse. Et si cette fille était là, je la ferais brûler vive, et vous-même pourriez avoir grand'peur.

— Est-ce fini? dit Aucassin.

— Si Dieu m'aide, fait le père, oui.   35

— Certes, fait Aucassin, je suis bien grandement fâché de voir qu'un homme
de votre âge ment.[14] — Comte de Valence, je vous ai fait prisonnier?

— Oui, sire, certainement, fait le comte.

— Donnez-moi votre main.

— Sire, volontiers.   40

---

1. *nose pieces (of the armor).* **2.** *slaughter.* **3.** *wild boar.* **4.** *strikes down.* **5.** *wounds.*
6. *hang.* **7.** aperçoit. **8.** *drives.* **9.** *stunned.* **10.** *stretches out.* **11.** commencer (ta
carrière). **12.** (*archaïque*): sur ma tête. **13.** *lies close to my heart.* **14.** *lies.*

Et il met sa main dans celle d'Aucassin.

— Me jurez-vous,[1] dit Aucassin, que tout le temps que vous serez en vie, si vous trouvez moyen de faire honte à mon père, ou dommage en son corps ou en ses biens, vous ne manquerez pas de le faire?

— Pour Dieu, sire, ne vous moquez pas de moi. Mais mettez-moi à rançon.[2] 5
Vous ne sauriez me demander tant d'or ou d'argent, chevaux ou palefrois,[3] ni vair ni gris, chiens ni oiseaux, que je ne vous le donne.

— Hé! fait Aucassin, ne reconnaissez-vous pas que vous êtes mon prisonnier?

— Sire, oui, je le reconnais.   10

— Donc, Dieu ne m'aide jamais si je ne vous fais sauter [4] la tête, à moins que vous ne me le juriez.

— Au nom de Dieu, je vous jure tout ce qu'il vous plaira.

Et il jure. Et Aucassin le fait monter sur un cheval, il monte sur un autre, et il le conduit jusqu'à ce qu'il soit en sûreté.   15

CHANT

Quand le comte Garin vit bien
Qu'il ne pouvait par nul moyen
De Nicolette au blanc visage
Détacher son fils Aucassin,
Il crut prudent, en homme sage,   20
De le mettre en un souterrain [5]
Bien solide, sombre et malsain.[6]
Lorsque, par l'ordre de son père,
Il se voit dans cette misère,
Le jouvenceau se désespère   25
Et pleure ce que je vous dis:
— Nicolette, ô ma fleur de lys,[7]
O douce amie au blanc visage,
Tu m'es plus douce que raisin
Et que nul fruit, et que breuvage [8] 30
Servi dans un vase d'or fin.
Un jour je vis un pèlerin [9]
Qui s'en venait du Limousin [10]:
Il était frappé de vertige.
Il gisait [11] couché dans un lit   35
Sans voix, sans souffle, déconfit [12]
Et mal en point.[13] Mais, ô prodige!
Près du lit tu vins à passer;

Tu soulevas,[14] sans y penser,
Ta robe et ton manteau d'hermine, 40
Et ta chemise [15] de blanc lin;
Il aperçut ta jambe fine,
Et fut guéri le pèlerin:
Du lit il se leva sur l'heure [16]
Et retourna, gaillard [17] et sain,   45
En son pays de Limousin.
Douce amie, ô toi que je pleure,
Ma Nicolette, ô mon amour,
Au doux aller, au doux retour,
Au doux maintien, au doux langage,
Aux doux baisers, au doux visage, 51
Au front blanc plus pur que le jour,
Contre toi quelle âme inhumaine
Pourrait se sentir de la haine? [18]
C'est pour vous que je suis ici   55
Dans la misère et le souci;
Et quelqu'un de ces jours sans doute,
Las [19] de pleurer et de souffrir,
Sous cette triste et sombre voûte
Je vois qu'il me faudra mourir   60
Pour vous, amie.

1. *swear.* 2. *ransom me.* 3. *palfries.* 4. fais sauter: *ici*, coupe, tranche. 5. *underground cell.* 6. *unhealthy.* 7. *lily.* 8. *drink.* 9. *pilgrim.* 10. province du sud-ouest de la France. 11. *was lying.* 12. découragé. 13. *in sad plight.* 14. *lifted.* 15. *tunic.* 16. *on the spot.* 17. robuste. 18. *hatred.* 19. fatigué.

RÉCIT

Donc, Aucassin fut mis en prison, comme vous l'avez ouï et entendu, et Nicolette était d'autre part en sa chambre. C'était le temps de l'été, au mois de mai, où les jours sont longs, et les nuits tranquilles et douces. Nicolette était couchée sur son lit. Elle vit la lune luire [1] clair par la fenêtre et elle entendit le rossignol [2] chanter dans le jardin, et il lui souvint d'Aucassin, son ami, 5 qu'elle aimait tant. Elle se mit à réfléchir au comte Garin de Beaucaire qui la haïssait cruellement; elle pensa qu'elle ne pouvait pas rester là, que si quelqu'un la dénonçait et que le comte Garin vînt à le savoir, il la ferait mourir de male mort.[3] Elle vit que la vieille qui était avec elle dormait. Elle se leva, se vêtit d'un très bon sarrau [4] de drap de soie qu'elle avait, prit les draps [5] de 10 son lit et des nappes,[6] les noua [7] ensemble, fit une corde aussi longue qu'elle put, l'attacha au pilier de la fenêtre, et se laissa glisser [8] en bas dans le jardin. Elle prit son vêtement [9] d'une main par devant et de l'autre par derrière, et releva sa robe à cause de la rosée [10] qu'elle vit sur l'herbe, et s'en alla le long du jardin. Elle était si mince de la ceinture [11] qu'on eût pu l'enclore en deux 15 mains; et les fleurs des marguerites [12] qu'elle brisait sous les doigts de ses pieds et qui se renversaient par-dessus, paraissaient toutes noires en comparaison de ses pieds et de ses jambes, tant était blanche la fillette. Elle vint à la porte de derrière, la déferma [13] et sortit dans les rues de Beaucaire le long de l'ombre,[14] car la lune était brillante. Et elle marcha tant qu'elle arriva à la 20 tour où était son ami. Alors, elle entendit Aucassin qui, là dedans, pleurait et menait grand deuil et regrettait sa douce amie qu'il aimait tant; et quand elle l'eut assez écouté, elle lui parla.

CHANT

Nicole se tient à cette heure
Bien tristement contre un pilier.   25
Comment ne pas s'apitoyer [15]
En voyant que son ami pleure?
Or, elle lui dit: — Damoiseau,
Ami noble, vaillant et beau,
Avec vous je ne puis pas feindre.[16]   30
A quoi vous sert de soupirer,[17]
De vous douloir [18] et de pleurer,
Et de toujours ainsi vous plaindre,
Puisque je ne puis être à vous?
Car vos parents et votre père   35

Contre moi sont en grand courroux.[19]
Je vais vous quitter, et pour vous
M'enfuir sur la terre étrangère.
Elle se tait, et sur son front
Elle coupe une longue tresse [20]   40
Qu'elle jette dans la prison.
Aucassin la prend, la caresse,
La baise et la met sur son cœur;
Puis, après ce moment d'ivresse,[21]
Il se remet à sa douleur   45
    Pour son amie.

---

1. *shine.* **2.** *nightingale.* **3.** (*vieux français*): mauvaise mort. **4.** *smock.* **5.** *sheets.* **6.** *table cloths.* **7.** *tied.* **8.** *slide.* **9.** *dress.* **10.** *dew.* **11.** *waist.* **12.** *daisies.* **13.** ouvrit. **14.** *shadow.* **15.** avoir pitié. **16.** dissimuler, faire semblant. **17.** *sigh.* **18.** (*archaïque*): attrister. **19.** colère, *ire.* **20.** *lock of hair.* **21.** *rapture.*

RÉCIT

Quand Aucassin entendit Nicolette lui dire qu'elle voulait s'en aller dans un autre pays, il ne put que se désoler.

— Belle douce amie, fit-il, vous ne vous en irez point, car vous causeriez ma mort. Car ne croyez pas que j'attende que j'aie trouvé un couteau pour m'en frapper le cœur et me tuer. Non certes, je n'attendrais pas tant; mais je 5 prendrais mon élan [1] d'aussi loin que je verrais une muraille ou une pierre, et m'y heurterais [2] si rudement la tête que je me ferais sortir les yeux et éclater la cervelle.[3]

— Aucassin, fait-elle, je ne crois pas que vous m'aimiez autant que vous le dites; mais moi je vous aime plus que vous ne m'aimez. 10

— Ma foi! dit Aucassin, belle douce amie, il n'est pas possible que vous m'aimiez autant que je vous aime. La femme ne peut autant aimer l'homme que l'homme fait la femme. Car l'amour de la femme est en son œil et au bout de l'orteil [4] de son pied; mais l'amour de l'homme est planté dans son cœur et n'en saurait [5] sortir. 15

Pendant qu'Aucassin et Nicolette devisaient [6] ainsi, les gardes de la ville venaient le long de la rue, leurs épées tirées sous leurs capes, car le comte Garin leur avait donné ordre que, s'ils pouvaient se saisir de Nicolette, ils la missent à mort. Et la sentinelle qui était sur la tour les vit venir et entendit qu'ils allaient parlant de Nicolette et qu'ils menaçaient de la tuer. 20

— Dieu! fait-elle, quel dommage s'ils tuaient si belle fillette! Ce serait une bien bonne œuvre si je pouvais la prévenir [7] de ne pas se laisser voir et qu'elle s'en gardât. Car s'ils venaient à la tuer, Aucassin, mon damoiseau, en mourrait, ce qui serait grand'pitié.

CHANT

Or la sentinelle qui veille 25
En haut du mur de la prison
Est un preux,[8] courtois, sage et bon;
Et comme il entend à merveille [9]
Ce qu'elle dit à son ami,
Il avertit [10] et chante ainsi: 30
— O jeune fille au doux sourire,
Au gentil corsage avenant,[11]
Tu parles à ton jeune sire,

Qui pour tes yeux s'en va mourant;
J'ai tout entendu. Mais écoute 35
Le mal que pour toi je redoute.[12]
Garde-toi des soldats: ils ont
Leurs sabres tirés sous leurs capes;
Ils te cherchent, et te tueront
Si soudain tu ne leur échappes. 40
　　Prends garde à toi.

1. prendrais mon élan: *start (rushing) forward.*　　2. *strike.*　　3. *brains.*　　4. *big toe.*
5. pourrait.　　6. parlaient ensemble.　　7. *warn.*　　8. *gallant.*　　9. tout à fait bien.
10. *warns.*　　11. *pleasing figure.*　　12. crains beaucoup.

RÉCIT

— Hé ! fit Nicolette, que l'âme de ton père et de ta mère soit en repos, toi qui m'as si gentiment et si courtoisement prévenue. S'il plaît à Dieu, je m'en garderai, et que Dieu m'en garde !

Elle se serre [1] dans sa mante [2] à l'ombre du pilier jusqu'à ce que les soldats aient passé outre,[3] et elle prend congé [4] d'Aucassin. Elle va, et arrive au pied 5 du château. Le mur avait été rompu, puis réparé ; elle monte dessus et fait si bien qu'elle se trouve entre le mur et le fossé.[5] Elle regarde en bas, elle voit le fossé roide [6] et profond et elle a grand'peur.

— Hé ! Dieu, fait-elle, douce créature ! si je me laisse choir,[7] je me casserai le col, et si je reste là, on me prendra demain et on me brûlera vive. Encore [8] 10 aimé-je mieux mourir ici que si tout le peuple ébahi [9] vient demain me regarder.

Elle fit le signe de la croix sur son visage et se laissa glisser dans le fossé ; et quand elle fut au fond,[10] ses beaux pieds et ses belles mains, qui ne savaient ce que c'est que d'être blessés,[11] furent meurtris [12] et écorchés [13] et le sang en 15 sortit en plusieurs endroits, et pourtant elle ne sentit ni mal ni douleur, à cause de la grand'peur qu'elle avait. Et si elle eut grand'peine à descendre, elle en eut bien davantage à remonter. Elle pensa qu'il ne faisait pas bon [14] demeurer là, et elle trouva un pieu aigu [15] que ceux du dedans avaient jeté pour défendre le château. Elle grimpa [16] tout doucement un pied après l'autre, 20 si bien qu'elle arriva en haut bien péniblement. Or, il y avait une forêt près de là, à deux portées d'arbalète,[17] qui avait au moins trente lieues [18] de long et de large. Elle était pleine de bêtes fauves [19] et de serpents. Elle eut peur d'être dévorée si elle y entrait, et elle songea d'autre part que si on la trouvait là, on la ramènerait dans la ville pour la brûler vive. 25

CHANT

Quand Nicolette au blanc visage,
A grand'peine et n'en pouvant plus,[20]
Est montée en haut du talus,[21]
Elle est près de perdre courage
Et se prend à [22] prier Jésus. 30
— Roi de majesté, notre père,
Prenez pitié de ma misère,
Car, hélas ! je ne sais que faire.
Si je m'en vais au bois profond,
Là sûrement me mangeront 35

Les bêtes qui n'y chôment [23] guère.
Si j'attends, on me trouvera
Aussitôt que viendra l'aurore,[24]
Et sur l'heure on me brûlera.
Mais, par Dieu, qu'humblement j'im-
plore, 40
J'aime encore mieux, tout compté,[25]
Que quelque bête me dévore
Que retourner dans la cité :
Je n'irai mie.[26]

1. *wraps herself tightly.* 2. manteau. 3. *plus loin.* 4. *takes leave.* 5. *ditch, moat.*
6. *steep.* 7. tomber. 8. encore . . . mieux: *I prefer, I would as lief.* 9. *gaping.*
10. *at the bottom.* 11. *wounded.* 12. *bruised.* 13. *torn.* 14. il ne . . . bon: il était
dangereux. 15. *sharp stake.* 16. *climbed.* 17. portées d'arbalète: *bowshots.* 18. *leagues.*
19. *wild.* 20. *exhausted.* 21. *slope.* 22. se prend à: commence à. 23. *are idle.* 24. *dawn.*
25. tout bien considéré. 26. (*archaïque et poétique*): *certainly not.*

RÉCIT

Nicolette se désolait, comme vous l'avez ouï; elle se recommanda à Dieu et marcha tant qu'elle vint à la forêt. Elle n'osa pas s'enfoncer [1] beaucoup, à cause des bêtes fauves et des serpents. Elle se blottit [2] dans un épais buisson [3] et le sommeil la prit, et elle dormit jusqu'au matin, à l'heure où les bergers sortirent de la ville et menèrent leurs bêtes entre le bois et la rivière. Ils se   5 rendirent [4] tous ensemble à une belle fontaine qui était au bord de la forêt. Ils étendirent une cape par terre et mirent leur pain dessus. Pendant qu'ils mangeaient, Nicolette s'éveilla aux cris des oiseaux et des pastoureaux,[5] et elle s'avança vers eux.

— Beaux enfants, fit-elle, Dame-Dieu [6] vous aide !   10

— Dieu vous bénisse ! [7] fit l'un d'eux, qui avait la langue plus déliée [8] que les autres.

— Beaux enfants, connaissez-vous Aucassin, le fils du comte Garin de Beaucaire ?

— Oui, bien le connaissons-nous.   15

— Si Dieu vous aide, beaux enfants, dites-lui qu'il y a une bête dans cette forêt, qu'il vienne la chasser,[9] et que s'il pouvait la prendre, il n'en donnerait pas un membre [10] pour cent marcs d'or, ni pour cinq cents, ni pour rien.

Et ils la regardèrent, et ils la virent si belle qu'ils en furent tout émerveillés.[11]

— Que je le lui dise ? fit celui qui avait la langue la plus déliée. Malheur à [12] 20 celui qui le lui dira ! Vous ne dites que des mensonges,[13] car il n'y a si précieuse bête en cette forêt, ni cerf,[14] ni lion, ni sanglier, dont un des membres vaille plus de deux deniers ou trois au plus; et vous parlez d'une si grosse somme ! Malheur à qui vous croit et qui le lui dira ! Vous êtes fée.[15] Aussi n'avons-nous cure [16] de votre compagnie, et passez votre chemin.   25

— Ha ! beaux enfants, fit-elle, vous le ferez. La bête a une telle vertu [17] qu'Aucassin sera guéri de son tourment. Et j'ai ici cinq sols [18] dans une bourse. Prenez-les et dites-le-lui, et il faut qu'il chasse la bête dans trois jours; et si dans trois jours il ne la trouve, jamais ne sera guéri de son tourment.   30

— Ma foi ! fait-il, nous prendrons les deniers, et s'il vient ici, nous le lui dirons, mais nous ne l'irons pas chercher.

— De par Dieu ! [19] fait-elle.

Puis elle prend congé [20] des pastoureaux et s'en va.

1. pénétrer.   **2.** *crouched down.*   **3.** *bush.*   **4.** allèrent.   **5.** *(poétique): young shepherds.*
6. *Lord God (Dominus Deus).*   **7.** *bless.*   **8.** qui parlait plus aisément.   **9.** *hunt.*   **10.** *limb.*
11. *amazed.*   **12.** *Woe to.*   **13.** *lies.*   **14.** *stag.*   **15.** *fairy.*   **16.** *care for.*   **17.** *power.*
18. sou *(a coin).*   **19.** *in the name of God (tell him).*   **20.** *takes leave.*

CHANT

Quand Nicolette au blanc visage
Aux pastoureaux a dit adieu,
D'un pas qui tremble bien un peu
Elle entre sous l'épais feuillage.
Elle s'achemine [1] tout droit   5
Par un vieux sentier [2] fort étroit
Qui la conduit en un endroit
Où se divisaient plusieurs routes.
Elle s'arrête en ce réduit,[3]
Et là, seulette, elle se mit   10
A songer, non sans quelques doutes,
Tant l'amour lui trouble l'esprit,
A ce que son ami va faire,
Et s'il l'aime comme il le dit.

Or, pour l'éprouver,[4] elle prit   15
Des fleurs de lys, de la fougère,[5]
Du gazon [6] où l'herbe fleurit,
Un tapis de mousse nouvelle
Et des feuilles, dont elle fit
Une hutte en tout point si belle,   20
Que jamais si belle on ne vit.
—Par Dieu, tout vérité, que j'ose
Attester,[7] je jure que si
Mon doux Aucassin vient ici
Et qu'un instant ne s'y repose,   25
Il ne sera plus mon ami
     Ni moi sa mie.

RÉCIT

Quand Nicolette eut fait la hutte, comme vous l'avez ouï et entendu, bien belle et bien plaisante, elle l'eut bientôt tapissée [8] de fleurs et de feuilles en dehors et en dedans. Elle se cacha tout près de là dans un épais bocage,[9]   30 pour voir ce que ferait Aucassin. Et le bruit se répandit par tout le pays que Nicolette était perdue. Les uns dirent qu'elle s'était enfuie, et les autres que le comte Garin l'avait fait mettre à mort. Si quelqu'un en fut joyeux, Aucassin ne le fut guère. Et le comte Garin le fit sortir de prison. Il manda les chevaliers de sa terre et les damoiselles, et fit faire une fête bien belle, pen- 35 sant consoler son fils. Alors que la fête était le plus brillante, Aucassin alla s'appuyer [10] à une rampe,[11] tout dolent et abattu.[12] Pour si grande que [13] fût la joie, il n'eut pas le cœur de se réjouir, car il ne voyait pas ce qu'il aimait. Un chevalier le regarde, vient à lui et lui dit:

— Aucassin, du mal que vous avez, moi aussi j'ai souffert. Si vous me voulez 40 croire, je vous donnerai un bon conseil.

— Sire, fait Aucassin, grand merci !

— Montez à cheval, allez vous ébattre [14] au fond de cette forêt. Vous y verrez herbes et fleurs et entendrez les oisillons [15] chanter. Peut-être entendrez-vous aussi telle parole dont mieux vous sera.[16]   45

— Sire, grand merci: ainsi ferai-je.

Il s'esquive [17] de la salle, descend les degrés, vient à l'écurie [18] où était son cheval. Il le fait seller et brider,[19] met le pied à l'étrier,[20] monte et sort du

1. *makes her way.* **2.** *path.* **3.** *retreat.* **4.** *test.* **5.** *fern.* **6.** *sward.* **7.** Par Dieu ... attester: *In the name of God, who is all truth, whom I dare call to witness.* **8.** couverte, ornée. **9.** *grove.* **10.** *lean.* **11.** *rail.* **12.** découragé. **13.** *however great.* **14.** *disport.* **15.** petits oiseaux. **16.** dont ... sera: *from which you will feel better.* **17.** *slips away.* **18.** *stable.* **19.** *saddle and bridle.* **20.** *stirrup.*

château. Il marcha jusqu'à la forêt et chevaucha tant [1] qu'il vint à la fontaine, et trouva les pastoureaux sur le coup de trois heures après midi. Ils avaient étendu leurs capes sur l'herbe, ils mangeaient leur pain et se réjouissaient.

CHANT

L'un des bergers se mit à dire:
— Voici venir le jeune sire   5
Aucassin, notre damoiseau.
Que le bon Dieu lui soit en aide
Et lui fasse trouver remède,
Car vraiment le garçon est beau !
Et la fillette au blanc visage,   10
A l'œil vair, au mignon corsage,[2]

Était belle aussi, par ma foi,
Qui de sa bourse pas trop pleine
Nous a tantôt donné de quoi [3]   14
Avoir des couteaux dans leur gaîne,[4]
Et des bâtons et des gâteaux,
Et des flûtes et des pipeaux.[5]
Dieu la bénisse !

RÉCIT

Quand Aucassin ouït les pastoureaux, il se souvint de Nicolette, sa très douce amie, qu'il aimait tant, et il pensa qu'elle était venue par là. Il épe- 20 ronne [6] son cheval et vient près d'eux.

— Beaux enfants, que Dieu vous aide !

— Dieu vous bénisse ! dit celui qui avait la langue plus déliée que les autres.

— Beaux enfants, redites-moi la chanson que vous chantiez tantôt.

— Nous ne la redirons mie, mais nous vous ferons un conte,[7] si vous voulez. 25

— Par Dieu, fait Aucassin, dites-moi le conte.

— Or, sire, nous étions tantôt [8] ici, et nous mangions notre pain à cette fontaine, comme nous faisons maintenant, quand est venue une jeune fille, la plus belle du monde, si belle que nous crûmes voir une fée, et que tout ce bois en a été éclairé.[9] Elle nous a tant donné de son argent que nous lui avons 30 promis que, si vous veniez ici, nous vous dirions d'aller chasser dans cette forêt, qu'il y a là une bête dont, si vous la pouviez prendre, vous ne donneriez pas un membre ni pour cinq cents marcs d'argent, ni pour rien: car la bête a telle vertu que, si vous la pouvez prendre, vous serez guéri de votre tourment. Mais dans trois jours il faut que vous l'ayez prise, et si vous ne l'avez prise d'ici là,[10] 35 jamais vous ne la verrez. Donc, chassez-la, si vous voulez, ou, si vous ne voulez, laissez-la. Mais nous nous sommes bien acquittés [11] de notre promesse envers elle.

— Beaux enfants, fait Aucassin, vous en avez assez dit, et que Dieu me la fasse trouver !

                                                              40

1. jusqu'à ce que.   **2.** *well-shaped bust.*   **3.** *enough to.*   **4.** *knives in their sheaths.*
5. *flutes with several pipes.*   **6.** *spurs.*   **7.** ferons un conte: *tell you a story.*   **8.** *awhile ago.*   **9.** *lighted up.*   **10.** *by then.*   **11.** *we have fulfilled.*

CHANT

Ces paroles de Nicolette
Qui l'attend et qui s'inquiète [1]
Dans son cœur entrent jusqu'au fond.
Il part, et dans le bois profond
Son cheval au galop l'emporte.　5
— Pour vous seule je viens au bois,
Ma Nicolette.　Que m'importe
Loup sur ses fins,[2] cerf aux abois [3]
Ou sanglier ?　Quoi que je fasse,　9

C'est toujours vous que je pourchasse [4]
Et dont partout je suis la trace.
Douce amie, encore une fois
Voir vos yeux, voir votre sourire,
J'en ai le cœur, tant le désire,[5]
Navré [6] d'amour jusqu'à la mort.　15
Qu'il plaise à Dieu, le père fort,
Qu'une fois je vous voie encor,
Sœur, douce amie !

RÉCIT

Aucassin va par la forêt, cherchant Nicolette, et son cheval l'emporte à grande allure.[7]　Ne croyez pas que les ronces [8] et les épines [9] l'épargnent,[10]　20 Nenni.　Mais bien elles lui déchirent [11] ses vêtements, au point qu'il ne pourrait faire un nœud [12] avec ce qui en reste, et le sang lui coule des bras, des jambes et des côtés en plus de vingt endroits, si bien qu'on l'eût suivi à la trace de son sang qui tombait sur l'herbe.　Mais il songeait tant à Nicolette, sa douce amie, qu'il ne sentait ni mal ni douleur.　Il erra tout le jour dans la forêt,　25 sans découvrir sa trace.　Et quand le soir vint, il chevauchait encore.　La nuit était belle et douce.　Il erra tant qu'il vint à la hutte qui était, en dedans et en dehors, en dessus et en dessous, tapissée de fleurs; et elle était si belle qu'elle ne pouvait l'être plus.　Quand Aucassin la vit, il s'arrêta tout à coup. La lumière de la lune glissait [13] dedans.　　　　　　　　　　　　　30

— O Dieu ! fit-il, ici a passé Nicolette, ma douce amie, et c'est elle qui a fait cette hutte de ses belles mains.　Pour l'amour d'elle et sa douceur, je descendrai ici et je me reposerai cette nuit.

Il mit le pied hors de l'étrier pour descendre.　Le cheval était grand et haut. Il songeait tant à Nicolette, sa très douce amie, qu'il tomba rudement sur une　35 pierre et qu'il se démit l'épaule.[14]　Il se sentit fort blessé, mais il fit autant d'efforts qu'il le put et il attacha, de l'autre main, son cheval à un buisson.　Il se tourna sur le côté et vint tout en rampant [15] jusqu'à la hutte.　Il regarda par un trou dans l'intérieur, et il vit des étoiles au ciel, et il en vit une plus brillante que les autres, et il dit:　　　　　　　　　　　　　　　　　　　　　　　40

1. *worries.*　2. sur ses fins: (lit., *at his wits' end*), *starving wolf.*　3. *stag at bay.*　4. poursuis.　5. tant (je) le désire.　6. *blessé.*　7. *at great speed.*　8. *brambles.*　9. *thorns.*
10. *spare.*　11. *rend.*　12. *knot.*　13. *crept in.*　14. *put his shoulder out of joint.*
15. *crawling.*

CHANT

Étoile que la nuit attire,[1]
Petite étoile, je te voi
Étinceler [2] et me sourire:
Ma Nicolette est avec toi.
Sans doute que Dieu, par envie   5
De sa beauté, me l'a ravie . . .
   . . . .

Quoi qu'il dût arriver de moi
En retombant sur cette terre,
Plût au ciel, qui me désespère,[3]
Que je pusse monter à toi;   10
Car fussé-je le fils d'un roi,
Vous seriez bien digne de moi,
   Sœur, douce amie.

RÉCIT

Quand Nicolette entendit Aucassin, car elle n'était pas loin, elle vint à lui. Elle entra dans la hutte et lui jeta les bras autour du col, et l'embrassa et le 15 baisa.

— Beau doux ami, soyez le bienvenu !

— Et vous, belle douce amie, soyez la bien trouvée !

Et ils se baisaient et s'entre-baisaient, et douce était leur joie.

— Ah ! douce amie, j'étais tout à l'heure fort blessé à l'épaule, et main- 20 tenant je ne sens ni mal ni douleur, puisque je vous ai retrouvée.

Elle le tâte [4] aussitôt et voit qu'il a l'épaule démise. Elle le manie [5] tant avec ses belles mains, et fait si bien, avec l'aide de Dieu qui aime ceux qui s'aiment, que son épaule se remet à sa place. Puis elle prend des fleurs, de l'herbe fraîche et des feuilles vertes, le bande [6] avec un pan [7] de sa fine chemise 25 de lin, et il est aussitôt guéri.

— Aucassin, beau doux ami, quoi qu'il advienne [8] de vous, pensez à ce que vous allez faire. Si demain votre père fait fouiller [9] cette forêt, et qu'on nous trouve, quoi qu'on fasse de vous, moi, on me tuera.

— Certes, belle douce amie, j'en aurais une grande douleur; mais, si je 30 puis, on ne vous prendra pas.

Il monte sur son cheval, prend son amie devant lui, et l'embrassant et la baisant, ils se mettent en campagne.[10]

CHANT

Il quitte la forêt profonde,
Et devant lui, sur son arçon,[11]   35
Il tient, l'heureux et beau garçon,
Ce qu'il aime le mieux au monde.
Tandis que, de cette façon,
Avec Nicolette il chemine,

S'il la serre [12] sur sa poitrine [13]   40
Entre ses deux bras amoureux,
S'il lui baise ses blonds cheveux,
Le col, les lèvres et les yeux,
Aisément on se l'imagine.
Or, Nicolette, un peu chagrine,[14]   45

1. (lit., *draws*): *calls out.*   2. *twinkle.*   3. *drives me to despair.*   4. *feels.*   5. *treats, massages.*   6. *bandages.*   7. *strip.*   8. *whatever becomes.*   9. *search.*   10. se mettent en campagne: *set forth.*   11. *saddle bow.*   12. *presses.*   13. *bosom.*   14. *triste.*

Lui dit à la fin: — Doux ami,
Où me conduisez-vous ainsi?
Est-ce donc en terre lointaine?[1]
— Douce amie, eh! que sais-je, moi?
Que ce soit par n'importe quoi   5
Et n'importe où, montagne ou plaine,
Pourvu que je sois avec toi,
D'autre soin ne me mets en peine.[2]

— Ils s'en vont par monts et par
    vaux,[3]
Par les villes et les hameaux,[4]   10
Marchant toujours à l'aventure,[5]
Tant qu'au matin lorsqu'il fit clair
Ils arrivèrent à la mer,
Et là quittèrent leur monture[6]
    Au bord de l'eau.   15

RÉCIT

Aucassin descend de cheval avec sa mie, comme vous l'avez ouï et entendu. Il tient son cheval par la bride et sa mie par la main. Et ils commencent à marcher sur le rivage.[7] Pendant qu'il était en telle aise et en tel plaisir,[8] car il avait avec lui Nicolette, sa douce amie qu'il aimait tant, une troupe de Sarrasins débarqua sur le rivage. Ils prirent Nicolette et Aucassin auquel ils 20 lièrent les pieds et les mains, et le jetèrent dans un navire[9] et Nicolette dans un autre. Une tourmente[10] s'éleva qui les sépara. Le navire qui portait Aucassin courut si bien et si longtemps qu'après maintes[11] aventures, il aborda[12] au château de Beaucaire.[13] Et les gens du pays accoururent pour piller[14] le vaisseau. Ils y trouvèrent Aucassin et le reconnurent. Quand ceux de 25 Beaucaire virent leur damoiseau, ils en eurent une grande joie. Son père et sa mère étaient morts. Ils le conduisirent au château et devinrent aussitôt ses vassaux. Et il posséda sa seigneurie[15] en paix.

CHANT

Aucassin, étant retourné
Dans son beau castel de Beaucaire,   30
Sur tout un peuple fortuné
Régnait en seigneur débonnaire[16];
Mais souvent il jurait tout bas
Qu'il regrettait bien davantage
Sa Nicolette au blanc visage   35
Que si tout son beau parentage

Eût passé de vie à trépas.[17]
— Quel lieu du monde, m'amiette,[18]
En ce moment peut te cacher?
Dieu ne fit aucune retraite   40
Si profonde ni si secrète
Où je ne t'allasse chercher,
Si je pouvais, ma Nicolette,
    La découvrir.

RÉCIT

Maintenant, nous laisserons Aucassin, et nous reviendrons à Nicolette. Le 45 navire où elle se trouvait appartenait au roi de Carthage. Or, c'était son père. Elle avait douze frères, tous princes ou rois. Quand ils virent Nicolette si

---

1. *far away.* 2. D'autre . . . peine: *about other cares I do not trouble.* 3. montagnes et vallées. 4. petits villages. 5. au hasard. 6. *horse, mount.* 7. *shore.* 8. était . . . plaisir: était si heureux et joyeux. 9. *vessel.* 10. tempête. 11. beaucoup de. 12. *came up.* 13. Voir note 9, page 27. 14. *plunder.* 15. domaine. 16. *affable.* 17. *from life to death.* 18. m'amiette: ma petite amie.

belle, ils lui firent grand honneur et grande fête, et ils lui demandèrent qui elle
était, car elle leur paraissait bien noble dame, et de haut rang. Mais elle ne
sut leur dire qui elle était, car elle avait été enlevée [1] toute petite enfant. Ils
naviguèrent tant, qu'ils arrivèrent enfin sous la cité de Carthage. Et quand
Nicolette vit les murs du château, elle se reconnut [2] et se souvint qu'elle y   5
avait été nourrie et enlevée toute petite. Mais elle n'était pourtant si petite
qu'elle ne se souvînt bien qu'elle avait été nourrie dans la cité.

CHANT

Donc Nicolette sur le bord [3]   Pour me voir un jour devenir
Est débarquée. Et, tout d'abord,   L'esclave d'un peuple sauvage ?   20
Elle remarque avec surprise   10   Ton souvenir, mon Aucassin,
La ville, les murs et le port,   M'aiguillonne [6] et brûle mon sein [7]
Le château, la place précise   D'une si vive et douce flamme [8]
Où tout enfant elle fut prise,   Que je me sens mourir d'amour.
Ce qui la fait encor gémir.[4]   Fasse Dieu, qui connaît mon âme, 25
— A quoi me sert-il d'être née   15   Que je te revoie un seul jour,
D'aussi grande et noble lignée,   Que ta bouche baise la mienne
D'être cousine d'un émir [5]   Et qu'entre mes bras je te tienne,
Et fille du roi de Carthage   Mon damoiseau !

RÉCIT

Quand le roi de Carthage entendit Nicolette parler ainsi, il jeta les bras à 30
son col.

— Belle douce amie, fit-il, dites-moi qui vous êtes. Ne vous défiez [9] pas
de moi.

— Seigneur, je suis la fille du roi de Carthage. J'ai été enlevée toute petite
enfant, il y a bien quinze ans.   35

Quand tous ceux de la cour l'entendirent parler de la sorte, ils surent bien
qu'elle disait vrai. Ils lui firent grande fête, et la conduisirent au palais en
grand honneur comme une fille de roi. Ils voulurent lui donner pour mari un
roi de païens [10]; mais elle ne songeait guère à se marier. Elle resta là trois ou
quatre ans. Elle rêvait sans cesse par quel moyen elle pourrait aller à la 40
recherche [11] d'Aucassin. Elle se procura une viole [12] dont elle s'apprit à jouer.
Comme on voulait un jour la marier à un puissant roi païen, elle s'esquiva [13] la
nuit, vint au port et se retira chez une pauvre femme sur le rivage. Elle prit
une herbe qu'elle connaissait, s'en oignit [14] la tête et le visage, si bien qu'elle se
peignit [15] tout en noir, et elle fit faire un justaucorps,[16] un manteau, une 45

---

1. *kidnapped.*   **2.** *knew (recognized) where she was.*   **3.** *shore.*   **4.** se lamenter.   **5.** prince
oriental.   **6.** me tourmente.   **7.** cœur.   **8.** passion.   **9.** *mistrust.*   **10.** *pagans.*
11. *in search of.*   **12.** ancien instrument de musique (espèce de violon à sept cordes).
13. *slipped away.*   **14.** de « oindre »: *smeared herself.*   **15.** *painted.*   **16.** *jerkin.*

chemise et des braies [1] et se déguisa ainsi en jongleur.[2] Elle prit la viole, alla
trouver [3] un marinier et fit si bien qu'il la reçut dans son vaisseau. On déploya les voiles [4] et on naviguà tant qu'on arriva sur la terre de Provence.
Et Nicolette débarqua, prit sa viole et s'en alla en viellant [5] par le pays et vint
au château de Beaucaire où était Aucassin.   5

CHANT

A Beaucaire, au pied de la tour,
Aucassin vient s'asseoir un jour.
Près de lui, les barons superbes
Sont debout et lui font leur cour.
Il contemple les fleurs, les herbes,   10
Et sur le bord des clairs ruisseaux [6]
Il entend chanter les oiseaux.
Il se souvient de Nicolette
Et de ses premières amours
Qui durèrent si peu de jours.   15
Ce temps heureux, il le regrette
Et le regrettera toujours.
Mais voici la blonde Nicole
Qui s'approche, prend sa viole   19
Et chante ainsi:
          — Seigneurs barons,
Ceux de la plaine et ceux des monts,
Vous plaît-il entendre l'histoire
Bien douce, vous pouvez m'en croire,
D'Aucassin, le noble varlet,[7]
Et de Nicolette, sa mie?   25
D'un cœur si fidèle il l'aimait

Que, sans retard et sans regret,
Pour son amour donnant sa vie,
Au bois profond il l'a suivie.
Las! un jour un vaisseau païen   30
Les a menés en esclavage.
D'Aucassin nous ne savons rien.
Mais Nicolette est à Carthage,
Un pays dont son père est roi,
Un grand royaume, sur ma foi!   35
Il prétend lui donner pour maître
Un mécréant,[8] roi comme lui.
Une autre le prendrait peut-être,
Mais Nicole n'en a souci.[9]
Elle a pour maître et pour ami   40
Un damoiseau qu'elle a choisi,
Qui l'aime d'un amour extrême
Et d'Aucassin porte le nom.
Elle prend à témoin [10] Dieu même   44
Qu'au grand jamais [11] pour son baron
Nul homme ne prendra, sinon
Le jeune damoiseau qu'elle aime,
      Qu'elle aime tant!

RÉCIT

Quand Aucassin entendit Nicolette parler de la sorte, il fut bien joyeux.
Il la prit à part et lui demanda: 50
— Beau doux ami, ne savez-vous autre chose de cette Nicolette dont vous
venez de chanter la chanson?
— Seigneur, je la connais comme la plus vaillante, la plus gentille et la plus
sage qui fut jamais. Elle est fille du roi de Carthage, qui l'a prise en même
temps qu'Aucassin et l'a conduite en la cité de Carthage. Quand il a appris 55
que c'était sa fille, il lui a fait grand'fête. Or on veut lui donner chaque jour

---

1. *breeches.* **2.** *minstrel.* **3.** *ici:* parler à. **4.** *spread the sails.* **5.** jouant de la viole.
6. *brooks.* **7.** gentilhomme. **8.** païen, infidèle. **9.** n'en a souci: ne le veut pas. **10.** *witness.* **11.** *never indeed.*

pour mari un des plus puissants rois de toute l'Espagne [1]; mais elle se laisserait plutôt pendre ou brûler vive que de prendre un mari, tant fût-il riche.[2]

— Ha ! beau doux ami, fait le comte Aucassin, si vous vouliez retourner en ce pays pour lui dire de venir me parler, je vous donnerais de mon bien tout ce qu'il vous plairait d'en demander ou d'en prendre. Et sachez que, pour son 5 amour, je n'ai pas voulu prendre femme, tant fût haut son parage, mais que je l'attends et que je n'aurai jamais d'autre femme qu'elle. Et si j'avais su où la trouver, je n'en serais pas [3] à me mettre à sa recherche.

— Seigneur, fait-elle, si vous me promettiez cela, je l'irais chercher pour vous et pour elle, que j'aime beaucoup. 10

Il le lui promet, et lui fait donner vingt livres. Elle le quitte, et il se met à pleurer pour la douceur de sa Nicolette. Et quand elle le voit pleurer:

— Seigneur, fait-elle, ne vous désolez [4] pas ainsi. D'ici à peu de temps,[5] je vous l'aurai amenée en cette ville et vous la verrez.

Et quand Aucassin l'entendit parler ainsi, il fut bien joyeux. Elle va par la 15 ville à la maison de la vicomtesse, car le vicomte, son parrain,[6] était mort. Elle lui rend visite, lui confie [7] son secret, et la vicomtesse la reconnut et sut bien que c'était la Nicolette qu'elle avait élevée.[8] Elle la fit laver et baigner [9] et reposer chez elle huit jours entiers. Nicolette prit une herbe qui avait nom éclaire,[10] s'en frotta le visage et se rendit aussi belle qu'elle l'avait jamais été. 20 Elle se revêtit de riches habits de soie dont la dame avait à foison.[11] Elle s'assit dans la chambre sur une courte-pointe [12] de drap de soie, appela la dame, et lui dit d'aller chercher Aucassin, son ami. Et la dame fit ainsi. Et quand elle vint au palais, elle trouva Aucassin qui pleurait et regrettait Nicolette, sa mie, parce qu'elle tardait tant [13] à venir; et la dame lui dit: 25

— Aucassin, ne vous désolez plus, mais venez avec moi, et je vous montrerai la chose que vous aimez le plus au monde, car c'est Nicolette, votre douce amie, qui est venue vous trouver de lointains pays.

Et Aucassin fut heureux.

CHANT

Or à peine [14] Aucassin apprend 30
Que son amie au blanc visage
Se trouve dans le voisinage,[15]
S'il est heureux, on le comprend.
Devers [16] le logis [17] de la dame,
D'un pas léger,[18] le ciel dans l'âme, 35
Soudain il s'en va tout courant.

Il entre dans l'appartement
Où se trouvait sa bien-aimée.
Sitôt qu'elle voit son ami,
Elle saute en pieds,[19] court à lui, 40
Et tremblante et demi-pâmée,[20]
Elle vient tomber sur son cœur.
Si vous doutez qu'avec bonheur

---

1. L'Espagne était alors encore au pouvoir des Musulmans. 2. tant . . . riche: *however rich he might be.* 3. Je ne serais pas maintenant dans la nécessité de . . . 4. *grieve.* 5. D'ici . . . temps: Bientôt. 6. *godfather.* 7. fait confidence de. 8. *brought up.* 9. *bathe.* 10. *celandine* (plante médicinale). 11. en grande quantité. 12. *counterpane, quilt.* 13. *was so long in coming.* 14. dès que. 15. *neighborhood.* 16. vers. 17. maison. 18. agile. 19. *jumps to her feet.* 20. *half swooning.*

Il l'y reçût, voyez l'image.[1]
Puis, retrouvant ce fin corsage,
Ces doux yeux et ce blanc visage,
Jugez comme il les caressa !...
Cette nuit ainsi se passa.   5
Mais quand le jour vint à se faire,[2]
Bien et dûment il l'épousa
Et la fit dame de Beaucaire.

— Donc ils menèrent de longs jours
Filés d'azur,[3] d'or et de soie.   10
Si l'amant, avec ses amours,
En ce monde eut sa part de joie,
Son amante eut la sienne aussi.
Dieu vous en donne autant ! Ainsi
Finit le conte.   15

1. le dessin qui accompagnait le manuscrit de l'histoire.   2. vint à se faire: *came on.*
3. *woven in sky-blue.*

LES TROIS BOSSUS
(*The Three Hunchbacks*)

FABLIAU

(XIIIᴇ SIÈCLE)

A côté des nobles Chansons de Geste, des Romans de chevalerie et d'aventures, il existait, aux XIIe et XIIIe siècles, une littérature très populaire de récits beaucoup plus courts, ayant pour objet des événements familiers de la vie réelle. C'étaient les *fableaux* ou *fabliaux* que récitaient les ménestrels aux repas, fêtes et assemblées, pour l'amusement des bourgeois et du peuple.

Le fabliau était un conte rimé, parfois moral comme *La Housse partie* ou *Le Tombeur Notre Dame*, d'ordinaire hardiment satirique, où le poète exposait à la moquerie publique chevaliers, prêtres, moines, femmes, bourgeois et paysans. Forme renouvelée de la satire antique, c'était surtout une libre et gaie revanche de l'oppression exercée sur les petites gens par la noblesse et le clergé. De là la grande vogue de ces poèmes d'esprit essentiellement gaulois. Boccace et ses successeurs s'en inspirèrent plus d'une fois, ainsi que Rabelais, La Fontaine et Voltaire; Molière fit d'un fabliau, *Le Vilain Mire*, une comédie, *Le Médecin malgré lui*.

Le plus connu des auteurs de fabliaux est le poète Rutebeuf mort vers 1286. Nous ne savons rien de l'auteur des *Trois Bossus*.

Seigneur, si vous voulez attendre
Et m'entendre un petit moment
Je ne dirai pas de mensonge [1]
Mais en mes vers vous conterai
Un joli récit d'aventure.   5

    Jadis était dans un manoir,
(Hélas ! j'ai oublié le nom,
Mettons [2] que ce fut à Douai,[3])
Un bourgeois de certaine aisance [4]
Qui vivait agréablement,   10
Bel homme, avec de bons amis,
Des bourgeois les plus réjouis.[5]
Au fait,[6] il n'était pas très riche,
Mais il savait s'en donner l'air [7]:
La ville le croyait cossu.[8]   15

    Il avait une belle fille,
Si belle que c'était délice,

Et, s'il faut dire mon avis,[9]
Je ne pense pas que Nature
Ait fait plus belle créature.   20
    De sa beauté je ne saurai
Rien raconter ni déguiser,
Car, si je voulais m'en mêler,[10]
Je pourrais bientôt m'égarer.[11]
Mieux vaut me taire [12] maintenant   25
Que dire chose insuffisante.

    En la ville était un bossu,
Du monde [13] le plus mal fichu.[14]
Il avait une tête énorme.
Je crois bien que Nature mit   30
Grand travail [15] à la fabriquer.
Il ne ressemblait à personne,
Son corps était par trop [16] difforme:
Grosse tête, laide [17] figure,

---

1. *falsehood.*   **2.** *let us say.*   **3.** Ville du Nord de la France.   **4.** *fortune.*   **5.** gais.
6. à vrai dire.   **7.** s'en donner l'air: faire croire qu'il l'était.   **8.** riche.   **9.** *opinion.*
10. *presumed to attempt it.*   **11.** *go astray.*   **12.** ne rien dire.   **13.** *world.*   **14.** (*popular*) fait.
15. *labor.*   **16.** *altogether too . . ., excessively.*   **17.** *ugly.*

Le col [1] court, les épaules [2] larges 35
Et, de plus, toutes contournées.[3]
J'aurais peur de devenir fou [4]
A vouloir décrire en détail
Sa laideur; elle était extrême.
Il ne songea [5] toute sa vie 40
Qu'à faire une grosse fortune.
Enfin, pour tout dire en un mot,
Il avait vraiment trop d'argent [6];
Si l'histoire n'a pas menti,[7]
Il était le plus riche en ville. 45
Que puis-je ajouter [8] au portrait
Du bossu et de sa fortune?

A cause de son opulence
On lui accorda [9] la pucelle [10]
Si avenante [11] et toute belle. 50
Mais, dès qu'ils furent mariés,
Il n'eut un moment de repos
Songeant à sa grande beauté.
Le bossu devint si jaloux
Qu'il n'eut plus une heure de paix.[12] 55
Il tint toujours sa porte close;
Personne ne pouvait entrer
Dans sa maison s'il n'apportait
Ou venait chercher de l'argent.
Tout le jour il gardait son seuil.[13] 60

Or, voilà qu'un certain Noël [14]
Vinrent trois bossus ménestrels
Qui s'arrêtèrent à sa porte
Pour faire la fête avec lui;
Car chez personne dans la ville 65
Ils ne pouvaient se trouver mieux:
N'était-il pas un vrai confrère [15]
Qui portait la bosse [16] comme eux?
« Eh bien, montez, » leur dit le sire,
Car la salle [17] était à l'étage.[18] 70
Le dîner fut tôt apprêté,[19]

Ils s'assirent tous à la table.
Si vous désirez tout savoir,
Ce fut un plantureux [20] festin:
Le bossu n'était pas avare. 75
Il traita bien ses compagnons,
Leur servit pois,[21] lard [22] et chapons [23]
Et, quand ils furent bien repus,[24]
Il voulut donner un présent
Aux trois bossus, qui fut, je crois, 80
Trois sous parisis [25] à chacun.
Après quoi il leur défendit [26]
De jamais montrer leur visage
En sa maison ni au jardin,
Disant que, s'il les surprenait, 85
Ils pourraient prendre un bain glacé [27]
Dans l'eau profonde du ruisseau.[28]
La maison est sur la rivière
Laquelle coulait [29] à pleins bords. [30]
A ce discours les trois bossus 90
S'en allèrent de chez leur hôte [31]
Volontiers [32] et très satisfaits,
Car ils avaient bien employé
Leur journée ainsi qu'on le voit.
Derrière eux marcha notre sire [33] 95
Qui alla ainsi jusqu'au pont.[34]

La dame qui avait ouï [35]
Les bossus chanter si gaiement
Leur fit mander [36] de revenir
Pour lui redire leurs chansons. 100
Elle ferma toutes les portes.
Mais, comme les bossus chantaient
Et que la dame s'égayait,[37]
Voilà le sire qui revient
De sa trop courte promenade ! 105
Il appelle, frappe à la porte.
La dame entend bien [38] son seigneur,
Le reconnaît bien à sa voix,

---

1. cou.　**2.** *shoulders.*　**3.** difformes.　**4.** *mad.*　**5.** pensa, rêva.　**6.** *money.*　**7.** *lied.*
8. *add.*　**9.** donna (en mariage).　**10.** *maiden.*　**11.** gracieuse, aimable.　**12.** *peace.*
13. *threshold.*　**14.** *Christmas.*　**15.** *member of their brotherhood.*　**16.** *hump.*　**17.** *dining room.*　**18.** *on the second floor.*　**19.** préparé.　**20.** abondant.　**21.** *peas.*　**22.** *bacon.*
23. *capons.*　**24.** *satiated.*　**25.** parisis: de Paris; *worth approximately* 1¼ *cents.*　**26.** *forbade.*
27. *icy bath.*　**28.** *stream.*　**29.** *flowed.*　**30.** à . . . bords: *full to the (edge of the) banks.*
31. *host.*　**32.** *willingly.*　**33.** *ici:* homme ou bonhomme.　**34.** *bridge.*　**35.** entendu.
36. fit mander: fit savoir par lettre ou messager.　**37.** devenait gaie.　**38.** *all right, certainly.*

Mais se demande avec terreur
Ce qu'il faut faire des bossus,   110
Comment elle peut les cacher.
Près du foyer,[1] sur un châssis [2]
Qu'on employait pour les charrois,[3]
La dame avise [4] trois grands coffres.[5]
Que vous dirai-je ? Dans chacun 115
Elle fait entrer un bossu.

Et le seigneur est revenu;
Il s'assied tout près de sa femme
Qu'il aime tant à regarder;
Mais il ne reste pas longtemps,   120
Il prend congé [6] d'elle, descend
De la salle, puis disparaît.

Pensez si la dame est joyeuse
De le voir quitter la maison:
« Vite, délivrons les bossus   125
Que j'ai cachés dans ces trois coffres. »
Hélas ! elle les trouve morts
Quand elle lève les couvercles.[7]
C'est une effroyable [8] stupeur
De les voir si tôt trépassés.[9]   130
Elle court à sa porte, avise
Un porteur qui passe par là,
Et lui fait signe de monter.
Le garçon [10] qui l'a entendue
Accourt vers elle sans tarder.[11]   135
« Ami, dit-elle, écoute-moi.
Si tu me donnes ta parole
De ne révéler à personne
La chose que je te demande,
Tu auras riche récompense,   140
Trente livres [12] de bons deniers [13]
Aussitôt que ce sera fait. »
En entendant cette promesse
Le porteur est à son service,
Car il convoite [14] les deniers: 145

Il n'espérait pas telle aubaine.[15]
Mon gaillard [16] monte l'escalier.

La dame ouvre le premier coffre:
« Ami, ne sois pas ébahi,[17]
Porte ce mort à la rivière,   150
Tu me rendras un grand service. »
Il prend le sac qu'elle lui donne,
Y met bien vite le bossu,
Le soulève sur son épaule,
Descend l'escalier quatre à quatre,[18]
Et s'élance vers la rivière;   156
Il va tout droit sur le grand pont
Et jette le bossu dans l'eau;
Puis, sans tarder une minute,
Il retourne vers la maison.   160

La dame a retiré du coffre
Le second bossu, non sans peine;
Le souffle a failli lui manquer,[19]
Il était lourd [20] à soulever.[21]
Puis elle s'en est éloignée.[22]   165

Arrive le porteur en liesse [23]:
« Dame, payez-moi maintenant,
Du nain [24] je vous ai délivrée.
— Pourquoi vous moquez-vous de
          moi,
Dit-elle, mauvais garnement ? [25]   170
Le nain est déjà revenu.
L'avez-vous donc jeté à l'eau
Pour le ramener [26] avec vous ?
Voyez, si vous doutez encore.
— De par les cent diables d'enfer,[27] 175
Comment a-t-il pu revenir ?
C'est une bien grande merveille,
Car il était mort, j'en suis sûr;
— Serait-ce le diable antéchrist ? [28]
— Tant pis [29] pour lui, par saint-
          Rémi. » [30]   180

---

1. *fire-place.*   **2.** *frame.*   **3.** qu'on . . . charrois: *used in the carting (of merchandise).*
4. aperçoit.   **5.** *chests.*   **6.** il s'en va.   **7.** *lids.*   **8.** c'est . . . stupeur: *she is struck with horror.*
9. morts.   **10.** *fellow.*   **11.** délai.   **12.** *pounds.*   **13.** *farthings.*   **14.** *covets.*   **15.** *windfall.*
16. *happy buck.*   **17.** *aghast.*   **18.** quatre à quatre: *four steps at a time.*   **19.** *she was well-
nigh out of breath.*   **20.** *heavy.*   **21.** *lift, raise.*   **22.** *went or stood away.*   **23.** plein de joie.
24. *dwarf.*   **25.** *rascal.*   **26.** *bring back.*   **27.** *hell.*   **28.** Qui doit venir avant le retour du
Christ, et remplir le monde de maux (Apocalypse).   **29.** *so much the worse.*   **30.** archevêque
de Reims, qui baptisa Clovis (496).

Il saisit ce second bossu,
Le met en sac, puis le soulève
Sur son épaule en grommelant [1]
Et sort vite de la maison.
 La dame retire aussitôt 185
Le troisième bossu du coffre
Et le couche [2] devant le feu,
Puis elle retourne à la porte.
 Le porteur a jeté à l'eau
Le second bossu, tête en bas, 190
En disant: « Va donc, sois maudit,[3]
Cette fois tu y resteras. »
Et notre bonhomme s'empresse [4]
D'aller réclamer son salaire.
La dame est toute disposée 195
Et dit qu'elle va le payer.
Elle le conduit au foyer
Tout comme si elle ignorait
Qu'un autre bossu gisait [5] là.
« Oh! dit-elle, quelle merveille! 200
A-t-on jamais vu la pareille?
Regardez: voici votre nain! »
C'est le porteur qui ne rit pas
Quand il le voit devant le feu:
« Vrai, dit-il, le diable m'emporte! [6]
Fut-il jamais tel ménestrel? 206
N'ai-je rien à faire aujourd'hui
Que porter ce vilain [7] bossu?
Je le trouve toujours ici
Après l'avoir jeté à l'eau. » 210
 Alors il le met dans le sac,
Il le charge sur son épaule,
Sueur [8] au front, colère au cœur;
Il sort frémissant [9] de fureur,
Et dégringole [10] l'escalier. 215
Il tire le bossu du sac
Et le lance dans la rivière:
« Va-t'en, dit-il, horrible monstre.

C'est assez porté pour un jour.
Si tu dois revenir encore, 220
Tu t'en repentiras trop tard.
Tu m'as sans doute ensorcelé,[11]
Mais, par le Dieu qui me fit naître,
Si tu fais mine de [12] me suivre,
Je prendrai bâton [13] ou épieu [14] 225
Et te donnerai sur la nuque [15]
Un coup qui fera bande [16] rouge.
 Il dit, prend son sac et se hâte
De retourner près de la dame.
Mais au moment d'y arriver 230
Il regarde derrière lui
Et voit le seigneur [17] qui revient;
Il ne comprend rien à ce jeu [18];
Il se signe [19] trois fois et prie:
« Au secours,[20] Dieu et Notre Dame! »
Tout son esprit est fort troublé. 236
« Vraiment, dit-il, il a la rage [21]
De me talonner [22] de si près
Que pour un peu il m'atteindrait.
— Mais, par la roue [23] de saint
  Morant, 240
Il me prend certes pour un sot
De ne pouvoir pas l'emporter
Sans qu'aussitôt il se délivre
Et vienne marcher sur mes pas. »
Alors il saisit à deux mains 245
Un pilon [24] qui pend à la porte
Et revient au bas des degrés.[25]
Comme le sire va monter:
« Quoi, bossu, vous voilà encore!
Vous me semblez bien opiniâtre.[26] 250
Mais, par le corps de Notre Dame,
Mal vous a pris [27] de revenir
Vous me croyez vraiment trop fou.» [28]
Alors il lève le pilon
Et l'abat [29] d'un coup [30] si violent 255

1. *grumbling, muttering.* **2.** *lays down.* **3.** *cursed.* **4.** *hurries.* **5.** *was lying.* **6.** *devil take me!* **7.** *ugly.* **8.** *sweat.* **9.** *shaking.* **10.** (*lit., tumbles*), *hastens down.* **11.** *bewitched.* **12.** *fais mine de: betray any inclination.* **13.** *stick.* **14.** *spear.* **15.** *nape of the neck.* **16.** *stripe.* **17.** *lord and master.* **18.** *game.* **19.** *makes the sign of the cross.* **20.** *Help!* **21.** *he has a mania.* **22.** *follow upon the heels.* **23.** *rack on which must have died the forgotten martyr, St. Morant.* **24.** *pestle.* **25.** *steps.* **26.** *stubborn.* **27.** mal ... pris de: *it was an unlucky move.* **28.** *ici:* sot. **29.** *brings it down.* **30.** *stroke.*

Sur la grosse tête du sire
Que la cervelle [1] se répand. [2]
Le voilà mort sur le perron. [3]
Vite dans le sac ! Une corde
En ferme la large ouverture.   260
Le grand garçon se met en marche
Et s'en va balancer [4] sur l'eau
Le sac qu'il a si bien lié [5]
De peur que le maudit bossu
N'en sorte et ne le suive encore.   265
« Va droit, dit-il, à ton destin.
Maintenant je suis assuré
Que tu ne pourras revenir
Avant que les bois ne verdissent. » [6]
    Il retourne près de la dame   270
Pour lui demander son salaire,
Car il a fait bonne besogne. [7]
Elle, sans la moindre objection,
Donne volontiers au garçon
Trente livres en compte rond, [8]   275
Elle paie tout avec plaisir.
Il est très heureux du marché, [9]

Très satisfait de sa journée, [10]
Surtout de l'avoir délivrée
D'un mari [11] qui était si laid.   280
Il compte bien qu'elle n'aura
Plus d'ennui, tant qu'elle vivra,
N'ayant plus ce vilain mari.
    DURAND, qui conte cette histoire,
Dit que Dieu ne fit pas pucelle [12] 285
Que l'argent ne puisse obtenir,
Qu'il ne fit pas d'objets si chers,
De n'importe quelle valeur,
Si l'on veut dire vérité,
Que l'argent ne puisse obtenir.   290
Le bossu eut pour son argent
La dame qui était si belle.
Honni soit [13] l'homme, quel qu'il soit,
Qui prise [14] trop l'argent maudit
Et qui l'inventa le premier.   295
    Amen. (Ainsi soit-il.)

Ainsi finit le fabliau
Des trois bossus.

1. *brains.*   2. *are scattered.*   3. *front steps.*   4. *swing.*   5. *bound.*   6. *turn green.*
7. travail.   8. en compte rond: *in a good round sum.*   9. *bargain.*   10. *day's work.*
11. *husband.*   12. *maiden.*   13. honni soit: *shame be upon.*   14. *values.*

DU CHEVALIER AU BARIZEL[1]
(*The Knight with the Little Keg*)

CONTE DÉVOT

(XIIᴇ OU XIIIᴇ SIÈCLE)

Il existe plusieurs collections de ces contes dévots du Moyen-âge. Celui-ci est tiré d'un groupe connu sous le nom de Manuscrits de Notre Dame (M. 7, et Nº 7218); il est traduit vers par vers, aussi littéralement que possible, en français moderne.

Entre Normandie et Bretagne,
Dans un site bien isolé,
Vivait jadis un grand seigneur
Lequel avait fameux renom.
Près du rivage de la mer,   5
Son château était défendu
Par une ceinture de tours,
De créneaux,[2] de remparts si forts
Qu'il ne craignait ni Roi ni Comte,
Ni Duc ni Prince ni Vicomte;   10
Et ce seigneur dont je vous parle
Était, je l'ai entendu dire,
Très beau de corps et de visage,
Riche d'avoir,[3] de haut lignage,
Et, quant à sa physionomie,   15
La plus débonnaire du monde.
Mais il était impie et traître,
Et si déloyal et si faux
Et si fier et si orgueilleux[4]
Et avec cela si cruel   20
Qu'il ne craignait ni Dieu ni homme.
Il gardait si près les chemins
Qu'il tuait tous les Pèlerins
Et dérobait tous les marchands;
Il fit tant d'actes si méchants!   25
Il n'épargnait[5] ni Clerc[6] ni Moine,
Reclus,[7] Ermite ni Chanoine,[8]

Ni les Nonnains ni les Converses[9]
Car étaient servantes de Dieu:
Qui sait combien il maltraita?   30
Épouser femme, ah! non, jamais!
Il aurait cru trop s'avilir[10]:
D'entendre messe il n'avait cure
Ni de sermon ni d'Écriture.

    Tel il vécut près de trente ans   35
Jusqu'à certain jour de carême[11]
Et c'était le vendredi saint.[12]
Lui qui ne se souciait de Dieu
Se leva de très grand matin
Et dit au Chef[13] en son latin[14]:   40
« Vite apprête ces venaisons,
Car c'est de manger la saison. »
Les cuisiniers très étonnés
Répondent, tristes et chagrins
Comme gens n'osant[15] contredire: 45
« A votre bon plaisir, Messire. »
    Quand ses Chevaliers l'entendirent,
Eux dont le cœur n'était impie,
Ils lui parlent très librement:
« Sire, font-ils, qu'avez-vous dit?   50
C'est carême, la saison sainte;
C'est le glorieux vendredi
Où Dieu souffrit la Passion

---

1. petit baril, *keg.*   **2.** *battlements.*   **3.** fortune, domaine.   **4.** *proud and haughty.*
5. *spared.*   **6.** *clerk (in holy orders).*   **7.** solitaire, anachorète.   **8.** *canon (church dignitary).*   **9.** converses: domestiques de nonnes.   **10.** *disgrace.*   **11.** *Lent.*   **12.** *Good Friday.*   **13.** . . . de cuisine: *head cook.*   **14.** en son jargon.   **15.** *not daring.*

Pour assurer notre salut,
Le jour où tous devons jeûner,[1]   55
Et vous prétendez faire gras ! [2]
Dieu se doit de prendre vengeance,
Ne le fera-t-il pas bientôt ?
— Ma foi, dit-il, avant ce temps,
J'aurai encor bien des méfaits.[3]   60
— Vous devriez, sans nul retard,
A Jésus-Christ, le Créateur,
Crier et pleurer vos péchés
Dont vous êtes si entaché.[4]
— Pleurer, quelle plaisanterie !   65
Je n'ai cure d'un tel tracas.[5]
Mais pleurez, vous, et je rirai.
— Sire, disent-ils, écoutez :
En ce bois vit [6] un très saint homme
A qui tous vont se confesser.   70
Partons, allons nous confesser
Et renoncer à nos malices.
— Nous confesser, mais c'est le Diable.
De qui ne serais-je la fable ? [7]
Malheur à qui fera cela,   75
A qui mettra le pied au bois.
— Venez, en notre compagnie,
Allons, Sire, décidez-vous [8] :
Faites-le par bonté pour nous.
— Pour vous j'irai très volontiers,   80
Mais pour Dieu certainement pas.
Allons, qu'on selle [9] mon cheval !
J'irai avec ces papelards.[10] »

Alors ils se mettent en route.
Par le chemin tant fréquenté   85
Ils arrivent sans nul arrêt
A l'ermitage en la forêt.
Au moûtier [11] trouvent le saint homme ;
Mais leur Sire reste dehors.[12]
« Sire, font-ils, descendez donc ;   90
Venez ici vous amender,
Prier Dieu pour miséricorde.

— Je ne bougerai [13] pas d'ici.
Pourquoi lui dire des prières
Quand pour lui je ne veux rien faire ?
Finissez vite votre affaire. »   96
Ils s'en vont vers le saint ermite :
Chacun a sa confession faite
De la façon la plus sincère.
Il les absout [14] bien humblement,   100
Mais leur demande le serment [15]
Que toujours ils se garderont
De mal faire autant qu'ils pourront.
Ils le jurent de bonne foi
Et puis le prient tout doucement : 105
— Sire, notre maître est dehors ;
Pour Dieu, appelez-le ici :
Il ne veut pas pour nous venir,
Mais il pourrait bien advenir [16]
Qu'il cédât à votre prière.   110
— Ah ! dit l'ermite, je ne sais,
Mais je veux bien faire l'essai. »
Alors il s'en va, appuyé,[17]
Le faible homme, sur son bâton [18] ;
Dit doucement au Chevalier :   115
— Sire, soyez le bienvenu
En ce saint jour de pénitence,
De repentir et confession
Où l'on ne doit penser qu'à Dieu.
— Pensez-y, vous : c'est votre maître ;
Je n'y penserai nullement. »   121
L'ermite entendit sans colère
Et se prit à dire humblement :
— Descendez donc, cher et beau Sire ;
Puisque vous êtes Chevalier,   125
Vous devez avoir gentil [19] cœur.
Je suis Prêtre et vous requiers,[20]
De par [21] Lui qui souffrit la mort
En s'offrant pour nous sur la croix,
De venir me parler un peu.   130
— Parler, Diable, et de quoi parler ?
Qu'avons-nous de commun ensemble ?

1. *fast.*   2. manger de la viande.   3. mauvaises actions.   4. *tainted.*   5. *"business,"*
fuss.   6. *lives.*   7. *laughing-stock.*   8. *make up your mind.*   9. *saddle.*   10. *hypocrites.*
11. monastère.   12. *outside.*   13. *shall move.*   14. *absolves.*   15. *oath.*   16. *happen, occur.*
17. *leaning.*   18. *stick.*   19. *noble.*   20. demande.   21. de par : au nom de.

Il me tarde de m'en aller.
— Sire, je le crois volontiers;
Si vous ne le faites pour moi,   135
Faites-le pour Dieu seulement.
— Il a en vous bon avocat;
J'irai donc, mais à condition
Que je n'y ferai pas d'aumône [1]
Et n'y dirai pas patenôtre.[2]   140
— Sire, venez donc maintenant,
S'il ne vous sied,[3] vous sortirez.
— Bien, finissons-en aujourd'hui. »
    Il saute à terre en rechignant [4]:
« C'est bien, dit-il, contre mon gré.[5] »
    L'ermite le prend par la main   146
Et très doucement il l'entraîne:
Il le mène dans sa chapelle.
Ils arrivent devant l'autel:
— Vous ne pouvez plus reculer [6]   150
Car vous êtes dans ma prison:
N'y voyez pas le moindre outrage,
S'il vous convient de me parler,
Ainsi dites-moi votre vie. »
    Lui qui est traître et plein d'envie [7]
Répond: « Non, je n'en ferai rien;   156
Rien ne saurez, Monsieur le Prêtre,
De mes projets, de mes pensées;
Je ne suis pas assez niais [8]
Pour que je vous en dise mot.   160
— A moi, non, mais au Dieu Très-
    Haut
Vous parlerez, j'écouterai.
— Êtes-vous donc si grand seigneur
Que vous m'obligiez à faire
Confession bien malgré moi? »   165
    Le cruel a l'œil furieux,
Le bon ermite a très grand'peur,
Et s'attend à être frappé.
Mais il parle très doucement:

« Frère, par le Dieu tout-puissant,   170
Dites-moi donc un seul péché:
Si vous vouliez bien commencer,
Dieu vous aiderait, je le sais,
A revenir au droit chemin.
— Comment trouvez-vous le pouvoir
De me faire parler de force?   176
Puisqu'il le faut absolument,
Je parlerai malgré [9] ma honte,
Mais ne demandez rien de plus. »
    Et il fait toute une tirade   180
De péchés qu'il dit par bravade;
Il les conte tous un à un.
Quand sa confession est faite,
Il demande au pieux ermite:
« Je vous ai dit tous mes forfaits   185
Allez-vous me laisser en paix?
— Sire, répond cet homme sage,
Vous avez bien dit votre histoire,
Mais sans le moindre repentir.
Ah! si vous faisiez pénitence,   190
Combien grand serait mon plaisir!
— Et si je voulais m'y soumettre,
Quelle serait ma pénitence?
— Mais celle que vous voudriez.
— Dites-la-donc. — Volontiers, sire:
Pour expier tous vos péchés   196
Vous jeûnerez fidèlement
Les vendredis durant sept ans.
— Sept ans? non, merci. — Alors,
    trois?
— Non, vraiment. — Vendredis d'un
    mois?   200
— Taisez-vous, je n'en ferai rien.
— Si nous disions pendant un an?
— Pas du tout, par Saint Abraham;
— Portez la laine [10] sur peau [11] nue.
— Ma peau serait bientôt couverte 205

---

1. *gift, alms.*   2. oraison dominicale (from *pater noster*, "Our Father").   3. convient, plaît.   4. *looking cross.*   5. plaisir, volonté.   6. *go back.*   7. *greed.*   8. fou, imbécile.   9. *in spite of.*   10. vêtements de laine (*wool*). « On ne savait pas préparer la flanelle, et il semblait fort pénible de porter sur la peau autre chose que du linge. On le faisait alors, cependant, par austérité volontaire ou pénitence imposée. » (Gaston Paris, *Récits du Moyen-âge.* Paris, Hachette, p. 132.)   11. *skin.*

Et tout infectée de vermine.
— Donnez-vous donc la discipline
Tous les matins à coups de verge.[1]
— Jamais je ne pourrais souffrir
De frapper et battre mon corps.   210
— Allez, pèlerin, outremer.[2]
— Voilà une parole amère.[3]
Ah! taisez-vous, c'est temps perdu,
Car la mer est trop dangereuse.
— Allez chaque jour au couvent   215
Et demeurez-y à genoux
Pour réciter deux oraisons,
Le patenôtre et le salut.[4]
— C'est beaucoup trop nous disputer,[5]
Tout cela ne nous mène à rien.   220
— Avant que vous partiez d'ici,
Faites-moi seulement la grâce,
Pour l'amour du Dieu tout-puissant,
De porter mon petit baril
Là-bas, jusqu'à notre rivière;   225
Vous puiserez[6] à la fontaine[7]
Sans éprouver aucune peine;
Si vous me le rapportez plein,
Vous serez quitte et délivré
De péchés et de pénitence;   230
N'en ayez jamais aucun doute,
Car je prends vos péchés sur moi. »
   Le chevalier, riant, lui dit:
« Je n'aurai pas très grande peine
D'aller jusqu'à cette fontaine: 235
Pénitence sera tôt faite. »
   L'ermite lui tend[8] le baril.
Lui, comme si de rien n'était,
Prend vivement ce tonnelet[9]:
« Oui, je le prends, et je vous jure[10] 240
De ne jamais me reposer
Avant de le rapporter plein.
— C'est bien ainsi que je l'entends.[11] »

Le chevalier se met en route.[12]
Il descend jusqu'à la fontaine,   245
Y plonge aisément le baril.
Il essaye de vingt manières,
Nulle goutte[13] n'entre dedans.
Il risque d'en perdre le sens.
Aurait-il bouché[14] le baril?   250
Voyons: il y plonge un bâton,
Le baril reste sec et vide.
Lui, dont l'orgueil se surexcite,
Avec colère le replonge
Dans la fontaine pour l'emplir;   255
Mais pas une goutte n'y entre.
« Mordieu[15]! que signifie cela? »
   Cent fois il plonge derechef[16]
Le baril qui reste sans eau.
L'angoisse[17] lui serre[18] les dents, 260
Il se lève en grande fureur
Et s'en retourne à l'ermitage
Dire l'aventure à l'ermite
Et à ses hommes; il leur jure:
« Par les saints, je n'ai goutte d'eau
Dans ce baril, pas une larme.[19] 266
Mais, par celui qui fit mon âme,
Jamais je n'aurai de repos,
Ni pendant jour ni pendant nuit,
Si je ne rends ce baril plein. »   270
   Alors il s'adresse à l'ermite:
« Dans quel tourment vous m'avez mis
Avec ce maudit barillet!
Mais, fût-il fabriqué par diable,
Voici ce que j'entreprendrai: 275
Jamais ne laverai ma tête,
Ne toucherai peigne[20] ou rasoir,
Jamais ne couperai mes ongles[21]
Que[22] je n'aie tenu ma promesse.
Je ne cheminerai[23] qu'à pied,   280
Allant toujours sans sou ni maille,[24]

---

1. *switch.*   **2.** *overseas.*   **3.** *bitter.*   **4.** L'Avé Maria.   **5.** raisonner, discuter.   **6.** *shall draw water.*   **7.** source.   **8.** *hands.*   **9.** *keg.*   **10.** *swear, vow.*   **11.** le comprends.   **12.** se met...: *setsforth.*   **13.** *drop.*   **14.** *stopped up.*   **15.** par la mort de Dieu.   **16.** de nouveau.   **17.** *anguish.*   **18.** *clenches.*   **19.** (lit., *tear*): *drop.*   **20.** *comb.*   **21.** *fingernails, toenails.*   **22.** = avant que.   **23.** *Shall go my way, travel.*   **24.** sans sou ni maille: *without a red cent.*

N'emportant pas un seul denier,[1]
Ni pain ni rien, dans mon doublet. »
    Il dit fièrement à ses hommes:
« Or ça,[2] allez-vous-en d'ici,   285
Et emmenez mon bon cheval.
Si l'on vous questionne sur moi,
Ne répondez pas un seul mot,
Vivez selon votre plaisir.
Pour moi, je n'aurai plus jamais   290
Jour sans travail ni sans souffrance,
Mais je vous assure vraiment
Que je vais chercher à la ronde
Toutes les eaux de notre monde
Et rapporter ce baril plein. »   295

    Le voilà parti sans délai,
Le barillet pendu au cou.
Nul, sinon Dieu, ne l'accompagne.
Vous pensez qu'il saura bientôt
Les privations qu'il va subir,   300
Il trouvera peu de confort,
Pauvres gîtes[3] et lits bien durs,
Peu de pain et froide cuisine:
Pauvreté sera sa compagne.
    A toutes les eaux qu'il rencontre 305
Il met son baril à l'épreuve[4];
Mais rien n'y fait,[5] il ne prend goutte,
Et toujours grandit sa colère.
Mais quand il voit que la famine
Le presse, il ne peut plus attendre: 310
Il consent à vendre sa robe,
A l'échanger, non sans regret,
Contre une pauvre souquenille[6];
Sa chaussure ne dure pas:
Elle est toute gâtée, usée.[7]   315
Il traverse tant de vallées,
Tant de vastes champs, les pieds nus,
Par le temps froid, par le temps chaud;

Errant[8] dans les terres incultes,
Parmi les ronces, les épines.[9]   320
Partout coulent gouttes de sang.
Sa peau est toute déchirée.[10]
Il a grands soucis, grandes peines,
Mauvais jours et mauvaises nuits;
Il est si pauvre et il mendie.[11]   325
Lui, grand, robuste et bien mem-
    bru,[12]
Est si laid, si pâle et hâlé,[13]
Et les jambes nues jusqu'aux cuisses,[14]
Que chacun, je n'en doute pas,
A grande peur de l'héberger[15];   330
Il s'en va en grande colère.
Il erre[16] dans tout le Poitou,
En Maine, Touraine et Anjou,
En Normandie, France[17] et Bour-
    gogne,
En Provence, Espagne et Gascogne,
En Hongrie et en Moravie,   335
En Pouille,[18] Calabre et Toscane,
En Lorraine, dans tout l'Auxais.[19]
Je ne puis nommer une terre
Qu'il n'ait foulée,[20] bâton en main, 340
Ni rivière qu'il n'ait tentée,
Ni quai, ni ruisseau,[21] ni fontaine,
Eau stagnante ni eau limpide,
Où il n'ait plongé son baril.
    Que dire encore? Il va si loin, 345
Au nord, au sud, à droite, à gauche,
Que son corps est si fatigué,
Si abattu,[22] si maigre et faible
Que ne pourrait le reconnaître
Quiconque l'a vu l'an passé.   350
Il ne se soutient qu'avec peine
Et d'un bâton il a besoin
Pour s'y appuyer quand il marche.
Le barillet lui pèse lourd.[23]

---

1. le sou valait douze deniers.   2. Or ça: *now then.*   3. *lodgings.*   4. *to the test.*   5. *it is of no use.*   6. *smock-frock.*   7. gâtée, usée: *damaged, worn out.*   8. *wandering.* 9. *brambles, thorns.*   10. *torn.*   11. *begs.*   12. *stout-limbed.*   13. *sunburnt.*   14. *thighs.* 15. *give (him) shelter.*   16. *wanders.*   17. la région autour de Paris ... (aujourd'hui Ile-de-France).   18. Apulie, pays d'Italie, sur l'Adriatique.   19. capitale Auxerre, au sud-est de Paris.   20. *trod.*   21. *brook.*   22. *weary.*   23. *weighs heavily.*

Il vient enfin à l'ermitage   355
Au bout [1] de l'an, en ce jour même
Qu'il a quitté le lieu très saint.
    Il entre en très grande douleur.
L'ermite ne l'attendait [2] pas:
Il le regarde avec surprise   360
Et le voit si mal arrangé,[3]
Si défait,[4] si mal équipé [5]
Qu'il ne saurait [6] le reconnaître,
Mais bien reconnaît le baril
Pendu au cou du chevalier.   365
    Le bon Père alors l'interroge:
« Mon brave et doux frère, dit-il,
Quel besoin [7] vous amène ici?
Ce lourd baril au cou pendu,
Ne l'ai-je pas très souvent vu?   370
De plein gré,[8] juste l'an passé,
Je l'ai donné au plus bel homme
Qui soit en l'empire de Rome.
Est-il mort, vivant? je ne sais,
Car il n'est revenu jamais.   375
De grâce ne me diras-tu
Qui tu es, comment tu te nommes?
Jamais je n'ai vu si pauvre homme:
Les Sarrazins [9] t'auraient-ils pris
Que tu es si pauvre et si nu? »   380
    Il répond d'un ton irrité
Car il est toujours en colère:
« C'est vous, mon bel et méchant Sire,
Qui m'avez mis en cet état.
C'est vous qui m'avez confessé,   385
L'an dernier, et m'avez donné
Ce barillet en pénitence:
Il m'a mis dans la grande peine
Que vous voyez. » — Puis il lui fait
De son voyage un long récit,   390
Dit les pays et les contrées,
Les terres qu'il a parcourues,[10]
La mer, les lacs et les rivières.
« Sire, dit-il, j'ai tout tenté,

J'ai plongé partout mon baril,   395
Pas une goutte n'est entrée,
Ni plus ni moins, ni moins ni plus.
Je sais que je mourrai bientôt
Car je n'ai plus désir de vivre. »
    A ces mots l'ermite indigné   400
Répond d'une voix courroucée [11]:
« Larron,[12] misérable larron,
Tu es pire que Sodomites [13]:
Ni chien, ni loup, ni autre bête,
N'eût tant traîné ce barillet   405
Par toutes eaux et par tous gués [14]
Sans me le rapporter tout plein,
Et tu reviens sans une goutte!
Or, je vois bien que Dieu te hait,
Ta pénitence est sans effet,   410
Tu l'as faite sans repentir. »
    Il pleure en se tordant [15] les mains,
Car son cœur est tant affligé,
Et il s'écrie à haute voix:
« Ô Dieu, qui sais, peux et veux tout,
Regarde cette créature   416
Qui suit une mauvaise route,
Y perdant son corps et son âme,
Ô Sainte Marie, notre mère,
Demande à Dieu, ton fils, ton père,
De le regarder doucement   421
D'un œil miséricordieux.[16]
Seigneur, si je fis rien de bon,
Rien qui vous ait plu, ô mon Dieu,
Je vous supplie ici: de grâce,   425
Pardonnez à cet homme-ci.
S'il vient à mourir maintenant,
Extrême sera mon chagrin.
Veuillez choisir entre nous deux:
Laissez-moi, abandonnez-moi,   430
Recevez cette créature. »
     L'ermite pleure tendrement;
Le chevalier assez longtemps
L'a regardé silencieux;

---

1. *end.*   **2.** *expected.*   **3.** *dressed.*   **4.** *undone, tattered.*   **5.** *got up, rigged out.*   **6.** pourrait.   **7.** nécessité.   **8.** de plein gré: avec plaisir.   **9.** nom donné aux corsaires africains. **10.** traversées.   **11.** irritée.   **12.** *wretch.*   **13.** débauché comme les habitants de Sodome. **14** *fords.*   **15.** *wringing.*   **16.** *pitiful, merciful.*

Et dit si bas que nul n'entend : 435
« Certes je vois une merveille
Dont mon cœur très fort s'émerveille :
Cet homme qui rien ne me doit
Prétend [1] se détruire à ma place,
Et se damner [2] pour mes péchés ? 440
Et moi, qui en suis entaché, [3]
Je n'ai donc pas assez de cœur
Pour avoir eu pitié de lui.
Ah ! Dieu très bon, si vous voulez,
Donnez-moi tant de repentir, 445
Par votre puissante vertu,
Que ce prêtre en ait réconfort, [4]
Lui qui pour moi souffre si fort.
Doux Dieu, je vous ai offensé,
Dieu vrai, je m'en accuse à vous : 450
Pardon, Roi miséricordieux.
Que votre volonté soit faite,
Me voici à votre merci. »

Et maintenant Dieu fait son œuvre, [5]
Vidant, [6] débarrassant [7] son cœur 455
D'orgueil, [8] de toute dureté,
Le remplissant d'humilité.
Une telle douleur le touche
Qu'il ne peut plus ouvrir la bouche ;
Il se jure bien humblement 460
Qu'il ne péchera jamais plus.
Or, Dieu voit bien qu'il se repent.
Le baril qui pend à son cou,
Qui lui a causé tant d'ennuis, [9]
Ce baril était resté vide ; 465
Mais il n'a plus qu'un seul désir :
C'est de pouvoir enfin l'emplir.
Apprenez donc ce que Dieu fit
Pour réconforter cet ami.
De son cœur il fait monter l'eau 470
Jusqu'à ses yeux endoloris, [10]
Et une grosse larme en sort
Que de vraie source Dieu projette

Comme une flèche [11] d'arbalète [12]
Et qui tout droit tombe au baril. 475
Or l'histoire nous dit aussi
Que le baril fut si rempli
De cette seule et sainte larme
Que l'eau coula par-dessus bord.
Le bon ermite court à lui, 480
Baise humblement ses deux pieds nus
Et dit : « Mon frère, mon ami,
Dieu t'a pardonné tes péchés. »
Le Chevalier a telle joie
Qu'il pleure tout le jour, voilà. 485
Puis il appelle le saint prêtre
Pour lui dire sa volonté :
« Saint homme, je suis votre esclave,
J'étais ici l'année dernière,
Vous le savez bien, mon doux Père. 490
Si égaré, [13] si insensé, [14]
Je vous contai tous mes péchés
Avec une extrême colère,
Sans repentir et sans amour :
Or, je veux les dire avec crainte, [15] 495
En véritable dévotion,
Car c'est à telle condition
Que notre bon Père éternel
Mettra mon âme en paradis. »
L'ermite dit : « Mon bon ami, 500
Béni [16] soit le Seigneur Jésus
Qui te donne ce beau courage !
Me voici tout prêt à t'entendre :
Dis-moi tes péchés, je t'écoute ».
D'un cœur vrai celui-ci commence,
Les mains jointes, des pleurs [17] aux
　　yeux, 506
Il pousse de profonds soupirs,
Ses larmes coulent à foison. [18]
Quand le saint homme voit qu'il peut
Lui pardonner tout, il l'absout, [19] 510
Puis lui donne le corps divin. [20]
Sitôt qu'il a communié,

1. *intends.* 2. *incurs damnation.* 3. *sullied.* 4. *consolation.* 5. *work.* 6. *emptying.*
7. *ridding.* 8. *pride.* 9. *vexation.* 10. rouges d'avoir pleuré. 11. *arrow* 12. *cross-*
bow. 13. *wild, erring.* 14. *senseless.* 15. *awe.* 16. *blessed.* 17. larmes. 18. à
foison : en abondance. 19. *absolves.* 20. corps divin, le pain de la communion.

Se sent l'âme purifiée.
« Père, dit-il, je vais partir,
Priez pour moi, je vais mourir.   515
Très doux Père, Dieu vous protège !
En ma fin je vous le demande :
Mettez vos bras autour de moi :
Je voudrais mourir dans vos bras. »
    Et l'ermite très doucement   520
L'embrasse, étendu près de lui :
Il est couché devant l'autel,
Et tout son cœur il offre à Dieu.
Le baril gît [1] sur sa poitrine,
Ce barillet qui l'a sauvé.   525
Mort ou vivant, il veut porter
Dessus son cœur sa pénitence.

C'est enfin l'heure du départ,
Et pour l'âme de s'envoler,
Complètement purifiée.   530
    Elle s'envole si blanchie,
Franche [2] de toute souillerie,[3]
Que les saints Anges l'ont reçue.
Ainsi mourut le Chevalier.

.   .   .   .   .   .

Prions Dieu, qu'en sa charité,   535
Il nous mette en son Paradis,
Là-haut où sont tous ses amis : Amen.
    Ici finit le conte
    Du Chevalier au Barizel.

1. *lies, rests.* 2. *freed.* 3. *stain.*

LA FARCE DE
MAÎTRE PIERRE PATHELIN

COMÉDIE DU XVe SIÈCLE

La Farce de maître Pathelin (ou de *l'avocat Pathelin*) est la meilleure comédie que nous ait laissée le Moyen-âge. Le sujet en est simple, l'action bien ordonnée, le dialogue vif, naturel et amusant; les personnages y parlent et y agissent suivant leur caractère et leur condition. C'est assurément l'œuvre d'un lettré. On l'a attribuée à Antoine de la Salle, auteur d'une satire amusante, *Les Quinze Joyes de Mariage*, et même à François Villon. La question ne semble pas résolue. Il est certain du moins que l'œuvre date du XVe siècle, c'est à dire du temps de Charles VII ou de Louis XI.

Cette perle de notre vieux théâtre comique a toujours été très appréciée. Elle a enrichi la langue française de proverbes populaires.

Elle nous offre un tableau pittoresque de certaines mœurs d'une ville de province. On pourrait l'appeler: *L'école des Trompeurs*, car on y voit avec plaisir les dupeurs dupés à leur tour.

Pour conserver la physionomie du texte original, nous l'avons traduit en français moderne presque mot à mot et en vers octosyllabiques (non rimés).

Il y a trois petits actes sans changement de décor. On voit à gauche l'échoppe du drapier avec son étalage de marchandise au devant; au milieu de la scène une place publique, et à droite la maison de maître Pathelin et de sa femme Guillemette. Pathelin est avocat, ce qui est indiqué par le mot *maître* que l'on donnait à un homme de cette profession. Toute l'action de la pièce se passe tantôt à gauche devant l'échoppe du drapier, tantôt à droite devant ou dans la maison de Pathelin, tandis que l'épisode final du jugement se déroule au milieu dans la place publique.

PERSONNAGES

MAÎTRE PATHELIN, *avocat*

GUILLAUME JOSSEAUME, *drapier*

THIBAUT L'AGNELET,[1] *berger*

GUILLEMETTE, *femme de* PATHELIN

LE JUGE

ACTE PREMIER

SCÈNE I

Chez PATHELIN

Pathelin. Sainte Vierge! Ma Guillemette,
Quelque peine [2] que je me donne
Pour chiper [3] ou gagner de l'or,
Nous ne pouvons rien amasser.
Et je plaidais si bien jadis.[4]   5

---

1. *Lambkin.* **2.** *whatever trouble.* **3.** *steal (swipe).* **4.** *formerly.*

61

Guillemette.   Par   Notre-Dame, parlons-en,

De vos sornettes [1] d'avocat.

On ne vous croit plus si habile

Comme on le faisait autrefois,

Alors que chacun vous voulait   10

Avoir pour gagner sa querelle.

Maintenant chacun vous appelle:

L'avocat qui attend sous l'orme.[2]

Pathelin.   Pourtant [3] je peux dire sans me

Vanter [4] qu'il n'est pas au pays   15

Où siège [5] notre tribunal

Homme plus savant, sauf le maire.[6]

Guillemette.   C'est qu'il a appris la grammaire

Et longtemps fréquenté l'école.

Pathelin.   De qui ne puis-je faire perdre   20

La cause, si je veux m'y mettre? [7]

Et je n'ai guère ouvert les livres

Qu'un peu; mais j'ose me vanter

Que je sais aussi bien chanter

Au lutrin [8] que notre curé,   25

Comme si j'avais étudié

Autant que notre Charlemagne.[9]

Guillemette.   Y gagnez-vous un rouge liard? [10]

Nous allons mourir de famine.

Nos vêtements sont plus râpés [11]   30

Qu'étamine [12]; et puis-je savoir

Comment nous en procurer d'autres?

Ah! que nous vaut donc votre science?

Pathelin.   Taisez-vous.   Je vous prends au mot.

Si je veux me creuser l'esprit,[13]   35

Je saurai bien où en trouver,

Des robes et des chaperons.[14]

Dieu le veuille, on s'en tirera,[15]

La fortune nous reviendra.

Certes, elle travaille vite.   40

S'il faut qu'en cela je m'applique

A bien user de mes talents,

Qui saura trouver mon pareil?

Guillemette.   Par saint Jacques, oui, pour tromper

Vous êtes un maître achevé.   45

Pathelin.   Par le bon Dieu qui me fit naître,

Comme avocat, je suis un maître.

Guillemette.   Oui certes, maître en tromperie [16];

C'est du moins ce qu'on dit partout.

Pathelin.   Il faudrait le dire de ceux

Qui s'en vont richement vêtus   51

Et prétendent être avocats,

Ce que vraiment ils ne sont pas.

Mais finissons ce bavardage.[17]

Je m'en veux aller à la foire.[18]   55

Guillemette.   A la foire?

Pathelin.   Par saint Jean, oui.

(*Il chante.*)   « A la foire, douce acheteuse. »

(*Il parle.*)   Vous déplaît-il que j'y marchande [19]

Du drap [20] ou bien quelque autre chose

Utile pour notre ménage?   60

Nous n'avons habit qui rien vaille.[21]

Guillemette.   Mais vous n'avez ni sou ni maille.[22]

Qu'y ferez-vous?

Pathelin.   C'est mon secret.

Belle dame, si je n'apporte

Assez de drap pour vous et moi,   65

---

1. *nonsense, idle talk.*   **2.** attend . . . orme: *waits under the elm (for clients who do not come), waits for ever.*   **3.** *yet.*   **4.** *bragging.*   **5.** *sits.*   **6.** *mayor.*   **7.** si . . . mettre: *if I really want to do it.*   **8.** *lectern.*   **9.** *allusion to the school established by Charlemagne in his palace.* **10.** rouge liard: *a red cent.*   **11.** *threadbare.*   **12.** *cheesecloth.*   **13.** *to rack my brain* (creuser, dig).   **14.** *hoods.*   **15.** *will pull through.*   **16.** *in the art of deceiving.*   **17.** *chatter.* **18.** *fair.*   **19.** *bargain.*   **20.** *cloth.*   **21.** qui . . . vaille: *that's worth anything.*   **22.** ni sou ni maille: *not a farthing.*

Alors, traitez-moi de menteur.
Quelle couleur préférez-vous?
Le gris-vert, le drap de Bruxelles?
Ou bien? Il faut que je le sache.
   Guillemette. Apportez ce que vous
    pourrez. 70
Un emprunteur [1] ne choisit pas.
   Pathelin. (*Comptant sur ses doigts*)
    Pour vous, deux aunes [2] et demie,
Et pour moi, trois et même quatre.
C'est ça.
   Guillemette. Vous comptez large-
    ment.[3]
Qui diable vous les prêtera? [4] 75
   Pathelin. Qui? Ne vous en
    souciez [5] pas.
On me les prêtera vraiment

A rendre au jour du jugement,
Car ce ne sera pas plus tôt.
   Guillemette. Alors, mon ami, nous
    verrons 80
Bien des gens vêtus avant nous.
   Pathelin. J'achèterai ou gris ou
    vert,
Et pour un blanchet,[6] Guillemette,
Il me faut trois quarts de brunette [7]
Ou une aune.
   Guillemette. Dieu me protège! 85
Allez, n'oubliez pas de boire
Si vous trouvez Martin Garant.[8]
   Pathelin. Soyez de garde.[9] (*Il
    sort.*)
   Guillemette. (*Seule*) Dieu, quel
    homme!...

SCÈNE II

A *l'étal* [10] du DRAPIER

   Pathelin. (*Devant l'étal, se parlant
    à lui-même*) N'est-ce pas lui?
    Assurons-nous.
Oui, c'est lui, par sainte Marie.
Le voilà bien dans sa boutique.[11]
(*Il entre.*) Dieu vous aide!
   Le Drapier. Dieu vous
    le rende!
   Pathelin. Dieu m'est témoin [12] que
    de vous voir 5
J'avais désir et volonté.
Dites, comment va la santé?
Êtes-vous bien portant, Guillaume?
   Le Drapier. Oui, vraiment.
   Pathelin. Donnez-moi la main.
Vous allez bien?
   Le Drapier. Oui, sûrement, 10

A votre bon commandement.[13]
Et vous?
   Pathelin. Par saint Pierre l'apôtre,
Je vais très bien et je suis vôtre.
Et ça marche?
   Le Drapier. Oh! tout doucement.
Vous savez bien que les marchands 15
Ne font pas toujours à leur guise.[14]
   Pathelin. Mais les affaires mar-
    chent bien
Et sûrement donnent confort?
   Le Drapier. Dieu le veuille, Dieu
    mon doux maître!
N'importe, on travaille toujours. 20
   Pathelin. Ah! c'était un brave
    marchand
(Dieu le garde en son paradis!)

---

1. *borrower.* **2.** *ell-measures; an ell is about 46 inches.* **3.** *without stinting.* **4.** *will lend.*
5. *worry.* **6.** *light woolen fabric used for shirts, waistcoats, etc.* **7.** *fine dark cloth.* **8.** Martin
Garant: *popular name of one who is willing to treat.* **9.** Gardez la maison. **10.** *stall, dis-*
play of merchandise. **11.** *shop.* **12.** *witness.* **13.** commandement: *may it please you (a*
common form of courtesy). **14.** *as they like.*

Que votre père, je le jure.[1]
Il me fait grand plaisir de voir
Que vous êtes la vraie image 25
De cet homme si bon, si sage.
Vous lui ressemblez de visage;
Oui-dà,[2] vous êtes son portrait.
Que le Dieu de miséricorde
Accueille [3] parmi ses élus [4] 30
Son âme!

   Le Drapier. Veuillez vous asseoir,
Il est bien temps de vous le dire.
Pardonnez-moi ma négligence.
   Pathelin. Je suis bien. Par notre
    Sauveur,
Il avait . . .
   Le Drapier. Il faut vous asseoir. 35
   Pathelin. (*Il s'assied.*) Vrai, que
    ce soit [5] par les oreilles,
Par le nez, la bouche ou les yeux,
Vit-on enfant ressembler mieux
Au père? C'est lui tout craché.[6]
Oui, vraiment, si l'on vous avait 40
Faits tous deux dans le même moule
D'une seule pâte à la fois,
Verrait-on une différence?
Fut-il jamais en ce pays
Lignage [7] qui mieux se ressemble? 45
Plus je vous examine ici,
Plus je crois revoir votre père.
Deux gouttes d'eau [8] ne sont pas plus
Pareilles, je n'en fais nul doute.
Quel délicieux garçon c'était, 50
Quel honnête homme! qui savait,
A l'occasion, vendre à crédit.
Dieu ait son âme! Et, quant à rire,
Il riait toujours de bon cœur.
Plût à Jésus-Christ que le pire 55
De ce monde lui ressemblât!
On ne verrait pas tant de gens

S'entretromper [9] comme ils le font.
(*Il touche une pièce de drap.*)
Comme ce drap est bien tissé! [10]
Comme il est doux, comme il est
   souple! 60
   Le Drapier. Je l'ai fait tisser tout
   exprès [11]
Avec la laine de mes bêtes.
   Pathelin. Hein! quel habile homme
   vous êtes!
Que vous êtes bien l'héritier [12]
Du père! Cessez-vous jamais 65
De travailler [13] comme il faisait?
   Le Drapier. Ah! c'est qu'il faut
   besogner [13] fort
Si l'on veut vivre avec confort.
   Pathelin. (*Il touche une autre pièce
   de drap.*) Cette laine fut-elle
   teinte? [14]
Elle est forte comme du cuir.[15] 70
   Le Drapier. C'est un très bon gris
   de Rouen,
Je vous assure, et bien tissé.
   Pathelin. Vraiment, je ne puis
   résister.
Car je n'avais nulle intention
D'acheter rien, par la Passion 75
De Jésus-Christ, lorsque je vins.
J'avais mis à part [16] quatre-vingts
Écus d'or à placer [17] en rentes [18];
Mais vous en aurez vingt ou trente,
Je le vois bien, car la couleur 80
De ce drap me fait grande envie.
Mais quel est ce drap-ci? Vraiment,
Plus je le vois et plus je l'aime.
Il m'en faut avoir une robe,
Pour moi, et pour ma femme aussi. 85
   Le Drapier. Le drap est cher
   comme la crème.[19]

---

1. *swear.* **2.** *yes, indeed.* **3.** *greet, welcome.* **4.** *elect.* **5.** que ce soit . . . ou: *whether . . . or.* **6.** tout craché: (cracher, *spit, utter*): *You are the spitten image of him.* **7.** *lineage, kinsfolk.* **8.** *drops of water.* **9.** *deceive each other.* **10.** *woven.* **11.** *purposely (for my shop).* **12.** *heir.* **13.** *work.* **14.** *dyed.* **15.** *leather.* **16.** *aside.* **17.** écus . . . placer: *gold crowns to invest.* **18.** *bonds.* **19.** *cream was then an article of luxury.*

Mais ça, Monsieur, c'est votre affaire.
Il y faudra dix ou vingt francs,
Pas moins.
   Pathelin. Qu'importe, s'il est bon ?
J'ai, pour payer, quelques gros sous [1]
Bien cachés à tous les regards.   91
   Le Drapier. Dieu en soit loué !
   Par saint Pierre,
Je voudrais en avoir aussi.
   Pathelin. Enfin, ce drap-ci me
   convient,
Je veux en acheter.
   Le Drapier. Alors,   95
Vous n'avez qu'à dire combien
Vous en voulez pour vos habits.
Je suis tout à votre service.
Vous pouvez choisir dans la pile,[2]
Même si votre poche est vide.[3]   100
   Pathelin. Vous êtes trop gentil,
   merci.
   Le Drapier. Ne préférez-vous pas
   ' ce pers ? [4]
   Pathelin. Un instant. Combien
   coûtera
L'aune ? Mais avant tout il faut
Songer [5] à Dieu, c'est la coutume. 105
Voici donc le denier à Dieu.[6]
Mettons toujours Dieu avec nous.
   Le Drapier. Ah ! c'est agir en
   honnête homme.
Et je vous en suis obligé.
Vous voulez savoir mon prix ?
   Pathelin. Oui. 110
   Le Drapier. Eh bien, l'aune vous
   coûtera
Vingt-quatre sous.
   Pathelin. Vous plaisantez.[7]
Vingt-quatre sous, sainte Marie !

   Le Drapier. C'est juste ce qu'elle
   me coûte,
Puis-je vous la laisser à moins ?   115
   Pathelin. C'est trop cher.
   Le Drapier. Vous ne savez pas
Comment le drap est enchéri,[8]
Combien de troupeaux [9] ont péri
Cet hiver à cause du froid.
   Pathelin. Vingt sous, vingt sous.
   Le Drapier. Eh ! je vous jure 120
Que ce sera mon dernier prix.
Venez au marché [10] samedi,
Voir ce que coûte la toison [11]
Qui devient tous les jours plus rare.
Sachez qu'à la dernière foire   125
On m'a vendu huit blancs [12] la laine
Que j'avais autrefois pour quatre.
   Pathelin. Soit ! je ne veux plus
   discuter
Puisqu'il en est ainsi. J'achète,
Mesurez.
   Le Drapier. Bien, mais dites-moi
Combien d'aunes vous désirez.   131
   Pathelin. Ce n'est pas difficile à
   voir.
La largeur ? [13]
   Le Drapier. Largeur de Belgique.[14]
   Pathelin. Trois aunes pour moi,
   et pour elle,
(Elle est grande,) deux et demie. 135
Cela fait six aunes en tout.
Mais non, où donc ai-je l'esprit ?
   Le Drapier. Il ne s'en faut que [15]
   demi-aune
Pour faire les six justement.
   Pathelin. J'en prendrai six tout
   rondement,[16]   140
Car il me faut un chaperon [17]

---

1. *some money* (sou: *ici,* sou d'or).   **2.** *heap, pile.*   **3.** *empty.*   **4.** *a bluish green or greenish blue.*   **5.** *think.*   **6.** *God's penny, a silver coin given in advance as a pledge of good faith on the part of the purchaser.*   **7.** *you are joking.*   **8.** *gone up in price.*   **9.** *flocks.*   **10.** *public market.*   **11.** *fleece.*   **12.** *a silver coin worth about 3 farthings.*   **13.** *width.*   **14.** *Belgian width; each country wove different widths of cloth.*   **15.** il ne . . . que: *it only lacks.*   **16.** tout rondement: *to make an even account.*   **17.** *hood.*

Le Drapier. Tenez le bout, je vais auner.[1]

Ce coupon [2] doit être assez long.

Voyons: une aune, deux, trois, quatre,
Et cinq et six.

Pathelin. C'est merveilleux,   145
Juste six.

Le Drapier. Recompterons-nous?

Pathelin. A quoi bon? pas tant de scrupule!

Un peu plus, un peu moins, qu'importe
Entre nous? alors, à combien
Monte le tout?

Le Drapier. Nous allons voir: 150
A vingt-quatre sous l'aune, c'est
Neuf francs les six.

Pathelin.   Très bien compté.
Ça fait six écus d'or.[3]

Le Drapier.   Oui bien.

Pathelin. Alors, Monsieur, faites crédit [4]

En attendant que vous veniez   155
Chez moi; sans faute,[5] je paîrai,
A votre gré,[6] or ou monnaie.[7]

Le Drapier. C'est que ça me dérangerait [8]

Beaucoup d'aller jusque chez vous.

Pathelin. Hé, vous dites la vérité   160
Comme parole d'Évangile:
Oui, cela vous dérangerait.
Mais pourquoi pas? trouverez-vous
Jamais une telle occasion

De venir boire en ma maison?   165
Car je veux trinquer [9] avec vous.

Le Drapier. Hé! par saint Jacques, je ne fais
Guère [10] autre chose que de boire.
J'irai. Mais ça porte malheur
De faire ainsi première vente.[11]   170

Pathelin. Mais quelle chance de toucher [12]
Des écus d'or, au lieu d'argent! [13]
Puis, vous mangerez de mon oie [14]
Que ma femme à présent rôtit.

Le Drapier. (*A part*) Vraiment,
cet homme me fascine.[15]   175
Allez devant, Monsieur. Je viens
Avec le drap.

Pathelin. Ah! non, Monsieur.
C'est moi qui prendrai le paquet [16]
Sous mon bras.

Le Drapier. Vous n'en ferez rien.
Il vaut mieux, pour être poli,   180
Que ce soit moi.

Pathelin.   Maudit [17] serai-je
Par notre sainte Madeleine
Si vous vous donnez cette peine.
(*Il met le paquet sous sa robe.*)
Comme nous allons boire et rire
Chez moi, en votre compagnie!   185

Le Drapier. Merci, mais vous me donnerez
Mon argent dès que j'y serai.

Pathelin. Oui, ou plutôt non, pas avant
Que vous ayez pris bon repas.

---

1. *measure.* **2.** *remnant.* **3.** *It is almost impossible to give an accurate estimate of the money system of the Middle Ages in France because of the great variety of coins and the very frequent changes in their respective values. It seems that, at the time of Pathelin, the* denier *was worth about half a farthing; the* sou Parisis, *15* deniers, *the* sou Tournois (*from the Tours mint*), *12* deniers, *etc.; the* sou d'or, *sometimes* 40 deniers; *the* franc (*or* livre), *from 16 to 25* sous tournois; *the* écu, *one and a half francs, later from 3 to 6 francs. There was also* le petit blanc, *worth 5 or 6 deniers. It was only in 1801 that the monetary system was legally unified in France, with the introduction of the decimal system. The purchase value of the* franc *during the Middle Ages seems to have been about three times that of our pre-war* franc. **4.** *charge to account.* **5.** *without fail.* **6.** *as you like.* **7.** *silver.* **8.** *would inconvenience me.* **9.** *clink glasses.* **10.** *scarcely.* **11.** de faire ... vente: *make a first sale on trust, open an account to a new customer.* **12.** *to cash, receive.* **13.** *silver.* **14.** *goose.* **15.** *bewitches.* **16.** *parcel.* **17.** *cursed.*

Vraiment, c'est un bonheur qu'ici 190
Je n'aie pas apporté d'argent,
Car ça vous forcera de voir
Quel vin je bois. Votre feu [1] père
M'appelait bien souvent: *Compère,*
Ou *que dis-tu?* ou *que fais-tu?*   195
Mais vous ne faites pas grand cas,[2]
Vous riches, de nous, pauvres gens.

   Le Drapier. En vérité, Monsieur,
  nous sommes
Plus pauvres que vous.

   Pathelin.   Bien, adieu
Venez tout à l'heure chez moi.   200
Nous allons boire, je m'en vante.

   Le Drapier. Je n'y manquerai [3]
  pas; allez
Et préparez mon or.

   Pathelin.   Bien sûr.
Je n'ai jamais trompé personne,

Non. (*Il sort et dit en s'en allant*)
   Puisse-t-il être pendu ! [4]   205
Le ladre [5] il ne m'a pas vendu
A mon prix, mais vraiment au sien;
Aussi [6] le payerai-je au mien.
Il veut de l'or, il en verra
S'il court après. Cours, mon bon-
  homme;   210
Pour l'attraper,[7] il te faudra
Faire beaucoup plus de chemin
Que d'ici jusqu'à Pampelune.

   Le Drapier. (*Devant son étal*) Ils
  ne verront soleil ni lune,
Les écus qu'il me donnera,   215
Toujours cachés, loin des voleurs.
Faut-il que ce client [8] soit fou
Pour payer vingt-quatre sous l'aune
Ce beau drap qui n'en vaut pas
  vingt !

SCÈNE III

Chez PATHELIN

Pathelin. (*Cachant le drap derrière
  son dos*) En ai-je?

Guillemette.   De quoi?

Pathelin.   Où est-il,
Votre vieux jupon [9] tout râpé? [10]

   Guillemette. Il est grand besoin d'en
  parler.
Qu'en voulez-vous faire?

   Pathelin.   Rien, rien.
J'en ai, du drap. Que vous disais-je?
N'est-il pas joli? (*Il montre le drap.*)

   Guillemette. Sainte Vierge,   6
Que le démon prenne mon âme
Si vous ne l'avez escroqué.[11]
Dieu, d'où nous vient cette aventure?
Hélas, hélas ! qui le paiera?   10

Pathelin. Demandez-vous qui ce
  sera?
Vraiment, il est déjà payé.
Le marchand serait-il un âne,[12]
Pensez-vous? qui me l'a vendu?
(*A part*) Que je sois pendu par le cou
Si je ne l'ai ensorcelé,[13]   16
Ce vilain matou [14] de drapier,
Fait pour être trompé.

   Guillemette.   Combien
Coûte ce drap?

   Pathelin. Je n'en dois [15] rien,
Il est payé, je vous l'assure.   20

   Guillemette. Mais vous n'aviez ni
  sou ni maille [16];
Payé? mais avec quel argent?

---

1. *late, deceased.* **2.** faites cas de: *value, hold in great respect.* **3.** *I shall not fail.*
4. *hanged.* **5.** *skinflint.* **6.** *so, therefore.* **7.** *catch.* **8.** *customer.* **9.** *skirt.* **10.** *threadbare.*
11. *obtained by cheating.* **12.** *ass, blockhead.* **13.** *bewitched.* **14.** *ugly cat, curmudgeon.*
15. *owe.* **16.** ni sou ni maille: *not a farthing.*

Pathelin.   Détrompez-vous,[1] car
j'en avais.
Oui bien, j'avais un parisis.[2]
   Guillemette.   De mieux en mieux.[3]
     Vous avez dû   25
Signer quelque billet à ordre [4]
Pour vous procurer cette étoffe,[5]
Et quand le billet écherra,[6]
On viendra, on nous saisira,
On prendra tout ce qui nous reste. 30
   Pathelin.   Je vous le dis, il n'a coûté
Qu'un seul denier,[7] pour tout potage.[8]
   Guillemette.   La sainte Vierge soit
   bénie ! [9]
Qui est ce marchand ?
   Pathelin.   Un Guillaume
De la famille de Josseaume,   35
Puisque vous le voulez savoir.
   Guillemette.   Mais la manière de
   l'avoir
Pour un denier, et à quel jeu ? [10]
   Pathelin.   Ce fut pour le denier à
   Dieu.
Et encor, si j'avais voulu   40
Prêter serment,[11] la main levée,
J'aurais pu garder mon denier.
En somme, est-ce bien travaillé ?
Ah ! Qu'il le partage avec Dieu,
Ce denier-là, si bon lui semble,   45
C'est bien tout ce qu'il en aura.
Après cela il peut chanter,
Crier, tempêter [12] à son aise.
   Guillemette.   Comment   l'a-t-il
   voulu prêter,[13]
Ce drap, lui, homme si rapace ?   50
   Pathelin.   Par la belle sainte Marie,
Je l'ai tant loué,[14] tant flatté
Qu'il me l'aurait laissé pour rien.

Je lui affirmais que son père
Fut si brave homme : « Frère, dis-je,
» De quel parentage vous êtes !   56
» Il n'est certes pas de famille
» Plus estimable aux environs. »
Au fait, je dois vous avouer
Qu'il est issu de la plus basse,   60
De la plus méprisable engeance [15]
Qui soit, je crois, en ce royaume.[16]
« Ah ! dis-je, mon ami Guillaume,
» Que vous ressemblez de visage
» Et de tout à votre bon père ! »   65
Avec quel art j'entremêlais [17]
Ces paroles de compliments
Au fameux drapier qu'il était !
« Et, disais-je, l'excellent homme
» Se plaisait à vendre à crédit,   70
» Et si poliment, ses denrées.[18]
» Vous êtes son portrait vivant. »
Au fait, on aurait arraché [19]
Les dents du vilain marsouin,[20]
Son feu [21] père, et du babouin,[22]   75
Le fils, avant qu'ils ne prêtassent
Ça [23] ou dissent un mot poli.
Enfin, je l'ai tant flagorné [24]
Et encensé [25] qu'il m'a prêté
Six aunes,
   Guillemette.   Qu'il   vous   faudra
   rendre ?   80
   Pathelin.   Ah ! vous commencez à
   comprendre.
Lui rendre ? On lui rendra le diable.
   Guillemette. Je vois. C'est comme
   dans la fable
Du corbeau [26] qui était assis
Sur une croix [27] de cinq à six   85
Toises [28] de haut, lequel tenait
Un fromage [29] au bec. Alors vient

---

1. *undeceive yourself.*   2. *a silver coin; so called because minted in Paris.*   3. *better and better (ironical).*   4. billet à ordre: *promissory note.*   5. *stuff, cloth.*   6. *falls due.*   7. *coin of small value.*   8. pour tout potage: *all told.*   9. *blessed.*   10. *game, gambling.*   11. *take an oath.*   12. *storm, fume.*   13. *lend, give on trust.*   14. *praised.*   15. *breed.*   16. *kingdom.*   17. *intermingled.*   18. *merchandise.*   19. *pulled out.*   20. *seahog.*   21. *deceased.*   22. *baboon.*   23. *that, the slightest bit.*   24. *fawned upon.*   25. *flattered.*   26. *raven.*   27. *cross (on the roadside).*   28. *fathoms (about 6 feet).*   29. *cheese.*

Un renard [1] qui voit ce fromage.
Il se dit: voilà mon aubaine,[2]
Se met alors sous le corbeau 90
Et lui parle: « Que tu es beau!
» Que ton chant est mélodieux! »
Le sot [3] corbeau est tout joyeux
D'entendre ainsi vanter sa voix;
Il ouvre son bec pour chanter, 95
Et son fromage tombe à terre.
Maître renard le prend, le croque [4]
A belles dents et puis détale.[5]
C'est l'histoire, j'en suis bien sûre,
De ce drap. Vous l'avez happé [6] 100
Par flatterie et attrapé
En usant de belles paroles,
Comme renard fit du fromage.
C'est le fruit de votre grimace.
   Pathelin. Il doit venir manger de
   l'oie. 105
Voici ce qu'il nous faudra faire:
Il va bientôt venir crier
Et réclamer ce qu'on lui doit.
Mais j'ai bien arrangé les choses.
Je me mets au lit à l'instant 110
Comme si j'étais très malade.
Il arrive et il me demande.
Ah! parlez bas et gémissez [7]
Et montrez bien triste visage
Et dites-lui: « Il est malade 115
» Depuis voilà bientôt deux mois. »
Et s'il prétend: « C'est un mensonge [8]
» Car je viens de le voir chez moi. »

— « Hélas! ce n'est pas le moment
» De rigoler, » [9] répondrez-vous. 120
Et vous le laissez tempêter,
Car il n'en aura autre chose.
   Guillemette. Par mon âme, comp-
   tez sur moi:
Je saurai bien jouer mon rôle.
Mais, si vous manquez votre coup,[10]
Que justice s'en prenne à vous! [11] 126
J'ai grand'peur qu'il ne vous en
   cuise [12]
Encor bien plus que l'autre fois.
   Pathelin. La paix! [13] je sais ce que
   je fais.
Il faut faire comme je dis. 130
   Guillemette. Souvenez-vous du
   samedi
Que l'on vous mit au pilori.
Vous savez que chacun cria [14]
Sur vous pour votre tromperie.[15]
   Pathelin. Ah! finissez ce bavar-
   dage. 135
Il vient, nous perdons notre temps.
Il faut que ce drap reste ici.
Je m'en vais me coucher.
   Guillemette.   Allez.
   Pathelin. Ne riez pas.
   Guillemette.   Pas de danger,
Je pleurerai à chaudes larmes.[16] 140
   Pathelin. Il nous faut être bien
   prudents
Pour qu'il ne se doute [17] de rien.

---

1. *fox.* **2.** *piece of good luck.* **3.** *silly.* **4.** *devours.* **5.** *scampers away.* **6.** *snapped it up.* **7.** *moan.* **8.** *falsehood.* **9.** *laugh, jest.* **10.** *si . . . coup: if your plan fails.* **11.** s'en prenne à vous: *the law call you to account.* **12.** qu'il . . . cuise: *that you will smart for it* (cuire: *cook, roast*). **13.** *Keep your peace, be silent!* **14.** *shouted, clamored.* **15.** *knavery.* **16.** Je . . . larmes: *I shall shed bitter tears.* **17.** *suspect.*

ACTE DEUXIÈME

SCÈNE I

L'étal du DRAPIER

Le Drapier. Il est temps de boire
le coup
Du départ. Non, pas aujourd'hui,
Puisque je dois boire et manger
De l'oie, par le grand saint Mathieu,
Chez maître [1] Pierre Pathelin   5
Et y recevoir mon argent.
Je vais m'en donner jusque-là [2]
Pour une fois sans dépenser. [3]
Partons, je ne puis plus rien vendre.

SCÈNE II

Chez PATHELIN, *devant la porte*

Le Drapier. Ho, maître Pierre !
Guillemette. (*Entr'ouvre la porte et
parle bas*)   Hélas, Monsieur,
De grâce, veuillez ne rien dire
Ou parlez bas.
Le Drapier. (*Parle bas*) Bonjour,
Madame.
Guillemette. Oh ! plus bas !
Le Drapier. (*Plus bas encore*) Eh,
quoi ? répondez.
Où est-il ?
Guillemette. Hélas ! où est-il ?   5
Le Drapier. Le . . . qui ?
Guillemette.   Ah ! c'est
mal dit, Monsieur.
Où il est ? Que Dieu nous bénisse !
Il ne quittera pas l'endroit
Où il est, le pauvre martyr,
Depuis déjà onze semaines.   10
Le Drapier. Mais quoi ?
Guillemette.   Pardonnez-
moi, je n'ose [4]
Parler haut ; je crois qu'il repose.
Il a tant besoin de dormir,

Hélas ! il est si abattu, [5]
Le pauvre homme !
Le Drapier.   Qui ?
Guillemette.   Maître Pierre.
Le Drapier. Quoi ? n'est-il pas
venu chercher   16
Six aunes de drap à l'instant ?
Guillemette. Qui ? lui ?
Le Drapier.   Oui, il était
chez moi
Il n'y a pas douze minutes.
Payez-moi. J'ai déjà perdu   20
Trop de temps. Assez de sornettes ! [6]
Mon argent !
Guillemette. Oui ? sans plaisanter ? [7]
C'est bien l'heure de plaisanter.
Le Drapier. Çà, mon argent !
Êtes-vous folle ?
Il me faut neuf francs.
Guillemette.   Ha ! Guillaume,
Ne venez pas faire le fou   26
Ici et conter des histoires. [8]
Allez les dire à de plus sots
Et ne vous moquez pas de nous.

---

1. *master* (*a title given to lawyers and notaries*). **2.** m'en . . . là: *take my fill.* **3.** *without spending.* **4.** *dare.* **5.** *broken down.* **6.** *nonsense.* **7.** *without jesting, making fun.* **8.** conter des histoires: *tell falsehoods.*

Le Drapier. Juste Dieu, qui peut
   croire en vous   30
Si je n'ai mes neuf francs?
  Guillemette.   Monsieur,
Personne n'est d'humeur ¹ à rire
Comme vous ni à plaisanter.
  Le Drapier. Madame, je vous en
   supplie,²
Soyez bonne, faites venir   35
Maître Pierre.
  Guillemette. Vous voulez donc
Notre malheur? Ah! finissez.
  Le Drapier. (*Élève la voix*) Enfin,
   ne suis-je pas ici
Chez maître Pierre Pathelin?
  Guillemette. Oui-dà. Que le mal
   de folie   40
M'épargne ³ et vous tienne à la tête!
Parlez bas.
  Le Drapier. De par tous les dia-
   bles,
Je prétends voir votre mari.
  Guillemette. Oh! que le Seigneur ⁴
   me protège!
Parlez bas, de peur qu'il s'éveille. 45
  Le Drapier. Bas? vous parlerai-je
   à l'oreille,⁵
Du fond ⁶ du puits ⁷ ou de la cave? ⁸
  Guillemette. Mon Dieu, que vous
   êtes bavard!
Que vous aimez à crier fort!
  Le Drapier. Je crois que le diable
   s'en mêle.⁹   50
Vous voulez que je parle bas?
Soit. Les discussions de ce genre
Ne sont pas dans mes habitudes.
Le fait est que votre homme a pris
Six aunes de drap aujourd'hui.   55
  Guillemette. Encore? cela vous
   reprend? ¹⁰

De par le diable, qu'a t-il pris?
Monsieur, je veux que l'on me pende
Si je mens.¹¹ Il est si malade,
Le pauvre, qu'il n'a pu sortir   60
Du lit depuis onze semaines.
(*Elle élève la voix.*) J'en ai assez de
  vos histoires.
Vraiment, vous perdez la raison.
Vous allez quitter ma maison,
Je suis lasse ¹² de vous entendre. 65
  Le Drapier. Et vous disiez de
   parler bas,
Très bas, j'en atteste ¹³ la Vierge!
Et vous criez.
  Guillemette. Mais non, c'est vous
Qui ne faites que chercher noise.¹⁴
  Le Drapier. Eh bien, s'il faut que
   je m'en aille,   70
Donnez-moi . . .
  Guillemette. (*Elle crie.*) Mais par-
   lez donc bas!
  Le Drapier. C'est vous qui allez
   l'éveiller.¹⁵
Vous parlez quatre fois plus haut,
En vérité, que je ne fais.
Payez-moi et je partirai.   75
  Guillemette. Décidément, vous êtes
   ivre ¹⁶
Ou vous avez perdu le sens.¹⁷
  Le Drapier. Ivre, moi? Par le
   grand saint Pierre,
Voilà bien du nouveau. Moi, ivre?
  Guillemette. Hélas! plus bas!
  Le Drapier.   Qu'on
   me rembourse,   80
Ou qu'on me rende mes six aunes
De drap.
  Guillemette. Comptez dessus; à qui
Avez-vous donc donné ce drap?
  Le Drapier. A lui-même.

---

1. *in the mood for.* **2.** *beseech.* **3.** *spare.* **4.** *the Lord.* **5.** *ear.* **6.** *bottom.* **7.** *well.*
8. *wine cellar.* **9.** *meddles with it.* **10.** *there you are again.* **11.** *lie.* **12.** fatiguée.
13. *call to witness.* **14.** *pick a quarrel.* **15.** *wake up.* **16.** *intoxicated.* **17.** *la raison.*

Guillemette. Il a bien
la mine [1]
D'avoir du drap, lui qui ne bouge.[2]
A quoi bon [3] un nouvel habit ? 86
Le pauvre ne sera vêtu
Que de blanc lorsqu'il sortira
D'ici, hélas ! les pieds devant.[4]
  Le Drapier. Alors, son mal est bien
  récent, 90
Car je lui ai parlé, nul doute.
  Guillemette. Dieu, que vous avez
  la voix haute !
(*On entend la voix de* PATHELIN, *de
l'intérieur.*)
  Pathelin. Guillemette, de l'eau de
  rose ! [5]

Venez m'arranger dans mon lit.
Eh bien, qu'attendez-vous ? La
  cruche [6] 95
A boire ! Frottez-moi [7] les pieds.
  Le Drapier. Je l'entends.
  Guillemette. Pour sûr.
  Pathelin. Ah ! méchante,
Venez donc. Vous allez fermer
Ces fenêtres et me couvrir.
Chassez ces gens noirs.[8] Marmara,
Carimari, carimara.[9] 101
Chassez-les vite, chassez-les.
  Guillemette. (*Au* DRAPIER) Hélas !
  venez le voir, Monsieur.
C'est un malade difficile.

SCÈNE III

Dans la maison de PATHELIN

  Le Drapier. (*Entrant*) Est-il
  vraiment tombé malade
Juste en revenant de la foire ?
  Guillemette. De la foire ?
  Le Drapier. Certaine-
  ment.
Car je sais qu'il y a été.
(*A* PATHELIN) Du drap que je vous
  ai vendu 5
Payez-moi le prix, maître Pierre.
  Pathelin. (*Faisant semblant de le
  prendre pour son médecin*) Ah !
  maître Jean, vos sales [10] drogues
N'ont pas produit le grand effet
Que vous m'aviez promis. Faut-il
Que je prenne un autre clystère ? [11] 10
  Le Drapier. Que m'importent vos
  médecines ?
Je veux neuf francs ou six écus.

  Pathelin. Ces trois morceaux noirs
  et pointus,[12]
Sont-ils bien vraiment des pilules ? [13]
Ils m'ont démoli la mâchoire.[14] 15
Pour Dieu, ne m'en faites plus prendre.
Maître Jean, ils m'ont fait tout
  rendre.[15]
Je ne sais rien de plus amer.[16]
  Le Drapier. Plaise à Dieu [17]
  qu'aussi aisément [18]
Mes six écus me soient rendus ! 20
  Guillemette. (*Au* DRAPIER) On
  devrait pendre par le cou
Tous les fâcheux [19] qui vous ressem-
  blent.
Allez-vous-en, par tous les diables,
Si ce n'est par le nom de Dieu.
  Le Drapier. Par le Seigneur qui me
  fit naître,[20] 25

---

1. *looks like.* **2.** *stirs.* **3.** *to what purpose?* **4.** *feet forward* (*in his coffin*). **5.** *rose
water was a remedy of the time.* **6.** *pitcher.* **7.** *rub.* **8.** *these black beings* (*the vision of a
supposed delirious man*). **9.** *non-sensical gibberish of a madman.* **10.** *nasty, beastly.*
11. *injection, enema.* **12.** *sharp-pointed.* **13.** *pills.* **14.** *jaw.* **15.** *give back, vomit.*
16. *bitter.* **17.** *may it please God, would to God.* **18.** *easily.* **19.** *pesterers, bores.* **20.** *be born.*

Je ne sors [1] sans avoir mon drap
Ou mes neuf francs.

    Pathelin.   Et mon urine
N'annonce-t-elle pas ma mort ?
Combien d'heures me reste-t-il
Avant que je fasse le pas ? [2]   30

    Guillemette. (*Au* DRAPIER) Allez-
    vous-en. C'est un péché [3]
De lui casser ainsi la tête.[4]

    Le Drapier. Donnez mes neuf
    francs sans tarder,[5]
Par le grand saint Pierre de Rome.

    Guillemette. (*Au* DRAPIER) Pour-
    quoi tourmenter ce pauvre
    homme ?   35
Comment êtes-vous si cruel ?
Vous voyez clairement qu'il pense
Que vous êtes son médecin.
Hélas ! l'infortuné chrétien
N'a-t-il pas assez de malheur ? [6]   40
Onze semaines bien comptées
Depuis que le pauvre est au lit.

    Le Drapier. Je ne puis m'expliquer
    comment
Cet accident est arrivé.
Il est bien venu aujourd'hui,   45
Nous avons marchandé [7] ensemble,
A tout le moins comme il me semble;
Je ne sais ce que ce peut être.

    Guillemette. Par Notre-Dame, mon
    doux maître,
Vous n'avez pas bonne mémoire :   50
Sans faute,[8] si vous m'en croyez,
Vous irez prendre du repos.
Bien des gens [9] pourraient supposer
Que vous venez ici pour moi.
Allez-vous-en. Les médecins   55
Vont arriver dans un instant.

    Le Drapier. Je n'ai cure [10] que l'on
    en pense
Du mal, car je n'en pense point.
Eh ! sacrebleu,[11] en suis-je là ?
Ventrebleu,[12] si je le croyais . . . !   60
D'ailleurs, n'avez-vous pas une oie
Au feu ?

    Guillemette. Oh ! la belle question !
Monsieur, ce n'est pas une viande
Pour malades. Mangez vos oies
Sans venir faire des grimaces.   65
Vous en prenez trop à votre aise.[13]

    Le Drapier. Pardonnez-moi, ne
    vous déplaise,[14]
Car je croyais sincèrement . . .
J'en jure [15] par le Sacrement . . .
Adieu.

(*Devant la maison de* PATHELIN, *seul*)
    Enfin, nous allons voir.   70
Je sais bien mon compte de drap,
Six aunes d'une seule pièce.
Cette femme me déconcerte [16]
Et me fait perdre la raison.
Certes, il a pris mes six aunes.   75
. . . Et pourtant ? . . . Je n'y com-
    prends rien.
Je l'ai vu bien près de mourir.
Se peut-il [17] qu'il singe [18] la mort ?
. . . Mais enfin, il a pris mon drap
Et l'a emporté sous son bras.   80
. . . Je m'y perds,[19] par sainte Marie.
Suis-je la victime d'un songe ? [20]
Je ne sache pas que je donne
Mes draps, en dormant ou veillant,[21]
A personne, même aux amis.   85
Et jamais je ne fais crédit.
. . . Cependant, il a pris mes aunes.
. . . Les a-t-il prises ? faut-il croire

---

1. *go out.*   **2.** fasse le pas: *die.*   **3.** *sin.*   **4.** *to break his head, to bore him to death.*
5. *without delay.*   **6.** *misfortune.*   **7.** *bargained.*   **8.** *without fail.*   **9.** *many people.*   **10.** *care.*
11. *Ye Gods!*   **12.** *confound it!*   **13.** en prenez . . . aise . . . : *you take it too easy.*
14. *with your leave.*   **15.** *swear.*   **16.** *confuses me, troubles my brain.*   **17.** *is it possible?*
18. *is aping, mimicking.*   **19.** *get confused.*   **20.** *dream.*   **21.** en . . . veillant: *whether awake or asleep.*

Que non? . . . Je ne peux pas douter
De mes yeux. Faites, Notre Dame, 90
Que je me perde corps et âme

Si je sais qui pourrait me dire
Lequel a gardé sa raison
D'eux ou de moi ! Je n'y vois goutte.[1]

SCÈNE IV

Chez PATHELIN

Pathelin. Parti?

Guillemette. Silence ! Je le vois
Qui s'en va, tout en radotant,[2]
En grommelant[2] je ne sais quoi.
Il m'a l'air d'un homme qui rêve.[3]

Pathelin. Dans ce cas, je puis me
lever. 5
Comme il est arrivé à point ![4]

Guillemette. Mais peut-être revien-
dra-t-il.
Attendez. Ne bougez encore.
Notre affaire tournerait mal
S'il vous trouvait levé.

Pathelin. Saint George !
Il est venu à bonne école, 11

Lui qui est toujours si serré.[5]
Ce qu'on lui a fait lui sied[6] mieux
Qu'un crucifix dans un couvent.

Guillemette. Tromper un si vilain
matois,[7] 15
C'est comme mettre lard[8] en pois.[9]
Jamais aux pauvres il ne donne
Le dimanche. (*Elle rit.*)

Pathelin. Ne riez pas.
S'il venait, il pourrait trop nuire.[10]
Car je crois fort qu'il reviendra. 20

Guillemette. Ma foi, se retienne de
rire[11]
Qui voudra, il faut que j'éclate.[12]

SCÈNE V

L'étal du DRAPIER

Le Drapier. (*Il compte son drap*)
Eh ! par le saint soleil qui luit,[13]

Je retourne décidément
Chez cet avocat de misère.[14]

SCÈNE VI

Chez PATHELIN

Guillemette. Lorsque je pense à la
grimace
Qu'il faisait en vous regardant,
Je ris. Il mettait tant d'ardeur
A demander son . . .

Pathelin. Chut,[15] rieuse.

Veuille Dieu qu'il n'en fasse rien ! 5
Car, s'il venait à vous entendre,
Nous n'aurions qu'à prendre la fuite[16] :
C'est un marchand inexorable.

Le Drapier. (*A la porte*) Et cet
ivrogne[17] d'avocat,

---

1. *I don't make it out at all* (goutte, *drop*). **2.** *raving, grumbling.* **3.** *dreams, raves.*
4. *just on time.* **5.** *avaricious, close.* **6.** *fits, becomes.* **7.** *cunning person.* **8.** *bacon.*
9. *peas.* **10.** *do harm.* **11.** se . . . rire: *let him keep from laughing.* **12.** *burst out (laugh-*
ing). **13.** *shines.* **14.** *lawyer of low reputation.* **15.** *hush!* **16.** prendre la fuite: *run*
away. **17.** *drunkard.*

De si piètre [1] réputation, 10
Prend-il les autres pour des dupes?
Il mérite d'être pendu
Comme le plus vil scélérat.[2]
Il a mes aunes, sacrebleu!
M'a-t-il joué [3] honteusement! [4] 15
(A GUILLEMETTE) Holà, où êtes-
vous cachée?
Guillemette. (A PATHELIN) Ma
parole,[5] il m'a entendue
Et cela le fait endéver.[6]
Pathelin. Je ferai semblant de
rêver.[7]
Ouvrez.
Guillemette. (Au DRAPIER) Pour-
quoi crier si fort? 20
Le Drapier. Dame, je vous ai prise
à rire.[8]
Çà,[9] mon argent!
Guillemette. Sainte Marie,
De quoi croyez-vous que je rie?
Qui donc peut souffrir plus que moi?
Il meurt et c'est une tempête, 25
Une terrible frénésie.[10]
Vit-on jamais un tel délire?
Il rêve, il chante, il baragouine [11]
Et barbouille [12] en tant de jargons!
Vivra-t-il une demi-heure? 30
Je ne fais que rire et pleurer
En même temps.
Le Drapier. Rire de quoi?
Pleurer sur quoi? A parler net,
Il faut me donner mon argent.
Guillemette. Pour quoi? Êtes-
vous insensé? [13] 35
Recommencez-vous cette histoire?
Le Drapier. Ai-je coutume [14] qu'on
me serve

De tels mots quand je vends mon
drap?
Prétendez-vous me faire croire
Que les vessies [15] sont des lanternes? 40
Pathelin. (*Faisant croire qu'il a le
délire*) Voici la reine des guitares
Qui demande que je l'épouse.[16]
Je sais bien qu'elle est accouchée [17]
D'au moins vingt-quatre guitaristes,
Enfants de l'abbé d'Iverneaux [18]; 45
Il me faut être son compère.[19]
Guillemette. (A PATHELIN) Hélas!
pensez à Dieu le Père,
Mon ami, et non aux guitares.
Le Drapier. Vous me contez des
balivernes,[20]
Des chansons.[21] Vite, que je sois 50
Payé en or ou en argent
Pour le drap que vous m'avez pris.
Guillemette. (Au DRAPIER) Vous
nous avez dit cette histoire
Une fois: n'est-ce pas assez?
Le Drapier. Une histoire, bonne
Madame? 55
Mais c'est la pure vérité.
Rendez le drap, ou payez-le.
N'ai-je pas le droit de venir
Ici pour réclamer mon dû? [22]
Guillemette. Je vois bien à votre
visage 60
Certes que vous n'êtes pas sage.[23]
Pauvre pécheresse [24] je suis;
Que ne puis-je vous garrotter? [25]
Vous êtes totalement fou.
Le Drapier. Ah! j'enrage [26] de
n'avoir pas 65
Mon argent.
Guillemette. Mais quelle folie!

1. *sorry.* **2.** *scoundrel.* **3.** *deceived.* **4.** *shamefully.* **5.** *upon my word.* **6.** *fume.*
7. *rave, be delirious.* **8.** *caught you laughing.* **9.** *now then.* **10.** *madness.* **11.** *gabbles.*
12. *mumbles.* **13.** *insane.* **14.** *am I accustomed.* **15.** *bladders;* croire que les vessies sont
des lanternes: *to believe that the moon is made of green cheese (proverb).* **16.** *marry.* **17.** *has
given birth.* **18.** *an old monastery near Paris.* **19.** *co-father (pal, accomplice).* **20.** *non-*
sense. **21.** *humbug, stuff.* **22.** *what is owed to me.* **23.** *sane.* **24.** *sinner.* **25.** *bind in*
chains. **26.** *I am furious.*

Signez-vous. *Benedicite.*
Faites le signe de la croix.
   Le Drapier. Oh! si jamais je
    prête [1] encore
Du drap, je serai bien malade.   70
   Pathelin. Mère de Dieu la coronade
Par ma fie, i m'en vuol anar
. . . . *(etc.)* [2]
Avez-vous compris, beau cousin?
   Guillemette. Il a un oncle limousin,[3]
Un frère de sa belle tante.[4]   75
C'est ce qui le fait, je suppose,
Jargonner en limousinois.
   Le Drapier. Vrai, il partit en ta-
    pinois [5]
Emportant mon drap sous son bras.
   Pathelin. (Comme en délire) Avan-
    cez, douce demoiselle.   80
Eh, que me veut cette racaille? [6]
Allez-vous-en, tas de fripouilles.[7]
Cha tôt, je veuil devenir prêtre,
Or cha, ... *(etc.)* [8]
   Guillemette. Hélas! hélas! l'heure
    s'avance   85
De lui donner l'extrême onction.
   Le Drapier. Mais comment se
    fait-il qu'il parle
Picard? Expliquez-moi cela.
   Guillemette. Sa mère fut de Pi-
    cardie.
Alors, il le parle aisément.[9]   90
   Pathelin. (Comme en délire) D'où
    viens-tu, carême-prenant? [10]
ʃnacarme lieve go de mar
Ethelic bog . . . . . *(etc.)*[11]
Appelez le curé [12] Thoma
Pour qu'il vienne me confesser.   95

   Le Drapier. Va-t-il nous ennuyer
    longtemps
A nous parler tous ces jargons?
S'il voulait me donner un gage [13]
Ou mon argent, je m'en irais.
   Guillemette. Par la Passion de
    Jésus-Christ,   100
Vous êtes un homme bizarre.[14]
Que voulez-vous? vit-on jamais
Un être si fort obstiné?
   Pathelin. (Comme en délire) Or
    cha, Renouard au tiné,
Bé dà que . . . . *(etc.)* [15] 105
. . . .
   Le Drapier. Comment trouve-t-il
    le moyen [16]
De tant parler? Il se fatigue.
   Guillemette. Il se rappelle son école,
Son maître normand; maintenant
Qu'il va mourir, ça lui revient.   110
C'est la fin.
   Le Drapier. Ah! sainte Marie,
C'est bien la plus grande illusion
Qui m'ait jamais troublé l'esprit.
Ai-je rêvé? Je croyais bien
Lui avoir parlé à la foire.   115
   Guillemette. Vous le croyiez?
   Le Drapier. Ah! oui, vraiment,
Mais j'aperçois bien le contraire.
   Pathelin. (Comme en délire) Est-ce
    un âne que j'entends braire? [17]
Hélas, hélas! mon cher cousin,
Il y aura un grand émoi [18]   120
Quand je ne te reverrai [19] plus.
Ne dois-je pas te détester?
Tu m'as fait grande tricherie [20];
Chez toi, c'est toujours tromperie.[20]

---

  1. *lend, trust.* **2.** *Pathelin speaks seven lines in alleged Limousin (Provençal) patois, mean-*
ingless, spoken in order to confuse Le Drapier.   **3.** *from Limoges in the center of France.*
4. tante par alliance. **5.** *stealthily, on the sly.* **6.** *rabble.* **7.** *set of sharpers.* **8.** *Here follow*
five unintelligible lines in an alleged dialect of Picardy, a province of northern France. **9.** *easily.*
10. *carnival reveler, mask.* **11.** *Pathelin then recites thirteen incoherent lines in the Flemish*
dialect. **12.** *head of a Catholic parish.* **13.** *pledge, security.* **14.** *odd, eccentric.* **15.** *And now*
fourteen lines in the dialect of Normandy, absolutely meaningless.   **16.** *means (strength).*
17. *bray.* **18.** *sensation.* **19.** *shall see again.* **20.** *deceit, fraud.*

Ha oul danda oul ravezie 125
Corfa en euf.
   Guillemette. Dieu vous bénisse !¹
   Pathelin. (*Comme en délire*) *Huis*
    oz bez ou dronc nos badou
Digant cor . . . . . (etc.) ²
   Le Drapier. Sainte Dame !
    Comme il barbote !³
Pire⁴ qu'un canard ! Il bredouille⁵ 130
Ses mots tant qu'on n'y comprend rien.
Ce n'est pas là parler chrétien
Ni langage qu'on puisse entendre.⁶
   Guillemette. Ce fut la mère de son
    père
Qui venait tout droit de Bretagne. 135
Il va mourir, cela nous montre
Qu'il faut les derniers sacrements.
   Pathelin. Eh! par saint Gigon tu
    te mens
Voit à Dieu. . . . (*etc.*) ⁷
Et bona dies sit vobis, 140
[Bonjour à vous,]
Magister amantissime,
[Maître très doux,]
Pater reverendissime,
[Très révérend Père,]
Quomodo brulis? quæ nova?
[Comment brûlez-vous? quoi de nou-
    veau?]
Parisius non sunt ova.
[Il n'y a pas d'œufs à Paris.]
Quid petit ille mercator? 145
[Que veut ce marchand?]
Dixit nobis quod trufator,
[Il nous a dit que le trompeur,]
Ille qui in lecto jacet,
[Celui qui gît dans ce lit,]

Vult ei dare si placet
[Veut lui donner, s'il lui plaît,]
De oca ad comedendum.
[De l'oie à manger.]
Si sit bona ad edendum 150
[Si elle est bonne à manger,]
Detur sibi sine mora.
[Donnez-lui-en sans tarder.]
   Guillemette. Je jurerais qu'il va
    mourir
En parlant — Oh ! comme il écume !⁸
Voyez-vous pas comme il s'agite?
O Dieu très haut, ô Dieu du ciel 155
Où s'en va mon pauvre mari,
Je resterai seule et dolente !⁹
   Le Drapier. Je ferais bien de m'en
    aller
Avant qu'il n'ait rendu son âme.
Je crains qu'il ne consente pas 160
A vous dire, avant de mourir,
Moi présent, assez librement ¹⁰
Des secrets importants peut-être.
Pardonnez-moi, car je vous jure
Que je croyais bien, sur mon âme, 165
Qu'il avait mon drap. Adieu, dame.
Pour Dieu, qu'il me soit pardonné.
   Le Drapier. (*Sortant*) Par la
    gente ¹¹ sainte Marie,
Fus-je jamais plus ébaubi ¹²
Qu'aujourd'hui ? C'est vraiment le
    diable 170
Qui m'a volé pour me tenter.¹³
*Benedicite.*¹⁴ Que du moins
Il me laisse en paix maintenant !
Ainsi donc, je donne mon drap,
Pour Dieu, à quiconque l'a pris. 175

---

   1. *bless.*   **2.** *twelve lines in the dialect of Brittany, a sheer nonsense.*   **3.** *splashes, flounders.*
4. *worse than a duck.*   **5.** *jabbers.*   **6.** *understand.*   **7.** *fourteen meaningless lines in the dialect*
of Lorraine.   **8.** *foams.*   **9.** *suffering, doleful.*   **10.** *freely.*   **11.** *gentle.*   **12.** *dumfounded.*
13. *tempt, entice.*   **14.** *a prayer to keep the Devil away.*

SCÈNE VII

Chez PATHELIN

Pathelin. (*Il saute à bas du lit*)
  Allons ! Ma ruse a réussi [1]
Il s'en va donc, le beau Guil-
  laume !
Dieu ! qu'il a dessous son bonnet
De belles choses à penser !
A quoi ne va-t-il pas rêver   5
La nuit quand il sera couché ?

Guillemette. Ah ! comme nous
  l'avons roulé ! [2]
N'ai-je pas bien joué mon rôle ? [3]
  Pathelin. Ma foi,[4] ma femme, à
  dire vrai,
Vous l'avez joué à merveille.   10
Nous avons sûrement gagné
Assez de drap pour nous vêtir.

ACTE TROISIÈME

SCÈNE I

Devant la porte du DRAPIER

Le Drapier. (*Seul*) On me repaît [5]
  de duperies
Chacun m'emporte mon avoir [6]
Et prend ce qu'il en peut avoir.
Je suis le roi des malchanceux.[7]   4
Jusqu'aux bergers [8] de nos moutons
Qui me volent [9] ; en voici un
A qui j'ai toujours fait du bien ;
Je saurai me venger de lui
Et l'envoyer à confession,
J'en jure par la sainte Vierge.   10
  Le Berger. Dieu vous donne bonne
  journée
Et soirée aussi, mon cher maître.
  Le Drapier. Ah ! te voilà, sale
  vaurien,[10]
Bon serviteur, mais propre à rien.[11]
  Le Berger. Permettez-moi de vous
  apprendre   15
Qu'un homme drôlement vêtu [12]

Pas trop propre [13] non plus, Monsieur,
Et portant un fouet sans corde,[14]
M'a dit . . . Je ne me souviens pas
Exactement de ses paroles.   20
Il m'a parlé de vous, mon maître,
D'une certaine assignation.[15]
Croyez-moi, par sainte Marie,
J'ai à peine compris deux mots.
Il m'a parlé tout pêle-mêle [16]   25
De brebis [17] et de relevée [18]
En me faisant grande menace
De châtiment de votre part.
  Le Drapier. Si je ne te fais en-
  chaîner
Aujourd'hui même par le juge,   30
Je demande que le déluge
M'emporte et me fasse périr.
Tu n'assommeras [19] plus mes bêtes,
Par ma foi, qu'il ne t'en souvienne.
Tu me paieras, quoi qu'il advienne,[20]

1. *succeeded.*   2. *bowled him over, deceived.*   3. *played my part.*   4. *upon my word.*
5. *feed.*   6. *my property.*   7. *unlucky.*   8. jusqu'aux bergers: *even the shepherds.*   9. *rob.*
10. *good-for-nothing.*   11. *good for nothing.*   12. *in funny clothes.*   13. *none too clean either.*
14. *a whip without lash (the staff of a sergeant-at-arms).*   15. *summons.*   16. *in confusion,
mixing everything.*   17. *sheep.*   18. *afternoon; (Judges often sat in the afternoon).*   19. *beat to
death.*   20. *whatever happens.*

Six aunes . . . je dis le trépas [1]   36
De mes brebis et le dommage
Que tu m'as fait depuis dix ans.

   Le Berger. Ne croyez pas ce qu'on
   raconte,
Mon bon maître, car par mon
   âme . . .   40

   Le Drapier. Et par la Dame que
   l'on prie,
Tu les paieras au pilori.
Mes six aunes de . . . je veux dire
Ce que tu as pris sur mes bêtes.

   Le Berger. Six aunes? vous êtes
   fâché,[2]   45
Il me semble, pour autre chose.
Par saint Leu, mon maître, je
   n'ose [3]
Rien dire quand je vous regarde.

   Le Drapier. Fiche-moi le camp [4]
   et va-t'en
Chez le juge, si bon te semble.   50

   Le Berger. N'est-il pas moyen [5]
   d'arranger
Les choses sans aucun procès? [6]

   Le Drapier. Aucun. Ah! ton af-
   faire est claire!
Va-t-en. Je ne veux rien céder.
Dieu me garde [7] de retirer [8]   55
Ma plainte! Elle est aux mains du
   juge.
Tout le monde me tromperait,
Corbleu! [9] si je n'y prenais garde.

   Le Berger. Adieu, Monsieur. Portez-vous bien.
(*A part.*) Il faut donc que je me dé-
   fende.   60

SCÈNE II

Chez PATHELIN

   Le Berger. (*A la porte*) Holà!
   quelqu'un?

   Pathelin. (*De la maison*) Là!
   qu'on me pende
Si ce n'est pas notre drapier!

   Guillemette. J'espère que non, par
   saint George,
Car ce serait vraiment le comble.[10]

   Le Berger. Bonjour, Monsieur.
   Dieu vous bénisse!   5

   Pathelin. (*Ouvrant la porte*) Toi
   ici, berger! que veux-tu?

   Le Berger. On me condamne par
   défaut [11]
Si je ne parais [12] chez le juge,
Monseigneur, cet après-midi.
Eh! s'il vous plaît, vous y viendrez, 10

Mon bon maître, et me défendrez,
Car, moi, je ne saurais le faire.
Et vous serez très bien payé
Quoique je sois mal habillé.[13]

   Pathelin. Viens me conter cela.
(*Le* BERGER *entre.*) Qu'es-tu,
Ou demandeur [14] ou défendeur? [15]   16

   Le Berger. Je suis le berger d'un
   patron,[16]
Comprenez bien cela, cher maître,
Dont, depuis dix ans, je fais paître [17]
Les brebis et les garde aux champs.[18]
Et, ma foi, il me semblait bien   21
Qu'il me payait petitement.[19]
Dirai-je tout?

   Pathelin. Dame, bien sûr.
A son conseil [20] on doit tout dire.

---

1. *death.* **2.** *angry.* **3.** *dare.* **4.** fiche le camp (*colloquial*): *decamp.* **5.** *means.* **6.** *trial.*
7. *God forbid.* **8.** *withdraw.* **9.** *By Jove, hang it!* **10.** *the climax, the last straw.* **11.** *for
non-appearance, by default.* **12.** *appear.* **13.** *poorly clad.* **14.** *plaintiff.* **15.** *defendant.*
16. *master (boss).* **17.** *graze.* **18.** *in the fields.* **19.** *niggardly.* **20.** *lawyer.*

Le Berger. Eh bien, je confesse,
  messire, 25
Que j'ai souvent frappé les bêtes
Si fort que plusieurs sont tombées
Et ne se sont pas relevées,
Bien qu'elles fussent déjà fortes.
Alors, je lui faisais entendre,[1] 30
Afin qu'il ne m'en pût reprendre,[2]
Qu'elles mouraient de clavelée.[3]
« Ah ! disait-il, sépare-les [4]
» Du troupeau.[5] Jette-les au di-
able.
» — Volontiers, » disais-je. Cela 35
Se faisait d'une autre façon :
Car, par saint Jean, je les man-
  geais,
Moi qui savais la maladie.
Que voulez-vous que je vous dise ?
J'ai continué si longtemps, 40
J'ai tant assommé de brebis
Qu'il a fini par voir le truc.[6]
Et, sachant que je le trompais,
Le méchant m'a fait épier [7] :
Car on les entend bien crier, 45
Les bêtes, lorsqu'on les assomme.
Alors, on m'a pris sur le fait,[8]
Je ne le puis jamais nier.
Je voudrais donc vous supplier
(N'ayez peur, je puis vous payer) 50
De lui faire perdre sa cause.[9]
Je sais que la loi [10] est pour lui,
Mais vous trouverez quelque tour [11]
Pour la mettre de mon côté.[12]
Pathelin. Cela te rendrait bien
  service ? 55
Que paieras-tu si je renverse
Le droit de ta partie adverse
Et si l'on te renvoie absous ? [13]

Le Berger. Je ne vous paierai pas
  en sous,[14]
Mais en bel or à la couronne.[15] 60
Pathelin. Alors, ta cause sera bonne,
Fût-elle moitié [16] plus mauvaise.
Les meilleures, je les fais perdre
Quand j'exerce tout mon talent.
Ah ! tu m'entendras discourir 65
Quand il aura fini sa plainte !
Écoute bien. Je te demande,
Par tous les Saints du Paradis,
Tu es bien assez malicieux [17]
Pour comprendre ma plaidoirie ? 70
Comment est-ce que l'on t'appelle ?
Le Berger. Mon nom, c'est Thi-
  baut l'Agnelet.
Pathelin. L'Agnelet ? Plus d'un
  agneau de lait [18]
Tu as chipé [19] à ton patron ?
Le Berger. En vérité, il est possible
Que j'en aie mangé plus de trente 76
En trois ans.
Pathelin. Joli bénéfice [20]
Pour tes dés [21] et pour ta chandelle.[22]
Comme je vais le tourmenter !
Penses-tu qu'il puisse trouver 80
Des témoins [23] pour prouver son cas ?
Grosse question dans un procès.
Le Berger. Des témoins ? Ah ! oui,
  bonne Vierge !
Par tous les Saints du Paradis,
Pour un il en trouvera dix 85
Qui vont témoigner [24] contre moi.
Pathelin. Oh ! C'est une chose
  qui gâte [25]
Ta cause. Mais écoute bien :
Je feindrai [26] ne pas te connaître
Et ne t'avoir jamais parlé. 90

---

1. *understand.* **2.** *blame.* **3.** *contagious sheep disease (the rot).* **4.** *keep apart.* **5.** *flock.*
6. *trick, trickery.* **7.** *had me watched, spied upon.* **8.** *in the very act.* **9.** *case (in the court).* **10.** *law.* **11.** *trick.* **12.** *on my side.* **13.** *acquitted.* **14.** *pennies, small change.*
15. *or à la couronne: gold coin stamped with a crown (highest value).* **16.** *half.* **17.** *smart, cunning.* **18.** *lambkin.* **19.** *stolen (swiped).* **20.** *profit.* **21.** *dice.* **22.** *one had to pay for the use of candles when playing in taverns.* **23.** *witnesses.* **24.** *testify.* **25.** *spoils, impairs.*
26. *shall feign.*

Le Berger. Très bien.

Pathelin. Rien de plus naturel.

Mais voici ce qu'il faudra faire:

Si tu parles, on te prendra

En défaut dans chaque réponse.

Rien de pire que les aveux [1]; 95

Ils sont toujours très dangereux

Et nuisent [2] comme de vrais diables.

Voici donc ce que tu feras:

Sitôt que l'on t'appellera

Pour paraître devant le juge, 100

Tu ne répondras autre chose

Que *bée*, quoi que l'on te demande;

Et, s'il arrive qu'on te blâme

En disant: « Sale vagabond,

» Truand,[3] Dieu vous donne la

gale! [4] 105

» Vous moquez-vous de la justice? »

Dis: *bée*. « Ah! quel idiot! dirai-je,

» Il pense parler à ses bêtes. »

Et, s'ils veulent crier plus fort,

Ne prononce pas d'autre mot, 110

Garde-t'en bien.[5]

Le Berger. Soyez tranquille.

Je m'en garderai avec soin

Et suivrai [6] votre avis en tout.

Comptez-y,[7] je vous le promets.

Pathelin. C'est de la plus grande

importance. 115

A moi-même, pour quelque chose

Que je te dise ou te demande,

Tu ne répondras autrement.[8]

Le Berger. Je vous le jure sur mon

âme.

Voyez en moi le roi des fous, 120

Si je dis une autre parole

A vous ou à d'autres personnes,

En réponse à n'importe quoi,

Que *bée*, ainsi que vous voulez.

Pathelin. Alors, je plains [9] ton

adversaire, 125

Il sera pris dans nos filets.[10]

Mais aie bien soin que je me loue,[11]

Quand ce sera fait, de la paie.[12]

Le Berger. Monseigneur, si je ne

vous paie

A votre mot,[13] ne me croyez 130

Jamais. Mais, de grâce,[14] prenez

Le plus grand soin de mon affaire.

Pathelin. Par Notre-Dame de Bou-

logne,[15]

Je crois que le juge est assis,[16]

Car il vient toujours à midi 135

Ou à peu près ce moment-là.

Viens après moi. Il ne faut pas

Que l'on nous voie tous deux en-

semble.

Le Berger. Je comprends. Vous ne

voulez pas

Qu'on vous sache mon avocat. 140

Pathelin. Gare [17] à toi, mauvais

garnement,[18]

Si tu n'apportes mes écus.[19]

Le Berger. A votre mot,[13] certaine-

ment.

Monseigneur, n'ayez aucun doute.

(*Il sort.*)

Pathelin. Ah! la clientèle [20] re-

vient. 145

Je vais enfin gagner un peu.

J'aurai de lui, si tout va bien,

Quelques écus d'or pour ma peine.

---

1. *confession.* **2.** *harm.* **3.** *tramp.* **4.** *itch (skin disease).* **5.** *mind you don't.* **6.** *shall follow.* **7.** *depend upon it.* **8.** *otherwise.* **9.** *pity.* **10.** *nets, snares.* **11.** *that I be well pleased with.* **12.** *pay (the lawyer's fee).* **13.** à votre mot *means two things: a. at your order; b. with your word* bée. **14.** *I beg you.* **15.** *Notre-Dame de Boulogne is a famous shrine.* **16.** *seated (ready to open court).* **17.** *look out, beware!* **18.** *rascal.* **19.** *gold coins.* **20.** *practice.*

SCÈNE III

Au tribunal

Pathelin. (*Au* JUGE) Sire, Dieu
vous accorde [1] en grâce
Tout ce que votre cœur désire !
Le Juge. Soyez le bienvenu, Mon-
sieur.
Couvrez-vous [2] et prenez ce siège.[3]
Pathelin. (*Qui reste au fond*)
Merci. Si vous le permettez, 5
Je reste ici plus à mon aise.
Le Juge. (*Au public*) Apportez
vite vos procès [4]
Ou bien je vais lever l'audience.[5]
Le Drapier. Mon avocat ne peut
tarder,[6]
Il a une petite affaire, 10
Monseigneur, et, s'il vous plaisait,
Vous seriez bien bon de l'attendre.
Le Juge. J'ai d'autres chiens à
fouetter.[7]
Si votre adversaire est ici,
Nous procéderons sans délai. 15
Vous êtes bien le demandeur ? [8]
Le Drapier. Oui, sire.
Le Juge. Où est le dé-
fendeur ? [9]
Est-il devant nous en personne ?
Le Drapier. Bien sûr, voyez-le qui
ne dit
Mot, mais Dieu sait ce qu'il en pense.
Le Juge. Puisque vous êtes en
personne 21
Tous deux, présentez votre plainte.[10]
Le Drapier. Voici donc ce que
je demande.
Monseigneur, c'est la vérité

Que pour Dieu et par charité 25
Je l'ai nourri dans son enfance.
Et quand je le vis assez grand
Pour l'envoyer aux champs, alors
Je le fis être mon berger
Et le mis à garder [11] mes bêtes. 30
Mais aussi vrai que je vous vois
Assis là, monseigneur le juge,
Il m'a fait un si grand massacre [12]
De mes brebis, de mes moutons,
Que sans mentir . . .
Le Juge. Je vous écoute. 35
Dites, vous l'aviez pris à gage ? [13]
Le Drapier. Dame, s'il s'était
avisé [14]
De les garder sans être à moi [15] . . .
(*Il aperçoit* PATHELIN.)
Que je puisse renier Dieu
Si ce n'est vous que je revois ! 40
(PATHELIN *se cache le visage.*)
Le Juge. Comme vous tenez la
main haute !
Souffrez-vous des dents, maître
Pierre ?
Pathelin. Oui, elles me font un tel
mal ! [16]
Je n'eus jamais pareille rage,[17]
Je n'ose lever le visage. 45
Ne vous occupez pas de moi.
Le Juge. (*Au* DRAPIER) Allez,
achevez votre plainte.
Surtout concluez clairement.
Le Drapier. (*A lui-même*) Vrai-
ment c'est lui et pas un autre,
J'en jure par la Sainte Croix.[18] 50

---

1. *grant.* **2.** *put on your hat.* **3.** *seat.* **4.** *lawsuits.* **5.** *adjourn the hearing.* **6.** *dally.*
7. d'autres . . . fouetter: *other dogs to whip (other fish to fry).* **8.** *plaintiff.* **9.** *defendant.*
10. *complaint.* **11.** *put in charge of, intrusted with.* **12.** *slaughter.* **13.** pris à gage: *hired.*
14. *had presumed.* **15.** sans . . . moi: *without being my hired man.* **16.** *pain.* **17.** *a violent*
toothache. **18.** *the Holy Cross.*

(*A* Pathelin) C'est bien vous à qui
j'ai vendu
Six aunes de drap, maître Pierre.
Le Juge. Que veut-il dire?
Pathelin. Oh! il divague.[1]
Il croit revenir à sa plainte
Et ne peut pas y arriver: 55
Il n'a pas appris sa leçon.
Le Drapier. Qu'on me pende s'il
n'a pas pris
Mon drap, qu'on me coupe la gorge![2]
Pathelin. Comme le méchant
homme va
Chercher loin l'objet de sa plainte! 60
Il veut dire, le maladroit,[3]
Que son berger avait vendu
La laine (si j'ai bien compris)
Dont fut fait le drap de ma robe.
Son berger le vole,[4] dit-il; 65
Il lui a dérobé la laine
De ses brebis.
Le Drapier. (*A* Pathelin) Malé-
diction
Sur moi, si vous n'avez mon drap!
Le Juge. Vous ne faites que bavar-
der.[5]
Ne pouvez-vous par revenir 70
A la question sans fatiguer
La cour de stupides propos?[6]
Pathelin. J'ai mal aux dents, mais
il faut rire.
Cet homme est si pressé[7] qu'il a
Perdu le fil de son discours.[8] 75
C'est à nous de le retrouver.
Le Juge. Mais revenons à ces
moutons.[9]
Alors, quoi?
Le Drapier. Il a pris six aunes
De neuf francs.

Le Juge. Sommes-nous des bêtes,
Des idiots? Où croyez-vous être? 80
Pathelin. Parbleu! Il se moque
de vous.
Jugez le bonhomme[10] à sa mine.[11]
Je suggère qu'on examine
Maintenant la partie adverse.[12]
Le Juge. Sage conseil. Il ne dit
mot. 85
Il m'a l'air tout interloqué.[13]
(*Au* Berger) Approche.
Le Berger. Bée!
Le Juge. Hein! quelle
peste![14]
Bée! me prends-tu pour une chèvre?[15]
Parle-moi.
Le Berger. Bée!
Le Juge Eh! que la fièvre[16]
Te dévore, mauvais plaisant![17] 90
Pathelin. Quel fou, quel petit en-
têté![18]
Pense-t-il être avec ses bêtes?
Le Drapier. (*A* Pathelin) Que je
sois maudit si vous n'êtes
L'homme qui est venu voler
Mes six aunes!
(*Au* Juge) Vous ne savez, 95
Monseigneur, par quelle malice...
Le Juge. Taisez-vous donc. Êtes-
vous fou?
Laissez en paix cet accessoire
Et revenons au principal.
Le Drapier. L'accessoire me touche
fort, 100
Monseigneur. Cependant ma bouche[19]
N'en dira plus un mot ici.
J'y penserai une autre fois
Quand l'heure sera favorable.
Alors, j'avale la pilule[20] 105

1. *rambles, raves.* 2. *throat.* 3. *blundering fellow.* 4. *robs.* 5. *babble.* 6. *tattle.* 7. *in
such a hurry.* 8. fil du discours: *thread of the speech.* 9. *sheep.* (*Hence the proverb:*
revenons à nos moutons, *let us return to our subject.*) 10. *fellow.* 11. *looks, appearance.*
12. partie adverse *is, here, the defendant.* 13. *amazed, nonplussed.* 14. *nuisance.* 15. *goat.*
16. *fever.* 17. *jester.* 18. *blockhead.* 19. *mouth.* 20. *swallow the pill (pocket the affront).*

Sans mâcher [1] . . . Je vous disais donc
Sur ma plainte comment j'avais
Donné six aunes . . . Je veux dire [2]
Mes brebis; de grâce, Messire,
Pardonnez-moi . . . Ce chenapan [3]
De berger, quand il devait être   111
Aux champs, il me dit que j'aurais
Six écus d'or quand je vendrais . . .
. . . Pardon . . . Voilà trois ans passés
Que mon berger s'est engagé [4]   115
A me garder loyalement
Mes brebis et à ne commettre
Ni dommage ni vilenie.[5]
Et maintenant il me refuse
L'argent, lui qui garde le drap . . . 120
Ah! maître Pierre, en vérité . . .
. . . Ce ribaud-ci [6] tondait la laine [7]
De mes bêtes et, toutes saines,[8]
Les mettait durement [9] à mort,
En les assommant de grands coups 125
De bâton [10] sur leur pauvre tête . . .
Emportant mon drap sous son bras,
Il décampa [11] en toute hâte,
Me disant de venir chercher
Six écus d'or en sa maison.   130
  Le Juge. Je ne vois rime ni raison
En tout ce que vous marmottez.[12]
Qu'est-ce donc? Vous entrelardez [13]
Ceci, puis cela. Somme toute,
A dire vrai, je n'y vois goutte [14] . . .
Il parle de drap et ensuite   136
De brebis, tout à l'aventure.
Qui donc pourrait s'y reconnaître?
  Pathelin. Et je suis sûr qu'il ne
    paie pas
Au pauvre berger son salaire.   140
  Le Drapier. Vous, vous feriez
    mieux de vous taire.
Mon drap, aussi vrai que la messe,

Je sais mieux où le bât m'en blesse [15]
Que vous ou n'importe quel autre.
Sur ma foi, c'est vous qui l'avez. 145
  Le Juge. Qu'est-ce qu'il a?
  Le Drapier.   Rien, mon-
    seigneur.
(*A lui-même*) Ma parole, c'est le
    plus grand
Trompeur . . .
(*Au* Juge) Eh bien, je me tairai
Si je puis et ne parlerai
Plus de ce drap, quoi qu'il advienne.
  Le Juge. Très bien, mais ne l'ou-
    bliez pas   151
Et concluez plus clairement.
  Pathelin. Ce berger ne peut nulle-
    ment
Répondre aux faits qu'on lui reproche
Sans avocat; il n'ose pas   155
Ou il ne sait en demander.
Ne voulez-vous pas me confier [16]
Sa cause? je veux bien la prendre.
  Le Juge. J'y consens. Mais ren-
    dez-vous compte [17]
Que c'est un bien pauvre client, 160
Trop court d'argent.[18]
  Pathelin.   Moi, je vous jure
Que je veux bien plaider gratis,
Pour l'amour de Dieu. Je vais donc
Interroger ce malheureux
Et lui demander ce qu'il faut   165
Répondre aux faits dont on l'accuse.
Il aurait peine à s'en tirer [19]
Si l'on ne prenait sa défense.
(*Au* Berger) Viens, mon ami. Si
    l'on pouvait . . .
. . . Tu m'entends bien?
  Le Berger.   Bée.
  Pathelin.   Bée! encore?

---

1. *without chewing.*   **2.** *mean.*   **3.** *blackguard.*   **4.** *pledged himself to.*   **5.** *fool play.*
6. *scoundrel.*   **7.** *sheared the wool.*   **8.** *healthy.*   **9.** *cruelly.*   **10.** *club, staff.*   **11.** *scampered away.*   **12.** *mumble.*   **13.** *interlard, mix up.*   **14.** *I don't understand in the least (I do not see a drop).*   **15.** *où . . . blesse: where the packsaddle hurts me (where the shoe pinches).*
16. *intrust.*   **17.** *realize.*   **18.** *short of money.*   **19.** *get out of it.*

Par le saint sang [1] que Dieu versa,[2] 171
Es-tu fou? Dis-moi ton affaire.
  Le Berger. Bée.
  Pathelin.   Bée! Parles-tu aux
    brebis?
C'est pour ton profit. Comprends
  donc.
  Le Berger. Bée.
  Pathelin.   Voyons! dis-moi oui
    ou non.   175
(*Tout bas, au* BERGER) Bien joué.[3]
(*Parlant haut*)   Allons,
    parle-moi.
  Le Berger. (*Doucement*) Bée.
  Pathelin.   Plus haut,
    ou tu vas courir
Un grand danger, j'en ai bien peur.
  Le Berger. (*Très haut*) Bée.
  Pathelin.   Quel fou
    est celui qui traîne [4]
Un pareil idiot en justice! [5]   180
Sire, renvoyez-le à ses
Brebis. Il est fou de naissance.[6]
  Le Drapier. Ce berger est fou?
    quel mensonge! [7]
Il est plus sage que vous n'êtes.
  Pathelin. (*Au* JUGE) Envoyez-le
    garder ses bêtes   185
Sans qu'il ait à recomparaître.[8]
Maudit [9] soit celui qui assigne [10]
Tels fous ou les fait assigner!
  Le Drapier. Et vous le laisserez
    partir
Avant de m'avoir entendu?   190
  Le Juge. Mon Dieu, oui. Il s'agit
    d'un fou.[11]
Puis-je faire autrement?
  Le Drapier.   Eh! sire,
Au moins laissez-moi d'abord dire

Et présenter mes conclusions.
Car ce ne sont pas des mensonges
Que je dis ni des moqueries.   196
  Le Juge. C'est toujours un méli-
    mélo [12]
De plaider contre fous ou folles.
Alors, c'est assez de paroles;
La cour ne veut plus en entendre. 200
  Le Drapier. N'auront-ils pas com-
    mandement
De revenir?
  Le Juge. Et pour quoi faire?
  Pathelin. Revenir! Vîtes-vous ja-
    mais
Plus fou que mon pauvre client?
Et l'autre vaut-il donc une once [13] 205
Mieux? ont-ils un brin [14] de cervelle? [15]
Par la belle sainte Marie,
Pas un seul fétu [16] entre eux deux!
  Le Drapier. Vous l'avez emporté
    par ruse,
Mon drap, sans payer, maître Pierre.
Je ne suis qu'un pauvre pécheur,[17] 211
Mais c'est l'action d'un malhonnête.[18]
  Pathelin. Que le grand saint Pierre
    me damne
S'il n'est fou ou ne le devient!
  Le Drapier.   Je reconnais bien
    votre voix,   215
Votre robe et votre visage.
Je ne suis pas fou, je suis sage
Et je sais qui me fait du bien.
(*Au* JUGE) Je vous conterai tout le fait,
Monseigneur, bien sincèrement . . .
  Pathelin. Ah! sire, imposez-lui si-
    lence.   221
(*Au* DRAPIER) C'est une honte [19]
    d'ennuyer [20]
Votre berger pour trois ou quatre

---

1. *blood.* **2.** *shed.* **3.** *well acted.* **4.** *drags.* **5.** en justice: *into a court of justice.*
6. *from time of birth.* **7.** *falsehood.* **8.** *appear again (before the court).* **9.** *cursed.*
10. *summons.* **11.** *this is a case against a lunatic.* **12.** *a confused mixture, a jumble.*
13. *ounce.* **14.** *bit.* **15.** *brain matter.* **16.** *wisp, least little bit.* **17.** *sinner.* **18.** *dishonest person.* **19.** *shame.* **20.** *molest.*

Vieilles brebis ou vieux moutons
Qui ne valent pas deux boutons.[1] 225
Vous en faites une montagne.[2]
   Le Drapier. (A PATHELIN) Vieille
     chanson que mes moutons !
C'est à vous-même que je parle,
Et vous me rendrez mes six aunes,
Par le Dieu qui vint à Noël.[3]   230
   Le Juge. L'entendez-vous? j'ai
     bien raison;
Il ne cessera pas de braire.[4]
   Le Drapier. Je demande . . .
   Pathelin.   Faites-le taire.
Vraiment, c'est trop de fariboles.[5]
Admettons qu'il en ait occis [6]   235
Six ou sept ou une douzaine
Et les ait mangés, sacrebleu ! [7]
Vous vous croyez bien malheureux.
Vous avez gagné davantage
Au temps qu'il vous les a gardés.   240
   Le Drapier. (Au JUGE) Vous
     voyez, sire, vous voyez:
Je lui parle de draperie,
Il me parle de bergerie.
(A PATHELIN) Où sont les six aunes
   de drap
Que vous mîtes sous votre bras? 245
Ne pensez-vous pas à les rendre?
   Pathelin. Ah! sire, le ferez-vous
     pendre
Pour six ou sept bêtes à laine?
Au moins, reprenez votre haleine.[8]
Ne soyez pas si rigoureux [9]   250
Au pauvre berger malheureux
Qui est presque aussi nu [10] qu'un ver.[11]
   Le Drapier. Comme il vous change
     de sujet !
C'est le diable qui me fit vendre
Mon drap à un pareil client.[12]   255
Là, monseigneur, je lui demande . . .

   Le Juge. Je l'absous de votre de-
     mande [13]
Et vous défends [14] de procéder.
C'est un bel honneur de plaider   259
Contre un fou.
(Au BERGER) Va-t'en à tes bêtes.
   Le Berger. Bée.
   Le Juge. (Au DRAPIER) Vous
     montrez bien qui vous êtes,
Par le sang de Notre Seigneur.
   Le Drapier. Là, là, monseigneur,
     sur mon âme,
Je lui veux . . .
   Pathelin.   Va-t-il pas se taire?
   Le Drapier. (A PATHELIN) Et
     c'est à vous que j'ai à faire. 265
Vous m'avez trompé faussement
Et emporté furtivement
Mon drap par votre beau langage.
   Pathelin. Oh! quelle patience il
     me faut !
   Le Drapier. Souffrez, monseigneur,
     que je dise . . .   270
   Le Juge. Quelles sottises [15] vous
     contez
Tous deux! je n'entends que du
   bruit.[16]
Vive Dieu,[17] je vais m'en aller.
(Au BERGER) Va-t'en, mon garçon.
   Ne reviens
Jamais, n'importe qui t'assigne. 275
La cour t'acquitte, entends-tu bien?
   Pathelin. Dis grand merci.
   Le Berger.   Bée.
   Le Juge.   J'ai bien dit,
Va-t'en. C'est vraiment pour le
   mieux.
   Le Drapier. Mais est-il juste qu'il
     s'en aille
Ainsi?

1. *buttons.*   **2.** *You are making a mountain of it (a mole hill).*   **3.** *Christmas.*   **4.** *bray.*
5. *crazy talk.*   **6.** *killed.*   **7.** *dash it!*   **8.** *recover your breath (take time to think).*   **9.** *hard,*
severe.   **10.** *naked.*   **11.** *worm.*   **12.** *customer.*   **13.** *complaint.*   **14.** *forbid.*   **15.** *nonsense.*
16. *noise.*   **17.** *Od's life.*

Le Juge. Eh! j'ai d'autres af-
faires. 280
Vous êtes de trop grands bavards,[1]
Je ne veux plus vous écouter,

Je m'en vais. Voulez-vous venir
Souper avec moi, maître Pierre?
Pathelin. Je ne puis. (LE JUGE
sort.) 285

SCÈNE IV

Le Drapier. (*A part*) Quel larron [2]
j'ai là!
(*A* PATHELIN) Dites, serai-je point
payé?
Pathelin. De quoi? Perdez-vous
la raison?
Mais qui pensez-vous que je sois?
Enfin, je voudrais bien savoir 5
Pour quel autre vous me prenez.
Le Drapier. C'est vous, saint
Pierre m'est témoin,
Vous et nul autre, je le sais,
Je dis la vérité.

Pathelin. Mais non.
Je ne suis pas ce que vous dites. 10
Jamais je ne vous pris une aune;
J'ai meilleure réputation.
Le Drapier. Donc, je vais voir en
votre hôtel,
Corbleu! morbleu![3] si vous y êtes.
Inutile de discuter 15
Ici, si je vous trouve là.
Pathelin. Par Notre-Dame, c'est
cela.
C'est le moyen de tout savoir. (LE
DRAPIER *sort.)*

SCÈNE V

Pathelin. Dis, Agnelet.
Le Berger. Bée.
Pathelin. Viens ici.
N'ai-je pas bien plaidé ta cause?
Le Berger. Bée.
Pathelin. Ton ennemi est parti.
Ne dis plus bée, c'est inutile.
Lui en ai-je fait des entorses?[4] 5
Ne t'ai-je pas bien conseillé?[5]
Le Berger. Bée.
Pathelin. Va donc, on ne
t'entend pas.
Parle hardiment,[6] aucun danger.
Le Berger. Bée.
Pathelin. Il est temps que
je m'en aille,
Paie-moi donc.
Le Berger. Bée.

Pathelin. A dire vrai, 10
Tu as très bien joué ton rôle,
Tu t'es parfaitement conduit.[7]
Ce qui nous a le mieux servi,[8]
C'est de t'être tenu [9] de rire.
Le Berger. Bée.
Pathelin. Bée? Il ne le faut
plus dire. 15
Voyons, sois gentil et paie-moi.
Le Berger. Bée.
Pathelin. Encore? Tu perds
la boule.[10]
Paie-moi, il faut que je m'en aille.
Le Berger. Bée.
Pathelin. Écoute-moi, mon
ami.
De grâce, cesse de bêler,[11] 20
Pense plutôt [12] à me payer.

---

1. *babblers.* **2.** *thief.* **3.** *s'body! s'death!* **4.** *Lui en . . . entorses: Did I twist him about.*
5. *advised.* **6.** *boldly.* **7.** *behaved yourself.* **8.** *aided.* **9.** *have refrained from.* **10.** *lose your head* (boule: *ball, pate, noddle*). **11.** *stop bleating.* **12.** *rather.*

Assez de tous ces bêlements !
Paie vite.
   Le Berger.   Bée.
   Pathelin.   Vrai, tu te moques.[1]
Ne feras-tu pas autre chose ?
Je le jure, tu me paieras,   25
Entends-tu ? si tu ne t'envoles.[2]
Çà, mon argent !
   Le Berger.   Bée.
   Pathelin.   Tu rigoles [3] . . .
Comment ? c'est tout ce que j'aurai ?
   Le Berger.   Bée.
   Pathelin.   Voilà, tu fais l'in-
   nocent,[4]
Mais qui penses-tu attraper ? [5]   30
Encore une fois, j'ai assez
De t'entendre bêler. Paie-moi.
   Le Berger.   Bée.
   Pathelin.   De singe [6] c'est la
   monnaie.
De qui crois-tu donc te jouer ? [7]
N'as-tu pas promis de payer   35
En beaux écus ? Tiens ta parole.
   Le Berger.   Bée.
   Pathelin.   Me fais-tu man-
   ger de l'oie ? [8]
(*A lui-même*) Sacrebleu ! ai-je tant
   vécu
Qu'un berger, tête de mouton,[9]
Un vaurien,[10] me mette dedans ? [11] 40

   Le Berger.   Bée.
   Pathelin.   N'en aurai-je au-
   tre parole ?
Si tu le fais pour t'amuser,
Dis-le. Ne me mets pas en rage.[12]
Viens-t'en souper à ma maison.
   Le Berger.   Bée.
   Pathelin.   Par saint Jean, tu
   as raison.   45
Les jeunes attrapent les vieux.
(*A lui-même*) Moi qui croyais être
   le maître
Des trompeurs [13] d'ici et d'ailleurs,
Des escrocs,[14] de tous ceux qui don-
   nent
Belles paroles en paiement   50
A faire au jour du Jugement,[15]
Un simple berger me surpasse.
(*Au* BERGER) Par saint Jacques, si
   je trouvais
Un sergent, je te ferais prendre.[16]
   Le Berger.   Bée.
   Pathelin.   Oh ! ce bée ! Que
   l'on me pende   55
Si je ne vais vite chercher [17]
Un bon sergent. Malheur à lui,[18]
Sacrebleu ! s'il ne t'emprisonne !
   Le Berger. (*S'enfuyant*) S'il me
   trouve, je lui pardonne.

---

1. *Come! be serious.* **2.** *fly away.* **3.** *You are joking.* **4.** *fais l'innocent: sham imbecility.* **5.** (*catch*), *deceive.* **6.** *monkey;* (payer en monnaie de singe: *jeer instead of paying*). **7.** *make a fool of.* **8.** (*as Pathelin did with the Draper.*) **9.** *silly as a sheep.* **10.** *good-for-nothing.* **11.** (*argot*): *take in, "do in."* **12.** mets en rage: *madden.* **13.** *deceivers.* **14.** *swindlers.* **15.** *on Judgment Day* (*not in this world*). **16.** *I would have you arrested.* **17.** *fetch.* **18.** *Woe betide him!*

ÉPISODE DE LA GUERRE ENTRE PICROCHOLE ET GRANDGOUSIER

par FRANÇOIS RABELAIS

1495(?) — 1553(?)

On a raconté sur Rabelais d'absurdes légendes, de ridicules anecdotes qui le représentent comme un joyeux cynique, un grotesque charlatan, un amoureux de la « dive [1] bouteille. » Au fait, c'était un homme bien né, honorable, que des gens fort distingués estimèrent pour sa bonté, son esprit et sa science encyclopédique. Il naquit à Chinon, en Touraine, dans ce « jardin de la France » dont on reconnaît facilement les paysages dans son œuvre. D'abord moine, il se fit médecin à Montpellier et exerça sa profession en diverses villes, particulièrement à Lyon et Grenoble, car il aimait voyager. L'ambassadeur cardinal du Bellay l'emmena deux fois à Rome, le protégea toujours et lui assura les bonnes grâces de François Ier. Mais la publication de son grand roman *Gargantua et Pantagruel* (1542–1552) attira à Rabelais de graves persécutions: la Sorbonne catholique et les Protestants blâmaient également la hardiesse de ses idées; François Ier était mort; son fils Henri II refusait d'intervenir. Rabelais dut quitter la paroisse de Meudon que du Bellay lui avait procurée. On croit qu'il se retira à Paris et qu'il y vécut, caché, jusqu'en 1553.

L'œuvre de Rabelais n'est pas moins énigmatique que sa vie. Il ne suit aucun plan, il marche à l'aventure et nous conte l'histoire de trois rois qui se succèdent dans un pays imaginaire et ne cherchent, en observant la paix et la justice, qu'à faire le bonheur de leurs sujets. A côté de ces rois modèles, les géants *Grandgousier, Gargantua* et *Pantagruel*, l'auteur place des hommes de toutes conditions qui les accompagnent ou les entraînent en d'extraordinaires aventures, ce qui permet à Rabelais de dire sa pensée sur toutes les institutions d'alors et de suggérer les réformes nécessaires. C'est une habile satire des princes du temps, cruels, ambitieux, toujours en guerre. Citons, parmi les personnages secondaires, le joyeux moine *Jean des Entommeures*, le pittoresque *Panurge*, le sot berger *Dindenault*, le juge *Bridoye*.

Rabelais fait preuve, dans cette histoire fantastique, de sagesse, de bon sens et d'une immense érudition. Il sait tout; politique, religion, morale, sciences, éducation, hygiène, il a tout étudié. Il parle de tout en français, grec, latin, patois, argot. Rien de plus riche, de plus truculent que son style. Mais aussi rien de plus raisonnable que sa pensée intime, déguisée à dessein sous des apparences bouffonnes. Il a dit lui-même qu'il faut « briser l'os (*bone*) pour en tirer la substantifique moëlle (*marrow*). » Alors on s'aperçoit que l'auteur était animé d'un grand amour pour l'humanité, d'une ardente passion pour la justice, d'un zèle fervent pour la science. Personne n'a mieux saisi que lui la transformation que la Renaissance allait opérer dans la vie intellectuelle de son pays.

Réformateur et précurseur, Rabelais a laissé une trace profonde dans la littérature française. Molière, La Fontaine, Voltaire lui doivent beaucoup.

1. Du latin *diva*: divine.

COMMENT SE PRODUISIT, ENTRE LES FOUACIERS [1] DE LERNÉ ET CEUX DU PAYS DE GARGANTUA, LA GRANDE QUERELLE QUI CAUSA DE TERRIBLES GUERRES

En ce temps, qui était la saison des vendanges,[2] du commencement de l'automne, les bergers [3] de la contrée étaient à garder les vignes pour empêcher que les étourneaux [4] ne mangeassent les raisins.

C'était l'époque où les fouaciers de Lerné passaient sur la grand'route, menant à la ville dix ou douze charretées [5] de fouaces.[6]   5

Les bergers leur demandèrent poliment de leur en vendre quelques-unes au prix courant.

Les fouaciers s'y refusèrent et insultèrent gravement [7] les bergers en les traitant de vauriens,[8] galeux,[9] fainéants,[10] ivrognes,[11] fanfarons,[12] freluquets,[13] mauvais plaisants,[14] etc., ajoutant que ce n'était point à eux de manger de ces 10 belles fouaces, qu'ils devaient se contenter de gros pain bis [15] et de gâteaux de seigle.[16]

A cet outrage, un berger, nommé Forgier, brave et honnête garçon, répondit doucement: « Depuis quand avez-vous pris des cornes [17] pour devenir arrogants comme un taureau? [18] Vous nous vendiez vos fouaces autrefois et 15 maintenant vous refusez? Ce n'est pas agir en bons voisins [19]; nous ne faisions pas ainsi quand vous veniez acheter notre beau froment [20] dont vous faites vos gâteaux et fouaces; par-dessus le marché [21] nous vous aurions donné de nos raisins; mais, par la mère de Dieu, vous pourrez vous en repentir, vous pourrez avoir affaire à [22] nous quelque jour; alors, nous vous rendrons la 20 pareille [23]: souvenez-vous-en. »

A cela Marquet, grand chef de la confrérie [24] des fouaciers, répondit: « Vraiment, tu es fier comme un coq ce matin, tu as mangé trop de mil [25] hier soir. Viens ici, viens, je te donnerai de ma fouace. » Alors Forgier s'avança en toute confiance, tirant une pièce d'argent de sa ceinture, persuadé que Marquet 25 allait lui donner de ses fouaces; mais celui-ci le cingla de son fouet [26] si rudement à travers les jambes qu'on y voyait la marque des nœuds,[27] puis voulut fuir; mais Forgier cria à tue-tête [28]: « assassin! police!! » et lui jeta un gros bâton [29] qu'il tenait sous son bras. Le coup atteignit Marquet à la tête sur l'artère temporale du côté droit; il tomba de sa jument,[30] apparemment plus 30 mort que vif.

Cependant, les fermiers, qui abattaient des noix [31] tout près de là, accoururent avec leurs grandes gaules [32] et frappèrent sur ces fouaciers comme sur

1. *bakers.* 2. *grape gathering.* 3. *shepherds.* 4. *starlings.* 5. *cartloads.* 6. *hearthcakes (flat cakes made of bread dough, butter, eggs, spices).* 7. *grievously.* 8. *good-for-nothing fellows.* 9. *mangy people.* 10. paresseux. 11. gens qui boivent trop. 12. *boasters.* 13. gens sans valeur. 14. *sorry jesters.* 15. *wheat and bran bread.* 16. *rye.* 17. *horns.* 18. *bull.* 19. *neighbors.* 20. *wheat.* 21. *into the bargain.* 22. *have to deal with.* 23. *return like for like.* 24. *brotherhood, guild.* 25. *panic-grass, the seeds of which are fed to birds.* 26. *cingla* . . . *fouet: lashed with his whip.* 27. *knots.* 28. *very loud.* 29. *club, stick.* 30. *mare.* 31. *walnuts.* 32. longs bâtons.

seigle vert. Les autres bergers et bergères, entendant le cri de Forgier, vinrent avec leurs frondes [1] et les poursuivirent à grands coups de pierres qui tombaient comme grêle.[2] Finalement ils les atteignirent et leur prirent quatre ou cinq douzaines de fouaces; mais ils les payèrent au prix accoutumé et donnèrent en plus un cent de noix et trois panerées [3] de raisins blancs. Puis les fouaciers 5 aidèrent Marquet, qui était piteusement [4] blessé, à se remettre en selle [5] et retournèrent à Lerné au lieu de continuer leur chemin de Pareillé, menaçant fort et ferme les bouviers,[6] bergers et fermiers de Seuillé et de Linays.

Alors, bergers et bergères firent bonne chère avec ces fouaces et leurs beaux raisins; ils dansèrent au son de la belle cornemuse,[7] se moquant des arrogants 10 fouaciers bien punis de s'être signés de la main gauche [8] à leur réveil.[9] Et, avec le jus de gros raisins, ils pansèrent [10] gentiment [11] les jambes de Forgier qui fut bientôt guéri.[12]

[Les fouaciers ainsi châtiés [13] vont se plaindre à leur roi Picrochole, troisième du nom, qui entre dans une furieuse colère et, sans demander d'explications, convoque le ban et l'arrière-ban [14] de son pays, ordonnant que chacun, sous peine de la potence,[15] vienne en armes sur la grande place, devant le château, à l'heure de midi.

Les éclaireurs,[16] ayant trouvé le pays calme et silencieux, Picrochole donne le signal du départ.]

Alors, les fouaciers se répandirent en désordre dans les champs, détruisant tout sur leur passage, n'épargnant [17] ni pauvre ni riche, ni lieu sacré ni profane, 15 emmenant tous les animaux de ferme et de basse-cour,[18] abattant les noix, vendangeant les vignes, emportant les ceps,[19] faisant tomber tous les fruits des arbres. Ce fut un ravage incomparable.

Personne ne leur résistait, chacun se mettait à leur merci, implorant leur pitié en considération de ce qu'ils avaient toujours été bons et aimables 20 voisins et ne leur avaient jamais causé le moindre dommage qui excusât leurs présentes vexations: Dieu les en punirait bientôt. A ces remontrances les fouaciers se contentaient de répondre: « nous voulons vous apprendre à manger de la fouace. »

COMMENT UN MOINE DE SEUILLÉ SAUVA LE CLOS [20] DE L'ABBAYE DU SAC DES ENNEMIS

Après avoir tant ravagé et pillé, les fouaciers arrivèrent à Seuillé. Ils 25 dépouillèrent [21] hommes et femmes et prirent ce qu'ils purent: rien ne leur fut trop chaud ni trop pesant.[22] Quoique la peste fût en la plupart des maisons, ils entraient partout, enlevaient tout ce qui était dedans, et pas un n'attrapa la maladie. C'est un cas merveilleux. Car curés, vicaires, prêcheurs, médecins,

---

1. *slings.* 2. *hail.* 3. *basketsfuls.* 4. *d'une manière qui excite la pitié.* 5. *saddle.* 6. *herdsmen.* 7. *bagpipe.* 8. *s'être . . . gauche* (lit., *have crossed themselves with their left hand): brought bad luck upon themselves.* 9. *on awaking.* 10. *dressed (the wound).* 11. *douce-ment.* 12. *cured.* 13. *punis.* 14. *armée et réserve.* 15. *gallows.* 16. *scouts.* 17. *sparing.* 18. *poultry-yard.* 19. *vines.* 20. *enclosure of fields, vineyards, etc.* 21. enlevèrent tout ce qu'ils possédaient. 22. *heavy.*

chirurgiens,[1] apothicaires qui allaient visiter, panser, guérir, prêcher et admonester [2] les malades, étaient tous morts de l'infection, et ces diables de pillards [3] et de meurtriers [3] n'y prirent jamais aucun mal. D'où vient cela, Messieurs? Pensez-y, je vous prie.

Le bourg pillé, ils se dirigèrent vers l'abbaye en horrible tumulte, mais ils y 5 trouvèrent toutes portes fermées; alors, l'armée principale continua sa route vers le gué [4] de Vède, laissant là sept enseignes [5] de gens de pied [6] et deux cents lances qui firent une brèche dans les murailles du clos pour gâter toute la vendange.

Les pauvres diables de moines ne savaient auquel de leurs saints se vouer.[7] 10 A toute aventure,[8] ils firent sonner l'appel [9] du chapitre, lequel décréta [10] qu'on ferait une belle procession avec de beaux sermons et des litanies *contra hostium insidias*, c.-à-d. contre les embûches des ennemis et des répons *pro pace*, pour la paix.

Or, il y avait dans l'abbaye un moine cloîtré, nommé frère Jean des Entom- 15 meures, jeune, galant, souple, gai, adroit, hardi,[11] aventureux, délibéré, grand, maigre, bouche bien fendue,[12] nez fort, en un mot vrai moine s'il en fut jamais depuis que le monde moinant moina de moinerie.[13] Au reste, clerc [14] très savant en matière de bréviaire.

Ce moine, entendant le bruit que faisaient les ennemis dans le clos de la 20 vigne, sortit pour voir ce que c'était. Voyant qu'ils vendangeaient le clos, détruisant pour toute l'année la boisson du monastère, il retourne au chœur [15] de l'église où étaient les autres moines qui chantaient *im, im, pe, e, e, e, tum, um, in, i, ni, i, mi, co, o, o, o, o, rum, um* [16]: « Voilà qui est bien chanté, dit-il. Vertubleu,[17] que ne chantez-vous: « Adieu, paniers, vendanges sont faites? » [18] 25 Je me donne au diable si les ennemis ne sont pas dans notre clos, coupant si bien ceps et raisins que, pendant quatre ans, nous ne pourrons que grappiller.[19] Ventrebleu,[20] que boirons-nous, nous autres pauvres diables? Seigneur Dieu, *da mihi potum*.» [21]

« Que veut cet ivrogne? dit le prieur du cloître. Qu'on le mène en prison! 30 Troubler ainsi le service divin!

— Mais, dit le moine, nous faisons le service *du vin* pour que le service *divin* ne soit pas troublé, car vous-même, Monsieur le Prieur, aimez boire du meilleur. Ainsi fait tout homme de bien. Jamais homme noble ne détesta le bon vin, c'est un proverbe de moines. Mais ces répons que vous chantez ici, 35 par Dieu, ils ne sont point de saison.

---

1. *surgeons.* **2.** *admonish.* **3.** *marauders; assassins.* **4.** *ford.* **5.** officiers porte-enseigne (*standard*). **6.** infanterie. **7.** se consacrer par un vœu (*vow*). La phrase est devenue proverbiale et signifie: étaient affolés; ne savaient pas quoi faire. **8.** à tout hasard, *c'est-à-dire:* sans savoir exactement pourquoi. **9.** firent . . . l'appel: *rang to summon* . . . **10.** décida. **11.** courageux. **12.** (lit., *well slit*): large. **13.** depuis que . . . moinerie: depuis que le monde se peupla de monastères (lit., *since the monking world monked monkeries*). **14.** *old word for* lettré (*scholar*). **15.** *choir.* **16.** *impetum inimicorum: (deliver us from) the onslaught of the enemy.* **17.** *bless my heart!* **18.** . . . *Farewell, baskets, grapes are gathered* (proverb: *it is too late*). **19.** *pick up stray grapes.* **20.** *Zounds!* **21.** donne-moi à boire.

» Pourquoi nos heures [1] sont-elles courtes en temps de moisson [2] et de vendanges, longues en Avent [3] et tout l'hiver?

» Feu [4] frère Macé Pelosse, de bonne mémoire, vrai zélateur (ou je me donne au diable) de notre religion, me dit, je m'en souviens, que la raison était afin qu'en cette saison nous puissions bien cueillir les raisins et faire le vin pour le 5 boire en hiver.

» Écoutez, Messieurs, vous qui aimez le vin, suivez-moi. Car, je vous le dis, que Saint Antoine me brûle [5] si ceux-là boivent du vin qui n'auront pas secouru [6] la vigne. Ventrebleu, les biens [7] de l'Église! Ah! non, Diable, Saint Thomas l'Anglais [8] a bien voulu mourir pour eux: si je meurs, ne serai-je 10 pas saint aussi? Mais je ne mourrai pas, car c'est moi qui ferai mourir les autres. »

Ce disant, il mit bas [9] son grand habit et prit le bâton de la croix, qui était de cœur de cormier,[10] long comme une lance, gros à remplir la main et quelque peu semé [11] de fleurs de lis presque toutes effacées. Il sortit ainsi en beau 15 sayon,[12] son froc [13] en écharpe,[14] et, de son bâton de croix, attaqua brusquement les ennemis qui, en désordre, sans officiers ni trompette ni tambour,[15] vendangeaient dans le clos. Car les porte-guidons [16] et les porte-enseignes [16] avaient déposé leurs guidons et enseignes contre les murs, les tambourineurs avaient défoncé [17] leurs tambours d'un côté pour les remplir de raisins, les trompettes 20 étaient chargées de rameaux de vignes [18]; chacun était en désarroi.[19] Frère Jean tomba si rudement sur eux, sans crier gare [20] qu'il les renversait comme porcs, frappant à tort et à travers,[21] à la vieille méthode.

Aux uns il brisait le crâne, aux autres cassait bras et jambes, disloquait les vertèbres, enfonçait les reins,[22] abattait le nez, fendait les mâchoires,[23] pochait [24] 25 les yeux, démolissait les omoplates,[25] écorchait [26] les jambes, déboîtait les hanches,[27] écrasait les bras.

Si l'un d'eux voulait se sauver par la fuite,[28] il le frappait au cou et lui faisait sauter [29] la tête en pièces.

Si quelqu'un de sa vieille connaissance lui criait: « Ha, frère Jean, mon ami 30 frère Jean, je me rends. — Tu y es bien forcé, disait le moine. Mais tu rendras ton âme à tous les diables. » Et il tapait [30] dessus. D'autres avaient-ils la témérité de lui résister, il montrait la force de ses muscles, il leur transperçait la poitrine et le cœur, il leur brisait les côtes et l'estomac, et ils mouraient tout de suite. 35

Croyez que c'était le plus horrible spectacle qu'on vît jamais.

---

1. heures consacrées aux prières. **2.** *harvest.* **3.** les quatre semaines qui précèdent Noël.
4. qui est mort. **5.** *burn.* **6.** *gone to the rescue.* **7.** *property.* **8.** *St. Thomas à Becket.*
9. ôta. **10.** *service-tree; a very hard wood.* **11.** *bespangled (with).* **12.** *tunic.* **13.** habit de
moine. **14.** *over the shoulder.* **15.** trompette . . .: *trumpeter or drummer (without leaders
of any kind).* **16.** guidons: *field colors;* enseignes: *standards.* **17.** *had bashed in.* **18.** *vine
branches.* **19.** en désordre. **20.** *giving warning* (lit., *shouting "look out"*). **21.** à tort
et à travers: à droite, à gauche, de tous côtés. **22.** *stove in their loins.* **23.** *cracked
their jaws.* **24.** (lit., *poached): blacked.* **25.** *shoulder blades.* **26.** *barked (their shins).*
27. *disjointed their hips.* **28.** *flight.* **29.** *split.* **30.** *hit.*

Les uns criaient sainte Barbe.

Les autres saint Georges.

Les autres sainte Nytouche.

Les autres Notre-Dame du Cunault, de Laurette, de Bonnes Nouvelles, de la Lenou, de Rivière. 5

Les autres criaient à haute voix: Confession, confession, *confiteor*, *miserere*, *in manus* [1] ...

Telle fut la clameur des victimes que le Prieur de l'Abbaye sortit avec tous ses moines. Quand ceux-ci aperçurent les pauvres gens abattus dans la vigne et frappés à mort, ils en confessèrent quelques-uns. Mais pendant que les 10 prêtres s'amusaient à confesser, les moinillons [2] coururent au lieu où était frère Jean et lui demandèrent en quoi il voulait qu'ils l'aidassent.

A quoi il répondit qu'ils égorgeassent [3] ceux qui étaient tombés à terre. Alors, laissant leurs grandes capes sur les treilles [4] les plus proches, les petits moines se mirent à achever [5] ceux que frère Jean avait déjà blessés.[6] Savez- 15 vous avec quelles armes? Avec de beaux petits canifs [7] dont les enfants de notre pays se servent pour ouvrir les noix.

Puis, avec son bâton de croix, frère Jean gagna la brèche qu'avaient faite les ennemis. Quelques-uns des moinillons emportèrent les guidons et en- seignes dans leur chambre pour en faire des jarretières.[8] Mais, quand ceux 20 qui s'étaient confessés voulurent sortir par la brèche, notre moine les assom- mait [9] de coups en disant: « Ceux-ci sont confessés et repentants, ils ont gagné les pardons; ils s'en vont tout droit au paradis, droit comme est le chemin de Faye. » Ainsi, par sa prouesse, furent déconfits tous ceux de l'armée qui étaient entrés dans le clos, jusqu'au nombre de treize mille six cent vingt-deux, 25 sans compter femmes et enfants, cela s'entend toujours.[10]

Jamais Maugis l'ermite ne combattit plus vaillamment les Sarrasins avec son bourdon,[11] comme on le voit dans la geste des quatre fils Aymon,[12] que ne fit notre moine contre les ennemis avec le bâton de la croix.

[Pendant ce temps, Picrochole, avec son armée, avait passé le gué de Vède, pris sans résistance la Roche-Clermaud et s'était fortifié et approvisionné dans le château-fort.

Un des bergers, nommé Pillot, s'en était allé raconter à Grandgousier l'invasion de ses terres, les ravages faits par Picrochole, et la brave défense du monastère par frère Jean. Le vieux roi se lamente sur la perfidie de son ancien ami Picrochole, sur la nécessité de faire la guerre pour défendre ses sujets. Mais il veut essayer d'abord tous les moyens de conciliation. Il réunit le Conseil. On décide d'envoyer un messager à Picrochole et de rappeler Gargantua, fils de Grandgousier, qui étudiait à Paris. Le messager sera Ulrich Gallet, homme de loi sage, honnête et très érudit. Il part, tandis que le Basque, laquais de Grandgousier, s'en va, en toute diligence,[13] chercher Gar- gantua, à qui il porte une lettre touchante de son père, lettre pleine des sentiments les plus pacifiques.

1. confiteor: *I confess;* miserere: *have mercy;* in manus (tuas, Domine, commendo spirituum meum): *into thy hands, (O Lord, I commit my spirit).* 2. *petty monks, friars.* 3. *cut the throat of.* 4. *vine-arbors.* 5. *dispatch* (lit., *finish off*). 6. *wounded.* 7. petits couteaux. 8. *garters.* 9. *beat to death.* 10. *it is well understood, of course.* 11. bâton de pèlerin. 12. *French epic poem of the 13th century.* 13. *in haste.*

Gallet arrive devant le château occupé par Picrochole qui lui en refuse l'entrée, mais vient sur le rempart pour entendre son message.]

LA HARANGUE FAITE PAR GALLET À PICROCHOLE

« Il n'existe pas de plus juste cause de douleur [1] pour les humains que lorsqu'ils reçoivent ennui et dommage de ceux dont ils avaient le droit d'espérer grâce et bienveillance.[2] Et non sans cause (quoique sans raison) plusieurs ont estimé cette indignité plus difficile à supporter que leur vie même; et, s'ils n'ont pu la corriger [3] par force ou par autre moyen, ils se sont eux-mêmes 5 privés de la lumière du jour.[4]

Est-il donc étonnant que le roi Grandgousier, mon maître, soit saisi de grand déplaisir et ait l'esprit troublé à la nouvelle de ta furieuse invasion? Ce serait merveilleux s'il n'était ému [5] des excès incomparables que vous avez commis, toi et tes gens, sur ses terres et ses sujets, excès auxquels il n'a man- 10 qué aucun trait d'inhumanité. Cela lui est d'autant plus pénible qu'il a toujours aimé ses sujets d'une cordiale affection dont nul autre mortel n'est capable. Ce qui augmente encore son chagrin, c'est que vous soyez, toi et les tiens, les auteurs de ces vexations. Car, de toute mémoire et ancienneté,[6] vous aviez, toi et tes pères, lié amitié [7] avec lui et tous ses ancêtres, et, jusqu'à 15 présent, vous aviez maintenu, gardé et entretenu cette amitié inviolablement, religieusement. . . .

Il y a plus. On a tant parlé de cette amitié sacrée que bien peu d'habitants de ce continent et des îles de l'Océan, n'ont eu l'ambition d'y être admis par des pactes dont les clauses seraient imposées par vous, chacun estimant votre 20 confédération autant que ses propres terres et domaines. En sorte que, de toute mémoire, on ne connaît pas de prince ou de ligue si fière ou si superbe [8] qui ait osé [9] vous attaquer, je ne dis point sur vos terres, mais sur celles de vos alliés. Et si quelqu'un, mal avisé,[10] a tenté [11] contre eux une attaque impru- dente, dès qu'il a entendu le nom et le titre de votre alliance, il s'est bien vite 25 désisté de son entreprise.

Quelle furie te pousse donc maintenant, toute alliance brisée,[12] toute amitié oubliée, tout droit [13] violé, à envahir [14] hostilement les terres de mon maître, sans que lui ni les siens t'aient fait aucun dommage, t'aient irrité ou provoqué? où est la foi? où est la loi? où est la raison? où est l'humanité? où est la crainte 30 de Dieu? Penses-tu que ces outrages soient ignorés [15] des esprits éternels et du Dieu souverain qui est le juste arbitre de nos entreprises? Si tu le crois, tu te trompes, car toutes choses viendront à son jugement. . . .

. . . Si nous avions causé quelque dommage à tes sujets ou à tes domaines, si nous avions favorisé tes ennemis, si nous avions manqué [16] de te secourir [17] 35

1. *sorrow.* 2. *goodwill.* 3. *correct, right.* 4. *light of day; life.* 5. irrité. 6. de . . . ancienneté: *from time immemorial.* 7. lié amitié: *bound in friendship.* 8. arrogant. 9. eu l'audace, la témérité. 10. *ill-advised.* 11. essayé (de faire). 12. rompue. 13. justice. 14. *invade.* 15. *unknown.* 16. *failed to.* 17. aider.

en tes affaires, si nous avions outragé ton nom et ton honneur, ou, pour mieux dire, si le démon de la calomnie, voulant te pousser à mal par des apparences trompeuses et de fausses illusions, t'eût fait croire que nous eussions commis envers toi une chose indigne de notre ancienne amitié, tu aurais dû d'abord t'informer de la vérité, puis nous en avertir.[1] Et nous aurions fait 5 telle amende qui t'aurait pleinement contenté. Mais, ô Dieu éternel! quelle est ton entreprise? Voudrais-tu, comme un tyran perfide, piller ainsi et ruiner le royaume de mon maître? L'as-tu trouvé si lâche [2] et si stupide qu'il ne voulût, ou si dépourvu [3] de gens, d'argent, de conseil et d'art [4] militaire qu'il ne pût résister à tes injustes assauts? 10

Va-t'en d'ici présentement, sois retiré demain soir dans tes terres, et, chemin faisant, ne commets ni désordre ni violence. Et paie mille pièces d'or pour les dommages que tu as faits sur nos terres. Tu en paieras la moitié demain, et l'autre moitié au milieu du mois de mai prochain, nous laissant en otage [5] les ducs de Tournemoule et de Menuail, avec le prince de Gratelles et le vi- 15 comte de Mordiaille. »

COMMENT GRANDGOUSIER, POUR ACHETER LA PAIX, FIT RENDRE LES FOUACES

Ainsi parla le bonhomme Gallet, mais Picrochole ne répondit à tous ses propos [6] que: « Venez les chercher, venez les chercher. On vous donnera de la fouace. » Alors, Gallet retourne vers Grandgousier: il le trouve à genoux, tête nue, le front incliné, en un petit coin de son cabinet, priant Dieu d'adou- 20 cir [7] la colère de Picrochole, de le ramener à la raison, sans qu'il soit besoin d'employer la force. Quand il vit le bonhomme de retour, le roi lui demanda:

« Ah! mon ami, quelles nouvelles m'apportez-vous?

— Rien de bon, dit Gallet. Cet homme est absolument fou et délaissé [8] de Dieu. 25

— Mais, mon ami, quelle raison donne-t-il pour justifier ses excès?

— Il ne m'a donné aucune raison; il a seulement, dans sa colère, dit quelques mots au sujet de fouaces. Peut-être a-t-on fait outrage à ses fouaciers.

— Je veux m'en informer,[9] avant de délibérer sur la conduite à tenir. »

[Grandgousier, apprenant tout ce qui s'était passé, décide de faire ample réparation aux fouaciers pour éviter la guerre à laquelle l'incitent ses ministres. Il commande que l'on fasse cinq charretées [10] de fouaces, dont l'une, la plus riche en beurre, jaunes d'œuf, safran et épices, serait offerte à Marquet; on lui donnerait aussi sept cent mille trois philippus [11] pour payer ses chirurgiens,[12] et on lui cèderait, en plus, la ferme de la Pomardière pour en jouir, lui et les siens, sans taxe, à perpétuité.

Gallet fut chargé de cette mission. Pour montrer qu'il venait faire la paix, il orna les charrettes de branches vertes et se présenta, un roseau [13] à la main, au château occupé par Picrochole. Celui-ci, refusant de le voir et de l'entendre, lui délégua son

1. informer. 2. couard, poltron. 3. *destitute.* 4. *skill.* 5. *as hostages.* 6. discours. 7. calmer. 8. abandonné. 9. chercher à savoir. 10. *cartloads.* 11. monnaie (du roi Philippe) d'Espagne et de Flandre. 12. *surgeons.* 13. *reed.*

capitaine Touquedillon, lequel rapporta à son maître les propositions de Gallet. Et il lui dit: « Prenez les fouaces et l'argent et les bœufs et les charrettes; nous en avons besoin. Mais renvoyez ces gens au diable. Ils ont peur, ce sont des rustres.[1] Oignez vilain, il vous poindra.[2] Poignez vilain, il vous oindra. » Ainsi fut fait. Gallet et ses charretiers durent s'en retourner, penauds [3] et furieux, chez Grandgousier.

Les conseillers de Picrochole le flattent, le comparent à Alexandre le Grand et lui soumettent un plan fantastique de conquêtes qui le rendront bientôt maître de l'Europe, de l'Afrique et de l'Asie. Il est ébloui [4]: « Partons, dit-il. Qui m'aime me suive. »

A ce moment, Gargantua quittait Paris pour obéir à son père. Son précepteur,[5] Ponocrates, et ses valets le suivaient sur des chevaux de poste. En route ils apprirent tous les excès commis par les gens de Picrochole et se hâtèrent d'en chercher vengeance.]

COMMENT GARGANTUA DÉMOLIT LE CHÂTEAU DU GUÉ DE VÈDE

Alors, Gargantua monta sur sa grande jument,[6] accompagné comme nous l'avons dit. Il trouva en son chemin un aune [7] superbe que l'on nommait l'arbre de saint Martin parce qu'il était issu d'un bourdon que le saint avait planté là. « Voici ce qu'il me faut, dit Gargantua. Cet arbre me servira de bourdon et de lance. » Il l'arracha [8] facilement de terre, en ôta les branches et 5 le para [9] pour son plaisir.

Arrivé au bois de Vède, il fut informé par Endémon qu'il y avait encore des ennemis au château. Pour s'en assurer, Gargantua cria aussi fort qu'il put: « Êtes-vous là ou n'y êtes-vous pas? Si vous y êtes, n'y soyez plus; si vous n'y êtes pas, je n'ai rien à dire. » Mais un ribaud [10] canonnier, qui était au 10 mâchicoulis,[11] lui tira [12] un coup de canon qui l'atteignit furieusement à la tempe droite, sans lui faire plus de mal que si c'eût été une prune.[13] « Qu'est cela? dit Gargantua. Nous jetez-vous des grains de raisin? La vendange vous coûtera cher. » Il croyait vraiment que c'était un grain de raisin. Ceux qui étaient dans le château, jouant à la balle, entendirent le bruit, coururent 15 aux tours et aux forts, et lui tirèrent plus de neuf mille vingt-cinq coups de fauconneaux et arquebuses,[14] visant [15] tous à la tête et si serré [16] qu'il s'écria: « Ponocrates, mon ami, ces mouches-ci [17] m'aveuglent [18]; donnez-moi quelques branches de ces saules [19] pour les chasser. » Il croyait que ces boulets et pierres d'artillerie n'étaient que des mouches d'écurie.[20] Ponocrates lui dit 20 que c'étaient vraiment des coups d'artillerie tirés par les gens du château. Alors il attaqua le château avec son grand arbre, abattit tours et forts, et démolit tout. Par ce moyen ceux qui étaient au château furent tous écrasés et mis en pièces.

1. *peasants, boors.* **2.** Oignez . . . poindra (proverb): *Anoint the peasant; he will sting you (if not oppressed, churls will become oppressors).* **3.** honteux, humiliés. **4.** *dazzled.* **5.** *tutor.* **6.** *mare.* **7.** *alder tree.* **8.** *pulled out.* **9.** *pared, dressed.* **10.** *brutal fellow.* **11.** *battlements.* **12.** *fired.* **13.** *plum. — Gargantua, it should be remembered, was a giant of enormous proportions — a kind of Gulliver to whom the tallest of men were as Lilliputians.* **14.** *falconet (piece of light artillery);* arquebuse, harquebus *(kind of heavy rifle).* **15.** *aiming.* **16.** *fast.* **17.** *flies.* **18.** *blind.* **19.** *willow trees.* **20.** *horse stable.*

COMMENT GARGANTUA EN SE PEIGNANT FAISAIT TOMBER DE SES CHEVEUX LES BOULETS D'ARTILLERIE

Gargantua et ses compagnons, peu de temps après cette victoire, arrivèrent au château de Grandgousier qui les attendait avec impatience. En le voyant, ils le fêtèrent à qui mieux mieux [1]; jamais on ne vit gens plus joyeux: car *supplementum supplementi chronicorum* [2] dit que Gargamelle [3] y mourut de joie: je n'en sais rien pour ma part et je me soucie [4] peu d'elle ni d'autre.   5

La vérité fut que Gargantua, changeant de vêtements et se coiffant [5] avec son peigne [6] (qui était long de cent cannes [7] et garni de grosses dents d'éléphants toutes entières), faisait tomber à chaque coup plus de sept boulets qui lui étaient restés dans les cheveux à la bataille du bois de Vède.   10

Ce que voyant, son père, persuadé que c'étaient des poux,[8] lui dit: « Eh! mon bon fils, nous as-tu apporté jusqu'ici de la vermine de Montagu? »

Ponocrates répondit: « Seigneur, ne croyez pas que je l'aie mis à ce collège de pouillerie [9] qu'on nomme Montagu; j'aurais préféré le placer parmi les gueux [10] du cimetière des Saints Innocents, en dépit de [11] l'énorme cruauté et   15 vilenie que j'y ai connues. Car, bien mieux traités sont les forçats [12] chez les Maures et les Tartares, les meurtriers [13] dans la tour criminelle,[14] voire [15] les chiens dans votre maison, que ne sont ces malotrus [16] au dit collège. Si j'étais roi de Paris, le diable m'emporte si je n'y mettrais le feu et n'y ferais brûler principal et régents qui permettent une telle cruauté. » Alors, soulevant un   20 de ces boulets, il dit: « Voyez les coups de canon que votre fils Gargantua a reçus en passant devant le bois de Vède par la trahison de vos ennemis. Mais ils en furent si bien récompensés que tous ont péri dans la ruine du château, comme les Philistins par la ruse de Samson et ceux qu'écrasa [17] la tour de Siloé.[18] Je suis d'avis [19] que nous poursuivions leurs complices pendant que   25 la chance est pour nous. Car l'occasion a tous ses cheveux au front [20]; quand elle est passée, vous ne pouvez plus la rappeler; elle est chauve [21] par derrière la tête et elle ne revient jamais. »

« Vraiment, dit Grandgousier, ce ne sera pas tout de suite, car je veux vous fêter ce soir. Vous êtes les bienvenus. »   30

COMMENT GARGANTUA MANGEA EN SALADE LES SIX PÈLERINS

Il faut que nous racontions ce qui arriva à six pèlerins qui venaient de Saint-Sébastien, près de Nantes, et qui, de peur des ennemis, s'étaient

1. à qui mieux mieux: *vying with each other.* 2. supplementum supplementi chronicorum: *appendix to the appendix of the Chronicles, (an imaginary historical document).* 3. *Grandgousier's wife.* 4. *care* or *worry.* 5. *dressing his hair.* 6. *comb.* 7. *an old measure a little over three feet.* 8. *lice.* 9. *lousy college.* 10. *beggars.* 11. en dépit de: *notwithstanding.* 12. *galley-slaves.* 13. *murderers.* 14. *a tower with dungeon cells for murderers.* 15. *nay even.* 16. *uncouth, ill-bred persons.* 17. *crushed.* 18. les dix-huit sur lesquels la tour de Siloé est tombée (St. Luc 13:4). 19. *opinion.* 20. *forehead.* 21. *bald.*

cachés pour la nuit au jardin, dans le carré[1] des pois, entre les choux[2] et les laitues.[3] Gargantua se trouva un peu altéré[4] et demanda si l'on pouvait trouver des laitues pour faire une salade. Apprenant qu'il y en avait des plus belles et des plus grandes du pays, car elles étaient aussi hautes que les pruniers[5] et les noyers,[6] il voulut les chercher lui-même et en emporta dans sa main autant qu'il fallait; avec elles, il emporta aussi les six pèlerins qui étaient si effrayés qu'ils n'osaient ni parler ni tousser.[7]

Comme il lavait ses laitues à la fontaine, les pèlerins se disaient à voix basse: « Que faire? Nous nous noyons[8] ici entre ces laitues. Parlerons-nous? Mais, si nous parlons, il nous tuera comme espions. »[9] Ils délibéraient encore que Gargantua les mit avec ses laitues dans un plat[10] de la maison grand comme la tonne de Citeaux[11] et, avec huile, vinaigre et sel, les mangea pour se rafraîchir avant souper; il avait déjà avalé[12] cinq des pèlerins; le sixième était encore dans le plat, caché sous une feuille de laitue à travers laquelle passait la pointe de son bourdon.

Ce que voyant, Grandgousier dit à Gargantua: « Je crois que c'est une corne[13] de limaçon.[14] Ne le mangez pas. — Pourquoi? dit Gargantua. Limaçons sont bons ce mois-ci. » Et, tirant le bourdon, il enleva le pèlerin et le mangea très bien. Puis il but une grande coupe de vin rouge, et on attendit le souper.

Les pèlerins ainsi dévorés se tinrent à l'écart des meules de ses dents[15] autant qu'ils purent: il leur semblait être dans une basse-fosse[16] des prisons. Et, lorsque Gargantua but son grand coup de vin, ils crurent qu'ils allaient se noyer dans sa bouche; le torrent de vin les emporta presque au gouffre[17] de l'estomac. Cependant, sautant avec leurs bourdons comme font les garçons, ils se mirent en sûreté[18] le long des dents du géant. Mais voici, par malheur, que l'un d'eux, tâtant[19] le terrain avec son bourdon, enfonça rudement celui-ci dans la cavité d'une dent gâtée[20] et toucha le nerf de la mâchoire[21]; cela causa une grande douleur à Gargantua, qui commença à crier de rage, tant il souffrait! Pour soulager le mal, il fit apporter son curedent[22] et, assis près du gros noyer, il dénicha[23] messieurs les pèlerins. Car il saisissait l'un par les jambes, l'autre par les épaules, celui-ci par la besace,[24] celui-là par la poche,[25] les autres par l'écharpe.[26] Ainsi libérés, les pèlerins s'enfuirent à beau trot[27] à travers le jardin et le mal de dent de Gargantua fut calmé.

[A table, Grandgousier raconte à son fils les détails de l'invasion de Picrochole et les exploits de frère Jean des Entommeures. Gargantua envoie chercher le moine qui prend joyeusement part au festin.

A minuit, Gargantua retourne combattre les ennemis. Avec ses compagnons, il

1. *square bed of peas.* **2.** *cabbages.* **3.** *lettuce.* **4.** *thirsty.* **5.** *plum trees.* **6.** *walnut trees.* **7.** *cough.* **8.** *we are drowning.* **9.** *spies.* **10.** *dish.* **11.** *a famous vat containing 300 hogsheads.* (Citeaux: *a famous monastery in Burgundy.*) **12.** *swallowed.* **13.** *horn.* **14.** *snail.* **15.** *kept away from the grinding of his molar teeth.* **16.** *dungeon.* **17.** *abyss.* **18.** *safety.* **19.** *testing, feeling.* **20.** *decayed.* **21.** *jaw.* **22.** *toothpick.* **23.** *turned out.* **24.** *pilgrim's* or *beggar's wallet.* **25.** *pocket, bag.* **26.** *belt.* **27.** *with all speed.*

emmène « vingt-cinq des plus aventureux de la maison de Grandgousier. » Le moine a consenti, non sans peine, à se laisser armer de pied en cap.[1] Il donne des éperons à son cheval. Mais soudain une branche cassée d'un gros noyer accroche [2] la visière de son heaume [3]; le cheval s'enfuit, frère Jean reste pendu à l'arbre. Il jure,[4] Gymnaste le délivre. Le moine jette à terre toutes les pièces de son armure, et, vêtu de son froc, son bâton de croix à la main, il remonte à cheval et rejoint Gargantua.

Picrochole, furieux de sa première défaite, envoie à la découverte [5] seize cents chevaliers. Gargantua ne peut leur opposer que sa très petite troupe de cavaliers et d'arquebusiers. Il hésite à attaquer. « Choquons, diables! choquons, » crie le moine. Il fait tant de bruit que les ennemis, effrayés, se mettent à fuir. Frère Jean les poursuit, tout seul. Gymnaste veut qu'on aille à son secours. Gargantua s'y oppose, par prudence. « Mais ils ont le moine, dit Gymnaste. — Ont-ils le moine? alors, gare à eux! » [6] répond Gargantua.

Les ennemis se sont retournés et, ne voyant que le moine, ils l'attaquent et le font prisonnier. Deux archers le gardent pendant que la troupe marche contre Gargantua. Frère Jean se débarrasse [7] vite de ses deux gardiens et court se battre. Monté sur un gros rocher, il voit que Gargantua a mis les ennemis en fuite, et, comme ceux-ci passent devant lui, il tape dessus à tour de bras.[8]

Gargantua et ses compagnons reviennent, vainqueurs, chez Grandgousier. Le moine arrive bientôt en criant: « Du vin frais, du vin frais! » Il amène un prisonnier, le capitaine Touquedillon.

Grandgousier interroge le prisonnier sur les causes de la guerre et sur les intentions de Picrochole: « Il veut, dit le capitaine, conquérir votre pays pour venger l'injure faite à ses fouaciers. » Grandgousier lui montre l'injustice de cette invasion que rien ne justifie puisqu'il a offert ample réparation. Il fait un beau discours sur les avantages de la paix, rend à Touquedillon ses armes et son cheval, paie lui-même sa rançon à frère Jean, et le renvoie, chargé de riches présents, à son maître Picrochole. A peine le capitaine est-il parti que le moine dit à Grandgousier: « Gardez l'argent de cette rançon. Vous pouvez en avoir besoin: l'argent est le nerf de la guerre. » [9]

Les voisins de Grandgousier viennent lui offrir leur aide, dont il espère bien pouvoir se passer.[10] La discorde entre bientôt dans l'armée de Picrochole.]

COMMENT TOUQUEDILLON TUA HASTIVEAU ET FUT TUÉ
PAR ORDRE DE PICROCHOLE

Touquedillon se présente à Picrochole et lui conte au long ce qu'il a fait et vu. A la fin, il conseille, par de fortes paroles, de conclure un arrangement avec Grandgousier qu'il représente comme le meilleur homme du monde. Il ajoute qu'il n'y a ni profit ni raison à molester ainsi des voisins dont on n'a jamais reçu que du bien. Il affirme d'ailleurs que cette entreprise finira mal pour les agresseurs. Car la puissance de Picrochole n'est pas telle que Grandgousier ne réussisse facilement à l'abattre.

A peine Touquedillon a-t-il prononcé ces paroles que Hastiveau s'écrie: « Bien malheureux est le prince qui est servi de telles gens, aussi faciles à corrompre que l'est Touquedillon. Ses sentiments me paraissent si changés qu'il se serait volontiers joint à nos ennemis, s'ils l'avaient voulu retenir,

1. *from head to foot.* 2. *hooks on, gets locked with.* 3. *helmet.* 4. *swears.* 5. *on scout duty.* 6. *let them beware.* 7. *gets rid of.* 8. tape ... bras: *strikes with all his might.* 9. l'argent ... guerre: *money is the sinews of war.* 10. *do without.*

pour batailler contre nous et nous trahir.[1] Mais, comme la vertu est louée [2] et estimée de tous, tant amis qu'ennemis, de même la méchanceté [3] est bientôt connue et suspecte. Et, quoique les ennemis s'en servent à leur profit, ils ont toujours les méchants et les traîtres en abomination. »

A ces paroles, Touquedillon, furieux, tira son épée [4] et en transperça 5 Hastiveau un peu au-dessus de la mamelle [5] gauche; la mort fut instantanée. Retirant son épée du corps, Touquedillon dit à haute voix: « Ainsi périsse quiconque blâmera les fidèles serviteurs ! »

Mais Picrochole entra en fureur en voyant l'épée et le fourreau [6] tout rouges. Il s'écria: « T'avions-nous donné cette arme pour en tuer mécham- 10 ment, en ma présence, mon excellent ami Hastiveau? »

Il commanda alors à ses archers de mettre le capitaine en pièces.[7] Ce fut fait à l'instant et si cruellement que la chambre était toute souillée [8] de sang. Puis il fit donner une sépulture honorable au corps de Hastiveau tandis qu'on jetait par-dessus les murailles, dans la vallée, celui de Touque- 15 dillon.

La nouvelle de ces outrages fut connue de toute l'armée et plusieurs chefs commencèrent à murmurer contre Picrochole, si bien que Grippeminaud lui dit: « Seigneur, je ne sais comment finira cette entreprise. Je vois vos gens un peu découragés. Ils considèrent que nous sommes mal pourvus de 20 vivres,[9] et déjà bien diminués en nombre à cause de deux ou trois sorties. De plus, vos ennemis reçoivent de grands renforts.[10] Si nous sommes assiégés une fois, je ne vois pas comment nous échapperons à une ruine totale. — Vous ressemblez, dit Picrochole aux anguilles [11] de Melun: vous criez avant qu'on vous écorche [12]; attendez qu'ils viennent. » 25

[Gargantua assiège la Roche-Clermaud. Picrochole fait une sortie pour le repousser. Mais frère Jean monte à l'assaut d'un autre côté. Les habitants se rendent. Le moine vient attaquer Picrochole par derrière. Celui-ci s'enfuit avec ses gens. Gargantua les poursuit et en fait un grand massacre, puis il sonne la retraite.]

COMMENT PICROCHOLE, DANS SA FUITE, SUBIT DE FÂCHEUX AC-CIDENTS ET CE QUE FIT GARGANTUA APRÈS LA BATAILLE

Picrochole, ainsi désespéré, s'enfuit vers l'île Bouchart; sur le chemin de Rivière, son cheval broncha [13] et tomba; exaspéré, il le tua d'un coup d'épée. Ne trouvant pas d'autre monture,[14] il voulut prendre un âne au moulin du voisinage; mais les meuniers [15] le rouèrent de coups,[16] le détroussèrent [17] de ses vêtements et lui donnèrent, pour se couvrir, une méchante [18] souquenille.[19] 30 Ainsi s'en alla le pauvre colérique.[20] Passant l'eau au Port-Huaulx et racon-

1. *betray.* 2. *praised, commended.* 3. *wickedness.* 4. *sword.* 5. *breast.* 6. *scabbard.* 7. *tear to pieces.* 8. *sullied, stained.* 9. choses à manger. 10. augmentation dans le nombre des combattants. 11. *eels.* 12. enlève la peau. 13. *stumbled.* 14. bête sur laquelle on monte; *ici,* cheval. 15. *millers.* 16. rouèrent de coups: *beat unmercifully.* 17. dépouil-lèrent. 18. pauvre, en mauvais état. 19. *coarse smock.* 20. homme sujet à la colère.

tant à tous sa mauvaise fortune, il consulta une vieille sorcière qui lui prédit
que son royaume lui serait rendu à la venue des coquecigrues.[1] Depuis
lors, on ne sait ce qu'il est devenu. Toutefois, on m'a dit qu'il est à présent
un pauvre va-nu-pieds [2] à Lyon, aussi coléreux qu'auparavant. Et il s'informe auprès de tous les étrangers de la venue des coquecigrues, espérant   5
toujours, selon la prophétie de la vieille, qu'il sera alors réintégré dans son
royaume.

Après la retraite des ennemis, Gargantua recensa [3] d'abord ses gens et
trouva que peu avaient péri dans la bataille, seulement quelques soldats à
pied de la compagnie du capitaine Tolmère; Ponocrates avait reçu un coup 10
d'arquebuse dans son pourpoint.[4] Puis il les fit rafraîchir chacun dans sa
troupe, et commanda que le repas leur fût donné sans dépense pour eux-
mêmes; il défendit qu'on causât aucun dommage à personne dans la ville,
qui d'ailleurs lui appartenait. Après le repas, les hommes devaient s'assembler sur la place devant le château, où ils recevraient six mois de paie. 15
Tout cela fut fait. Alors, il fit rassembler devant lui, sur la même place,
tous les hommes qui restaient de l'armée de Picrochole, princes, capitaines et
soldats, et il leur parla ainsi:

LE DISCOURS QUE GARGANTUA ADRESSA AUX VAINCUS

« De mémoire d'homme nos pères, aïeux et ancêtres, ont eu assez de sens
et de bonté naturelle pour aimer mieux, les batailles finies, en commémora- 20
tion de leurs victoires et triomphes, ériger [5] des trophées de gratitude aux
cœurs des vaincus que des monuments sur les terres conquises. Car ils
estimaient le souvenir vivant des humains, dû à leur clémence, plus hautement que la muette inscription des arcs, colonnes et pyramides, sujette aux
injures de l'air et génératrice [6] d'envie pour tout le monde.   25

Vous vous rappelez sans doute la mansuétude [7] dont ils usèrent envers les
Bretons à la journée [8] de Saint-Aubin du Cormier et à la démolition de
Parthenay. Vous avez appris, donc admiré le bon traitement qu'ils firent
aux barbares d'Espagne qui avaient pillé, dévasté et saccagé [9] les côtes
maritimes d'Olone et de Thalmondoys.   30

Tout ce pays a retenti [10] des louanges [11] et des félicitations que vous fîtes
vous-mêmes, ainsi que vos pères, lorsqu'Alpharbal, roi de Canarre, mécontent de son sort, envahit furieusement le pays d'Aunis et commit des actes
de piraterie dans toutes les îles Armoriques [12] et les régions voisines. Il
fut battu et capturé, en bataille navale, par mon père, dont Dieu prenne 35
l'âme en sa garde! Mais quoi? Tandis que d'autres rois et empereurs,
même ceux qui se font nommer catholiques, l'auraient traité misérablement,

---

1. *sea-storks*, (à la venue des coquecigrues: *once in a blue moon*). **2.** *beggar, bare-footed*.
3. compta. **4.** *doublet*. **5.** élever. **6.** qui produit, qui crée. **7.** générosité. **8.** bataille.
9. *laid waste*. **10.** *resounded, re-echoed*. **11.** *praises, eulogies*. **12.** de Bretagne.

emprisonné durement et rançonné extrêmement,[1] mon père le traita courtoisement, aimablement, le logea avec lui dans son palais et, avec une bonté incroyable,[2] le renvoya, avec un sauf-conduit, chargé de présents, comblé[3] de faveurs et d'offres d'amitié.

Qu'en est-il résulté? Alpharbal, rentré dans ses terres, fit assembler tous [5] les princes et les gouverneurs de son royaume, leur parla de notre humanité, et les pria de délibérer pour savoir comment ils pourraient donner en exemple au monde la façon dont ils répondraient à notre honnête[4] gracieuseté par une gracieuse honnêteté. Et là ils décrétèrent, par consentement unanime, qu'ils nous offriraient toutes leurs terres pour en disposer à notre volonté. [10]

Sans tarder, Alpharbal revint en personne avec neuf mille trente-huit vaisseaux de charge[5] où il avait entassé non seulement les trésors de sa maison et de la famille royale, mais encore ceux de presque tout le pays. Car, comme il s'embarquait pour faire voile[6] au vent nord-est, bien des gens avaient jeté à l'envi[7] dans les vaisseaux or, argent, bagues,[8] joyaux, épices, [15] drogues et parfums aromatiques, perroquets, pélicans, guenons,[9] civettes,[10] genettes[11] porcs-épics.[12] Il n'y eut pas un honnête fils de bonne mère qui n'apportât ce qu'il possédait de plus rare.

En arrivant, le roi voulut baiser les pieds de mon père, qui ne toléra pas cette humiliation. Ils s'embrassèrent comme des alliés. Alpharbal offrit [20] ses présents, qui ne furent pas acceptés, étant excessifs. Il s'offrit lui-même comme sujet et esclave volontaire, lui et sa postérité, ce qui ne sembla pas équitable et fut refusé. Il céda, par décret des États,[13] ses terres et son royaume, montrant le texte du décret signé, scellé[14] et ratifié de qui de droit.[15] Ce fut refusé et on jeta le document au feu. Finalement, mon père se mit à [25] verser[16] d'abondantes larmes de pitié, car il était très touché de la bonne volonté et de la simplicité des Canarriens; en paroles exquises et appropriées, il expliqua sa conduite, disant qu'il n'avait rien fait d'extraordinaire, seulement ce que lui commandaient l'honnêteté et le devoir.[17] Alpharbal l'en estima davantage. [30]

Bref, tandis que, pour sa rançon, prise à toute extrémité,[18] nous aurions pu tyranniquement exiger[19] vingt fois cent mille écus et retenir comme otages ses enfants adultes, les Canarriens se sont déclarés nos vassaux à perpétuité et se sont engagés[20] à nous payer chaque année deux millions d'or affiné à vingt-quatre carats.[21] Cette somme fut apportée ici la première année; la [35] seconde année, de leur propre mouvement, ils donnèrent vingt-trois cent mille écus; la troisième, vingt-six cent mille; la quatrième, trois millions; et toujours ils augmentent tellement la somme de leur plein gré[22] que nous

---

1. à un prix très élevé. **2.** *unbelievable.* **3.** *overwhelmed.* **4.** courtoisie. **5.** *freight ships.* **6.** faire voile: *sail.* **7.** *vying with each other.* **8.** *rings.* **9.** *monkeys.* **10.** *civet-cats (tropical beasts) valued for their fur.* **11.** *African wild animal, allied to the civet.* **12.** porcupines. **13.** *States (governing assembly).* **14.** *sealed.* **15.** *by the proper persons (to draw up such an act).* **16.** *shed.* **17.** *duty.* **18.** ... extrémité: en demandant le plus possible. **19.** *demand.* **20.** ont promis. **21.** à 24 carats: pur. **22.** librement, sans contrainte.

serons obligés de leur défendre de plus rien apporter.   Voilà ce que fait la reconnaissance.   Car le temps, qui ronge [1] et diminue toutes choses, augmente et accroît les bienfaits: un bon office,[2] rendu librement à un homme raisonnable, ne fait que grandir dans sa pensée et sa mémoire.

Ne voulant donc dégénérer en rien de la bonté héréditaire de mes parents,   5
je vous pardonne et vous délivre: vous êtes affranchis [3] et libres comme avant la guerre.

De plus, à la sortie des portes, vous serez payés chacun pour trois mois, afin que vous puissiez vous retirer dans vos maisons et vos familles; pour votre sûreté, vous aurez une escorte de six cents hommes d'armes et huit 10
mille soldats de pied sous la conduite de mon écuyer [4] Alexandre, afin que nos paysans ne vous fassent pas de mal.   Dieu soit avec vous !   Je regrette de tout mon cœur que Picrochole ne soit pas ici.   Car je lui aurais fait comprendre que cette guerre a été entreprise contre ma volonté, que je n'ai pas cherché à augmenter mes terres ni ma réputation.   Mais, puisqu'il est perdu, 15
qu'il a disparu on ne sait où ni comment, je veux que son royaume demeure tout entier à son fils.   Parce que cet enfant est trop jeune (il n'a pas encore cinq ans accomplis), il sera gouverné et instruit par les princes anciens et les gens savants du royaume.   Et, parce qu'un royaume ainsi désolé serait facilement ruiné si l'on ne réfrénait [5] la convoitise [6] et l'avarice de ses ad- 20
ministrateurs, je veux et ordonne que Ponocrates soit mis à la tête de tous ses gouverneurs, avec toute l'autorité nécessaire, et qu'il veille sur [7] l'enfant, jusqu'à ce qu'il trouve celui-ci capable de gouverner et de régner par lui-même. »

[Gargantua récompense ensuite les vainqueurs.   Il offre une abbaye à frère Jean. Celui-ci refuse en disant: « Comment pourrais-je gouverner les autres, moi qui ne sais pas me gouverner moi-même ? »   Mais il demande et obtient le privilège de fonder un nouveau monastère.   Ce sera la fameuse abbaye de Thélème où chaque moine vivra sans règle aucune, tout-à-fait à sa guise.[8]]

1. corrode, détruit graduellement.   **2.** service, bonne action.   **3.** vous . . . affranchis: nous ne vous demandons ni servitude, ni rançon.   **4.** *equerry.*   **5.** *checked.*   **6.** cupidité. **7.** *watch over.*   **8.** selon sa propre volonté.

LES CANNIBALES

par MICHEL EYQUEM DE MONTAIGNE

(1533–1592)

Montaigne a créé un genre littéraire, celui de l'*Essai*, dans lequel d'autres se sont distingués après lui, Bacon, par exemple, en Angleterre, Emerson en Amérique.

Né au château de Montaigne, en Périgord, il y reçut une solide éducation; il parlait latin à 6 ans; à 15 ans, il avait étudié la jurisprudence. En 1556, il était nommé Conseiller au tribunal de Périgueux (la capitale du Périgord) et, plus tard, au parlement de Bordeaux. Cette fonction l'obligea à faire plus d'un voyage à Paris, à la Cour. Dans la suite, Catherine de Médicis, Henri III, Henri IV devaient lui confier de délicates négociations.

Mais il n'était pas fait pour la vie active. Il était riche, indépendant; il préféra vivre tranquillement dans son château de Montaigne. Il s'y retira en 1570 pour se livrer à l'étude, à la méditation, à la composition des *Essais* qui allaient l'immortaliser.

Cet ouvrage n'a rien de doctrinaire. Installé dans sa « librairie », Montaigne en dévorait les livres anciens et modernes; il ne s'interrompait que pour écrire, au jour le jour, sans plan ni méthode, les réflexions suggérées par ses lectures et pour se raconter lui-même — « *c'est moi que je peins* » — avec les détails les plus menus (*minute*) et la franchise la plus naïve. Les contradictions que, dans ses lectures, il relève chez les savants et les philosophes, les guerres de religion qui ensanglantent sa province, lui inspirent un grand mépris (*scorn*) pour la pauvre raison humaine. Devant ces conflits d'opinions et de dogmes, il ne se résout pas à prendre parti: il préfère se réfugier dans une indifférence intellectuelle, dans un tranquille scepticisme, « *que sais-je?* » Et il prêche la religion de la paix, de la tolérance et de . . . la vie confortable.

Les deux premiers Livres des *Essais* parurent en 1580. Montaigne entreprit alors un long voyage en France, en Allemagne, en Italie pour affaires et pour cause de santé. Le *Journal* de ce voyage ne fut publié qu'en 1774. En 1581 il fut rappelé par le roi qui le priait d'accepter les fonctions de maire de Bordeaux. Libre enfin en 1585, Montaigne revenait à son château, reprenait ses notes, les révisait, en rédigeait de nouvelles. La cinquième édition des *Essais*, augmentée d'un troisième livre, parut en 1588 à Paris. L'auteur mourut quatre ans plus tard.

Son livre, très attaqué au XVIIe siècle à cause de son apparent scepticisme, obtint le plus grand succès au siècle suivant. C'est « *le bréviaire des honnêtes gens,* » avait dit un bon juge, le Cardinal du Perron; ce fut alors le bréviaire des philosophes et des moralistes: Montesquieu, Voltaire, Rousseau regardèrent Montaigne comme un ancêtre. Aujourd'hui, on discute encore certaines idées de l'auteur, mais personne ne conteste la valeur littéraire des *Essais:* tout le monde admire ce style clair, imagé, vigoureux et si naturel que Montaigne a pu le définir lui-même « *un parler simple et naïf tel sur le papier qu'à la bouche.* » Il a beaucoup contribué à enrichir et à fixer la langue française.

La curiosité de Montaigne s'étendait à tous les temps, à tous les pays. Il s'intéressait vivement aux voyages, si fréquents alors, en terres lointaines; il interrogeait les voyageurs à leur retour, il lisait leurs rapports.   Dans l'Essai que nous donnons ici, il parle de quelques tribus de l'Amérique du Sud.

Livre 1.   Essai 30

Quand le roi Pyrrhus [1] passa en Italie et qu'il eut reconnu l'ordonnance de l'armée que les Romains envoyaient contre lui: « Je ne sais, dit-il, quels Barbares ce sont là (car les Grecs appelaient ainsi toutes les nations étrangères), mais la disposition de cette armée que je vois n'est aucunement barbare. » Voilà comment il faut se garder de s'attacher aux opinions vul- 5 gaires, comment il faut les juger par la voie [2] de la raison, non par la voix [3] commune.

J'ai eu longtemps avec moi un homme qui avait demeuré dix ou douze ans en cet autre monde qui a été découvert en notre siècle dans l'endroit où Villegaignon [4] prit terre et qu'il nomma la France antarctique.[5]   Cette dé- 10 couverte d'un pays infini semble mériter considération.   Je ne sais si je me puis assurer qu'il ne s'en fera pas d'autre à l'avenir, tant de personnages plus grands que nous ayant été trompés en celle-ci.   J'ai peur que nous ayons les yeux plus grands que le ventre [6] et plus de curiosité que nous n'avons de capacité: nous embrassons tout, mais nous n'étreignons [7] que du vent.   15

Platon nous représente Solon [8] racontant avoir appris des prêtres de la ville de Saïs en Égypte que, jadis et avant le déluge, il y avait une grande île nommée Atlantide, droit à la bouche du détroit [9] de Gibraltar, qui était plus vaste que l'Afrique et l'Asie réunies, et que les rois de cette contrée-là, qui ne possédaient pas seulement cette île, mais qui s'étaient établis si avant 20 sur la terre ferme qu'ils occupaient de la largeur d'Afrique jusqu'en Égypte et de la longueur d'Europe jusqu'en Toscane, entreprirent d'enjamber [10] jusque sur l'Asie et de subjuguer [11] toutes les nations qui bordent la mer Méditerranée jusqu'au golfe de la Mer Noire et, pour cela, traversèrent les Espagnes, la Gaule, l'Italie, jusqu'à la Grèce où les Athéniens les soutinrent [12]; 25 mais que, quelque temps après, et les Athéniens et eux et leur île furent engloutis [13] par le déluge.   Il est bien vraisemblable [14] que cet extrême ravage d'eau ait fait des changements étranges aux habitations de la terre, comme on pense que la mer a séparé la Sicile de l'Italie, Chypre de la Syrie, l'île de Nègrepont de la terre de la Béotie, et joint ailleurs des terres qui étaient sé- 30 parées.

Mais il n'y a pas grande apparence que cette île soit ce monde nouveau que nous venons de découvrir; car elle touchait presque l'Espagne et ce serait un effet incroyable d'inondation de l'en avoir ainsi reculée de douze cents lieues.[15]   35

1. *Pyrrhus* (318–272 B.C.), *King of Epirus who defeated the Romans at Heraclea and Asculum.* 2. *way, means.* 3. jugement. 4. (1510–1571), *founder of a French Colony in the Bay of Rio de Janeiro.* 5. *Brazil.* 6. les yeux ... ventre: entreprenons plus que nous ne pouvons accomplir. 7. *grasp. Cf. proverb:* qui trop embrasse mal étreint. 8. (640–558 B.C.), *one of the seven Wise Men of Greece.* 9. *strait.* 10. *step over.* 11. *subdue.* 12. *ici:* résistèrent. 13. *swallowed up.* 14. *quite likely.* 15. *A league is about 2½ miles.*

... Cet homme que j'avais était simple et grossier, ce qui est une condition désirable pour rendre un vrai témoignage [1]: car les gens cultivés
remarquent bien plus attentivement et plus de choses, mais ils les com-
mentent et, pour faire valoir [2] leur interprétation et la rendre persuasive, ils
ne peuvent se garder d'altérer un peu l'histoire; ils ne représentent jamais les 5
choses comme elles sont, ils les façonnent [3] et les masquent selon le visage
qu'ils leur ont vu; et, pour donner crédit à leur jugement, et vous y attirer,
ajoutent [4] volontiers quelque chose à la matière, l'allongent et l'amplifient.
Il faut un homme très fidèle ou si simple qu'il n'ait pas de quoi bâtir [5] et
donner de la vraisemblance à des inventions fausses et qu'il n'ait rien épousé.[6] 10
Le mien était tel et, outre [7] cela, il m'a fait voir, à diverses fois, plusieurs
matelots et marchands qu'il avait connus en ce voyage; ainsi, je me contente de cette information sans m'enquérir de ce que les cosmographes [8] en
disent.

... Or, je trouve, pour revenir à mon sujet, qu'il n'y a rien de barbare et 15
de sauvage en cette nation (d'Amérique), à ce qu'on m'en a rapporté, sinon
que chacun appelle *barbarie* ce à quoi il n'est pas accoutumé. Comme, à dire
vrai, nous n'avons pas d'autre mire [9] de la vérité et de la raison que l'exemple
et l'idée des opinions et des usages du pays où nous sommes, là est toujours la
parfaite religion, la parfaite administration, l'usage parfait et accompli de 20
toutes choses. Ils sont sauvages de même que nous appelons sauvages les
fruits que la nature a produits d'elle-même et de son ordinaire façon; tandis
qu'en vérité ce sont ceux que nous avons changés par notre artifice et détournés de l'ordre commun que nous devrions plutôt appeler sauvages: en
ceux-là les vraies, les plus utiles, les naturelles vertus et propriétés sont vives 25
et vigoureuses, vertus et propriétés que nous avons abâtardies [10] en ceux-ci
pour les accommoder au plaisir de notre goût [11] corrompu.... Nous avons
tant rechargé la beauté et la richesse des ouvrages de la nature que nous
l'avons réellement étouffée [12]; aussi partout où sa pureté brille, elle fait une
merveilleuse honte à nos vaines et frivoles entreprises. 30

... Ces nations me semblent donc barbares en ce sens qu'elles ont reçu
fort peu de façon de l'esprit humain et qu'elles sont encore fort voisines de
leur naïveté originelle. Les lois naturelles les gouvernent encore, fort peu
abâtardies par les nôtres.... Il me déplaît que Platon n'en ait pas eu connaissance.... C'est une nation, dirais-je à Platon, en laquelle il n'y a aucune 35
espèce de trafic,[13] nulle connaissance de lettres, nulle science de nombres, nul
nom de magistrat ou de supériorité politique, nul usage de service, de richesse
ou de pauvreté, nuls contrats, nulles successions, nuls partages, nulles occupations autres qu'agréables, nulle considération de parenté qui ne soit
commune à tous, nuls vêtements, nulle agriculture, nul métal, nul usage de 40

---

1. rendre ... témoignage: donner une fidèle description. **2.** *set off, assert.* **3.** déforment.
4. *add.* **5.** n'ait ... bâtir: ne soit pas capable de créer. **6.** *espoused (an opinion).* **7.** *besides.*
8. *In the 16th century "cosmographers" still meant simply "geographers."* **9.** *sight, view.*
10. *debased, adulterated.* **11.** *taste.* **12.** *smothered.* **13.** *trading.*

vin ou de blé [1]; les paroles mêmes qui signifient mensonge,[2] trahison, dissimu-
lation, avarice, envie, détraction, pardon, n'y sont jamais prononcées. ...
D'ailleurs, ils vivent dans une contrée plaisante et d'un climat bien tempéré:
de sorte, à ce que m'ont dit mes témoins, qu'il est rare d'y voir un homme
malade; ils m'ont assuré n'y avoir jamais vu un homme tremblant, chassieux,[3]   5
édenté [4] ou courbé [5] de vieillesse.   Ils sont établis le long de la mer, et protégés du côté de la terre par de grandes et hautes montagnes ayant entre-
deux [6] environ cent lieues d'étendue en large.[7] Ils ont une grande abondance
de poisson et de viande qui n'ont aucune ressemblance aux nôtres et qu'ils
mangent sans autre artifice que de les cuire.[8]   Le premier qui y mena un 1C
cheval leur fit tant d'horreur en cette posture qu'ils le tuèrent à coups de
flèches [9] avant de pouvoir le reconnaître.   Leurs maisons sont fort longues
et peuvent abriter [10] de deux à trois cents personnes; elles sont garnies
d'écorce [11] de grands arbres qui, tenant à terre par un bout, se soutiennent et
s'appuient [12] l'un contre l'autre par le faîte,[13] à la mode de quelques-unes de 15
nos granges [14] dont le toit pend jusqu'à terre et sert de flanc.   Ils ont du bois
si dur qu'ils en font leurs épées et leurs grils à cuire leur viande.   Leurs lits
sont d'un tissu de coton, suspendus aux toits comme ceux de nos navires;
à chacun le sien, car les femmes couchent à part des maris.   Ils se lèvent avec
le soleil et mangent tout de suite après et pour toute la journée, car ils ne 20
font d'autre repas que celui-là.   Ils ne boivent pas alors, comme Suidas [15]
le dit de quelques autres peuples d'Orient qui buvaient hors du manger; ils
boivent plusieurs fois par jour et abondamment.   Leur breuvage est fait de
quelque racine [16] et a la couleur de nos vins légers; ils ne le boivent que
tiède.[17]   Ce breuvage ne se conserve que deux ou trois jours; il a le goût un 25
peu piquant [18]; nullement fumeux,[19] il est bon pour l'estomac et laxatif pour
ceux qui n'y sont pas accoutumés: c'est une boisson [20] très agréable à qui
en a l'habitude.   Au lieu de pain, ils usent d'une certaine matière blanche
comme du coriandre confit [21]; j'en ai tâté, le goût en est doux et un peu
fade.[22]   Toute la journée se passe à danser.   Les plus jeunes vont à la chasse 30
des bêtes avec des arcs.   Quelques-unes des femmes s'occupent alors à
chauffer leur breuvage: c'est leur principal office.   Le matin, avant qu'ils se
mettent à manger, un des vieillards prêche à toute la grangée,[23] en se promenant d'un bout à l'autre, redisant plusieurs fois la même chose jusqu'à ce
qu'il ait achevé le tour de la salle; car ce sont des bâtiments qui ont bien cent 35
pas de long.   Il ne leur recommande que deux choses: la vaillance contre les
ennemis, et l'amitié à leurs femmes; ils ne manquent jamais de remarquer
cette obligation dans leur refrain que « ce sont elles qui maintiennent leur

1. *corn, wheat.*   2. *falsehood.*   3. *bleary-eyed.*   4. *toothless.*   5. *bent.*   6. c'est-à-dire:
entre la mer et les montagnes.   7. c'est-à-dire: une largeur d'une centaine de lieues.
8. *cook.*   9. *arrows.*   10. *shelter.*   11. *bark.*   12. *lean.*   13. *top.*   14. *barns.*   15. *a Greek
grammarian who lived in the tenth century* A.D.   16. *root.*   17. *lukewarm.*   18. *acide.*
19. *smoky, strong.*   20. *beverage.*   21. *preserved coriander, an umbelliferous plant which grows
in the south and is used for making dyes and liquors.*   22. *flat.*   23. gens assemblés dans la
grange.

boisson tiède et assaisonnée. » On peut voir en plusieurs lieux, et entre autres chez moi, la forme de leurs lits, de leurs cordons, de leurs épées, des bracelets de bois dont ils couvrent leurs poignets [1] aux combats, et des grandes cannes [2] ouvertes par un bout par le son [3] desquelles ils soutiennent la cadence en leur danse. Ils sont ras [4] partout et se font le poil [5] plus nettement que nous 5 sans autre rasoir que de bois ou de pierre. Ils croient les âmes éternelles: celles qui ont bien mérité des dieux sont logées à l'endroit du ciel où le soleil se lève, les maudites [6] du côté de l'Occident.

   Ils ont je ne sais quels prêtres et prophètes qui se présentent bien rare- ment au peuple parce qu'ils habitent les montagnes. A leur arrivée, il se 10 fait une grande fête et assemblée solennelle de plusieurs villages (chaque grange, comme je l'ai décrite, fait un village) situés à environ une lieue française l'un de l'autre. Le prophète leur parle en public; il les exhorte à la vertu et à leur devoir; mais toute leur science éthique ne contient que ces deux articles: vaillance à la guerre, affection à leurs femmes. Il leur prédit 15 les choses à venir et le résultat qu'ils doivent espérer de leurs entreprises; il les incite à la guerre ou les en détourne; mais, s'il fait erreur dans sa prédic- tion et que l'évènement n'y réponde pas, il est haché [7] en mille pièces quand on l'attrape,[8] ou il est condamné comme faux prophète et on ne voit plus jamais le prophète qui s'est trompé une fois.   20

   . . . Ils ont leurs guerres contre les nations qui sont au-delà de leurs mon- tagnes, plus avant [9] sur la terre ferme; ils y vont tout nus, n'ayant d'autres armes que des arcs ou des épées de bois pointues à un bout à la mode des langues [10] de nos épieux.[11] C'est chose merveilleuse que la fermeté de leurs combats qui ne finissent jamais autrement que par le meurtre et l'effusion de 25 sang; car, la déroute [12] et la peur, ils ne savent pas ce que c'est. Chacun rapporte comme trophée la tête de l'ennemi qu'il a tué et l'attache à l'entrée de son logis. Après avoir longtemps bien traité leurs prisonniers en leur don- nant tout le confort imaginable, celui qui en est le maître fait une grande assemblée de ses connaissances. Il attache une corde à l'un des bras d'un 30 prisonnier, par le bout de laquelle il le tient à quelque distance pour qu'il n'en soit pas attaqué; il fait tenir l'autre bras au plus cher de ses amis et, à eux deux, en présence de toute l'assemblée, ils assomment [13] le prisonnier à coups d'épée. Cela fait, ils le rôtissent et le mangent en commun, gardant quelques morceaux pour les amis absents. Ce n'est pas, comme on pense, 35 pour s'en nourrir, ainsi que faisaient anciennement les Scythes [14]; c'est pour représenter une extrême vengeance. . . . Je ne suis pas marri [15] que nous re- marquions l'horreur barbare qu'il y a en une telle action; mais je le suis de ce que, jugeant sévèrement leurs fautes, nous soyons si aveugles [16] aux nôtres.

---

1. *wrists.*   **2.** *sticks, reeds.*   **3.** *sound.*   **4.** *shorn.*   **5.** *shave themselves.*   **6.** *damned.* **7.** *cut to pieces.*   **8.** *catches.*   **9.** plus à l'intérieur.   **10.** *blade.*   **11.** *boar-spears.*   **12.** *rout, flight.*   **13.** *beat to death.*   **14.** *Scythians: an old nomadic and barbarian nation in Eastern Europe and Western Asia, famous for its wars with Darius, Alexander, Mithridates.*   **15.** *sorry.* **16.** *blind.*

Je pense qu'il y a plus de barbarie à manger un homme vivant qu'à le manger mort, à déchirer [1] par des tortures infernales un corps plein de vie, à le faire rôtir par le menu,[2] à le faire mordre [3] et meurtrir [4] par les chiens et les pourceaux [5] (comme nous l'avons non seulement lu mais vu récemment,[6] non entre des ennemis anciens, mais entre des voisins et des concitoyens et, ce qui est pire, sous prétexte de piété et de religion), que de le rôtir et de le manger après qu'il est mort.

... Nous pouvons donc bien les appeler barbares relativement aux règles de la raison, mais non pas relativement à nous qui les surpassons en toute sorte de barbarie. Leur guerre est toute noble et généreuse; elle a autant d'excuse et de beauté que cette maladie humaine en peut recevoir; elle n'a d'autre fondement parmi eux que la seule jalousie du courage. Ils ne se battent pas pour la conquête de nouvelles terres, car ils jouissent encore de cette fertilité naturelle qui leur fournit, sans travail et sans peine, toutes les choses nécessaires en telle abondance qu'ils n'ont que faire [7] d'agrandir leurs frontières. Ils sont encore dans cet heureux état de ne désirer que les choses qu'exigent [8] leurs nécessités naturelles: tout ce qui est au-delà est superflu pour eux. Ceux du même âge se donnent généralement le nom de frères; on appelle enfants ceux qui sont plus jeunes; les vieillards reçoivent de tous les autres le nom de pères. Ils laissent à leurs héritiers [9] la pleine possession par indivis [10] de leurs biens, sans autre titre [11] que celui tout pur que la nature donne à ses créatures quand elle les met au monde.

Si leurs voisins passent les montagnes pour venir les attaquer, et qu'ils remportent la victoire sur eux, le bénéfice du vainqueur, c'est la gloire et l'avantage d'être demeuré supérieur en bravoure et en force; car autrement ils n'ont que faire des biens des vaincus. Ils s'en retournent dans leur pays où ils n'ont besoin d'aucune chose nécessaire, où il ne leur manque pas non plus cette grande qualité de savoir jouir de leur condition et s'en contenter.

Les vaincus agissent de même façon; les vainqueurs ne demandent à leurs prisonniers d'autre rançon que l'aveu [12] d'être battus; mais il ne s'en trouve pas un dans tout un siècle qui n'aime mieux mourir que de perdre, par sa contenance ou ses paroles, une parcelle [13] de sa dignité d'homme invincible, il ne s'en voit pas un qui n'aime mieux être tué et mangé que de seulement demander à ne pas l'être. Ils les traitent en toute liberté afin que la vie leur soit d'autant plus chère; ils les entretiennent communément des menaces de leur mort future, des tortures qu'ils auront à souffrir, des apprêts [14] qu'on fait pour cela, de la dislocation de leurs membres et du banquet qui sera fait à leurs dépens.[15] Tout cela n'a qu'une fin, arracher [16] de leur bouche quelque parole molle ou humble, ou leur donner envie [17] de s'enfuir, pour gagner cet

1. *tear.* 2. petit à petit. 3. *bitten.* 4. *bruised.* 5. *hogs.* 6. *an allusion to a slaughter of the Huguenots in Southern France in 1561.* 7. *have no want of.* 8. *require.* 9. *heirs.* 10. *in joint ownership.* 11. *title.* 12. *acknowledgment.* 13. une très petite portion. 14. *preparations.* 15. *expense.* 16. *wrest.* 17. donner envie: faire désirer.

avantage de les avoir effrayés, d'avoir triomphé de leur constance. Car aussi,
à le bien prendre, c'est en ce seul point que consiste la vraie victoire:

> Victoria nulla est
> Quam quæ confessos animo quoque subjugat hostes.
> La victoire est nulle   5
> Si l'ennemi n'avoue pas franchement qu'il est battu.
>
> (Claudien, *De sexto consulatu Honorii*, l. 248.)

... La vaillance, c'est la fermeté, non pas des jambes et des bras, mais du
courage et de l'âme.... Celui qui tombe obstiné en son courage, qui regarde encore, en rendant l'âme, son ennemi d'une vue ferme et dédaigneuse,
il est battu non par nous mais par la fortune, il est tué, il n'est pas vaincu, 10
les plus vaillants sont parfois les plus infortunés. Il y a des défaites plus
triomphantes que les victoires. ...

Pour revenir à notre histoire, il s'en faut tant que ces prisonniers [1] se
rendent pour tout ce qu'on leur fait qu'au contraire, pendant ces deux ou
trois mois qu'on les garde, ils portent une contenance gaie, ils pressent [2] 15
leurs maîtres de se hâter de les mettre en cette épreuve,[3] ils les défient, les
injurient,[4] leur reprochent leur lâcheté [5] et le nombre des batailles perdues
contre les leurs. J'ai une chanson faite par un prisonnier où il y a ces paroles:
« Qu'ils viennent tous hardiment et s'assemblent pour dîner de lui; car ils
mangeront à satiété leurs pères et leurs aïeux qui ont servi d'aliment [6] et de 20
nourriture à son corps: ces muscles, dit-il, cette chair [7] et ces veines, ce sont
les vôtres, pauvres fous que vous êtes, vous ne reconnaissez pas que la substance des membres de vos ancêtres s'y tient encore: savourez-les [8] bien,
vous y trouverez le goût de votre propre chair. » Cette invention ne sent [9]
aucunement la barbarie. Ceux qui les peignent [10] mourants et qui repré- 25
sentent cette action quand on les assomme, ils peignent le prisonnier crachant [11]
au visage de ceux qui le tuent et leur faisant la moue.[12] De vrai, ils ne cessent
jusqu'au dernier soupir [13] de les braver et défier de parole et de contenance.
Sans mentir,[14] comparés à nous, voilà des hommes bien sauvages: car ou il
faut qu'ils le soient bien ou que nous le soyons. Il y a une merveilleuse dis- 30
tance entre leur manière de vivre et la nôtre.

Les hommes y ont plusieurs femmes, en d'autant plus grand nombre qu'ils
sont en meilleure réputation de vaillance. C'est une beauté remarquable en
leurs mariages que la même jalousie que nos femmes ont pour nous enlever
l'amitié et la bienveillance d'autres femmes, les leurs l'ont toute pareille pour 35
les leur acquérir: étant plus soigneuses [15] de l'honneur de leurs maris que de
toute autre chose, elles cherchent et mettent leur sollicitude à avoir le plus
de compagnes qu'elles peuvent, car c'est un témoignage [16] du courage du mari.
Les nôtres crieront au [17] miracle: ce n'en est pas un, c'est une vertu propre-

---

1. il s'en faut ... prisonniers: les prisonniers sont si loin de ... 2. *urge.* 3. *test.*
4. insultent.   5. *cowardice.*   6. *food.*   7. *flesh.*   8. *relish.*   9. *savors of.*   10. *paint.*
11. *spitting.*   12. *pouting their lips at them.*   13. *breath.*   14. En vérité.   15. *mindful.*
16. preuve.   17. *ici:* voilà un ...!

ment matrimoniale du plus haut degré. .... Afin qu'on ne pense point que tout ceci se fait par une simple et servile obéissance à leurs usages et par l'impression de l'autorité de leur ancienne coutume, ou parce qu'elles ont l'âme trop stupide pour agir autrement, il faut citer quelques traits de leur intelligence. Outre celui que je viens de donner de l'une de leurs chansons de 5 guerre, j'ai une chanson d'amour qui commence ainsi : « Couleuvre,[1] arrête-toi ; arrête-toi, couleuvre, afin que ma sœur tire [2] sur le patron [3] de ta peinture [4] la façon [5] et l'ouvrage [6] d'un riche cordon [7] que je puisse donner à ma mie [8] ; ainsi soient en tout temps ta beauté et ton élégance préférées à tous les autres serpents. »   Ce premier couplet, c'est le refrain de la chanson. 10 Or, j'ai assez de commerce [9] avec la poésie pour juger ceci, que non seulement il n'y a rien de barbare en cette imagination, mais qu'elle est tout à fait anacréontique.[10]

Trois d'entre eux, ignorant combien coûtera un jour à leur repos et à leur bonheur la connaissance des corruptions d'ici et que de ce commerce naîtra 15 leur ruine, comme je suppose qu'elle est déjà avancée (bien misérables de s'être laissé leurrer [11] par le désir de la nouveauté et d'avoir quitté la douceur de leur ciel pour venir voir le nôtre !), furent à Rouen du temps que le feu [12] roi Charles IX [13] y était. Le roi leur parla longtemps. On leur fit voir notre vie, notre pompe, la forme d'une belle ville. Après cela, quelqu'un demanda 20 leur avis et voulut savoir d'eux ce qu'ils avaient trouvé de plus admirable. Ils répondirent trois choses, dont j'ai oublié la troisième, et j'en suis désolé, mais j'ai encore les deux autres en mémoire. Ils dirent qu'ils trouvaient en premier lieu fort étrange que tant d'hommes grands, portant barbe, forts et armés, qui étaient autour du roi (il est vraisemblable qu'ils parlaient des 25 Suisses de sa garde), se soumissent à obéir à un enfant et qu'on ne choisît plutôt quelqu'un d'entre eux pour commander. Secondement (ils ont une façon de parler telle qu'ils nomment les hommes : moitié les uns des autres [14]), ils dirent qu'ils avaient aperçu des hommes pleins et gorgés [15] de toutes sortes de commodités, et que leurs moitiés mendiaient [16] à leurs portes, décharnés [17] 30 de faim et de pauvreté ; ils trouvaient étrange que ces misérables moitiés pussent souffrir une telle injustice, qu'ils ne prissent les autres à la gorge ou ne missent le feu à leurs maisons.

Je parlai à l'un deux fort longtemps, mais j'avais un interprète qui me suivait si mal et qui, par sa bêtise [18] était si maladroit à recevoir mes imaginations, 35 que je n'en pus tirer rien qui vaille.[19]   Sur ce que je lui demandai quel avantage il recevait de la supériorité qu'il avait parmi les siens (car c'était un capitaine et nos matelots [20] le nommaient roi), il me dit que c'était : « marcher le premier à la guerre. » De combien d'hommes était-il suivi ? Il me montra un espace

---

1. *snake.*   **2.** copie.   **3.** *pattern.*   **4.** tes couleurs.   **5.** modèle.   **6.** broderie.   **7.** *neck-lace.*   **8.** *sweetheart.*   **9.** *acquaintance.*   **10.** *in the style of Anacreon, the Greek poet of love.*   **11.** *allure, decoy.*   **12.** *late, deceased.*   **13.** *(1550–1574) King of France.*   **14.** *they speak of men as if they were parts of each other.*   **15.** *swelling with.*   **16.** *begged.*   **17.** *emaciated.*   **18.** stupidité.   **19.** rien d'intéressant.   **20.** *sailors.*

de terre pour signifier que c'était autant qu'il en pourrait tenir en cet espace: ce pouvait être quatre ou cinq mille hommes. Je lui demandai si, la guerre finie, son autorité était expirée. Il dit que « il lui en restait cela, que quand il visitait les villages qui dépendaient de lui, on lui dressait des sentiers [1] à travers les haies [2] de leurs bois par où il pût passer bien à l'aise. » Tout cela [5] ne va pas trop mal, mais quoi? ils ne portent point de haut-de-chausses.[3]

1. dressait des sentiers: *opened lanes.* **2.** *hedges, brush.* **3.** *breeches.*

LE CID

par PIERRE CORNEILLE

(1606–1684)

Pierre Corneille, « père de la tragédie classique », naquit à Rouen d'une famille de magistrats. Avocat, il devait succéder à son père; mais un embarras de parole, joint à une certaine timidité, le fit renoncer à cette carrière. Il se tourna vers la poésie et vers le théâtre, grâce, dit-on, à une affaire d'amour. Il écrivit d'abord plusieurs comédies (*Mélite, Clitandre*, etc.) dans le goût du temps. On aimait alors les situations compliquées, erreurs, surprises, fausses confidences, aventures invraisemblables, souvent présentées dans ce langage grossier que La Bruyère appela « le charme de la canaille (*rabble*) ». Les comédies de Corneille sont, elles aussi, pleines d'extravagances, mais le ton en est plus délicat; l'on y découvre déjà, a dit Voltaire, des « étincelles (*sparks*) de génie ». Elles eurent du succès et le Cardinal de Richelieu enrôla l'auteur parmi les poètes à gages (*hired*) qui l'aidaient à écrire lui-même pour le théâtre; Corneille se montra indocile; on lui reprocha de « n'avoir pas l'esprit de suite ».

Corneille donna en 1635 sa tragédie de *Médée* et, l'année suivante, *Le Cid*. Cette pièce, bien qu'imitée de l'Espagnol Guillen de Castro, était une création. Le poète en faisait un drame de conscience, un drame *intérieur:* il y plaçait l'intérêt, non dans les événements, mais dans le conflit du devoir et de la passion; aux deux mobiles de la tragédie grecque, terreur et pitié, il substituait l'admiration pour le héros qui sacrifie sa passion et reste maître de sa raison et de sa destinée. Le succès fut merveilleux. « Beau comme le Cid » devint une façon de parler. Louis XIII félicita l'auteur et anoblit son vieux père. Mais les rivaux du poète, inspirés par Richelieu, lui firent des critiques qui amenèrent ce qu'on appelle dans l'histoire *Querelle du Cid*. Corneille se vengea en produisant, en moins de quatre ans, trois autres chefs-d'œuvre: *Horace, Cinna* et *Polyeucte*. Il y avait atteint le sommet de l'art dramatique. Il régna dès lors en souverain dans le domaine des lettres: l'Académie lui faisait des avances, il était reçu à l'Hôtel de Rambouillet [1] où cependant son *Polyeucte* fut mal compris.

Cette brillante situation n'allait pas durer. Après la belle éclosion des chefs-d'œuvre, le poète connut encore quelques succès au théâtre; il créa même, dans *Le Menteur* (1643), le modèle de la comédie de caractère que Molière devait bientôt illustrer. Mais il sentit qu'il perdait la faveur du public et se retira à Rouen. Il y traduisit en vers des livres religieux, entre autres *L'Imitation de Jésus-Christ:* cette traduction fut éditée trente fois en vingt ans. Le surintendant Fouquet ramena Corneille à Paris et au théâtre. Il y donna encore quelques pièces (*Œdipe, Sertorius, Tite et Bérénice*, etc.) qui n'étaient pas toutes sans mérite, mais il ne retrouva pas les grands succès d'autrefois. Son génie avait baissé, le monde avait changé, la cour du jeune Louis XIV cherchait des plaisirs moins austères et préférait le charme du jeune Racine aux tirades fortes et pompeuses du vieux maître.

Cet abandon du public, plus encore que les chagrins domestiques et la perte de quelques procès, attrista la vieillesse de Corneille, car il avait conscience de sa valeur:

« Je ne dois qu'à moi seul toute ma renommée, »

1. Voir *Aperçu*, page 8.

avait-il écrit un jour. Au fait, il pouvait se vanter d'avoir créé le type de la tragédie classique et de la comédie de caractère, d'avoir écrit des vers immortels, des « vers cornéliens » frappés comme des médailles, enfin d'avoir fait de son théâtre, ainsi que l'a déclaré Voltaire, une « école de grandeur d'âme ». Napoléon, qui l'admirait beaucoup, dit un jour: « Si Corneille vivait, je le ferais prince. »

Il s'agit dans cette pièce des dernières luttes, en Espagne, entre les Mores qui s'y sont établis et veulent y demeurer et les Chrétiens qui veulent les en chasser. Le héros légendaire de la délivrance est Don Rodrigue, qu'on a surnommé Le Cid — on verra dans la pièce à quelle occasion.

L'action se passe à Séville, au sud de l'Espagne, et sur le bord du fleuve Guadalquivir.

PERSONNAGES

DON FERNAND, *roi de Castille*
L'INFANTE, *fille du roi*
DON DIÈGUE
DON RODRIGUE, *son fils*
LE COMTE DE GORMAS
CHIMÈNE, *sa fille*
ELVIRE, *gouvernante de* CHIMÈNE
DON SANCHE, *qui s'offrit comme champion à* CHIMÈNE *pour la venger de* DON
    RODRIGUE
DON ARIAS ⎫
         ⎬ *gentilshommes castillans*
DON ALONSE ⎭

ACTE PREMIER

SCÈNE PREMIÈRE

Dans l'appartement de CHIMÈNE

CHIMÈNE, ELVIRE

Chimène.   Elvire, m'as-tu fait un rapport bien sincère?
Ne déguises-tu rien de ce qu'a dit mon père?
  Elvire.   Tous mes sens à moi-même en sont encor charmés:
Il estime Rodrigue autant que vous l'aimez,
Et si je ne m'abuse à lire [1] dans son âme,   5
Il vous commandera de répondre à sa flamme. [2]
  Chimène.   Dis-moi donc, je te prie, une seconde fois
Ce qui te fait juger qu'il approuve mon choix:
Apprends-moi de nouveau quel espoir j'en dois prendre;
Un si charmant discours ne se peut trop entendre [3];   10
Tu ne peux trop promettre aux feux de notre amour

1. si ... lire: si je ne me trompe en lisant. 2. *langage précieux* (affected) *pour* son amour. 3. ne peut être trop entendu.

La douce liberté de se montrer au jour.
Que t'a-t-il répondu sur la secrète brigue [1]
Que font auprès de toi [2] don Sanche et don Rodrigue?
N'as-tu point trop fait voir quelle inégalité   15
Entre ces deux amants me penche d'un côté?
    Elvire.   Non; j'ai peint votre cœur dans une indifférence
Qui n'enfle [3] d'aucun d'eux ni détruit l'espérance,
Et sans les voir d'un œil trop sévère ou trop doux,
Attend l'ordre d'un père à choisir un époux.   20
Ce respect l'a ravi, sa bouche et son visage
M'en ont donné sur l'heure [4] un digne témoignage,
Et puisqu'il vous en faut encor faire un récit,
Voici d'eux et de vous ce qu'en hâte il m'a dit:
« Elle est dans le devoir; tous deux sont dignes d'elle,   25
Tous deux formés d'un sang noble, vaillant, fidèle,
Jeunes, mais qui font lire aisément dans leurs yeux
L'éclatante vertu de leurs braves aïeux.[5]
Don Rodrigue surtout n'a trait [6] en son visage
Qui d'un homme de cœur [7] ne soit la haute image,   30
Et sort d'une maison si féconde en guerriers,
Qu'ils y prennent naissance au milieu des lauriers.[8]
La valeur de son père, en son temps sans pareille,
Tant qu'a duré sa force, a passé pour merveille;
Ses rides [9] sur son front ont gravé ses exploits,   35
Et nous disent encor ce qu'il fut autrefois.
Je me promets du fils ce que j'ai vu du père;
Et ma fille, en un mot, peut l'aimer et me plaire. »
    Il allait au conseil,[10] dont l'heure qui pressait
A tranché [11] ce discours qu'à peine il commençait;   40
Mais à ce peu de mots je crois que sa pensée
Entre vos deux amants n'est pas fort balancée.[12]
Le Roi doit à son fils élire un gouverneur,
Et c'est lui que regarde [13] un tel degré d'honneur:
Ce choix n'est pas douteux, et sa rare vaillance   45
Ne peut souffrir qu'on craigne aucune concurrence.[14]
Comme ses hauts exploits le rendent sans égal,
Dans un espoir si juste il sera sans rival;
Et puisque don Rodrigue a résolu [15] son père

---

1. sollicitation (ne pouvant s'adresser directement à Chimène, les deux amoureux, chacun de son côté, avaient sollicité l'appui (*help*) d'Elvire, confidente et gouvernante de la jeune fille, pour disposer Don Gormas en leur faveur). **2.** par ton intermédiaire. **3.** *swells, encourages.* **4.** au moment même. **5.** ancêtres. **6.** *feature.* **7.** cœur, courage: synonymes au XVIIe siècle. **8.** au ... lauriers: (*born*) *among laurels*: i.e., (*born*) *to glory.* **9.** *wrinkles.* **10.** au conseil (où le roi devait faire choix d'un gouverneur pour son fils). **11.** coupé court. **12.** hésitante. **13.** concerne. **14.** *rivalry.* **15.** décidé, engagé.

Au sortir du conseil à proposer l'affaire,[1]   50
Je vous laisse à juger s'il prendra bien son temps,
Et si tous vos désirs seront bientôt contents.
 Chimène. Il semble toutefois que mon âme troublée
Refuse cette joie et s'en trouve accablée [2]:
Un moment donne au sort des visages divers,   55
Et dans ce grand bonheur je crains un grand revers.
 Elvire. Vous verrez cette crainte heureusement déçue.[3]
 Chimène. Allons, quoi qu'il en soit, en attendre l'issue.

SCÈNE II

[Dans cette scène, l'Infante, fille aînée du Roi, avoue à Léonor, sa confidente, qu'elle aime Rodrigue.]

SCÈNE III

Dans le palais du roi, après le conseil où Don Diègue *a été nommé gouverneur du prince*

Le Comte, Don Diègue

 Le Comte. Enfin vous l'emportez,[4] et la faveur du Roi
Vous élève en un rang qui n'était dû qu'à moi.
Il vous fait gouverneur du prince de Castille.
 Don Diègue. Cette marque d'honneur qu'il met dans ma famille
Montre à tous qu'il est juste, et fait connaître assez   5
Qu'il sait récompenser les services passés.[5]
 Le Comte. Pour grands que [6] soient les rois, ils sont ce que nous sommes:
Ils peuvent se tromper comme les autres hommes;
Et ce choix sert de preuve à tous les courtisans [7]
Qu'ils savent mal payer les services présents.   10
 Don Diègue. (*Conciliant*) Ne parlons plus d'un choix dont votre esprit
  s'irrite:
La faveur l'a pu faire autant que le mérite;
Mais on doit ce respect au pouvoir absolu,
De n'examiner rien quand un roi l'a voulu.
A l'honneur qu'il m'a fait ajoutez-en un autre;   15
Joignons d'un sacré nœud [8] ma maison à la vôtre:
Vous n'avez qu'une fille, et moi je n'ai qu'un fils;
Leur hymen nous peut rendre à jamais plus qu'amis:
Faites-nous cette grâce, et l'acceptez pour gendre.[9]
 Le Comte. (*Ironique*) A des partis [10] plus hauts ce beau fils doit prétendre; 20
Et le nouvel éclat de votre dignité
Lui doit enfler le cœur d'une autre vanité.

1. affaire du mariage. **2.** *overwhelmed.* **3.** trompée. **4.** triomphez. **5.** *services passés* à quoi le Comte va opposer *services présents.* **6.** Quelque, *However great.* **7.** *courtiers.* **8.** *sacred tie.* **9.** *son-in-law.* **10.** *matches, alliances.*

Exercez-la, Monsieur, et gouvernez le Prince:
Montrez-lui comme il faut régir une province,
Faire trembler partout les peuples sous sa loi,   25
Remplir les bons d'amour, et les méchants d'effroi.
Joignez à ces vertus celles d'un capitaine:
Montrez-lui comme il faut s'endurcir [1] à la peine,
Dans le métier de Mars se rendre sans égal,
Passer les jours entiers et les nuits à cheval,   30
Reposer tout armé, forcer une muraille,
Et ne devoir qu'à soi le gain d'une bataille.
Instruisez-le d'exemple, et rendez-le parfait,
Expliquant à ses yeux vos leçons par l'effet.[2]

    Don Diègue. (*Qui commence à perdre patience*)
      Pour s'instruire d'exemple, en dépit de l'envie,   35
Il lira seulement l'histoire de ma vie.
Là, dans un long tissu [3] de belles actions,
Il verra comme il faut dompter des nations,
Attaquer une place, ordonner une armée,
Et sur de grands exploits bâtir sa renommée.   40

    Le Comte. (*Prétend que les services présents comptent seuls*)
      Les exemples vivants sont d'un autre pouvoir [4];
Un prince dans un livre apprend mal son devoir.
Et qu'a fait après tout ce grand nombre d'années
Que ne puisse égaler une de mes journées?[5]
Si vous fûtes vaillant, je le suis aujourd'hui,   45
Et ce bras du royaume est le plus ferme appui.
Grenade et l'Aragon [6] tremblent quand ce fer [7] brille;
Mon nom sert de rempart à toute la Castille:
Sans moi, vous passeriez bientôt sous d'autres lois,
Et vous auriez bientôt vos ennemis pour rois.   50
Chaque jour, chaque instant, pour rehausser [8] ma gloire,
Met lauriers sur lauriers, victoire sur victoire.
Le Prince à mes côtés ferait dans les combats
L'essai de son courage à l'ombre de mon bras;
Il apprendrait à vaincre en me regardant faire;   55
Et pour répondre en hâte à son grand caractère,
Il verrait . . .

    Don Diègue. (*Ressent l'insulte et sa fierté se révolte*)
      Je le sais, vous servez bien le Roi:
Je vous ai vu combattre et commander sous moi.[9]

---

1. *harden oneself.* **2.** par l'action: Le Comte veut faire entendre que Don Diègue est un pauvre vieillard fini. **3.** *texture, fabric.* **4.** d'un pouvoir bien plus grand. **5.** « une de mes journées » par opposition à: « grand nombre d'années. » **6.** provinces rivales de la Castille. **7.** *poétique pour* épée (*sword*). **8.** placer plus haut. **9.** remarquer le *sous moi.*

Quand l'âge dans mes nerfs a fait couler sa glace,[1]
Votre rare valeur a bien rempli ma place;   60
Enfin, pour épargner des discours superflus,
Vous êtes aujourd'hui ce qu'autrefois je fus.
Vous voyez toutefois qu'en cette concurrence [2]
Un monarque entre nous met quelque différence.
(*La colère monte; les mots tranchants remplacent les discours courtois.*)

    Le Comte.   Ce que je méritais, vous l'avez emporté.   65
    Don Diègue.   Qui l'a gagné sur vous l'avait mieux mérité.
    Le Comte.   Qui peut mieux l'exercer [3] en est bien le plus digne.
    Don Diègue.   En être refusé n'en est pas un bon signe.
    Le Comte.   Vous l'avez eu par brigue,[4] étant vieux courtisan.
    Don Diègue.   L'éclat de mes hauts faits fut mon seul partisan.   70
    Le Comte.   Parlons-en mieux, le Roi fait honneur à votre âge.
    Don Diègue.   Le Roi, quand il en [5] fait, le mesure au courage.
    Le Comte.   Et par là cet honneur n'était dû qu'à mon bras.
    Don Diègue.   Qui n'a pu l'obtenir ne le méritait pas.
    Le Comte. Ne le méritait pas! Moi?
    Don Diègue.   Vous.
    Le Comte.   Ton impudence,   75
Téméraire [6] vieillard, aura sa récompense. (*Il lui donne un soufflet.*[7])
    Don Diègue. (*Mettant l'épée à la main*)   Achève, et prends ma vie après
    un tel affront,
Le premier dont ma race ait vu rougir son front.
    Le Comte.   Et que penses-tu faire avec tant de faiblesse?
(*Ils se battent,* LE COMTE *désarme* DON DIÈGUE.)
    Don Diègue. O Dieu! ma force usée [8] en ce besoin me laisse!   80
    Le Comte. (*Refuse de prendre l'épée qui est tombée des mains de* DON DIÈGUE
    et qui est un trophée de victoire — ce qui ajoute une insulte à l'humiliation)
    Ton épée est à moi; mais tu serais trop vain,
Si ce honteux trophée avait chargé [9] ma main.
    Adieu: fais lire au Prince, en dépit de l'envie,
Pour son instruction, l'histoire de ta vie:
D'un insolent discours ce juste châtiment   85
Ne lui servira pas d'un petit ornement.

SCÈNE IV

    Don Diègue.   O rage! ô désespoir! ô vieillesse ennemie!
N'ai-je donc tant vécu que pour cette infamie?
Et ne suis-je blanchi dans les travaux guerriers

---

1. Quand . . . glace: *i.e.,* Quand je suis devenu trop vieux pour commander l'armée.
2. *contest, rivalry.* **3.** remplir (la tâche). **4.** *cabal, political influence.* **5.** en: de l'honneur.
6. *rash.* **7.** *slap.* **8.** *spent.* **9.** *burdened.*

Que pour voir en un jour flétrir [1] tant de lauriers ?
Mon bras, qu'avec respect toute l'Espagne admire,   5
Mon bras, qui tant de fois a sauvé cet empire,
Tant de fois affermi le trône de son roi,
Trahit donc ma querelle, et ne fait rien pour moi ?
O cruel souvenir de ma gloire passée !
Œuvre de tant de jours en un jour effacée !   1C
Nouvelle dignité, fatale à mon bonheur !
Précipice [2] élevé d'où tombe mon honneur !
Faut-il de votre éclat [3] voir triompher le Comte,
Et mourir sans vengeance, ou vivre dans la honte ?
Comte, sois de mon prince à présent gouverneur :   15
Ce haut rang n'admet point un homme sans honneur ;
Et ton jaloux orgueil, par cet affront insigne, [4]
Malgré le choix du Roi, m'en a su rendre indigne.
Et toi, de mes exploits glorieux instrument,
Mais d'un corps tout de glace inutile ornement,   20
Fer, jadis tant à craindre, et qui, dans cette offense,
M'as servi de parade, [5] et non pas de défense,
Va, quitte désormais [6] le dernier des humains,
Passe, pour me venger, en de meilleures mains.

SCÈNE V

Don Diègue, Don Rodrigue

Don Diègue.   Rodrigue, as-tu du cœur ?
Don Rodrigue.   Tout autre que mon père
L'éprouverait sur l'heure. [7]
Don Diègue.   Agréable colère !
Digne ressentiment à ma douleur bien doux !
Je reconnais mon sang à ce noble courroux [8] ;
Ma jeunesse revit en cette ardeur si prompte.   5
Viens, mon fils, viens, mon sang, viens réparer ma honte ;
Viens me venger.
Don Rodrigue.   De quoi ?
Don Diègue.   D'un affront si cruel,
Qu'à l'honneur de tous deux il porte un coup mortel :
D'un soufflet. L'insolent en eût [9] perdu la vie ;
Mais mon âge a trompé ma généreuse envie :   10

1. *wither.* 2. (taken in its old sense of *lofty cliff*.) 3. gloire, splendeur. 4. notoire, très évident. 5. *Helped me only to make a show.* 6. *henceforth.* 7. *Would know it on the spot;* c'est-à-dire, je le provoquerais sur l'heure en duel pour cette question blessante. 8. indignation. 9. en aurait.

Et ce fer que mon bras ne peut plus soutenir,
Je le remets au tien pour venger et punir.
   Va contre un arrogant éprouver [1] ton courage:
Ce n'est que dans le sang qu'on lave un tel outrage;
Meurs ou tue. Au surplus,[2] pour ne te point flatter,[3]   15
Je te donne à combattre un homme à redouter [4]:
Je l'ai vu, tout couvert de sang et de poussière,
Porter partout l'effroi dans une armée entière.
J'ai vu par sa valeur cent escadrons rompus [5];
Et pour t'en dire encor quelque chose de plus,   20
Plus que brave soldat, plus que grand capitaine,
C'est . . .
   Don Rodrigue.   De grâce,[6] achevez.
   Don Diègue.   Le père de Chimène.
   Don Rodrigue.   Le . . .
   Don Diègue.   Ne réplique point, je connais ton amour;
Mais qui peut vivre infâme est indigne du jour.
Plus l'offenseur est cher, et plus grande est l'offense.   25
Enfin [7] tu sais l'affront, et tu tiens la vengeance:
Je ne te dis plus rien. Venge-moi, venge-toi;
Montre-toi digne fils d'un père tel que moi.
Accablé [8] des malheurs où le destin me range,[9]
Je vais les déplorer: va, cours, vole,[10] et nous venge. (*Il sort.*)   30

SCÈNE VI

DON RODRIGUE, *seul*

Percé jusques au fond du cœur
D'une atteinte imprévue [11] aussi bien que mortelle,
Misérable [12] vengeur d'une juste querelle,
Et malheureux objet d'une injuste rigueur,[13]
Je demeure immobile, et mon âme abattue   5
     Cède au coup qui me tue.
Si près de voir mon feu [14] récompensé,
    O Dieu, l'étrange peine !
En cet affront mon père est l'offensé,
Et l'offenseur le père de Chimène !   10

   Que je sens de rudes combats !
Contre mon propre honneur mon amour s'intéresse [15]:

1. faire l'essai de. **2.** *Moreover.* **3.** favoriser (en te donnant un adversaire facile à vaincre). **4.** craindre. **5.** (*enemy*) *squadrons broken up.* **6.** Je vous en prie. **7.** Pour conclure. **8.** *Overwhelmed.* **9.** soumet, réduit. **10.** (lit., *fly*): *make speed.* **11.** inattendue. **12.** Malheureux. **13.** injuste rigueur (de la destinée). **14.** amour (dans le style précieux). **15.** *takes part, intervenes.*

Il faut venger un père, et perdre une maîtresse:
L'un m'anime le cœur, l'autre retient mon bras.
Réduit au triste choix ou de trahir ma flamme, 15
    Ou de vivre en infâme,
Des deux côtés mon mal est infini.
    O Dieu, l'étrange peine!
Faut-il laisser un affront impuni?
Faut-il punir le père de Chimène? 20

    Père, maîtresse, honneur, amour,
Noble et dure contrainte, aimable tyrannie,
Tous mes plaisirs sont morts, ou ma gloire ternie.[1]
L'un me rend malheureux, l'autre indigne du jour.
Cher et cruel espoir d'une âme généreuse,[2] 25
    Mais ensemble[3] amoureuse,
Digne ennemi de mon plus grand bonheur,
    Fer[4] qui causes ma peine,
M'es-tu donné pour venger mon honneur?
M'es-tu donné pour perdre ma Chimène? 30

    Il vaut mieux courir au trépas.
Je dois[5] à ma maîtresse aussi bien qu'à mon père:
J'attire en me vengeant sa haine et sa colère;
J'attire ses mépris[6] en ne me vengeant pas.
A mon plus doux espoir l'un[7] me rend infidèle, 35
    Et l'autre[8] indigne d'elle.
Mon mal augmente à le vouloir guérir;
    Tout redouble ma peine.
Allons, mon âme; et puisqu'il faut mourir,
Mourons du moins sans offenser Chimène. 40

    Mourir sans tirer ma raison![9]
Rechercher un trépas si mortel à ma gloire!
Endurer que l'Espagne impute à ma mémoire
D'avoir mal soutenu l'honneur de ma maison!
Respecter un amour dont mon âme égarée[10] 45
    Voit la perte assurée!
N'écoutons plus ce penser suborneur,[11]
    Qui ne sert qu'à ma peine.
Allons, mon bras, sauvons du moins l'honneur,
Puisqu'après tout il faut perdre Chimène. 50

---

1. *tarnished.* **2.** noble. **3.** en même temps. **4.** Fer qui causes ma peine. (*Il s'adresse à son épée.*) **5.** J'ai des devoirs envers . . **6.** *contempt.* **7.** *l'un:* me venger. **8.** *l'autre:* ne pas me venger. **9.** sans obtenir satisfaction. **10.** perdue dans sa douleur. **11.** cette pensée séduisante mais indigne.

Oui, mon esprit s'était déçu.[1]
Je dois tout à mon père avant qu'à ma maîtresse:
Que je meure au combat, ou meure de tristesse,
Je rendrai mon sang pur comme je l'ai reçu.
Je m'accuse déjà de trop de négligence: 55
   Courons à la vengeance;
Et tout honteux d'avoir tant balancé,[2]
   Ne soyons plus en peine,[3]
Puisqu'aujourd'hui mon père est l'offensé,
Si l'offenseur [4] est père de Chimène.   60

ACTE II

SCÈNE PREMIÈRE

Dans le Palais du Roi

[Dans la première scène, le Comte, sommé par le roi de faire des excuses à Don Diègue, est prêt à accepter toute punition plutôt que de s'humilier devant son adversaire. Mais dans la deuxième scène Don Rodrigue vient au palais, accoste le Comte au moment où il sort et le force à se battre avec lui.]

SCÈNE II

LE COMTE (*va sortir*), DON RODRIGUE (*arrive*)

Don Rodrigue. (*D'un ton impérieux, presque arrogant*) A moi,[5] Comte,
  deux mots.
Le Comte. (*Condescendant*) Parle.
Don Rodrigue. (*Provocateur*)   Ote-moi d'un doute.
Connais-tu bien Don Diègue?
Le Comte. (*Hautain*)   Oui.
Don Rodrigue.   Parlons bas [6]; écoute.
Sais-tu que ce vieillard fut la même vertu,[7]
La vaillance et l'honneur de son temps? le sais-tu?
Le Comte. Peut-être.
Don Rodrigue.   Cette ardeur que dans les yeux je porte,   5
Sais-tu que c'est son sang? le sais-tu?
Le Comte.   Que m'importe? [8]
Don Rodrigue. A quatre pas d'ici je te le fais savoir.[9]
Le Comte. Jeune présomptueux!

1. s'était laissé séduire, avait mal jugé. 2. hésité. 3. *Let us cease fretting.* 4. (Même) si l'offenseur. (*Ces deux derniers vers répondent aux derniers vers de la première strophe.*) 5. (Viens) à moi, viens ici; *Here!* 6. moins hautainement (*less haughtily*). 7. licence poétique pcur: la vertu même. 8. *What do I care?* 9. A quatre pas: aussi vite que possible; non dans le palais, sans doute, mais aussi près d'ici que possible.

Don Rodrigue.   Parle sans t'émouvoir.[1]
Je suis jeune, il est vrai; mais aux âmes bien nées
La valeur n'attend pas le nombre des années.[2]   10
    Le Comte.   Te mesurer à moi![3]   Qui t'a rendu si vain,
Toi qu'on n'a jamais vu les armes à la main?
    Don Rodrigue.   Mes pareils à deux fois ne se font point connaître,[4]
Et pour leurs coups d'essai[5] veulent des coups de maître.
    Le Comte.   Sais-tu bien qui je suis?
    Don Rodrigue.   Oui; tout autre que moi   15
Au seul bruit[6] de ton nom pourrait trembler d'effroi.
Les palmes[7] dont je vois ta tête si couverte
Semblent porter écrit le destin de ma perte.[8]
J'attaque en téméraire[9] un bras toujours vainqueur;
Mais j'aurai trop de force, ayant assez de cœur.[10]   20
A qui venge son père il n'est rien d'impossible.
Ton bras est invaincu, mais non pas invincible.[11]
    Le Comte.   Ce grand cœur qui paraît aux discours que tu tiens,[12]
Par tes yeux, chaque jour, se découvrait aux miens;
Et croyant voir en toi l'honneur de la Castille,   25
Mon âme avec plaisir te destinait ma fille.
Je sais ta passion, et suis ravi de voir
Que tous ses mouvements cèdent à ton devoir,[13]
Qu'ils n'ont point affaibli cette ardeur magnanime;
Que ta haute vertu répond à mon estime;   30
Et que voulant pour gendre un cavalier parfait,
Je ne me trompais point au choix que j'avais fait;
Mais[14] je sens que pour toi ma pitié s'intéresse[15];
J'admire ton courage, et je plains ta jeunesse.
Ne cherche point à faire un coup d'essai fatal;   35
Dispense ma valeur d'un combat inégal;
Trop peu d'honneur pour moi suivrait cette victoire:
A vaincre sans péril, on triomphe sans gloire.[16]
On te croirait toujours abattu[17] sans effort;
Et j'aurais seulement le regret de ta mort.   40
    Don Rodrigue.   D'une indigne pitié ton audace est suivie:
Qui[18] m'ose ôter l'honneur craint de m'ôter la vie!

1. sans t'exciter et prendre de grands airs.   2. . . . pour se révéler.   3. Mesurer ta force à la mienne.   4. Mes . . . connaître: Mes pareils n'ont pas besoin de deux fois pour montrer leur valeur.   5. *first attempt.*   6. gloire, brillante renommée.   7. palmes (symbole de gloire): *your crown of glory.*   8. *mort.*   9. *rashly.*   10. Mais . . . cœur: J'aurai même plus que la force nécessaire parce que j'ai assez de courage.   11. *unconquered, but not unconquerable.*   12. aux discours que tu tiens: dans tes paroles.   13. tous . . . devoir: tous les désirs de ton amour cèdent au devoir de l'honneur.   14. Ce *mais* est bien maladroit; Rodrigue ne veut pas de pitié; cette idée irrite encore sa fierté.   15. *Voir page 121, note 15.*   16. Ma victoire n'ajoutera rien à ma gloire puisque je suis sûr d'avance de vaincre.   17. vaincu. 18. Celui qui . . .

Le Comte.   Retire-toi d'ici.
Don Rodrigue.   Marchons [1] sans discourir.
Le Comte.   Es-tu si las [2] de vivre?
Don Rodrigue.   As-tu peur de mourir?
Le Comte.   (*Cède*) Viens, tu fais ton devoir, et le fils dégénère   **45**
Qui survit un moment à l'honneur de son père.

SCÈNE III

[L'Infante vient consoler Chimène. Elle est certaine que le Comte cèdera à la volonté du roi et fera des excuses à Don Diègue. Chimène souhaite qu'il en soit ainsi, mais elle n'ose l'espérer.]

SCÈNE IV

[Un page vient annoncer que le Comte et Rodrigue viennent de sortir ensemble et qu'en sortant ils « semblaient tout bas se quereller ».]

SCÈNE V

[L'Infante, restée seule avec Léonor, lui dit son inquiétude; mais bientôt son amour lui fait voir Rodrigue vainqueur non seulement du Comte mais de Grenade, de l'Aragon, des Mores, du Portugal, etc.]

SCÈNE VI

[Dans cette scène, le roi ordonne qu'on arrête le Comte qui a refusé de faire des excuses à Don Diègue, et, comme on a appris que les Mores vont attaquer la ville, il prend des mesures pour les repousser. Puis, tout à coup, on apprend que Rodrigue a vengé son père et que le Comte est mort. Chimène accourt aussitôt pour demander vengeance et exiger la punition de Rodrigue. Don Diègue arrive aussi et demande que, si le roi déclare Rodrigue coupable, la punition retombe sur sa tête à lui, car Rodrigue n'a fait qu'obéir à l'ordre qu'il avait reçu.

Don Sanche, qui avait déjà essayé d'intervenir en faveur du Comte, offrira à Chimène son épée pour la venger.]

SCÈNE VII

DON FERNAND, DON SANCHE; *arrive* DON ALONSE,
gentilhomme de la cour

Don Alonse.   Sire, le Comte est mort:
Don Diègue, par son fils, a vengé son offense.
  Don Fernand.   Dès que j'ai su l'affront, j'ai prévu la vengeance;
Et j'ai voulu dès lors prévenir [3] ce malheur.
  Don Alonse.   Chimène à vos genoux apporte sa douleur;   5
Elle vient tout en pleurs vous demander justice.
  Don Fernand.   Bien qu'à ses déplaisirs [4] mon âme compatisse,

1. Marchons (au lieu du combat). **2.** fatigué. **3.** empêcher ce malheur (en faisant arrêter et garder le Comte). **4.** chagrins, *sorrows.*

Ce que le Comte a fait semble avoir mérité
Ce digne châtiment de sa témérité.
Quelque juste pourtant que puisse être sa peine,[1] 10
Je ne puis sans regret perdre un tel capitaine.
Après un long service à mon État rendu,
Après son sang pour moi mille fois répandu,[2]
A quelque sentiment que son orgueil m'oblige,
Sa perte m'affaiblit, et son trépas m'afflige.[3] 15

SCÈNE VIII

DON FERNAND, DON DIÈGUE, CHIMÈNE, DON SANCHE, DON ARIAS, DON ALONSE

Chimène.   Sire, Sire, justice !
Don Diègue.   Ah ! Sire, écoutez-nous.
Chimène.   Je me jette à vos pieds.
Don Diègue.   J'embrasse vos genoux.
Chimène.   Je demande justice.
Don Diègue.   Entendez ma défense.
Chimène.   D'un jeune audacieux punissez l'insolence:
Il a de votre sceptre abattu le soutien,[4] 5
Il a tué mon père.
Don Diègue.   Il a vengé le sien.
Chimène.   Au sang de ses sujets un roi doit la justice.
Don Diègue.   Pour la juste vengeance il n'est point de supplice.
Don Fernand.   Levez-vous l'un et l'autre, et parlez à loisir.[5] 10
Chimène, je prends part à votre déplaisir;
D'une égale douleur je sens mon âme atteinte.
(*A* DON DIÈGUE.)   Vous parlerez après; ne troublez pas sa plainte.
Chimène.   Sire, mon père est mort; mes yeux ont vu son sang
Couler à gros bouillons [6] de son généreux [7] flanc;
Ce sang qui tant de fois garantit vos murailles, 15
Ce sang qui tant de fois vous gagna des batailles,
Ce sang qui tout sorti fume encor de courroux [8]
De se voir répandu pour d'autres que pour vous,
Qu'au milieu des hasards n'osait verser la guerre,[9]
Rodrigue en votre cour vient d'en couvrir la terre. 20

1. Quelque . . . peine: *However deserved his punishment may have been.* 2. *shed.* 3. A quelque sentiment . . . afflige: *Whatever be the feelings which his pride forces upon me, the loss of him weakens my kingdom and his death fills me with grief.* 4. *destroyed the support* (*stay, strength*). 5. (lit., *at leisure*), *each in turn.* 6. *in bubbling stream.* 7. noble. 8. qui . . . courroux: qui tout (bien que) sorti (de ses veines) est encore tout chaud de colère, parce qu'il se sait versé pour autre que pour vous. 9. ce sang que les hasards du combat semblaient n'oser répandre.

J'ai couru sur le lieu, sans force et sans couleur:
Je l'ai trouvé sans vie. Excusez ma douleur,
Sire, la voix me manque à ce récit funeste;
Mes pleurs et mes soupirs vous diront mieux le reste.

    Don Fernand. (*A de la sympathie pour* CHIMÈNE, *lui promet justice, mais*
      non pas vengeance; il cherche à sauver un homme aussi valeureux que
      RODRIGUE) Prends courage, ma fille, et sache qu'aujourd'hui   25
Ton roi te veut servir de père au lieu de lui.

    Chimène. Sire, de trop d'honneur ma misère est suivie.
Je vous l'ai déjà dit, je l'ai trouvé sans vie;
Son flanc était ouvert; et pour mieux m'émouvoir,
Son sang sur la poussière écrivait mon devoir.   30

    . . . . °

    Sire, ne souffrez pas que sous votre puissance
Règne devant vos yeux une telle licence;
Que les plus valeureux, avec impunité,
Soient exposés aux coups de la témérité;
Qu'un jeune audacieux triomphe de leur gloire,   35
Se baigne dans leur sang, et brave [1] leur mémoire.
Un si vaillant guerrier qu'on vient de vous ravir [2]
Éteint,[3] s'il n'est vengé, l'ardeur de vous servir.
Enfin mon père est mort, j'en demande vengeance,
Plus pour votre intérêt que pour mon allégeance.[4]   40
Vous perdez en la mort d'un homme de son rang:
Vengez-la par une autre, et le sang par le sang.
Immolez, non à moi, mais à votre couronne,
Mais à votre grandeur, mais à votre personne;
Immolez, dis-je, Sire, au bien de tout l'État   45
Tout ce qu'enorgueillit un si haut attentat.[5]

    Don Fernand. Don Diègue, répondez.

    Don Diègue.   Qu'on [6] est digne d'envie
Lorsqu'en perdant la force on perd aussi la vie,
Et qu'un long âge apprête [7] aux hommes généreux,
Au bout de leur carrière, un destin malheureux!   50
Moi, dont les longs travaux ont acquis tant de gloire,
Moi, que jadis partout a suivi la victoire,
Je me vois aujourd'hui, pour avoir trop vécu,
Recevoir un affront et demeurer vaincu.
Ce que n'a pu jamais combat, siège, embuscade,   55
Ce que n'a pu jamais Aragon ni Grenade,

---

1. défie. **2.** enlever, *rob (you) of.* **3.** *extinguishes, quenches.* **4.** soulagement, *relief.*
5. Tout . . . attentat: *Whom this crime against the State fills with pride.* **6.** Combien on.
7. prépare.

Ni tous vos ennemis, ni tous mes envieux,
Le Comte en votre cour l'a fait presqu'à vos yeux,
Jaloux de votre choix, et fier de l'avantage
Que lui donnait sur moi l'impuissance [1] de l'âge.   60
   Sire, ainsi ces cheveux blanchis sous le harnois,[2]
Ce sang pour vous servir prodigué tant de fois,
Ce bras, jadis l'effroi [3] d'une armée ennemie,
Descendaient [4] au tombeau tout chargés d'infamie,
Si je n'eusse produit [5] un fils digne de moi,   65
Digne de son pays et digne de son roi.
Il m'a prêté sa main, il a tué le Comte;
Il m'a rendu l'honneur, il a lavé ma honte.
Si montrer du courage et du ressentiment,
Si venger un soufflet mérite un châtiment,   70
Sur moi seul doit tomber l'éclat [6] de la tempête:
Quand le bras a failli, l'on en punit la tête.[7]
Qu'on nomme crime, ou non, ce qui fait nos débats,
Sire, j'en suis la tête, il n'en est que le bras.
Si Chimène se plaint qu'il a tué son père,   75
Il ne l'eût jamais fait si je l'eusse pu faire.
Immolez donc ce chef [8] que les ans vont ravir,[9]
Et conservez pour vous le bras qui peut servir.
Aux dépens de mon sang satisfaites Chimène:
Je n'y résiste point, je consens à ma peine [10];   80
Et loin de murmurer d'un rigoureux décret,
Mourant sans déshonneur, je mourrai sans regret.
   Don Fernand.   L'affaire est d'importance, et, bien considérée,
Mérite en plein conseil d'être délibérée.
   Don Sanche, remettez [11] Chimène en sa maison.   85
Don Diègue aura ma cour et sa foi [12] pour prison.
Qu'on me cherche son fils.   Je vous ferai justice.
   Chimène.   Il est juste, grand Roi, qu'un meurtrier périsse.
   Don Fernand.   Prends du repos, ma fille, et calme tes douleurs.
   Chimène.   M'ordonner du repos, c'est croître [13] mes malheurs.   90

---

1. *powerlessness.*   **2.** « harnois » rime avec « fois »; harnais (*trappings*); here: *in the service.*   **3.** *once the terror.*   **4.** Seraient (certainement) descendus.   **5.** *begotten.*   **6.** *flash* or *bolt.*   **7.** Quand . . . tête: *When the arm has sinned, the head (which conceived the sin) is punished.*   **8.** (*poétique*): tête.   **9.** *claim.*   **10.** punition.   **11.** accompagnez.   **12.** sa parole d'honneur.   **13.** croître: augmenter mes malheurs (car cela retarde la vengeance qui seule me donnera le repos).

ACTE III

SCÈNE PREMIÈRE

[Cette première scène a lieu dans la maison de Chimène pendant que celle-ci rentre du palais accompagnée par Don Sanche.

Rodrigue sait bien que Chimène demandera vengeance, qu'elle doit, pour son honneur, la demander; et il vient s'offrir pour qu'elle puisse elle-même exécuter cette vengeance sans avoir recours au bras d'un autre.

Chimène, naturellement, cherche des excuses pour refuser cette offre généreuse à laquelle son amour s'oppose.]

DON RODRIGUE, ELVIRE

Elvire.   Rodrigue, qu'as-tu fait? où viens-tu, misérable? [1]
Don Rodrigue.   Suivre [2] le triste cours de mon sort déplorable.
Elvire.   Où prends-tu cette audace et ce nouvel orgueil,
De paraître en des lieux que tu remplis de deuil?
Quoi? viens-tu jusqu'ici braver [3] l'ombre du Comte?   5
Ne l'as-tu pas tué?
Don Rodrigue.   Sa vie était ma honte:
Mon honneur de ma main a voulu cet effort.
Elvire.   Mais chercher ton asile [4] en la maison du mort!
Jamais un meurtrier en fit-il son refuge?
Don Rodrigue.   Et je n'y viens aussi que m'offrir à mon juge.   10
Ne me regarde plus d'un visage étonné;
Je cherche le trépas après l'avoir donné.
Mon juge est mon amour, mon juge est ma Chimène:
Je mérite la mort de mériter [5] sa haine,
Et j'en viens recevoir, comme un bien souverain,[6]   15
Et l'arrêt [7] de sa bouche, et le coup [8] de sa main.
Elvire.   Fuis plutôt de ses yeux, fuis de sa violence;
A ses premiers transports dérobe ta présence [9]:
Va, ne t'expose point aux premiers mouvements
Que poussera l'ardeur de ses ressentiments.   20
Don Rodrigue.   Non, non, ce cher objet [10] à qui j'ai pu déplaire
Ne peut pour mon supplice [11] avoir trop de colère;
Et j'évite cent morts qui me vont accabler,
Si pour mourir plus tôt je puis la [12] redoubler.
Elvire.   Chimène est au palais, de pleurs toute baignée,   25
Et n'en reviendra point que bien accompagnée.

---

1. *wretch.*   2. (Je viens) suivre.   3. défier, insulter.   4. *take sanctuary.*   5. puisque je mérite.   6. un bienfait suprême.   7. arrêt (*sentence*) de mort.   8. le coup (d'épée qui doit la venger).   9. A . . . présence: *hide; get away from her first outburst of anger.*   10. objet (de mon amour).   11. mort.   12. la: sa colère.

Rodrigue, fuis, de grâce [1]; ôte-moi de souci.[2]
Que ne dira-t-on point si l'on te voit ici?
Veux-tu qu'un médisant,[3] pour comble [4] à sa misère,
L'accuse d'y souffrir l'assassin de son père?   30
Elle va revenir; elle vient, je la voi [5]:
Du moins, pour son honneur, Rodrigue, cache-toi.

SCÈNE II

DON SANCHE, CHIMÈNE, ELVIRE

Don Sanche. Oui, Madame, il vous faut de sanglantes victimes:
Votre colère est juste, et vos pleurs légitimes;
Et je n'entreprends pas, à force de [6] parler,
Ni de vous adoucir, ni de vous consoler.
Mais si de vous servir je puis être capable,   5
Employez mon épée à punir le coupable;
Employez mon amour à venger cette mort:
Sous vos commandements mon bras sera trop fort.
    Chimène. Malheureuse!
    Don Sanche. De grâce, acceptez mon service.
    Chimène. J'offenserais le Roi, qui m'a promis justice.   10
    Don Sanche. Vous savez qu'elle marche [7] avec tant de langueur,
Qu'assez souvent le crime échappe à sa longueur;
Son cours lent et douteux fait trop perdre de larmes.
Souffrez qu'un cavalier vous venge par les armes:
La voie en est plus sûre, et plus prompte à punir.   15
    Chimène. C'est le dernier remède; et s'il y faut venir,
Et que de mes malheurs cette pitié vous dure,
Vous serez libre alors de venger mon injure.
    Don Sanche. C'est l'unique bonheur où mon âme prétend [8];
Et pouvant l'espérer je m'en vais trop content.   20

SCÈNE III

CHIMÈNE, ELVIRE

    Chimène. Enfin je me vois libre, et je puis sans contrainte
De mes vives douleurs te faire voir l'atteinte [9];
Je puis donner passage à mes tristes soupirs;
Je puis t'ouvrir mon âme et tous mes déplaisirs.
Mon père est mort, Elvire; et la première épée   5

---

1. *I beg you.* **2.** *free me of anxiety.* **3.** *slanderer.* **4.** *climax.* **5.** « *voi,* » *an old spelling of* « *vois* »; *Corneille used it to make the word rhyme, for the eye as well as for the ear, with* « *toi.* » **6.** *by dint of.* **7.** *proceeds.* **8.** *to which my soul aspires.* **9.** la profondeur.

Dont s'est armé Rodrigue a sa trame coupée.[1]
Pleurez, pleurez, mes yeux, et fondez-vous [2] en eau !
La moitié de ma vie a mis l'autre [3] au tombeau,
Et m'oblige à venger, après ce coup funeste,
Celle que je n'ai plus sur celle qui me reste.   10

   Elvire.   Reposez-vous, Madame.

   Chimène.   Ah ! que mal à propos
Dans un malheur si grand tu parles de repos !
Par où sera jamais ma douleur apaisée,
Si [4] je ne puis haïr la main qui l'a causée ?
Et que dois-je espérer qu'un tourment éternel,   15
Si [4] je poursuis un crime, aimant le criminel ?

   Elvire.   Il vous prive d'un père, et vous l'aimez encore !

   Chimène.   C'est peu de dire aimer, Elvire : je l'adore ;
Ma passion s'oppose à mon ressentiment ;
Dedans [5] mon ennemi je trouve mon amant ;   20
Et je sens qu'en dépit de toute ma colère
Rodrigue dans mon cœur combat encor mon père :
Il l'attaque, il le presse, il cède, il se défend,
Tantôt fort, tantôt faible, et tantôt triomphant ;
Mais en ce dur combat de colère et de flamme,[6]   25
Il déchire mon cœur sans partager mon âme [7] ;
Et quoi que mon amour ait sur moi de pouvoir,
Je ne consulte point [8] pour suivre mon devoir :
Je cours sans balancer [9] où mon honneur m'oblige.
Rodrigue m'est bien cher, son intérêt m'afflige ;   30
Mon cœur prend son parti [10] ; mais malgré son effort,
Je sais ce que je suis, et que mon père est mort.

   Elvire.   Pensez-vous le poursuivre ? [11]

   Chimène.   Ah ! cruelle pensée !
Et cruelle poursuite où je me vois forcée !
Je demande sa tête, et crains de l'obtenir :   35
Ma mort suivra la sienne, et je le veux punir !

   Elvire.   Quittez, quittez, Madame, un dessein si tragique ;
Ne vous imposez point de loi si tyrannique.

   Chimène.   Quoi ! mon père étant mort, et presque entre mes bras,
Son sang criera vengeance, et je ne l'orrai [12] pas !   40
Mon cœur, honteusement surpris par d'autres charmes,
Croira ne lui devoir que d'impuissantes [13] larmes !

---

1. a coupé la trame (le fil) de la vie du Comte.   **2.** *melt into.*   **3.** La moitié de ma vie
(Rodrigue) a mis l'autre moitié (mon père) au tombeau.   **4.** Puisque.   **5.** Dans.   **6.** amour.
7. ma volonté.   **8.** Je ne délibère point ; *i.e.,* je sais ce que je dois faire.   **9.** hésiter.
10. *sides with him.*   **11.** *prosecute.*   **12.** *futur archaïque du verbe* ouïr (entendre).
13. vaines.

Et je pourrai souffrir qu'un amour suborneur [1]
Sous un lâche [2] silence étouffe [3] mon honneur!

Elvire. Madame, croyez-moi, vous serez excusable 45
D'avoir moins de chaleur contre un objet aimable,
Contre un amant si cher: vous avez assez fait,
Vous avez vu le Roi; n'en pressez point l'effet,
Ne vous obstinez point en cette humeur étrange.

Chimène. Il y va de [4] ma gloire, il faut que je me venge; 50
Et de quoi que nous flatte un désir amoureux,[5]
Toute excuse est honteuse aux esprits généreux.

Elvire. Mais vous aimez Rodrigue, il ne vous peut déplaire.

Chimène. Je l'avoue.

Elvire. Après tout, que pensez-vous donc faire?

Chimène. Pour conserver ma gloire et finir mon ennui, 55
Le poursuivre, le perdre, et mourir après lui.

SCÈNE IV

Don Rodrigue, Chimène, Elvire

Don Rodrigue. Eh bien! sans vous donner la peine de poursuivre,
Assurez-vous l'honneur de m'empêcher de vivre.[6]

Chimène. Elvire, où sommes-nous, et qu'est-ce que je voi?
Rodrigue en ma maison! Rodrigue devant moi!

Don Rodrigue. N'épargnez [7] point mon sang: goûtez [8] sans résistance 5
La douceur de ma perte et de votre vengeance.

Chimène. Hélas!

Don Rodrigue. Écoute-moi.

Chimène. Je me meurs.[9]

Don Rodrigue. Un moment.

Chimène. Va, laisse-moi mourir.

Don Rodrigue. Quatre mots seulement:
Après ne me réponds qu'avecque [10] cette épée.

Chimène. Quoi! du sang de mon père encor toute trempée! [11] 10

Don Rodrigue. Ma Chimène . . .

Chimène. Ote-moi cet objet odieux,
Qui reproche ton crime et ta vie à mes yeux.

Don Rodrigue. Regarde-le plutôt pour exciter ta haine,
Pour croître ta colère, et pour hâter ma peine.[12]

---

1. *seducing.* **2.** *cowardly.* **3.** *smother.* **4.** *It is a question of;* (*My fair name is at stake*).
5. Et . . . amoureux: *And whatever temptation an ardent love offers.* **6.** Assurez-vous . . .
vivre: *Take for yourself the honor of putting an end to my life* (empêcher, *to prevent*).
7. *spare.* **8.** *enjoy.* **9.** *I am swooning.* **10.** avecque: avec (*licence poétique*). Le vers
alexandrin a douze syllabes. Ce vers n'en aurait que onze si Corneille avait écrit « avec. »
11. *soaked.* **12.** *punition.*

Chimène. Il est teint de mon sang.
Don Rodrigue. Plonge-le dans le mien, 15
Et fais-lui perdre ainsi la teinture [1] du tien.
Chimène. Ah! quelle cruauté, qui tout en un jour tue
Le père par le fer, la fille par la vue!
Ote-moi cet objet, je ne le puis souffrir:
Tu veux que je t'écoute, et tu me fais mourir! 20
Don Rodrigue. Je fais ce que tu veux, mais sans quitter l'envie
De finir par tes mains ma déplorable vie;
Car enfin n'attends pas de mon affection
Un lâche repentir d'une bonne action.
L'irréparable effet d'une chaleur [2] trop prompte 25
Déshonorait mon père, et me couvrait de honte.
Tu sais comme un soufflet touche un homme de cœur;
J'avais part à l'affront, j'en ai cherché l'auteur:
Je l'ai vu, j'ai vengé mon honneur et mon père;
Je le ferais encor, si j'avais à le faire. 30
Ce n'est pas qu'en effet contre mon père et moi
Ma flamme assez longtemps n'ait combattu pour toi;
Juge de son pouvoir: dans une telle offense
J'ai pu délibérer [3] si j'en prendrais vengeance.
Réduit à te déplaire, ou souffrir un affront, 35
J'ai pensé qu'à son tour mon bras était trop prompt;
Je me suis accusé de trop de violence;
Et ta beauté sans doute emportait [4] la balance,
A moins que d'opposer [5] à tes plus forts appas
Qu'un homme sans honneur ne te méritait pas [6]; 40
Que, malgré cette part que j'avais en ton âme,
Qui [7] m'aima généreux me haïrait infâme;
Qu'écouter ton amour, obéir à sa voix,
C'était m'en rendre indigne et diffamer [8] ton choix.
Je te le dis encore; et quoique j'en soupire, 45
Jusqu'au dernier soupir je veux bien le redire:
Je t'ai fait une offense, et j'ai dû m'y porter
Pour effacer ma honte, et pour te mériter;
Mais quitte envers [9] l'honneur, et quitte envers mon père,
C'est maintenant à toi que je viens satisfaire: 50
C'est pour t'offrir mon sang qu'en ce lieu tu me vois.

1. *tinge.* **2.** colère (du Comte). **3.** hésiter (*allusion aux stances de la fin du premier acte*). **4.** aurait (certainement) emporté. **5.** A moins que d'opposer: Si je n'avais opposé. **6.** Et ta beauté … méritait pas: *And* [*the thought of*] *thy beauty would most certainly have outweighed* (emporté la balance) [*all other considerations*] *had I not opposed to thy most appealing charms* [*the thought*] *that a man without honor was unworthy of thee.* A similar thought is expressed in the next two lines, and again in the following two. **7.** Celle qui. **8.** déshonorer. **9.** ayant donné satisfaction à.

J'ai fait ce que j'ai dû,[1] je fais ce que je dois.[2]
Je sais qu'un père mort t'arme contre mon crime;
Je ne t'ai pas voulu dérober ta victime:
Immole avec courage au sang qu'il a perdu   55
Celui qui met sa gloire à l'avoir répandu.
    Chimène. (*Émue*) Ah! Rodrigue, il est vrai, quoique ton ennemie,
Je ne te puis blâmer d'avoir fui l'infamie;
Et de quelque façon qu'éclatent mes douleurs,
Je ne t'accuse point, je pleure mes malheurs.   60
Je sais ce que l'honneur, après un tel outrage,
Demandait à l'ardeur d'un généreux courage:
Tu n'as fait le devoir que d'un homme de bien;
Mais aussi, le faisant, tu m'as appris le mien.
Ta funeste valeur m'instruit par ta victoire;   65
Elle a vengé ton père et soutenu ta gloire:
Même soin me regarde, et j'ai, pour m'affliger,
Ma gloire à soutenir, et mon père à venger.
Hélas! ton intérêt [3] ici me désespère:
Si quelque autre malheur m'avait ravi mon père,   70
Mon âme aurait trouvé dans le bien de te voir
L'unique allégement [4] qu'elle eût pu recevoir;
Et contre ma douleur j'aurais senti des charmes,
Quand une main si chère eût essuyé mes larmes.
Mais il me faut te perdre après l'avoir perdu;   75
Cet effort sur ma flamme à mon honneur est dû;
Et cet affreux devoir, dont l'ordre m'assassine,
Me force à travailler moi-même à ta ruine.
Car enfin n'attends pas de mon affection
De lâches sentiments pour ta punition.   80
De quoi qu'en ta faveur notre amour m'entretienne,[5]
Ma générosité [6] doit répondre à la tienne:
Tu t'es, en m'offensant, montré digne de moi;
Je me dois, par ta mort, montrer digne de toi.
    Don Rodrigue. Ne diffère donc plus ce que l'honneur t'ordonne: 85
Il demande ma tête, et je te l'abandonne;
Fais-en un sacrifice à ce noble intérêt:
Le coup m'en sera doux, aussi bien que l'arrêt.
Attendre après mon crime une lente justice,
C'est reculer ta gloire autant que mon supplice.[7]   90
Je mourrai trop heureux, mourant d'un coup si beau.

---

1. ce que j'ai dû (en tuant le Comte).   **2.** ce que je dois (en m'offrant à ta vengeance).
3. ton intérêt: *the fact that you are involved.*   **4.** *relief.*   **5.** De quoi ... entretienne:
Whatever our love insinuates in your behalf.   **6.** grandeur d'âme.   **7.** punition, exécution.

Chimène.   Va, je suis ta partie,[1] et non pas ton bourreau.[2]
Si tu m'offres ta tête, est-ce à moi de la prendre?
Je la dois attaquer, mais tu dois la défendre;
C'est d'un autre que toi qu'il me faut l'obtenir,   95
Et je dois te poursuivre, et non pas te punir.
  Don Rodrigue.   De quoi qu'en ma faveur notre amour t'entretienne,
Ta générosité doit répondre à la mienne;
Et pour venger un père emprunter d'autres bras,
Ma Chimène, crois-moi, c'est n'y répondre pas: 100
Ma main seule du mien a su venger l'offense,
Ta main seule du tien doit prendre la vengeance.
  Chimène.   (*Trouve des raisons subtiles pour ne pas se venger*)
     Cruel! à quel propos [3] sur ce point t'obstiner?
Tu t'es vengé sans aide, et tu m'en veux donner!
Je suivrai ton exemple, et j'ai trop de courage   105
Pour souffrir qu'avec toi ma gloire se partage.
Mon père et mon honneur ne veulent rien devoir
Aux traits [4] de ton amour ni de ton désespoir.
  Don Rodrigue.   Rigoureux point d'honneur! hélas! quoi que je fasse,
Ne pourrai-je à la fin obtenir cette grâce?   110
Au nom d'un père mort, ou de notre amitié,
Punis-moi par vengeance, ou du moins par pitié.
Ton malheureux amant aura bien moins de peine
A mourir par ta main qu'à vivre avec ta haine.
  Chimène.   Va, je ne te hais point.
  Don Rodrigue.   Tu le dois.
  Chimène.   Je ne puis.   115
  Don Rodrigue.   Crains-tu si peu le blâme, et si peu les faux bruits? [5]
Quand on saura mon crime et que ta flamme dure,[6]
Que ne publieront point l'envie et l'imposture! [7]
Force-les au silence, et sans plus discourir,
Sauve ta renommée en me faisant mourir.   120
  Chimène.   Elle éclate [8] bien mieux en te laissant la vie;
Et je veux que la voix de la plus noire envie
Élève au ciel ma gloire et plaigne mes ennuis,
Sachant que je t'adore et que je te poursuis.
Va-t'en, ne montre plus à ma douleur extrême   125
Ce [9] qu'il faut que je perde, encore que [10] je l'aime.
Dans l'ombre de la nuit cache bien ton départ:
Si l'on te voit sortir, mon honneur court hasard.

---

1. partie (adverse): *your opponent in the case.*   **2.** *executioner.*   **3.** pour quelle raison.
4. marques.   **5.** *false reports.*   **6.** *lasts, endures.*   **7.** *falsehood.*   **8.** paraît bien plus fortement
et brillamment (éclater: *burst forth*).   **9.** celui.   **10.** (*poétique*): quoique.

La seule occasion qu'aura la médisance,[1]
C'est de savoir qu'ici j'ai souffert ta présence: 130
Ne lui donne point lieu d'attaquer ma vertu.

Don Rodrigue.   Que je meure!

Chimène.   Va-t'en.

Don Rodrigue.   A quoi te résous-tu?

Chimène.   Malgré des feux [2] si beaux, qui troublent ma colère,
Je ferai mon possible à bien venger mon père;
Mais malgré la rigueur d'un si cruel devoir,   135
Mon unique souhait est de ne rien pouvoir.

Don Rodrigue.   O miracle d'amour!

Chimène.   O comble de misères![3]

Don Rodrigue.   Que de maux et de pleurs nous coûteront nos pères!

Chimène.   Rodrigue, qui l'eût cru?

Don Rodrigue.   Chimène, qui l'eût dit?

Chimène.   Que notre heur [4] fût si proche et sitôt se perdît?   140

Don Rodrigue.   Et que si près du port, contre toute apparence,
Un orage si prompt brisât notre espérance?

Chimène.   Ah! mortelles douleurs!

Don Rodrigue.   Ah! regrets superflus!

Chimène.   Va-t'en, encore un coup,[5] je ne t'écoute plus.

Don Rodrigue.   Adieu: je vais traîner une mourante vie,   145
Tant que [6] par ta poursuite elle me soit ravie.

Chimène.   Si j'en obtiens l'effet,[7] je t'engage ma foi
De ne respirer pas un moment après toi.
Adieu: sors, et surtout garde bien [8] qu'on te voie.

Elvire.   Madame, quelques maux que le ciel nous envoie . . .   150

Chimène.   Ne m'importune plus, laisse-moi soupirer,
Je cherche le silence et la nuit pour pleurer.

SCÈNE V

[Seul dans la rue qui sépare le palais du roi de la maison de Chimène, Don Diègue, qui a parcouru toute la ville à la recherche de son fils, se plaint qu'il ne l'a pas revu depuis sa brillante victoire. Il craint que les amis du Comte n'aient assassiné le jeune héros ou ne le retiennent prisonnier.]

SCÈNE VI

DON DIÈGUE, DON RODRIGUE

[Rodrigue paraît. Don Diègue le revoit avec joie, le félicite de sa victoire et le remercie, mais Rodrigue reçoit froidement les félicitations de son père. Don Diègue lui apprend alors que les Mores vont attaquer Séville.]

1. *slander.*   **2.** *amour.*   **3.** *oh! height of misery!*   **4.** bonheur.   **5.** encore une fois.
6. jusqu'à ce que.   **7.** si je réussis.   **8.** *take care lest.*

Don Diègue.   Rodrigue, enfin le ciel permet que je te voie!
Don Rodrigue.   Hélas!
Don Diègue.   Ne mêle point de soupirs à ma joie;
Laisse-moi prendre haleine [1] afin de te louer.
Ma valeur n'a point lieu [2] de te désavouer:
Tu l'as bien imitée, et ton illustre audace   5
Fait bien revivre en toi les héros de ma race:
C'est d'eux que tu descends, c'est de moi que tu viens:
Ton premier coup d'épée égale tous les miens;
Et d'une belle ardeur ta jeunesse animée
Par cette grande épreuve [3] atteint [4] ma renommée.   10
Appui de ma vieillesse, et comble de mon heur,[5]
Touche ces cheveux blancs à qui tu rends l'honneur,
Viens baiser cette joue, et reconnais la place
Où fut empreint [6] l'affront que ton courage efface.
Don Rodrigue.   L'honneur vous en est dû [7]: je ne pouvais pas moins,   15
Étant sorti de vous et nourri par vos soins.
Je m'en tiens [8] trop heureux, et mon âme est ravie
Que mon coup d'essai plaise à qui je dois la vie;
Mais parmi vos plaisirs ne soyez point jaloux
Si je m'ose à mon tour satisfaire après vous.   20
Souffrez qu'en liberté mon désespoir éclate [9];
Assez et trop longtemps votre discours le flatte.[10]
Je ne me repens point de vous avoir servi;
Mais rendez-moi le bien [11] que ce coup m'a ravi.
Mon bras, pour vous venger, armé contre ma flamme,   25
Par ce coup glorieux m'a privé de mon âme;
Ne me dites plus rien; pour vous j'ai tout perdu:
Ce que je vous devais, je vous l'ai bien rendu.
Don Diègue.   Porte, porte plus haut [12] le fruit de ta victoire:
Je t'ai donné la vie, et tu me rends ma gloire;   30
Et d'autant que l'honneur m'est plus cher que le jour,
D'autant plus maintenant je te dois de retour.
Mais d'un cœur magnanime éloigne ces faiblesses;
Nous n'avons qu'un honneur, il est tant de maîtresses! [13]
L'amour n'est qu'un plaisir, l'honneur est un devoir.   35
Don Rodrigue.   Ah! que me dites-vous?
Don Diègue.   Ce que tu dois savoir.

---

1. *take breath.* Il avait en vain cherché Rodrigue dans sa maison, puis il avait couru la ville avant de le trouver. **2.** point lieu: aucune raison. **3.** *test.* **4.** égale. **5.** *crown of my joy.* **6.** fut imprimé, laissa sa marque. **7.** vous est dû: *is yours (much more than mine).* **8.** me considère. **9.** se manifeste. **10.** *beguiles.* **11.** le bonheur. **12.** exalte davantage. **13.** No obloquy attaches to the use of the word *maîtresses* here. Don Diègue means: *women whom one might love.*

Don Rodrigue.   Mon honneur offensé sur moi-même se venge [1];
Et vous m'osez pousser à la honte du change ! [2]
L'infamie est pareille, et suit également
Le guerrier sans courage et le perfide amant.   40
A ma fidélité ne faites point d'injure;
Souffrez-moi généreux sans me rendre parjure [3]:
Mes liens [4] sont trop forts pour être ainsi rompus;
Ma foi m'engage encor si je n'espère plus [5];
Et ne pouvant quitter ni posséder Chimène,   45
Le trépas [6] que je cherche est ma plus douce peine.
    Don Diègue.   (*Offre l'occasion de mériter Chimène autrement que par l'amour,
    c'est-à-dire par une grande action guerrière*)   Il n'est pas temps encor de
    chercher le trépas:
Ton prince et ton pays ont besoin de ton bras.
La flotte [7] qu'on craignait, dans ce grand fleuve [8] entrée,
Croit surprendre la ville, et piller [9] la contrée.   50
Les Mores vont descendre, et le flux [10] et la nuit
Dans une heure à nos murs les amène sans bruit.
La cour est en désordre, et le peuple en alarmes:
On n'entend que des cris, on ne voit que des larmes.
Dans ce malheur public mon bonheur a permis   55
Que j'ai trouvé chez moi cinq cents de mes amis,
Qui, sachant mon affront, poussés d'un même zèle,
Se venaient tous offrir à venger ma querelle.
Tu les as prévenus [11]; mais leurs vaillantes mains
Se tremperont [12] bien mieux au sang des Africains.   60
Va marcher à leur tête où l'honneur te demande:
C'est toi que veut pour chef leur généreuse bande.
De ces vieux ennemis va soutenir l'abord [13]:
Là, si tu veux mourir, trouve une belle mort;
Prends-en l'occasion, puisqu'elle t'est offerte;   65
Fais devoir à ton roi son salut à ta perte [14];
Mais reviens-en plutôt les palmes sur le front.[15]
Ne borne [16] pas ta gloire à venger un affront;
Porte-la plus avant: force par ta vaillance
La justice au pardon, et Chimène au silence;   70
Si tu l'aimes, apprends que revenir vainqueur

---

1. L'amour aussi a son honneur; mon honneur chevaleresque se venge en offensant mon
amour d'amant.   **2.** d'abandonner Chimène pour une autre amante.   **3.** *Rodrigue's reply
to his father's* « il est tant de maîtresses »:   *Let me be noble* (*in the matter of honor*), *but don't
demand of me that I forswear my love.*   **4.** *ties, bonds.*   **5.** bien que je n'espère plus.   **6.** *death.*
7. *fleet* (*of the Moors*).   **8.** *the Guadalquivir, some 60 miles N. E. of Gibraltar.*   **9.** *plunder.*
10. *flowing* (*incoming*) *tide.*   **11.** dans le sens de *venir* ou *agir avant.*   **12.** *will dip, steep.*
13. l'attaque.   **14.** Fais en sorte que ton roi doive son salut à ta mort.   **15.** couronné de
gloire.   **16.** limite.

C'est l'unique moyen de regagner son cœur.
Mais le temps est trop cher pour le perdre en paroles;
Je t'arrête en discours, et je veux que tu voles.[1]
Viens, suis-moi, va combattre, et montrer à ton roi   75
Que ce qu'il perd au Comte il le recouvre en toi.

ACTE IV

SCÈNES I ET II

[Le lendemain matin. Non seulement Rodrigue a repoussé les Mores, mais il a forcé deux chefs à se rendre à lui.

Chimène apprend la victoire; elle est inquiète du sort de Rodrigue: « N'est-il point blessé? » A cette question, Elvire ne peut donner une réponse positive.]

SCÈNE III

DON FERNAND, DON DIÈGUE, DON ARIAS, DON RODRIGUE, DON SANCHE

[Cette scène nous transporte de nouveau au palais. Rodrigue avait pris le commandement des Castillans à la demande des nobles qui, par la mort du Comte, étaient privés de leur chef; mais Rodrigue avait accepté ce commandement sans y être autorisé par le roi. Ayant agi sans cet ordre, avait-il le droit de se présenter au palais? Don Fernand, trop heureux de la victoire, demande lui-même que Rodrigue se présente devant lui.]

Don Fernand.   Généreux héritier d'une illustre famille,
Qui fut toujours la gloire et l'appui [2] de Castille,
Race de tant d'aïeux en valeur signalés,
Que l'essai de la tienne [3] a sitôt égalés,
Pour te récompenser ma force est trop petite;   5
Et j'ai moins de pouvoir que tu n'as de mérite.
Le pays délivré d'un si rude [4] ennemi,
Mon sceptre dans ma main par la tienne affermi,[5]
Et les Mores défaits, avant qu'en ces alarmes
J'eusse pu donner ordre à repousser leurs armes,   10
Ne sont point des exploits qui laissent à ton roi
Le moyen ni l'espoir de s'acquitter vers toi.
Mais deux rois tes captifs feront ta récompense.
Ils t'ont nommé tous deux leur Cid en ma présence:
Puisque Cid en leur langue est autant que seigneur,   15
Je ne t'envierai pas ce beau titre d'honneur.
Sois désormais le Cid: qu'à ce grand nom tout cède [6];

1. *fly.* (*Voir page 121, note 10.*)   **2.** soutien (*support, stay*).   **3.** de ta valeur.
4. redoutable, formidable.   **5.** rendu plus ferme.   **6.** *yield.*

Qu'il comble d'épouvante [1] et Grenade et Tolède,[2]
Et qu'il marque à tous ceux qui vivent sous mes lois
Et ce que tu me vaux, et ce que je te dois.   20
    Don Rodrigue.   Que Votre Majesté, Sire, épargne ma honte.[3]
D'un si faible service elle fait trop de compte,[4]
Et me force à rougir devant un si grand roi
De mériter si peu l'honneur que j'en reçoi.
Je sais trop que je dois au bien de votre empire,   25
Et le sang qui m'anime, et l'air que je respire;
Et quand je les perdrai pour un si digne objet,[5]
Je ferai seulement le devoir d'un sujet.
    Don Fernand.   Tous ceux que ce devoir à mon service engage
Ne s'en acquittent pas avec même courage;   30
Souffre donc qu'on te loue, et de cette victoire
Apprends-moi plus au long la véritable histoire.
    Don Rodrigue.   Sire, vous avez su qu'en ce danger pressant,
Qui jeta dans la ville un effroi si puissant,
Une troupe d'amis chez mon père assemblée   35
Sollicita mon âme encor toute troublée.[6] . . .
Mais, Sire, pardonnez à ma témérité,
Si j'osai l'employer [7] sans votre autorité:
Le péril approchait; leur brigade était prête;
Me montrant à la cour,[8] je hasardais ma tête [9];   40
Et s'il fallait la perdre, il m'était bien plus doux
De sortir de la vie en combattant pour vous.
    Don Fernand.   J'excuse ta chaleur [10] à venger ton offense;
Et l'État défendu me parle en ta défense:
Crois que dorénavant Chimène a beau parler,[11]   45
Je ne l'écoute plus que pour la consoler.
Mais poursuis.[12]
    Don Rodrigue. Sous moi donc cette troupe s'avance,
Et porte sur le front une mâle assurance.[13]
Nous partîmes cinq cents; mais par un prompt renfort,[14]
Nous nous vîmes trois mille en arrivant au port,[15]   50
Tant, à nous voir marcher avec un tel visage,
Les plus épouvantés [16] reprenaient de courage ! [17]

---

1. remplisse de terreur.   **2.** *Grenada and Toledo, capitals of provinces* (*in the days of Rodrigue, kingdoms*) *of the same names; often at war with Castile.*   **3.** *spare my modesty.* **4.** *makes too much of.*   **5.** *c'est-à-dire:* votre royaume.   **6.** troublée (par le récent duel et la perte de Chimène).   **7.** l': la troupe d'amis.   **8.** me . . . cour (pour demander le pouvoir). **9.** je hasardais ma tête (ayant encouru votre déplaisir en tuant le Comte).   **10.** hâte. **11.** *may say what she will.*   **12.** (ton récit).   **13.** *manly* (mâle) *confidence.*   **14.** *reinforcement.*   **15.** Le port de Séville était à l'embouchure du Guadalquivir à une vingtaine de milles de la ville.   **16.** effrayés, terrorisés.   **17.** tant . . . courage: *so much courage did our bearing inspire even in the most timid, that our numbers increased.*

J'en cache les deux tiers, aussitôt qu'arrivés,
Dans le fond des vaisseaux [1] qui lors [2] furent trouvés;
Le reste, dont le nombre augmentait à toute heure,   55
Brûlant d'impatience autour de moi demeure,
Se couche [3] contre terre, et sans faire aucun bruit,
Passe une bonne part d'une si belle nuit.
Par mon commandement la garde [4] en fait de même,
Et se tenant cachée, aide à mon stratagème;   60
Et je feins hardiment [5] d'avoir reçu de vous
L'ordre qu'on me voit suivre et que je donne à tous.
    Cette obscure clarté [6] qui tombe des étoiles
Enfin avec le flux nous fait voir trente voiles [7];
L'onde s'enfle [8] dessous, et d'un commun effort   65
Les Mores et la mer montent jusques au port.
On les laisse passer; tout leur paraît tranquille;
Point de soldats au port, point aux murs de la ville.
Notre profond silence abusant [9] leurs esprits,
Ils n'osent plus douter de nous avoir surpris;   70
Ils abordent [10] sans peur, ils ancrent,[11] ils descendent,[12]
Et courent se livrer [13] aux mains qui les attendent.
Nous nous levons alors, et tous en même temps
Poussons jusques au ciel mille cris éclatants.[14]
Les nôtres à ces cris de nos vaisseaux répondent;   75
Ils paraissent armés, les Mores se confondent,[15]
L'épouvante [16] les prend à demi descendus;
Avant que [17] de combattre, ils s'estiment perdus.
Ils couraient au pillage, et rencontrent la guerre;
Nous les pressons sur l'eau, nous les pressons sur terre,   80
Et nous faisons courir des ruisseaux [18] de leur sang,
Avant qu'aucun résiste, ou reprenne son rang.
Mais bientôt, malgré nous, leurs princes les rallient;
Leur courage renaît,[19] et leurs terreurs s'oublient:
La honte de mourir sans avoir combattu   85
Arrête leur désordre, et leur rend la vertu.[20]
Contre nous de pied ferme [21] ils tirent leurs alfanges,[22]
De notre sang au leur font d'horribles mélanges [23];
Et la terre, et le fleuve, et leur flotte, et le port,
Sont des champs de carnage où triomphe la mort.   90

1. *holds of the vessels.* 2. *(poétique):* alors. 3. *lies on the ground.* 4. la garde qui veillait toujours au port. 5. *I pretend boldly.* 6. *semi-brightness.* 7. *sails.* 8. *The sea swells beneath them.* 9. trompant, *deceiving.* 10. *come alongside.* 11. *cast anchor.* 12. *land.* 13. *deliver themselves.* 14. *sudden and loud.* 15. *are thrown into confusion.* 16. panique. 17. avant que de + infinitif (vieille construction) = avant de + infinitif ou avant que + subjonctif. 18. *streams, rivers.* 19. *revives.* 20. courage. 21. *standing firmly.* 22. *scimitars (sabers with very curved blades).* 23. *mixtures.*

O combien d'actions, combien d'exploits célèbres
Sont demeurés sans gloire au milieu des ténèbres,[1]
Où chacun, seul témoin des grands coups qu'il donnait,
Ne pouvait discerner où le sort inclinait![2]
J'allais de tous côtés encourager les nôtres,   95
Faire avancer les uns, et soutenir[3] les autres,
Ranger[4] ceux qui venaient, les pousser[5] à leur tour,
Et ne l'ai[6] pu savoir jusques au point du jour.[7]
Mais enfin sa clarté[8] montre notre avantage:
Le More voit sa perte, et perd soudain courage;   100
Et voyant un renfort[9] qui nous vient secourir,
L'ardeur de vaincre cède à la peur de mourir.
Ils gagnent[10] leurs vaisseaux, ils en coupent les câbles,
Poussent jusques aux cieux des cris épouvantables,
Font retraite en tumulte, et sans considérer   105
Si leurs rois avec eux peuvent se retirer.
Pour souffrir[11] ce devoir leur frayeur est trop forte:
Le flux les apporta; le reflux[12] les remporte,
Cependant que[13] leurs rois, engagés parmi nous,
Et quelque peu des leurs, tous percés de nos coups, 110
Disputent vaillamment et vendent bien leur vie.
A se rendre moi-même en vain je les convie[14]:
Le cimeterre[15] au poing ils ne m'écoutent pas;
Mais voyant à leurs pieds tomber tous leurs soldats,
Et que seuls désormais en vain ils se défendent,   115
Ils demandent le chef: je me nomme, ils se rendent.
Je vous les envoyai tous deux en même temps;
Et le combat cessa faute de[16] combattants.
    C'est de cette façon que, pour votre service . . .

SCÈNE IV

Don Fernand, Don Diègue, Don Rodrigue, Don Arias,
Don Alonse, Don Sanche

Don Alonse.   Sire, Chimène vient vous demander justice.
Don Fernand.   La fâcheuse[17] nouvelle, et l'importun[18] devoir!
(*A* Rodrigue)   Va, je ne la veux pas obliger à te voir,

---

1. *darkness.*   **2.** où le sort inclinait: *which way the battle went.*   **3.** *stand by; give (my)*
support.   **4.** *place in line.*   **5.** *urge forward.*   **6.** *l'*: se rapporte à « où le sort inclinait ».
7. *daybreak.*   **8.** lumière.   **9.** *reinforcement.*   **10.** *reach.*   **11.** *carry out.*   **12.** *ebbing tide.*
13. pendant que.   **14.** invite.   **15.** *scimitar.* (*Voir note 22, page 141.*)   **16.** *for lack of.*
17. *unpleasant, annoying.*   **18.** *irksome.*

Pour tous remercîments il faut que je te chasse;
Mais avant que [1] sortir, viens, que ton roi t'embrasse.   5

                       (DON RODRIGUE *se retire.*)

Don Diègue.   Chimène le poursuit, et voudrait le sauver.
Don Fernand.   On m'a dit qu'elle l'aime, et je vais l'éprouver.[2]
Montrez un œil plus triste.

SCÈNE V

DON FERNAND, DON DIÈGUE, DON ARIAS, DON SANCHE,
DON ALONSE, CHIMÈNE, ELVIRE

Don Fernand.   Enfin soyez contente,
Chimène, le succès répond à votre attente[3]:
Si de nos ennemis Rodrigue a le dessus,[4]
Il est mort à nos yeux des coups qu'il a reçus;
Rendez grâces au ciel, qui vous en a vengée.   5
(A DON DIÈGUE.)   Voyez comme déjà sa couleur est changée.
Don Diègue.   Mais voyez qu'elle pâme,[5] et d'un amour parfait,
Dans cette pâmoison,[5] Sire, admirez l'effet.[6]
Sa douleur a trahi les secrets de son âme,
Et ne vous permet plus de douter de sa flamme.   10
Chimène.   Quoi! Rodrigue est donc mort?
Don Fernand.   Non, non, il voit le jour,
Et te conserve encore un immuable amour:
Calme cette douleur qui pour lui s'intéresse.
Chimène.   (*Imagine une contre-ruse*)
      Sire, on pâme de joie, ainsi que de tristesse:
Un excès de plaisir nous rend tout languissants,[7]   15
Et quand il surprend l'âme, il accable [8] les sens.
Don Fernand.   Tu veux qu'en ta faveur nous croyions l'impossible?
Chimène, ta douleur a paru trop visible.
Chimène.   (*Imagine une seconde ruse*)   Eh bien! Sire, ajoutez ce comble [9]
     à mon malheur,
Nommez ma pâmoison l'effet de ma douleur: 20
Un juste déplaisir [10] à ce point m'a réduite.[11]
Son trépas [12] dérobait sa tête à ma poursuite;
S'il meurt des coups reçus pour le bien du pays,
Ma vengeance est perdue, et mes desseins trahis:
Une si belle fin m'est trop injurieuse.   25

---

1. *Voir page 141, note 17.*   **2.** *put her to the test.*   **3.** *expectation.*   **4.** a l'avantage.
5. pâmer, *to swoon;* pâmoison, *swooning.*   **6.** *see the wonderful effect or result.*   **7.** nous ôte
nos forces.   **8.** *overwhelms.*   **9.** *this supreme wretchedness (to the other).*   **10.** déplaisir:
amertume de cœur, douloureux désappointement.   **11.** *i.e.,* de tomber en pâmoison.
12. mort.

Je demande sa mort, mais non pas glorieuse,
Non pas dans un éclat [1] qui l'élève si haut,
Non pas au lit d'honneur,[2] mais sur un échafaud [3];
Qu'il meure pour mon père, et non pour la patrie;
Que son nom soit taché,[4] sa mémoire flétrie.[5]   30
Mourir pour le pays n'est pas un triste sort;
C'est s'immortaliser par une belle mort.
    J'aime donc sa victoire, et je le puis sans crime;
Elle assure l'État, et me rend ma victime,
Mais noble, mais fameuse entre tous les guerriers,   35
Le chef,[6] au lieu de fleurs, couronné de lauriers;
Et pour dire en un mot ce que j'en considère,
Digne d'être immolée aux mânes [7] de mon père . . .
    Hélas! à quel espoir me laissé-je emporter!
Rodrigue de ma part n'a rien à redouter [8]:   40
Que pourraient contre lui des larmes qu'on méprise? [9]
Pour lui tout votre empire est un lieu de franchise [10];
Là, sous votre pouvoir, tout lui devient permis;
Il triomphe de moi comme des ennemis.
Dans leur sang répandu la justice étouffée [11]   45
Aux crimes du vainqueur sert d'un nouveau trophée [12]:
Nous en croissons [13] la pompe, et le mépris des lois
Nous fait suivre son char [14] au milieu de deux rois.
    Don Fernand.   Ma fille, ces transports [15] ont trop de violence.
Quand on rend la justice, on met tout en balance: 50
On a tué ton père, il était l'agresseur;
Et la même équité [16] m'ordonne la douceur.
Avant que d'accuser ce que j'en fais paraître,
Consulte bien ton cœur [17]: Rodrigue en est le maître,
Et ta flamme en secret rend grâces à ton roi,   55
Dont la faveur conserve un tel amant pour toi.
    Chimène.   (*S'obstine dans le devoir*)   Pour moi! mon ennemi! l'objet de ma
    colère!
L'auteur de mes malheurs! l'assassin de mon père!
De ma juste poursuite on fait si peu de cas [18]
Qu'on me croit obliger en ne m'écoutant pas!   60
    Puisque vous refusez la justice à mes larmes,

---

1. gloire. **2.** *field of honor.* **3.** *scaffold.* **4.** (*blotted*), *dishonored.* **5.** *tarnished.* **6.** la tête. (Les victimes, dans les sacrifices des anciens, portaient sur la tête des guirlandes de fleurs; Rodrigue serait couronné de lauriers — symbole de sa glorieuse victoire.) **7.** *shades.*
8. (puisque le roi a en lui un vainqueur.) **9.** *despises.* **10.** *liberté.* **11.** *stifled, crushed.*
12. Le fait que la mort du Comte restera impunie sera pour lui comme un autre trophée.
13. augmentons. **14.** char (de triomphe). **15.** accès de furie. **16.** l'équité même. *Voir page 123, note 7.* **17.** Avant . . . cœur: Avant de blâmer la douceur (que je montre) interroge bien ton cœur. **18.** on fait . . . cas: on prend si peu en considération.

Sire, permettez-moi de recourir aux armes;
C'est par là seulement qu'il a su m'outrager,
Et c'est aussi par là que je me dois venger.
A tous vos cavaliers je demande sa tête: 65
Oui, qu'un d'eux me l'apporte, et je suis sa conquête;
Qu'ils le combattent, Sire; et le combat fini,
J'épouse le vainqueur, si Rodrigue est puni.
Sous votre autorité [1] souffrez qu'on le publie.

Don Fernand.   Cette vieille coutume en ces lieux établie,   70
Sous couleur de punir un injuste attentat,
Des meilleurs combattants affaiblit un État;
J'en dispense [2] Rodrigue: il m'est trop précieux
Pour l'exposer aux coups d'un sort [3] capricieux;
Et quoi qu'ait pu commettre un cœur si magnanime,   75
Les Mores en fuyant ont emporté [4] son crime.

Don Diègue.   Quoi! Sire, pour lui seul, vous renversez des lois
Qu'a vu toute la cour observer tant de fois!
Que croira votre peuple, et que dira l'envie,
Si sous votre défense il ménage sa vie,[5]   80
Et s'en fait un prétexte à ne paraître pas
Où tous les gens d'honneur cherchent un beau trépas?

Don Fernand.   Puisque vous le voulez j'accorde qu'il le fasse;
Mais d'un guerrier vaincu mille prendraient la place,[6]
L'opposer seul à tous serait trop d'injustice: 85
Il suffit qu'une fois il entre dans la lice.[7]
Choisis qui tu voudras, Chimène, et choisis bien;
Mais après ce combat ne demande plus rien.

Don Diègue.   N'excusez point par là ceux que son bras étonne [8]:
Laissez un champ ouvert, où n'entrera personne.   90
Après ce que Rodrigue a fait voir aujourd'hui,
Quel courage assez vain s'oserait prendre [9] à lui?
Qui se hasarderait contre un tel adversaire?
Qui serait ce vaillant, ou bien ce téméraire?

Don Sanche.   Faites ouvrir le champ: vous voyez l'assaillant;   95
Je suis ce téméraire, ou plutôt ce vaillant.
Accordez cette grâce à l'ardeur qui me presse,
Madame: vous savez quelle est votre promesse.

Don Fernand.   Chimène, remets-tu ta querelle en sa main?

---

1. command. **2.** J'en excuse. **3.** *fortune, chance.* **4.** *borne away.* **5.** si . . . vie: si, avec votre approbation, il sauve ainsi sa vie. **6.** Chimène est un si beau parti (*match*), qu'après la défaite d'un premier champion, il s'en présenterait mille autres. **7.** l'arène. (*In the days of chivalry the palisade, surrounding the tilting ground, and the ground itself, were called* la lice (*the lists*), *hence "to enter the lists" means "to accept a challenge."* **8.** *disturbs morally; frightens.* **9.** oserait s'attaquer à lui.

Chimène. Sire, je l'ai promis.

Don Fernand.   Soyez prêt à demain.   100

Don Diègue. Non, Sire, il ne faut pas différer davantage [1]:
On est toujours trop prêt quand on a du courage.

Don Fernand. Sortir d'une bataille, et combattre à l'instant !

Don Diègue. Rodrigue a pris haleine [2] en vous la racontant.

Don Fernand. Du moins une heure ou deux je veux qu'il se délasse.[3]   105
Mais de peur qu'en exemple un tel combat ne passe,
Pour témoigner à tous qu'à regret je permets
Un sanglant procédé qui ne me plut jamais,
De moi ni de ma cour il n'aura la présence.
(*Il parle à* Don Arias.) Vous seul des combattants jugerez la vaillance: 110
Ayez soin que tous deux fassent en gens de cœur,
Et le combat fini, m'amenez le vainqueur.
Quel qu'il soit, même prix est acquis à sa peine:
Je le veux de ma main présenter à Chimène,
Et que pour récompense il reçoive sa foi.[4]   115

Chimène. Quoi ! Sire, m'imposer une si dure loi ! [5]

Don Fernand. Tu t'en plains; mais ton feu, loin d'avouer ta plainte,
Si Rodrigue est vainqueur, l'accepte sans contrainte.
Cesse de murmurer contre un arrêt [6] si doux;
Qui que ce soit des deux, j'en ferai ton époux.   120

ACTE V

[En sortant de l'audience du roi, Rodrigue une fois encore revient chez Chimène
pour lui offrir sa tête; car il ne se défendra pas contre celui qui représentera la cause
de Chimène. Il demande la faveur de mourir de sa main à elle. Chimène refuse encore, et même elle finit par lui demander de vaincre pour qu'elle n'ait pas à épouser
Don Sanche.

Rodrigue accepte; mais il saura épargner la vie du champion de Chimène; il
désarmera Don Sanche. Ceci fait, il ordonne à Don Sanche de porter le trophée de
victoire, c'est-à-dire l'épée de Don Sanche, à Chimène. Chimène croit voir l'épée d'un
vainqueur et s'abandonne à son désespoir.

Le malentendu expliqué, le roi déclare que Rodrigue ne peut épouser Chimène tout
de suite; mais qu'il pourra le faire s'il revient vainqueur des Mores qui doivent être
pour toujours chassés de l'Espagne.]

1. Une règle de la tragédie classique était d'observer « l'unité de temps », c'est-à-dire
que l'action devait se passer dans l'espace de vingt-quatre heures. Ainsi Corneille fait dire
à Don Diègue: « Pas demain, mais aujourd'hui même. » **2.** *taken breath.* **3.** prenne du
repos. **4.** sa parole (de l'épouser): Don Sanche ou Don Rodrigue. **5.** *hard order* (épouser le
vainqueur quel qu'il soit). **6.** *verdict, decision.*

SCÈNE PREMIÈRE

Chez CHIMÈNE

DON RODRIGUE, CHIMÈNE

Chimène. Quoi ! Rodrigue, en plein jour ! d'où te vient cette audace ?
Va, tu me perds d'honneur ; retire-toi de grâce.
   Don Rodrigue. Je vais mourir, Madame, et vous viens en ce lieu,
Avant le coup mortel, dire un dernier adieu :
Cet immuable amour qui sous vos lois m'engage   5
N'ose accepter ma mort sans vous en faire hommage.
   Chimène. Tu vas mourir !
   Don Rodrigue.   Je cours à ces heureux moments
Qui vont livrer ma vie à vos ressentiments.
   Chimène. Tu vas mourir ! Don Sanche est-il si redoutable [1]
Qu'il donne l'épouvante à ce cœur indomptable ?   10
Qui t'a rendu si faible, ou qui le rend si fort ?
Rodrigue va combattre, et se croit déjà mort !
Celui qui n'a pas craint les Mores, ni mon père,
Va combattre don Sanche, et déjà désespère !
Ainsi donc au besoin [2] ton courage s'abat ! [3]   15
   Don Rodrigue. Je cours à mon supplice, [4] et non pas au combat ;
Et ma fidèle ardeur sait bien m'ôter l'envie,
Quand vous cherchez ma mort, de défendre ma vie.
   J'ai toujours même cœur ; mais je n'ai point de bras
Quand il faut conserver ce qui ne vous plaît pas ;   20
Et déjà cette nuit m'aurait été mortelle, [5]
Si j'eusse combattu pour ma seule querelle ;
Mais défendant mon roi, son peuple et mon pays,
A me défendre mal je les aurais trahis.
Mon esprit généreux ne hait pas tant la vie,   25
Qu'il en veuille sortir par une perfidie.
Maintenant qu'il s'agit de mon seul intérêt,
Vous demandez ma mort, j'en accepte l'arrêt. [6]
Votre ressentiment choisit la main d'un autre
(Je ne méritais pas de mourir de la vôtre) :   30
On ne me verra point en repousser les coups ;
Je dois plus de respect à qui combat pour vous ;
Et ravi de penser que c'est de vous qu'ils viennent,

---

1. formidable. 2. au besoin: *there are occasions when* . . . 3. *fails.* 4. châtiment ; mort (à laquelle on est condamné). 5. (je me serais fait tuer par les Mores.) 6. condamnation.

Puisque c'est votre honneur que ses armes soutiennent,
Je vais lui présenter mon estomac ouvert,[1]   35
Adorant en sa main la vôtre qui me perd.

   Chimène. Si d'un triste devoir la juste violence,
Qui me fait malgré moi poursuivre ta vaillance,
Prescrit à ton amour une si forte loi
Qu'il te rend sans défense à qui combat pour moi,   40
En cet aveuglement [2] ne perds pas la mémoire
Qu'ainsi que de ta vie il y va de [3] ta gloire,
Et que dans quelque éclat que Rodrigue ait vécu,[4]
Quand on le saura mort, on le croira vaincu.

   Ton honneur t'est plus cher que je ne te suis chère,   45
Puisqu'il trempe [5] tes mains dans le sang de mon père,
Et te fait renoncer, malgré ta passion,
A l'espoir le plus doux de ma possession :
Je t'en vois cependant faire si peu de compte,[6]
Que sans rendre combat [7] tu veux qu'on te surmonte.   50
Et traites-tu mon père avec tant de rigueur,
Qu'après l'avoir vaincu tu souffres un vainqueur ?
Va, sans vouloir mourir, laisse-moi te poursuivre,
Et défends ton honneur, si [8] tu ne veux plus vivre.

   Don Rodrigue. Après la mort du Comte, et les Mores défaits,   55
Faudrait-il à ma gloire encor d'autres effets ? [9]
Elle peut dédaigner le soin de me défendre :
On sait que mon courage ose tout entreprendre,
Que ma valeur peut tout, et que dessous les cieux,
Auprès de mon honneur, rien ne m'est précieux.   60
Non, non, en ce combat, quoi que vous veuillez croire,
Rodrigue peut mourir sans hasarder sa gloire,
Sans qu'on l'ose accuser d'avoir manqué de cœur,
Sans passer pour vaincu, sans souffrir un vainqueur.
On dira seulement : « Il adorait Chimène ;   65
Il n'a pas voulu vivre et mériter sa haine ;
Il a cédé lui-même à la rigueur du sort
Qui forçait sa maîtresse à poursuivre sa mort :
Elle voulait sa tête ; et son cœur magnanime,
S'il l'en [10] eût refusée, eût pensé faire un crime.   70
Pour venger son honneur il perdit son amour,
Pour venger sa maîtresse il a quitté le jour,

---

1. estomac ouvert: poitrine découverte. Au 17e siècle, le mot « poitrine » (*breast*) n'était pas admis dans la poésie; mais *estomac* étant un mot noble, le poète était libre de s'en servir. **2.** *blindness.* **3.** il y va de: *is involved; is at stake.* **4.** (malgré la gloire passée de Rodrigue.) **5.** *steeps.* **6.** *deem it of so little account.* **7.** *without fighting.* **8.** si: même si. **9.** manifestations. **10.** en: *of it* (s'il lui eût fait le refus de sa tête).

Préférant, quelque espoir qu'eût son âme asservie,[1]
Son honneur à Chimène, et Chimène à sa vie. »
Ainsi donc vous verrez ma mort en ce combat,   75
Loin d'obscurcir ma gloire, en rehausser [2] l'éclat;
Et cet honneur suivra mon trépas volontaire,
Que [3] tout autre que moi n'eût pu vous satisfaire.
   Chimène. Puisque, pour t'empêcher de courir au trépas,
Ta vie et ton honneur sont de faibles appas,[4]   80
Si jamais je t'aimai, cher Rodrigue, en revanche,[5]
Défends-toi maintenant pour m'ôter à Don Sanche;
Combats pour m'affranchir [6] d'une condition
Qui me donne à l'objet de mon aversion.
Te dirai-je encor plus? va, songe à ta défense,   85
Pour forcer mon devoir, pour m'imposer silence;
Et si tu sens pour moi ton cœur encore épris,[7]
Sors vainqueur d'un combat dont Chimène est le prix.
Adieu: ce mot lâché [8] me fait rougir de honte. (*Elle sort.*)
   Don Rodrigue. Est-il quelque ennemi qu'à présent je ne dompte? [9]   90
Paraissez, Navarrais,[10] Mores et Castillans,
Et tout ce que l'Espagne a nourri de vaillants;
Unissez-vous ensemble, et faites une armée,
Pour combattre une main de la sorte animée [11]:
Joignez tous vos efforts contre un espoir si doux;   95
Pour en venir à bout, c'est trop peu que de vous.[12] (*Il sort.*)

  · · · · · · · · · · · · · ·

SCÈNE II

[Cette scène est un monologue en stances où l'Infante déplore qu'elle, princesse du sang, ne puisse se défendre d'aimer Rodrigue, un simple chevalier, et que Chimène et Rodrigue continuent à s'aimer malgré la mort du Comte et l'opiniâtreté (*steadiness of purpose*) de Chimène à réclamer du roi la mort de Rodrigue.]

SCÈNE III

[Dans cette scène, Léonor essaie de ramener l'Infante à la raison.]

1. quelque . . . asservie: *whatever hope enslaved his soul.* **2.** *heighten.* **3.** à savoir que; namely. **4.** *allurements, inducements.* **5.** en échange. **6.** *to free me.* **7.** amoureux. **8** prononcé malgré moi. **9.** *subdue, overcome.* **10.** La Navarre, province française, à cette époque était encore espagnole. **11.** *strengthened.* **12.** Pour . . . vous: *To achieve that end, you are not enough.*

SCÈNE IV

[Cette scène se passe pendant le duel entre RODRIGUE *et* DON SANCHE*]*

Entrent CHIMÈNE *et* ELVIRE

Chimène.   Elvire, que je souffre, et que je suis à plaindre !
Je ne sais qu'espérer, et je vois tout à craindre;
Aucun vœu ne m'échappe où j'ose [1] consentir;
Je ne souhaite rien sans un prompt repentir.
A deux rivaux pour moi je fais prendre les armes: 5
Le plus heureux succès me coûtera des larmes;
Et quoi qu'en ma faveur en ordonne le sort,
Mon père est sans vengeance, ou mon amant est mort.
    Elvire.   D'un et d'autre côté je vous vois soulagée [2]:
Ou vous avez Rodrigue, ou vous êtes vengée.   10
    Chimène.   *(Croit devoir répondre)*   Quand il sera vainqueur, crois-tu que je
    me rende?
Mon devoir est trop fort, et ma perte trop grande;
Et ce n'est pas assez pour leur [3] faire la loi,
Que celle [4] du combat et le vouloir du Roi.
Il peut vaincre don Sanche avec fort peu de peine,   15
Mais non pas avec lui la gloire de Chimène;
Et quoi qu'à sa victoire un monarque ait promis,
Mon honneur lui fera mille autres ennemis.

SCÈNE V

DON SANCHE, CHIMÈNE, ELVIRE

Don Sanche.   *(Entre)*   Obligé d'apporter à vos pieds cette épée . . .
    Chimène.   Quoi? du sang de Rodrigue encor toute trempée?
Perfide, oses-tu bien te montrer à mes yeux,
Après m'avoir ôté ce que j'aimais le mieux?
    Éclate,[5] mon amour, tu n'as plus rien à craindre: 5
Mon père est satisfait, cesse de te contraindre.[6]
Un même coup [7] a mis ma gloire en sûreté,
Mon âme au désespoir, ma flamme en liberté.
    Don Sanche.   D'un esprit plus rassis [8] . . .
    Chimène.   Tu me parles encore,
Exécrable assassin d'un héros que j'adore?   10

---

    1. Je n'ose faire aucun vœu (*wish*) auquel je puisse . . .   **2.** *relieved.*   **3.** leur: au devoir *et* à la perte.   **4.** celle: la loi.   **5.** manifeste-toi.   **6.** *do violence to yourself.*   **7.** coup (d'épée).   **8.** calme.

Va, tu l'as pris en traître [1]; un guerrier si vaillant
N'eût jamais succombé sous un tel assaillant.
N'espère rien de moi, tu ne m'as point servie:
En croyant me venger, tu m'as ôté la vie.

  Don Sanche. Étrange impression,[2] qui loin de m'écouter . . . 15
  Chimène. Veux-tu que de sa mort je t'écoute vanter,[3]
Que j'entende à loisir [4] avec quelle insolence
Tu peindras [5] son malheur, mon crime [6] et ta vaillance?

SCÈNE VI

Don Fernand, Don Diègue, Don Arias, Don Sanche,
Don Alonse, Chimène, Elvire

  Chimène. Sire, il n'est plus besoin de vous dissimuler
Ce que tous mes efforts ne vous ont pu celer.[7]
J'aimais, vous l'avez su; mais pour venger mon père,
J'ai bien voulu proscrire [8] une tête si chère:
Votre Majesté, Sire, elle-même a pu voir   5
Comme j'ai fait céder mon amour au devoir.
Enfin Rodrigue est mort, et sa mort m'a changée
D'implacable ennemie en amante affligée.
J'ai dû cette vengeance à qui m'a mise au jour,[9]
Et je dois maintenant ces pleurs à mon amour. 10
Don Sanche m'a perdue en prenant ma défense,
Et du bras qui me perd je suis la récompense!
  Sire, si la pitié peut émouvoir un roi,
De grâce, révoquez une si dure loi;
Pour prix d'une victoire où je perds ce que j'aime, 15
Je lui laisse mon bien [10]; qu'il me laisse à moi-même;
Qu'en un cloître sacré je pleure incessamment,
Jusqu'au dernier soupir, mon père et mon amant.
  Don Diègue. Enfin elle aime, Sire, et ne croit plus un crime
D'avouer par sa bouche un amour légitime.   20
  Don Fernand. Chimène, sors d'erreur, ton amant n'est pas mort,
Et don Sanche vaincu t'a fait un faux rapport.
  Don Sanche. Sire, un peu trop d'ardeur [11] malgré moi l'a déçue:
Je venais du combat lui raconter l'issue.
Ce généreux guerrier, dont son cœur est charmé: 25
« Ne crains rien, m'a-t-il dit, quand il m'a désarmé;

1. *by treachery.* 2. malentendu. 3. *boast.* 4. *patiently.* 5. décriras. 6. crime
(d'avoir accepté ce combat où Rodrigue devait mourir). 7. cacher. 8. chasser, bannir.
9. à celui qui m'a donné le jour; au Comte. 10. ma fortune. 11. une colère trop prompte
à la pensée que Rodrigue était mort. (*Voir page 144, lignes 34–35.*)

Je laisserais plutôt la victoire incertaine,
Que de répandre [1] un sang hasardé pour Chimène;
Mais puisque mon devoir m'appelle auprès du Roi,
Va de notre combat l'entretenir [2] pour moi,　　　　　　　30
De la part du vainqueur lui porter ton épée. »
Sire, j'y suis venu: cet objet l'a trompée;
Elle m'a cru vainqueur, me voyant de retour,
Et soudain sa colère a trahi son amour
Avec tant de transport [3] et tant d'impatience,　　　　　　35
Que je n'ai pu gagner [4] un moment d'audience.[5]
　Pour moi, bien que vaincu, je me répute heureux;
Et malgré l'intérêt de mon cœur amoureux,
Perdant infiniment, j'aime encore ma défaite,
Qui fait le beau succès d'une amour si parfaite.　　　　　40
　Don Fernand.　Ma fille, il ne faut point rougir d'un si beau feu,
Ni chercher les moyens d'en faire un désaveu.[6]
Une louable honte en vain t'en sollicite:
Ta gloire est dégagée,[7] et ton devoir est quitte [8];
Ton père est satisfait, et c'était le venger　　　　　　　45
Que mettre tant de fois ton Rodrigue en danger.
Tu vois comme le ciel autrement en dispose.[9]
Ayant tant fait pour lui, fais pour toi quelque chose,
Et ne sois point rebelle à mon commandement,
Qui te donne un époux aimé si chèrement.　　　　　　　50

SCÈNE VII

DON FERNAND, DON DIÈGUE, DON RODRIGUE, DON ALONSE,
DON SANCHE, CHIMÈNE, ELVIRE

　Don Rodrigue. (*Entre*)　Ne vous offensez point, Sire, si devant vous
Un respect amoureux me jette à ses genoux.[10]
　Je ne viens point ici demander ma conquête:
Je viens tout de nouveau vous apporter ma tête,
Madame; mon amour n'emploiera point pour moi　　　　　5
Ni la loi du combat, ni le vouloir du Roi.
Si tout ce qui s'est fait est trop peu pour un père,
Dites par quels moyens il vous faut satisfaire.
Faut-il combattre encor mille et mille rivaux,
Aux deux bouts de la terre étendre mes travaux,　　　　10
Forcer moi seul un camp, mettre en fuite une armée,

1. *shed.* 2. informer. 3. exaltation. 4. obtenir. 5. attention. 6. *denial.* 7. *cleared.*
8. *free from further obligation.* 9. arrange les choses. 10. aux genoux (de Chimène).

Des héros fabuleux [1] passer la renommée?
Si mon crime par là se peut enfin laver,
J'ose tout entreprendre, et puis tout achever;
Mais si ce fier honneur, toujours inexorable, 15
Ne se peut apaiser sans la mort du coupable,
N'armez plus contre moi le pouvoir des humains:
Ma tête est à vos pieds, vengez-vous par vos mains;
Vos mains seules ont droit de vaincre un invincible;
Prenez une vengeance à tout autre impossible. 20
Mais du moins que ma mort suffise à me punir:
Ne me bannissez point de votre souvenir;
Et puisque mon trépas conserve votre gloire,
Pour vous en revancher [2] conservez ma mémoire,
Et dites quelquefois, en déplorant mon sort: 25
« S'il ne m'avait aimée, il ne serait pas mort. »
   Chimène.   Relève-toi, Rodrigue. Il faut l'avouer, Sire,
Je vous en ai trop dit pour m'en pouvoir dédire.[3]
Rodrigue a des vertus que je ne puis haïr;
Et quand un roi commande, on lui doit obéir. 30
Mais à quoi que déjà vous m'ayez condamnée,
Pourrez-vous à vos yeux souffrir cet hyménée? [4]
Et quand de mon devoir vous voulez cet effort,
Toute votre justice en est-elle d'accord?
Si Rodrigue à l'État devient si nécessaire, 35
De ce qu'il fait pour vous dois-je être le salaire,
Et me livrer moi-même au reproche éternel
D'avoir trempé mes mains dans le sang paternel?
   Don Fernand.   Le temps assez souvent a rendu légitime
Ce qui semblait d'abord ne se pouvoir [5] sans crime: 40
Rodrigue t'a gagnée, et tu dois être à lui.
Mais quoique sa valeur t'ait conquise aujourd'hui,
Il faudrait que je fusse ennemi de ta gloire,
Pour lui donner sitôt le prix de sa victoire.
Cet hymen différé ne rompt point [6] une loi 45
Qui, sans marquer de temps, lui destine ta foi.
Prends un an, si tu veux, pour essuyer tes larmes.
   Rodrigue, cependant il faut prendre les armes.
Après avoir vaincu les Mores sur nos bords,[7]
Renversé leurs desseins, repoussé leurs efforts, 50
Va jusqu'en leur pays leur reporter la guerre,

---

1. héros de la Fable (la Mythologie). **2.** Pour vous en revancher: pour vous acquitter de cette dette (mon trépas); pour me dédommager (*repay me*) de ma mort. **3.** retirer ce que j'ai dit; me contredire. **4.** mariage. **5.** ne se pouvoir (faire) = être impossible. **6.** ne supprime point. **7.** côtes; *shores* (not *borders*).

Commander mon armée, et ravager[1] leur terre:
A ce seul nom de Cid ils trembleront d'effroi;
Ils t'ont nommé seigneur, et te voudront pour roi.
Mais parmi tes hauts faits sois-lui toujours fidèle: 55
Reviens-en, s'il se peut, encor plus digne d'elle;
Et par tes grands exploits fais-toi si bien priser,[2]
Qu'il lui soit glorieux alors de t'épouser.

    Don Rodrigue.   Pour posséder Chimène, et pour votre service,
Que peut-on m'ordonner que mon bras n'accomplisse?   60
Quoi qu'absent de ses yeux il me faille endurer,
Sire, ce m'est trop d'heur[3] de pouvoir espérer.

    Don Fernand.   Espère en ton courage, espère en ma promesse;
Et possédant déjà le cœur de ta maîtresse,
Pour vaincre un point d'honneur qui combat contre toi,   65
Laisse faire le temps, ta vaillance et ton roi.

    [*Note. Malgré toutes les précautions de Corneille pour rendre acceptable cette union de Chimène avec celui qui avait tué le Comte, l'Académie Française blâma cette fin; elle appela Chimène « une fille dénaturée. »*]

    1. *lay waste.* **2.** estimer, apprécier. **3.** bonheur.

ANDROMAQUE

par JEAN RACINE

(1639-1699)

Jean Racine naquit à La Ferté-Milon, près de Paris, 33 ans après Corneille. Orphelin en bas âge, il fut élevé par une tante, religieuse à Port-Royal, qui le confia aux Solitaires de Port-Royal (voir *Aperçu*). Il y eut pour maîtres le latiniste Nicole, le fameux helléniste Lancelot, et son cher Hamon, ancien avocat qui lui enseignait la rhétorique. Il acheva ses études classiques à Paris au Collège d'Harcourt. Ses précepteurs le destinaient au barreau (*the bar*); mais lui ne songeait qu'au plaisir. Sa famille, alarmée, l'envoya à Uzès, dans le Midi, pour y étudier la théologie et y prendre, dans l'Église, la succession d'un oncle chanoine. Mais il n'avait de goût que pour la poésie et les dissipations mondaines. Il revint donc à Paris.

Racine avait, pour le mariage de Louis XIV, composé une ode: *La Nymphe de la Seine*, qui lui valut une pension. Encouragé, d'ailleurs, par ses amis Molière, La Fontaine et Boileau, il écrivit pour le théâtre (le théâtre était à la mode) deux tragédies dans le genre de Corneille, que joua la troupe de Molière. Il eut l'ingratitude de porter ses autres pièces à la troupe rivale, celle de l'Hôtel de Bourgogne.

Alors commence la série des chefs-d'œuvre: *Andromaque* (1667), qui fut une révélation; *Britannicus*, « la pièce des connaisseurs, » a dit Voltaire; *Bérénice, Bajazet, Mithridate, Iphigénie, Phèdre* (1677), et l'aristophanesque [1] comédie: *Les Plaideurs* (1668). Racine apporte une nouvelle conception de la tragédie qui le rapproche de Sophocle et d'Euripide. Il analyse, il peint avec un art merveilleux toutes les nuances des passions humaines, telles qu'on les voit dans la vie. Aux héros de Corneille qui sacrifient leurs passions au devoir, il substitue des hommes qui sont les victimes de leurs passions. A la leçon d'énergie que donne Corneille, il substitue la leçon d'expérience. Au style noble, souvent rugueux (*uneven*) et enflé (*bombastic*), de son prédécesseur, il oppose une langue claire, souple, mélodieuse. Corneille est plus sublime, Racine plus humain, plus vrai. Si Corneille est le Michel-Ange de la tragédie classique, Racine en est le Raphaël.

Les admirateurs de Corneille organisent des cabales contre son jeune rival. Celui-ci se défend; il a l'esprit caustique et la plume acérée (*sharp, that wounds*); il est d'ailleurs soutenu par Boileau, par Mme de Maintenon et de fervents amis à la Cour et à la Ville. Port-Royal l'a condamné, en traitant (*dubbing*) les auteurs dramatiques d'*empoisonneurs publics;* il se venge en de violents pamphlets. La guerre redouble à propos de *Phèdre:* une cabale, conduite par la duchesse de Bouillon, fait tomber sous les sifflets le chef-d'œuvre de Racine. Celui-ci, découragé, renonce au théâtre.

Il était, depuis quelque temps, revenu à des sentiments religieux. Il se réconcilia avec Port-Royal et songea à expier dans un monastère les désordres de sa vie. Son directeur de conscience préféra le marier à une femme douce, pieuse, illettrée, qui lui donna sept enfants. Dès lors, Racine partagea sa vie entre ses devoirs de famille et ses devoirs de courtisan (*courtier*). Le roi l'avait nommé, avec Boileau, son historiographe et lui avait accordé des charges (*posts*) rémunératrices. Mme de Maintenon

---

1. à la manière d'Aristophane, le célèbre dramaturge grec.

continuait à le protéger. C'est à sa prière qu'il écrivit ses deux belles tragédies bibliques: *Esther* et *Athalie* (1691) que devaient jouer les Demoiselles de St. Cyr, protégées de sa protectrice.

Racine perdit cependant la faveur du roi, parce qu'il fréquentait les dissidents de Port-Royal et que ses ennemis ne désarmaient pas. Il se retira de la Cour pour se consacrer à des exercices de piété et à l'éducation de ses enfants. Il mourut en 1699, laissant, avec son œuvre dramatique, des *Odes*, des *Épigrammes*, des *Cantiques spirituels*, une *Histoire de Port-Royal*, des *Lettres familières*, et des *Discours académiques*.

Andromaque fut le vrai « coup d'essai » de Racine, mais, pour parler comme le Cid ce fut un « coup de maître ». Le poète y créa le type définitif de la tragédie française.

Comme Euripide, Virgile et Sénèque, il a emprunté sujet et personnages à l'*Iliade* d'Homère. Son œuvre n'en est pas moins originale, car il a donné à ses héros les sentiments et les passions des hommes de son temps et de tous les temps. Il peint, avec quel art ! le conflit entre deux passions ou, si l'on veut, entre deux femmes, dont l'une personnifie l'amour conjugal et maternel, tandis que l'autre figure l'amour exalté jusqu'à la fureur, jusqu'au crime. On chercherait vainement ailleurs une analyse plus subtile et plus vraie de ces diverses passions. C'est un « spectacle d'âmes ».

Le légendaire siège de Troie, chanté par Homère, dura dix ans (XIIIe siècle avant Jésus-Christ). Sous la conduite d'Agamemnon, les rois grecs s'étaient coalisés pour venger l'honneur de Ménélas, roi de Sparte, dont la femme, la belle Hélène, avait été enlevée par Pâris, un des fils de Priam, roi des Troyens.

Le siège fini, on se partage le butin (*booty*). Pyrrhus emmène sa captive Andromaque, veuve éplorée (*weeping*) d'Hector. Elle concentre désormais toute son affection sur son enfant Astyanax, dernier survivant de la race royale, espoir unique de la revanche troyenne.

Telle est l'Andromaque que Racine a choisie pour héroïne de son immortelle tragédie, dont voici une brève analyse.

Le roi d'Épire, Pyrrhus, fils d'Achille, est fiancé à Hermione, fille de Ménélas et de la fameuse Hélène. Il diffère le mariage parce qu'il aime sa captive Andromaque, et songe à l'épouser. Hermione souffre atrocement dans son orgueil et dans son ardente passion pour Pyrrhus. Cependant, lorsque son ancien prétendant (*lover*) Oreste, fils d'Agamemnon, vient, au nom des rois grecs, demander qu'on lui livre Astyanax, Hermione espère reconquérir le cœur de son fiancé. Mais Pyrrhus refuse la requête des rois alliés et il profite de l'occasion pour offrir de nouveau sa main et son trône à Andromaque. Celle-ci, dans la crainte de voir massacrer l'enfant qu'elle adore, finit par dire oui; mais elle est résolue à se tuer après la cérémonie pour rester fidèle à Hector. Hermione ne songe qu'à se venger. L'instrument de sa vengeance est tout indiqué. En promettant d'être à lui, elle décide Oreste à assassiner Pyrrhus au pied des autels; mais, incapable de survivre à sa victime, elle va se tuer sur le cadavre de Pyrrhus. Oreste, désabusé (*his illusions destroyed*), devient la proie du remords et des Furies vengeresses (*avenging*), déesses infernales chargées de punir sur la terre les crimes des humains.

Cette tragédie fut représentée en 1667. Elle appartient au répertoire de la Comédie Française, où elle attire toujours un nombreux public.

PERSONNAGES

ANDROMAQUE, *veuve d'Hector, captive de* PYRRHUS

PYRRHUS, *roi d'Épire, fils d'Achille*

HERMIONE, *fille d'Hélène, fiancée de* PYRRHUS

ORESTE, *fils a'Agamemnon*

PYLADE, *ami d'*ORESTE

CÉPHISE, *confidente d'*ANDROMAQUE

CLÉONE, *confidente d'*HERMIONE

PHŒNIX, *gouverneur d'Achille et ensuite de* PYRRHUS

La scène se passe à Buthrote, ville d'Épire, dans une salle du palais de Pyrrhus.

ACTE PREMIER

[Oreste vient, au nom des Grecs, demander à Pyrrhus la mort d'Astyanax. Il espère un refus qui lui permettra d'emmener Hermione qu'il aime et que Pyrrhus dédaigne. Pyrrhus épris (*in love with*) d'Andromaque refuse de livrer (*hand over*) Astyanax. Il compte ainsi toucher Andromaque, mais celle-ci refuse de l'épouser.]

SCÈNE PREMIÈRE

ORESTE, PYLADE

Oreste. Oui, puisque je retrouve un ami si fidèle,
Ma fortune [1] va prendre une face nouvelle;
Et déjà son courroux [2] semble s'être adouci,
Depuis qu'elle a pris soin de nous rejoindre [3] ici.
Qui l'eût dit, qu'un rivage à mes vœux si funeste [4]   5
Présenterait d'abord Pylade aux yeux d'Oreste?
Qu'après plus de six mois que je t'avais perdu,
A la cour de Pyrrhus tu me serais rendu?
Pylade. J'en rends grâces au ciel, qui m'arrêtant [5] sans cesse
Semblait m'avoir fermé le chemin de la Grèce,   10
Depuis le jour fatal que la fureur des eaux
Presque aux yeux de l'Épire écarta [6] nos vaisseaux.
Combien dans cet exil ai-je souffert d'alarmes! [7]
Combien à vos malheurs ai-je donné de larmes,[8]
Craignant toujours pour vous quelque nouveau danger   15
Que ma triste amitié ne pouvait partager!
Surtout je redoutais [9] cette mélancolie
Où [10] j'ai vu si longtemps votre âme ensevelie.[11]
Je craignais que le ciel, par un cruel secours,
Ne vous offrît la mort que vous cherchiez toujours.   20

1. destinée. 2. colère. 3. *to reunite us.* 4. contraire. 5. *thwarting.* 6. sépara.
7. inquiétudes. 8. *tears.* 9. avais peur de (pour vous). 10. où: dans laquelle. 11. (lit., *buried*): *absorbed.*

Mais je vous vois, Seigneur; et si j'ose le dire,
Un destin plus heureux vous conduit en Épire:
Le pompeux appareil [1] qui suit ici vos pas
N'est point d'un malheureux qui cherche le trépas.[2]

   Oreste. Hélas! qui peut savoir le destin qui m'amène?   25
L'amour me fait ici chercher une inhumaine.[3]
Mais qui sait ce qu'il doit ordonner de mon sort,[4]
Et si je viens chercher ou la vie ou la mort?

   Pylade. Quoi? votre âme à l'amour en esclave asservie [5]
Se repose sur lui du soin de votre vie?   30
Par quel charme, oubliant tant de tourments soufferts,
Pouvez-vous consentir à rentrer dans ses fers? [6]
Pensez-vous qu'Hermione, à Sparte inexorable,
Vous prépare en Épire un sort plus favorable?
Honteux d'avoir poussé tant de vœux superflus,[7]   35
Vous l'abhorriez; enfin vous ne m'en parliez plus.
Vous me trompiez,[8] Seigneur.

   Oreste.   Je me trompais moi-même.
Ami, n'accable [9] point un malheureux qui t'aime.
T'ai-je jamais caché mon cœur et mes désirs?
Tu vis naître ma flamme et mes premiers soupirs.   40
Enfin, quand Ménélas disposa de sa fille
En faveur de Pyrrhus, vengeur de sa famille,
Tu vis mon désespoir; et tu m'as vu depuis
Traîner [10] de mers en mers ma chaîne et mes ennuis.
Je te vis à regret, en cet état funeste,   45
Prêt à suivre partout le déplorable Oreste,
Toujours de ma fureur interrompre le cours,
Et de moi-même enfin me sauver tous les jours.
Mais quand je me souvins que parmi tant d'alarmes
Hermione à Pyrrhus prodiguait [11] tous ses charmes,   50
Tu sais de quel courroux mon cœur alors épris [12]
Voulut en l'oubliant punir tous ses mépris.[13]
Je fis croire et je crus ma victoire certaine;
Je pris tous mes transports [14] pour des transports de haine [15];
Détestant ses rigueurs,[16] rabaissant [17] ses attraits,[18]   55
Je défiais ses yeux de me troubler [19] jamais.
Voilà comme je crus étouffer [20] ma tendresse.

---

1. *train, escort.* **2.** la mort. **3.** femme cruelle; Hermione, qui a préféré Pyrrhus à Oreste. **4.** ce qu'il . . . sort: le destin que l'amour décidera. **5.** asservie à l'amour en esclave, *enslaved by love.* **6.** chaînes (redevenir son esclave par amour). **7.** poussé . . . superflus: fait tant de déclarations d'amour inutiles. **8.** *were deceiving.* **9.** *do not crush (under the added burden of your reproaches).* **10.** *drag.* **11.** *lavished.* **12.** *how my heart filled* (épris) *with anger.* **13.** *contempt.* **14.** *(vehement) emotions.* **15.** *hatred.* **16.** cruauté. **17.** *disparaging.* **18.** charmes. **19.** *move.* **20.** *smother.*

En ce calme trompeur j'arrivai dans la Grèce;
Et je trouvai d'abord ses princes rassemblés,
Qu'un péril assez grand semblait avoir troublés.[1]   60
J'y courus. Je pensai que la guerre et la gloire
De soins plus importants rempliraient ma mémoire;
Que mes sens reprenant leur première vigueur,
L'amour achèverait de sortir de mon cœur.
Mais admire [2] avec moi le sort dont la poursuite   65
Me fait courir alors au piège [3] que j'évite.
J'entends de tous côtés qu'on menace Pyrrhus;
Toute la Grèce éclate [4] en murmures confus;
On se plaint qu'oubliant son sang et sa promesse
Il élève en sa cour l'ennemi de la Grèce,   70
Astyanax, d'Hector jeune et malheureux fils,
Reste de tant de rois sous Troie ensevelis.
J'apprends que pour ravir son enfance au supplice [5]
Andromaque trompa l'ingénieux Ulysse,
Tandis qu'un autre enfant, arraché [6] de ses bras,   75
Sous le nom de son fils fut conduit au trépas.
On dit que peu sensible aux charmes d'Hermione,
Mon rival porte ailleurs son cœur et sa couronne:
Ménélas, sans le croire, en paraît affligé,
Et se plaint d'un hymen si longtemps négligé.[7]   80
Parmi les déplaisirs où son âme se noie,[8]
Il [9] s'élève en la mienne une secrète joie:
Je triomphe; et pourtant je me flatte d'abord
Que la seule vengeance excite ce transport.
Mais l'ingrate en mon cœur reprit bientôt sa place: 85
De mes feux [10] mal éteints je reconnus la trace;
Je sentis que ma haine allait finir son cours,
Ou plutôt je sentis que je l'aimais toujours.
Ainsi de tous les Grecs je brigue le suffrage.[11]
On m'envoie à Pyrrhus: j'entreprends ce voyage.   90
Je viens voir si l'on peut arracher de ses bras
Cet enfant dont la vie alarme tant d'États:
Heureux si je pouvais, dans l'ardeur qui me presse,
Au lieu d'Astyanax, lui ravir ma princesse!
Car enfin n'attends [12] pas que mes feux redoublés   95
Des périls les plus grands puissent être troublés.
Puisqu'après tant d'efforts ma résistance est vaine,

1. troublés: *brought to a state of anxious agitation.*   2. *wonder at.*   3. *snare.*   4. *breaks forth.*   5. ravir . . . au supplice, *save (the child) from death.*   6. *torn.*   7. *postponed.*   8. *is drowned, lost.*   9. ici: *there.*   10. mon amour.   11. je brigue le suffrage: *I seek the vote* (pour être choisi comme ambassadeur à la cour de Pyrrhus).   12. *do not expect.*

Je me livre en aveugle ¹ au destin qui m'entraîne.²
J'aime: je viens chercher Hermione en ces lieux,
La fléchir,³ l'enlever,⁴ ou mourir à ses yeux. 100
Toi qui connais Pyrrhus, que penses-tu qu'il fasse?
Dans sa cour, dans son cœur, dis-moi ce qui se passe.
Mon Hermione encor le tient-elle asservi?
Me rendra-t-il, Pylade, un bien qu'il m'a ravi?
    Pylade. Je vous abuserais ⁵ si j'osais ⁶ vous promettre 105
Qu'entre vos mains, Seigneur, il voulût la remettre.
Non que de sa conquête il paraisse flatté;
Pour la veuve d'Hector ses feux ont éclaté:
Il l'aime. Mais enfin cette veuve inhumaine
N'a payé jusqu'ici son amour que de haine; 110
Et chaque jour encore on lui voit tout tenter
Pour fléchir sa captive, ou pour l'épouvanter.⁷
De son fils, qu'il lui cache, il menace la tête,
Et fait couler des pleurs ⁸ qu'aussitôt il arrête.
Hermione elle-même a vu plus de cent fois 115
Cet amant irrité revenir sous ses lois,⁹
Et, de ses vœux troublés lui rapportant l'hommage,
Soupirer à ses pieds moins d'amour que de rage.
Ainsi n'attendez pas que l'on puisse aujourd'hui
Vous répondre d'un cœur si peu maître de lui: 120
Il peut, Seigneur, il peut, dans ce désordre extrême,
Épouser ce qu'il hait, et punir ce qu'il aime.
    Oreste. Mais dis-moi de quel œil Hermione peut voir
Son hymen différé, ses charmes sans pouvoir?
    Pylade. Hermione, Seigneur, au moins en apparence, 125
Semble de son amant dédaigner l'inconstance,
Et croit que, trop heureux de fléchir sa rigueur,
Il la viendra presser de reprendre son cœur.
Mais je l'ai vue enfin me confier ses larmes.
Elle pleure en secret le mépris de ses charmes. 130
Toujours prête à partir et demeurant toujours,
Quelquefois elle appelle Oreste à son secours.
    Oreste. Ah! si je le croyais, j'irais bientôt, Pylade,
Me jeter . . .
    Pylade. Achevez, Seigneur, votre ambassade.
Vous attendez le Roi. Parlez, et lui montrez 135
Contre le fils d'Hector tous les Grecs conjurés.¹⁰

---

1. *blindly.* **2.** *bears me along.* **3.** *make her yield.* **4.** *carry off.* **5.** tromperais.
6. *dared.* **7.** *frighten.* **8.** *tears.* **9.** revenir sous ses lois: *become her slave (lover) again.*
10. alliés.

Loin de leur accorder ce fils de sa maîtresse,
Leur haine ne fera qu'irriter [1] sa tendresse.
Plus on les veut brouiller,[2] plus on va les unir.
Pressez,[3] demandez tout, pour ne rien obtenir.   140
Il vient.
 Oreste. Hé bien ! va donc disposer la cruelle
A revoir un amant qui ne vient que pour elle.

SCÈNE II

PYRRHUS, ORESTE, PHŒNIX

 Oreste. Avant que tous les Grecs vous parlent par ma voix.
Souffrez que j'ose ici me flatter de leur choix,
Et qu'à vos yeux, Seigneur, je montre quelque joie
De voir le fils d'Achille et le vainqueur de Troie.
Oui, comme ses exploits nous admirons vos coups,   5
Hector tomba sous lui, Troie expira sous vous;
Et vous avez montré, par une heureuse audace,
Que le fils seul d'Achille a pu remplir sa place.
Mais ce qu'il n'eût point fait, la Grèce avec douleur
Vous voit du sang troyen relever le malheur.[4]   10
Et, vous laissant toucher d'une pitié funeste.
D'une guerre si longue entretenir le reste.[5]
Ne vous souvient-il plus, Seigneur, quel fut Hector?
Nos peuples affaiblis s'en souviennent encor.
Son nom seul fait frémir [6] nos veuves [7] et nos filles;   15
Et dans toute la Grèce il n'est point de familles
Qui ne demandent compte à [8] ce malheureux fils
D'un père ou d'un époux qu'Hector leur a ravis.
Et qui sait ce qu'un jour ce fils peut entreprendre?
Peut-être dans nos ports nous le verrons descendre,   20
Tel qu'on a vu son père embraser [9] nos vaisseaux,
Et, la flamme à la main, les suivre sur les eaux.
Oserai-je, Seigneur, dire ce que je pense?
Vous-même de vos soins craignez la récompense,
Et que dans votre sein [10] ce serpent élevé   25
Ne vous punisse un jour de l'avoir conservé.
Enfin de tous les Grecs satisfaites l'envie,[11]
Assurez leur vengeance, assurez votre vie;

---

 1. *spur on.* **2.** *set at variance.* **3.** insistez. **4.** *retrieve the fortune.* **5.** le survivant (Astyanax). **6.** trembler. **7.** *widows.* **8.** rendent responsable. **9.** *set on fire.* **10.** *bosom.* **11.** désir.

Perdez [1] un ennemi d'autant plus dangereux
Qu'il s'essaîra [2] sur vous à combattre contre eux. 30
    Pyrrhus. La Grèce en ma faveur est trop inquiétée.[3]
De soins plus importants je l'ai crue agitée,
Seigneur; et, sur le nom de son ambassadeur,
J'avais dans ses projets conçu plus de grandeur.
Qui croirait en effet qu'une telle entreprise 35
Du fils d'Agamemnon méritât l'entremise [4];
Qu'un peuple tout entier, tant de fois triomphant,
N'eût daigné conspirer que la mort d'un enfant?
Mais à qui prétend-on que je le sacrifie?
La Grèce a-t-elle encor quelque droit sur sa vie? 40
Et seul de tous les Grecs ne m'est-il pas permis
D'ordonner d'un captif que le sort m'a soumis?
Oui, Seigneur, lorsqu'au pied des murs fumants de Troie
Les vainqueurs tout sanglants partagèrent leur proie,
Le sort, dont les arrêts [5] furent alors suivis, 45
Fit tomber en mes mains Andromaque et son fils.
Hécube [6] près d'Ulysse acheva sa misère;
Cassandre [7] dans Argos a suivi votre père:
Sur eux, sur leurs captifs ai-je étendu mes droits?
Ai-je enfin disposé du fruit de leurs exploits? 50
On craint qu'avec Hector Troie un jour ne renaisse [8];
Son fils peut me ravir le jour [9] que je lui laisse.
Seigneur, tant de prudence entraîne trop de soin;
Je ne sais point prévoir les malheurs de si loin.
Je songe quelle était autrefois cette ville, 55
Si superbe en remparts, en héros si fertile,
Maîtresse de l'Asie; et je regarde enfin
Quel fut le sort de Troie, et quel est son destin.
Je ne vois que des tours que la cendre [10] a couvertes,
Un fleuve teint de sang,[11] des campagnes désertes, 60
Un enfant dans les fers; et je ne puis songer
Que Troie en cet état aspire à se venger.
Ah! si du fils d'Hector la perte [12] était jurée,[13]
Pourquoi d'un an entier l'avons-nous différée?
Dans le sein de Priam n'a-t-on pu l'immoler? [14] 65
Sous tant de morts, sous Troie il fallait l'accabler.[15]
Tout était juste alors: la vieillesse et l'enfance
En vain sur leur faiblesse appuyaient leur défense;

1. *doom.* 2. *will try his hand.* 3. anxieuse. 4. intervention. 5. décisions. 6. femme du roi Priam, mère d'Hector. 7. fille de Priam et d'Hécube, dont on ne voulait pas écouter les terribles prédictions. 8. *revive.* 9. *ici:* vie. 10. *ashes.* 11. *a river stained with blood.* 12. la mort. 13. décidée. 14. mettre à mort. 15. *crush.*

La victoire et la nuit, plus cruelles que nous,
Nous excitaient au meurtre, et confondaient nos coups.[1]   70
Mon courroux aux vaincus ne fut que trop sévère.
Mais que ma cruauté survive à ma colère?
Que malgré la pitié dont je me sens saisir,
Dans le sang d'un enfant je me baigne [2] à loisir?
Non, Seigneur.   Que les Grecs cherchent quelque autre proie;   75
Qu'ils poursuivent ailleurs ce qui reste de Troie:
De mes inimitiés le cours est achevé;
L'Épire sauvera ce que Troie a sauvé.
   Oreste.   Seigneur, vous savez trop avec quel artifice
Un faux Astyanax fut offert au supplice   80
Où le seul fils d'Hector devait être conduit.
Ce n'est pas les Troyens, c'est Hector qu'on poursuit.
Oui, les Grecs sur le fils persécutent le père;
Il a par trop de sang acheté [3] leur colère.
Ce n'est que dans le sien qu'elle peut expirer;   85
Et jusque dans l'Épire il les peut attirer.
Prévenez-les.[4]
   Pyrrhus.   Non, non.   J'y consens avec joie:
Qu'ils cherchent dans l'Épire une seconde Troie;
Qu'ils confondent leur haine, et ne distinguent plus
Le sang qui les fit vaincre et celui des vaincus.   90
Aussi bien ce n'est pas la première injustice
Dont la Grèce d'Achille a payé le service.
Hector en profita,[5] Seigneur; et quelque jour
Son fils en pourrait bien profiter à son tour.
   Oreste.   Ainsi la Grèce en vous trouve un enfant rebelle?   95
   Pyrrhus.   Et je n'ai donc vaincu que pour dépendre d'elle?
   Oreste.   Hermione, Seigneur, arrêtera vos coups:
Ses yeux s'opposeront entre son père et vous.
   Pyrrhus.   Hermione, Seigneur, peut m'être toujours chère;
Je puis l'aimer, sans être esclave de son père;   100
Et je saurai peut-être accorder [6] quelque jour
Les soins de ma grandeur et ceux de mon amour.
Vous pouvez cependant voir la fille d'Hélène:
Du sang qui vous unit je sais l'étroite chaîne.
Après cela, Seigneur, je ne vous retiens [7] plus,   105
Et vous pourrez aux Grecs annoncer mon refus.

---

  1. *made all our blows alike.*   **2.** *(lit., bathe): that I should be steeped.*   **3.** *bought, incurred.*
4. *agissez avant eux.*   **5.** *benefited by.*   **6.** *réconcilier.*   **7.** *detain.*

SCÈNE III

PYRRHUS, PHŒNIX

Phœnix.   Ainsi vous l'envoyez aux pieds de sa maîtresse!
Pyrrhus.   On dit qu'il a longtemps brûlé [1] pour la princesse.
Phœnix.   Mais si ce feu, Seigneur, vient à se rallumer?
S'il lui rendait son cœur, s'il s'en faisait aimer?
   Pyrrhus.   Ah! qu'ils s'aiment, Phœnix: j'y consens.   Qu'elle parte.   5
Que, charmés l'un de l'autre, ils retournent à Sparte:
Tous nos ports sont ouverts et pour elle et pour lui,
Qu'elle m'épargnerait [2] de contrainte et d'ennui!
   Phœnix.   Seigneur . . .
   Pyrrhus.   Une autre fois je t'ouvirai mon âme:
Andromaque paraît.

SCÈNE IV

PYRRHUS, ANDROMAQUE, CÉPHISE

   Pyrrhus.   Me cherchiez-vous, Madame?
Un espoir si charmant me serait-il permis?
   Andromaque.   Je passais jusqu'aux lieux où l'on garde mon fils.
Puisqu'une fois le jour vous souffrez que je voie
Le seul bien qui me reste et d'Hector et de Troie,   5
J'allais, Seigneur, pleurer un moment avec lui:
Je ne l'ai point encore embrassé d'aujourd'hui.
   Pyrrhus.   Ah! Madame, les Grecs, si j'en crois leurs alarmes,
Vous donneront bientôt d'autres sujets de larmes.
   Andromaque.   Et quelle est cette peur dont leur cœur est frappé,   10
Seigneur?   Quelque Troyen vous est-il échappé?
   Pyrrhus.   Leur haine pour Hector n'est pas encore éteinte.
Ils redoutent [3] son fils.
   Andromaque.   Digne objet de leur crainte!
Un enfant malheureux, qui ne sait pas encor
Que Pyrrhus est son maître, et qu'il est fils d'Hector.   15
   Pyrrhus.   Tel qu'il est, tous les Grecs demandent qu'il périsse,
Le fils d'Agamemnon vient hâter son supplice.
   Andromaque.   Et vous prononcerez un arrêt si cruel?
Est-ce mon intérêt [4] qui le rend criminel?
Hélas! on ne craint point qu'il venge un jour son père;   20
On craint qu'il n'essuyât les larmes de sa mère.

---

1. a été amoureux de.   **2.** *would spare me.*   **3.** ont peur de.   **4.** amour maternel (qui le rend criminel parce qu'il pourrait essuyer (*dry*) les larmes de la Troyenne).

Il m'aurait tenu lieu [1] d'un père et d'un époux;
Mais il me faut tout perdre, et toujours par vos coups.
 Pyrrhus. Madame, mes refus ont prévenu vos larmes.
Tous les Grecs m'ont déjà menacé de leurs armes;   25
Mais dussent-ils encore, en repassant les eaux,
Demander votre fils avec mille vaisseaux;
Coûtât-il tout le sang qu'Hélène a fait répandre [2];
Dussé-je après dix ans voir mon palais en cendre,
Je ne balance [3] point, je vole [4] à son secours: 30
Je défendrai sa vie aux dépens de mes jours.
Mais parmi ces périls où [5] je cours pour vous plaire,
Me refuserez-vous un regard moins sévère?
Haï [6] de tous les Grecs, pressé de tous côtés,
Me faudra-t-il combattre encor vos cruautés?   35
Je vous offre mon bras. Puis-je espérer encore
Que vous accepterez un cœur qui vous adore?
En combattant pour vous, me sera-t-il permis
De ne vous point compter parmi mes ennemis?
 Andromaque. Seigneur, que faites-vous, et que dira la Grèce? 40
Faut-il qu'un si grand cœur montre tant de faiblesse?
Voulez-vous qu'un dessein si beau, si généreux
Passe pour le transport d'un esprit amoureux?
Captive, toujours triste, importune à moi-même,
Pouvez-vous souhaiter qu'Andromaque vous aime?   45
Quels charmes ont pour vous des yeux infortunés
Qu'à des pleurs éternels vous avez condamnés?
Non, non, d'un ennemi respecter la misère,
Sauver des malheureux, rendre un fils à sa mère,
De cent peuples pour lui combattre la rigueur,   50
Sans me faire payer son salut de mon cœur,
Malgré moi, s'il le faut, lui donner un asile [7]:
Seigneur, voilà des soins dignes du fils d'Achille.
 Pyrrhus. Hé quoi? votre courroux n'a-t-il pas eu son cours?
Peut-on haïr sans cesse? et punit-on toujours?   55
J'ai fait des malheureux, sans doute; et la Phrygie [8]
Cent fois de votre sang a vu ma main rougie.
Mais que vos yeux sur moi se sont bien exercés!
Qu'ils m'ont vendu bien cher les pleurs qu'ils ont versés!
De combien de remords m'ont-ils rendu [9] la proie!   60
Je souffre tous les maux que j'ai faits devant Troie.

---

 1. remplacé. **2.** *shed.* **3.** hésite. **4.** *fly.* **5.** auxquels. **6.** *hated.* **7.** refuge. **8.** contrée
de l'Asie mineure. Villes principales: Iconium, Cyzique, Lambsaque, Abydos, Troie.
9. fait.

Vaincu, chargé de fers, de regrets consumé,
Brûlé de plus de feux que je n'en allumai,
Tant de soins, tant de pleurs, tant d'ardeurs inquiètes . . .
Hélas ! fus-je jamais si cruel que vous l'êtes ? 65
Mais enfin, tour à tour,[1] c'est assez nous punir :
Nos ennemis communs devraient nous réunir.
Madame, dites-moi seulement que j'espère [2] ;
Je vous rends votre fils, et je lui sers de père ;
Je l'instruirai moi-même à venger les Troyens ; 70
J'irai punir les Grecs de vos maux et des miens.
Animé d'un regard, je puis tout entreprendre :
Votre Ilion [3] encor peut sortir de sa cendre ;
Je puis, en moins de temps que les Grecs ne l'ont pris,
Dans ses murs relevés couronner votre fils. 75
    Andromaque. Seigneur, tant de grandeurs ne nous touchent plus guère :
Je les lui promettais tant qu'a vécu son père.
Non, vous n'espérez plus de nous revoir encor,
Sacrés murs, que n'a pu conserver mon Hector.
A de moindres faveurs des malheureux prétendent, 80
Seigneur : c'est un exil que mes pleurs vous demandent.
Souffrez que loin des Grecs, et même loin de vous,
J'aille cacher mon fils, et pleurer mon époux.
Votre amour contre nous allume trop de haine :
Retournez, retournez à la fille d'Hélène. 85
    Pyrrhus. Et le puis-je, Madame ? Ah ! que vous me gênez ! [4]
Comment lui rendre un cœur que vous me retenez ?
Je sais que de mes vœux [5] on lui promit l'empire ;
Je sais que pour régner elle vint dans l'Épire ;
Le sort vous y voulut l'une et l'autre amener : 90
Vous, pour porter des fers ; elle, pour en donner.
Cependant ai-je pris quelque soin de lui plaire ?
Et ne dirait-on pas, en voyant au contraire
Vos charmes tout-puissants, et les siens dédaignés,
Qu'elle est ici captive, et que vous y régnez ? 95
Ah ! qu'un seul des soupirs que mon cœur vous envoie,
S'il s'échappait vers elle, y porterait de joie !
    Andromaque. Et pourquoi vos soupirs seraient-ils repoussés ?
Aurait-elle oublié vos services passés ?
Troie, Hector, contre vous révoltent-ils son âme ? 100
Aux cendres d'un époux doit-elle enfin sa flamme ?
Et quel époux encore ! Ah ! souvenir cruel !

---

1. mutuellement. **2.** que j'espère : que je peux espérer. **3.** autre nom de la ville de Troie, appelée aussi Pergame. **4.** *how you torment me!* **5.** mon cœur.

Sa mort seule a rendu votre père immortel.
Il doit au sang d'Hector tout l'éclat de ses armes,[1]
Et vous n'êtes tous deux connus que par mes larmes.   105
   Pyrrhus.   Hé bien, Madame, hé bien, il faut vous obéir:
Il faut vous oublier, ou plutôt vous haïr.
Oui, mes vœux ont trop loin poussé leur violence
Pour ne plus s'arrêter que dans l'indifférence.
Songez-y bien: il faut désormais [2] que mon cœur,   110
S'il n'aime avec transport, haïsse avec fureur.
Je n'épargnerai rien dans ma juste colère:
Le fils me répondra des mépris de la mère;
La Grèce le demande, et je ne prétends pas
Mettre toujours ma gloire à sauver des ingrats.   115
   Andromaque.   Hélas! il mourra donc. Il n'a pour sa défense
Que les pleurs de sa mère, et que son innocence.
Et peut-être après tout, en l'état où je suis,
Sa mort avancera la fin de mes ennuis.
Je prolongeais pour lui ma vie et ma misère;   120
Mais enfin sur ses pas j'irai revoir son père.
Ainsi tous trois, Seigneur, par vos soins réunis.
Nous vous . . .
   Pyrrhus.   Allez, Madame, allez voir votre fils.
Peut-être, en le voyant, votre amour plus timide
Ne prendra pas toujours sa colère pour guide.   125
Pour savoir nos destins, j'irai vous retrouver.
Madame, en l'embrassant, songez à le sauver.

ACTE II

[Hermione revoit Oreste; elle hésite à le suivre, mais promet de partir avec lui si Pyrrhus préfère la renvoyer plutôt que de livrer l'enfant. Pyrrhus, désappointé par le refus d'Andromaque, décide d'épouser Hermione et de livrer Astyanax aux Grecs.]

SCÈNE PREMIÈRE

Hermione, Cléone

[Hermione dit à sa confidente Cléone qu'elle consent à revoir son ancien prétendant Oreste, puisque son fiancé Pyrrhus lui préfère Andromaque. On voit que, malgré tout, elle espère encore. Elle a tant aimé Pyrrhus! — Puis, la scène continue ainsi.]

Hermione.   Tu t'en souviens encor, tout conspirait pour lui:
Ma famille vengée, et les Grecs dans la joie,
Nos vaisseaux tout chargés [3] des dépouilles de Troie,

   1. la gloire de ses exploits. **2.** *henceforth.* **3.** *laden (with the spoils).*

Les exploits de son père effacés par les siens,
Les feux que je croyais plus ardents que les miens,   5
Mon cœur, toi-même enfin de sa gloire éblouie,[1]
Avant qu'il me trahît,[2] vous m'avez tous trahie.
Mais c'en est trop, Cléone, et quel que soit Pyrrhus,
Hermione est sensible,[3] Oreste a des vertus.
Ii sait aimer du moins, et même sans qu'on l'aime,   10
Et peut-être il saura se faire aimer lui-même.
Allons: qu'il vienne enfin.
  Cléone.   Madame, le voici.
  Hermione. Ah! je ne croyais pas qu'il fût si près d'ici.

SCÈNE II

Hermione, Oreste, Cléone

 Hermione. Le croirai-je, Seigneur, qu'un reste de tendresse
Vous fasse ici chercher une triste princesse?
Ou ne dois-je imputer qu'à votre seul devoir
L'heureux empressement [4] qui vous porte à me voir?
 Oreste. . . . Je sais que vos regards vont rouvrir mes blessures,[5] 5
Que tous mes pas vers vous sont autant de parjures [6]:
Je le sais, j'en rougis.[7] Mais j'atteste les Dieux,
Témoins [8] de la fureur de mes derniers adieux,
Que j'ai couru partout où ma perte [9] certaine
Dégageait mes serments [10] et finissait ma peine.   10
J'ai mendié [11] la mort chez des peuples cruels
Qui n'apaisaient leurs dieux que du sang des mortels:
. . . Voilà, depuis un an, le seul soin qui m'anime.
Madame, c'est à vous de prendre une victime
Que les Scythes [12] auraient dérobée à vos coups,[13]   15
Si j'en avais trouvé d'aussi cruels que vous.
 Hermione. Quittez, Seigneur, quittez ce funeste [14] langage.
A des soins plus pressants la Grèce vous engage.
Que parlez-vous du Scythe et de mes cruautés?
Songez à tous ces rois que vous représentez.   20
Faut-il que d'un transport [15] leur vengeance dépende?
Est-ce le sang d'Oreste enfin qu'on vous demande?
Dégagez-vous des soins [16] dont vous êtes chargé.
 Oreste. Les refus de Pyrrhus m'ont assez dégagé,

1. *dazzled.* **2.** *betrayed.* **3.** *not heartless.* **4.** *eagerness.* **5.** *wounds.* **6.** violations de ma promesse, de ma résolution de ne plus vous voir. **7.** *blush.* **8.** *witnesses.* **9.** mort. **10.** *freed me of my oaths.* **11.** *begged for.* **12.** nation nomade, réputée pour sa barbarie (aux confins de l'Europe et de l'Asie). **13.** dérobée à vos coups (lit., *stolen from your blows*): spared you the trouble of killing. **14.** si triste. **15.** *mad passion.* **16.** dégagez-vous des soins: *acquit yourself of the duties.*

Madame: il me renvoie; et quelque autre puissance [1] 25
Lui fait du fils d'Hector embrasser la défense.

    Hermione. L'infidèle!

    Oreste. Ainsi donc, tout prêt [2] à le quitter,
Sur mon propre destin je viens vous consulter.
Déjà même je crois entendre la réponse
Qu'en secret contre moi votre haine prononce. 30

    Hermione. Hé quoi? toujours injuste en vos tristes discours,
De mon inimitié vous plaindrez-vous toujours?
Quelle est cette rigueur tant de fois alléguée?
J'ai passé dans l'Épire, où j'étais reléguée [3]:
Mon père l'ordonnait. Mais qui sait si depuis 35
Je n'ai point en secret partagé vos ennuis?
Pensez-vous avoir seul éprouvé des alarmes? [4]
Que l'Épire jamais n'ait vu couler mes larmes?
Enfin qui vous a dit que malgré mon devoir
Je n'ai pas quelquefois souhaité de vous voir? 40

    Oreste. Souhaité de me voir! Ah! divine princesse ...
Mais, de grâce, est-ce à moi que ce discours s'adresse?
Ouvrez vos yeux: songez qu'Oreste est devant vous,
Oreste, si longtemps l'objet de leur courroux.

    Hermione. Oui, c'est vous dont l'amour, naissant avec leurs charmes, 45
Leur apprit le premier le pouvoir de leurs armes;
Vous que mille vertus me forçaient d'estimer;
Vous que j'ai plaint,[5] enfin que je voudrais aimer.

    Oreste. Je vous entends.[6] Tel est mon partage [7] funeste:
Le cœur est pour Pyrrhus, et les vœux pour Oreste. 50

    Hermione. Ah! ne souhaitez pas le destin de Pyrrhus:
Je vous haïrais trop.

    Oreste. Vous m'en aimeriez plus.
... Vous seule pour Pyrrhus disputez aujourd'hui,
Peut-être malgré vous, sans doute malgré lui.
Car enfin il vous hait; son âme ailleurs éprise 55
N'a plus ...

    Hermione. Qui vous l'a dit, Seigneur, qu'il me méprise? [8]
Ses regards, ses discours, vous l'ont-ils donc appris?
Jugez-vous que ma vue inspire des mépris,
Qu'elle allume [9] en un cœur des feux si peu durables?
Peut-être d'autres yeux me sont plus favorables. 60

    Oreste. Poursuivez: il est beau de m'insulter ainsi.
Cruelle, c'est donc moi qui vous méprise ici?

---

1. *power.* **2.** *ready.* **3.** exilée. **4.** éprouvé des alarmes: *known vexations.* **5.** *pitied.*
6. comprends. **7.** *lot.* **8.** *disdains.* **9.** *kindles.*

Vos yeux n'ont pas assez éprouvé [1] ma constance?
Je suis donc un témoin de leur peu de puissance?
Je les ai méprisés?　Ah! qu'ils voudraient bien voir　　　　65
Mon rival, comme moi, mépriser leur pouvoir!
　　Hermione.　Que m'importe, Seigneur, sa haine ou sa tendresse?
Allez contre un rebelle armer toute la Grèce;
Rapportez-lui le prix de sa rébellion;
Qu'on fasse de l'Épire un second Ilion.　　　　　　　70
Allez.　Après cela direz-vous que je l'aime?
　　Oreste.　Madame, faites plus, et venez-y vous-même.
Voulez-vous demeurer pour otage en ces lieux?
Venez dans tous les cœurs faire parler vos yeux.
Faisons de notre haine une commune attaque.　　　　75
　　Hermione.　Mais, Seigneur, cependant s'il épouse Andromaque?
　　Oreste. Hé! Madame.
　　Hermione.　　　　　　Songez quelle honte pour nous
Si d'une Phrygienne il devenait l'époux!
　　Oreste. Et vous le haïssez?　Avouez-le, Madame,
L'amour n'est pas un feu qu'on renferme en une âme.　　　80
Tout nous trahit, la voix, le silence, les yeux;
Et les feux mal couverts n'en éclatent que mieux.
　　Hermione. Seigneur, je le vois bien, votre âme prévenue [2]
Répand sur mes discours le venin qui la tue,
Toujours dans mes raisons cherche quelque détour,　　　85
Et croit qu'en moi la haine est un effort d'amour.
Il faut donc m'expliquer: vous agirez ensuite.
Vous savez qu'en ces lieux mon devoir m'a conduite;
Mon devoir m'y retient, et je n'en puis partir
Que [3] mon père ou Pyrrhus ne m'en fasse sortir.　　　90
De la part de mon père allez lui faire entendre
Que l'ennemi des Grecs ne peut être son gendre [4]:
Du Troyen ou de moi faites-le décider;
Qu'il songe qui des deux il veut rendre ou garder;
Enfin qu'il me renvoie, ou bien qu'il vous le livre.[5]　　　9〔
Adieu.　S'il y consent, je suis prête à vous suivre.

SCÈNE III

ORESTE, *seul*

　　Oreste.　Oui, oui, vous me suivrez, n'en doutez nullement:
Je vous réponds déjà de [6] son consentement.
Je ne crains pas enfin que Pyrrhus la retienne:

1. *tested.* 2. *prejudiced.* 3. que: à moins que. 4. *son-in-law.* 5. *surrender.* 6. réponds
de: garantis.

Il n'a devant les yeux que sa chère Troyenne;
Tout autre objet le blesse [1]; et peut-être aujourd'hui   5
Il n'attend qu'un prétexte à l'éloigner [2] de lui.
Nous n'avons qu'à parler: c'en est fait. Quelle joie
D'enlever à l'Épire une si belle proie !
Sauve tout ce qui reste et de Troie et d'Hector,
Garde son fils, sa veuve, et mille autres encor,   10
Épire: c'est assez qu'Hermione rendue
Perde à jamais tes bords et ton prince de vue.[3]
Mais un heureux destin le conduit en ces lieux.
Parlons. A tant d'attraits, Amour, ferme ses yeux !

SCÈNE IV

PYRRHUS, ORESTE, PHŒNIX

Pyrrhus.   Je vous cherchais, Seigneur. Un peu de violence
M'a fait de vos raisons combattre la puissance,
Je l'avoue; et depuis que je vous ai quitté,
J'en ai senti la force et connu l'équité.[4]
J'ai songé, comme vous, qu'à la Grèce, à mon père,   5
A moi-même, en un mot, je devenais contraire;
Que je relevais Troie, et rendais imparfait
Tout ce qu'a fait Achille et tout ce que j'ai fait.
Je ne condamne plus un courroux légitime,
Et l'on vous va, Seigneur, livrer votre victime.   10
Oreste.   Seigneur, par ce conseil prudent et rigoureux,
C'est acheter la paix du sang d'un malheureux.
Pyrrhus.   Oui. Mais je veux, Seigneur, l'assurer davantage:
D'une éternelle paix Hermione est le gage [5];
Je l'épouse. Il semblait qu'un spectacle si doux   15
N'attendît en ces lieux qu'un témoin tel que vous.
Vous y représentez tous les Grecs et son père,
Puisqu'en vous Ménélas voit revivre son frère.[6]
Voyez-la donc. Allez. Dites-lui que demain
J'attends, avec la paix, son cœur de votre main.   20
Oreste.   Ah Dieux ! (ORESTE *sort.*)

1. *galls.*   2. séparer.   3. perde de vue: *lose sight of.*   4. justice.   5. *token, security.*
6. Agamemnon, frère de Ménélas. Ainsi le père d'Hermione serait représenté au mariage par
Oreste, son neveu; c'est-à-dire qu'Oreste devrait remettre lui-même celle qu'il aime à son
rival, Pyrrhus.

SCÈNE V

Pyrrhus, Phœnix

Pyrrhus. Hé bien, Phœnix, l'amour est-il le maître?
Tes yeux refusent-ils encor de me connaître?
  Phœnix. Ah! je vous reconnais; et ce juste courroux,
Ainsi qu'à tous les Grecs, Seigneur, vous rend à vous.
Ce n'est plus le jouet [1] d'une flamme servile: 5
C'est Pyrrhus, c'est le fils et le rival d'Achille,
Que la gloire à la fin ramène sous ses lois,
Qui triomphe de Troie une seconde fois.
  Pyrrhus. Dis plutôt qu'aujourd'hui commence ma victoire.
D'aujourd'hui seulement je jouis de ma gloire;   10
Et mon cœur, aussi fier [2] que tu l'as vu soumis,
Croit avoir en l'amour vaincu mille ennemis.
Considère, Phœnix, les troubles que j'évite,[3]
Quelle foule de maux l'amour traîne à sa suite,
Que d'amis, de devoirs j'allais sacrifier,   15
Quels périls. . . . Un regard m'eût tout fait oublier.
Tous les Grecs conjurés fondaient [4] sur un rebelle.
Je trouvais du plaisir à me perdre pour elle.
  Phœnix. Oui, je bénis,[5] Seigneur, l'heureuse cruauté
Qui vous rend . . .
  Pyrrhus. Tu l'as vu, comme elle m'a traité.   20
Je pensais, en voyant sa tendresse alarmée,
Que son fils me la dût renvoyer désarmée.
J'allais voir le succès de ses embrassements [6]:
Je n'ai trouvé que pleurs mêlés d'emportements.[7]
Sa misère l'aigrit [8]; et toujours plus farouche,[9]   25
Cent fois le nom d'Hector est sorti de sa bouche.
Vainement à son fils j'assurais mon secours;
« C'est Hector, disait-elle en l'embrassant toujours;
Voilà ses yeux, sa bouche, et déjà son audace;
C'est lui-même, c'est toi, cher époux, que j'embrasse. »   30
Et quelle est sa pensée? Attend-elle en ce jour
Que je lui laisse un fils pour nourrir son amour?
  Phœnix. Sans doute. C'est le prix que vous gardait l'ingrate.
Mais laissez-la, Seigneur.
  Pyrrhus. Je vois ce qui la flatte.
Sa beauté la rassure; et malgré mon courroux,   35

---

1. *plaything.* **2.** *proud.* **3.** *avoid.* **4.** *would have pounced.* **5.** *bless.* **6.** *caresses.*
7. *fits of anger.* **8.** *embitters.* **9.** *sullen.*

L'orgueilleuse [1] m'attend encore à ses genoux.[2]
Je la verrais aux miens, Phœnix, d'un œil tranquille.
Elle est veuve d'Hector, et je suis fils d'Achille :
Trop de haine sépare Andromaque et Pyrrhus.
    Phœnix.   Commencez donc, Seigneur, à ne m'en parler plus.   40
Allez voir Hermione ; et content de lui plaire,
Oubliez à ses pieds jusqu'à [3] votre colère.
Vous-même à cet hymen venez la disposer.
Est-ce sur un rival qu'il s'en faut reposer ?
Il ne l'aime que trop.
    Pyrrhus.   Crois-tu, si je l'épouse,   45
Qu'Andromaque en son cœur n'en sera pas jalouse ?
    Phœnix.   Quoi ? toujours Andromaque occupe votre esprit !
Que vous importe, ô Dieux ! sa joie ou son dépit ?
Quel charme, malgré vous, vers elle vous attire ?
    Pyrrhus.   Non, je n'ai pas bien dit tout ce qu'il lui faut dire :   50
Ma colère à ses yeux n'a paru qu'à demi ;
Elle ignore à quel point je suis son ennemi.
Retournons-y. Je veux la braver [4] à sa vue,
Et donner à ma haine une libre étendue.
Viens voir tous ses attraits, Phœnix, humiliés.   55
Allons.
    Phœnix.   Allez, Seigneur, vous jeter à ses pieds.
Allez, en lui jurant que votre âme l'adore,
A de nouveaux mépris l'encourager encore.
    Pyrrhus.   Je le vois bien, tu crois que prêt à l'excuser
Mon cœur court après elle, et cherche à s'apaiser.   60
    Phœnix.   Vous aimez : c'est assez.
    Pyrrhus.   Moi l'aimer ? une ingrate
Qui me hait d'autant plus que mon amour la flatte ?
Sans parents, sans amis, sans espoir que sur moi,
Je puis perdre son fils ; peut-être je le dois.[5]
Étrangère . . . que dis-je ? esclave dans l'Épire,   65
Je lui donne son fils, mon âme, mon empire ;
Et je ne puis gagner dans son perfide cœur
D'autre rang que celui de son persécuteur ?
Non, non, je l'ai juré, ma vengeance est certaine :
Il faut bien une fois justifier sa haine.   70
J'abandonne son fils. Que de pleurs vont couler !
De quel nom sa douleur me va-t-elle appeler !

---

   1. *proud one.*   **2.** *at her knees, as a loving slave.*   **3.** *even.*   **4.** défier.   **5.** doi *pour* dois ;
licence poétique ; dans la prosodie classique, la rime était pour les yeux autant que pour
l'oreille ; ici, *doi* rime avec *moi.*

Quel spectacle pour elle aujourd'hui se dispose!
Elle en mourra, Phœnix, et j'en serai la cause.
C'est lui mettre moi-même un poignard dans le sein.   75
    Phœnix.   Et pourquoi donc en faire éclater le dessein? [1]
Que ne consultiez-vous tantôt [2] votre faiblesse?
    Pyrrhus.   Je t'entends.   Mais excuse un reste de tendresse.
Crains-tu pour ma colère un si faible combat?
D'un amour qui s'éteint [3] c'est le dernier éclat. [4]   80
Allons.   A tes conseils, Phœnix, je m'abandonne.
Faut-il livrer son fils? faut-il voir Hermione?
    Phœnix.   Oui, voyez-la, Seigneur, et par des vœux soumis
Protestez-lui . . .
    Pyrrhus.   Faisons tout ce que j'ai promis.

ACTE III

[Ne pouvant se résigner à perdre Hermione, Oreste décide de l'enlever (*take away by force*) secrètement. Andromaque supplie Hermione d'intercéder auprès de Pyrrhus en faveur d'Astyanax, mais Hermione, triomphante, refuse dédaigneusement. Andromaque s'efforce alors de toucher Pyrrhus; celui-ci veut bien sauver Astyanax, mais à condition qu'Andromaque l'épouse. Andromaque toujours hésitante va sur la tombe de son époux lui demander conseil.]

SCÈNE PREMIÈRE

ORESTE, PYLADE

    Pylade.   Modérez donc, Seigneur, cette fureur extrême.
Je ne vous connais plus: vous n'êtes plus vous-même.
Souffrez . . .
    Oreste.   Non, tes conseils ne sont plus de saison,
Pylade, je suis las [5] d'écouter la raison.
C'est traîner trop longtemps ma vie et mon supplice: 5
Il faut que je l'enlève ou bien que je périsse.
Le dessein en est pris, je le veux achever.
Oui, je le veux.
    Pylade.   Hé bien, il la faut enlever:
J'y consens. [6] Mais songez cependant où vous êtes.
Que croira-t-on de vous, à voir ce que vous faites?   10
Dissimulez: calmez ce transport inquiet [7];
Commandez à vos yeux de garder le secret.
Ces gardes, cette cour, l'air qui vous environne,

---

1. *Why should you proclaim your intention?*   2. tout à l'heure, récemment.   3. meurt.
4. *flash.*   5. fatigué.   6. *I agree.*   7. *nervous excitement.*

Tout dépend de Pyrrhus, et surtout Hermione.
A ses regards surtout cachez votre courroux. 15
O Dieux! en cet état pourquoi la cherchiez-vous?
 Oreste. Que sais-je? De moi-même étais-je alors le maître?
La fureur m'emportait, et je venais peut-être
Menacer à la fois l'ingrate et son amant.
 Pylade. Et quel était le fruit de cet emportement? 20
 Oreste. Et quelle âme, dis-moi, ne serait éperdue [1]
Du coup dont ma raison vient d'être confondue? [2]
Il épouse, dit-il, Hermione demain;
Il veut, pour m'honorer, la tenir de ma main.
Ah! plutôt cette main dans le sang du barbare ... 25
 Pylade. Vous l'accusez, Seigneur, de ce destin bizarre.
Cependant, tourmenté de ses propres desseins,
Il est peut-être à plaindre autant que je vous plains.
 Oreste. Non, non; je le connais, mon désespoir le flatte;
Sans moi, sans mon amour, il dédaignait l'ingrate; 30
Ses charmes jusque-là n'avaient pu le toucher:
Le cruel ne la prend que pour me l'arracher.[3]
Ah Dieux! c'en était fait: Hermione gagnée
Pour jamais de sa vue allait être éloignée.
Son cœur, entre l'amour et le dépit confus, 35
Pour se donner à moi n'attendait qu'un refus;
Ses yeux s'ouvraient, Pylade; elle écoutait Oreste,
Lui parlait, le plaignait. Un mot eût fait le reste.
 Pylade. Vous le croyez.
 Oreste.   Hé quoi? ce courroux enflammé
Contre un ingrat ...
 Pylade.   Jamais il ne fut plus aimé. 40
Pensez-vous, quand Pyrrhus vous l'aurait accordée,
Qu'un prétexte tout prêt ne l'eût pas retardée?
M'en croirez-vous? Lassé de ses trompeurs attraits,[4]
Au lieu de l'enlever, fuyez-la [5] pour jamais.
Quoi? votre amour se veut charger [6] d'une furie 45
Qui vous détestera, qui toute votre vie
Regrettant un hymen tout prêt à s'achever,
Voudra ...
 Oreste. C'est pour cela que je veux l'enlever.
Tout lui rirait,[7] Pylade; et moi, pour mon partage,
Je n'emporterais donc qu'une inutile rage? 50
J'irais loin d'elle encor tâcher [8] de l'oublier?

---

1. très troublée. **2.** *shaken.* **3.** *snatch her from me.* **4.** lassé ... attraits: *weary of her deceitful charm.* **5.** *shun.* **6.** *assume the companionship.* **7.** réussirait. **8.** *attempt.*

Non, non, à mes tourments je veux l'associer.
C'est trop gémir [1] tout seul. Je suis las qu'on me plaigne.
Je prétends qu'à mon tour l'inhumaine me craigne,[2]
Et que ses yeux cruels, à pleurer condamnés,   55
Me rendent tous les noms que je leur ai donnés.

    Pylade.   Voilà donc le succès qu'aura votre ambassade:
Oreste ravisseur ! [3]

    Oreste.   Et qu'importe, Pylade?
Quand nos États vengés jouiront [4] de mes soins,
L'ingrate de mes pleurs jouira-t-elle moins?   60
Et que me servira que la Grèce m'admire,
Tandis que je serai la fable [5] de l'Épire?
Que veux-tu? Mais, s'il faut ne te rien déguiser,
Mon innocence enfin commence à me peser.[6]
. . . Assez et trop longtemps mon amitié t'accable [7]:   65
Évite un malheureux, abandonne un coupable.
Cher Pylade, crois-moi, ta pitié te séduit.
Laisse-moi des périls dont j'attends tout le fruit.
Porte aux Grecs cet enfant que Pyrrhus m'abandonne.
Va-t'en.

    Pylade.   Allons, Seigneur, enlevons Hermione.   70
Au travers des périls un grand cœur se fait jour.[8]
Que ne peut l'amitié conduite par l'amour?
Allons de tous vos Grecs encourager le zèle.
Nos vaisseaux sont tout prêts, et le vent nous appelle.
Je sais de ce palais tous les détours obscurs;   75
Vous voyez que la mer en vient battre les murs;
Et cette nuit, sans peine, une secrète voie [9]
Jusqu'en votre vaisseau conduira votre proie.[10]

    Oreste.   J'abuse, cher ami, de ton trop d'amitié.
Mais pardonne à des maux dont toi seul as pitié;   80
Excuse un malheureux qui perd tout ce qu'il aime,
Que tout le monde hait, et qui se hait lui-même.
Que ne puis-je à mon tour dans un sort plus heureux . . .

    Pylade.   Dissimulez, Seigneur: c'est tout ce que je veux.
Gardez qu'avant le coup votre dessein n'éclate: 85
Oubliez jusque-là qu'Hermione est ingrate;
Oubliez votre amour. Elle vient, je la voi.

    Oreste.   Va-t'en. Réponds-moi d'elle,[11] et je réponds de moi.

---

1. *moan, grieve.* **2.** ait peur de moi. **3.** *Orestes, a kidnaper!* **4.** *will enjoy, will profit by (my work).* **5.** *laughing-stock.* **6.** *lie heavy on me.* **7.** *is burdensome to you.* **8.** se montre. **9.** passage. **10.** victime. **11.** *vouch for her.*

SCÈNE II

HERMIONE, ORESTE, CLÉONE

Oreste.   Hé bien! mes soins vous ont rendu votre conquête.
J'ai vu Pyrrhus, Madame, et votre hymen s'apprête.
  Hermione.   On le dit; et de plus on vient de m'assurer
Que vous ne me cherchiez que pour m'y préparer.
  Oreste.   Et votre âme à ses vœux ne sera pas rebelle?   5
  Hermione.   Qui l'eût cru, que Pyrrhus ne fût pas infidèle?
Que sa flamme attendrait si tard pour éclater,
Qu'il reviendrait à moi quand je l'allais quitter?
Je veux croire avec vous qu'il redoute la Grèce,
Qu'il suit son intérêt plutôt que sa tendresse,   10
Que mes yeux sur votre âme étaient plus absolus.
  Oreste.   Non, Madame: il vous aime, et je n'en doute plus.
Vos yeux ne font-ils pas tout ce qu'ils veulent faire?
Et vous ne vouliez pas sans doute lui déplaire.
  Hermione.   Mais que puis-je, Seigneur? On a promis ma foi.[1]   15
Lui ravirai-je un bien qu'il ne tient pas de moi?
L'amour ne règle pas le sort d'une princesse:
La gloire d'obéir est tout ce qu'on nous laisse.
Cependant je partais; et vous avez pu voir
Combien je relâchais [2] pour vous de mon devoir.   20
  Oreste.   Ah! que vous saviez bien, cruelle.... Mais, Madame,
Chacun peut à son choix disposer de son âme.
La vôtre était à vous. J'espérais; mais enfin
Vous l'avez pu donner sans me faire un larcin.[3]
Je vous accuse aussi bien moins que la fortune.   25
Et pourquoi vous lasser d'une plainte importune?
Tel est votre devoir, je l'avoue; et le mien
Est de vous épargner un si triste entretien.

SCÈNE III

HERMIONE, CLÉONE

Hermione.   Attendais-tu, Cléone, un courroux si modeste?[4]
  Cléone.   La douleur qui se tait n'en est que plus funeste.
Je le plains: d'autant plus qu'auteur de son ennui,
Le coup qui l'a perdu n'est parti que de lui.
Comptez depuis quel temps votre hymen se prépare: 5
Il a parlé, Madame, et Pyrrhus se déclare.

---

  1. on a ... foi: *I have been pledged to him (by my father).*   **2.** *I was slack in.*   **3.** sans ...
larcin: *without robbing me.*   **4.** modéré.

Hermione. Tu crois que Pyrrhus craint? Et que craint-il encor?
Des peuples qui dix ans ont fui devant Hector,
Qui cent fois effrayés de l'absence d'Achille,
Dans leurs vaisseaux brûlants ont cherché leur asile, 10
Et qu'on verrait encor, sans l'appui de son fils,
Redemander Hélène aux Troyens impunis? [1]
Non, Cléone, il n'est point ennemi de lui-même;
Il veut tout ce qu'il fait; et s'il m'épouse, il m'aime.
Mais qu'Oreste à son gré [2] m'impute ses douleurs; 15
N'avons-nous d'entretien que celui de ses pleurs? [3]
Pyrrhus revient à nous. Hé bien! chère Cléone,
Conçois-tu les transports de l'heureuse Hermione?
Sais-tu quel est Pyrrhus? T'es-tu fait raconter
Le nombre des exploits.... Mais qui les peut compter? 20
Intrépide, et partout suivi de la victoire,
Charmant, fidèle enfin, rien ne manque à sa gloire.
Songe....
    Cléone. Dissimulez. Votre rivale en pleurs
Vient à vos pieds, sans doute, apporter ses douleurs.
    Hermione. Dieux! ne puis-je à ma joie abandonner mon âme? 25
Sortons: que lui dirais-je?

SCÈNE IV

ANDROMAQUE, HERMIONE, CLÉONE, CÉPHISE

Andromaque.   Où fuyez-vous, Madame?
N'est-ce point à vos yeux un spectacle assez doux
Que la veuve d'Hector pleurante à vos genoux?
Je ne viens point ici, par de jalouses larmes,
Vous envier un cœur qui se rend [4] à vos charmes. 5
Par une main cruelle, hélas! j'ai vu percer
Le seul où mes regards prétendaient s'adresser.
Ma flamme par Hector fut jadis allumée;
Avec lui dans la tombe elle s'est enfermée.
Mais il me reste un fils. Vous saurez quelque jour, 10
Madame, pour un fils jusqu'où va notre amour;
Mais vous ne saurez pas, du moins je le souhaite,[5]
En quel trouble mortel son intérêt nous jette,
Lorsque de tant de biens qui pouvaient nous flatter,
C'est le seul qui nous reste, et qu'on veut nous l'ôter. 15

---

1. Hermione prétend que, sans la bravoure d'Achille et de son fils Pyrrhus, le siège de Troie ne serait pas encore fini. **2.** à son gré: *as he wishes.* **3.** n'avons-nous ... pleurs? *is there nothing to talk about but his tears?* **4.** *surrenders.* **5.** *hope.*

Hélas ! lorsque lassés de dix ans de misère,
Les Troyens en courroux menaçaient votre mère,[1]
J'ai su de mon Hector lui procurer l'appui.[2]
Vous pouvez sur Pyrrhus ce que j'ai pu sur lui.
Que craint-on d'un enfant qui survit à sa perte?   20
Laissez-moi le cacher en quelque île déserte.
Sur les soins de sa mère on peut s'en assurer,
Et mon fils avec moi n'apprendra qu'à pleurer.
    Hermione. Je conçois vos douleurs. Mais un devoir austère,
Quand mon père a parlé, m'ordonne de me taire   25
C'est lui qui de Pyrrhus fait agir le courroux.
S'il faut fléchir [3] Pyrrhus, qui le peut mieux que vous?
Vos yeux assez longtemps ont régné sur son âme.
Faites-le prononcer: j'y souscrirai,[4] Madame.

SCÈNE V

ANDROMAQUE, CÉPHISE

Andromaque. Quel mépris la cruelle attache à ses refus !
Céphise. Je croirais ses conseils, et je verrais Pyrrhus.
Un regard confondrait Hermione et la Grèce. . . .
Mais lui-même il vous cherche.

SCÈNE VI

PYRRHUS, ANDROMAQUE, PHŒNIX, CÉPHISE

Pyrrhus. (*A* PHŒNIX)   Où donc est la princesse?
Ne m'avais-tu pas dit qu'elle était en ces lieux?
Phœnix. Je le croyais.
Andromaque. (*A* CÉPHISE) Tu vois le pouvoir de mes yeux.
Pyrrhus. Que dit-elle, Phœnix?
Andromaque.   Hélas ! tout m'abandonne.
Phœnix. Allons, Seigneur, marchons sur les pas [5] d'Hermione.   5
Céphise. Qu'attendez-vous, rompez ce silence obstiné.
Andromaque. Il a promis mon fils.
Céphise.   Il ne l'a pas donné.
Andromaque. Non, non, j'ai beau pleurer,[6] sa mort est résolue.
Pyrrhus. Daigne-t-elle sur nous tourner au moins la vue?
Quel orgueil !
Andromaque. Je ne fais que l'irriter encor.   10
Sortons.

    1. Hélène. **2.** protection. **3.** persuader. **4.** approuverai. **5.** *let us follow.* **6.** *I weep in vain.*

Pyrrhus. Allons aux Grecs livrer le fils d'Hector.

Andromaque. Ah! Seigneur, arrêtez! Que prétendez-vous faire?
Si vous livrez le fils, livrez-leur donc la mère.
Vos serments m'ont tantôt [1] juré tant d'amitié!
Dieux! ne pourrai-je au moins toucher votre pitié?   15
Sans espoir de pardon m'avez-vous condamnée?

Pyrrhus. Phœnix vous le dira, ma parole est donnée.

Andromaque. Vous qui braviez pour moi tant de périls divers!

Pyrrhus. J'étais aveugle alors: mes yeux se sont ouverts.
Sa grâce à vos désirs pouvait être accordée;   20
Mais vous ne l'avez pas seulement demandée.
C'en est fait.

Andromaque. Ah! Seigneur, vous entendiez assez
Des soupirs qui craignaient de se voir repoussés.
Pardonnez à l'éclat d'une illustre fortune
Ce reste de fierté qui craint d'être importune.   25
Vous ne l'ignorez pas [2]: Andromaque sans vous
N'aurait jamais d'un maître embrassé les genoux.

Pyrrhus. Non, vous me haïssez; et dans le fond [3] de l'âme
Vous craignez de devoir quelque chose à ma flamme.
Ce fils même, ce fils, l'objet de tant de soins,   30
Si je l'avais sauvé, vous l'en aimeriez moins.
La haine, le mépris, contre moi tout s'assemble;
Vous me haïssez plus que tous les Grecs ensemble.
Jouissez à loisir d'un si noble courroux.
Allons, Phœnix.

Andromaque. Allons rejoindre mon époux.[4]   35

Céphise. Madame . . .

Andromaque.   Et que veux-tu que je lui dise encore?
Auteur de tous mes maux, crois-tu qu'il les ignore?
Seigneur, voyez l'état où vous me réduisez.
J'ai vu mon père mort, et nos murs embrasés [5];
J'ai vu trancher les jours de ma famille entière,[6]   40
Et mon époux sanglant traîné sur la poussière,[7]
Son fils, seul avec moi, réservé pour les fers.
Mais que ne peut un fils? Je respire, je sers.
J'ai fait plus: je me suis quelquefois consolée
Qu'ici, plutôt qu'ailleurs, le sort m'eût exilée;   45
Qu'heureux dans son malheur, le fils de tant de rois,
Puisqu'il devait servir, fût tombé sous vos lois.

---

1. tout à l'heure, récemment.   **2.** vous le savez.   **3.** *depths.*   **4.** *join my husband (Hector) in death.*   **5.** en feu.   **6.** J'ai . . . entière: *I saw my whole family slaughtered.*
7. *dust.*

J'ai cru que sa prison deviendrait son asile.
Jadis Priam soumis fut respecté d'Achille:
J'attendais de son fils encor plus de bonté.   50
Pardonne, cher Hector, à ma crédulité.
Je n'ai pu soupçonner [1] ton ennemi d'un crime;
Malgré lui-même enfin je l'ai cru magnanime.
Ah! s'il l'était assez pour nous laisser du moins
Au tombeau qu'à ta cendre ont élevé mes soins,   55
Et que finissant là ma haine et nos misères,
Il ne séparât point des dépouilles [2] si chères!
   Pyrrhus.   Va m'attendre, Phœnix.

SCÈNE VII

Pyrrhus, Andromaque, Céphise

   Pyrrhus.   (*Continue*)   Madame, demeurez.[3]
On peut vous rendre encor ce fils que vous pleurez.
Oui, je sens à regret qu'en excitant vos larmes
Je ne fais contre moi que vous donner des armes.
Je croyais apporter plus de haine en ces lieux.   5
Mais, Madame, du moins tournez vers moi les yeux:
Voyez si mes regards sont d'un juge sévère,
S'ils sont d'un ennemi qui cherche à vous déplaire.
Pourquoi me forcez-vous vous-même à vous trahir?
Au nom de votre fils, cessons de nous haïr.   10
A le sauver enfin c'est moi qui vous convie.[4]
Faut-il que mes soupirs vous demandent sa vie?
Faut-il qu'en sa faveur j'embrasse vos genoux?
Pour la dernière fois, sauvez-le, sauvez-vous.
Je sais de quels serments je romps pour vous les chaînes,   15
Combien je vais sur moi faire éclater [5] de haines.
Je renvoie Hermione, et je mets sur son front,
Au lieu de ma couronne, un éternel affront.
Je vous conduis au temple où son hymen s'apprête;
Je vous ceins du bandeau [6] préparé pour sa tête.   20
Mais ce n'est plus, Madame, une offre à dédaigner:
Je vous le dis, il faut ou périr ou régner.
Mon cœur, désespéré d'un an d'ingratitude,
Ne peut plus de son sort souffrir l'incertitude.
C'est craindre, menacer et gémir trop longtemps.   25
Je meurs si je vous perds, mais je meurs si j'attends.

1. *suspect.*   **2.** *remains.*   **3.** *stay.*   **4.** invite.   **5.** *cause to burst forth.*   **6.** diadème royal.

Songez-y: je vous laisse; et je viendrai vous prendre
Pour vous mener au temple, où ce fils doit m'attendre;
Et là vous me verrez, soumis ou furieux,
Vous couronner, Madame, ou le perdre à vos yeux.   30

SCÈNE VIII

ANDROMAQUE, CÉPHISE

Céphise.   Je vous l'avais prédit, qu'en dépit de la Grèce,
De votre sort encor vous seriez la maîtresse.
   Andromaque.   Hélas! de quel effet tes discours sont suivis!
Il ne me restait plus qu'à condamner mon fils.
   Céphise.   Madame, à votre époux c'est être assez fidèle: 5
Trop de vertu pourrait vous rendre criminelle.
Lui-même il porterait votre âme à la douceur.
   Andromaque.   Quoi? je lui donnerais Pyrrhus pour successeur?
   Céphise.   Ainsi le veut son fils, que les Grecs vous ravissent.
Pensez-vous qu'après tout ses mânes [1] en rougissent;   10
Qu'il méprisât, Madame, un roi victorieux
Qui vous fait remonter au rang de vos aïeux,
Qui foule aux pieds [2] pour vous vos vainqueurs en colère,
Qui ne se souvient plus qu'Achille était son père,
Qui dément [3] ses exploits et les rend superflus?   15
   Andromaque.   Dois-je les oublier, s'il ne s'en souvient plus?
Dois-je oublier Hector privé de funérailles,
Et traîné sans honneur autour de nos murailles?
Dois-je oublier son père à mes pieds renversé,
Ensanglantant l'autel [4] qu'il tenait embrassé?   20
Songe, songe, Céphise, à cette nuit cruelle
Qui fut pour tout un peuple une nuit éternelle.
Figure-toi Pyrrhus, les yeux étincelants,
Entrant à la lueur [5] de nos palais brûlants,
Sur tous mes frères morts se faisant un passage,   25
Et de sang tout couvert échauffant le carnage.[6]
Songe aux cris des vainqueurs, songe aux cris des mourants,
Dans la flamme étouffés [7] sous le fer expirants,
Peins-toi dans ces horreurs Andromaque éperdue [8]:
Voilà comme Pyrrhus vint s'offrir à ma vue;   30
Voilà par quels exploits il sut se couronner;

---

  1. *his spirit, shade.*   **2.** *tramples.*   **3.** *belies.*   **4.** *altar.*   Priam, père d'Hector, avait
été égorgé (*slaughtered*) par Pyrrhus au pied de l'autel où il cherchait refuge.   **5.** *glare.*
6. échauffant le carnage: *urging on the slaughter.*   **7.** *stifled.*   **8.** affolée, très troublée.

Enfin voilà l'époux que tu me veux donner.
Non, je ne serai point complice de ses crimes;
Qu'il nous prenne, s'il veut, pour dernières victimes.
Tous mes ressentiments lui seraient asservis.[1]   35
   Céphise. Hé bien! allons donc voir expirer votre fils:
On n'attend plus que vous. Vous frémissez,[2] Madame!
   Andromaque. Ah! de quel souvenir viens-tu frapper mon âme!
Quoi? Céphise, j'irai voir expirer encor
Ce fils, ma seule joie, et l'image d'Hector: 40
Ce fils, que de sa flamme il me laissa pour gage![3]
Hélas! je m'en souviens, le jour que son courage
Lui fit chercher Achille, ou plutôt le trépas,
Il demanda son fils, et le prit dans ses bras:
« Chère épouse, dit-il en essuyant mes larmes,   45
J'ignore quel succès le sort garde à mes armes;
Je te laisse mon fils pour gage de ma foi:
S'il me perd, je prétends[4] qu'il me retrouve en toi.
Si d'un heureux hymen la mémoire t'est chère,
Montre au fils à quel point tu chérissais le père. »   50
Et je puis voir répandre un sang si précieux?
Et je laisse avec lui périr tous ses aïeux?
Roi barbare, faut-il que mon crime l'entraîne?[5]
Si je te hais, est-il coupable de ma haine?
T'a-t-il de tous les siens reproché le trépas?   55
S'est-il plaint à tes yeux des maux qu'il ne sent pas?
Mais cependant, mon fils, tu meurs, si je n'arrête
Le fer que le cruel tient levé sur ta tête.
Je l'en puis détourner, et je t'y vais offrir?
Non, tu ne mourras point: je ne le puis souffrir.   60
Allons trouver Pyrrhus. Mais non, chère Céphise,
Va le trouver pour moi.
   Céphise.   Que faut-il que je dise?
   Andromaque. Dis-lui que de mon fils l'amour est assez fort....
Crois-tu que dans son cœur il ait juré[6] sa mort?
L'amour peut-il si loin pousser sa barbarie?   65
   Céphise. Madame, il va bientôt revenir en furie.
   Andromaque. Hé bien! va l'assurer....
   Céphise.   De quoi? de votre foi?[7]
   Andromaque. Hélas! pour la promettre est-elle encore à moi?
O cendres d'un époux! ô Troyens! ô mon père!

---

1. détruits. (Pyrrhus n'aurait plus l'occasion de se plaindre de ses ressentiments.)
2. *shudder.* **3.** *token (of his love).* **4.** désire.. **5.** l'entraîne: retombe sur lui. **6.** *sworn*
7. *troth.*

O mon fils, que tes jours coûtent cher à ta mère ! 70
Allons.

   Céphise.   Où donc, Madame ? et que résolvez-vous ?
   Andromaque.   Allons sur son tombeau consulter mon époux.

ACTE IV

[Andromaque a résolu de se sacrifier pour sauver son fils : elle épousera Pyrrhus et se tuera après la cérémonie pour rester fidèle à Hector. Hermione fait appeler Oreste et lui persuade de la venger en tuant Pyrrhus sur-le-champ (*on the spot*); elle fuira ensuite avec lui. Pyrrhus annonce à Hermione qu'il va épouser Andromaque. Elle se laisse emporter par la fureur et le quitte menaçante.]

SCÈNE PREMIÈRE

ANDROMAQUE, CÉPHISE

[La confidente Céphise essaie en vain de dissuader Andromaque du fatal projet : elle s'engage à veiller sur l'éducation d'Astyanax.]

SCÈNE II

HERMIONE, CLÉONE

   Cléone.   Non, je ne puis assez admirer ce silence.
Vous vous taisez,[1] Madame ; et ce cruel mépris
N'a pas du moindre trouble agité vos esprits ?
Vous soutenez en paix une si rude attaque,
Vous qu'on voyait frémir au seul nom d'Andromaque ? 5
Vous qui sans désespoir ne pouviez endurer
Que Pyrrhus d'un regard la voulût honorer ?
Il l'épouse : il lui donne, avec son diadème,
La foi que vous venez de recevoir vous-même,
Et votre bouche encor muette à tant d'ennui 10
N'a pas daigné s'ouvrir pour se plaindre de lui !
Ah ! que je crains, Madame, un calme si funeste !
Et qu'il vaudrait bien mieux . . .
   Hermione.   Fais-tu venir Oreste ?
   Cléone.   Il vient, Madame, il vient ; et vous pouvez juger
Que bientôt à vos pieds il allait se ranger,[2] 15
Prêt à servir toujours sans espoir de salaire.
Vos yeux ne sont que trop assurés de lui plaire.
Mais il entre.

        1. vous ne dites rien. **2.** prendre sa place.

SCÈNE III

ORESTE, HERMIONE, CLÉONE

Oreste.   Ah! Madame, est-il vrai qu'une fois [1]
Oreste en vous cherchant obéisse à vos lois? [2]
Ne m'a-t-on point flatté d'une fausse espérance?
Avez-vous en effet souhaité ma présence?
Croirai-je que vos yeux, à la fin désarmés,   5
Veulent ...
   Hermione.   Je veux savoir, Seigneur, si vous m'aimez.
   Oreste.   Si je vous aime?   O Dieux! mes serments, mes parjures,
Ma fuite, mon retour, mes respects, mes injures, [3]
Mon désespoir, mes yeux de pleurs toujours noyés,
Quels témoins croirez-vous, si vous ne les croyez?   10
   Hermione.   Vengez-moi, je crois tout.
   Oreste.   Hé bien! allons, Madame:
Mettons encore un coup toute la Grèce en flamme;
Prenons, en signalant mon bras et votre nom,
Vous, la place d'Hélène, et moi, d'Agamemnon.
De Troie en ce pays réveillons [4] les misères;   15
Et qu'on parle de nous, ainsi que de nos pères.
Partons, je suis tout prêt.
   Hermione.   Non, Seigneur, demeurons:
Je ne veux pas si loin porter de tels affronts.
Quoi? de mes ennemis couronnant [5] l'insolence,
J'irais attendre ailleurs une lente vengeance?   20
Et je m'en remettrais [6] au destin des combats,
Qui peut-être à la fin ne me vengerait pas?
Je veux qu'à mon départ toute l'Épire pleure.
Mais si vous me vengez, vengez-moi dans une heure.
Tous vos retardements [7] sont pour moi des refus.   25
Courez au temple. Il faut immoler ...
   Oreste.   Qui?
   Hermione.   Pyrrhus.
   Oreste.   Pyrrhus, Madame?
   Hermione.   Hé quoi? votre haine chancelle? [8]
Ah! courez, et craignez que je ne vous rappelle.
N'alléguez point des droits que je veux oublier;
Et ce n'est pas à vous à le justifier.   30
   Oreste.   Moi, je l'excuserais? Ah! vos bontés, Madame,

---

1. *for once.*   2. ordres.   3. durs reproches.   4. *let us reawaken, revive.*   5. (lit., *crowning*):
capping.   6. *should rely upon.*   7. retards, délais.   8. hésite.

Ont gravé trop avant [1] ses crimes dans mon âme.
Vengeons-nous, j'y consens, mais par d'autres chemins.[2]
Soyons ses ennemis, et non ses assassins:
Faisons de sa ruine une juste conquête.　　　　　　　　　　　35
Quoi? pour réponse, aux Grecs porterai-je sa tête?
Et n'ai-je pris sur moi le soin de tout l'État
Que pour m'en acquitter par un assassinat?
Souffrez, au nom des Dieux, que la Grèce s'explique,[3]
Et qu'il meure chargé de la haine publique.　　　　　　　　40
Souvenez-vous qu'il règne, et qu'un front couronné . . .
　　　Hermione.　　Ne vous suffit-il pas que je l'ai condamné?
Ne vous suffit-il pas que ma gloire offensée
Demande une victime à moi seule adressée;
Qu'Hermione est le prix d'un tyran opprimé;　　　　　　　45
Que je le hais; enfin, Seigneur, que je l'aimai?
Je ne m'en cache point: l'ingrat m'avait su plaire,
Soit qu'ainsi l'ordonnât mon amour ou mon père,
N'importe; mais enfin réglez-vous [4] là-dessus.
Malgré mes vœux, Seigneur, honteusement déçus,　　　　50
Malgré la juste horreur que son crime me donne,
Tant qu'il vivra, craignez que je ne lui pardonne.
Doutez jusqu'à sa mort d'un courroux incertain:
S'il ne meurt aujourd'hui, je puis l'aimer demain.
　　　Oreste.　　Hé bien! il faut le perdre, et prévenir sa grâce [5];　　55
Il faut . . .　　Mais cependant que faut-il que je fasse?
Comment puis-je sitôt [6] servir votre courroux?
Quel chemin jusqu'à lui peut conduire mes coups?
A peine suis-je encore arrivé dans l'Épire,
Vous voulez par mes mains renverser un empire;　　　　　60
Vous voulez qu'un roi meure, et pour son châtiment
Vous ne donnez qu'un jour, qu'une heure, qu'un moment.
Aux yeux de tout son peuple il faut que je l'opprime!
Laissez-moi vers l'autel conduire ma victime,
Je ne m'en défends plus [7]; et je ne veux qu'aller　　　　　65
Reconnaître la place où je dois l'immoler.
Cette nuit je vous sers, cette nuit je l'attaque.
　　　Hermione.　　Mais cependant [8] ce jour il épouse **Andromaque.**
Dans le temple déjà le trône est élevé;
Ma honte est confirmée, et son crime achevé.　　　　　　70
Enfin qu'attendez-vous? Il vous offre sa tête:
Sans gardes, sans défense, il marche à cette fête;

---

　　1. *graved too deeply.*　**2.** méthodes, moyens.　**3.** fasse connaître sa volonté.　**4.** *govern your-self.*　**5.** *forestall his pardon.*　**6.** *so soon.*　**7.** je ne résiste plus.　**8.** *in the meanwhile, this very day.*

Autour du fils d'Hector il les fait tous ranger;
Il s'abandonne au bras qui me voudra venger.
Voulez-vous, malgré lui, prendre soin de sa vie?   75
Armez, avec vos Grecs, tous ceux qui m'ont suivie;
Soulevez [1] vos amis: tous les miens sont à vous.
Il me trahit, vous trompe et nous méprise tous.
Mais quoi? déjà leur haine est égale à la mienne
Elle épargne à regret l'époux d'une Troyenne.   80
Parlez: mon ennemi ne vous peut échapper,
Ou plutôt il ne faut que les laisser frapper.[2]
Conduisez ou suivez une fureur si belle;
Revenez tout couvert du sang de l'infidèle;
Allez: en cet état soyez sûr de mon cœur.   85
  Oreste. Mais, Madame, songez ...
  Hermione.   Ah! c'en est trop, Seigneur.
Tant de raisonnements offensent ma colère.
J'ai voulu vous donner les moyens de me plaire,
Rendre Oreste content; mais enfin je vois bien
Qu'il veut toujours se plaindre, et ne mériter rien.   90
Partez: allez ailleurs vanter votre constance,
Et me laissez ici le soin de ma vengeance.
De mes lâches [3] bontés mon courage est confus,[4]
Et c'est trop en un jour essuyer [5] de refus.
Je m'en vais seule au temple, où leur hymen s'apprête   95
Où vous n'osez aller mériter ma conquête.
Là, de mon ennemi je saurai m'approcher:
Je percerai le cœur que je n'ai pu toucher;
Et mes sanglantes mains, sur moi-même tournées,
Aussitôt, malgré lui, joindront nos destinées;   100
Et tout ingrat qu'il est, il me sera plus doux
De mourir avec lui que de vivre avec vous.
  Oreste. Non, je vous priverai de ce plaisir funeste,
Madame: il ne mourra que de la main d'Oreste.
Vos ennemis par moi vont vous être immolés,   105
Et vous reconnaîtrez mes soins, si vous voulez.
  Hermione. Allez. De votre sort laissez-moi la conduite,
Et que tous vos vaisseaux soient prêts pour notre fuite.

 1. *stir up.* **2.** il ne faut ... frapper: *you have only to let them strike.* **3.** *cowardly.*
4. *ashamed.* **5.** recevoir.

SCÈNE IV

HERMIONE, CLÉONE

Cléone. Vous vous perdez,[1] Madame; et vous devez songer . . .
Hermione. Que je me perde ou non, je songe à me venger.
Je ne sais même encor, quoi qu'il m'ait put promettre,
Sur d'autres que sur moi si je dois m'en remettre.
Pyrrhus n'est pas coupable à ses yeux comme aux miens,   5
Et je tiendrais [2] mes coups bien plus sûrs que les siens.
Quel plaisir de venger moi-même mon injure,
De retirer mon bras teint du sang du parjure,
Et pour rendre sa peine et mes plaisirs plus grands,
De cacher ma rivale à ses regards mourants !   10
Ah ! si du moins Oreste, en punissant son crime,
Lui laissait le regret de mourir ma victime ! [3]
Va le trouver: dis-lui qu'il apprenne à l'ingrat
Qu'on l'immole à ma haine, et non pas à l'État.
Chère Cléone, cours. Ma vengeance est perdue   15
S'il ignore en mourant que c'est moi qui le tue.
    Cléone. Je vous obéirai. Mais qu'est-ce que je vois?
O Dieux ! Qui l'aurait cru, Madame? C'est le Roi !
    Hermione. Ah ! cours après Oreste; et dis-lui, ma Cléone,
Qu'il n'entreprenne [4] rien sans revoir Hermione.   20

SCÈNE V

PYRRHUS, HERMIONE, PHŒNIX

Pyrrhus. Vous ne m'attendiez pas, Madame; et je vois bien
Que mon abord [5] ici trouble votre entretien.
Je ne viens point, armé d'un indigne artifice,
D'un voile d'équité couvrir mon injustice:
Il suffit que mon cœur me condamne tout bas;   5
Et je soutiendrais [6] mal ce que je ne crois pas.
J'épouse une Troyenne. Oui, Madame, et j'avoue
Que je vous ai promis la foi que je lui voue.[7]
Un autre vous dirait que dans les champs troyens
Nos deux pères sans nous formèrent ces liens,[8]   10
Et que sans consulter ni mon choix ni le vôtre,
Nous fûmes sans amour engagés l'un à l'autre;

---

    1. *you are riding to your ruin.*   **2.** estimerais.   **3.** ma victime: *knowing that I ordered his death.*   **4.** *undertake.*   **5.** arrivée.   **6.** *should argue.*   **7.** *pledge.*   **8.** *bonds* (le projet de notre union).

Mais c'est assez pour moi que je me sois soumis.
Par mes ambassadeurs mon cœur vous fut promis;
Loin de les révoquer, je voulus y souscrire.   15
Je vous vis avec eux arriver en Épire;
Et quoique d'un autre œil l'éclat victorieux
Eût déjà prévenu le pouvoir de vos yeux,[1]
Je ne m'arrêtai point à cette ardeur nouvelle:
Je voulus m'obstiner à vous être fidèle,   20
Je vous reçus en reine; et jusques à ce jour
J'ai cru que mes serments[2] me tiendraient lieu d'amour.
Mais cet amour l'emporte,[3] et par un coup funeste
Andromaque m'arrache[4] un cœur qu'elle déteste.
L'un par l'autre entraînés, nous courons à l'autel   25
Nous jurer, malgré nous, un amour immortel.
Après cela, Madame, éclatez[5] contre un traître,
Qui l'est avec douleur, et qui pourtant veut l'être.
Pour moi, loin de contraindre un si juste courroux,
Il me soulagera[6] peut-être autant que vous.   30
Donnez-moi tous les noms destinés aux parjures:
Je crains votre silence, et non pas vos injures;
Et mon cœur, soulevant mille secrets témoins,
M'en dira d'autant plus que vous m'en direz moins.
Hermione.   Seigneur, dans cet aveu dépouillé[7] d'artifice,   35
J'aime à voir que du moins vous vous rendiez justice,
Et que voulant bien rompre un nœud[8] si solennel,
Vous vous abandonniez au crime en criminel.[9]
Est-il juste, après tout, qu'un conquérant s'abaisse
Sous la servile loi de garder sa promesse?   40
Non, non, la perfidie a de quoi vous tenter;
Et vous ne me cherchez que pour vous en vanter.
Quoi? sans que ni serment ni devoir vous retienne,
Rechercher une Grecque, amant d'une Troyenne?
Me quitter, me reprendre, et retourner encor   45
De la fille d'Hélène à la veuve d'Hector?
Couronner tour à tour l'esclave et la princesse;
Immoler[10] Troie aux Grecs, au fils d'Hector la Grèce?
Tout cela part[11] d'un cœur toujours maître de soi,
D'un héros qui n'est point esclave de sa foi.[12]   50
Pour plaire à votre épouse, il vous faudrait peut-être
Prodiguer les doux noms de parjure et de traître.

1. quoique . . . yeux: quoique je fusse déjà amoureux d'une autre. 2. *oaths, pledges.*
3. *prevails.* 4. *ravishes.* 5. *burst forth (into reproaches).* 6. *will relieve.* 7. *bereft.*
8. rompre un nœud: *break a knot, a bond, an engagement.* 9. en criminel: *as a criminal,*
knowingly. 10. sacrifier. 11. vient. 12. promesse.

Vous veniez de mon front observer la pâleur,
Pour aller dans ses bras rire de ma douleur.
Pleurante après son char [1] vous voulez qu'on me voie;   55
Mais, Seigneur, en un jour ce serait trop de joie;
Et sans chercher ailleurs des titres empruntés,[2]
Ne vous suffit-il pas de ceux que vous portez?
Du vieux père d'Hector la valeur abattue
Aux pieds de sa famille expirante à sa vue,   60
Tandis que dans son sein votre bras enfoncé
Cherche un reste de sang que l'âge avait glacé [3];
Dans des ruisseaux de sang Troie ardente plongée;
De votre propre main Polyxène [4] égorgée
Aux yeux de tous les Grecs indignés contre vous: 65
Que peut-on refuser à ces généreux coups?
    Pyrrhus.   Madame, je sais trop à quels excès de rage
La vengeance d'Hélène emporta mon courage:
Je puis me plaindre à vous du sang que j'ai versé;
Mais enfin je consens d'oublier le passé.   70
Je rends grâces au ciel que votre indifférence
De mes heureux soupirs m'apprenne l'innocence.
Mon cœur, je le vois bien, trop prompt à se gêner,[5]
Devait [6] mieux vous connaître et mieux s'examiner.
Mes remords vous faisaient une injure mortelle;   75
Il faut se croire aimé pour se croire infidèle.
Vous ne prétendiez point m'arrêter dans vos fers:
J'ai craint de vous trahir, peut-être je vous sers.
Nos cœurs n'étaient point faits dépendants l'un de l'autre;
Je suivais mon devoir, et vous cédiez au vôtre.   80
Rien ne vous engageait à m'aimer en effet.
    Hermione.   Je ne t'ai point aimé, cruel? Qu'ai-je donc fait?
J'ai dédaigné pour toi les vœux de tous nos princes;
Je t'ai cherché moi-même au fond de tes provinces;
J'y suis encor, malgré tes infidélités,   85
Et malgré tous mes Grecs honteux de mes bontés.
Je leur ai commandé de cacher mon injure [7];
J'attendais en secret le retour d'un parjure;
J'ai cru que tôt ou tard, à ton devoir rendu,
Tu me rapporterais un cœur qui m'était dû.   90
Je t'aimais inconstant, qu'aurais-je fait fidèle? [8]
Et même en ce moment où ta bouche cruelle

---

   1. *triumphal chariot.* **2.** *borrowed, fictitious.* **3.** *chilled.* Hermione fait allusion au cruel meurtre, par Pyrrhus, du vieux roi Priam. **4.** Polyxène, une des filles de Priam; Pyrrhus l'immola sur la tombe de son père Achille qui l'avait aimée. **5.** tourmenter. **6.** aurait dû.
7. l'humiliation que j'ai soufferte. **8.** fidèle: si tu avais été fidèle.

Vient si tranquillement m'annoncer le trépas,[1]
Ingrat, je doute encor si je ne t'aime pas.
Mais, Seigneur, s'il le faut, si le ciel en colère   95
Réserve à d'autres yeux la gloire de vous plaire,
Achevez votre hymen, j'y consens.   Mais du moins
Ne forcez pas mes yeux d'en être les témoins.
Pour la dernière fois je vous parle peut-être:
Différez-le d'un jour: demain vous serez maître.   100
Vous ne répondez point?   Perfide, je le voi,
Tu comptes les moments que tu perds avec moi!
Ton cœur, impatient de revoir ta Troyenne,
Ne souffre qu'à regret qu'un autre t'entretienne.
Tu lui parles du cœur, tu la cherches des yeux.   105
Je ne te retiens plus, sauve-toi de ces lieux:
Va lui jurer la foi que tu m'avais jurée,
Va profaner des Dieux la majesté sacrée.
Ces Dieux, ces justes Dieux n'auront pas oublié
Que les mêmes serments avec moi t'ont lié.   110
Porte aux pieds des autels ce cœur qui m'abandonne;
Va, cours.   Mais crains encor d'y trouver Hermione.

SCÈNE VI

Pyrrhus, Phœnix

Phœnix.   Seigneur, vous entendez.   Gardez de [2] négliger
Une amante en fureur qui cherche à se venger.
Elle n'est en ces lieux que trop bien appuyée [3]:
La querelle des Grecs à la sienne est liée [4];
Oreste l'aime encore; et peut-être à ce prix . . .   5
   Pyrrhus.   Andromaque m'attend.   Phœnix, garde son fils.

ACTE V

[Pyrrhus tombe mort sous les coups des Grecs.   Hermione accable (*loads*) Oreste
de reproches, refuse de le suivre et va se tuer sur le corps de Pyrrhus.   Oreste perd
la raison.   Andromaque, devenue reine, est sauvée avec son fils.]

SCÈNE PREMIÈRE

Hermione.   (*Seule*) Où suis-je?   Qu'ai-je fait?   Que dois-je faire encore?
Quel transport me saisit?   Quel chagrin me dévore?
Errante,[5] et sans dessein, je cours dans ce palais.
Ah! ne puis-je savoir si j'aime, ou si je hais?

1. Parce que Hermione n'a pas l'intention de survivre à son humiliation.   2. *beware of.*
3. *supported, upheld.*   4. *bound up.*   5. *wandering.*

Le cruel! de quel œil il m'a congédiée!¹   5
Sans pitié, sans douleur, au moins étudiée.²
L'ai-je vu se troubler et me plaindre un moment?
En ai-je pu tirer un seul gémissement?³
Muet à mes soupirs, tranquille à mes alarmes,
Semblait-il seulement qu'il eût part à mes larmes?   10
Et je le plains encore? Et pour comble d'ennui,⁴
Mon cœur, mon lâche cœur s'intéresse pour lui?
Je tremble au seul penser du coup qui le menace?
Et prête à me venger, je lui fais déjà grâce?⁵
Non, ne révoquons point l'arrêt⁶ de mon courroux: 15
Qu'il périsse! Aussi bien il ne vit plus pour nous.
Le perfide triomphe, et se rit de ma rage:
Il pense voir en pleurs dissiper cet orage⁷;
Il croit que toujours faible et d'un cœur incertain,
Je parerai⁸ d'un bras les coups de l'autre main.   20
Il juge encor de moi par mes bontés passées.
Mais plutôt le perfide a bien d'autres pensées.
Triomphant dans le temple, il ne s'informe pas
Si l'on souhaite ailleurs sa vie ou son trépas.
Il me laisse, l'ingrat! cet embarras⁹ funeste.   25
Non, non, encore un coup¹⁰; laissons agir Oreste.
Qu'il meure, puisqu'enfin il a dû le prévoir,
Et puisqu'il m'a forcée enfin à le vouloir.
A le vouloir? Hé quoi? c'est donc moi qui l'ordonne?
Sa mort sera l'effet de l'amour d'Hermione?   30
Ce prince, dont mon cœur se faisait autrefois
Avec tant de plaisir redire les exploits,
A qui même en secret je m'étais destinée
Avant qu'on eût conclu ce fatal hyménée,
Je n'ai donc traversé tant de mers, tant d'États,   35
Que pour venir si loin préparer son trépas?
L'assassiner, le perdre? Ah! devant¹¹ qu'il expire . . .

SCÈNE II

Hermione, Cléone

Hermione. Ah! qu'ai-je fait, Cléone? et que viens-tu me dire?
Que fait Pyrrhus?
    Cléone. Il est au comble¹² de ses vœux,

---

1. *dismissed.* 2. *even assumed.* 3. plainte. 4. pour comble d'ennui: *to complete my distress.* 5. fais . . . grâce: pardonne. 6. *sentence.* 7. *storm. He thinks he will see this storm spend itself in tears.* 8. *shall ward off.* 9. alternative. 10. encore une fois. 11. devant: avant. 12. *height.*

Le plus fier des mortels, et le plus amoureux.
Je l'ai vu vers le temple, où son hymen s'apprête,
Mener en conquérant sa nouvelle conquête;   5
Et d'un œil où brillaient sa joie et son espoir
S'enivrer [1] en marchant du plaisir de la voir.
Andromaque, au travers de mille cris de joie,
Porte jusqu'aux autels le souvenir de Troie:
Incapable toujours d'aimer et de haïr,   10
Sans joie et sans murmure elle semble obéir.
   Hermione.   Et l'ingrat? jusqu'au bout il a poussé l'outrage?
Mais as-tu bien, Cléone, observé son visage?
Goûte-t-il [2] des plaisirs tranquilles et parfaits?
N'a-t-il point détourné ses yeux vers le palais?   15
Dis-moi, ne t'es-tu point présentée à sa vue?
L'ingrat a-t-il rougi lorsqu'il t'a reconnue?
Son trouble avouait-il son infidélité?
A-t-il jusqu'à la fin soutenu sa fierté?
   Cléone.   Madame, il ne voit rien. Son salut et sa gloire   20
Semblent être avec vous sortis de sa mémoire.
Sans songer qui le suit,[3] ennemis ou sujets,
Il poursuit seulement ses amoureux projets.
Autour du fils d'Hector il a rangé sa garde,
Et croit que c'est lui seul que le péril regarde.[4]   25
Phœnix même en répond, qui l'a conduit exprès [5]
Dans un fort éloigné du temple et du palais.
Voilà, dans ses transports, le seul soin qui lui reste.
   Hermione.   Le perfide! Il mourra. Mais que t'a dit Oreste?
   Cléone.   Oreste avec ses Grecs dans le temple est entré.   30
   Hermione.   Hé bien! à me venger n'est-il pas préparé?
   Cléone.   Je ne sais.
   Hermione.   Tu ne sais? Quoi donc? Oreste encore,
Oreste me trahit?
   Cléone.   Oreste vous adore.
Mais de mille remords son esprit combattu
Croit tantôt son amour et tantôt [6] sa vertu.   35
Il respecte en Pyrrhus l'honneur du diadème;
Il respecte en Pyrrhus Achille, et Pyrrhus même;
Il craint la Grèce, il craint l'univers en courroux;
Mais il se craint, dit-il, soi-même plus que tous.
Il voudrait en vainqueur vous apporter sa tête: 40
Le seul nom d'assassin l'épouvante [7] et l'arrête.

  1. *thrill.*   **2.** *does he experience?*   **3.** *follows.*   **4.** touche, concerne.   **5.** *purposely.*
6. tantôt . . . et tantôt: *now . . . and then.*   **7.** lui fait peur.

Enfin il est entré sans savoir dans son cœur
S'il en devait sortir coupable ou spectateur.

    Hermione.   Non, non, il les verra triompher sans obstacle:
Il se gardera bien [1] de troubler ce spectacle.   45
Je sais de quels remords son courage est atteint [2]:
Le lâche craint la mort, et c'est tout ce qu'il craint.
Quoi? sans qu'elle employât une seule prière,
Ma mère en sa faveur arma la Grèce entière?
Ses yeux pour leur querelle, en dix ans de combats,   50
Virent périr vingt rois qu'ils ne connaissaient pas?
Et moi, je ne prétends [3] que la mort d'un parjure,
Et je charge un amant du soin de mon injure;
Il peut me conquérir à ce prix sans danger;
Je me livre [4] moi-même, et ne puis me venger?   55
Allons: c'est à moi seule à me rendre justice.
Que de cris de douleur le temple retentisse;
De leur hymen fatal troublons l'événement,
Et qu'ils ne soient unis, s'il se peut, qu'un moment.
Je ne choisirai point dans ce désordre extrême: 60
Tout me sera Pyrrhus, fût-ce Oreste lui-même.
Je mourrai; mais au moins ma mort me vengera.
Je ne mourrai pas seule, et quelqu'un me suivra.

SCÈNE III

Oreste, Hermione, Cléone

    Oreste.   Madame, c'en est fait,[5] et vous êtes servie:
Pyrrhus rend à l'autel son infidèle vie.

    Hermione.   Il est mort?

    Oreste.   Il expire; et nos Grecs irrités
Ont lavé [6] dans son sang ses infidélités.
Je vous l'avais promis; et quoique mon courage   5
Se fît de ce complot une funeste image,
J'ai couru vers le temple, où nos Grecs dispersés
Se sont jusqu'à l'autel dans la foule glissés.[7]
Pyrrhus m'a reconnu. Mais sans changer de face,
Il semblait que ma vue excitât son audace,   10
Que tous les Grecs, bravés [8] en leur ambassadeur,
Dussent de son hymen relever [9] la splendeur.
Enfin avec transport prenant son diadème,
Sur le front d'Andromaque il l'a posé lui-même.

    1. *will take good care not to.* **2.** *affected.* **3.** demande. **4.** *surrender.* **5.** *it is all over.*
6. *washed away.* **7.** *slipped.* **8.** *taunted.* **9.** *heighten.*

« Je vous donne, a-t-il dit, ma couronne et ma foi;   15
Andromaque, régnez sur l'Épire et sur moi.
Je voue à votre fils une amitié de père;
J'en atteste les Dieux, je le jure à sa mère.
Pour tous mes ennemis je déclare les siens,
Et je le reconnais pour le roi des Troyens. »   20
A ces mots, qui du peuple attiraient le suffrage,[1]
Nos Grecs n'ont répondu que par un cri de rage;
L'infidèle s'est vu partout envelopper,
Et je n'ai pu trouver de place pour frapper.
Chacun se disputait la gloire de l'abattre.   25
Je l'ai vu dans leurs mains quelque temps se débattre,[2]
Tout sanglant à leurs coups vouloir se dérober [3];
Mais enfin à l'autel il est allé tomber.
Du peuple épouvanté j'ai traversé la presse [4]
Pour venir de ces lieux enlever ma princesse,   30
Et regagner le port, où bientôt nos amis
Viendront couverts du sang que je vous ai promis.
    Hermione.   Qu'ont-ils fait?
    Oreste.   Pardonnez à leur impatience:
Ils ont, je le vois bien, trahi votre vengeance.
Vous vouliez que ma main portât les premiers coups,   35
Qu'il sentît en mourant qu'il expirait pour vous;
Mais c'est moi dont l'ardeur leur a servi d'exemple:
Je les ai pour vous seule entraînés [5] dans le temple,
Madame; et vous pouvez justement vous flatter
D'une mort que leurs bras n'ont fait qu'exécuter.   40
Vous seule avez poussé les coups . . .
    Hermione.   Tais-toi, perfide,
Et n'impute qu'à toi ton lâche parricide.[6]
Va faire chez tes Grecs admirer ta fureur:
Va, je la désavoue, et tu me fais [7] horreur.
Barbare, qu'as-tu fait? Avec quelle furie   45
As-tu tranché le cours [8] d'une si belle vie?
Avez-vous pu, cruels, l'immoler aujourd'hui,
Sans que tout votre sang se soulevât pour lui?
Mais parle: de son sort qui t'a rendu l'arbitre? [9]
Pourquoi l'assassiner? Qu'a-t-il fait? A quel titre? [10]   50
Qui te l'a dit?
    Oreste.   O Dieux? Quoi? ne m'avez-vous pas
Vous-même, ici, tantôt, ordonné son trépas?

1. approbation.   2. *struggle.*   3. *escape.*   4. *crowd.*   5. *led.*   6. assassinat.   7. m'inspire.
8. tranché le cours: *stopped the course.*   9. juge.   10. *on what grounds.*

Hermione. Ah! fallait-il en croire une amante insensée?
Ne devais-tu pas lire au fond de ma pensée?
Et ne voyais-tu pas, dans mes emportements,[1]   55
Que mon cœur démentait [2] ma bouche à tous moments?
Quand [3] je l'aurais voulu, fallait-il y souscrire?
N'as-tu pas dû cent fois te le faire redire?
Toi-même avant le coup me venir consulter,
Y revenir encore, ou plutôt m'éviter? [4]   60
Que ne me laissais-tu le soin de ma vengeance?
Qui t'amène en des lieux où l'on fuit ta présence?
Voilà de ton amour le détestable fruit:
Tu m'apportais, cruel, le malheur qui te suit.
C'est toi dont l'ambassade, à tous les deux fatale,   65
L'a fait pour son malheur pencher [5] vers ma rivale.
Nous le verrions encor nous partager ses soins;
Il m'aimerait peut-être, il le feindrait du moins.
Adieu. Tu peux partir. Je demeure en Épire;
Je renonce à la Grèce, à Sparte, à son empire,   70
A toute ma famille; et c'est assez pour moi,
Traître, qu'elle ait produit un monstre comme toi.

SCÈNE IV

Oreste. (*Seul*) Que vois-je? est-ce Hermione? Et que viens-je d'entendre?
Pour qui coule le sang que je viens de répandre?
Je suis, si je l'en crois, un traître, un assassin.
Est-ce Pyrrhus qui meurt? et suis-je Oreste enfin?
Quoi? j'étouffe [6] en mon cœur la raison qui m'éclaire [7];   5
J'assassine à regret un roi que je révère;
Je viole en un jour les droits [8] des souverains,
Ceux des ambassadeurs, et tous ceux des humains,
Ceux même des autels où ma fureur l'assiège [9]:
Je deviens parricide, assassin, sacrilège.   10
Pour qui? Pour une ingrate, à qui je le promets,
Qui même, s'il ne meurt, ne me verra jamais,
Dont j'épouse la rage. Et quand je l'ai servie,
Elle me redemande et son sang et sa vie!
Elle l'aime! et je suis un monstre furieux!   15
Je la vois pour jamais s'éloigner de mes yeux!
Et l'ingrate, en fuyant, me laisse pour salaire
Tous les noms odieux [10] que j'ai pris pour lui plaire!

1. colères. 2. *belied.* 3. même si. 4. *avoid.* 5. incliner. 6. *stifle.* 7. *enlightens.*
8. *rights.* 9. l'attaque. 10. *hateful.*

SCÈNE V

ORESTE, PYLADE, *Soldats d'*ORESTE

Pylade. Il faut partir, Seigneur. Sortons de ce palais,
Ou bien résolvons-nous de n'en sortir jamais.
Nos Grecs pour un moment en défendent la porte.
Tout le peuple assemblé nous poursuit à main forte.[1]
Aux ordres d'Andromaque ici tout est soumis;   5
Ils la traitent en reine, et nous comme ennemis.
Andromaque elle-même, à Pyrrhus si rebelle,
Lui rend tous les devoirs d'une veuve fidèle,
Commande qu'on le venge, et peut-être sur nous
Veut venger Troie encore et son premier époux.   10
Allons. N'attendons pas que l'on nous environne:
Nos Grecs nous rejoindront; et tandis qu'Hermione
Tient [2] encore le peuple autour d'elle arrêté,
Voilà votre chemin, sortons en sûreté.[3]
Oreste. Non, non, c'est Hermione, amis, que je veux suivre.   15
A son dernier arrêt je ne puis plus survivre.
Partez: j'ai fait le crime, et je vais l'expier.
Pylade. Hermione, Seigneur?   Il la faut oublier.
Quoi? toujours l'instrument et l'objet de sa rage,
Cherchez-vous chez les morts quelque nouvel outrage?   20
Et parce qu'elle meurt faut-il que vous mouriez?
Oreste. Elle meurt?   Dieux! qu'entends-je?
Pylade.   Hé quoi? vous l'ignoriez?
En rentrant dans ces lieux, nous l'avons rencontrée
Qui courait vers le temple, inquiète, égarée.[4]
Elle a trouvé Pyrrhus porté sur des soldats   25
Que son sang excitait à venger son trépas.
Sans doute à cet objet sa rage s'est émue.
Mais du haut de la porte enfin nous l'avons vue,
Un poignard à la main, sur Pyrrhus se courber,[5]
Lever les yeux au ciel, se frapper et tomber.   30
Oreste. Grâce aux Dieux!   Mon malheur passe mon espérance.[6]
Oui, je te loue, ô ciel, de ta persévérance.
Appliqué sans relâche au soin de me punir,
Au comble des douleurs tu m'as fait parvenir.
Ta haine a pris plaisir à former ma misère;   35
J'étais né pour servir d'exemple à ta colère,

---

1. armée.   **2.** retient.   **3.** *let us go while we can (in safety).*   **4.** bewildered.   **5.** bend.
6. expectation.

Pour être du malheur un modèle accompli.

Hé bien ! je meurs content, et mon sort est rempli.

Où sont ces deux amants ?   Pour couronner ma joie,

Dans leur sang, dans le mien il faut que je me noie [1];

L'un et l'autre en mourant je les veux regarder.

Réunissons trois cœurs qui n'ont pu s'accorder.

Mais quelle épaisse nuit tout à coup m'environne ?

De quel côté sortir ?   D'où vient que je frissonne ? [2]

Quelle horreur me saisit ?   Grâce au ciel, j'entrevoi.

Dieux ! quels ruisseaux [3] de sang coulent autour de moi !

    Pylade.   Ah ! Seigneur.

    Oreste.   Quoi ?   Pyrrhus, je te rencontre encore ?

Trouverai-je partout un rival que j'abhorre ?

Percé de tant de coups, comment t'es-tu sauvé ?

Tiens, tiens, voilà le coup que je t'ai réservé.

Mais que vois-je ? A mes yeux Hermione l'embrasse ?

Elle vient l'arracher au coup qui le menace ?

Dieux ! quels affreux regards elle jette sur moi !

Quels démons, quels serpents traîne-t-elle après soi ?

Hé bien ! filles d'enfer,[4] vos mains sont-elles prêtes ?

Pour qui sont ces serpents qui sifflent sur vos têtes !

A qui destinez-vous l'appareil [5] qui vous suit ?

Venez-vous m'enlever dans l'éternelle nuit ?

Venez, à vos fureurs Oreste s'abandonne.

Mais non, retirez-vous, laissez faire Hermione :

L'ingrate mieux que vous saura me déchirer [6];

Et je lui porte enfin mon cœur à dévorer.

    Pylade.   Il perd le sentiment.[7] Amis, le temps nous presse :

Ménageons [8] les moments que ce transport nous laisse.

Sauvons-le. Nos efforts deviendraient impuissants [9]

S'il reprenait ici sa rage avec ses sens.

---

1. *drown.* **2.** *shudder.* **3.** *rivers.* **4.** *daughters of hell:* les Furies, trois déesses de l'enfer, dont la mission était de punir sur terre les crimes des humains. On les représentait avec des serpents dans les cheveux, une torche à la main gauche, un poignard à la main droite. **5.** arrangements, apprêts (pour son châtiment). **6.** *tear to pieces.* **7.** *he is losing his senses.* **8.** *let us make use of.* **9.** *vain.*

LE BOURGEOIS GENTILHOMME[1]

par J.-B. POQUELIN MOLIÈRE

(1622–1673)

Louis XIV demandait un jour à Boileau quel était le plus rare (le meilleur) écrivain de son règne: « Sire, c'est Molière, » répondit le grand critique. La postérité a ratifié ce jugement en dépit de quelques négligences de style explicables par le fait que Molière, auteur, acteur, directeur de théâtre et pourvoyeur (*provider*) des fêtes du roi, n'avait pas toujours le temps de polir ses phrases.

Jean-Baptiste Poquelin, né à Paris, fit de brillantes études au Collège de Clermont, et, dit-on, suivit à Orléans des cours de Droit (*law*). Son père, tapissier du roi, lui destinait la survivance (*reversion*) de sa charge, mais l'attrait du théâtre fut le plus fort. A 23 ans, malgré l'opposition de sa famille, le jeune Poquelin s'engagea dans une troupe d'acteurs: *l'Illustre Théâtre*, dont il devint bientôt le chef sous le nom de *Molière*. Cette troupe connut, à Paris, d'assez mauvais jours et chercha la fortune en province. Elle alla de ville en ville, pendant 12 ans, jouant les pièces à la mode ou les improvisations de son directeur. Ce fut, pour Molière, une école de riche expérience: il apprit à connaître la nature humaine sous toutes ses faces, car rien n'échappait à son œil de *contemplateur*. En 1658, il se sentit assez fort pour rentrer à Paris.

Protégé par le duc d'Orléans, frère du roi, puis par le roi lui-même qui l'installa au Palais-Royal, il commença cette brillante carrière d'acteur et d'auteur qui allait lui faire tant d'admirateurs et tant d'ennemis. En moins de 15 ans, il composa, pour le public ou pour les plaisirs de la Cour, plus de 30 pièces en vers ou en prose sur les tons les plus variés. Plusieurs d'entre elles sont d'immortels chefs-d'œuvre: *Les Précieuses ridicules, L'École des Femmes, Le Misanthrope, Don Juan, L'Avare, Le Bourgeois Gentilhomme, Les Femmes savantes, Tartuffe, Le Malade imaginaire*. C'est en jouant cette dernière pièce qu'il fut saisi d'une crise violente dont il mourut quelques heures après: il n'avait que 51 ans. Sa vie n'avait été qu'une série de rudes labeurs, car il avait à cœur, malgré sa mauvaise santé, de faire vivre ses acteurs et ses machinistes, de chagrins domestiques causés par la coquetterie de sa femme, Armande Béjart, et de violentes persécutions exercées par des rivaux jaloux, par les marquis qu'il avait ridiculisés et par le clergé qui l'accusait d'impiété et de sacrilège alors qu'il prétendait n'attaquer que les hypocrites et les faux dévots. Louis XIV le protégea toujours et commanda, malgré les anathèmes de l'Église, qu'il fût enseveli en terre sainte.

Molière a créé la comédie, comme La Fontaine la fable. Il est original même dans ses imitations. Il raille tout ce qui peut porter le désordre dans la famille ou la société: préciosité ou pédantisme des femmes, mauvaise éducation, mariage sans amour, coquetterie, avarice, ambition des parvenus, libertinage des grands, fatuité des faux savants. Son rire si franc, si contagieux, devient un rire vengeur quand il veut stigmatiser l'hypocrisie, car il a horreur de ce qui est faux, injuste, contraire au bon sens. Il a créé des types immortels, Tartuffe, Harpagon, Monsieur Jourdain, etc. Beaucoup de ses vers sont devenus des proverbes. Aucun moraliste n'a mieux observé ni mieux com-

---

1. Remarquez que « gentilhomme » signifie *nobleman* et non *gentleman*.

pris la nature humaine. Aussi l'acteur anglais Kemble a-t-il pu dire: « Molière appartient à l'univers. »

Il n'appartenait pas à l'Académie française, mais, en 1778, elle a fait placer son buste dans sa salle des séances avec cette inscription rédigée par Saurin:

Rien ne manque à sa gloire, il manquait à la nôtre.

En 1680, par ordre de Louis XIV, trois associations d'acteurs, celles de l'Hôtel de Bourgogne, du Marais et du Palais-Royal, se fusionnèrent en une seule troupe qui a porté depuis lors le nom de « Théâtre français » ou « Comédie française. » On l'appelle souvent « la Maison de Molière. »

Nous donnons ici *Le Bourgeois Gentilhomme*. Comme le titre l'indique, Molière y fait la satire du parvenu. A l'origine, « bourgeois » signifie « habitant d'un bourg ou d'une ville, » mais plus tard le mot dénote un homme assez riche, appartenant à la classe moyenne.

ACTEURS

MONSIEUR JOURDAIN, *bourgeois*	MAÎTRE DE MUSIQUE
MADAME JOURDAIN, *sa femme*	ÉLÈVE DU MAÎTRE DE MUSIQUE
LUCILE, *fille de* M. JOURDAIN	MAÎTRE À DANSER
NICOLE, *servante*	MAÎTRE D'ARMES
CLÉONTE, *amoureux de* LUCILE	MAÎTRE DE PHILOSOPHIE
COVIELLE, *valet de* CLÉONTE	MAÎTRE TAILLEUR
DORANTE, *comte, amant de* DORIMÈNE	GARÇON TAILLEUR
DORIMÈNE, *marquise*	DEUX LAQUAIS

Plusieurs Musiciens, Musiciennes, Danseurs, Cuisiniers, Garçons Tailleurs, et autres personnages des intermèdes [interludes] et du ballet.

La scène est à Paris

ACTE PREMIER

L'ouverture se fait par un grand assemblage d'instruments; et dans le milieu du théâtre on voit un élève du MAÎTRE DE MUSIQUE, *qui compose sur une table un air que le* BOURGEOIS *a demandé pour une sérénade.*

SCÈNE PREMIÈRE

MAÎTRE DE MUSIQUE, MAÎTRE À DANSER, *trois Musiciens, deux Violons, quatre Danseurs*

Maître de Musique. (*Parlant à ses musiciens*) Venez, entrez dans cette salle, et vous reposez là,[1] en attendant qu'il vienne.

Maître à Danser. (*Parlant aux danseurs*) Et vous aussi, de ce côté.

1. Mettez-vous, ou asseyez-vous là. [Remarquer l'ordre des mots (pronom suivi de l'impératif) qui est commun au XVIIe siècle mais rare aujourd'hui.]

Maître de Musique. (*A l'élève*) Est-ce fait?

L'Élève. Oui. 5

Maître de Musique. Voyons ... Voilà qui est bien.

Maître à Danser. Est-ce quelque chose de nouveau?

Maître de Musique. Oui, c'est un air pour une sérénade, que je lui ai fait composer ici, en attendant que notre homme fût éveillé.

Maître à Danser. Peut-on voir ce que c'est? 10

Maître de Musique. Vous l'allez entendre, avec le dialogue,[1] quand il viendra. Il ne tardera guère.

Maître à Danser. Nos occupations, à vous et à moi, ne sont pas petites maintenant.

Maître de Musique. Il est vrai. Nous avons trouvé ici un homme comme 15 il nous le faut à tous deux; ce nous est une douce rente [2] que ce Monsieur Jourdain, avec les visions de noblesse et de galanterie qu'il est allé se mettre en tête [3]; et votre danse et ma musique auraient à souhaiter [4] que tout le monde lui ressemblât.

Maître à Danser. Non pas entièrement; et je voudrais pour lui qu'il se 20 connût mieux [5] qu'il ne fait aux choses que nous lui donnons.

Maître de Musique. Il est vrai qu'il les connaît mal, mais il les paye bien; et c'est de quoi maintenant nos arts ont plus besoin que de toute autre chose.

Maître à Danser. Pour moi, je vous l'avoue, je me repais [6] un peu de gloire; les applaudissements me touchent; et je tiens que, dans tous les beaux 25 arts, c'est un supplice [7] assez fâcheux que de se produire [8] à des sots, que d'essuyer [9] sur des compositions la barbarie d'un stupide.[10] Il y a plaisir, ne m'en parlez point,[11] à travailler pour des personnes qui soient capables de sentir les délicatesses d'un art, qui sachent faire un doux accueil [12] aux beautés d'un ouvrage, et par de chatouillantes [13] approbations vous régaler [14] 30 de votre travail. Oui, la récompense la plus agréable qu'on puisse recevoir des choses que l'on fait, c'est de les voir connues, de les voir caressées [15] d'un applaudissement qui vous honore. Il n'y a rien, à mon avis, qui nous paye mieux que cela de toutes nos fatigues; et ce sont des douceurs exquises [16] que des louanges éclairées.[17] 35

Maître de Musique. J'en demeure d'accord,[18] et je les goûte [19] comme vous. Il n'y a rien assurément qui chatouille davantage que les applaudissements que vous dites. Mais cet encens [20] ne fait pas vivre; des louanges toutes pures ne mettent point un homme à son aise [21]: il y faut mêler du

---

1. Désigne ici une composition musicale à deux voix (*voices*), ou à deux instruments, et non une composition littéraire en forme de conversation. **2.** *income.* **3.** *he has got into his head.* **4.** auraient à souhaiter: (lit., *might well wish*), *would prosper if* ... **5.** se connût mieux: *knew more about.* **6.** nourris (mon âme). **7.** torture. **8.** *perform.* **9.** *have to put up with.* **10.** qui ne dit rien, qui n'a rien à dire; correspond assez bien, quant au sens, avec l'argot américain: "*dumb.*" **11.** ne ... point: *say what you will.* **12.** *welcome.* **13.** *tickling;* qui donnent du plaisir. **14.** *ici:* faire jouir (mais généralement *régaler* signifie: donner un grand repas, fêter). **15.** accueillies avec flatteries. **16.** *delightful.* **17.** *enlightened praise.* **18.** J'en ... d'accord: je suis de votre opinion. **19.** aime, estime. **20.** flatterie. **21.** mettent ... aise: n'enrichissent pas.

solide; et la meilleure façon de louer, c'est de louer avec les mains.[1] C'est 40
un homme, à la vérité, dont les lumières [2] sont petites, qui parle à tort
et à travers [3] de toutes choses, et n'applaudit qu'à contre-sens [4]; mais son
argent redresse [5] les jugements de son esprit; il a du discernement dans sa
bourse [6]; ses louanges sont monnayées [7]; et ce bourgeois ignorant nous
vaut mieux, comme vous voyez, que le grand seigneur éclairé qui nous a 45
introduits ici.

   Maître à Danser. Il y a quelque chose de vrai dans ce que vous dites;
mais je trouve que vous appuyez [8] un peu trop sur l'argent; et l'intérêt est
quelque chose de si bas [9] qu'il ne faut jamais qu'un honnête [10] homme montre
pour lui de l'attachement.   50

   Maître de Musique. Vous recevez fort bien pourtant l'argent que notre
homme vous donne.

   Maître à Danser. Assurément; mais je n'en fais pas tout mon bonheur,
et je voudrais qu'avec son bien,[11] il eût encore quelque bon goût des choses.

   Maître de Musique. Je le voudrais aussi, et c'est à quoi nous travaillons 55
tous deux autant que nous pouvons. Mais, en tout cas, il nous donne moyen
de nous faire connaître dans le monde; et il payera pour les autres ce que les
autres loueront pour lui.

   Maître à Danser. Le voilà qui vient.

SCÈNE II

MONSIEUR JOURDAIN, *deux Laquais,* MAÎTRE DE MUSIQUE,
MAÎTRE À DANSER, *Violons, Musiciens et Danseurs*

   M. Jourdain. Hé bien, Messieurs? qu'est-ce? me ferez-vous voir votre
petite drôlerie? [12]

   Maître à Danser. Comment? quelle petite drôlerie?

   M. Jourdain. Eh là [13] . . . comment appelez-vous cela? votre prologue ou
dialogue de chansons et de danse.   5

   Maître à Danser. Ah, ah!

   Maître de Musique. Vous nous y voyez préparés.

   M. Jourdain. Je vous ai fait un peu attendre, mais c'est que je me fais
habiller aujourd'hui comme les gens de qualité [14]; et mon tailleur m'a envoyé
des bas de soie que j'ai pensé [15] ne mettre jamais.   10

   Maître de Musique. Nous ne sommes ici que pour attendre votre loisir.

---

   1. avec les mains: c'est-à-dire, en payant bien.   **2.** connaissances, jugement.   **3.** sans
discernement.   **4.** *at the wrong time or place.*   **5.** corrige.   **6.** *purse.*   **7.** *in coins;
minted.*   **8.** *stress.*   **9.** vulgaire.   **10.** Un honnête homme est celui qui a du savoir-vivre,
qui sait ce qui est correct.   Donc, pas *honest man,* mais *gentleman.*   **11.** argent.
12. Monsieur Jourdain prouve, dès son entrée, la vérité de ce qu'on vient de dire de lui.
Appeler une composition musicale une drôlerie (*thingumajig*), c'est se montrer, aux yeux de
l'artiste, sans goût ni intelligence.   **13.** Interjection qui marque l'hésitation.   **14.** nobles,
gentilshommes.   **15.** j'ai failli.

M. Jourdain. Je vous prie tous deux de ne vous point en aller, qu'on [1] ne m'ait apporté mon habit, afin que vous me puissiez voir.

Maître à Danser. Tout ce qu'il vous plaira. [2]

M. Jourdain. Vous me verrez équipé [3] comme il faut, depuis les pieds 15 jusqu'à la tête.

Maître de Musique. Nous n'en doutons point.

M. Jourdain. Je me suis fait faire cette indienne-ci. [4]

Maître à Danser. Elle est fort belle.

M. Jourdain. Mon tailleur m'a dit que les gens de qualité étaient comme 20 cela le matin.

Maître de Musique. Cela vous sied [5] à merveille.

M. Jourdain. Laquais! holà, mes deux laquais!

Premier Laquais. Que voulez-vous, Monsieur?

M. Jourdain. Rien. C'est pour voir si vous m'entendez bien. (*Aux* 25 *deux* MAÎTRES.) Que dites-vous de mes livrées?

Maître à Danser. Elles sont magnifiques.

M. Jourdain. (*Il entr'ouvre sa robe, et fait voir un haut-de-chausses* [6] *étroit de velours rouge, et une camisole* [7] *de velours vert, dont il est vêtu.*) Voici encore un petit déshabillé pour faire le matin mes exercices. 30

Maître de Musique. Il est galant. [8]

M. Jourdain. Laquais!

Premier Laquais. Monsieur.

M. Jourdain. L'autre laquais!

Second Laquais. Monsieur. 35

M. Jourdain. Tenez ma robe. Me trouvez-vous bien [9] comme cela?

Maître à Danser. Fort bien. On ne peut pas mieux.

M. Jourdain. Voyons un peu votre affaire.

Maître de Musique. Je voudrais bien auparavant vous faire entendre un air qu'il vient de composer pour la sérénade que vous m'avez demandée. 40 C'est un de mes écoliers,[10] qui a pour ces sortes de choses un talent admirable.

M. Jourdain. Oui; mais il ne fallait pas faire faire cela par un écolier; et vous n'étiez pas trop bon vous-même pour cette besogne-là.[11]

Maître de Musique. Il ne faut pas, Monsieur, que le nom d'écolier vous abuse.[12] Ces sortes d'écoliers en savent autant que les plus grands maîtres, 45 et l'air est aussi beau qu'il s'en puisse faire.[13] Écoutez seulement.

M. Jourdain. Donnez-moi ma robe pour mieux entendre . . . Attendez, je crois que je serai mieux sans robe . . . Non; redonnez-la-moi, cela ira mieux.

---

1. avant qu'on. **2.** tout . . . plaira: *just as you say, anything to please you.* **3.** équipé: *dressed in fine style.* **4.** robe de chambre (*dressing gown*) en toile des Indes (*printed calico*). **5.** *becomes you.* **6.** *breeches.* **7.** petit vêtement que l'on mettait entre la chemise (*shirt*) et le pourpoint (*doublet*). **8.** élégant. **9.** Me . . . bien? *How do you like me? Do I look well?* **10.** élèves, disciples. **11.** travail. **12.** *deceive.* **13.** qu'il . . . faire: *que possible.*

Musicien, chantant

Je languis nuit et jour, et mon mal est extrême,   50
Depuis qu'à vos rigueurs vos beaux yeux m'ont soumis [1]:
Si vous traitez ainsi, belle Iris, qui [2] vous aime,
Hélas! que pourriez-vous faire à vos ennemis?

M. Jourdain. Cette chanson me semble un peu lugubre, elle endort,[3]
et je voudrais que vous la pussiez un peu ragaillardir [4] par-ci, par-là.   55
Maître de Musique. Il faut, Monsieur, que l'air soit accommodé aux paroles.
M. Jourdain. On m'en apprit un tout à fait joli, il y a quelque temps.
Attendez... La... comment est-ce qu'il dit?
Maître à Danser. Par ma foi! [5] je ne sais.
M. Jourdain. Il y a du mouton dedans.   60
Maître à Danser. Du mouton?
M. Jourdain. Oui. Ah! (*Il chante.*)

Je croyais Jeanneton
Aussi douce que belle,
Je croyais Jeanneton   65
Plus douce qu'un mouton:
Hélas! hélas! elle est cent fois,
Mille fois plus cruelle,
Que n'est le tigre aux bois.

N'est-il pas joli?   70
Maître de Musique. Le plus joli du monde.
Maître à Danser. Et vous le chantez bien.
M. Jourdain. C'est sans avoir appris la musique.
Maître de Musique. Vous devriez l'apprendre, Monsieur, comme vous
faites la danse. Ce sont deux arts qui ont une étroite liaison ensemble.   75
Maître à Danser. Et qui ouvrent l'esprit d'un homme aux belles choses.
M. Jourdain. Est-ce que les gens de qualité apprennent aussi la musique?
Maître de Musique. Oui, Monsieur.
M. Jourdain. Je l'apprendrai donc. Mais je ne sais quel temps je pourrai
prendre; car, outre [6] le Maître d'armes qui me montre,[7] j'ai arrêté [8] en- 80
core un Maître de philosophie, qui doit commencer ce matin.
Maître de Musique. La philosophie est quelque chose; mais la musique,
Monsieur, la musique...
Maître à Danser. La musique et la danse... La musique et la danse, c'est
là tout ce qu'il faut.   85
Maître de Musique. Il n'y a rien qui soit si utile dans un État que la
musique.

---

1. depuis... soumis: *since your lovely eyes have made me your slave.* 2. celui qui.
3. *sends to sleep.* 4. *liven up.* 5. *upon my word!* 6. *in addition to.* 7. donne des leçons.
8. on dit « arrêter » — ou « engager » un domestique, mais « prendre » un maître.

Maître à Danser. Il n'y a rien qui soit si nécessaire aux hommes que la danse.

Maître de Musique. Sans la musique, un État ne peut subsister.   90

Maître à Danser. Sans la danse, un homme ne saurait rien faire.

Maître de Musique. Tous les désordres, toutes les guerres qu'on voit dans le monde, n'arrivent que pour n'apprendre pas la musique.[1]

Maître à Danser. Tous les malheurs des hommes, tous les revers funestes[2] dont les histoires sont remplies, les bévues[3] des politiques, et les manque- 95 ments[4] des grands capitaines, tout cela n'est venu que faute de savoir danser.

M. Jourdain. Comment cela?

Maître de Musique. La guerre ne vient-elle pas d'un manque d'union entre les hommes?   100

M. Jourdain. Cela est vrai.

Maître de Musique. Et si tous les hommes apprenaient la musique, ne serait-ce pas le moyen de s'accorder ensemble, et de voir dans le monde la paix universelle?

M. Jourdain. Vous avez raison.   105

Maître à Danser. Lorsqu'un homme a commis un manquement dans sa conduite, soit[5] aux affaires de sa famille, ou[5] au gouvernement d'un État, ou au commandement d'une armée, ne dit-on pas toujours: « Un tel a fait un mauvais pas dans une telle affaire? »

M. Jourdain. Oui, on dit cela.   110

Maître à Danser. Et faire un mauvais pas peut-il procéder d'autre chose que de ne savoir pas danser?

M. Jourdain. Cela est vrai, vous avez raison tous deux.

Maître à Danser. C'est pour vous faire voir l'excellence et l'utilité de la danse et de la musique.   115

M. Jourdain. Je comprends cela à cette heure.[6]

Maître de Musique. Voulez-vous voir nos deux affaires?

M. Jourdain. Oui.

Maître de Musique. Je vous l'ai déjà dit, c'est un petit essai que j'ai fait autrefois des diverses passions[7] que peut exprimer la musique.   120

M. Jourdain. Fort bien.

Maître de Musique. Allons, avancez. Il faut vous figurer[8] qu'ils sont ha- billés en bergers.

M. Jourdain. Pourquoi toujours des bergers?[9] On ne voit que cela par- tout.   125

Maître à Danser. Lorsqu'on a des personnes à faire parler en musique, il

---

1. pour ... musique: parce qu'on n'apprend pas la musique.   2. malheureux, fatals.
3. grosses fautes.   4. *blunders.*   5. soit ... ou: *either ... or.*   6. maintenant.   7. sentiments.   8. imaginer.   9. Le genre *pastoral,* venu d'Italie, fut très populaire en France à
cette époque. Un long roman, *L'Astrée,* d'Honoré d'Urfé et un long poème pastoral, *les
Bergeries,* de Racan étaient surtout célèbres.

faut bien que, pour la vraisemblance,[1] on donne dans[2] la bergerie.   Le
chant a été de tout temps affecté aux[3] bergers; et il n'est guère naturel en
dialogue que des princes ou des bourgeois chantent leurs passions.

    M. Jourdain.   Passe, passe.[4]   Voyons.   130

DIALOGUE EN MUSIQUE

Une Musicienne et deux Musiciens

Un cœur, dans l'amoureux empire,
De mille soins[5] est toujours agité:
On dit qu'avec plaisir on languit, on soupire;
Mais, quoi qu'on[6] puisse dire,
Il n'est rien de si doux que notre liberté.   135

Premier Musicien

Il n'est rien de si doux que les tendres ardeurs
Qui font vivre deux cœurs
Dans une même envie.[7]
On ne peut être heureux sans amoureux désirs:
Otez l'amour de la vie,   140
Vous en ôtez les plaisirs.

Second Musicien

Il serait doux d'entrer sous l'amoureuse loi,
Si l'on trouvait en amour de la foi[8];
Mais, hélas! ô rigueur cruelle!
On ne voit point de bergère fidèle,   145
Et ce sexe inconstant, trop indigne du jour,[9]
Doit faire pour jamais renoncer à l'amour.

Premier Musicien
Aimable ardeur!

Musicienne
Franchise[10] heureuse!

Second Musicien
Sexe trompeur!   150

Premier Musicien
Que tu m'es précieuse!

---

1. apparence de vérité, *verisimilitude.*   **2.** tombe dans, ait recours à.   **3.** affecté aux:
associated with.   **4.** Assez! assez! Cela suffit!   **5.** *cares.*   **6.** *whatever one.*   **7.** désir.
8. si . . . foi: *if lovers were faithful.*   **9.** i.e., de vivre.   **10.** sincérité.

Musicienne

Que tu plais à mon cœur !

Second Musicien

Que tu me fais d'horreur !

Premier Musicien

Ah ! quitte pour aimer cette haine mortelle.

Musicienne

On peut, on peut te montrer   155
Une bergère fidèle.

Second Musicien

Hélas ! où la rencontrer ?

Musicienne

Pour défendre notre gloire,[1]
Je te veux offrir mon cœur.

Second Musicien

Mais, Bergère, puis-je croire   160
Qu'il ne sera point trompeur ?

Musicienne

Voyons par expérience
Qui des deux aimera mieux.

Second Musicien

Qui manquera de constance,
Le puissent perdre les Dieux ![2]   165

Tous Trois

A des ardeurs si belles
Laissons-nous enflammer [3]:
Ah ! qu'il est doux d'aimer,
Quand deux cœurs sont fidèles !

M. *Jourdain.*   Est-ce tout ?   170
Maître de Musique.   Oui.

M. *Jourdain.*   Je trouve cela bien troussé,[4] et il y a là dedans de petits
dictons [5] assez jolis.

1. honneur.   2. le puissent . . . Dieux: *may the gods confound.*   3. *be caught in the*
flame.   4. (lit., *trussed*): *put together.*   5. *sayings.*

Maître à Danser. Voici, pour mon affaire, un petit essai des plus beaux mouvements et des plus belles attitudes dont une danse puisse être variée. 175

M. Jourdain. Sont-ce encore des bergers?

Maître à Danser. C'est ce qu'il vous plaira. Allons.

(Quatre danseurs exécutent tous les mouvements différents et toutes les sortes de pas que le MAÎTRE À DANSER *leur commande; et cette danse fait le premier intermède.[1])*

ACTE DEUXIÈME

SCÈNE PREMIÈRE

MONSIEUR JOURDAIN, MAÎTRE DE MUSIQUE,
MAÎTRE À DANSER, *Laquais*

M. Jourdain. Voilà qui n'est point sot,[2] et ces gens-là se trémoussent [3] bien.

Maître de Musique. Lorsque la danse sera mêlée avec la musique, cela fera plus d'effet encore, et vous verrez quelque chose de galant dans le petit ballet que nous avons ajusté [4] pour vous.

M. Jourdain. C'est pour tantôt [5] au moins [6]; et la personne pour qui j'ai 5 fait faire tout cela, me doit faire l'honneur de venir dîner [7] céans.[8]

Maître à Danser. Tout est prêt.

Maître de Musique. Au reste,[9] Monsieur, ce n'est pas assez: il faut qu'une personne comme vous, qui êtes magnifique,[10] et qui avez de l'inclination pour les belles choses, ait un concert de musique chez soi tous les mer- 10 credis ou tous les jeudis.

M. Jourdain. Est-ce que les gens de qualité en ont?

Maître de Musique. Oui, Monsieur.

M. Jourdain. J'en aurai donc. Cela sera-t-il beau?

Maître de Musique. Sans doute. Il vous faudra trois voix: un dessus,[11] 15 une haute-contre,[12] et une basse, qui seront accompagnées d'une basse de viole,[13] d'un théorbe,[14] et d'un clavecin [15] pour les basses continues,[16] avec deux dessus de violon [17] pour jouer les ritournelles.[18]

M. Jourdain. Il y faudra mettre aussi une trompette marine.[19] La trompette marine est un instrument qui me plaît, et qui est harmonieux. 20

Maître de Musique. Laissez-nous gouverner les choses.

---

1. *interlude.* **2.** *not so bad.* **3.** *jiggle about.* **4.** préparé. **5.** tout à l'heure. **6.** *isn't it?* **7.** Le repas que l'on prenait vers midi. Le repas que l'on prenait le soir était le souper. **8.** ici. **9.** *moreover.* **10.** généreux. **11.** *tenor.* **12.** *soprano.* **13.** violoncelle à 7 cordes. **14.** sorte de luth à 10 cordes. **15.** *harpsichord;* instrument à cordes de métal qui a précédé le piano. **16.** pour les basses continues: pour accompagner les voix ou les instruments. **17.** dessus de violon: violons jouant les parties de dessus (*airs*). **18.** motifs répétés au commencement ou à la fin des chants; espèce de refrain musical. **19.** Instrument à une seule corde qui rendait un son grave. Ainsi appelé parce qu'il était supposé imiter le son de la conque (*conch*) des tritons.

M. Jourdain. Au moins [1] n'oubliez pas tantôt de m'envoyer des musiciens, pour chanter à table.

Maître de Musique. Vous aurez tout ce qu'il vous faut.

M. Jourdain. Mais surtout, que le ballet soit beau.   25

Maître de Musique. Vous en serez content, et, entre autres choses, de
certains menuets [2] que vous y verrez.

M. Jourdain. Ah! les menuets sont ma danse, et je veux que vous me les
voyiez danser. Allons, mon maître.

Maître à Danser. Un chapeau,[3] Monsieur, s'il vous plaît. La, la, la; La 30
la, la, la, la, la; La, la, la, *bis;* La, la, la; La, la. En cadence, s'il vous
plaît. La, la, la, la. La jambe droite. La, la, la. Ne remuez point tant
les épaules. La, la, la, la, la; La, la, la, la, la. Vos deux bras sont estropiés.[4]
La, la, la, la, la. Haussez [5] la tête. Tournez la pointe du pied en dehors.
La, la, la. Dressez votre corps.[6]   35

M. Jourdain. Euh?

Maître de Musique. Voilà qui est le mieux du monde.

M. Jourdain. A propos. Apprenez-moi comme [7] il faut faire une révérence [8] pour saluer une marquise: j'en aurai besoin tantôt.

Maître à Danser. Une révérence pour saluer une marquise?   40

M. Jourdain. Oui: une marquise qui s'appelle Dorimène.

Maître à Danser. Donnez-moi la main.

M. Jourdain. Non. Vous n'avez qu'à faire [9]: je le retiendrai [10] bien.

Maître à Danser. Si vous voulez la saluer avec beaucoup de respect, il
faut faire d'abord une révérence en arrière, puis marcher vers elle avec trois 45
révérences en avant, et à la dernière vous baisser jusqu'à ses genoux.

M. Jourdain. Faites un peu. Bon.

Premier Laquais. Monsieur, voilà votre maître d'armes qui est là.

M. Jourdain. Dis-lui qu'il entre ici pour me donner leçon. Je veux que
vous me voyiez faire.   50

SCÈNE II

Maître d'Armes, Maître de Musique, Maître à Danser,
Monsieur Jourdain, *deux Laquais*

Maître d'Armes. (*Après lui avoir mis le fleuret [11] à la main*) Allons, Monsieur, la révérence.[12] Votre corps droit. Un peu penché sur la cuisse [13] gauche.
Les jambes point tant écartées.[14] Vos pieds sur une même ligne. Votre
poignet [15] à l'opposite de votre hanche.[16] La pointe de votre épée vis-à-vis [17]
de votre épaule. Le bras pas tout à fait si étendu. La main gauche à la 5

---

1. Et surtout.   **2.** danses lentes et graves.   (Le mot *menuet* signifie *petit pas.*)
3. Au commencement et à la fin de cette danse (le menuet) on saluait, mais on restait
couvert (gardait son chapeau) pendant la danse.   **4.** infirmes.   **5.** levez.   **6.** *stand erect.*
7. comment.   **8.** *bow.*   **9.** vous . . . faire, *just do it yourself.*   **10.** *shall remember.*   **11.** *foil.*
12. *salute.*   **13.** *thigh.*   **14.** *spread apart.*   **15.** *wrist.*   **16.** *hip.*   **17.** *opposite.*

hauteur de l'œil. L'épaule gauche plus quartée.[1] La tête droite. Le regard assuré. Avancez. Le corps ferme. Touchez-moi l'épée de quarte,[2] et achevez de même.[3] Une, deux. Remettez-vous.[4] Redoublez [5] de pied ferme. Un saut [6] en arrière. Quand vous portez la botte,[7] Monsieur, il faut que l'épée parte la première, et que le corps soit bien effacé. Une, deux. Allons, touchez-moi l'épée de tierce,[8] et achevez de même. Avancez. Le corps ferme. Avancez. Partez de là. Une, deux. Remettez-vous. Redoublez. Un saut en arrière. En garde, Monsieur, en garde.

(*Le* Maître d'Armes *lui pousse deux ou trois bottes, en lui disant:* « *En garde.* »)

M. Jourdain. Euh?

Maître de Musique. Vous faites des merveilles.

Maître d'Armes. Je vous l'ai déjà dit, tout le secret des armes ne consiste qu'en deux choses, à donner, et à ne point recevoir; et comme je vous fis voir l'autre jour par raison démonstrative,[9] il est impossible que vous receviez, si vous savez détourner l'épée de votre ennemi de la ligne de votre corps: ce qui ne dépend seulement que d'un petit mouvement du poignet ou en dedans, ou en dehors.

M. Jourdain. De cette façon donc, un homme, sans avoir du cœur,[10] est sûr de tuer son homme, et de n'être point tué.

Maître d'Armes. Sans doute. N'en vîtes-vous pas la démonstration?

M. Jourdain. Oui.

Maître d'Armes. Et c'est en quoi l'on voit de quelle considération [11] nous autres nous devons être dans un État, et combien la science des armes l'emporte hautement [12] sur toutes les autres sciences inutiles, comme la danse, la musique, la ...

Maître à Danser. Tout beau,[13] Monsieur le tireur d'armes [14]: ne parlez de la danse qu'avec respect.

Maître de Musique. Apprenez, je vous prie, à mieux traiter l'excellence de la musique.

Maître d'Armes. Vous êtes de plaisantes [15] gens, de vouloir comparer vos sciences à la mienne !

Maître de Musique. Voyez un peu l'homme d'importance !

Maître à Danser. Voilà un plaisant animal, avec son plastron ! [16]

Maître d'Armes. Mon petit maître à danser, je vous ferais danser comme il faut.[17] Et vous, mon petit musicien, je vous ferais chanter de la belle manière.

Maître à Danser. Monsieur le batteur de fer,[18] je vous apprendrai votre métier.

---

1. *thrown back, effaced.* **2.** du côté gauche. **3.** achevez de même (*i.e.* en quarte), *go through, lunge, "attack in quart."* **4.** *"As you were."* **5.** refaites le même mouvement. **6.** *leap.* **7.** portez (ou poussez) la botte: *lunge.* **8.** tierce (troisième position): du côté droit. **9.** (terme de philosophie): se dit des raisons ou arguments convaincants. **10.** courage. **11.** honneur. **12.** l'emporte ... sur: est tellement supérieure à. **13.** *gently! easy!* **14.** terme de dérision pour *maître d'armes.* **15.** impertinentes. **16.** *fencing-pad (stuffed leather pad to protect the front of the body while fencing).* **17.** *in fine style.* **18.** *swashbuckler*

M. Jourdain. (*Au* Maître à Danser) Êtes-vous fou de l'aller quereller, lui qui entend la tierce et la quarte, et qui sait tuer un homme par raison démonstrative ?

Maître à Danser. Je me moque [1] de sa raison démonstrative, et de sa 45 tierce et de sa quarte.

M. Jourdain. Tout doux,[2] vous dis-je.

Maître d'Armes. Comment ? petit impertinent.

M. Jourdain. Eh ! mon Maître d'armes.

Maître à Danser. Comment ? grand cheval de carrosse. 50

M. Jourdain. Eh ! mon Maître à danser.

Maître d'Armes. Si je me jette sur vous ...

M. Jourdain. Doucement.

Maître à Danser. Si je mets sur vous la main ...

M. Jourdain. Tout beau. 55

Maître d'Armes. Je vous étrillerai [3] d'un air [4] ...

M. Jourdain. De grâce !

Maître à Danser. Je vous rosserai [5] d'une manière ...

M. Jourdain. Je vous prie.

Maître de Musique. Laissez-nous un peu lui apprendre à parler. 60

M. Jourdain. Mon Dieu ! arrêtez-vous.

SCÈNE III

Maître de Philosophie, Maître de Musique, Maître à Danser,
Maître d'Armes, Monsieur Jourdain, *Laquais*

M. Jourdain. Holà, Monsieur le Philosophe, vous arrivez tout à propos avec votre philosophie. Venez un peu mettre la paix entre ces personnes-ci.

Maître de Philosophie. Qu'est-ce donc ? qu'y a-t-il, Messieurs ?

M. Jourdain. Ils se sont mis en colère pour la préférence de leurs professions,[6] jusqu'à se dire des injures,[7] et vouloir en venir aux mains.[8] 5

Maître de Philosophie. Hé quoi ? Messieurs, faut-il s'emporter [9] de la sorte ? et n'avez-vous point lu le docte [10] traité que Sénèque [11] a composé de la colère ? Y a-t-il rien de plus bas et de plus honteux que cette passion, qui fait d'un homme une bête féroce ? et la raison ne doit-elle pas être maîtresse de tous nos mouvements ? [12] 10

Maître à Danser. Comment, Monsieur, il vient nous dire des injures à tous deux, en méprisant [13] la danse que j'exerce, et la musique dont il fait profession ?

---

1. *I don't care a rap for.* **2.** *gently!* **3.** (lit., *currycomb you*): *give you a drubbing.* **4.** manière. **5.** battrai avec violence. **6.** pour ... professions: pour décider laquelle de leurs professions est préférable. **7.** insultes. **8.** en ... mains: se battre. **9.** se mettre en colère. **10.** savant. **11.** Philosophe romain (1er siècle) composa, en effet, un traité *de la colère.* **12.** actions, sentiments. **13.** *showing contempt for.*

Maître de Philosophie. Un homme sage est au-dessus de toutes les injures qu'on lui peut dire; et la grande réponse qu'on doit faire aux outrages, c'est 15 la modération et la patience.

Maître d'Armes. Ils ont tous deux l'audace de vouloir comparer leurs professions à la mienne.

Maître de Philosophie. Faut-il que cela vous émeuve? Ce n'est pas de vaine gloire et de condition [1] que les hommes doivent disputer entre eux; 20 et ce qui nous distingue parfaitement les uns des autres, c'est la sagesse et la vertu.

Maître à Danser. Je lui soutiens que la danse est une science à laquelle on ne peut faire assez d'honneur.

Maître de Musique. Et moi, que le musique en est une que tous les siècles 25 ont révérée.

Maître d'Armes. Et moi, je leur soutiens à tous deux [2] que la science de tirer des armes [3] est la plus belle et la plus nécessaire de toutes les sciences.

Maître de Philosophie. Et que sera donc la philosophie? Je vous trouve tous trois bien impertinents de parler devant moi avec cette arrogance, et de 30 donner impudemment le nom de science à des choses que l'on ne doit pas même honorer du nom d'art, et qui ne peuvent être comprises que sous le nom de métier misérable de gladiateur, de chanteur, et de baladin! [4]

Maître d'Armes. Allez, philosophe de chien.

Maître de Musique. Allez, bélître [5] de pédant.   35

Maître à Danser. Allez, cuistre fieffé. [6]

Maître de Philosophie. Comment? marauds [7] que vous êtes ...

(Le Philosophe *se jette sur eux, et tous trois le chargent de coups.*)

M. Jourdain. Monsieur le Philosophe.

Maître de Philosophie. Infâmes! coquins! insolents!   40

M. Jourdain. Monsieur le Philosophe.

Maître d'Armes. La peste l'animal! [8]

M. Jourdain. Messieurs.

Maître de Philosophie. Impudents!

M. Jourdain. Monsieur le Philosophe.   45

Maître à Danser. Diantre [9] soit de l'âne bâté! [10]

M. Jourdain. Messieurs.

Maître de Philosophie. Scélérats! [11]

M. Jourdain. Monsieur le Philosophe.

Maître de Musique. Au diable l'impertinent!   50

M. Jourdain. Messieurs.

Maître de Philosophie. Fripons! [12] gueux! [13] traîtres! imposteurs!

(*Ils sortent en se battant.*)

---

1. *rank.* **2.** je leur ... deux: *I tell them to their face.* **3.** *fencing.* **4.** (baller: danser): danseur de profession, bouffon. **5.** homme de rien. **6.** *"arrant pedant."* **7.** *black-guards.* **8.** *A plague upon the creature!* **9.** Diantre soit de: *To the devil with.* **10.** *pack-saddle ass.* **11.** *rascals.* **12.** *robbers.* **13.** *beggars, "bums."*

M. Jourdain. Monsieur le Philosophe, Messieurs, Monsieur le Philosophe, Messieurs, Monsieur le Philosophe. Oh! battez-vous tant qu'il vous plaira: je n'y saurais que faire,[1] et je n'irai pas gâter ma robe pour vous séparer. 55 Je serais bien fou de m'aller fourrer [2] parmi eux, pour recevoir quelque coup qui me ferait mal.

SCÈNE IV

MAÎTRE DE PHILOSOPHIE, MONSIEUR JOURDAIN

Maître de Philosophie. (*En raccommodant* [3] *son collet* [4]) Venons à notre leçon.

M. Jourdain. Ah! Monsieur, je suis fâché des coups qu'ils vous ont donnés.

Maître de Philosophie. Cela n'est rien. Un philosophe sait recevoir comme il faut les choses, et je vais composer contre eux une satire du style de 5 Juvénal,[5] qui les déchirera [6] de la belle façon. Laissons cela. Que voulez-vous apprendre?

M. Jourdain. Tout ce que je pourrai, car j'ai toutes les envies du monde [7] d'être savant; et j'enrage [8] que mon père et ma mère ne m'aient pas fait bien étudier dans toutes les sciences, quand j'étais jeune. 10

Maître de Philosophie. Ce sentiment est raisonnable: *Nam sine doctrina, vita est quasi mortis imago.* Vous entendez cela, et vous savez le latin sans doute.

M. Jourdain. Oui, mais faites comme si je ne le savais pas: expliquez-moi ce que cela veut dire.

Maître de Philosophie. Cela veut dire que *Sans la science, la vie est presque* 15 *une image de la mort.*

M. Jourdain. Ce latin-là a raison.

Maître de Philosophie. N'avez-vous point quelques principes,[9] quelques commencements des sciences?

M. Jourdain. Oh! oui, je sais lire et écrire. 20

Maître de Philosophie. Par où vous plaît-il que nous commencions? Voulez-vous que je vous apprenne la logique?

M. Jourdain. Qu'est-ce que c'est que cette logique?

Maître de Philosophie. C'est elle qui enseigne les trois opérations de l'esprit.[10] 25

M. Jourdain. Qui [11] sont-elles, ces trois opérations de l'esprit?

Maître de Philosophie. La première, la seconde, et la troisième. La première est de bien concevoir par le moyen des universaux.[12] La seconde, de bien juger par le moyen des catégories [12]; et la troisième, de bien tirer une

---

1. n'y . . . faire: ne pourrais pas l'empêcher. **2.** (*fam.*, mettre): "*shove.*" **3.** ajustant. **4.** Partie du pourpoint qui entoure le col; aussi un ornement de linge (*linen*) que l'on met sur le collet pour la propreté (*cleanliness*). **5.** poète satirique latin (42–120 A.D.). **6.** *will tear to pieces.* **7.** toutes . . . monde: *the greatest desire.* **8.** suis furieux. **9.** éléments, premières notions. **10.** trois . . . l'esprit: c'est-à-dire, conception, jugement, raisonnement. **11.** Évidemment M. Jourdain n'a rien compris à ce que le maître de philosophie a dit. **12.** Nom sous lequel les scolastiques désignaient les termes *généraux:* genre, espèce, différence, etc.; les catégories, d'autre part, étaient la substance, la quantité, la qualité, etc.

conséquence par le moyen des figures *Barbara*,[1] *Celarent, Darii, Ferio, Bara-* 30
lipton, etc.

　M. Jourdain. Voilà des mots qui sont trop rébarbatifs.[2] Cette logique-là
ne me revient point.[3] Apprenons autre chose qui soit plus joli.

　Maître de Philosophie. Voulez-vous apprendre la morale?[4]

　M. Jourdain. La morale?　　　　　　　　　　　　　　　　　　　　35

　Maître de Philosophie. Oui.

　M. Jourdain. Qu'est-ce qu'elle dit cette morale?

　Maître de Philosophie. Elle traite de la félicité, enseigne aux hommes à
modérer leurs passions, et . . .

　M. Jourdain. Non, laissons cela. Je suis bilieux[5] comme tous les diables; 40
et il n'y a morale qui tienne,[6] je me veux mettre en colère tout mon soûl,[7]
quand il m'en prend envie.

　Maître de Philosophie. Est-ce la physique[8] que vous voulez apprendre?

　M. Jourdain. Qu'est-ce qu'elle chante[9] cette physique?

　Maître de Philosophie. La physique est celle qui explique les principes des 45
choses naturelles, et les propriétés des corps; qui discourt de la nature des
éléments, des métaux, des minéraux, des pierres, des plantes et des animaux,
et nous enseigne les causes de tous les météores, l'arc-en-ciel, les feux volants,[10]
les comètes, les éclairs, le tonnerre, la foudre, la pluie, la neige, la grêle, les
vents et les tourbillons.　　　　　　　　　　　　　　　　　　　　50

　M. Jourdain. Il y a trop de tintamarre[11] là-dedans, trop de brouillamini.[12]

　Maître de Philosophie. Que voulez-vous donc que je vous apprenne?

　M. Jourdain. Apprenez-moi l'orthographe.

　Maître de Philosophie. Très volontiers.

　M. Jourdain. Après vous m'apprendrez l'almanach, pour savoir quand 55
il y a de la lune et quand il n'y en a point.

　Maître de Philosophie. Soit. Pour bien suivre votre pensée et traiter cette
matière en philosophe, il faut commencer selon l'ordre des choses, par une
exacte connaissance de la nature des lettres, et de la différente manière de les
prononcer toutes. Et là-dessus j'ai à vous dire que les lettres sont divisées en 60
voyelles, ainsi dites voyelles parce qu'elles expriment les voix[13]; et en con-

---

　1. *Barbara, Celarent*, etc.: mots artificiels n'ayant aucun sens, mais dont les voyelles
indiquent les « figures » ou formes des syllogismes. Les différentes propositions étaient
désignées par les voyelles A, E, I, O. La proposition universelle affirmative était A. Un
syllogisme composé de trois universelles affirmatives était donc un syllogisme en *Barbara*.
Par ex.:
　　　　Proposition majeure: *Tous les élèves aiment le travail.* (A)
　　　　Mineure: *Vous êtes tous des élèves.* (A)
　　　　Conclusion: *Vous aimez tous le travail.* (A)

Remarquez que pour que la conclusion soit vraie, il faut que la majeure et la mineure
soient vraies.　**2.** durs, difficiles.　**3.** ne . . . point: *is not to my liking.*　**4.** *ethics*, not
morals.　**5.** (lit., *bilious*): *out of sorts, out of temper.*　**6.** il n'y a . . . tienne: *ethics or no
ethics.*　**7.** tout mon soûl: autant que je le désire.　**8.** *physics.*　**9.** Qu'est-ce . . .
chante? *What's it all about?*　**10.** ou étoiles filantes (météores).　**11.** grand bruit.
12. confusion, désordre.　**13.** *voices, sounds.*

sonnes, ainsi appelées consonnes parce qu'elles sonnent avec les voyelles, et
ne font que marquer les diverses articulations des voix. Il y a cinq voyelles
ou voix: A, E, I, O, U.

M. Jourdain. J'entends tout cela.   65

Maître de Philosophie. La voix A se forme en ouvrant fort la bouche: A.

M. Jourdain. A, A. Oui.

Maître de Philosophie. La voix E se forme en rapprochant la mâchoire[1]
d'en bas de celle d'en haut: A, E.

M. Jourdain. A, E, A, E. Ma foi! oui. Ah! que cela est beau!   70

Maître de Philosophie. Et la voix I en rapprochant encore davantage les
mâchoires l'une de l'autre, et écartant les deux coins de la bouche vers les
oreilles: A, E, I.

M. Jourdain. A, E, I, I, I, I. Cela est vrai. Vive la science![2]

Maître de Philosophie. La voix O se forme en rouvrant les mâchoires, et 75
rapprochant les lèvres[3] par les deux coins, le haut et le bas: O.

M. Jourdain. O, O. Il n'y a rien de plus juste. A, E, I, O, I, O. Cela
est admirable! I, O, I, O.

Maître de Philosophie. L'ouverture de la bouche fait justement comme
un petit rond qui représente un O.   80

M. Jourdain. O, O, O. Vous avez raison, O. Ah! la belle chose, que de
savoir quelque chose!

Maître de Philosophie. La voix U se forme en rapprochant les dents sans
les joindre entièrement, et allongeant les deux lèvres en dehors, les approchant
aussi l'une de l'autre sans les joindre tout à fait: U.   85

M. Jourdain. U, U. Il n'y a rien de plus véritable: U.

Maître de Philosophie. Vos deux lèvres s'allongent comme si vous faisiez
la moue[4]: d'où vient que, si vous la voulez faire à quelqu'un, et vous moquer
de lui, vous ne sauriez lui dire que: U.

M. Jourdain. U, U. Cela est vrai. Ah! que n'ai-je étudié plus tôt, pour 90
savoir tout cela?

Maître de Philosophie. Demain, nous verrons les autres lettres, qui sont
les consonnes.

M. Jourdain. Est-ce qu'il y a des choses aussi curieuses qu'à[5] celles-ci?

Maître de Philosophie. Sans doute. La consonne D, par exemple, se 95
prononce en donnant du bout de la langue au-dessus des dents d'en haut: DA.

M. Jourdain. DA, DA. Oui. Ah! les belles choses! les belles choses!

Maître de Philosophie. L'F en appuyant les dents d'en haut sur la lèvre
de dessous: FA.

M. Jourdain. FA, FA. C'est la vérité. Ah! mon père et ma mère, que je
vous veux de mal![6]
                                                                           101

Maître de Philosophie. Et l'R, en portant le bout de la langue jusqu'au haut

---

1. *jaw.* **2.** *knowledge.* **3.** *lips.* **4.** faisiez la moue: *were pouting.* **5.** qu'à: *que dans.*
6. Parce qu'ils ne l'avaient pas fait étudier quand il était jeune.

du palais, de sorte qu'étant frôlée ¹ par l'air qui sort avec force, elle lui cède, et revient toujours au même endroit, faisant une manière ² de tremblement: R ʀᴀ.

M. Jourdain. R, ʀ, ʀᴀ; R, ʀ, ʀ, ʀ, ʀ, ʀᴀ. Cela est vrai. Ah! l'habile homme que vous êtes! et que j'ai perdu de temps! R, ʀ, ʀ, ʀᴀ.

Maître de Philosophie. Je vous expliquerai à fond toutes ces curiosités.

M. Jourdain. Je vous en prie.³ Au reste, il faut que je vous fasse une confidence. Je suis amoureux d'une personne de grande qualité, et je souhaiterais que vous m'aidassiez à lui écrire quelque chose dans un petit billet ⁴ que je veux laisser tomber à ses pieds.

Maître de Philosophie. Fort bien.

M. Jourdain. Cela sera galant, oui?

Maître de Philosophie. Sans doute. Sont-ce des vers que vous lui voulez écrire?

M. Jourdain. Non, non, point de vers.

Maître de Philosophie. Vous ne voulez que de la prose?

M. Jourdain. Non, je ne veux ni prose ni vers.

Maître de Philosophie. Il faut bien que ce soit l'un ou l'autre.

M. Jourdain. Pourquoi?

Maître de Philosophie. Par la raison, Monsieur, qu'il n'y a pour s'exprimer que la prose ou les vers.

M. Jourdain. Il n'y a que la prose ou les vers?

Maître de Philosophie. Non, Monsieur: tout ce qui n'est point prose est vers; et tout ce qui n'est point vers est prose.

M. Jourdain. Et comme l'on parle, qu'est-ce que c'est donc que cela?

Maître de Philosophie. De la prose.

M. Jourdain. Quoi? quand je dis: « Nicole, apportez-moi mes pantoufles,⁵ et me donnez mon bonnet de nuit, » c'est de la prose?

Maître de Philosophie. Oui, Monsieur.

M. Jourdain. Par ma foi! il y a plus de quarante ans que je dis de la prose sans que j'en susse ⁶ rien, et je vous suis le plus obligé du monde de m'avoir appris cela. Je voudrais donc lui mettre dans un billet: *Belle Marquise, vos beaux yeux me font mourir d'amour;* mais je voudrais que cela fût mis d'une manière galante, que cela fût tourné gentiment.⁷

Maître de Philosophie. Mettre que les feux de ses yeux réduisent votre cœur en cendres; que vous souffrez nuit et jour pour elle les violences ⁸ d'un . . .

M. Jourdain. Non, non, non, je ne veux point tout cela; je ne veux que ce que je vous ai dit: *Belle Marquise, vos beaux yeux me font mourir d'amour.*

Maître de Philosophie. Il faut bien étendre ⁹ un peu la chose.

M. Jourdain. Non, vous dis-je, je ne veux que ces seules paroles-là dans

---

1. touchée ou frottée (*rubbed*) légèrement en passant. **2.** espèce. **3.** *Please do.* **4.** *Cf.* billet-doux. **5.** *slippers.* **6.** sache. **7.** *prettily.* **8.** tourments **9.** amplifier, développer.

le billet; mais tournées à la mode, bien arrangées comme il faut. Je vous prie de me dire un peu, pour voir, les diverses manières dont on les peut mettre. 146

Maître de Philosophie. On les peut mettre premièrement comme vous avez dit: *Belle Marquise, vos beaux yeux me font mourir d'amour.* Ou bien: *D'amour mourir me font, belle Marquise, vos beaux yeux.* Ou bien: *Vos yeux beaux d'amour me font, belle Marquise, mourir.* Ou bien: *Mourir vos beaux yeux,* 150 *belle Marquise, d'amour me font.* Ou bien: *Me font vos yeux beaux mourir, belle Marquise, d'amour.*

M. Jourdain. Mais de toutes ces façons-là, laquelle est la meilleure?

Maître de Philosophie. Celle que vous avez dite: *Belle Marquise, vos beaux yeux me font mourir d'amour.* 155

M. Jourdain. Cependant je n'ai point étudié, et j'ai fait cela tout du premier coup. Je vous remercie de tout mon cœur, et vous prie de venir demain de bonne heure.

Maître de Philosophie. Je n'y manquerai pas.

M. Jourdain. (*A son laquais*) Comment? mon habit n'est point encore arrivé? 161

Le Laquais. Non, Monsieur.

M. Jourdain. Ce maudit tailleur me fait bien attendre pour un jour où j'ai tant d'affaires. J'enrage. Que la fièvre quartaine [1] puisse serrer [2] bien fort le bourreau [3] de tailleur! Au diable le tailleur! La peste étouffe le 165 tailleur! Si je le tenais maintenant, ce tailleur détestable, ce chien de tailleur-là, ce traître de tailleur, je . . .

SCÈNE V

Monsieur Jourdain, Maître Tailleur, Garçons Tailleurs [4]
(*portant l'habit de* M. Jourdain), *Laquais*

M. Jourdain. Ah, vous voilà! je m'allais mettre en colère contre vous.

Maître Tailleur. Je n'ai pas pu venir plus tôt, et j'ai mis vingt garçons après votre habit.

M. Jourdain. Vous m'avez envoyé des bas de soie si étroits, que j'ai eu toutes les peines du monde à les mettre, et il y a déjà deux mailles de rom- 5 pues.[5]

Maître Tailleur. Ils ne s'élargiront que trop.

M. Jourdain. Oui, si je romps toujours des mailles. Vous m'avez aussi fait faire des souliers qui me blessent furieusement.[6]

Maître Tailleur. Point du tout, Monsieur. 10

---

1. ou quarte: fièvre qui revient tous les quatre jours. **2.** grip. **3.** brute, rascal. **4.** ouvriers. Il ne s'agit pas ici d'apprentis mais d'ouvriers qui travaillaient pour un maître. **5.** deux . . . rompues: *two broken stitches, runs, "ladders."* **6.** (*style précieux*): excessivement.

M. Jourdain.   Comment, point du tout?

Maître Tailleur.   Non, ils ne vous blessent point.

M. Jourdain.   Je vous dis qu'ils me blessent, moi.

Maître Tailleur.   Vous vous imaginez cela.

M. Jourdain.   Je me l'imagine, parce que je le sens.   Voyez la belle raison! 15

Maître Tailleur.   Tenez, voilà le plus bel habit de la cour, et le mieux assorti.[1]   C'est un chef-d'œuvre que d'avoir inventé un habit sérieux qui ne fût pas noir [2]; et je le donne en six coups [3] aux tailleurs les plus éclairés.[4]

M. Jourdain.   Qu'est-ce que c'est que ceci? vous avez mis les fleurs en enbas.[5]   20

Maître Tailleur.   Vous ne m'aviez pas dit que vous les vouliez en enhaut.[5]

M. Jourdain.   Est-ce qu'il faut dire cela?

Maître Tailleur.   Oui, vraiment.   Toutes les personnes de qualité les portent de la sorte.

M. Jourdain.   Les personnes de qualité portent les fleurs en enbas?   25

Maître Tailleur.   Oui, Monsieur.

M. Jourdain.   Oh! voilà qui est donc bien.[6]

Maître Tailleur.   Si vous voulez, je les mettrai en enhaut.

M. Jourdain.   Non, non.

Maître Tailleur.   Vous n'avez qu'à dire.   30

M. Jourdain.   Non, vous dis-je; vous avez bien fait.   Croyez-vous que l'habit m'aille bien?

Maître Tailleur.   Belle demande![7]   Je défie [8] un peintre, avec son pinceau,[9] de vous faire rien de plus juste.[10]   J'ai chez moi un garçon qui, pour monter [11] une rhingrave,[12] est le plus grand génie du monde; et un autre qui, 35 pour assembler un pourpoint,[13] est le héros de notre temps.

M. Jourdain.   La perruque, et les plumes sont-elles comme il faut?

Maître Tailleur.   Tout est bien.

M. Jourdain.   (*En regardant l'habit du tailleur*)   Ah, ah! Monsieur le tailleur, voilà de mon étoffe du dernier habit que vous m'avez fait.   Je la 40 reconnais bien.

Maître Tailleur.   C'est que l'étoffe me sembla si belle, que j'en ai voulu lever [14] un habit pour moi.

M. Jourdain.   Oui, mais il ne fallait pas le lever avec le mien.

Maître Tailleur.   Voulez-vous mettre votre habit?   45

M. Jourdain.   Oui, donnez-le-moi.

---

1. de bon goût. **2.** qui ... noir: Les bourgeois s'habillaient généralement de noir. C'est pour cela que M. Jourdain voulait un habit de couleur. **3.** en six coups: terme employé en jouant aux dés (*dice*): *in six throws, in six attempts.* **4.** *enlightened, accomplished.* **5.** en enbas: Les deux mots *en* et *bas* (voir *enhaut* à la ligne suivante) s'étaient soudés (*welded*) ensemble: *upside down, right side up.* M. Jourdain veut dire que le tailleur a mis la tige (*stem*) des fleurs en haut et la corolle en bas. **6.** *so that's all right.* **7.** *what a question!* **8.** *challenge.* **9.** (*painter's*) *brush.* **10.** qui s'applique parfaitement au corps. **11.** coudre ensemble. **12.** haut-de-chausses (*knee breeches*) fort larges mis à la mode par quelque comte du Rhin (*Rheingraf*). **13.** *doublet.* **14.** prélever, prendre sur (une étoffe).

Maître Tailleur. Attendez. Cela ne va pas comme cela. J'ai amené des gens pour vous habiller en cadence, et ces sortes d'habits se mettent avec cérémonie. Holà! entrez, vous autres. Mettez cet habit à Monsieur, de la manière que vous faites aux personnes de qualité. 50

(*Quatre garçons tailleurs entrent, dont deux lui arrachent le haut-de-chausses de ses exercices, et deux autres la camisole; puis ils lui mettent son habit neuf; et M. Jourdain se promène entre eux, et leur montre son habit, pour voir s'il est bien. Le tout à la cadence de toute la symphonie.*)

Garçon Tailleur. Mon gentilhomme, donnez, s'il vous plaît, aux garçons quelque chose pour boire.[1]

M. Jourdain. Comment m'appelez-vous?

Garçon Tailleur. Mon gentilhomme.

M. Jourdain. « Mon gentilhomme! » Voilà ce que c'est de se mettre[2] 55 en personne de qualité. Allez-vous-en demeurer toujours habillé en bourgeois, on ne vous dira point: « Mon gentilhomme. » Tenez, voilà pour « Mon gentilhomme. »

Garçon Tailleur. Monseigneur,[3] nous vous sommes bien obligés.

M. Jourdain. « Monseigneur, » oh, oh! « Monseigneur! » Attendez, 60 mon ami: « Monseigneur » mérite quelque chose, et ce n'est pas une petite parole que « Monseigneur. » Tenez, voilà ce que Monseigneur vous donne.

Garçon Tailleur. Monseigneur, nous allons boire tous à la santé de Votre Grandeur.[3]

M. Jourdain. « Votre Grandeur! » Oh, oh, oh! Attendez, ne vous en 65 allez pas. A moi « Votre Grandeur! » Ma foi, s'il va jusqu'à l'Altesse,[3] il aura toute la bourse. Tenez, voilà pour Ma Grandeur.

Garçon Tailleur. Monseigneur, nous la[4] remercions très humblement de ses libéralités.

M. Jourdain. Il a bien fait: je lui allais tout donner. 70

(*Les quatre garçons tailleurs se réjouissent par une danse, qui fait le second intermède.*)

ACTE TROISIÈME

SCÈNE PREMIÈRE

Monsieur Jourdain, *Laquais*

M. Jourdain. Suivez-moi, que j'aille un peu montrer mon habit par la ville; surtout ayez soin tous deux de marcher immédiatement sur mes pas, afin qu'on voie bien que vous êtes à moi.

1. *tip.* On dit aujourd'hui un *pourboire.* 2. s'habiller. 3. titre donné à un duc, un archevêque (*archbishop*), etc. *Grandeur* était le titre d'un grand seigneur, et *Altesse,* celui d'un prince. 4. la: sa Grandeur.

Laquais. Oui, Monsieur.

M. Jourdain. Appelez-moi Nicole, que je lui donne quelques ordres. Ne 5
bougez,¹ la voilà.

SCÈNE II

NICOLE, MONSIEUR JOURDAIN, *Laquais*

M. Jourdain. Nicole!

Nicole. Plaît-il?²

M. Jourdain. Écoutez.

Nicole. Hi, hi, hi, hi, hi.

M. Jourdain. Qu'as-tu à rire? 5

Nicole. Hi, hi, hi, hi, hi, hi.

M. Jourdain. Que veut dire cette coquine-là?

Nicole. Hi, hi, hi. Comme vous voilà bâti!³ Hi, hi, hi.

M. Jourdain. Comment donc?

Nicole. Ah, ah! mon Dieu!⁴ Hi, hi, hi, hi, hi. 10

M. Jourdain. Quelle friponne⁵ est-ce là? Te moques-tu de moi?

Nicole. Nenni,⁶ Monsieur, j'en serais bien fâchée. Hi, hi, hi, hi, hi, hi.

M. Jourdain. Je te baillerai⁷ sur le nez, si tu ris davantage.

Nicole. Monsieur, je ne puis pas m'en empêcher. Hi, hi, hi, hi, hi, hi.

M. Jourdain. Tu ne t'arrêteras pas? 15

Nicole. Monsieur, je vous demande pardon; mais vous êtes si plaisant,⁸
que je ne saurais me tenir⁹ de rire. Hi, hi, hi.

M. Jourdain. Mais voyez quelle insolence.

Nicole. Vous êtes tout à fait drôle comme cela. Hi, hi.

M. Jourdain. Je te ... 20

Nicole. Je vous prie de m'excuser. Hi, hi, hi, hi.

M. Jourdain. Tiens, si tu ris encore le moins du monde,¹⁰ je te jure que
je t'appliquerai sur la joue le plus grand soufflet¹¹ qui se soit jamais donné.

Nicole. Hé bien, Monsieur, voilà qui est fait, je ne rirai plus.

M. Jourdain. Prends-y bien garde.¹² Il faut que pour tantôt tu net- 25
toies ...

Nicole. Hi, hi.

M. Jourdain. Que tu nettoies comme il faut ...

Nicole. Hi, hi.

M. Jourdain. Il faut, dis-je, que tu nettoies la salle, et ... 30

Nicole. Hi, hi.

M. Jourdain. Encore!

Nicole. Tenez,¹³ Monsieur, battez-moi plutôt et me laissez rire tout mon
soûl,¹⁴ cela me fera plus de bien. Hi, hi, hi, hi, hi.

---

1. ne bougez (pas). 2. *Yes, Sir?* 3. *What a get-up!* 4. *my goodness!* 5. *jade.* 6. mais
non, non pas. 7. donnerai, frapperai. 8. drôle, ridicule. 9. retenir, empêcher. 10. *least
little bit.* 11. *slap in the face.* 12. *Mind you don't.* 13. *Well, look here.* 14. *Voir page 206,
note 7.*

M. Jourdain. J'enrage.   35

Nicole. De grâce, Monsieur, je vous prie de me laisser rire. Hi, hi, hi.

M. Jourdain. Si je te prends ...

Nicole. Monsieur ... eur, je crèverai ... ai,[1] si je ne ris. Hi, hi, hi.

M. Jourdain. Mais a-t-on jamais vu une pendarde [2] comme celle-là? qui me vient rire insolemment au nez,[3] au lieu de recevoir mes ordres?   40

Nicole. Que voulez-vous que je fasse, Monsieur?

M. Jourdain. Que tu songes, coquine, à préparer ma maison pour la compagnie qui doit venir tantôt.

Nicole. Ah, par ma foi! je n'ai plus envie de rire; et toutes vos compagnies font tant de désordre céans, que ce mot est assez pour me mettre en 45 mauvaise humeur.

M. Jourdain. Ne dois-je point pour toi fermer ma porte à tout le monde?

Nicole. Vous devriez au moins la fermer à certaines gens.

SCÈNE III

Madame Jourdain, Monsieur Jourdain, Nicole, *Laquais*

Mme Jourdain. Ah, ah! voici une nouvelle histoire. Qu'est-ce que c'est donc, mon mari, que cet équipage-là?[4] Vous moquez-vous du monde,[5] de vous être fait enharnacher [6] de la sorte? et avez-vous envie qu'on se raille [7] partout de vous?

M. Jourdain. Il n'y a que des sots [8] et des sottes, ma femme, qui se 5 railleront de moi.

Mme Jourdain. Vraiment on n'a pas attendu jusqu'à cette heure, et il y a longtemps que vos façons de faire donnent à rire à tout le monde.

M. Jourdain. Qui est donc tout ce monde-là, s'il vous plaît?

Mme Jourdain. Tout ce monde-là est un monde qui a raison, et qui est 10 plus sage que vous. Pour moi, je suis scandalisée de la vie que vous menez. Je ne sais plus ce que c'est que notre maison: on dirait qu'il est céans carêmeprenant [9] tous les jours; et dès le matin, de peur d'y manquer,[10] on y entend des vacarmes [11] de violons et de chanteurs, dont tout le voisinage se trouve incommodé.   15

Nicole. Madame parle bien. Je ne saurais plus voir mon ménage propre, avec cet attirail [12] de gens que vous faites venir chez vous. Ils ont des pieds qui vont chercher de la boue [13] dans tous les quartiers de la ville, pour l'apporter

---

1. Terme assez vulgaire: mourrai. *Cf. Angl.:* "*bust*" (un animal *crève*, un homme *meurt*). **2.** *saucy wench.* **3.** en pleine figure, en plein visage. **4.** "*get-up.*" **5.** Vous ... monde? *Is it a joke?* **6.** habiller d'une manière extravagante et ridicule (harnacher, *harness*). **7.** se moque, rie. **8.** *ill-intentioned fools.* **9.** Mardi-gras (*Shrove Tuesday*): jour des masques. **10.** de ... manquer; *so as to be sure of it; sure as fate.* **11.** bruits tumultueux. **12.** *ici:* procession, foule. **13.** *mud.*

ici; et la pauvre Françoise est presque sur les dents,[1] à frotter les planchers que vos biaux [2] maîtres viennent crotter [3] régulièrement tous les jours. 20

M. Jourdain. Ouais, notre servante Nicole, vous avez le caquet bien affilé [4] pour une paysanne.

Mme Jourdain. Nicole a raison, et son sens est meilleur que le vôtre. Je voudrais bien savoir ce que vous pensez faire d'un maître à danser à l'âge que vous avez. 25

Nicole. Et d'un grand maître tireur d'armes, qui vient, avec ses battements de pied,[5] ébranler [6] toute la maison, et nous déraciner [7] tous les carriaux [8] de notre salle?

M. Jourdain. Taisez-vous, ma servante et ma femme.

Mme Jourdain. Est-ce que vous voulez apprendre à danser pour quand 30 vous n'aurez plus de jambes?

Nicole. Est-ce que vous avez envie de tuer quelqu'un?

M. Jourdain. Taisez-vous, vous dis-je: vous êtes des ignorantes l'une et l'autre, et vous ne savez pas les prérogatives [9] de tout cela.

Mme Jourdain. Vous devriez bien plutôt songer à marier votre fille, qui est 35 en âge d'être pourvue.[10]

M. Jourdain. Je songerai à marier ma fille quand il se présentera un parti pour elle; mais je veux songer aussi à apprendre les belles choses.

Nicole. J'ai encore ouï [11] dire, Madame, qu'il a pris aujourd'hui, pour renfort de potage,[12] un maître de philosophie. 40

M. Jourdain. Fort bien: je veux avoir de l'esprit,[13] et savoir raisonner des choses parmi les honnêtes gens.[14]

Mme Jourdain. N'irez-vous point l'un de ces jours au collège [15] vous faire donner le fouet,[16] à votre âge?

M. Jourdain. Pourquoi non? Plût à Dieu l'avoir tout à l'heure,[17] le fouet, 45 devant tout le monde, et savoir ce qu'on apprend au collège!

Nicole. Oui, ma foi! cela vous rendrait la jambe bien mieux faite.

M. Jourdain. Sans doute.

Mme Jourdain. Tout cela est fort nécessaire pour conduire votre maison!

M. Jourdain. Assurément. Vous parlez toutes deux comme des bêtes,[18] 50 et j'ai honte de votre ignorance. Par exemple, savez-vous, vous, ce que c'est que vous dites à cette heure?

Mme Jourdain. Oui, je sais que ce que je dis est fort bien dit, et que vous devriez songer à vivre d'autre sorte.

---

1. sur les dents: extrêmement fatiguée, à bout de forces. **2.** beaux (dans la langue du peuple des environs de Paris). *Cf. Angl.: foine = fine.* **3.** salir, couvrir de boue. **4.** caquet... affilé: *a very ready tongue.* **5.** *stampings.* **6.** faire trembler. **7.** (lit., *uproot): loosen.* **8.** carriaux = carreaux (*voir note 2 ci-dessus*). Les carreaux sont des briques carrées et plates dont on couvrait les planchers. **9.** mot qui n'a guère de sens ici. Monsieur Jourdain veut dire, peut-être, avantages. **10.** mariée. **11.** entendu. **12.** renfort de potage: *extra course.* (Nicole parle en cuisinière); *to crown it all.* **13.** intelligence, imagination et finesse. **14.** *nice people.* **15.** école, pas *college* au sens américain. **16.** faire... le fouet: *be birched.* **17.** tout de suite, maintenant. **18.** personnes sans intelligence.

M. Jourdain. Je ne parle pas de cela. Je vous demande ce que c'est que 55
les paroles que vous dites ici?

Mme Jourdain. Ce sont des paroles bien sensées, et votre conduite ne l'est
guère.

M. Jourdain. Je ne parle pas de cela, vous dis-je. Je vous demande:
ce que je parle avec vous, ce que je vous dis à cette heure, qu'est-ce que c'est? 60

Mme Jourdain. Des chansons.[1]

M. Jourdain. Hé non! ce n'est pas cela. Ce que nous disons tous deux, le
langage que nous parlons à cette heure?

Mme Jourdain. Hé bien?

M. Jourdain. Comment est-ce que cela s'appelle? 65

Mme Jourdain. Cela s'appelle comme on veut l'appeler.

M. Jourdain. C'est de la prose, ignorante.

Mme Jourdain. De la prose?

M. Jourdain. Oui, de la prose. Tout ce qui est prose n'est point vers; et
tout ce qui n'est point vers, n'est point prose. Heu, voilà ce que c'est que 70
d'étudier. Et toi, sais-tu bien comme il faut faire pour dire un U?

Nicole. Comment?

M. Jourdain. Oui. Qu'est-ce que tu fais quand tu dis un U?

Nicole. Quoi?

M. Jourdain. Dis un peu, U, pour voir. 75

Nicole. Hé bien, U.

M. Jourdain. Qu'est-ce que tu fais?

Nicole. Je dis, U.

M. Jourdain. Oui; mais quand tu dis, U, qu'est-ce que tu fais?

Nicole. Je fais ce que vous me dites. 80

M. Jourdain. Oh, l'étrange chose que d'avoir affaire à des bêtes! Tu al-
longes les lèvres en dehors, et approches la mâchoire d'en haut de celle d'en
bas: U, vois-tu? U. Je fais la moue: U.

Nicole. Oui, cela est biau.

Mme Jourdain. Voilà qui est admirable. 85

M. Jourdain. C'est bien autre chose, si vous aviez vu O, et DA, DA, et
FA, FA.

Mme Jourdain. Qu'est-ce que c'est donc que tout ce galimatias-là?[2]

Nicole. De quoi est-ce que tout cela guérit?[3]

M. Jourdain. J'enrage quand je vois des femmes ignorantes. 90

Mme Jourdain. Allez, vous devriez envoyer promener[4] tous ces gens-là,
avec leurs fariboles.[5]

Nicole. Et surtout ce grand escogriffe[6] de maître d'armes, qui remplit
de poudre[7] tout mon ménage.

---

1. bêtises, stupidités, *"bunkum."* **2.** *gibberish, stuff and nonsense.* **3.** De . . . guérit:
What does it cure you of? Nicole croit que c'est de la magie. **4.** *"send flying,"* throw
out. **5.** histoires impossibles. **6.** *"lanky gawk."* **7.** fine poussière.

M. Jourdain. Ouais, ce maître d'armes vous tient fort au cœur.[1] Je te 95
veux faire voir ton impertinence [2] tout à l'heure. (*Il fait apporter les fleurets,
et en donne un à* NICOLE.) Tiens. Raison démonstrative, la ligne du corps.
Quand on pousse en quarte, on n'a qu'à faire cela, et quand on pousse en
tierce, on n'a qu'à faire cela. Voilà le moyen de n'être jamais tué; et cela
n'est-il pas beau, d'être assuré de son fait,[3] quand on se bat contre quelqu'un? Là, pousse-moi un peu pour voir.   101

Nicole. Hé bien, quoi? (NICOLE *lui pousse plusieurs coups.*)

M. Jourdain. Tout beau, holà, oh! doucement. Diantre soit la coquine!

Nicole. Vous me dites de pousser.

M. Jourdain. Oui; mais tu me pousses en tierce, avant que de pousser en
quarte, et tu n'as pas la patience que je pare.   106

Mme Jourdain. Vous êtes fou, mon mari, avec toutes vos fantaisies, et
cela vous est venu depuis que vous vous mêlez de [4] hanter [5] la noblesse.

M. Jourdain. Lorsque je hante la noblesse, je fais paraître mon jugement, et cela est plus beau que de hanter votre bourgeoisie.   110

Mme Jourdain. Çamon [6] vraiment! il y a fort à gagner à fréquenter vos
nobles, et vous avez bien opéré [7] avec ce beau monsieur le comte dont vous
vous êtes embéguiné.[8]

M. Jourdain. Paix! Songez à ce que vous dites. Savez-vous bien, ma
femme, que vous ne savez pas de qui vous parlez, quand vous parlez de lui?115
C'est une personne d'importance plus que vous ne pensez, un seigneur que
l'on considère à la cour, et qui parle au Roi tout comme je vous parle. N'est-ce
pas une chose qui m'est tout à fait honorable, que l'on voie venir chez moi si
souvent une personne de cette qualité, qui m'appelle son cher ami, et me traite
comme si j'étais son égal? Il a pour moi des bontés qu'on ne devinerait120
jamais; et, devant tout le monde, il me fait des caresses [9] dont je suis moi-
même confus.

Mme Jourdain. Oui, il a des bontés pour vous, et vous fait des caresses;
mais il vous emprunte [10] votre argent.   124

M. Jourdain. Hé bien! ne m'est-ce pas de l'honneur, de prêter de l'argent
à un homme de cette condition-là? et puis-je faire moins pour un seigneur
qui m'appelle son cher ami?

Mme Jourdain. Et ce seigneur que fait-il pour vous?

M. Jourdain. Des choses dont on serait étonné, si on les savait.

Mme Jourdain. Et quoi?   130

M. Jourdain. Baste,[11] je ne puis pas m'expliquer. Il suffit que si je lui ai
prêté de l'argent, il me le rendra bien, et avant qu'il soit peu.[12]

---

1. tient au cœur: "*sticks in your gullet,*" "*can't swallow.*" **2.** ignorance. **3.** *Voir page
207, ligne 17,* « donner et ne point recevoir. » **4.** vous mêlez de: avez commencé de . . .
5. fréquenter. **6.** Ah oui, vraiment. **7.** vous . . . opéré: vous avez fait de belles affaires
(*business*). (Mme Jourdain est ironique.) **8.** On dit aujourd'hui *coiffé de:* être rempli
d'enthousiasme, aimer follement (*with whom you are infatuated*). **9.** amabilités qui me
flattent. **10.** *borrows.* **11.** assez, suffit. **12.** avant . . . peu: bientôt.

Mme Jourdain.   Oui, attendez-vous à cela.

M. Jourdain.   Assurément: ne me l'a-t-il pas dit?

Mme Jourdain.   Oui, oui: il ne manquera pas d'y faillir.¹   135

M. Jourdain.   Il m'a juré sa foi de gentilhomme.

Mme Jourdain.   Chansons.

M. Jourdain.   Ouais, vous êtes bien obstinée, ma femme. Je vous dis qu'il me tiendra parole, j'en suis sûr.

Mme Jourdain.   Et moi, je suis sûre que non, et que toutes les caresses qu'il vous fait ne sont que pour vous enjôler.²   141

M. Jourdain.   Taisez-vous: le voici.

Mme Jourdain.   Il ne nous faut plus que cela. Il vient peut-être encore vous faire quelque emprunt; et il me semble que j'ai dîné quand je le vois.

M. Jourdain.   Taisez-vous, vous dis-je.   145

SCÈNE IV

Dorante, Monsieur Jourdain, Madame Jourdain, Nicole

Dorante.   Mon cher ami, Monsieur Jourdain,³ comment vous portez-vous?

M. Jourdain.   Fort bien, Monsieur, pour vous rendre mes petits services.

Dorante.   Et Madame Jourdain que voilà, comment se porte-t-elle?

Mme Jourdain.   Madame Jourdain se porte comme elle peut.   5

Dorante.   Comment, Monsieur Jourdain? vous voilà le plus propre⁴ du monde!

M. Jourdain.   Vous voyez.

Dorante.   Vous avez tout à fait bon air avec cet habit, et nous n'avons point de jeunes gens à la cour qui soient mieux faits⁵ que vous.   10

M. Jourdain.   Hai, hai.⁶

Mme Jourdain.   Il le gratte par où il se démange.⁷

Dorante.   Tournez-vous. Cela est tout à fait galant.

Mme Jourdain.   Oui, aussi sot par derrière que par devant.

Dorante.   Ma foi! Monsieur Jourdain, j'avais une impatience étrange de 15 vous voir. Vous êtes l'homme du monde que j'estime le plus, et je parlais de vous encore ce matin dans la chambre du Roi.

M. Jourdain.   Vous me faites beaucoup d'honneur, Monsieur. (*A* Madame Jourdain) Dans la chambre du Roi!

Dorante.   Allons, mettez⁸. . .   20

---

1. manquera pas d'y faillir: *won't fail to fail* (*to keep his word*).   **2.** séduire par de belles paroles.   **3.** Monsieur Jourdain, Madame Jourdain: En ajoutant ainsi le patronyme « Jourdain » à Monsieur et Madame, Dorante marque clairement qu'il a conscience de s'adresser à des inférieurs. La formule polie serait simplement « Monsieur ».   **4.** extrêmement bien mis, bien habillé.   **5.** habillés.   **6.** *Ho! ho!* (*M. Jourdain chuckles*).   **7.** le gratte . . . démange (lit., *scratches him where he itches*): *knows how to cajole him.*   **8.** mettez (votre chapeau). Monsieur Jourdain s'était découvert à l'approche de Dorante.

M. Jourdain. Monsieur, je sais le respect que je vous dois.

Dorante. Mon Dieu! mettez: point de cérémonie entre nous, je vous prie.

M. Jourdain. Monsieur . . .

Dorante. Mettez, vous dis-je, Monsieur Jourdain: vous êtes mon ami.

M. Jourdain. Monsieur, je suis votre serviteur. 25

Dorante. Je ne me couvrirai [1] point, si vous ne vous couvrez.

M. Jourdain. J'aime mieux être incivil qu'importun.

Dorante. Je suis votre débiteur,[2] comme vous le savez.

Mme Jourdain. Oui, nous ne le savons que trop.

Dorante. Vous m'avez généreusement prêté de l'argent en plusieurs oc- 30
casions, et vous m'avez obligé de la meilleure grâce du monde, assurément.

M. Jourdain. Monsieur, vous vous moquez.[3]

Dorante. Mais je sais rendre ce qu'on me prête, et reconnaître les plaisirs
qu'on me fait.

M. Jourdain. Je n'en doute point, Monsieur. 35

Dorante. Je veux sortir d'affaire [4] avec vous, et je viens ici pour faire nos
comptes ensemble.

M. Jourdain. Hé bien! vous voyez votre impertinence,[5] ma femme.

Dorante. Je suis homme qui aime à m'acquitter le plus tôt que je puis.

M. Jourdain. Je vous le disais bien.[6] 40

Dorante. Voyons un peu [7] ce que je vous dois.

M. Jourdain. Vous voilà, avec vos soupçons ridicules.

Dorante. Vous souvenez-vous bien de tout l'argent que vous m'avez
prêté?

M. Jourdain. Je crois que oui. J'en ai fait un petit mémoire.[8] Le voici. 45
Donné à vous une fois deux cents louis.[9]

Dorante. Cela est vrai.

M. Jourdain. Une autre fois, six-vingts.[10]

Dorante. Oui.

M. Jourdain. Et une autre fois, cent quarante. 50

Dorante. Vous avez raison.

M. Jourdain. Ces trois articles font quatre cent soixante louis, qui valent
cinq mille soixante livres.

Dorante. Le compte est fort bon. Cinq mille soixante livres.

M. Jourdain. Mille huit cent trente-deux livres à votre plumassier.[11] 55

Dorante. Justement.

M. Jourdain. Deux mille sept cent quatre-vingts livres à votre tailleur.

Dorante. Il est vrai.

---

1. remettrai mon chapeau. **2.** *debtor.* **3.** vous vous moquez: *oh! please don't.* **4.** sortir
d'affaire: *settle matters, pay off my debts.* **5.** manque de réflexion, de jugement. **6.** Je . . .
bien: *Didn't I tell you?* **7.** Voyons . . .: *Just let us see, shall we?* **8.** *list.* **9.** 1 louis (ou
pistole) = 11 francs *ou* livres; 1 livre = 20 sous *ou* sols; 1 sol = 12 deniers. **10.** six-vingts
= 120. On dit encore quatre-vingts (80); les Quinze-Vingts (hôpital fondé par Louis
IX pour 300 aveugles). **11.** marchand de plumes.

M. Jourdain. Quatre mille trois cent septante-neuf [1] livres douze sols huit deniers à votre marchand.[2]

Dorante. Fort bien. Douze sols huit deniers: le compte est juste.

M. Jourdain. Et mille sept cent quarante-huit livres sept sols quatre deniers à votre sellier.[3]

Dorante. Tout cela est véritable. Qu'est-ce que cela fait?

M. Jourdain. Somme totale, quinze mille huit cents livres.

Dorante. Somme totale est juste: quinze mille huit cents livres. Mettez encore deux cents pistoles [4] que vous m'allez donner, cela fera justement [5] dix-huit mille francs, que je vous payerai au premier jour.

Mme Jourdain. Hé bien! ne l'avais-je pas bien deviné?

M. Jourdain. Paix!

Dorante. Cela vous incommodera-t-il, de me donner ce que je vous dis?

M. Jourdain. Eh non! [6]

Mme Jourdain. Cet homme-là fait de vous une vache [7] à lait.

M. Jourdain. Taisez-vous.

Dorante. Si cela vous incommode, j'en irai chercher ailleurs.

M. Jourdain. Non, Monsieur.

Mme Jourdain. Il ne sera pas content, qu'il ne vous ait ruiné.

M. Jourdain. Taisez-vous, vous dis-je.

Dorante. Vous n'avez qu'à me dire si cela vous embarrasse.

M. Jourdain. Point, Monsieur.

Mme Jourdain. C'est un vrai enjôleux.[8]

M. Jourdain. Taisez-vous donc.

Mme Jourdain. Il vous sucera [9] jusqu'au dernier sou.

M. Jourdain. Vous tairez-vous?

Dorante. J'ai force [10] gens qui m'en prêteraient avec joie; mais comme vous êtes mon meilleur ami, j'ai cru que je vous ferais tort [11] si j'en demandais à quelque autre.

M. Jourdain. C'est trop d'honneur, Monsieur, que vous me faites. Je vais quérir [12] votre affaire.

Mme Jourdain. Quoi? vous allez encore lui donner cela?

M. Jourdain. Que faire? voulez-vous que je refuse un homme de cette condition-là, qui a parlé de moi ce matin dans la chambre du Roi?

Mme Jourdain. Allez,[13] vous êtes une vraie dupe.

---

1. Septante se dit encore pour soixante-dix (70) en Belgique, en Suisse et dans certaines provinces de France. **2.** Marchand, sans autre désignation, signifie « marchand de drap ». A l'époque de cette pièce et jusqu'à la Révolution (1789), les règlements des corporations (*guilds*) ne permettaient pas aux tailleurs de vendre du drap. **3.** *saddler.* **4.** *Voir page 226, note 9.* **5.** exactement. **6.** *not in the least.* **7.** *cow.* **8.** enjôleur, (*wheedler*). **9.** (lit., *suck*): *drain, get out of you.* **10.** beaucoup de. **11.** agirais mal avec vous. **12.** chercher, apporter. **13.** *I tell you.*

SCÈNE V

Dorante, Madame Jourdain, Nicole

Dorante. Vous me semblez toute mélancolique: qu'avez-vous, Madame Jourdain?

Mme Jourdain. J'ai la tête plus grosse que le poing,[1] et si [2] elle n'est pas enflée.

Dorante. Mademoiselle votre fille, où est-elle, que je ne la vois point?   5

Mme Jourdain. Mademoiselle ma fille est bien où elle est.

Dorante. Comment se porte-t-elle? [3]

Mme Jourdain. Elle se porte [3] sur ses deux jambes.

Dorante. Ne voulez-vous point un de ces jours venir voir, avec elle, le ballet et la comédie [4] que l'on fait chez le Roi?   10

Mme Jourdain. Oui, vraiment, nous avons fort envie de rire, fort envie de rire nous avons.

Dorante. Je pense, Madame Jourdain, que vous avez eu bien des amants [5] dans votre jeune âge, belle et d'agréable humeur comme vous étiez.

Mme Jourdain. Tredame,[6] Monsieur, est-ce que Madame Jourdain est 15 décrépite, et la tête lui grouille-t-elle [7] déjà?

Dorante. Ah, ma foi! Madame Jourdain, je vous demande pardon. Je ne songeais pas que vous êtes jeune, et je rêve [8] le plus souvent. Je vous prie d'excuser mon impertinence.

SCÈNE VI

Monsieur Jourdain, Madame Jourdain, Dorante, Nicole

M. Jourdain. Voilà deux cents louis bien comptés.

Dorante. Je vous assure, Monsieur Jourdain, que je suis tout à vous, et que je brûle de vous rendre un service à la cour.

M. Jourdain. Je vous suis trop [9] obligé.

Dorante. Si Madame Jourdain veut voir le divertissement royal,[10] je lui 5 ferai donner les meilleures places de la salle.

Mme Jourdain. Madame Jourdain vous baise les mains.[11]

Dorante. (*Bas, à* M. Jourdain) Notre belle marquise, comme je vous ai

---

1. *fist.* **2.** et si: et pourtant. **3.** Madame Jourdain fait, sur « porte », un jeu de mots assez difficile à rendre en anglais: Dorante. *How does your daughter stand (in the way of health)?* Mme Jourdain. *She stands on her two legs.* **4.** ballet et comédie. (*Voir ci-dessous, note 10.*) **5.** admirateurs, amoureux. **6.** Contraction de Notre Dame: "*By'r Lady!*" **7.** tremble de vieillesse (*old age*). **8.** Je ne pense pas à ce que je dis. **9.** extrêmement. **10.** Seuls les princes et quelques rares gentilshommes étaient admis à ces divertissements (récréations, amusements) royaux, ce que, du reste, Madame Jourdain savait parfaitement. On peut juger par là de l'impertinence de Dorante. **11.** vous ... les mains (*ironique*): vous est fort obligée.

mandé [1] par mon billet, viendra tantôt ici pour le ballet et le repas, et je l'ai
fait consentir enfin au cadeau [2] que vous lui voulez donner. 10

M. Jourdain. Tirons-nous [3] un peu plus loin, pour causer.[4]

Dorante. Il y a huit jours que je ne vous ai vu, et je ne vous ai point mandé
de nouvelles du diamant que vous me mîtes entre les mains pour lui en faire
présent de votre part; mais c'est que j'ai eu toutes les peines du monde à
vaincre son scrupule, et ce n'est que d'aujourd'hui qu'elle s'est résolue à 15
l'accepter.

M. Jourdain. Comment l'a-t-elle trouvé?

Dorante. Merveilleux; et je me trompe fort, ou la beauté de ce diamant
fera pour vous sur son esprit un effet admirable.

M. Jourdain. Plût au Ciel! [5] 20

Mme Jourdain. Quand il est une fois avec lui, il ne peut le quitter.

Dorante. Je lui ai fait valoir comme il faut [6] la richesse de ce présent et la
grandeur de votre amour.

M. Jourdain. Ce sont, Monsieur, des bontés qui m'accablent [7]; et je suis
dans une confusion la plus grande du monde de voir une personne de votre 25
qualité s'abaisser [8] pour moi à ce que vous faites.

Dorante. Vous moquez-vous? [9] est-ce qu'entre amis on s'arrête à ces sortes
de scrupules? et ne feriez-vous pas pour moi la même chose, si l'occasion s'en
offrait?

M. Jourdain. Oh! assurément, et de très grand cœur. 30

Mme Jourdain. Que sa présence me pèse sur les épaules!

Dorante. Pour moi, je ne regarde rien, quand il faut servir un ami; et
lorsque vous me fîtes confidence de l'ardeur que vous aviez prise pour cette
marquise agréable chez qui j'avais commerce,[10] vous vîtes que d'abord [11] je
m'offris de moi-même à servir votre amour. 35

M. Jourdain. Il est vrai, ce sont des bontés qui me confondent.[7]

Mme Jourdain. Est-ce qu'il ne s'en ira point?

Nicole. Ils se trouvent bien ensemble.[12]

Dorante. Vous avez pris le bon biais [13] pour toucher son cœur: les femmes
aiment surtout les dépenses qu'on fait pour elles; et vos fréquentes séré- 40
nades, et vos bouquets continuels, ce superbe feu d'artifice [14] qu'elle trouva
sur l'eau, le diamant qu'elle a reçu de votre part, et le cadeau que vous lui
préparez, tout cela lui parle bien mieux en faveur de votre amour que toutes
les paroles que vous auriez pu lui dire vous-même.

M. Jourdain. Il n'y a point de dépenses que je ne fisse,[15] si par là je 45
pouvais trouver le chemin de son cœur. Une femme de qualité a pour moi

---

1. fait savoir (par lettre ou par messager).   2. Au XVIIe siècle « cadeau » se disait d'un
repas ou d'une partie de campagne avec concert.   3. retirons-nous.   4. pour la raison
qu'on pourrait entendre ce que nous disons.   5. *God grant it!*   6. fait valoir . . .; *duly
stressed.*   7. *overwhelm.*   8. avoir une telle condescendance.   9. *But, my dear sir.*   10. j'étais
reçu.   11. tout de suite, sans attendre que vous me le demandiez.   12. se . . . ensemble:
are happy when together.   13. pris . . . biais: *did the right thing.*   14. *firework display.*
15. ferais.

des charmes ravissants, et c'est un honneur que j'achèterais au prix de toute chose.

Mme Jourdain. Que peuvent-ils tant dire ensemble ? Va-t'en un peu tout doucement prêter l'oreille.　　　　　　　　　　　　　　　　　　　　　　　50

Dorante. Ce sera tantôt que vous jouirez à votre aise du plaisir de sa vue, et vos yeux auront tout le temps de se satisfaire.

M. Jourdain. Pour être en pleine liberté, j'ai fait en sorte [1] que ma femme ira dîner chez ma sœur, où elle passera toute l'après-dînée.[2]

Dorante. Vous avez fait prudemment, et votre femme aurait pu nous 55 embarrasser.[3] J'ai donné pour vous l'ordre qu'il faut au cuisinier, et à toutes les choses qui sont nécessaires pour le ballet. Il est de mon invention ; et pourvu que l'exécution puisse répondre à l'idée,[4] je suis sûr qu'il sera trouvé . . .

M. Jourdain. (*S'aperçoit que* NICOLE *écoute, et lui donne un soufflet*) [5] 60 Ouais, vous êtes bien impertinente. Sortons, s'il vous plaît.

SCÈNE VII

MADAME JOURDAIN, NICOLE

Nicole. Ma foi ! Madame, la curiosité m'a coûté quelque chose ; mais je crois qu'il y a quelque anguille sous roche,[6] et ils parlent de quelque affaire où ils ne veulent pas que vous soyez.

Mme Jourdain. Ce n'est pas d'aujourd'hui, Nicole, que j'ai conçu des soupçons de mon mari. Je suis la plus trompée du monde, ou [7] il y a quelque 5 amour [8] en campagne,[9] et je travaille à découvrir ce que ce peut être. Mais songeons à ma fille. Tu sais l'amour que Cléonte a pour elle. C'est un homme qui me revient,[10] et je veux aider sa recherche,[11] et lui donner Lucile, si je puis.

Nicole. En vérité, Madame, je suis la plus ravie du monde de vous voir dans ces sentiments ; car, si le maître vous revient, le valet ne me revient pas 10 moins, et je souhaiterais que notre mariage se pût faire à l'ombre du leur.

Mme Jourdain. Va-t'en lui parler de ma part, et lui dire que tout à l'heure il me vienne trouver, pour faire ensemble à mon mari la demande de ma fille.

Nicole. J'y cours, Madame, avec joie, et je ne pouvais recevoir une commission [12] plus agréable. Je vais, je pense, bien réjouir les gens.　　　　　　15

---

1. arrangé.　**2.** après-midi.　**3.** *be in our way.*　**4.** pourvu que . . . idée: *if only the performance comes up to the idea.*　**5.** *slap in the face.*　**6.** anguille (*eel*) sous roche: mystère. (*Cf.* Amér.: "*some nigger in the wood pile*").　**7.** Je suis . . . monde, ou . . .: *I am very much mistaken if there isn't . . .*　**8.** *love affair.*　**9.** *abroad, going on.*　**10.** plaît.　**11.** *wooing.* **12.** *errand.*

SCÈNE VIII

Cléonte, Covielle, Nicole

Nicole. Ah! vous voilà tout à propos. Je suis une ambassadrice de joie, et je viens . . .

Cléonte. Retire-toi, perfide, et ne me viens point amuser [1] avec tes traîtresses paroles.

Nicole. Est-ce ainsi que vous recevez . . .?   5

Cléonte. Retire-toi, te dis-je, et va-t'en dire de ce pas à ton infidèle [2] maîtresse qu'elle n'abusera de sa vie [3] le trop simple Cléonte.

Nicole. Quel vertigo [4] est-ce donc là? Mon pauvre Covielle, dis-moi un peu ce que cela veut dire.

Covielle. Ton pauvre Covielle, petite scélérate! [5] Allons vite, ôte-toi de 10 mes yeux, vilaine,[6] et me laisse en repos.

Nicole. Quoi? tu me viens aussi [7]. . .

Covielle. Ote-toi de mes yeux, te dis-je, et ne me parle de ta vie.

Nicole. Ouais! Quelle mouche les a piqués [8] tous deux? Allons de cette belle histoire informer ma maîtresse.   15

SCÈNE IX

Cléonte, Covielle

Cléonte. Quoi? traiter un amant de la sorte, et un amant le plus fidèle et le plus passionné de tous les amants?

Covielle. C'est une chose épouvantable,[9] que ce qu'on nous fait à tous deux.

Cléonte. Je fais voir pour une personne toute l'ardeur et toute la tendresse qu'on peut imaginer; je n'aime rien au monde qu'elle, et je n'ai qu'elle dans 5 l'esprit; elle fait tous mes soins,[10] tous mes désirs, toute ma joie; je ne parle que d'elle, je ne pense qu'à elle, je ne fais des songes que d'elle, je ne respire que par elle, mon cœur vit tout en elle: et voilà de tant d'amitié la digne récompense! Je suis deux jours sans la voir, qui sont pour moi deux siècles effroyables [11]: je la rencontre par hasard; mon cœur, à cette vue, se sent tout 10 transporté, ma joie éclate [12] sur mon visage, je vole avec ravissement vers elle: et l'infidèle détourne de moi ses regards, et passe brusquement,[13] comme si de sa vie elle ne m'avait vu!

Covielle. Je dis les mêmes choses que vous.

Cléonte. Peut-on rien voir d'égal, Covielle, à cette perfidie de l'ingrate 15 Lucile?

---

1. *beguile, inveigle.* **2.** *faithless* (not *infidel*). **3.** n'abusera . . . vie: *never again, so long as she lives, make a fool of.* **4.** caprice, folie. **5.** *minx.* **6.** *nasty thing.* **7.** *What! You too?* **8.** Quelle . . . piqués? (lit., *What fly has stung them?*): *What's the matter with them?* **9.** *frightful.* **10.** fait . . . soins: *is the object of all my preoccupations.* **11.** *of utter wretchedness.* **12.** *lights up, beams forth.* **13.** *quickly.*

Covielle. Et à celle, Monsieur, de la pendarde [1] de Nicole?

Cléonte. Après tant de sacrifices ardents, de soupirs, et de vœux que j'ai faits à ses charmes!

Covielle. Après tant d'assidus hommages, de soins et de services que je lui 20 ai rendus dans sa cuisine!

Cléonte. Tant de larmes que j'ai versées à ses genoux!

Covielle. Tant de seaux [2] d'eau que j'ai tirés au puits pour elle!

Cléonte. Tant d'ardeur que j'ai fait paraître à la chérir [3] plus que moi-même! 25

Covielle. Tant de chaleur que j'ai soufferte à tourner la broche [4] à sa place!

Cléonte. Elle me fuit avec mépris!

Covielle. Elle me tourne le dos avec effronterie!

Cléonte. C'est une perfidie digne des plus grands châtiments. 30

Covielle. C'est une trahison à mériter mille soufflets.

Cléonte. Ne t'avise [5] point, je te prie, de me parler jamais pour elle.[6]

Covielle. Moi, Monsieur! Dieu m'en garde!

Cléonte. Ne viens point m'excuser l'action de cette infidèle.

Covielle. N'ayez pas peur. 35

Cléonte. Non, vois-tu, tous tes discours [7] pour la défendre ne serviront de rien.

Covielle. Qui songe à cela?

Cléonte. Je veux contre elle conserver mon ressentiment, et rompre ensemble tout commerce.[8] 40

Covielle. J'y consens.[9]

Cléonte. Ce Monsieur le Comte qui va chez elle lui donne peut-être dans la vue [10]; et son esprit, je le vois bien, se laisse éblouir [11] à la qualité.[12] Mais il me faut, pour mon honneur, prévenir [13] l'éclat [14] de son inconstance. Je veux faire autant de pas [15] qu'elle au changement où je la vois courir,[16] et 45 ne lui laisser pas toute la gloire de me quitter.

Covielle. C'est fort bien dit, et j'entre pour mon compte dans tous vos sentiments.

Cléonte. Donne la main [17] à mon dépit,[18] et soutiens ma résolution contre tous les restes d'amour qui me pourraient parler pour elle. Dis-m'en, je t'en 50 conjure, tout le mal que tu pourras; fais-moi de sa personne une peinture [19] qui me la rende méprisable; et marque-moi bien, pour m'en dégoûter,[20] tous les défauts que tu peux voir en elle.

Covielle. Elle, Monsieur! Voilà une belle mijaurée, une pimpesouée bien

---

1. *wench.* **2.** *buckets.* **3.** *cherish.* **4.** *spit (on which meat is put for roasting before an open fire).* **5.** *venture.* **6.** en sa faveur. **7.** tous tes discours: *all that you say.* **8.** *(social) intercourse, dealings with.* **9.** *I'm at one with you there.* **10.** donne . . . vue: attire son attention et son admiration. **11.** *be dazzled.* **12.** noblesse. **13.** *forestall.* **14.** scandale. **15.** *steps.* **16.** *hasten.* **17.** donne la main: aide. **18.** ressentiment. **19.** description. **20.** *sicken.*

bâtie,[1] pour vous donner tant d'amour! Je ne lui vois rien que de très 55
médiocre, et vous trouverez cent personnes qui seront plus dignes de vous.
Premièrement, elle a les yeux petits.

Cléonte. Cela est vrai, elle a les yeux petits; mais elle les a pleins de feux,
les plus brillants, les plus perçants du monde, les plus touchants qu'on puisse
voir.   60

Covielle. Elle a la bouche grande.

Cléonte. Oui; mais on y voit des grâces qu'on ne voit point aux autres
bouches; et cette bouche, en la voyant, inspire des désirs, est la plus attrayante, la plus amoureuse du monde.

Covielle. Pour sa taille,[2] elle n'est pas grande.   65

Cléonte. Non; mais elle est aisée et bien prise.[3]

Covielle. Elle affecte une nonchalance dans son parler, et dans ses actions.

Cléonte. Il est vrai; mais elle a grâce [4] à tout cela, et ses manières sont
engageantes, ont je ne sais quel charme à s'insinuer dans les cœurs.

Covielle. Pour de l'esprit [5]. . .   70

Cléonte. Ah! elle en a, Covielle, du plus fin et du plus délicat.

Covielle. Sa conversation . . .

Cléonte. Sa conversation est charmante.

Covielle. Elle est toujours sérieuse.

Cléonte. Veux-tu de ces enjouements épanouis,[6] de ces joies toujours 75
ouvertes? et vois-tu rien de plus impertinent [7] que des femmes qui rient à
tout propos? [8]

Covielle. Mais enfin elle est capricieuse autant que personne du monde.

Cléonte. Oui, elle est capricieuse, j'en demeure d'accord [9]; mais tout
sied [10] bien aux belles, on souffre tout des belles.   80

Covielle. Puisque cela va comme cela, je vois bien que vous avez envie
de l'aimer toujours.

Cléonte. Moi, j'aimerais mieux mourir; et je vais la haïr autant que je
l'ai aimée.

Covielle. Le moyen,[11] si vous la trouvez si parfaite?   85

Cléonte. C'est en quoi ma vengeance sera plus éclatante,[12] en quoi je veux
faire mieux voir la force de mon cœur: à la haïr, à la quitter, toute belle,
toute pleine d'attraits, toute aimable que je la trouve. La voici.

---

1. mijaurée, pimpesouée bien bâtie (habillée): "*affected bundle of finery.*" **2.** *stature.*
3. aisée . . . prise: gracieuse et bien proportionnée. **4.** *is graceful in.* **5.** *wit.* **6.** *expansive gaiety.* **7.** offensant, déplacé. **8.** *for anything and nothing.* **9.** je l'admets, je
reconnais que tu as raison. **10.** *is befitting.* **11.** *and how . . .?* **12.** manifeste.

SCÈNE X

CLÉONTE, LUCILE, COVIELLE, NICOLE

Nicole. Pour moi, j'en ai été toute scandalisée.[1]

Lucile. Ce ne peut être, Nicole, que ce que je te dis. Mais le voilà.

Cléonte. Je ne veux pas seulement [2] lui parler.

Covielle. Je veux vous imiter.

Lucile. Qu'est-ce donc, Cléonte? qu'avez-vous?   5

Nicole. Qu'as-tu donc, Covielle?

Lucile. Quel chagrin [3] vous possède?

Nicole. Quelle mauvaise humeur te tient?

Lucile. Êtes-vous muet, Cléonte?

Nicole. As-tu perdu la parole, Covielle?   10

Cléonte. Que voilà qui est scélérat![4]

Covielle. Que cela est Judas![5]

Lucile. Je vois bien que la rencontre de tantôt a troublé votre esprit.

Cléonte. Ah, ah! on voit ce qu'on a fait.

Nicole. Notre accueil de ce matin t'a fait prendre la chèvre.[6]   15

Covielle. On a deviné l'enclouure.[7]

Lucile. N'est-il pas vrai, Cléonte, que c'est là le sujet de votre dépit?

Cléonte. Oui, perfide, ce l'est, puisqu'il faut parler; et j'ai à vous dire que vous ne triompherez pas comme vous pensez de votre infidélité, que je veux être le premier à rompre avec vous, et que vous n'aurez pas l'avantage de   20 me chasser.[8] J'aurai de la peine, sans doute, à vaincre l'amour que j'ai pour vous, cela me causera des chagrins,[9] je souffrirai un temps; mais j'en viendrai à bout,[10] et je me percerai plutôt le cœur, que d'avoir la faiblesse de retourner à vous.

Covielle. Queussi, queumi.[11]   25

Lucile. Voilà bien du bruit pour un rien. Je veux vous dire, Cléonte, le sujet qui m'a fait ce matin éviter votre abord.[12]

Cléonte. Non, je ne veux rien écouter.

Nicole. Je te veux apprendre la cause qui nous a fait passer si vite.

Covielle. Je ne veux rien entendre.   30

Lucile. Sachez que ce matin . . .

Cléonte. Non, vous dis-je.

Nicole. Apprends que . . .

Covielle. Non, traîtresse.

Lucile. Écoutez.   35

Cléonte. Point d'affaire.[13]

1. indignée. 2. *so much as.* 3. mauvaise humeur. 4. que voilà . . . scélérat! *How perfidious that is!* 5. digne de Judas, traître, hypocrite. 6. fait . . . chèvre (*goat*): mis en colère. (*Cf.* Amér. "*got your goat.*") 7. blessure (*wound*) faite par un clou (*nail*) dans le sabot (*hoof*) d'un cheval. *Ici:* le point douloureux. 8. *jilt.* 9. *sorrows, suffering.* 10. viendrai à bout: y réussirai. 11. "*same here.*" 12. *meeting.* 13. "*nothing doing.*"

Nicole.   Laisse-moi dire.

Covielle.   Je suis sourd.

Lucile.   Cléonte.

Cléonte.   Non.   40

Nicole.   Covielle.

Covielle.   Point.

Lucile.   Arrêtez.

Cléonte.   Chansons.[1]

Nicole.   Entends-moi.   45

Covielle.   Bagatelles.[2]

Lucile.   Un moment.

Cléonte.   Point du tout.

Nicole.   Un peu de patience.

Covielle.   Tarare.[3]   50

Lucile.   Deux paroles.

Cléonte.   Non, c'en est fait.[4]

Nicole.   Un mot.

Covielle.   Plus de commerce.

Lucile.   Hé bien! puisque vous ne voulez pas m'écouter, demeurez dans 55
votre pensée, et faites ce qu'il vous plaira.

Nicole.   Puisque tu fais comme cela, prends-le tout comme tu voudras.

Cléonte.   Sachons donc le sujet d'un si bel accueil.

Lucile.   Il ne me plaît plus de le dire.

Covielle.   Apprends-nous un peu cette histoire.   60

Nicole.   Je ne veux plus, moi, te l'apprendre.

Cléonte.   Dites-moi . . .

Lucile.   Non, je ne veux rien dire.

Covielle.   Conte-moi . . .

Nicole.   Non, je ne conte rien.   65

Cléonte.   De grâce.[5]

Lucile.   Non, vous dis-je.

Covielle.   Par charité.

Nicole.   Point d'affaire.

Cléonte.   Je vous en prie.   70

Lucile.   Laissez-moi.

Covielle.   Je t'en conjure.

Nicole.   Ote-toi de là.

Cléonte.   Lucile.

Lucile.   Non.   75

Covielle.   Nicole.

---

1. *nonsense.*   **2.** *"bunkum."*   **3.** Onomatopée qui imite plus ou moins le son de la
trompette et qui marque qu'on ne veut pas écouter ce qu'on vous dit.   **4.** *it's all over and
done with.*   **5.** *Oh! please; please do!*

Nicole. Point.

Cléonte. Au nom des dieux !

Lucile. Je ne veux pas.

Covielle. Parle-moi. 80

Nicole. Point du tout.

Cléonte. Éclaircissez mes doutes.[1]

Lucile. Non, je n'en ferai rien.

Covielle. Guéris-moi [2] l'esprit.

Nicole. Non, il ne me plaît pas. 85

Cléonte. Hé bien ! puisque vous vous souciez si peu de me tirer de peine, et de vous justifier du traitement indigne que vous avez fait à ma flamme,[3] vous me voyez, ingrate, pour la dernière fois, et je vais loin de vous mourir de douleur et d'amour.

Covielle. Et moi, je vais suivre ses pas. 90

Lucile. Cléonte.

Nicole. Covielle.

Cléonte. Eh?

Covielle. Plaît-il?

Lucile. Où allez-vous? 95

Cléonte. Où je vous ai dit.

Covielle. Nous allons mourir.

Lucile. Vous allez mourir, Cléonte?

Cléonte. Oui, cruelle, puisque vous le voulez.

Lucile. Moi, je veux que vous mouriez? 100

Cléonte. Oui, vous le voulez.

Lucile. Qui vous le dit?

Cléonte. N'est-ce pas le vouloir, que de ne vouloir pas éclaircir mes soupçons? 104

Lucile. Est-ce ma faute? et si vous aviez voulu m'écouter, ne vous aurais-je pas dit que l'aventure [4] dont vous vous plaigniez a été causée ce matin par la présence d'une vieille tante, qui veut à toute force [5] que la seule [6] approche d'un homme déshonore une fille, qui perpétuellement nous sermonne sur ce chapitre, et nous figure [7] tous les hommes comme des diables qu'il faut fuir.

Nicole. Voilà le secret de l'affaire. 110

Cléonte. Ne me trompez-vous point, Lucile?

Covielle. Ne m'en donnes-tu point à garder? [8]

Lucile. Il n'est rien de plus vrai.

Nicole. C'est la chose comme elle est.

Covielle. Nous rendrons-nous à cela? 115

Cléonte. Ah ! Lucile, qu'avec un mot de votre bouche vous savez apaiser [9]

---

1. *clear up my doubts.* 2. (lit., *cure*): *relieve.* 3. (*style précieux*): amour. 4. *happening, event.* 5. veut . . . force: *will have it that.* 6. *mere.* 7. représente. 8. Ne m'en . . . à garder: *aren't you "bamboozling" me?* 9. calmer.

de choses dans mon cœur ! et que facilement on se laisse persuader aux [1] personnes qu'on aime !

Covielle. Qu'on est aisément amadoué [2] par ces diantres [3] d'animaux-là !

SCÈNE XI

MADAME JOURDAIN, CLÉONTE, LUCILE, COVIELLE, NICOLE

Mme Jourdain. Je suis bien aise de vous voir, Cléonte, et vous voilà tout à propos. Mon mari vient; prenez vite votre temps [4] pour lui demander Lucile en mariage.

Cléonte. Ah ! Madame, que cette parole m'est douce, et qu'elle flatte mes désirs ! Pouvais-je recevoir un ordre plus charmant ? une faveur plus pré- 5 cieuse ?

SCÈNE XII

MONSIEUR JOURDAIN, MADAME JOURDAIN, CLÉONTE, LUCILE, COVIELLE, NICOLE

Cléonte. Monsieur, je n'ai voulu prendre personne [5] pour vous faire une demande que je médite il y a longtemps. Elle me touche [6] assez pour m'en charger moi-même; et sans autre détour,[7] je vous dirai que l'honneur d'être votre gendre [8] est une faveur glorieuse [9] que je vous prie de m'accorder.

M. Jourdain. Avant que de vous rendre réponse, Monsieur, je vous prie 5 de me dire si vous êtes gentilhomme.

Cléonte. Monsieur, la plupart des gens sur cette question n'hésitent pas beaucoup. On tranche le mot [10] aisément. Ce nom ne fait aucun scrupule à prendre,[11] et l'usage aujourd'hui semble en autoriser le vol.[12] Pour moi, je vous l'avoue, j'ai les sentiments sur cette matière un peu plus délicats: je 10 trouve que toute imposture est indigne d'un honnête homme, et qu'il y a de la lâcheté [13] à déguiser ce que le Ciel nous a fait naître,[14] à se parer [15] aux yeux du monde d'un titre dérobé,[16] à se vouloir donner pour ce qu'on n'est pas. Je suis né de parents, sans doute, qui ont tenu des charges honorables.[17] Je me suis acquis dans les armes l'honneur de six ans de service, et je me 15 trouve assez de bien [18] pour tenir dans le monde un rang assez passable. Mais,

---

1. aux = par les. **2.** adouci, gagné par des paroles douces ou flatteuses. **3.** *deuced.* **4.** saisissez l'occasion qui se présente. (*prendre son temps* signifie aujourd'hui, au contraire: ne pas se presser.) **5.** je ... personne: Une demande en mariage se faisait par l'intermédiaire d'un parent, d'un ami, d'une connaissance, qui s'adressait non à la jeune fille directement mais à son père. **7.** circonlocution. **8.** *son-in-law.* **9.** honorable. **10.** On tranche le mot: *One is glib enough about it.* **11.** Ce nom ... prendre: on prend ce nom sans scrupule. **12.** vol (*theft*): La Fontaine, La Bruyère, Saint-Simon, aussi bien que Molière, se moquent de cette manie de vouloir à tout prix être noble, qui était un des faibles de la société du XVIIe siècle. **13.** *cowardice.* **14.** Ciel ... naître: *the station wherein, by God's grace, we are born.* **15.** *bedeck oneself.* **16.** volé. **17.** *honorable offices.* Certaines professions, et même certains métiers, entraînaient l'anoblissement de ceux qui les exerçaient. **18.** fortune.

avec tout cela, je ne veux point me donner un nom où d'autres en ma place croiraient pouvoir prétendre, et je vous dirai franchement que je ne suis point gentilhomme.

M. Jourdain. Touchez là,[1] Monsieur: ma fille n'est pas pour vous.   20

Cléonte. Comment?

M. Jourdain. Vous n'êtes point gentilhomme, vous n'aurez pas ma fille.

Mme Jourdain. Que voulez-vous donc dire avec votre gentilhomme? est-ce que nous sommes, nous autres, de la côte de saint Louis?[2]

M. Jourdain. Taisez-vous, ma femme: je vous vois venir.[3]   25

Mme Jourdain. Descendons-nous tous deux que[4] de bonne bourgeoisie?

M. Jourdain. Voilà pas le coup de langue?[5]

Mme Jourdain. Et votre père n'était-il pas marchand aussi bien que le mien?

M. Jourdain. Peste soit de la femme![6] Elle n'y a jamais manqué.[7] Si   30 votre père a été marchand, tant pis pour lui; mais pour le mien, ce sont des malavisés[8] qui disent cela. Tout ce que j'ai à vous dire, moi, c'est que je veux avoir un gendre gentilhomme.

Mme Jourdain. Il faut à votre fille un mari qui lui soit propre,[9] et il vaut mieux pour elle un honnête homme riche et bien fait, qu'un gentilhomme   35 gueux[10] et mal bâti.

Nicole. Cela est vrai. Nous avons le fils du gentilhomme de notre village, qui est le plus grand malitorne[11] et le plus sot dadais[12] que j'aie jamais vu.

M. Jourdain. Taisez-vous, impertinente. Vous vous fourrez[13] toujours   40 dans la conversation. J'ai du bien assez pour ma fille, je n'ai besoin que d'honneur, et je la veux faire marquise.

Mme Jourdain. Marquise?

M. Jourdain. Oui, marquise.

Mme Jourdain. Hélas! Dieu m'en garde!   45

M. Jourdain. C'est une chose que j'ai résolue.

Mme Jourdain. C'est une chose, moi, où je ne consentirai point. Les alliances avec plus grand que soi sont sujettes toujours à de fâcheux inconvénients.[14] Je ne veux point qu'un gendre puisse à ma fille reprocher ses parents, et qu'elle ait des enfants qui aient honte de m'appeler leur grand-   50 maman. S'il fallait qu'elle me vînt visiter en équipage[15] de grand'Dame,[16] et qu'elle manquât par mégarde[17] à saluer quelqu'un du quartier, on ne

---

1. là: dans la main. Monsieur Jourdain se sert, ironiquement, de la formule par laquelle on conclut un marché (*in clinching a bargain*): "*Shake hands on it.*" 2. Saint Louis (Louis IX). Allusion à la naissance d'Ève qui, selon le livre de la Genèse, fut créée d'une côte (*rib*) d'Adam. 3. je sais ce que vous allez dire. 4. (d'une autre race) que. 5. *I knew she'd out with something nasty.* 6. *a plague on the woman.* 7. *she has never missed a chance* (*of saying a thing of that kind*). 8. *ill-informed people.* 9. *suitable.* 10. pauvre, dans la misère. 11. mal tourné, mal fait. 12. *ninny.* 13. *poke your nose into, meddle with.* 14. *grievous drawbacks.* 15. avec chevaux, carosse, laquais. 16. grand'Dame: grande Dame. *Cf.* grand'mère, grand'rue, grand'place. 17. sans le vouloir, par inattention.

manquerait pas aussitôt de dire cent sottises.[1] « Voyez-vous, dirait-on, cette
Madame la Marquise qui fait [2] tant la glorieuse ? [3] c'est la fille de Monsieur
Jourdain, qui était trop heureuse, étant petite, de jouer à la Madame avec 55
nous. Elle n'a pas toujours été si relevée [4] que la voilà, et ses deux grands-
pères vendaient du drap auprès de la porte Saint-Innocent. Ils ont amassé
du bien à leurs enfants, qu'ils payent maintenant peut-être bien cher en
l'autre monde,[5] et l'on ne devient guère si riches à être honnêtes gens. »
Je ne veux point tous ces caquets,[6] et je veux un homme, en un mot, qui 60
m'ait obligation de ma fille, et à qui je puisse dire: « Mettez-vous là, mon
gendre, et dînez avec moi. »

M. Jourdain. Voilà bien les sentiments d'un petit esprit, de vouloir demeurer toujours dans la bassesse.[7] Ne me répliquez pas davantage: ma
fille sera marquise en dépit [8] de tout le monde; et si vous me mettez en colère, 65
je la ferai duchesse.

Mme Jourdain. Cléonte, ne perdez point courage encore. Suivez-moi, ma
fille, et venez dire résolument à votre père, que si vous ne l'avez,[9] vous ne
voulez épouser personne.

SCÈNE XIII

CLÉONTE, COVIELLE

Covielle. Vous avez fait de belles affaires avec vos beaux sentiments.

Cléonte. Que veux-tu? [10] j'ai un scrupule là-dessus, que l'exemple [11] ne
saurait vaincre.

Covielle. Vous moquez-vous,[12] de le prendre sérieusement avec un homme
comme cela? Ne voyez-vous pas qu'il est fou? et vous coûtait-il quelque 5
chose de vous accommoder à ses chimères? [13]

Cléonte. Tu as raison; mais je ne croyais pas qu'il fallût faire ses preuves
de noblesse pour être gendre de Monsieur Jourdain.

Covielle. Ah, ah, ah!

Cléonte. De quoi ris-tu?   10

Covielle. D'une pensée qui me vient pour jouer [14] notre homme, et vous
faire obtenir ce que vous souhaitez.

Cléonte. Comment?

Covielle. L'idée est tout à fait plaisante.

Cléonte. Quoi donc?   15

Covielle. Il s'est fait depuis peu une certaine mascarade qui vient le mieux
du monde [15] ici, et que je prétends faire entrer dans une bourle [16] que je veux

---

1. paroles stupides et méchantes.   **2.** fait . . . glorieuse: *gives herself an air of such
importance.* **3.** fière, vaniteuse. **4.** *high up in the world.* **5.** c'est-à-dire, l'enfer.
6. *tittle-tattle.* **7.** *ici:* parmi le peuple ou la bourgeoisie. **8.** malgré (l'opposition de).
9. l': Cléonte. **10.** *What could I do?* **11.** exemple (donné par tous ceux qui prennent, sans
en avoir le droit, des titres de noblesse). *Voir page 237, note 12.* **12.** *Aren't you overdoing
it in . . .* **13.** accommoder . . . chimères: *humor his fancies.* **14.** tromper. **15.** le mieux
du monde: *most opportunely.* **16.** mystification (de l'italien *burla,* d'où le mot *burlesque*).

faire à notre ridicule. Tout cela sent un peu sa comédie; mais avec lui on peut hasarder toute chose, il n'y faut point chercher tant de façons,[1] et il est homme à y jouer son rôle à merveille, à donner aisément dans toutes les 20 fariboles [2] qu'on s'avisera de lui dire. J'ai les acteurs, j'ai les habits tout prêts: laissez-moi faire seulement.

Cléonte. Mais apprends-moi . . .

Covielle. Je vais vous instruire de tout. Retirons-nous, le voilà qui revient.

SCÈNE XIV

MONSIEUR JOURDAIN, *Laquais*

M. Jourdain. Que diable est-ce là! ils n'ont rien que les grands seigneurs à me reprocher; et moi, je ne vois rien de si beau que de hanter les grands seigneurs: il n'y a qu'honneur et que civilité avec eux, et je voudrais qu'il m'eût coûté deux doigts de la main, et être né comte ou marquis.

Laquais. Monsieur, voici Monsieur le Comte, et une dame qu'il mène par 5 la main.

M. Jourdain, Hé mon Dieu![3] j'ai quelques ordres à donner. Dis-leur que je vais venir ici tout à l'heure.

SCÈNE XV

DORIMÈNE, DORANTE, *Laquais*

Laquais. Monsieur dit comme cela [4] qu'il va venir ici tout à l'heure.

Dorante. Voilà qui est bien.

Dorimène. Je ne sais pas, Dorante, je fais encore ici une étrange démarche,[5] de me laisser amener par vous dans une maison où je ne connais personne.

Dorante. Quel lieu voulez-vous donc, Madame, que mon amour choisisse 5 pour vous régaler,[6] puisque, pour fuir l'éclat,[7] vous ne voulez ni votre maison, ni la mienne?

Dorimène. Mais vous ne dites pas que je m'engage [8] insensiblement, chaque jour, à recevoir de trop grands témoignages de votre passion? J'ai beau me défendre des choses, vous fatiguez ma résistance, et vous avez une 10 civile opiniâtreté [9] qui me fait venir doucement à tout ce qu'il vous plaît. Les visites fréquentes ont commencé; les déclarations sont venues ensuite, qui après elles ont traîné [10] les sérénades et les cadeaux,[11] que les présents ont suivis. Je me suis opposée à tout cela, mais vous ne vous rebutez [12] point, et, pied à pied, vous gagnez mes résolutions. Pour moi, je ne puis plus ré- 15

---

1. chercher . . . façons: *be so fussy about.* **2.** donner . . . fariboles: *swallow whole any outrageous yarn.* **3.** *Oh! Goodness me!* **4.** *"Master says as how he . . ."* **5.** je fais . . . démarche: *this is a strange proceeding for me.* **6.** donner un repas avec concert. **7.** bruit, scandale. **8.** me lie, perds ma liberté d'action. **9.** *courteous insistence.* **10.** entraîné; *brought about.* **11.** *ici:* repas, fêtes. **12.** découragez.

pondre de rien, et je crois qu'à la fin vous me ferez venir au mariage, dont je me suis tant éloignée.[1]

Dorante. Ma foi! Madame, vous y devriez déjà être. Vous êtes veuve, et ne dépendez que de vous. Je suis maître de moi, et vous aime plus que ma vie. A quoi tient-il[2] que dès aujourd'hui vous ne fassiez tout mon bonheur? 20

Dorimène. Mon Dieu![3] Dorante, il faut des deux parts bien des qualités pour vivre heureusement ensemble; et les deux plus raisonnables personnes du monde ont souvent peine à composer[4] une union dont ils soient satisfaits.

Dorante. Vous vous moquez, Madame, de[5] vous y figurer tant de difficultés; et l'expérience que vous avez faite ne conclut rien[6] pour tous les 25 autres.

Dorimène. Enfin j'en reviens toujours là: les dépenses que je vous vois faire pour moi m'inquiètent par deux raisons: l'une, qu'elles m'engagent plus que je ne voudrais; et l'autre, que je suis sûre, sans vous déplaire, que vous ne les faites point que vous ne vous incommodiez[7]; et je ne veux point cela. 30

Dorante. Ah! Madame, ce sont des bagatelles[8]; et ce n'est pas par là ...

Dorimène. Je sais ce que je dis; et, entre autres, le diamant que vous m'avez forcée à prendre est d'un prix ...

Dorante. Eh! Madame, de grâce, ne faites point tant valoir[9] une chose que mon amour trouve indigne de vous; et souffrez ... Voici le maître du 35 logis.

SCÈNE XVI

Monsieur Jourdain, Dorimène, Dorante, *Laquais*

M. Jourdain. (*Après avoir fait deux révérences, se trouvant trop près de* Dorimène) Un peu plus loin,[10] Madame.

Dorimène. Comment?

M. Jourdain. Un pas, s'il vous plaît.

Dorimène. Quoi donc? 5

M. Jourdain. Reculez un peu, pour la troisième.[11]

Dorante. Madame, Monsieur Jourdain sait son monde.[12]

M. Jourdain. Madame, ce m'est une gloire bien grande de me voir assez fortuné pour être si heureux que d'avoir le bonheur que vous ayez eu la bonté de m'accorder la grâce[13] de me faire l'honneur de m'honorer de la faveur de 10 votre présence; et si j'avais aussi le mérite pour mériter un mérite comme le vôtre, et que le Ciel ... envieux de mon bien[14] ... m'eût accordé ... l'avantage de me voir digne ... des ...

Dorante. Monsieur Jourdain, en voilà assez: Madame n'aime pas les grands compliments, et elle sait que vous êtes homme d'esprit.¹ (*Bas, à* 15 DORIMÈNE) C'est un bon bourgeois assez ridicule, comme vous voyez, dans toutes ses manières.

Dorimène. Il n'est pas malaisé ² de s'en apercevoir.

Dorante. Madame, voilà le meilleur de mes amis.

M. Jourdain. C'est trop d'honneur que vous me faites. 20

Dorante. Galant homme tout à fait.

Dorimène. J'ai beaucoup d'estime pour lui.

M. Jourdain. Je n'ai rien fait encore, Madame, pour mériter cette grâce.

Dorante. (*Bas, à* M. JOURDAIN) Prenez bien garde au moins à ³ ne lui point parler du diamant que vous lui avez donné. 25

M. Jourdain. Ne pourrais-je pas seulement ⁴ lui demander comment elle le trouve?

Dorante. Comment? gardez-vous-en bien ⁵: cela serait vilain ⁶ à vous; et pour agir en galant homme, il faut que vous fassiez comme si ce n'était pas vous qui lui eussiez fait ce présent. Monsieur Jourdain, Madame, dit qu'il 30 est ravi de vous voir chez lui.

Dorimène. Il m'honore beaucoup.

M. Jourdain. Que je vous suis obligé, Monsieur, de lui parler ainsi pour moi!

Dorante. J'ai eu une peine effroyable à la faire venir ici. 35

M. Jourdain. Je ne sais quelles grâces ⁷ vous en rendre.

Dorante. Il dit, Madame, qu'il vous trouve la plus belle personne du monde.

Dorimène. C'est bien de la grâce qu'il me fait.⁸

M. Jourdain. Madame, c'est vous qui faites les grâces ⁹; et ... 40

Dorante. Songeons à manger.

Laquais. Tout est prêt, Monsieur.

Dorante. Allons donc nous mettre à table, et qu'on fasse venir les musiciens.

(*Six cuisiniers, qui ont préparé le festin, dansent ensemble, et font le troisième intermède; après quoi, ils apportent une table couverte de plusieurs mets.*¹⁰)

---

1. *culture, wit. Voir page 222, note 13.* **2.** difficile. **3.** à: de. **4.** *so much as.* **5.** gardez-vous-en bien: *mind you don't; anything but that.* **6.** contraire au bon usage, digne d'un paysan (vilain). **7.** remercîments (*thanks*). **8.** grâce: amabilité; *He is most kind.* **9.** agréments, faveurs. **10.** ce que l'on *met* sur la table; choses à manger.

ACTE QUATRIÈME

SCÈNE PREMIÈRE

DORANTE, DORIMÈNE, MONSIEUR JOURDAIN, *deux Musiciens,*
une Musicienne, Laquais

Dorimène. Comment, Dorante? voilà un repas tout à fait magnifique!

M. Jourdain. Vous vous moquez, Madame, et je voudrais qu'il fût plus
digne de vous être offert. (*Tous se mettent à table.*)

Dorante. Monsieur Jourdain a raison, Madame, de parler de la sorte, et
il m'oblige [1] de vous faire si bien les honneurs de chez lui. Je demeure d'ac- 5
cord avec lui que le repas n'est pas digne de vous. Comme c'est moi qui l'ai
ordonné, et que je n'ai pas sur cette matière les lumières [2] de nos amis, vous
n'avez pas ici un repas fort savant, et vous y trouverez des incongruités [3]
de bonne chère,[4] et des barbarismes de bon goût. Si Damis [5] s'en était mêlé,[6]
tout serait dans les règles; il y aurait partout de l'élégance et de l'érudition, 10
et il ne manquerait pas de vous exagérer [7] lui-même toutes les pièces du
repas qu'il vous donnerait, et de vous faire tomber d'accord [8] de sa haute
capacité dans la science des bons morceaux, de vous parler d'un pain de
rive,[9] à biseau [10] doré, relevé [11] de croûte partout, croquant [12] tendrement
sous la dent; d'un vin à sève veloutée, armé d'un vert qui n'est point trop 15
commandant [13]; d'un carré [14] de mouton gourmandé [15] de persil; d'une longe [16]
de veau de rivière,[17] longue comme cela, blanche, délicate, et qui sous les
dents est une vraie pâte d'amande; de perdrix [18] relevées d'un fumet [19]
surprenant; et pour son opéra,[20] d'une soupe à bouillon perlé,[21] soutenue d'un
jeune gros dindon cantonné [22] de pigeonneaux, et couronnée d'oignons blancs, 20
mariés [23] avec la chicorée. Mais pour moi, je vous avoue mon ignorance; et
comme Monsieur Jourdain a fort bien dit, je voudrais que le repas fût plus
digne de vous être offert.

Dorimène. Je ne réponds à ce compliment qu'en mangeant comme je fais.

M. Jourdain. Ah! que voilà [24] de belles mains! 25

1. *places me under obligation.* 2. connaissances, savoir. 3. fautes; ce qui est contraire
au bon goût. 4. *cheer.* 5. Damis: « Louis XIV avait un goût immodéré non seulement
pour la table, mais pour la cuisine. Maître en art culinaire, il fixa l'ordonnance des repas,
et c'est à lui personnellement que nous devons le dîner français moderne, méthodique et
simple. L'exemple royal fut suivi d'enthousiasme et chacun voulait devenir ‹ un Hésiode,
ou un Théognis (poètes) des gens de bonne chère ›. Tel est ce Damis évoqué au quatrième
acte. » (Rolland, *Bourg. Gentil.* Notice.) 6. occupé. 7. faire valoir, vanter. 8. faire
accepter comme vrai, convaincre. 9. pain cuit sur la rive (le bord) du four. 10. biseau (*bevel*): côté. 11. rendu plus agréable au goût. 12. *crunching.* 13. à sève
veloutée, armé . . . commandant: *a mellow-bodied wine with a not too marked tartness.*
14. *quarter (cut from the ribs).* 15. assaisonné. 16. *loin.* 17. veau élevé dans les prairies
(*meadows*), au bord de la Seine, dans les environs de Rouen. 18. *partridges.* 19. arôme.
20. chef-d'œuvre. 21. « Bouillon où le suc (*juice*) de la viande paraît comme par petits
grains de perle » (*Dict. de l'Acad.*, 1697). 22. terme de blason (*heraldry*): ayant aux
quatre coins du plat. . . . 23. *blended.* 24. *Oh! what . . . !*

Dorimène.　Les mains sont médiocres, Monsieur Jourdain; mais vous voulez parler du diamant, qui est fort beau.

M. Jourdain.　Moi, Madame! Dieu me garde d'en vouloir parler; ce ne serait pas agir en galant homme,[1] et le diamant est fort peu de chose.

Dorimène.　Vous êtes bien dégoûté.[2]　　　　　　　　　　　　　30

M. Jourdain.　Vous avez trop de bonté ...

Dorante.　Allons, qu'on donne du vin à Monsieur Jourdain, et à ces Messieurs, qui nous feront la grâce de nous chanter un air à boire.

Dorimène.　C'est merveilleusement assaisonner la bonne chère, que d'y mêler la musique, et je me vois ici admirablement régalée.　　　35

M. Jourdain.　Madame, ce n'est pas ...

Dorante.　Monsieur Jourdain, prêtons silence à ces Messieurs; ce qu'ils nous diront vaudra mieux que tout ce que nous pourrions dire.

(*Les Musiciens et la Musicienne prennent des verres, chantent deux chansons à boire, et sont soutenus de toute la symphonie.*)

PREMIÈRE CHANSON À BOIRE

Un petit doigt, Philis, pour commencer le tour.[3]
Ah! qu'un verre en vos mains a d'agréables charmes!　　　40
　　Vous et le vin, vous vous prêtez des armes,
Et je sens pour tous deux redoubler mon amour:
Entre lui, vous et moi, jurons, jurons, ma belle,
　　　　Une ardeur éternelle.

Qu'en mouillant votre bouche il en reçoit d'attraits,　　　45
Et que l'on voit par lui votre bouche embellie!
　　Ah! l'un de l'autre ils me donnent envie,
Et de vous et de lui je m'enivre [4] à longs traits:
Entre lui, vous et moi, jurons, jurons, ma belle,
　　　　Une ardeur éternelle.　　　　　　　　　　　50

SECONDE CHANSON À BOIRE

　　Buvons, chers amis, buvons:
　　Le temps qui fuit nous y convie [5];
　　　　Profitons de la vie
　　　　Autant que nous pouvons.
　　Quand on a passé l'onde noire,[6]　　　　　　　　　55
　　Adieu le bon vin, nos amours;
　　　　Dépêchons-nous de boire,
　　　　On ne boit pas toujours.

---

1. *gentleman.* (*Voir aussi Acte III, Sc. xvi,* la leçon de savoir-vivre donnée par Dorante.) 2. *fastidious.* 3. Un petit doigt (de vin), Philis, pour commencer le tour (*the round*). 4. *I am enraptured.* 5. invite. 6. l'onde noire: rivière de la mort; le Styx.

Laissons raisonner les sots
Sur le vrai bonheur de la vie; 60
Notre philosophie
Le met parmi les pots.
Les biens, le savoir et la gloire
N'ôtent point les soucis fâcheux,[1]
Et ce n'est qu'à bien boire 65
Que l'on peut être heureux.

Sus, sus,[2] du vin partout, versez, garçons, versez,
Versez, versez toujours, tant qu'on [3] vous dise assez.

Dorimène. Je ne crois pas qu'on puisse mieux chanter, et cela est tout à
fait beau. 70
M. Jourdain. Je vois encore ici, Madame, quelque chose de plus beau.
Dorimène. Ouais! Monsieur Jourdain est galant plus que je ne pensais.
Dorante. Comment, Madame? pour qui prenez-vous Monsieur Jourdain?
M. Jourdain. Je voudrais bien qu'elle me prît pour ce que je dirais.[4]
Dorimène. Encore! 75
Dorante. Vous ne le connaissez pas.
M. Jourdain. Elle me connaîtra quand il lui plaira.
Dorimène. Oh! je le quitte.[5]
Dorante. Il est homme qui a toujours la riposte [6] en main.[7] Mais vous
ne voyez pas que Monsieur Jourdain, Madame, mange tous les morceaux que 80
vous touchez.[8]
Dorimène. Monsieur Jourdain est un homme qui me ravit.
M. Jourdain. Si je pouvais ravir votre cœur, je serais . . .

SCÈNE II

Madame Jourdain, Monsieur Jourdain, Dorimène, Dorante,
Musiciens, Musicienne, Laquais

Mme Jourdain. Ah, ah! je trouve ici bonne compagnie, et je vois bien
qu'on ne m'y attendait pas. C'est donc pour cette belle affaire-ci, Monsieur
mon mari, que vous avez eu tant d'empressement à m'envoyer dîner chez ma
sœur? Je viens de voir un théâtre là-bas,[9] et je vois ici un banquet à faire
noces.[10] Voilà comme vous dépensez votre bien, et c'est ainsi que vous 5
festinez [11] les dames en mon absence, et que vous leur donnez la musique et
la comédie, tandis que vous m'envoyez promener?

1. qui donnent du chagrin. 2. Interjection pour exciter ou encourager. 3. tant
que: jusqu'à ce que. 4. je dirais (si j'osais); mais quelques lignes plus loin il dit assez clairement sa pensée. 5. J'y renonce; *I give up.* 6. vive réplique ou répartie. 7. prête.
8. vous touchez (avec votre cuillère en vous servant). 9. dans une autre partie de la
maison. 10. *fit for a wedding feast.* 11. vous régalez.

Dorante. Que voulez-vous dire, Madame Jourdain? et quelles fantaisies [1] sont les vôtres, de vous aller mettre en tête que votre mari dépense son bien, et que c'est lui qui donne ce régal à Madame? Apprenez que c'est moi, je 10 vous prie; qu'il ne fait seulement que me prêter sa maison, et que vous devriez un peu mieux regarder aux choses que vous dites.

M. Jourdain. Oui, impertinente, c'est Monsieur le Comte qui donne tout ceci à Madame, qui est une personne de qualité. Il me fait l'honneur de prendre ma maison, et de vouloir que je sois avec lui. 15

Mme Jourdain. Ce sont des chansons [2] que cela: je sais ce que je sais.

Dorante. Prenez, Madame Jourdain, prenez de meilleures lunettes.[3]

Mme Jourdain. Je n'ai que faire [4] de lunettes, Monsieur, et je vois assez clair; il y a longtemps que je sens les choses, et je ne suis pas une bête. Cela est fort vilain à vous, pour un grand seigneur, de prêter la main comme vous 20 faites aux sottises [5] de mon mari. Et vous, Madame, pour une grand'dame, cela n'est ni beau ni honnête à vous, de mettre de la dissension dans un ménage,[6] et de souffrir que mon mari soit amoureux de vous.

Dorimène. Que veut donc dire tout ceci? Allez, Dorante, vous vous mo-quez de [7] m'exposer aux sottes visions [8] de cette extravagante.[9] 25

Dorante. Madame, holà! Madame, où courez-vous?

M. Jourdain. Madame! Monsieur le Comte, faites-lui mes excuses, et tâchez de la ramener. Ah! impertinente que vous êtes! voilà de vos beaux faits [10]; vous me venez faire des affronts devant tout le monde, et vous chassez de chez moi des personnes de qualité. 30

Mme Jourdain. Je me moque de [11] leur qualité.

M. Jourdain. Je ne sais qui me tient,[12] maudite, que je ne vous fende [13] la tête avec les pièces [14] du repas que vous êtes venue troubler. (*On ôte la table.*)

Mme Jourdain. (*Sortant*) Je me moque de cela. Ce sont mes droits que je défends, et j'aurai pour moi toutes les femmes.[15] (Mme JOURDAIN *sort.*) 35

M. Jourdain. Vous faites bien d'éviter ma colère. Elle est arrivée là bien malheureusement. J'étais en humeur de dire de jolies choses, et jamais je ne m'étais senti tant d'esprit.[16] Qu'est-ce que c'est que cela?

SCÈNE III

[Pour comprendre les scènes suivantes il faut se souvenir que les Turcs jouaient un grand rôle dans la politique de l'Europe à cette époque, surtout depuis que François Ier, au XVIe siècle, avait fait alliance avec le sultan Soliman II dans ses guerres contre Charles-Quint. Les rapports diplomatiques, avec visites solennelles d'ambassadeurs, demeurèrent fréquents jusqu'au XVIIIe siècle.]

1. idées extravagantes. **2.** *nonsense.* **3.** *spectacles.* **4.** n'ai aucun besoin de ... **5.** *follies.* **6.** *household.* **7.** Allez ... moquez de: *Oh! How could you!* **8.** folles imagi-nations. **9.** personne folle, insensée. **10.** *doings.* **11.** Je me moque de: *I don't care a rap for.* **12.** ce qui me retient ou m'empêche. **13.** *split open;* vous fende la tête: *brain you.* **14.** plats, assiettes, bouteilles, etc. **15.** j'aurai ... femmes: toutes les femmes m'approu-veront. **16.** m'étais ... d'esprit: *felt so smart.*

COVIELLE (*déguisé*), MONSIEUR JOURDAIN, *Laquais*

Covielle. Monsieur, je ne sais pas si j'ai l'honneur d'être connu de vous.

M. Jourdain. Non, monsieur.

Covielle. Je vous ai vu que [1] vous n'étiez pas plus grand que cela.

M. Jourdain. Moi !

Covielle. Oui, vous étiez le plus bel enfant du monde, et toutes les dames 5
vous prenaient dans leurs bras pour vous baiser.

M. Jourdain. Pour me baiser !

Covielle. Oui. J'étais grand ami de feu [2] Monsieur votre père.

M. Jourdain. De feu Monsieur mon père !

Covielle. Oui. C'était un fort honnête [3] gentilhomme. 10

M. Jourdain. Comment dites-vous ?

Covielle. Je dis que c'était un fort honnête gentilhomme.

M. Jourdain. Mon père !

Covielle. Oui.

M. Jourdain. Vous l'avez fort connu ? 15

Covielle. Assurément.

M. Jourdain. Et vous l'avez connu pour gentilhomme ?

Covielle. Sans doute.

M. Jourdain. Je ne sais donc pas comment le monde est fait.[4]

Covielle. Comment ? 20

M. Jourdain. Il y a de sottes gens qui me veulent dire qu'il a été marchand.

Covielle. Lui, marchand ! C'est pure médisance,[5] il ne l'a jamais été.
Tout ce qu'il faisait, c'est qu'il était fort obligeant, fort officieux [6]; et comme
il se connaissait fort bien en [7] étoffes,[8] il en allait choisir de tous les côtés, les
faisait apporter chez lui, et en donnait à ses amis pour de l'argent. 25

M. Jourdain. Je suis ravi de vous connaître, afin que vous rendiez ce
témoignage-là, que mon père était gentilhomme.

Covielle. Je le soutiendrai [9] devant tout le monde.

M. Jourdain. Vous m'obligerez. Quel sujet vous amène ?

Covielle. Depuis [10] avoir connu feu Monsieur votre père, honnête gentil- 30
homme, comme je vous ai dit, j'ai voyagé par tout le monde.

M. Jourdain. Par tout le monde !

Covielle. Oui.

M. Jourdain. Je pense [11] qu'il y a bien loin en ce pays-là.

Covielle. Assurément. Je ne suis revenu de tous mes longs voyages que 35
depuis quatre jours; et par l'intérêt que je prends à tout ce qui vous touche,
je viens vous annoncer la meilleure nouvelle du monde.

M. Jourdain. Quelle ?

---

1. alors que, quand. 2. *late.* 3. aimable. 4. comment . . . fait: *what kind of a world this is.* 5. *slander.* 6. toujours prêt à rendre service. 7. était expert en . . . 8. *cloths.*
9. dirai hautement, maintiendrai. 10. après. 11. suppose.

Covielle. Vous savez que le fils du Grand Turc [1] est ici?

M. Jourdain. Moi? Non. 40

Covielle. Comment? [2] il a un train [3] tout à fait magnifique; tout le monde le va voir, et il a été reçu en ce pays comme un seigneur d'importance.

M. Jourdain. Par ma foi! je ne savais pas cela.

Covielle. Ce qu'il y a d'avantageux pour vous, c'est qu'il est amoureux de votre fille. 45

M. Jourdain. Le fils du Grand Turc?

Covielle. Oui; et il veut être votre gendre.

M. Jourdain. Mon gendre, le fils du Grand Turc!

Covielle. Le fils du Grand Turc votre gendre. Comme je le fus [4] voir, et que j'entends [5] parfaitement sa langue, il s'entretint avec moi; et, après 50 quelques autres discours,[6] il me dit: *Acciam croc soler ouch alla moustaph gidelum amanahem varahini oussere carbulath*, c'est-à-dire: « N'as-tu point vu une jeune belle personne, qui est la fille de Monsieur Jourdain, gentilhomme parisien? »

M. Jourdain. Le fils du Grand Turc dit cela de moi? 55

Covielle. Oui. Comme je lui eus répondu que je vous connaissais particulièrement, et que j'avais vu votre fille: « Ah! me dit-il, *marababa sahem;* » c'est-à-dire « Ah! que je suis amoureux d'elle! »

M. Jourdain. *Marababa sahem* veut dire « Ah! que je suis amoureux d'elle? » 60

Covielle. Oui.

M. Jourdain. Par ma foi! vous faites bien de me le dire, car pour moi je n'aurais jamais cru que *marababa sahem* eût voulu dire: « Ah! que je suis amoureux d'elle! » Voilà une langue admirable que ce turc!

Covielle. Plus admirable qu'on ne peut croire. Savez-vous bien ce que 65 veut dire *cacaracamouchen?*

M. Jourdain. *Cacaracamouchen?* Non.

Covielle. C'est-à-dire, « Ma chère âme. »

M. Jourdain. *Cacaracamouchen* veut dire « Ma chère âme? »

Covielle. Oui. 70

M. Jourdain. Voilà qui est merveilleux! *Cacaracamouchen*, « Ma chère âme. » Dirait-on [7] jamais cela? Voilà qui me confond.

Covielle. Enfin, pour achever mon ambassade, il vient vous demander votre fille en mariage; et pour avoir un beau-père [8] qui soit digne de lui, il veut vous faire *Mamamouchi*,[9] qui est une certaine grande dignité de son 75 pays.

M. Jourdain. *Mamamouchi?*

Covielle. Oui, *Mamamouchi*; c'est-à-dire, en notre langue, Paladin.[10]

1. Sultan de Turquie. 2. *You don't?* 3. suite. 4. suis allé. 5. comprends. 6. après avoir parlé de plusieurs autres choses. 7. Qui croirait? 8. *father-in-law.* 9. mot inventé par Molière. Les Turcs ne connaissent pas ce titre. 10. chevalier de la suite de Charlemagne.

Paladin, ce sont de ces anciens . . . Paladin enfin. Il n'y a rien de plus noble que cela dans le monde, et vous irez de pair [1] avec les plus grands Seigneurs 80 de la terre.

M. Jourdain. Le fils du Grand Turc m'honore beaucoup, et je vous prie de me mener chez lui pour lui en faire mes remercîments.

Covielle. Comment? le voilà qui va venir ici.

M. Jourdain. Il va venir ici?   85

Covielle. Oui; et il amène toutes choses pour la cérémonie de votre dignité.

M. Jourdain. Voilà qui est bien prompt.

Covielle. Son amour ne peut souffrir aucun retardement.

M. Jourdain. Tout ce qui m'embarrasse ici, c'est que ma fille est une opiniâtre,[2] qui s'est allée mettre dans la tête un certain Cléonte, et elle 90 jure de n'épouser personne que celui-là.

Covielle. Elle changera de sentiment quand elle verra le fils du Grand Turc; et puis il se rencontre [3] ici une aventure [4] merveilleuse, c'est que le fils du Grand Turc ressemble à ce Cléonte, à peu de chose près. Je viens de le [5] voir, on me l'a montré; et l'amour qu'elle a pour l'un pourra passer aisément 95 à l'autre, et . . . Je l'entends venir: le voilà.

SCÈNE IV

CLÉONTE, *en Turc, avec trois pages portant sa veste;*
MONSIEUR JOURDAIN, COVIELLE (*déguisé*)

Cléonte. *Ambousahim oqui boraf, Iordina salamalequi.*

Covielle. C'est-à-dire: « Monsieur Jourdain, votre cœur soit toute l'année comme un rosier fleuri. » [6] Ce sont façons de parler obligeantes de ces pays-là.

M. Jourdain. Je suis très-humble serviteur de son Altesse Turque.

Covielle. *Carigar camboto oustin moraf.*   5

Cléonte. *Oustin yoc catamalequi basum base alla moran.*

Covielle. Il dit « que le Ciel vous donne la force des lions et la prudence des serpents ! »

M. Jourdain. Son Altesse Turque m'honore trop, et je lui souhaite toutes sortes de prospérités.   10

Covielle. *Ossa binamen sadoc bapally oracaf ouram.*

Cléonte. *Bel-men.*

Covielle. Il dit que vous alliez vite avec lui vous préparer pour la cérémonie afin de voir ensuite votre fille, et de conclure le mariage.

M. Jourdain. Tant de choses en deux mots?   15

Covielle. Oui, la langue turque est comme cela, elle dit beaucoup en peu de paroles. Allez vite où il souhaite.

1. serez l'égal de. **2.** *headstrong person.* **3.** *happens.* **4.** (chose qui advient *ou* arrive), événement imprévu. **5.** le: Cléonte. **6.** *rosebush in bloom.*

SCÈNE V

DORANTE, COVIELLE

Covielle. Ha, ha, ha. Ma foi! cela est tout à fait drôle. Quelle dupe! quand il aurait [1] appris son rôle par cœur, il ne pourrait pas le mieux jouer. Ah, ah. Je vous prie, Monsieur, de nous vouloir aider céans,[2] dans une affaire qui s'y passe.

Dorante. Ah, ah, Covielle, qui t'aurait reconnu? Comme te voilà ajusté![3]   5

Covielle. Vous voyez. Ah, ah.

Dorante. De quoi ris-tu?

Covielle. D'une chose, Monsieur, qui le mérite bien.

Dorante. Comment?

Covielle. Je vous le donnerais en bien des fois, Monsieur, à deviner, le   10 stratagème dont nous nous servons auprès de Monsieur Jourdain, pour porter son esprit [4] à donner sa fille à mon maître.

Dorante. Je ne devine point le stratagème; mais je devine qu'il ne manquera pas de faire son effet,[5] puisque tu l'entreprends.[6]

Covielle. Je sais, Monsieur, que la bête [7] vous est connue.   15

Dorante. Apprends-moi ce que c'est.

Covielle. Prenez la peine de vous tirer un peu plus loin, pour faire place à ce que j'aperçois venir. Vous pourrez voir une partie de l'histoire tandis que je vous conterai le reste.

(La cérémonie turque pour ennoblir [8] le Bourgeois se fait en danse et en musique, et compose le quatrième intermède.)

Le Mufti,[9] quatre Dervis,[10] six Turcs dansant, six Turcs musiciens, et autres joueurs d'instruments à la turque, sont les acteurs de cette cérémonie.

Le Mufti invoque Mahomet avec les douze Turcs et les quatre Dervis; après on lui amène le Bourgeois, vêtu à la turque, sans turban et sans sabre, auquel il chante ces paroles:

Le Mufti.	Se ti sabir,[11]	20
	Ti respondir;	
	Se non sabir,	
	Tazir, tazir.	
	Mi star Mufti:	
	Ti qui star ti?	25
	Non intendir:	
	Tazir, tazir.	

Le Mufti demande, en même langue, aux Turcs assistants de quelle religion est le Bourgeois, et ils l'assurent qu'il est mahométan. Le Mufti invoque Mahomet en langue franque, et chante les paroles qui suivent:

1. même s'il avait... **2.** ici. **3.** habillé, *"got up."* **4.** le disposer. **5.** réussir, produire le résultat attendu. **6.** *take charge of.* **7.** animal, (c'est de lui-même que Covielle parle). **8.** Donner un titre de noblesse. Aujourd'hui on dirait *anoblir. Ennoblir* signifie maintenant donner de la noblesse morale. **9.** prêtre musulman. **10.** religieux (*monks*) musulmans. **11.** *Se ti sabir* etc. Le Mufti se sert de la langue franque connue dans

Le Mufti.	Mahametta per Giourdina
	Mi pregar sera é mattina:
	Voler far un Paladina 30
	Dé Giourdina, dé Giourdina.
	Dar turbanta, é dar scarcina,
	Con galera é brigantina,
	Per deffender Palestina.
	Mahametta, etc. 35

Le Mufti demande aux Turcs si le Bourgeois sera ferme dans la religion mahomé-tane, et leur chante ces paroles:

Le Mufti. Star bon Turca Giourdina?
Les Turcs. Hi valla.
Le Mufti. (*Danse et chante ces mots*) Hu la ba ba la chou ba la ba ba la da.

Les Turcs répondent les mêmes vers.
Le Mufti propose de donner le turban au Bourgeois, et chante les paroles qui suivent:

Le Mufti. Ti non star furba?
Les Turcs. No, no, no.   40
Le Mufti. Non star furfanta?
Les Turcs. No, no, no.
Le Mufti. Donar turbanta, donar turbanta.

Les Turcs répètent tout ce qu'a dit le Mufti pour donner le turban au Bourgeois. Le Mufti et les Dervis se coiffent [1] *avec des turbans de cérémonie, et l'on présente l'Alcoran* [2] *au Mufti qui fait une seconde invocation avec tout le reste des Turcs assistants; après son invocation, il donne au Bourgeois l'épée, et chante ces paroles:*

Le Mufti.   Ti star nobilé, é non star fabbola.
                  Pigliar schiabbola.[3]   45

Les Turcs répètent les mêmes vers, mettant tous le sabre à la main, et six d'entre eux dansent autour du Bourgeois, auquel ils feignent de donner plusieurs coups de sabre.
Le Mufti commande aux Turcs de bâtonner [4] *le Bourgeois, et chante les paroles qui suivent:*

---

tous les ports de la Méditerranée, comme le *pidgin English* est connu dans tout le Paci-fique. Le vocabulaire de cette langue franque est tiré des diverses langues romanes (italien, espagnol, français); les inflexions y sont peu nombreuses: les verbes y sont réduits à la forme infinitive. *Traductions: Le Mufti.* Si toi savoir, toi répondre. Si non savoir, te taire, te taire. Moi être Mufti: toi, qui être, toi? Non entendre (comprendre): te taire, te taire.
Mahomet pour Jourdain, moi prier soir et matin, vouloir faire un Paladin de Jourdain, de Jourdain. Donner turban et donner cimeterre (sabre turc), avec galère et brigantin (navire à deux mâts), pour défendre Palestine.
Être bon Turc, Jourdain?
Les Turcs. Oui, par Dieu!
Le Mufti. Toi pas être fourbe (*cheat*)? Non! non! non!
Toi pas être imposteur? Non! non! non!
Donner turban.

1. se couvrent, mettent leurs turbans. **2.** livre sacré des Mahométans. **3.** Toi être noble et (ceci) non être fable. Prendre sabre. **4.** *beat* (*with a stick*), *cudgel*.

Le Mufti.   Dara, dara,
      Bastonnara, bastonnara.[1]

Les Turcs répètent les mêmes vers, et lui donnent plusieurs coups de bâton en cadence.
Le Mufti, après l'avoir fait bâtonner, lui dit en chantant:

Le Mufti.   Non tener honta:
      Questa star ultima affronta.[2]

Les Turcs répètent les mêmes vers.
Le Mufti recommence une invocation, et se retire après la cérémonie avec tous les Turcs,
en dansant et chantant avec plusieurs instruments à la turquesque.[3]

ACTE CINQUIÈME

SCÈNE PREMIÈRE

Madame Jourdain, Monsieur Jourdain

Mme Jourdain. Ah, mon Dieu! miséricorde![4] Qu'est-ce que c'est donc que cela? Quelle figure! Est-ce un momon [5] que vous allez porter; et est-il temps d'aller en masque? [6] Parlez donc, qu'est-ce que c'est que ceci? Qui vous a fagoté [7] comme cela?

M. Jourdain. Voyez l'impertinente, de parler de la sorte à un *Mamamouchi!* 5

Mme Jourdain. Comment donc?

M. Jourdain. Oui, il me faut porter du respect maintenant, et l'on vient de me faire *Mamamouchi!*

Mme Jourdain. Que voulez-vous dire avec votre *Mamamouchi?*

M. Jourdain. *Mamamouchi*, vous dis-je. Je suis *Mamamouchi.* 10

Mme Jourdain. Quelle bête est-ce là?

M. Jourdain. *Mamamouchi*, c'est-à-dire, en notre langue, Paladin.

Mme Jourdain. Baladin![8] Êtes-vous en âge de danser des ballets?

M. Jourdain. Quelle ignorante! Je dis Paladin: c'est une dignité dont on vient de me faire la cérémonie. 15

Mme Jourdain. Quelle cérémonie donc?

M. Jourdain. *Mahameta per Iordina.*

Mme Jourdain. Qu'est-ce que cela veut dire?

M. Jourdain. *Iordina*, c'est-à-dire Jourdain.

Mme Jourdain. Hé bien! quoi, Jourdain? 20

---

1. Donner, donner, bâtonner, bâtonner. **2.** Ne pas avoir honte. Ceci être dernier affront. **3.** à la (mode) turque. **4.** *Mercy!* **5.** During the Carnaval, it was customary for maskers to drop in unexpectedly upon their friends to challenge them to a game of dice. That challenge was known as a « momon. » *Are you going out to make a masker's challenge?* **6.** est-il ... masque: est-ce l'époque des masques? **7.** *dressed up in that ridiculous fashion.* **8.** Madame Jourdain comprend (ou fait semblant de comprendre) *baladin* (danseur de ballets).

M. Jourdain.   *Voler far un Paladina de Iordina.*

Mme Jourdain.   Comment?

M. Jourdain.   *Dar turbanta con galera.*

Mme Jourdain.   Qu'est-ce à dire cela?

M. Jourdain. *Per deffender Palestina.*   25

Mme Jourdain.   Que voulez-vous donc dire?

M. Jourdain.   *Dara dara bastonnara.*

Mme Jourdain.   Qu'est-ce donc que ce jargon-là?

M. Jourdain.   *Non tener honta: questa star l'ultima affronta.*

Mme Jourdain.   Qu'est-ce que c'est donc que tout cela?   30

M. Jourdain.   (*Danse et chante*)   *Hou la ba ba la chou ba la ba ba la da.*

Mme Jourdain.   Hélas, mon Dieu! mon mari est devenu fou.

M. Jourdain.   (*Sortant*)   Paix! insolente, portez respect à Monsieur le *Mamamouchi.*

Mme Jourdain.   Où est-ce qu'il a donc perdu l'esprit? Courons l'empêcher 35 de sortir. Ah, ah! voici justement le reste de notre écu.[1] Je ne vois que chagrin de tous les côtés. (*Elle sort.*)

SCÈNE II

DORANTE, DORIMÈNE

Dorante.   Oui, Madame, vous verrez la plus plaisante [2] chose qu'on puisse voir; et je ne crois pas que dans tout le monde il soit possible de trouver encore un homme aussi fou que celui-là. Et puis, Madame, il faut tâcher de servir l'amour de Cléonte, et d'appuyer [3] toute sa mascarade: c'est un fort galant homme,[4] et qui mérite que l'on s'intéresse pour lui.   5

Dorimène.   J'en fais beaucoup de cas,[5] et il est digne d'une bonne fortune.

Dorante.   Outre [6] cela, nous avons ici, Madame, un ballet qui nous revient,[7] que nous ne devons pas laisser perdre, et il faut bien voir si mon idée pourra réussir.

Dorimène.   J'ai vu là des apprêts [8] magnifiques, et ce sont des choses, 10 Dorante, que je ne puis plus souffrir. Oui, je veux enfin vous empêcher vos profusions; et, pour rompre le cours [9] à toutes les dépenses que je vous vois faire pour moi, j'ai résolu de me marier promptement avec vous: c'en est le vrai secret,[10] et toutes ces choses finissent avec le mariage.

Dorante.   Ah! Madame, est-il possible que vous ayez pu prendre pour moi 15 une si douce résolution?

Dorimène.   Ce n'est que pour vous empêcher de vous ruiner; et, sans cela, je vois bien qu'avant qu'il fût peu,[11] vous n'auriez pas un sou.

---

1. reste . . . écu, (expression commerciale, lit., *the change of our florin*): *That's the last straw.*   **2.** amusante.   **3.** donner notre appui *ou* aide à.   **4.** *nice fellow.*   **5.** faire cas: *think highly of.*   **6.** de plus, *moreover.*   **7.** qui nous revient: qui est notre dû (*due*).   **8.** préparatifs. **9.** mettre fin à.   **10.** *that's the real reason, the whole truth of it.*   **11.** avant . . . peu: bientôt.

Dorante. Que j'ai d'obligation, Madame, aux soins que vous avez de conserver mon bien! Il est entièrement à vous, aussi bien que mon cœur, 20 et vous en userez [1] de la façon qu'il vous plaira.

Dorimène. J'userai bien de tous les deux. Mais voici votre homme; la figure [2] en est admirable.

SCÈNE III

MONSIEUR JOURDAIN, DORANTE, DORIMÈNE

Dorante. Monsieur, nous venons rendre hommage, Madame et moi, à votre nouvelle dignité, et nous réjouir avec vous du mariage que vous faites de votre fille avec le fils du Grand Turc.

M. Jourdain. (*Après avoir fait les révérences à la turque*) Monsieur, je vous souhaite la force des serpents et la prudence des lions. 5

Dorimène. J'ai été bien aise d'être des premières, Monsieur, à venir vous féliciter du haut degré de gloire où vous êtes monté.

M. Jourdain. Madame, je vous souhaite toute l'année votre rosier fleuri; je vous suis infiniment obligé de prendre part aux honneurs qui m'arrivent, et j'ai beaucoup de joie de vous voir revenue ici pour vous faire les très 10 humbles excuses de l'extravagance de ma femme.

Dorimène. Cela n'est rien, j'excuse en elle un pareil mouvement; votre cœur lui doit être précieux, et il n'est pas étrange que la possession d'un homme comme vous puisse inspirer quelques alarmes. [3]

M. Jourdain. La possession de mon cœur est une chose qui vous est toute 15 acquise. [4]

Dorante. Vous voyez, Madame, que Monsieur Jourdain n'est pas de ces gens que les prospérités aveuglent, et qu'il sait, dans sa gloire, connaître encore ses amis.

Dorimène. C'est la marque d'une âme tout à fait généreuse. 20

Dorante. Où est donc Son Altesse Turque? Nous voudrions bien, comme vos amis, lui rendre nos devoirs. [5]

M. Jourdain. Le voilà qui vient, et j'ai envoyé quérir [6] ma fille pour lui donner la main.

SCÈNE IV

CLÉONTE, COVIELLE, MONSIEUR JOURDAIN, *etc.*

Dorante. Monsieur, nous venons faire la révérence à Votre Altesse, comme amis de Monsieur votre beau-père, et l'assurer avec respect de nos très humbles services.

M. Jourdain. Où est le truchement, [7] pour lui dire qui vous êtes, et lui faire entendre ce que vous dites? Vous verrez qu'il vous répondra, et il 5

---

1. disposerez. 2. aspect, *"get up."* 3. *fears, anxiety.* 4. qui . . . acquise: qui est déjà à vous. 5. *to pay our respects.* 6. chercher. 7. interprète.

parle turc à merveille.[1] Holà! où diantre [2] est-il allé? (*A* Cléonte) *Strouf,
strif, strof, straf.* Monsieur est un *grande Segnore, grande Segnore, grande
Segnore;* et Madame une *granda Dama, granda Dama. Ahi,* lui, Monsieur,
lui *Mamamouchi* français, et Madame *Mamamouchie* française: je ne puis
pas parler plus clairement. Bon, voici l'interprète. Où allez-vous donc? 10
nous ne saurions rien dire sans vous. Dites-lui un peu que Monsieur et
Madame sont des personnes de grande qualité, qui lui viennent faire la révérence, comme mes amis, et l'assurer de leurs services. Vous allez voir comme
il va répondre.

Covielle. Alabala crociam acci boram alabamen.   15

Cléonte. Catalequi tubal ourin soter amalouchan.

M. Jourdain. Voyez-vous?

Covielle. Il dit: « Que la pluie des prospérités arrose [3] en tout temps le
jardin de votre famille! »

M. Jourdain. Je vous l'avais bien dit, qu'il parle turc.   20

Dorante. Cela est admirable.

SCÈNE V

Lucile, Monsieur Jourdain, Dorante, Dorimène, *etc.*

M. Jourdain. Venez, ma fille, approchez-vous, et venez donner votre
main à Monsieur, qui vous fait l'honneur de vous demander en mariage.

Lucile. Comment, mon père, comme vous voilà fait! est-ce une comédie
que vous jouez?

M. Jourdain. Non, non, ce n'est pas une comédie, c'est une affaire fort 5
sérieuse, et la plus pleine d'honneur pour vous qui se peut souhaiter. Voilà
le mari que je vous donne.

Lucile. A moi, mon père!

M. Jourdain. Oui, à vous: allons, touchez-lui dans la main, et rendez grâce
au Ciel de votre bonheur.   10

Lucile. Je ne veux point me marier.

M. Jourdain. Je le veux, moi qui suis votre père.

Lucile. Je n'en ferai rien.

M. Jourdain. Ah! que de bruit! Allons, vous dis-je. Ça [4] votre main.

Lucile. Non, mon père, je vous l'ai dit, il n'est point de pouvoir qui me 15
puisse obliger à prendre un autre mari que Cléonte; et je me résoudrai
plutôt à toutes les extrémités,[5] que de... (*Reconnaissant* Cléonte) Il est
vrai que vous êtes mon père, je vous dois entière obéissance, et c'est à vous à
disposer de moi selon vos volontés.

M. Jourdain. Ah! je suis ravi de vous voir si promptement revenue dans 20
votre devoir, et voilà qui me plaît, d'avoir une fille obéissante.

---

1. *wonderfully.* **2.** *the devil.* **3.** *water.* **4.** (mot de commande): *now then!* **5.** je me
résoudrai ... extrémités, je me tuerai plutôt (que d'accepter).

SCÈNE VI

Madame Jourdain, Monsieur Jourdain, Cléonte, *etc.*

Mme Jourdain. Comment donc? qu'est-ce que c'est que ceci? On dit que vous voulez donner votre fille en mariage à un carême-prenant.[1]

M. Jourdain. Voulez-vous vous taire, impertinente? Vous venez toujours mêler vos extravagances à toutes choses, et il n'y a pas moyen de vous apprendre à être raisonnable. 5

Mme Jourdain. C'est vous qu'il n'y a pas moyen de rendre sage, et vous allez de folie en folie. Quel est votre dessein, et que voulez-vous faire avec cet assemblage?[2]

M. Jourdain. Je veux marier notre fille avec le fils du Grand Turc.

Mme Jourdain. Avec le fils du Grand Turc! 10

M. Jourdain. Oui, faites-lui faire vos compliments par le truchement que voilà.

Mme Jourdain. Je n'ai que faire du truchement, et je lui dirai bien moi-même à son nez qu'il n'aura point ma fille.

M. Jourdain. Voulez-vous vous taire, encore une fois? 15

Dorante. Comment, Madame Jourdain, vous vous opposez à un bonheur comme celui-là? Vous refusez Son Altesse Turque pour gendre?

Mme Jourdain. Mon Dieu, Monsieur, mêlez-vous de vos affaires.[3]

Dorimène. C'est une grande gloire, qui n'est pas à rejeter.

Mme Jourdain. Madame, je vous prie aussi de ne vous point embarrasser[4] 20 de ce qui ne vous touche pas.

Dorante. C'est l'amitié que nous avons pour vous qui nous fait intéresser dans vos avantages.

Mme Jourdain. Je me passerai[5] bien de votre amitié.

Dorante. Voilà votre fille qui consent aux volontés de son père. 25

Mme Jourdain. Ma fille consent à épouser un Turc?

Dorante. Sans doute.

Mme Jourdain. Elle peut oublier Cléonte?

Dorante. Que ne fait-on pas pour être grand'dame?

Mme Jourdain. Je l'étranglerais[6] de mes mains, si elle avait fait un coup 30 comme celui-là.

M. Jourdain. Voilà bien du caquet.[7] Je vous dis que ce mariage-là se fera.

Mme Jourdain. Je vous dis, moi, qu'il ne se fera point.

M. Jourdain. Ah! que de bruit! 35

Lucile. Ma mère.

Mme Jourdain. Allez, vous êtes une coquine.[8]

---

1. masque.   2. *display, attendance.*   3. mêlez ... affaires: *mind your own business.*
4. embarrasser: mêler.   5. *I can do without.*   6. *would strangle.*   7. *Oh! What a lot of talk* (caquet: *cackling*).   8. *hussy.*

M. Jourdain.   Quoi? vous la querellez [1] de ce qu'elle m'obéit?

Mme Jourdain.   Oui: elle est à moi, aussi bien qu'à vous.

Covielle.   Madame.   40

Mme Jourdain.   Que me voulez-vous conter, vous?

Covielle.   Un mot.

Mme Jourdain.   Je n'ai que faire de votre mot.

Covielle.   (*A* M. JOURDAIN)   Monsieur, si elle veut écouter une parole en particulier, je vous promets de la faire consentir à ce que vous voulez.   45

Mme Jourdain.   Je n'y consentirai point.

Covielle.   Écoutez-moi seulement.

Mme Jourdain.   Non.

M. Jourdain.   Écoutez-le.

Mme Jourdain.   Non, je ne veux pas écouter.   50

M. Jourdain.   Il vous dira . . .

Mme Jourdain.   Je ne veux point qu'il me dise rien.

M. Jourdain.   Voilà une grande obstination de femme! Cela vous fera-t-il mal, de l'entendre?

Covielle.   Ne faites que m'écouter; vous ferez après ce qu'il vous plaira.   55

Mme Jourdain.   Hé bien! quoi?

Covielle.   (*A part*) Il y a une heure, Madame, que nous vous faisons signe. Ne voyez-vous pas bien que tout ceci n'est fait que pour nous ajuster aux visions de votre mari, que nous l'abusons [2] sous ce déguisement, et que c'est Cléonte lui-même qui est le fils du Grand Turc?   60

Mme Jourdain.   Ah! ah!

Covielle.   Et moi Covielle qui suis le truchement?

Mme Jourdain.   Ah! comme cela, je me rends.

Covielle.   Ne faites pas semblant de rien.[3]

Mme Jourdain.   Oui, voilà qui est fait,[4] je consens au mariage.   65

M. Jourdain.   Ah! voilà tout le monde raisonnable. Vous ne vouliez pas l'écouter. Je savais bien qu'il vous expliquerait ce que c'est que le fils du Grand Turc.

Mme Jourdain.   Il me l'a expliqué comme il faut, et j'en suis satisfaite. Envoyons quérir un notaire.   70

Dorante.   C'est fort bien dit. Et afin, Madame Jourdain, que vous puissiez avoir l'esprit tout à fait content, et que vous perdiez aujourd'hui toute la jalousie que vous pourriez avoir conçue de Monsieur votre mari, c'est que nous nous servirons du même notaire pour nous marier, Madame et moi.

Mme Jourdain.   Je consens aussi à cela.   75

M. Jourdain.   C'est pour lui faire accroire?[5]

Dorante.   Il faut bien l'amuser avec cette feinte.[6]

1. *scold.*   2. trompons; *fool.*   3. Ne faites ... de rien: Cachez vos sentiments. (Aujourd'hui on ne met plus *pas* avec *rien*.)   4. voilà ... fait: *that's settled.*   5. faire accroire: *hoodwink.*   6. Il faut ... feinte: *We must deceive her with that pretence, mustn't we?* (bien: *mustn't we*).

M. Jourdain.   Bon, bon.   Qu'on aille vite quérir le notaire.

Dorante.   Tandis qu'il viendra, et qu'il dressera [1] les contrats, voyons notre ballet, et donnons-en le divertissement à Son Altesse Turque.   80

M. Jourdain.   C'est fort bien avisé: allons prendre nos places.

Mme Jourdain.   Et Nicole?

M. Jourdain.   Je la donne au truchement; et ma femme à qui la voudra.

Covielle.   Monsieur, je vous remercie.   Si l'on en peut voir un plus fou, je l'irai dire à Rome. [2]   85

(La comédie finit par un petit ballet qui avait été préparé.)

---

1. *draws up.*   **2.** je . . . à Rome *(expression proverbiale):* j'en informerai le monde entier·
"*I'll tell the world.*"

ZADIG

OU

LA DESTINÉE

par VOLTAIRE

(1694–1778)

Goethe, parlant de Voltaire, a dit: « C'est la création la plus étonnante de la nature. » Frédéric le Grand l'appelait volontiers « le roi Voltaire ». Personne en effet n'a exercé une pareille royauté dans tous les domaines de l'esprit. Pas un écrivain n'a été si universel et n'a laissé une trace si profonde dans la littérature et les institutions de son pays. La vie de Voltaire n'est pas moins diverse que son œuvre: succès, querelles, persécutions, rien ne lui a manqué. Destructeur implacable des abus, il s'est fait l'apôtre de la science, du progrès, de la liberté, de la tolérance et de la justice; mais, dans la guerre qu'il livra à la superstition, au fanatisme, à la religion, il ne s'est pas toujours servi d'armes loyales.

Fils d'un notaire royal de Paris, François-Marie Arouet étudia, comme Molière, chez les Jésuites et devint ensuite, présenté par son parrain (*godfather*) l'abbé de Châteauneuf, membre de la Société du Temple, où le libertinage (*free-thinking*) était à la mode. Des couplets satiriques le firent enfermer quelques mois à la Bastille. Une querelle avec un noble lui valut un second séjour à la prison d'État. C'est alors qu'il prit le nom de « Voltaire ». Libéré, il s'en alla à Londres où il fréquenta les savants et les philosophes. Il employa ses trois années d'exil à étudier la civilisation anglaise qu'il décrivit ensuite dans ses fameuses *Lettres philosophiques* (ou *Lettres Anglaises*) parues en 1734. Son éloge du déisme anglais lui attira de nouvelles persécutions.

Son amie, Mme du Châtelet, femme passionnée de science, lui offrit un refuge dans son château de Cirey, en Lorraine. Voltaire y passa quinze années extrêmement laborieuses, publiant une quantité d'ouvrages très divers qui le rendirent célèbre dans toute l'Europe. Le succès de sa belle tragédie de l'amour maternel, *Mérope* (1743), lui permit de rentrer à Paris: il fut reçu avec faveur à la Cour, et l'Académie française consentit enfin à lui ouvrir ses portes (1746).

Cependant, ses ennemis ne désarmaient pas. Mme du Châtelet étant morte, Voltaire se rendit en Prusse, à l'invitation de Frédéric le Grand. Le roi-poète le reçut magnifiquement à Berlin et à Potsdam où il avait une cour de savants et de lettrés français. Cette intimité, troublée par des jalousies, ne dura guère que trois ans, après lesquels Voltaire s'enfuit et alla s'établir à Colmar, et plus tard à Ferney, près de Genève, où il avait acheté une grande propriété. Il vécut là en grand seigneur, tenant table ouverte, recevant les gens les plus distingués d'Europe, et tâchant d'enrichir ses paysans. Il fit de son château le quartier-général du monde littéraire et de la philosophie militante. Jamais vieillesse ne fut plus laborieuse ni plus gaie. Il s'est représenté lui-même

> « Toujours un pied dans le cercueil (*coffin*),
> De l'autre faisant des gambades (*gambols*). »

Il étonnait et agitait l'Europe par son activité, il l'inondait de nouvelles œuvres et de pamphlets souvent anonymes, raillant ses ennemis, attaquant l'Église et tous les abus du pouvoir, réformant les erreurs judiciaires, préparant la Révolution.

En 1778, il revint à Paris et fut, pendant quelques semaines, l'idole de la Cour et de la Ville. On couronna son buste à la Comédie Française, on l'acclama dans la rue, on assiégea sa porte; Benjamin Franklin le pria de bénir son fils. Ce vieillard de 84 ans ne put résister à l'émotion et à la fatigue de cette longue apothéose: il mourut le 30 mai 1778. Treize ans plus tard, l'Assemblée nationale fit transférer ses cendres au Panthéon.

L'œuvre poétique de Voltaire est considérable. Des comédies, des livrets d'opéra, vingt-sept tragédies qui l'ont fait appeler éloge trop flatteur, le Racine du XVIIIe siècle; on joue encore *Zaïre* et *Mérope*. Il a composé deux épopées (*epics*) nationales: *La Henriade*, en l'honneur d'Henri IV, et *La Pucelle*, poème licencieux et burlesque, où il a eu le mauvais goût d'avilir (*debase*) la belle figure de Jeanne d'Arc. Ajoutons une énorme quantité d'épîtres, satires, parodies, épigrammes, poésies légères, genres où le lyrisme n'entre pas, et où Voltaire excelle.

Comme prosateur, il est incomparable. Il nous a laissé deux monuments immortels de style: l'*Histoire de Charles XII* (1731) et *Le Siècle de Louis XIV* (1751), avec nombre d'autres études, où il semble avoir fondé la critique historique. Ses ouvrages de *science* et de *philosophie* sont des modèles de clarté et de simplicité. Personne ne l'a surpassé dans le *Conte* philosophique et moral; il suffit de citer *Zadig* (1747), que nous donnons ici, et *Candide* (1759). Dans *Zadig*, Voltaire montre que l'homme intelligent et bon — le sage — peut avoir à souffrir mille déboires (*vexations*) que lui attirent ses vertus mêmes, mais qu'à la fin, la Providence, l'ayant éprouvé, le récompensera en lui accordant le bonheur. Dans *Candide*, qu'il publia douze ans plus tard, il tourne en ridicule l'optimisme « tout est pour le mieux dans ce meilleur des mondes » du philosophe Leibnitz. Reste enfin la *Correspondance*, plus de dix mille lettres adressées à près d'un millier de personnes diverses. C'est la partie la plus intéressante de l'œuvre de Voltaire, celle où se révèle la vraie physionomie du plus complexe, du plus spirituel, du plus universel des écrivains français.

LE BORGNE [1]

Du temps du roi Moabdar il y avait à Babylone un jeune homme nommé Zadig, né avec un beau naturel fortifié par l'éducation. Quoique riche et jeune, il savait modérer ses passions; il n'affectait rien [2]; il ne voulait point toujours avoir raison, et savait respecter la faiblesse des hommes. On était étonné de voir qu'avec beaucoup d'esprit il n'insultât jamais par des railleries 5 à ces propos [3] si vagues, si rompus,[4] si tumultueux, à ces médisances [5] téméraires, à ces décisions ignorantes, à ces turlupinades [6] grossières, à ce vain bruit de paroles, qu'on appelait *conversation* dans Babylone. Il avait appris, dans le premier livre de Zoroastre,[7] que l'amour-propre [8] est un ballon gonflé de vent, dont il sort des tempêtes quand on lui a fait une piqûre.[9] Zadig 10 surtout ne se vantait pas de mépriser les femmes et de les subjuguer. Il était généreux; il ne craignait point d'obliger des ingrats, suivant ce grand précepte de Zoroastre: *Quand tu manges, donne à manger aux chiens, dussent-*

---

1. personne qui ne voit que d'un œil. **2.** il n'affectait . . .: il était sincère. **3.** paroles. **4.** *discontinuous, without logical sequence.* **5.** *backbitings.* **6.** *poor jokes.* **7.** fondateur de la religion des mages (prêtres des Mèdes et des Perses), à qui on attribue le Zend (livre sacré des Perses). « Les citations de Zoroastre qu'on trouve dans ce livre, — sauf « quand tu manges, etc. » (l. 13) — semblent être des inventions de Voltaire lui-même » (Ascoli). **8.** vanité. **9.** *puncture.*

ils [1] *te mordre.* Il était aussi sage qu'on peut l'être; car il cherchait à vivre avec des sages. Instruit dans les sciences des anciens Chaldéens,[2] il n'ignorait pas les principes physiques de la nature, tels qu'on les connaissait alors, et savait de la métaphysique ce qu'on en a su dans tous les âges, c'est-à-dire fort peu de chose. Il était fermement persuadé que l'année était de trois 5 cent soixante et cinq jours et un quart, malgré la nouvelle philosophie de son temps; et que le soleil était au centre du monde [3]; et, quand les principaux mages lui disaient, avec une hauteur insultante, qu'il avait de mauvais sentiments, et que c'était être un ennemi de l'État que de croire que le soleil tournait sur lui-même, et que l'année avait douze mois, il se taisait sans 10 colère et sans dédain.

Zadig, avec de grandes richesses, et par conséquent avec des amis, ayant de la santé, une figure aimable, un esprit juste [4] et modéré, un cœur sincère et noble, crut qu'il pouvait être heureux. Il devait se marier à Sémire, que sa beauté, sa naissance et sa fortune rendaient le premier parti de Babylone. 15 Il avait pour elle un attachement solide et vertueux, et Sémire l'aimait avec passion. Ils touchaient au moment fortuné qui allait les unir, lorsque, se promenant ensemble vers une porte de Babylone, sous les palmiers qui ornaient le rivage de l'Euphrate, ils virent venir à eux des hommes armés de sabres et de flèches.[5] C'étaient les satellites [6] du jeune Orcan, neveu 20 d'un ministre, à qui les courtisans de son oncle avaient fait accroire que tout lui était permis. Il n'avait aucune des grâces ni des vertus de Zadig; mais, croyant valoir beaucoup mieux, il était désespéré de n'être pas préféré. Cette jalousie, qui ne venait que de sa vanité, lui fit penser qu'il aimait éperdument [7] Sémire. Les ravisseurs [8] la saisirent; et dans les emporte- 25 ments [9] de leur violence ils la blessèrent, et firent couler le sang d'une personne dont la vue aurait attendri les tigres du mont Imaüs.[10] Elle perçait le ciel de ses plaintes. Elle s'écriait: Mon cher époux! on m'arrache à ce que j'adore. Elle n'était point occupée de son danger; elle ne pensait qu'à son cher Zadig. Celui-ci, dans le même temps, la défendait avec toute la force que donnent la 30 valeur et l'amour. Aidé seulement de deux esclaves, il mit les ravisseurs en fuite, et ramena chez elle Sémire, évanouie [11] et sanglante, qui en ouvrant les yeux vit son libérateur. Elle lui dit: O Zadig! je vous aimais comme mon époux, je vous aime comme celui à qui je dois l'honneur et la vie. Jamais il n'y eut un cœur plus pénétré [12] que celui de Sémire; jamais bouche plus 35 ravissante n'exprima des sentiments plus touchants par ces paroles de feu qu'inspirent le sentiment du plus grand des bienfaits et le transport le plus tendre de l'amour le plus légitime. Sa blessure était légère; elle guérit [13] bientôt. Zadig était blessé plus dangereusement; un coup de flèche reçu

---

1. *even if (later on) they should.*   2. Peuple qui habitait le pays entre le Tigre et l'Euphrate et dont la civilisation remonte à 3000 ans avant notre ère.   3. *ici:* univers. 4. esprit juste: qui raisonne bien.   5. *arrows.*   6. *armed retainers.*   7. intensément. 8. *kidnappers.*   9. *excitement.*   10. Himalaya.   11. *in a faint.*   12. sincère. 13. *cured.*

près de l'œil lui avait fait une plaie [1] profonde. Sémire ne demandait aux dieux que la guérison de son amant. Ses yeux étaient nuit et jour baignés de larmes: elle attendait le moment où ceux de Zadig pourraient jouir de ses regards; mais un abcès survenu à l'œil blessé fit tout craindre. On envoya jusqu'à Memphis [2] chercher le grand médecin Hermès,[3] qui vint avec un 5 nombreux cortège. Il visita le malade, et déclara qu'il perdrait l'œil; il prédit même le jour et l'heure où ce funeste [4] accident devait arriver. Si c'eût été l'œil droit, dit-il, je l'aurais guéri; mais les plaies de l'œil gauche sont incurables. Tout Babylone, en plaignant [5] la destinée de Zadig, admira la profondeur de la science d'Hermès. Deux jours après l'abcès perça de 10 lui-même; Zadig fut guéri parfaitement. Hermès écrivit un livre où il lui prouva qu'il n'avait pas dû guérir.[6] Zadig ne le lut point; mais, dès qu'il put sortir, il se prépara à rendre visite à celle qui faisait l'espérance du bon-heur de sa vie, et pour qui seule il voulait avoir des yeux. Sémire était à la campagne depuis trois jours. Il apprit en chemin que cette belle dame, 15 ayant déclaré hautement [7] qu'elle avait une aversion insurmontable pour les borgnes, venait de se marier à Orcan la nuit même. A cette nouvelle il tomba sans connaissance; sa douleur le mit au bord du tombeau; il fut longtemps malade; mais enfin la raison l'emporta sur [8] son affliction, et l'atrocité de ce qu'il éprouvait [9] servit même à le consoler. 20

Puisque j'ai essuyé,[10] dit-il, un si cruel caprice d'une fille élevée à la cour, il faut que j'épouse une citoyenne.[11] Il choisit Azora, la plus sage et la mieux née de la ville; il l'épousa, et vécut un mois avec elle dans les douceurs de l'union la plus tendre. Seulement il remarquait en elle un peu de légèreté,[12] et beaucoup de penchant [13] à trouver toujours que les jeunes gens les mieux 25 faits étaient ceux qui avaient le plus d'esprit et de vertu.

LE NEZ

Un jour Azora revint d'une promenade, tout en colère, et faisant de grandes exclamations. Qu'avez-vous, lui dit-il, ma chère épouse? qui vous peut mettre ainsi hors de vous-même? Hélas! dit-elle, vous seriez indigné comme moi, si vous aviez vu le spectacle dont je viens d'être témoin. J'ai été con- 30 soler la jeune veuve [14] Cosrou, qui vient d'élever, depuis deux jours, un tom-beau à son jeune époux auprès du ruisseau [15] qui borde cette prairie.[16] Elle a promis aux dieux, dans sa douleur, de demeurer auprès de ce tombeau tant que l'eau de ce ruisseau coulerait auprès. Eh bien! dit Zadig, voilà une femme estimable qui aimait véritablement son mari! Ah! reprit Azora, 35

---

1. *wound.* 2. capitale de l'ancienne Égypte. 3. Hermès (Trimégiste = Trois fois maître). "Dans la Perse moderne on le considère encore comme l'un des grands maîtres de la médecine" (Ascoli). 4. malheureux. 5. ayant pitié. 6. n'avait = aurait..., *should not have cured.* 7. *most emphatically.* 8. l'emporta sur...: triompha de. 9. *expe-rienced.* 10. souffert. 11. *ici:* bourgeoise. 12. manque de sérieux. 13. inclination, tendance. 14. *widow.* 15. *brook.* 16. *meadow.*

si vous saviez à quoi elle s'occupait quand je lui ai rendu visite! A quoi donc, belle Azora? Elle faisait détourner le ruisseau. Azora se répandit [1] en des invectives si longues, éclata en reproches si violents contre la jeune veuve, que ce faste [2] de vertu ne plut pas à Zadig.

Il avait un ami, nommé Cador, qui était un de ces jeunes gens à qui sa 5 femme trouvait plus de probité et de mérite qu'aux autres: il le mit dans sa confidence, et s'assura, autant qu'il le pouvait, de sa fidélité par un présent considérable. Azora, ayant passé deux jours chez une de ses amies à la campagne, revint le troisième jour à la maison. Des domestiques en pleurs lui annoncèrent que son mari était mort subitement, la nuit même, qu'on 10 n'avait pas osé lui porter cette funeste nouvelle, et qu'on venait d'ensevelir [3] Zadig dans le tombeau de ses pères, au bout du jardin. Elle pleura, s'arracha les cheveux, et jura [4] de mourir. Le soir, Cador lui demanda la permission de lui parler, et ils pleurèrent tous deux. Le lendemain, ils pleurèrent moins, et dînèrent ensemble. Cador lui confia [5] que son ami lui avait laissé la plus 15 grande partie de son bien, et lui fit entendre qu'il mettrait son bonheur à partager sa fortune avec elle. La dame pleura, se fâcha, s'adoucit; le souper fut plus long que le dîner; on se parla avec plus de confiance. Azora fit l'éloge du défunt; mais elle avoua qu'il avait des défauts dont Cador était exempt. 20

Au milieu du souper, Cador se plaignit d'un mal de rate [6] violent; la dame, inquiète et empressée,[7] fit apporter toutes les essences dont elle se parfumait, pour essayer s'il n'y en avait pas quelqu'une qui fût bonne pour le mal de rate; elle regretta beaucoup que le grand Hermès ne fût pas encore à Babylone; elle daigna même toucher le côté où Cador sentait de si vives [8] douleurs. 25 Êtes-vous sujet à cette cruelle maladie? lui dit-elle avec compassion. Elle me met quelquefois au bord du tombeau, lui répondit Cador, et il n'y a qu'un seul remède qui puisse me soulager [9]: c'est de m'appliquer sur le côté le nez d'un homme qui soit mort la veille. Voilà un étrange remède, dit Azora. Pas plus étrange, répondit-il, que les sachets du sieur Arnoult [10] contre l'apo- 30 plexie. Cette raison, jointe à l'extrême mérite du jeune homme, détermina enfin la dame. Après tout, dit-elle, quand mon mari passera du monde d'hier dans le monde du lendemain sur le pont Tchinavar,[11] l'ange Asrael [12] lui accordera-t-il moins le passage parce que son nez sera un peu moins long dans la seconde vie que dans la première? Elle prit donc un rasoir; elle 35 alla au tombeau de son époux, l'arrosa [13] de ses larmes, et s'approcha pour couper le nez à Zadig, qu'elle trouva tout étendu dans la tombe. Zadig se relève en tenant son nez d'une main, et arrêtant le rasoir de l'autre. Madame,

---

1. *burst into.* **2.** ostentation. **3.** *lay out (in a tomb).* **4.** *vowed.* **5.** dit. **6.** *spleen.*
7. désireuse de se rendre utile. **8.** fortes. **9.** *relieve.* **10.** les sachets . . . : En 1747, un charlatan du nom de Arnould avait obtenu le privilège de vendre un remède secret antiapoplectique. C'était un petit sac qui, porté contre la peau, préservait, disait-il, le porteur des attaques d'apoplexie. **11.** Le pont (*bridge*) que seules des âmes des justes pouvaient franchir (*cross*) après la mort et qui, selon la doctrine musulmane, donnait accès au paradis. **12.** ange de la Mort (chez les Musulmans). **13.** lit. *watered it (with her tears), wept over it.*

lui dit-il, ne criez plus tant contre la jeune Cosrou; le projet de me couper
le nez vaut bien [1] celui de détourner un ruisseau.

LE CHIEN ET LE CHEVAL

Zadig éprouva [2] que le premier mois du mariage, comme il est écrit dans
le livre du Zend, est la lune de miel, et que le second est la lune de l'absinthe.[3]
Il fut quelque temps après obligé de répudier Azora, qui était devenue trop 5
difficile à vivre, et il chercha son bonheur dans l'étude de la nature. Rien
n'est plus heureux, disait-il, qu'un philosophe [4] qui lit dans ce grand livre
que Dieu a mis sous nos yeux. Les vérités qu'il découvre sont à lui: il
nourrit et il élève son âme, il vit tranquille; il ne craint rien des hommes,
et sa tendre épouse ne vient point lui couper le nez. 10

Plein de ces idées, il se retira dans une maison de campagne sur les bords
de l'Euphrate. Là il ne s'occupait pas à calculer combien de pouces [5] d'eau
coulaient en une seconde sous les arches d'un pont, ou s'il tombait une ligne [6]
cube de pluie dans le mois de la souris plus que dans le mois du mouton.[7]
Il n'imaginait point de faire de la soie avec des toiles d'araignée,[8] ni de la 15
porcelaine avec des bouteilles cassées [9]; mais il étudia surtout les propriétés
des animaux et des plantes, et il acquit bientôt une sagacité qui lui découvrait mille différences où les autres hommes ne voient rien que d'uniforme.

Un jour, se promenant auprès d'un petit bois, il vit accourir à lui un
eunuque de la reine, suivi de plusieurs officiers qui paraissaient dans la plus 20
grande inquiétude, et qui couraient çà et là comme des hommes égarés [10]
qui cherchent ce qu'ils ont perdu de plus précieux. Jeune homme, lui dit le
premier eunuque, n'avez-vous point vu le chien de la reine? Zadig répondit
modestement: C'est une chienne, et non pas un chien. Vous avez raison,
reprit le premier eunuque. C'est une épagneule [11] très petite, ajouta Zadig; 25
elle a fait depuis peu [12] des chiens; elle boite [13] du pied gauche de devant, et
elle a les oreilles très longues. Vous l'avez donc vue? dit le premier eunuque
tout essoufflé.[14] Non, répondit Zadig, je ne l'ai jamais vue, et je n'ai jamais
su si la reine avait une chienne.

Précisément dans le même temps, par une bizarrerie ordinaire de la for- 30
tune,[15] le plus beau cheval de l'écurie du roi s'était échappé des mains d'un
palefrenier [16] dans les plaines de Babylone. Le grand veneur [17] et tous les

---

1. vaut bien: *is surely on a par with.* 2. fit l'expérience, apprit. 3. plante aroma-
tique et amère (*bitter*). 4. Au XVIIIᵉ siècle, le mot *philosophe* correspond à peu près à
savant, naturaliste, homme de science. 5. *inches.* 6. ligne, mesure de longueur = un
douzième de pouce. 7. souris, mouton, et p. 279, l. 37, crocodile: Les Chinois désignaient
les heures de leur jour par des noms d'animaux: souris, bœuf, léopard, crocodile, etc.
Voltaire applique ces noms aux mois. 8. toiles d'araignées: *cobwebs.* 9. Ascoli note que
dans tout ce passage Voltaire raille les mémoires (*reports*) présentés par des savants contemporains: celui de Pitot *sur la vitesse de l'eau sous la cinquième arche du Pont-Neuf,*
les statistiques météorologiques faites à l'Observatoire, la *dissertation sur l'Araignée,* (1710)
de Bon de Sainte-Hilaire, l'*utilisation du verre dans la fabrication de la porcelaine,* de Réaumur
(1740). 10. *distracted.* 11. *spaniel.* 12. depuis peu: récemment. 13. *limps.* 14. *out
of breath.* 15. hasard. 16. *groom.* 17. *master of the hounds.*

autres officiers couraient après lui avec autant d'inquiétude que le premier
eunuque après la chienne. Le grand veneur s'adressa à Zadig, et lui demanda
s'il n'avait point vu passer le cheval du roi. C'est, répondit Zadig, le cheval
qui galope le mieux; il a cinq pieds de haut, le sabot [1] fort petit; il porte
une queue de trois pieds et demi de long; les bossettes [2] de son mors sont 5
d'or à vingt-trois carats; ses fers sont d'argent à onze deniers.[3] Quel chemin
a-t-il pris? où est-il? demanda le grand veneur. Je ne l'ai point vu, répondit
Zadig, et je n'en ai jamais entendu parler.

Le grand veneur et le premier eunuque ne doutèrent pas que Zadig n'eût
volé le cheval du roi et la chienne de la reine: ils le firent conduire devant 10
l'assemblée du grand Desterham,[4] qui le condamna au knout,[5] et à passer
le reste de ses jours en Sibérie.[5] A peine le jugement fut-il rendu, qu'on
retrouva le cheval et la chienne. Les juges furent dans la douloureuse
nécessité de réformer leur arrêt [6]; mais ils condamnèrent Zadig à payer
quatre cents onces d'or, pour avoir dit qu'il n'avait point vu ce qu'il avait 15
vu. Il fallut d'abord payer cette amende [7]; après quoi il fut permis à Zadig
de plaider sa cause au conseil du grand Desterham; il parla en ces termes:

« Étoiles de justice, abîmes de sciences [8]; miroirs de vérité, qui avez la
pesanteur du plomb, la dureté du fer, l'éclat du diamant, et beaucoup d'affinité [9] avec l'or, puisqu'il m'est permis de parler devant cette auguste assem- 20
blée, je vous jure par Orosmade [10] que je n'ai jamais vu la chienne respectable
de la reine, ni le cheval sacré du roi des rois. Voici ce qui m'est arrivé: Je
me promenais vers le petit bois où j'ai rencontré depuis le vénérable eunuque
et le très illustre grand veneur. J'ai vu sur le sable les traces d'un animal,
et j'ai jugé aisément que c'étaient celles d'un petit chien. Des sillons [11] légers 25
et longs imprimés sur de petites éminences de sable entre les traces des pattes,
m'ont fait connaître que c'était une chienne dont les mamelles [12] étaient pendantes, et qu'ainsi elle avait fait des petits il y a peu de jours. D'autres
traces en un sens différent, qui paraissaient toujours avoir rasé [13] la surface
du sable à côté des pattes de devant, m'ont appris qu'elle avait les oreilles 30
très longues; et comme j'ai remarqué que le sable était toujours moins creusé
par une patte que les trois autres, j'ai compris que la chienne de notre auguste
reine était un peu boiteuse, si je l'ose dire.[14]

« A l'égard du cheval du roi des rois, vous saurez que, me promenant dans
les routes de ce bois, j'ai aperçu les marques des fers [15] d'un cheval; elles étaient 35
toutes à égales distances. Voilà, ai-je dit, un cheval qui a un galop parfait.

---

1. *hoof.* **2.** bossettes . . .: *bosses of his bit.* **3.** à 23 carats, c'est-à-dire à 23 parties d'or
pur sur 24; à 11 deniers, c'est-à-dire à 11 parties d'argent fin sur 12. **4.** le Desterham (ou
Defterdar), contrôleur général des finances. **5.** knout, Sibérie: ce sont les Russes, non les
Perses, qui condamnent au knout (*cat-o'-nine tails*) et à l'exil en Sibérie. Chez les Perses
la bastonnade (non le knout) était communément infligée. **6.** réformer . . .: *rescind their
sentence.* **7.** *fine.* **8.** abîmes . . .: *abysmal depths of knowledge.* **9.** affinité . . .: Zadig
emploie le mot en un double sens: ressemblance et attraction. Le sens est donc: qui brillez
comme l'or et (sous-entendu) qui êtes avides d'or. **10.** le principe (ou dieu) du bien et du
mal. **11.** *lines* (lit., *furrows*). **12.** *teats.* **13.** touché légèrement. **14.** si . . .: *if I may
be so bold as to say so.* **15.** (*horse*)*shoes.*

La poussière des arbres, dans une route étroite qui n'a que sept pieds de large, était un peu enlevée à droite et à gauche, à trois pieds et demi du milieu de la route. Ce cheval, ai-je dit, a une queue de trois pieds et demi, qui, par ses mouvements de droite et de gauche, a balayé cette poussière. J'ai vu sous les arbres, qui formaient un berceau [1] de cinq pieds de haut, les 5 feuilles des branches nouvellement tombées; et j'ai connu que ce cheval y avait touché, et qu'ainsi il avait cinq pieds de haut. Quant à son mors, il doit être d'or à vingt-trois carats; car il en a frotté les bossettes contre une pierre que j'ai reconnue être une pierre de touche,[2] et dont j'ai fait l'essai. J'ai jugé enfin, par les marques que ses fers ont laissées sur des cailloux [3] 10 d'une autre espèce, qu'il était ferré d'argent à onze deniers de fin. »

Tous les juges admirèrent le profond et subtil discernement de Zadig; la nouvelle en vint jusqu'au roi et à la reine. On ne parlait que de Zadig dans les antichambres, dans la chambre et dans le cabinet, et quoique plusieurs mages opinassent [4] qu'on devait le brûler comme sorcier, le roi ordonna qu'on 15 lui rendît l'amende des quatre cents onces d'or à laquelle il avait été condamné. Le greffier,[5] les huissiers,[6] les procureurs [7] vinrent chez lui en grand appareil lui rapporter ces quatre cents onces; ils en retinrent seulement trois cent quatre-vingt-dix-huit pour les frais [8] de justice, et leurs valets demandèrent des honoraires.[9] 20

Zadig vit combien il était dangereux quelquefois d'être trop savant, et se promit bien, à la première occasion, de ne point dire ce qu'il avait vu.

Cette occasion se trouva bientôt. Un prisonnier d'État s'échappa; il passa sous les fenêtres de sa maison. On interrogea Zadig, il ne répondit rien; mais on lui prouva qu'il avait regardé par la fenêtre. Il fut condamné 25 pour ce crime à cinq cents onces d'or, et il remercia ses juges de leur indulgence,[10] selon la coutume de Babylone.

Grand Dieu! dit-il en lui-même, qu'on est à plaindre quand on se promène dans un bois où la chienne de la reine et le cheval du roi ont passé! qu'il est dangereux de se mettre à la fenêtre! et qu'il est difficile d'être heureux 30 dans cette vie!

L'ENVIEUX

Zadig voulut se consoler, par la philosophie et par l'amitié, des maux que lui avait faits la fortune. Il avait dans un faubourg [11] de Babylone une maison ornée avec goût, où il rassemblait tous les arts et tous les plaisirs dignes d'un honnête homme.[12] Le matin sa bibliothèque était ouverte à 35 tous les savants; le soir, sa table l'était à la bonne compagnie; mais il connut bientôt combien les savants sont dangereux; il s'éleva une grande dispute sur une loi de Zoroastre, qui défendait de manger du griffon.[13] Comment

---

1. *arbor.* **2.** pierre...: *touchstone (a stone used in assaying precious metals).* **3.** *stones.* **4.** exprimassent l'opinion. **5.** secrétaire du tribunal. **6.** *process servers.* **7.** *counsel, public attorney.* **8.** *costs.* **9.** *gratuities.* **10.** modération. **11.** *suburb.* **12.** homme cultivé. **13.** animal fabuleux ayant le corps d'un lion, la tête et les ailes d'un aigle, etc.

défendre [1] le griffon, disaient les uns, si cet animal n'existe pas? Il faut bien qu'il existe, disaient les autres, puisque Zoroastre ne veut pas qu'on en mange. Zadig voulut les accorder en leur disant: S'il y a des griffons, n'en mangeons point; s'il n'y en a point, nous en mangerons encore moins; et par là nous obéirons tous à Zoroastre. 5

Un savant qui avait composé treize volumes sur les propriétés du griffon, et qui de plus était grand théurgite,[2] se hâta d'aller accuser Zadig devant un archimage nommé Yébor, le plus sot [3] des Chaldéens, et partant [4] le plus fanatique. Cet homme aurait fait empaler Zadig pour la plus grande gloire du soleil, et en aurait récité le bréviaire de Zoroastre d'un ton plus satisfait. 10 L'ami Cador (un ami vaut mieux que cent prêtres) alla trouver le vieux Yébor, et lui dit:

Vivent le soleil et les griffons! gardez-vous bien de punir Zadig: c'est un saint; il a des griffons dans sa basse-cour,[5] et il n'en mange point; et son accusateur est un hérétique qui ose soutenir que les lapins ont le pied fendu,[6] 15 et ne sont point immondes.[7] Eh bien! dit Yébor en branlant [8] sa tête chauve: il faut empaler Zadig pour avoir mal pensé des griffons, et l'autre pour avoir mal parlé des lapins. Cador apaisa l'affaire par le moyen d'un beau cadeau. Personne ne fut empalé, de quoi plusieurs docteurs murmurèrent, et en présagèrent la décadence de Babylone. Zadig s'écria: A quoi 20 tient [9] le bonheur! tout me persécute dans ce monde, jusqu'aux êtres qui n'existent pas. Il maudit les savants, et ne voulut plus vivre qu'en bonne compagnie.

Il rassemblait chez lui les plus honnêtes gens de Babylone, et les dames les plus aimables: il donnait des soupers délicats, souvent précédés de con- 25 certs, et animés par des conversations charmantes dont il avait su bannir l'empressement [10] de montrer de l'esprit, qui est la plus sûre manière de n'en point avoir et de gâter [11] la société la plus brillante. Ni le choix de ses amis, ni celui des mets,[12] n'étaient faits par la vanité; car en tout il préférait l'être au paraître, et par là il s'attirait la considération [13] véritable à laquelle il ne 30 prétendait [14] pas.

Vis-à-vis [15] sa maison demeurait Arimaze, personnage dont la méchante âme était peinte sur sa grossière physionomie. Il était rongé [16] de fiel et bouffi d'orgueil,[17] et pour comble,[18] c'était un bel esprit, ennuyeux.[19] N'ayant jamais pu réussir dans le monde, il se vengeait par en médire.[20] Tout riche qu'il 35 était, il avait de la peine à rassembler chez lui les flatteurs. Le bruit des chars [21] qui entraient le soir chez Zadig l'importunait, le bruit de ses louanges [22] l'irritait davantage. Il allait quelquefois chez Zadig, et se mettait à table sans être prié: il y corrompait toute la joie de la société, comme on dit que

---

1. prohiber. **2.** magicien. **3.** stupide. **4.** par conséquent. **5.** *chicken run.* **6.** *cloven.* **7.** impurs. **8.** *shaking.* **9.** De quoi dépend. **10.** *eagerness.* **11.** *spoil.* **12.** choses à manger. **13.** *high esteem.* **14.** *claim (as due).* **15.** en face de. **16.** rongé...: *consumed with bitterness* (fiel = bile). **17.** bouffi...: *puffed up with conceit.* **18.** pour...: *to crown it all.* **19.** bel...: *boresome wit.* **20.** dire du mal. **21.** voitures. **22.** *fame of his merit.*

les harpies [1] infectent les viandes qu'elles touchent. Il lui arriva un jour
de vouloir donner une fête à une dame qui, au lieu de la recevoir, alla souper
chez Zadig. Un autre jour, causant avec lui dans le palais, ils abordèrent [2]
un ministre qui pria Zadig à souper, et ne pria point Arimaze. Les plus
implacables haines n'ont pas souvent des fondements plus importants. Cet [5]
homme, qu'on appelait l'*Envieux* dans Babylone, voulut perdre [3] Zadig, parce
qu'on l'appelait l'*Heureux.* L'occasion de faire mal se trouve cent fois par
jour, et celle de faire du bien, une fois dans l'année, comme dit Zoroastre.

L'Envieux alla chez Zadig, qui se promenait dans ses jardins avec deux
amis et une dame à laquelle il disait souvent des choses galantes, sans autre [10]
intention que celle de les dire. La conversation roulait sur une guerre que
le roi venait de terminer heureusement contre le prince d'Hircanie,[4] son vassal.
Zadig, qui avait signalé son courage [5] dans cette courte guerre, louait beaucoup le roi et encore plus la dame. Il prit ses tablettes [6] et écrivit quatre
vers qu'il fit sur-le-champ,[7] et qu'il donna à lire à cette belle personne. Ses [15]
amis le prièrent de leur en faire part [8]: la modestie, ou plutôt un amour-
propre bien entendu [9] l'en empêcha. Il savait que des vers impromptus ne
sont jamais bons que pour celle en l'honneur de qui ils sont faits: il brisa
en deux la feuille des tablettes sur laquelle il venait d'écrire, et jeta les deux
moitiés dans un buisson [10] de roses, où on les chercha inutilement. Une petite [20]
pluie survint [11]; on regagna [12] la maison. L'Envieux, qui resta dans le jardin,
chercha tant, qu'il trouva un morceau de la feuille. Elle avait été tellement [13]
rompue, que chaque moitié de vers qui remplissait la ligne faisait un sens,
et même un vers d'une plus petite mesure; mais, par un hasard encore plus
étrange, ces petits vers se trouvaient former un sens qui contenait les injures [14] [25]
les plus horribles contre le roi; on y lisait:

Par les plus grands forfaits [15]
Sur le trône affermi,[16]
Dans la publique paix
C'est le seul ennemi. [30]

L'Envieux fut heureux pour la première fois de sa vie. Il avait entre
les mains de quoi perdre un homme vertueux et aimable. Plein de cette
cruelle joie, il fit parvenir [17] jusqu'au roi cette satire écrite de la main de Zadig:
on le fit mettre en prison, lui, ses deux amis et la dame. Son procès [18] lui fut
bientôt fait, sans qu'on daignât l'entendre. Lorsqu'il vint recevoir sa sen- [35]
tence, l'Envieux se trouva sur son passage, et lui dit tout haut que ses vers
ne valaient rien. Zadig ne se piquait [19] pas d'être bon poète; mais il était

---

1. oiseaux à tête de femme qui volaient ou corrompaient la nourriture des hommes.
2. accostèrent. **3.** *ruin.* **4.** province sur les bords de la mer Caspienne dont les habitants
avaient la réputation d'être fort belliqueux. **5.** *pointed out, lauded his (the king's) courage.*
6. *tablets (leaflets of wood or ivory covered with wax used for taking short notes).* **7.** sur . . .:
there and then. **8.** en . . .: les montrer. **9.** *intelligent self-respect.* **10.** *bush.* **11.** arriva.
12. rentra dans. **13.** de telle façon. **14.** insultes. **15.** crimes. **16.** *firmly established.*
17. fit . . .: (lit., *caused to reach) sent.* **18.** jugement. **19.** n'avait pas la prétention.

au désespoir d'être condamné comme criminel de lèse-majesté, et de voir
qu'on retînt en prison une belle dame et deux amis pour un crime qu'il n'avait
pas fait. On ne lui permit pas de parler, parce que ses tablettes parlaient.
Telle était la loi de Babylone. On le fit donc aller au supplice [1] à travers
une foule de curieux dont aucun n'osait le plaindre, et qui se précipitaient 5
pour examiner son visage, et pour voir s'il mourrait avec bonne grâce.[2] Ses
parents seulement étaient affligés, car ils n'héritaient pas. Les trois quarts
de son bien [3] étaient confisqués au profit du roi, et l'autre quart au profit
de l'Envieux.

Dans le temps qu'il se préparait à la mort, le perroquet [4] du roi s'envola 10
de son balcon, et s'abattit [5] dans le jardin de Zadig sur un buisson de roses.
Une pêche y avait été portée d'un arbre voisin par le vent; elle était tombée
sur un morceau de tablettes à écrire auquel elle s'était collée.[6] L'oiseau
enleva la pêche et la tablette, et les porta sur les genoux du monarque. Le
prince curieux y lut des mots qui ne formaient aucun sens, et qui paraissaient 15
des fins de vers. Il aimait la poésie, et il y a toujours de la ressource [7] avec
les princes qui aiment les vers: l'aventure de son perroquet le fit rêver. La
reine, qui se souvenait de ce qui avait été écrit sur une pièce de la tablette
de Zadig, se la fit apporter.

On confronta les deux morceaux, qui s'ajustaient ensemble parfaitement; 20
on lut alors les vers tels que Zadig les avait faits:

> Par les plus grands forfaits j'ai vu troubler la terre.
> Sur le trône affermi, le roi sait tout dompter.[8]
> Dans la publique paix l'amour seul fait la guerre:
> C'est le seul ennemi qui soit à redouter.   25

Le roi ordonna aussitôt qu'on fît venir Zadig devant lui, et qu'on fît sortir
de prison ses deux amis et la belle dame. Zadig se jeta le visage contre terre,
aux pieds du roi et de la reine: il leur demanda très humblement pardon
d'avoir fait de mauvais vers: il parla avec tant de grâce, d'esprit et de
raison, que le roi et la reine voulurent le revoir. Il revint, et plut encore 30
davantage. On lui donna tous les biens de l'Envieux, qui l'avait injustement
accusé: mais Zadig les rendit tous; et l'Envieux ne fut touché que du plaisir
de ne pas perdre son bien. L'estime du roi s'accrut [9] de jour en jour pour
Zadig. Il le mettait de tous ses plaisirs, le consultait dans toutes ses affaires.
La reine le regarda dès lors avec une complaisance qui pouvait devenir dan- 35
gereuse pour elle, pour le roi son auguste époux, pour Zadig, et pour le
royaume. Zadig commençait à croire qu'il n'est pas si difficile d'être heureux.
. . . mais il se trompait.[10]

---

1. la mort.   **2.** avec . . .: courageusement, sans faiblir.   **3.** fortune.   **4.** *parrot.*
5. *alighted.*   **6.** *stuck.*   **7.** il y a . . .: *things are never hopeless.*   **8.** *bring under control,*
master.   **9.** grandit, augmenta.   **10.** *was mistaken.*

LE MINISTRE

Le roi avait perdu son premier[1] ministre. Il choisit Zadig pour remplir cette place. Toutes les belles dames de Babylone applaudirent à ce choix, car depuis la fondation de l'empire il n'y avait jamais eu de ministre si jeune. Tous les courtisans furent fâchés[2]; l'Envieux en eut un crachement[3] de sang, et le nez lui enfla[4] prodigieusement. Zadig, ayant remercié le roi et la reine, alla remercier aussi le perroquet. Bel oiseau, lui dit-il, c'est vous qui m'avez sauvé la vie, et qui m'avez fait premier ministre: la chienne et le cheval de leurs majestés m'avaient fait beaucoup de mal, mais vous m'avez fait du bien. Voilà donc de quoi dépendent les destins des hommes! Mais, ajouta-t-il, un bonheur si étrange sera peut-être bientôt évanoui.[5] Le perroquet répondit: Oui. Ce mot frappa Zadig. Cependant, comme il était bon physicien,[6] et qu'il ne croyait pas que les perroquets fussent prophètes, il se rassura bientôt; il se mit à exercer son ministère de son mieux.

Il fit sentir à tout le monde le pouvoir sacré des lois, et ne fit sentir à personne le poids[7] de sa dignité. Il ne gêna point les voix[8] du divan,[9] et chaque vizir[10] pouvait avoir un avis[11] sans lui déplaire. Quand il jugeait une affaire, ce n'était pas lui qui jugeait, c'était la loi; mais, quand elle était trop sévère, il la tempérait[12]; et, quand on manquait de lois, son équité[13] en faisait qu'on aurait prises pour celles de Zoroastre.

C'est de lui que les nations tiennent ce grand principe: Qu'il vaut mieux hasarder[14] de sauver un coupable que de condamner un innocent. Il croyait que les lois étaient faites pour secourir les citoyens autant que pour les intimider. Son principal talent était de démêler[15] la vérité, que tous les hommes cherchent à obscurcir. Dès les premiers jours de son administration il mit ce grand talent en usage. Un fameux négociant[16] de Babylone était mort aux Indes; il avait fait ses héritiers[17] ses deux fils par portions égales, après avoir marié leur sœur, et il laissait un présent de trente mille pièces d'or à celui de ses deux fils qui serait jugé l'aimer davantage. L'aîné[18] lui bâtit un tombeau, le second augmenta d'une partie de son héritage la dot[19] de sa sœur; chacun disait: C'est l'aîné qui aime le mieux son père, le cadet[20] aime mieux sa sœur; c'est à l'aîné qu'appartiennent les trente mille pièces.

Zadig les fit venir tous deux l'un après l'autre. Il dit à l'aîné: Votre père n'est point mort; il est guéri de sa dernière maladie, il revient à Babylone. Dieu soit loué,[21] répondit le jeune homme; mais voilà un tombeau qui m'a coûté bien cher! Zadig dit ensuite la même chose au cadet. Dieu soit loué! répondit-il, je vais rendre à mon père tout ce que j'ai, mais je voudrais qu'il

---

1. *prime.*   **2.** mécontents.   **3.** *spitting.*   **4.** *swelled.*   **5.** *faded away, disappeared.*
6. *physicist.*   **7.** *weight.*   **8.** ne gêna pas . . .: *did not interfere with the expressed opinions.*
9. Conseil de cabinet du Sultan.   **10.** ministre.   **11.** opinion.   **12.** rendait moins sévère.
13. *sense of justice.*   **14.** risquer.   **15.** (lit., *unravel*) *separate* (*truth from falsehood*).
16. commerçant, marchand.   **17.** *heirs.*   **18.** le plus âgé.   **19.** *dowry.*   **20.** le plus jeune.
21. Dieu . . .: *God be praised.*

laissât à ma sœur ce que je lui ai donné. Vous ne rendrez rien, dit Zadig, et vous aurez les trente mille pièces; c'est vous qui aimez le mieux votre père. . . .

Il venait tous les jours des plaintes[1] à la cour contre l'itimadoulet[2] de Médie,[3] nommé *Irax*. C'était un grand seigneur dont le fonds n'était pas 5 mauvais,[4] mais qui était corrompu par la vanité et par la volupté. Il souffrait rarement qu'on lui parlât, et jamais qu'on l'osât contredire. Les paons[5] ne sont pas plus vains, les colombes[6] ne sont pas plus voluptueuses, les tortues[7] ont moins de paresse; il ne respirait que la fausse gloire et les faux plaisirs: Zadig entreprit de le corriger.   10

Il lui envoya de la part du roi un maître de musique avec douze voix[8] et vingt-quatre violons, un maître d'hôtel[9] avec six cuisiniers, et quatre chambellans, qui ne devaient pas le quitter. L'ordre du roi portait[10] que l'étiquette suivante serait inviolablement observée; et voici comme les choses se passèrent.   15

Le premier jour, dès que le voluptueux Irax fut éveillé, le maître de musique entra, suivi des voix et des violons: on chanta une cantate qui dura deux heures, et, de trois minutes en trois minutes, le refrain était:

> Que son mérite est extrême!
> Que de grâces! que de grandeur!   20
> Ah! combien monseigneur
> Doit être content de lui-même!

Après l'exécution de la cantate, un chambellan lui fit une harangue de trois quarts d'heure, dans laquelle on le louait expressément de toutes les bonnes qualités qui lui manquaient. La harangue finie, on le conduisit à 25 table au son des instruments. Le dîner dura trois heures; dès qu'il ouvrit la bouche pour parler, le premier chambellan dit: Il aura raison. A peine eut-il prononcé quatre paroles que le second chambellan s'écria: Il a raison. Les deux autres chambellans firent de grands éclats de rire des bons mots[11] qu'Irax avait dits ou qu'il avait dû dire.[12] Après dîner on lui répéta la cantate. 30

Cette première journée lui parut délicieuse, il crut que le roi des rois l'honorait selon ses mérites; la seconde lui parut moins agréable; la troisième fut gênante[13]; la quatrième fut insupportable; la cinquième fut un supplice,[14] enfin, outré[15] d'entendre toujours chanter: Ah! combien monseigneur doit être content de lui-même! d'entendre toujours dire qu'il avait raison, et 35 d'être harangué chaque jour à la même heure, il écrivit en cour[16] pour supplier le roi qu'il daignât rappeler ses chambellans, ses musiciens, son maître d'hôtel: il promit d'être désormais[17] moins vain et plus appliqué[18]; il se fit

1. *complaints.*   2. Titre du grand vizir ‹Appui de la puissance.›   3. Royaume formant partie de l'empire perse.   4. dont . . .: d'un naturel assez bon.   5. *peacocks.*   6. *doves.* 7. *tortoises.*   8. *singers.*   9. *steward.*   10. prescrivait.   11. *witticisms.*   12. = aurait dû, *should have said.*   13. *uncomfortable.*   14. torture.   15. indigné.   16. à la cour, au roi. 17. *henceforth.*   18. plus appliqué au travail, *c'est-à-dire* moins paresseux.

moins encenser,[1] eut moins de fêtes, et fut plus heureux: car, comme dit le Sadder,[2] toujours du plaisir n'est pas du plaisir.

LA JALOUSIE

Le malheur de Zadig vint de son bonheur même, et surtout de son mérite. Il avait tous les jours des entretiens [3] avec le roi et avec Astarté, son auguste épouse. Les charmes de sa conversation redoublaient encore par cette envie [4] de plaire qui est à l'esprit ce que la parure [5] est à la beauté; sa jeunesse et ses grâces firent insensiblement sur Astarté une impression dont elle ne s'aperçut pas d'abord. ... Astarté se livrait [6] sans scrupule et sans crainte au plaisir de voir et d'entendre un homme cher à son époux et à l'État: elle ne cessait de le vanter au roi; elle en parlait à ses femmes, qui enchéris- saient [7] encore sur ses louanges: tout servait à enfoncer [8] dans son cœur le trait [9] qu'elle ne sentait pas. Elle faisait des présents à Zadig, dans les- quels il entrait plus de galanterie qu'elle ne pensait; elle croyait ne lui parler qu'en reine contente de ses services, et quelquefois ses expressions étaient d'une femme sensible.[10]

Astarté était beaucoup plus belle que cette Sémire qui haïssait tant les borgnes, et que cette autre femme qui avait voulu couper le nez à son époux. La familiarité d'Astarté, ses discours tendres, dont elle commençait à rougir, ses regards, qu'elle voulait détourner, et qui se fixaient sur les siens, allu- mèrent [11] dans le cœur de Zadig un feu dont il s'étonna. Il combattit; il appela à son secours la philosophie, qui l'avait toujours secouru: il n'en tira que des lumières,[12] et n'en reçut aucun soulagement.[13]

... Zadig sortait d'auprès d'elle égaré, éperdu,[14] le cœur surchargé d'un fardeau qu'il ne pouvait plus porter: dans la violence de ses agitations, il laissa pénétrer [15] son secret à son ami Cador, comme un homme qui, ayant soutenu longtemps les atteintes [16] d'une vive douleur, fait enfin connaître son mal par un cri qu'un redoublement aigu [17] lui arrache, et par la sueur froide qui coule sur son front.

Cador lui dit: J'ai déjà démêlé les sentiments que vous vouliez vous cacher vous-même; les passions ont des signes auxquels on ne peut se méprendre.[18] Jugez, mon cher Zadig, puisque j'ai lu dans votre cœur, si le roi n'y décou- vrira pas un sentiment qui l'offense. Il n'a d'autre défaut que celui d'être le plus jaloux des hommes. Vous résistez à votre passion avec plus de force que la reine ne combat la sienne, parce que vous êtes philosophe, et parce que vous êtes Zadig. Astarté est femme; elle laisse parler ses regards avec d'autant plus d'imprudence qu'elle ne se croit pas encore coupable. ... Cependant la reine prononçait si souvent le nom de Zadig, son front se

1. flatter. **2.** livre de Zoroastre. **3.** conversations. **4.** désir. **5.** *adornment.* **6.** s'abandonnait. **7.** *added further to.* **8.** *drive.* **9.** *dart.* **10.** *sensitive* (not *sensible*). **11.** *kindled.* **12.** *insight.* **13.** *relief.* **14.** *bewildered.* **15.** laissa ... : *let* (*him*) *under-stand.* **16.** *pangs.* **17.** *sharp.* **18.** *be mistaken.*

couvrait de tant de rougeur en le prononçant, elle était tantôt si animée, tantôt si interdite,[1] quand elle lui parlait en présence du roi; une rêverie si profonde s'emparait d'elle quand il était sorti, que le roi fut troublé. Il crut tout ce qu'il voyait, il imagina tout ce qu'il ne voyait point. Il remarqua surtout que les babouches [2] de sa femme étaient bleues, et que les babouches de Zadig étaient bleues, que les rubans de sa femme étaient jaunes, et que le bonnet de Zadig était jaune: c'étaient là de terribles indices pour un prince délicat. Les soupçons se tournèrent en certitude dans son esprit aigri.[3]

Tous les esclaves des rois et des reines sont autant d'espions [4] de leurs cœurs. On pénétra [5] bientôt qu'Astarté était tendre, et que Moabdar était jaloux. L'Envieux engagea l'Envieuse à envoyer au roi sa jarretière,[6] qui ressemblait à celle de la reine. Pour surcroît de malheur,[7] cette jarretière était bleue. Le monarque ne songea plus qu'à la manière de se venger. Il résolut une nuit d'empoisonner la reine, et de faire mourir Zadig par le cordeau [8] au point du jour. L'ordre en fut donné à un impitoyable [9] eunuque, exécuteur de ses vengeances. Il y avait alors dans la chambre du roi un petit nain [10] qui était muet, mais qui n'était pas sourd. On le souffrait toujours: il était témoin de ce qui se passait de plus secret, comme un animal domestique. Ce petit muet était très attaché à la reine et à Zadig. Il entendit, avec autant de surprise que d'horreur, donner l'ordre de leur mort. Mais comment faire pour prévenir [11] cet ordre effroyable, qui allait s'exécuter dans peu d'heures? Il ne savait pas écrire; mais il avait appris à peindre, et savait surtout faire ressembler. Il passa une partie de la nuit à crayonner [12] ce qu'il voulait faire entendre [13] à la reine. Son dessin représentait le roi agité de fureur, dans un coin du tableau, donnant des ordres à son eunuque; un cordeau bleu et un vase sur une table, avec des jarretières bleues et des rubans jaunes; la reine, dans le milieu du tableau, expirante entre les bras de ses femmes; et Zadig étranglé à ses pieds. L'horizon représentait un soleil levant pour marquer que cette horrible exécution devait se faire aux premiers rayons [14] de l'aurore.[15] Dès qu'il eut fini cet ouvrage, il courut chez une femme d'Astarté, la réveilla, et lui fit entendre qu'il fallait dans l'instant même porter ce tableau à la reine.

Cependant, au milieu de la nuit, on vient frapper à la porte de Zadig; on le réveille; on lui donne un billet de la reine; il doute si c'est un songe: il ouvre la lettre d'une main tremblante. Quelle fut sa surprise, et qui pourrait expliquer la consternation et le désespoir dont il fut accablé quand il lut ces paroles: « Fuyez dans l'instant même, ou l'on va vous arracher la vie! Fuyez, Zadig, je vous l'ordonne au nom de notre amour et de mes rubans jaunes. Je n'étais point coupable; mais je sens que je vais mourir criminelle. »

---

1. troublée. 2. *slippers.* 3. irrité. 4. *spies.* 5. découvrit. 6. *garter.* 7. Pour . . .: *To make things worse.* 8. *silk cord (used in executions by strangling).* 9. *pitiless.* 10. *dwarf.* 11. *forestall.* 12. dessiner au crayon. 13. comprendre. 14. *rays.* 15. *dawn.*

Zadig eut à peine la force de parler. Il ordonna qu'on fît venir Cador; et sans lui rien dire, il lui donna ce billet. Cador le força d'obéir et de prendre sur-le-champ la route de Memphis: Si vous osez aller trouver la reine, lui dit-il, vous hâtez sa mort; si vous parlez au roi, vous la perdez encore. Je me charge de sa destinée; suivez la vôtre. Je répandrai le bruit que vous 5 avez pris la route des Indes. Je viendrai bientôt vous trouver, et je vous apprendrai ce qui se sera passé à Babylone.

Cador, dans le moment même, fit placer deux dromadaires des plus légers à la course [1] vers une porte secrète du palais; il y fit monter Zadig, qu'il fallut porter, et qui était près de rendre l'âme. Un seul domestique l'accompagna 10 et bientôt Cador, plongé dans l'étonnement et dans la douleur, perdit son ami de vue.

Cet illustre fugitif, arrivé sur le bord d'une colline d'où on voyait Babylone, tourna la vue sur le palais de la reine, et s'évanouit; il ne reprit ses sens que pour verser des larmes, et pour souhaiter la mort. Enfin après s'être occupé [2] 15 de la destinée déplorable de la plus aimable des femmes et de la première reine du monde, il fit un mouvement de retour [3] sur lui-même, et s'écria: Qu'est-ce donc que la vie humaine? O vertu! à quoi m'avez-vous servi? Deux femmes m'ont indignement [4] trompé; la troisième, qui n'est point coupable et qui est plus belle que les autres, va mourir! Tout ce que j'ai 20 de bien a toujours été pour moi une malédiction, et je n'ai été élevé au comble [5] de la grandeur que pour tomber dans le plus horrible précipice de l'infortune. Si j'eusse été méchant comme tant d'autres, je serais heureux comme eux. Accablé de ces réflexions funestes, les yeux chargés du voile de la douleur, la pâleur de la mort sur le visage, et l'âme abîmée [6] dans l'excès d'un sombre 25 désespoir, il continuait son voyage vers l'Égypte.

LA FEMME BATTUE [7]

Zadig dirigeait sa route sur les étoiles. . . . Il avançait vers les frontières de l'Égypte; et déjà son domestique fidèle était dans la première bourgade,[8] où il lui cherchait un logement. Zadig cependant se promenait vers les jardins qui bordaient ce village. Il vit non loin du grand chemin, une femme 30 éplorée [9] qui appelait le ciel et la terre à son secours, et un homme furieux qui la suivait. Elle était déjà atteinte [10] par lui, elle embrassait ses genoux. Cet homme l'accablait de coups [11]. . . . Secourez-moi, s'écria-t-elle à Zadig avec des sanglots [12]; tirez-moi des mains du plus barbare des hommes, sauvez-moi la vie. A ces cris Zadig courut se jeter entre elle et ce barbare. Il avait 35 quelque connaissance de la langue égyptienne. Il lui dit en cette langue: Si vous avez quelque humanité, je vous conjure [13] de respecter la beauté et

---

1. des plus . . .: *of the fleetest* (course = *running*). **2.** s'être . . .: avoir médité. **3.** fit un mouvement . . .: *turned his thoughts back.* **4.** *shamefully.* **5.** au plus haut point. **6.** *sunk.* **7.** *beaten.* **8.** village. **9.** en pleurs. **10.** *overtaken.* **11.** l'accablait . . .: *was raining blows upon her.* **12.** *sobs.* **13.** *beg.*

la faiblesse. . . . Ah! lui dit cet emporté,[1] tu l'aimes donc aussi! et c'est
de toi qu'il faut que je me venge. En disant ces paroles, il laisse la dame,
qu'il tenait d'une main par les cheveux, et, prenant sa lance, il veut en percer
l'étranger. Celui-ci, qui était de sang-froid,[2] évita aisément le coup d'un
furieux. Il se saisit de la lance près du fer [3] dont elle est armée. L'un veut 5
la retirer, l'autre l'arracher. Elle se brise entre leurs mains. L'Égyptien
tire son épée; Zadig s'arme de la sienne. Ils s'attaquent l'un l'autre. . . .
La dame, assise sur un gazon,[4] rajuste sa coiffure et les regarde. L'Égyptien
était plus robuste que son adversaire, Zadig était plus adroit. Celui-ci se
battait en homme dont la tête conduisait le bras, et celui-là comme un 10
emporté dont une colère aveugle guidait les mouvements au hasard. Zadig
. . . le désarme; et, tandis que l'Égyptien devenu plus furieux veut se jeter
sur lui, il le saisit, . . . le fait tomber en lui tenant l'épée sur la poitrine;
il lui offre de lui donner la vie. L'Égyptien hors de lui [5] tire son poignard;
il en blesse Zadig dans le temps même que le vainqueur lui pardonnait. Zadig 15
indigné lui plonge son épée dans le sein. . . . Zadig alors s'avança vers la
dame, et lui dit d'une voix soumise: Il m'a forcé de le tuer: je vous ai vengée;
vous êtes délivrée de l'homme le plus violent que j'aie jamais vu. Que
voulez-vous maintenant de moi, madame? Que tu meures, scélérat,[6] lui répondit-elle, que tu meures: tu as tué mon amant; je voudrais pouvoir dé- 20
chirer ton cœur. En vérité, madame, vous aviez là un étrange homme pour
amant, lui répondit Zadig; il vous battait de toutes ses forces, et il voulait
m'arracher la vie parce que vous m'avez conjuré de vous secourir. Je voudrais qu'il me battît encore, reprit la dame en poussant des cris. Je le méritais
bien, je lui avais donné de la jalousie. Plût au ciel qu'il me battît, et que tu 25
fusses à sa place! Zadig, plus surpris et plus en colère qu'il ne l'avait été
de sa vie, lui dit: Madame, toute belle que vous êtes,[7] vous mériteriez que je
vous battisse [8] à mon tour, tant vous êtes extravagante; mais je n'en prendrai
pas la peine. Là-dessus il remonta sur son chameau et avança vers le bourg.
À peine avait-il fait quelques pas qu'il se retourne au bruit que faisaient 30
quatre courriers de Babylone. Ils venaient à toute bride.[9] L'un d'eux, en
voyant cette femme, s'écria: C'est elle-même; elle ressemble au portrait qu'on
nous en a fait. Ils ne s'embarrassèrent pas du mort, et se saisirent incon-
tinent [10] de la dame. Elle ne cessait de crier à Zadig: Secourez-moi encore une
fois, étranger généreux; je vous demande pardon de m'être plainte de vous: 35
secourez-moi, et je suis à vous jusqu'au tombeau. L'envie avait passé à
Zadig de se battre désormais pour elle. A d'autres,[11] répondit-il, vous ne m'y
attraperez [12] plus. D'ailleurs il était blessé, son sang coulait, il avait besoin
de secours; et la vue des quatre Babyloniens, probablement envoyés par le
roi Moabdar, le remplissait d'inquiétude. Il s'avance en hâte vers le village, 40

---

1. furieux. **2.** de sang-froid: calme. **3.** (lit., *iron*): *head.* **4.** *grass.* **5.** *beside himself.*
6. *rascal.* **7.** toute . . .: *though you are beautiful.* **8.** *should thrash.* **9.** à toute . . .: *at
full speed.* **10.** immédiatement. **11.** [Adressez-vous] à d'autres, Don't ask *me!* **12.** *catch.*

n'imaginant pas pourquoi quatre courriers de Babylone venaient prendre cette Égyptienne, mais encore plus étonné du caractère de cette dame.

L'ESCLAVAGE [1]

Comme il entrait dans la bourgade égyptienne, il se vit entouré par le peuple. Chacun criait: Voilà celui qui a enlevé [2] la belle Missouf, et qui vient d'assassiner Clétofis. Messieurs, dit-il, Dieu me préserve d'enlever 5 jamais votre belle Missouf; elle est trop capricieuse; et, à l'égard de Clétofis, je ne l'ai point assassiné; je me suis défendu seulement contre lui. Il voulait me tuer, parce que je lui avais demandé très humblement grâce [3] pour la belle Missouf, qu'il battait impitoyablement. Je suis un étranger qui vient chercher un asile dans l'Égypte; et il n'y a pas d'apparence [4] qu'en venant 10 demander votre protection j'aie commencé par enlever une femme, et par assassiner un homme.

Les Égyptiens étaient alors justes et humains. Le peuple conduisit Zadig à la maison de ville.[5] On commença par le faire panser [6] de sa blessure, et ensuite on l'interrogea, lui et son domestique, séparément, pour savoir la 15 vérité. On reconnut que Zadig n'était point un assassin; mais il était coupable du sang d'un homme: la loi le condamnait à être esclave. On vendit au profit de la bourgade ses deux chameaux; on distribua aux habitants tout l'or qu'il avait apporté; sa personne fut exposée en vente [7] dans la place publique, ainsi que celle de son compagnon de voyage. Un marchand arabe, 20 nommé Sétoc, y mit l'enchère,[8] mais le valet, plus propre à la fatigue, fut vendu bien plus chèrement que le maître. On ne faisait pas de comparaison entre ces deux hommes. Zadig fut donc esclave subordonné à son valet: on les attacha ensemble avec une chaîne qu'on leur passa aux pieds, et en cet état ils suivirent le marchand arabe dans sa maison. Zadig, en chemin, 25 consolait son domestique, et l'exhortait à la patience; mais, selon sa coutume,[9] il faisait des réflexions sur la vie humaine. Je vois, lui disait-il, que les malheurs de ma destinée se répandent [10] sur la tienne. Tout m'a tourné jusqu'ici d'une façon bien étrange. J'ai été condamné à l'amende pour n'avoir pas vu passer une chienne; j'ai pensé [11] être empalé pour un griffon; 30 j'ai été envoyé au supplice parce que j'avais fait des vers à la louange du roi; j'ai été sur le point d'être étranglé [12] parce que la reine avait des rubans jaunes, et me voici esclave avec toi parce qu'un brutal a battu sa maîtresse. Allons, ne perdons point courage; tout ceci finira peut-être; il faut bien que les marchands arabes aient des esclaves [13]; et pourquoi ne le serais-je pas comme 35 un autre, puisque je suis homme comme un autre? Ce marchand ne sera pas impitoyable; il faut qu'il traite bien ses esclaves, s'il en veut tirer des

---

1. *slavery.* **2.** *carried off.* **3.** *mercy.* **4.** il n'y a...: il est peu probable. **5.** maison de ville: *town hall.* **6.** faire...: *have (his wound) dressed.* **7.** *sale.* **8.** y mit...: *put up a bid.* **9.** *habitude.* **10.** *spread over.* **11.** *I was nearly.* **12.** *strangled.* **13.** il faut bien...: *mustn't Arab merchants have slaves?*

services. Il parlait ainsi, et dans le fond de son cœur il était occupé du sort [1] de la reine de Babylone.

Sétoc, le marchand, partit deux jours après pour l'Arabie Déserte [2] avec ses esclaves et ses chameaux. Sa tribu habitait vers le désert d'Horeb. Le chemin fut long et pénible. Sétoc, dans la route, faisait bien plus de cas [3] du valet que du maître, parce que le premier chargeait bien [4] mieux les chameaux; et toutes les petites distinctions furent pour lui.

Un chameau mourut à deux journées d'Horeb: on répartit [5] sa charge sur le dos de chacun des serviteurs; Zadig en eut sa part. Sétoc se mit à rire en voyant tous ses esclaves marcher courbés.[6] Zadig prit la liberté de lui en expliquer la raison, et lui apprit les lois de l'équilibre. Le marchand étonné commença à le regarder d'un autre œil. Zadig, voyant qu'il avait excité sa curiosité, la redoubla en lui apprenant beaucoup de choses qui n'étaient point étrangères à son commerce [7]: les pesanteurs spécifiques des métaux et des denrées [8] sous un volume égal; les propriétés de plusieurs animaux utiles: le moyen de rendre tels ceux qui ne l'étaient pas; enfin il lui parut un sage. Sétoc lui donna la préférence sur son camarade, qu'il avait tant estimé. Il le traita bien, et n'eut pas sujet [9] de s'en repentir.

Arrivé dans sa tribu, Sétoc commença par redemander cinq cents onces d'argent à un marchand auquel il les avait prêtées en présence de deux témoins [10]; mais ces deux témoins étaient morts, et le marchand, ne pouvant être convaincu,[11] s'appropriait l'argent de Sétoc, en remerciant Dieu de ce qu'il lui avait donné le moyen de le tromper. Sétoc confia sa peine à Zadig, qui était devenu son conseil. En quel endroit, demanda Zadig, prêtâtes-vous vos cinq cents onces à cet infidèle? Sur une large pierre, répondit le marchand, qui est auprès du mont Horeb. Quel est le caractère [12] de votre débiteur? dit Zadig. Celui d'un fripon,[13] reprit Sétoc. Mais je vous demande si c'est un homme vif ou flegmatique, avisé [14] ou imprudent. C'est de tous les mauvais payeurs, dit Sétoc, le plus vif [15] que je connaisse. Eh bien! insista Zadig, permettez que je plaide votre cause devant le juge. En effet il cita le marchand au tribunal, et il parla ainsi au juge: Oreiller [16] du trône d'équité, je viens redemander à cet homme, au nom de mon maître, cinq cents onces d'argent qu'il ne veut pas rendre. Avez-vous des témoins? dit le juge. Non, ils sont morts; mais il reste une large pierre sur laquelle l'argent fut compté; et, s'il plaît à votre grandeur d'ordonner qu'on aille chercher la pierre, j'espère qu'elle portera témoignage; nous resterons ici le marchand et moi, en attendant que la pierre vienne; je l'enverrai chercher aux dépens de Sétoc, mon maître. Très volontiers,[17] répondit le juge; et il se mit à expédier d'autres affaires.

---

1. *lot.*   **2.** Arabie Déserte = le désert de Syrie.   **3.** faisait . . .: avait plus d'estime pour.   **4.** chargeait . . .: *knew how to load.*   **5.** distribua.   **6.** *bent.*   **7.** qui n'étaient . . .: *were not foreign to his business,* i.e. *were connected with his business.*   **8.** *goods, merchandise.* **9.** *reason.*   **10.** *witnesses.*   **11.** (lit., *convicted*), *have a judgement brought against him.* **12.** nature (ce qui caractérise).   **13.** *knave, cheat.*   **14.** qui réfléchit, qui calcule.   **15.** *hasty.* **16.** *pillow (support).*   **17.** *willingly.*

A la fin de l'audience [1]: Eh bien! dit-il à Zadig, votre pierre n'est pas encore venue? Le marchand, en riant, répondit: Votre grandeur resterait ici jusqu'à demain que [2] la pierre ne serait pas encore arrivée; elle est à plus de six milles d'ici, et il faudrait quinze hommes pour la remuer. Eh bien! [3] s'écria Zadig, je vous avais bien dit [4] que la pierre porterait témoignage; 5 puisque cet homme sait où elle est, il avoue donc que c'est sur elle que l'argent fut compté. Le marchand déconcerté fut bientôt contraint de tout avouer. Le juge ordonna qu'il serait lié [5] à la pierre, sans boire ni manger, jusqu'à ce qu'il eût rendu les cinq cents onces d'argent, qui furent bientôt payées.

L'esclave Zadig et la pierre furent en grande recommandation dans l'Arabie. 10

LE BÛCHER [6]

[Il y avait alors dans l'Arabie une coutume affreuse. [7] Lorsqu'un homme marié était mort, et que sa femme bien-aimée voulait être sainte, elle se brûlait en public sur le corps de son mari. Un Arabe de la tribu de Sétoc étant mort, sa veuve, nommée Almona, fit savoir le jour et l'heure où elle se jetterait dans le feu. Zadig alla visiter la jeune veuve qui lui avoua que ce n'était pas par amour de son mari qu'elle voulait mourir mais plutôt par respect de l'opinion publique. Zadig alla trouver les chefs de la tribu, leur raconta sa visite à Almona et leur conseilla de faire une loi par laquelle il ne serait permis à une veuve de se brûler qu'après avoir entretenu [8] un jeune homme en tête-à-tête pendant une heure entière. Depuis ce temps, aucune dame ne se brûle en Arabie.

Mais les prêtres des étoiles, qui héritaient des pierreries [9] et des ornements des jeunes veuves qui se faisaient brûler, résolurent de faire périr Zadig. Ils le firent condamner à être brûlé à petit feu.[10] La jeune Almona obtint, par des promesses, la signature des quatre pontifes qui seuls pouvaient grâcier [11] Zadig, leur donna rendez-vous chez elle où elle avait fait venir les juges. Elle raconta alors devant cette assemblée comment elle avait obtenu, par des promesses, le pardon de Zadig. Zadig fut sauvé et Sétoc fut si charmé de l'habileté [12] d'Almona qu'il en fit sa femme.]

LA DANSE

Sétoc devait aller, pour les affaires de son commerce, dans l'île de Serendib [13]; mais le premier mois de son mariage, qui est, comme on sait, la lune du miel, ne lui permettait ni de quitter sa femme, ni de croire qu'il pût jamais la quitter: il pria son ami Zadig de faire pour lui le voyage. Hélas! disait Zadig, faut-il que je mette encore un plus vaste espace entre la belle Astarté et moi? mais 15 il faut servir mes bienfaiteurs [14]: il dit, il pleura, et il partit.

Il ne fut pas longtemps dans l'île de Serendib, sans y être regardé comme un homme extraordinaire. Il devint l'arbitre de tous les différends [15] entre les négociants,[16] l'ami des sages, le conseil du petit nombre de gens qui prennent conseil. Le roi voulut le voir et l'entendre. Il connut bientôt tout ce que 20

1. *court hearing.* 2. ...resterait...que...: *even if...should remain.* 3. *There!* 4. je vous...: *did I not tell you?* 5. *bound.* 6. *funeral pyre.* 7. horrible. 8. causé avec. 9. *gems.* 10. brûlé...: *roasted over a slow fire.* 11. pardonner. 12. *cleverness.* 13. *Ceylon.* 14. *benefactors.* 15. disputes. 16. marchands.

valait Zadig; il eut confiance en sa sagesse, et en fit son ami. La familiarité
et l'estime du roi fit trembler Zadig. Il était nuit et jour pénétré [1] du malheur
que lui avaient attiré les bontés de Moabdar. Je plais au roi, disait-il; ne
serais-je pas perdu? Cependant il ne pouvait se dérober [2] aux caresses de
sa majesté; car il faut avouer que Nabussan, roi de Serendib, fils de Nussanab, 5
fils de Nabassun, fils de Sanbunas, était un des meilleurs princes de l'Asie;
et quand on lui parlait il était difficile de ne le pas aimer.

Ce bon prince était toujours loué,[3] trompé et volé: c'était à qui pillerait [4]
ses trésors. Le receveur général de l'île de Serendib donnait toujours cet
exemple fidèlement suivi par les autres. Le roi le savait; il avait changé 10
de trésorier plusieurs fois; mais il n'avait pu changer la mode établie de
partager [5] les revenus du roi en deux moitiés inégales, dont la plus petite
revenait [6] toujours à sa majesté, et la plus grosse aux administrateurs.

Le roi Nabussan confia sa peine au sage Zadig. Vous qui savez tant de
belles choses, lui dit-il, ne sauriez-vous pas le moyen de me faire trouver un 15
trésorier qui ne me vole point? Assurément, répondit Zadig, je sais une
façon infaillible de vous donner un homme qui ait les mains nettes.[7] Le roi
charmé lui demanda, en l'embrassant, comment il fallait s'y prendre.[8] Il
n'y a, dit Zadig, qu'à faire danser tous ceux qui se présenteront pour la dignité
de trésorier, et celui qui dansera avec le plus de légèreté [9] sera infailliblement 20
le plus honnête homme. Vous vous moquez,[10] dit le roi; voici une plaisante [11]
façon de choisir un receveur de mes finances. Quoi! vous prétendez [12] que
celui qui fera le mieux un entrechat [13] sera le financier le plus intègre et le
plus habile! Je ne vous réponds [14] pas qu'il sera le plus habile, repartit [15]
Zadig; mais je vous assure que ce sera indubitablement le plus honnête 25
homme. Zadig parlait avec tant de confiance, que le roi crut qu'il avait
quelque secret surnaturel pour connaître les financiers. Je n'aime pas le
surnaturel, dit Zadig; les gens et les livres à prodige [16] m'ont toujours déplu:
si votre majesté veut me laisser faire l'épreuve [17] que je lui propose, elle sera
bien convaincue que mon secret est la chose la plus simple et la plus aisée. 30
Nabussan, roi de Serendib, fut bien plus étonné d'entendre que ce secret
était simple que si on le lui avait donné pour un miracle: Eh, bien, dit-il,
faites comme vous l'entendrez.[18] Laissez-moi faire, dit Zadig, vous gagnerez
à cette épreuve plus que vous ne pensez. Le jour même il fit publier, au nom
du roi, que tous ceux qui prétendaient à [19] l'emploi de haut receveur des 35
deniers [20] de sa gracieuse majesté Nabussan, fils de Nussanab, eussent à se
rendre,[21] en habits de soie légère, le premier de la lune du Crocodile,[22] dans
l'antichambre du roi. Ils s'y rendirent au nombre de soixante et quatre.

1. *painfully conscious.* **2.** échapper à. **3.** flatté. **4.** c'était à qui ...: (lit., *it was a
matter of who would rob*), *they vied with each other in robbing.* **5.** *share.* **6.** *fell to the lot of.*
7. *clean.* **8.** s'y prendre: *set about it.* **9.** *nimbleness.* **10.** vous ...: vous ne parlez
pas sérieusement. **11.** curieuse, ridicule. **12.** *claim, assert.* **13.** *caper.* **14.** garantis.
15. répondit. **16.** gens et ...: *people ... dealing with the miraculous.* **17.** *test, trial.*
18. comme ...: selon votre idée. **19.** aspiraient à. **20.** (lit., *pennies*): *funds.* **21.** venir
22. *Voir note 7, p. 264.*

On avait fait venir des violons dans un salon voisin; tout était préparé pour le bal; mais la porte de ce salon était fermée, et il fallait, pour y entrer, passer par une petite galerie assez obscure. Un huissier [1] vint chercher et introduire chaque candidat, l'un après l'autre, par ce passage, dans lequel on le laissait seul quelques minutes. Le roi, qui avait le mot,[2] avait étalé [3] tous ses trésors 5 dans cette galerie. Lorsque tous les prétendants furent arrivés dans le salon, sa majesté ordonna qu'on les fît danser. Jamais on ne dansa plus pesamment [4] et avec moins de grâce; ils avaient tous la tête baissée, les reins [5] courbés, les mains collées à leurs côtés. Quels fripons! [6] disait tout bas Zadig. Un seul d'entre eux formait des pas avec agilité, la tête haute, le regard assuré,[7] 10 les bras étendus,[8] le corps droit, le jarret [9] ferme. Ah! l'honnête homme! le brave homme! disait Zadig. Le roi embrassa ce bon danseur, le déclara trésorier, et tous les autres furent punis et taxés avec la plus grande justice du monde; car chacun, dans le temps qu'il avait été dans la galerie, avait rempli ses poches, et pouvait à peine marcher. Le roi fut fâché [10] pour la 15 nature humaine que de ces soixante et quatre danseurs il y eût soixante et trois filous.[11] La galerie obscure fut appelée le corridor de la Tentation. On aurait en Perse empalé ces soixante et trois seigneurs; en d'autres pays on eût fait une chambre de justice qui eût consommé en frais [12] le triple de l'argent volé, et qui n'eût rien remis dans les coffres du souverain; dans un 20 autre royaume, ils se seraient pleinement justifiés, et auraient fait disgracier ce danseur si léger; à Serendib, ils ne furent condamnés qu'à augmenter le trésor public, car Nabussan était fort indulgent.

Il était aussi fort reconnaissant [13]; il donna à Zadig une somme d'argent plus considérable qu'aucun trésorier n'en avait jamais volé au roi son maître. 25 Zadig s'en servit pour envoyer des exprès [14] à Babylone, qui devaient l'informer de la destinée d'Astarté. . . .

LE BRIGAND

[Toutefois Zadig n'attendit pas le retour de ses exprès. Il voulait savoir ce qu'était devenue Astarté et partit pour Babylone le plus tôt possible.]

En arrivant aux frontières qui séparent l'Arabie Pétrée [15] de la Syrie, comme il passait près d'un château assez fort, des Arabes armés en sortirent. Il se vit entouré; on lui criait: Tout ce que vous avez nous appartient, et 30 votre personne appartient à notre maître. Zadig, pour réponse, tira son épée; son valet, qui avait du courage, en fit autant. Ils renversèrent morts [16] les premiers Arabes qui mirent la main sur eux; le nombre redoubla; ils ne s'étonnèrent [17] point et résolurent de périr en combattant. On voyait deux hommes se défendre contre une multitude; un tel combat ne pouvait durer 35

1. *doorman.* **2.** qui avait le mot: *who had been let into the secret.* **3.** *spread out.* 4. *lourdement.* **5.** *ici,* dos. **6.** *rogues.* **7.** le regard . . .: *with steady look.* **8.** *outstretched.* 9. jambe. **10.** *sorry.* **11.** voleurs. **12.** *costs.* **13.** *grateful.* **14.** messagers. **15.** Pétrée = *stony.* L'Arabie Pétrée est un plateau au climat très sec, au centre de l'Arabie. **16.** renversèrent . . .: (lit., *knocked over dead*), *struck dead.* **17.** *flustered.*

longtemps. Le maître du château nommé Arbogad, ayant vu d'une fenêtre
les prodiges de valeur que faisait Zadig, conçut de l'estime pour lui. Il
descendit en hâte et vint lui-même écarter [1] ses gens, et délivrer les deux
voyageurs. Tout ce qui passe sur mes terres est à moi, dit-il, aussi bien que
ce que je trouve sur les terres des autres; mais vous me paraissez un si brave 5
homme, que je vous exempte de la loi commune. Il le fit entrer dans son château, ordonnant à ses gens de le bien traiter; et le soir Arbogad voulut
souper avez Zadig.

Le seigneur du château était un de ces Arabes qu'on appelle *voleurs;* mais
il faisait quelquefois de bonnes actions parmi une foule de mauvaises; il 10
volait avec une rapacité furieuse et donnait libéralement: intrépide dans
l'action, assez doux [2] dans le commerce, débauché à table, gai dans la débauche,
et surtout plein de franchise.[3] Zadig lui plut beaucoup; sa conversation,
qui s'anima, fit durer le repas; enfin Arbogad lui dit: Je vous conseille de
vous enrôler sous moi, vous ne sauriez mieux faire; ce métier-ci n'est pas 15
mauvais; vous pourrez un jour devenir ce que je suis. Puis-je vous demander,
dit Zadig, depuis quand vous exercez cette noble profession? Dès ma plus
tendre jeunesse, reprit le seigneur. J'étais valet d'un Arabe assez habile [4];
ma situation m'était insupportable. J'étais au désespoir de voir que, dans
toute la terre qui appartient également aux hommes, la destinée ne m'eût 20
pas réservé ma portion. Je confiai mes peines [5] à un vieil Arabe qui me dit:
Mon fils, ne désespérez pas; il y avait autrefois un grain de sable qui se
lamentait d'être un atome ignoré [6] dans les déserts; au bout de quelques
années il devint diamant, et il est à présent le plus bel ornement de la couronne du roi des Indes. Ce discours me fit impression; j'étais le grain de 25
sable, je résolus de devenir diamant. Je commençai par voler deux chevaux;
je m'associai des camarades; je me mis en état de [7] voler de petites caravanes:
ainsi je fis cesser peu à peu la disproportion qui était d'abord entre les hommes
et moi. J'eus ma part aux biens de ce monde, et je fus même dédommagé [8]
avec usure: on me considéra beaucoup; je devins seigneur brigand; j'acquis 30
ce château par voie de fait.[9] Le satrape [10] de Syrie voulut m'en déposséder;
mais j'étais déjà trop riche pour avoir rien à craindre; je donnai de l'argent
au satrape, moyennant quoi [11] je conservai ce château, et j'agrandis mes domaines; il me nomma même trésorier des tributs que l'Arabie Pétrée payait
au roi des rois. Je fis ma charge [12] de receveur, et point du tout celle de payeur. 35

Le Desterham [13] de Babylone envoya ici, au nom du roi Moabdar, un petit
satrape pour me faire étrangler. Cet homme arriva avec son ordre: j'étais
instruit de tout; je fis étrangler en sa présence les quatre personnes qu'il
avait amenées avec lui pour serrer le lacet [14]; après quoi je lui demandai ce

---

1. *draw off.* **2.** *easy, kindly.* **3.** *candor.* **4.** adroit, ingénieux. **5.** *sorrows.* **6.** inconnu, perdu. **7.** me mis en état de . . .: pris mes dispositions pour . . .. **8.** *indemnified.*
9. par . . .: par la violence. **10.** gouverneur. **11.** moyennant . . .: *by means of which.*
12. fis ma charge: *fulfilled my function.* **13.** *Voir note 4, p. 265.* **14.** ou cordeau. *Voir
note 7, p. 273.*

que pouvait lui valoir la commission de m'étrangler. Il me répondit que ses honoraires [1] pouvaient aller à trois cents pièces d'or. Je lui fis voir clair qu'il y aurait plus à gagner avec moi. Je le fis sous-brigand; il est aujourd'hui un de mes meilleurs officiers, et des plus riches. Si vous m'en croyez,[2] vous réussirez comme lui. Jamais la saison de voler n'a été meilleure, depuis que 5 Moabdar est tué et que tout est en confusion à Babylone.

Moabdar est tué! dit Zadig; et qu'est devenue la reine Astarté? Je n'en sais rien, reprit Arbogad; tout ce que je sais, c'est que Moabdar est devenu fou, qu'il a été tué, que Babylone est un grand coupe-gorge,[3] que tout l'empire est désolé,[4] qu'il y a de beaux coups [5] à faire encore, et que pour ma part 10 j'en ai fait d'admirables. Mais la reine, dit Zadig, de grâce,[6] ne savez-vous rien de la destinée de la reine? On m'a parlé d'un prince d'Hyrcanie, reprit-il; elle est probablement parmi ses concubines, si elle n'a pas été tuée dans le tumulte; mais je suis plus curieux de butin [7] que de nouvelles. J'ai pris plusieurs femmes dans mes courses,[8] je n'en garde aucune, je les vends 15 cher quand elles sont belles, sans m'informer de ce qu'elles sont. On n'achète point le rang; une reine qui serait laide [9] ne trouverait pas marchand [10]; peut-être ai-je vendu la reine Astarté, peut-être est-elle morte; mais peu m'importe, et je pense que vous ne devez pas vous en soucier [11] plus que moi. En parlant ainsi, il buvait avec tant de courage, il confondait tellement toutes 20 les idées, que Zadig n'en put tirer aucun éclaircissement.[12]

Il restait interdit, accablé,[13] immobile. Arbogad buvait toujours,[14] faisait des contes,[15] répétait sans cesse qu'il était le plus heureux de tous les hommes, exhortant Zadig à se rendre aussi heureux que lui. Enfin doucement assoupi [16] par les fumées du vin, il alla dormir d'un sommeil tranquille. Zadig passa 25 la nuit dans l'agitation la plus violente. Quoi, disait-il, le roi est devenu fou! il est tué! Je ne puis m'empêcher de le plaindre. L'empire est déchiré, et ce brigand est heureux: ô fortune! ô destinée! un voleur est heureux, et ce que la nature a fait de plus aimable a péri peut-être d'une manière affreuse, ou vit dans un état pire que la mort. O Astarté! qu'êtes-vous devenue? 30

Dès le point du jour il interrogea tous ceux qu'il rencontrait dans le château; mais tout le monde était occupé, personne ne lui répondit: on avait fait pendant la nuit de nouvelles conquêtes, on partageait les dépouilles.[17] Tout ce qu'il put obtenir dans cette confusion tumultueuse, ce fut la permission de partir. Il en profita sans tarder,[18] plus abîmé [19] que jamais dans ses ré- 35 flexions douloureuses.

Zadig marchait inquiet, agité, l'esprit tout occupé de la malheureuse Astarté, du roi de Babylone, de son fidèle Cador, de l'heureux brigand Arbogad, de cette femme si capricieuse que des Babyloniens avaient enlevée

---

1. *wage, salary.* 2. Si vous . . .: *take my word for it.* 3. *cut-throat place, den of thieves.* 4. dévasté. 5. *strokes, scoops.* 6. de grâce: *for mercy sake.* 7. *booty.* 8. expéditions. 9. plain. 10. ne trouverait . . .: ne serait pas achetée. 11. *worry about (it).* 12. *information.* 13. *crushed.* 14. sans cesse. 15. faisait . . .: relatait des histoires. 16. *lulled.* 17. *spoils, booty.* 18. sans délai. 19. plongé.

sur les confins de l'Égypte, enfin de tous les contre-temps [1] et de toutes les infortunes qu'il avait éprouvés. . . .

LE BASILIC [2]

Arrivé en Syrie, dans une belle prairie, il y vit plusieurs femmes qui cherchaient quelque chose avec beaucoup d'application. Il prit la liberté de s'approcher de l'une d'elles, et de lui demander s'il pouvait avoir l'honneur 5 de les aider dans leurs recherches. Gardez-vous-en bien,[3] répondit la Syrienne; ce que nous cherchons ne peut être touché que par des femmes. Voilà qui est bien étrange, dit Zadig; oserai-je vous prier de m'apprendre ce que c'est qu'il n'est permis qu'aux femmes de toucher? C'est un basilic, dit-elle. Un basilic, madame! et pour quelle raison, s'il vous plaît, cherchez-vous un 10 basilic? C'est pour notre seigneur et maître Ogul,[4] dont vous voyez le château sur le bord de cette rivière, au bout de la prairie. Nous sommes ses très humbles esclaves; le seigneur Ogul est malade; son médecin lui a ordonné de manger un basilic cuit dans l'eau rose,[5] et, comme c'est un animal fort rare, qui ne se laisse jamais prendre que par des femmes, le seigneur Ogul 15 a promis de choisir pour sa femme bien-aimée celle de nous qui lui apporterait un basilic: laissez-moi chercher, s'il vous plaît; car vous voyez ce qu'il m'en coûterait si j'étais prévenue [6] par mes compagnes.

Zadig laissa cette Syrienne et les autres chercher leur basilic, et continua de marcher dans la prairie. Quand il fut au bord d'un petit ruisseau, il y 20 trouva une autre dame couchée sur le gazon, et qui ne cherchait rien. Sa taille [7] paraissait majestueuse, mais son visage était couvert d'un voile. Elle était penchée vers le ruisseau; de profonds soupirs [8] sortaient de sa bouche. Elle tenait en main une petite baguette,[9] avec laquelle elle traçait des caractères sur un sable fin qui se trouvait entre le gazon et le ruisseau. Zadig 25 eut la curiosité de voir ce que cette femme écrivait; il s'approcha, il vit la lettre Z, puis un A; il fut étonné; puis parut un D; il tressaillit.[10] Jamais surprise ne fut égale à la sienne, quand il vit les deux dernières lettres de son nom. Il demeura quelque temps immobile: enfin rompant le silence d'une voix entrecoupée.[11] O généreuse dame! pardonnez à un étranger, à un in- 30 fortuné, d'oser vous demander par quelle aventure étonnante [12] se trouve ici le nom de Zadig tracé de votre main divine. A cette voix, à ces paroles, la dame releva son voile d'une main tremblante, regarda Zadig et jeta un cri d'attendrissement,[13] de surprise et de joie, et, succombant sous tous les mouvements divers qui assaillaient à la fois son âme, elle tomba évanouie 35 entre ses bras. C'était Astarté elle-même, c'était la reine de Babylone,

1. *mishaps.*   2. bête fabuleuse dont le regard était mortel aux hommes mais non aux femmes.   3. gardez-vous . . .: *mind you don't.*   4. (Ogul signifie glouton.)   5. eau rose *ou* eau de rose, (liqueur faite par la distillation des roses).   6. *forestalled.*   7. *stature.* 8. *sighs.*   9. *wand.*   10. *gave a start.*   11. *broken (with emotion).*   12. aventure . . .: *amazing chance.*   13. émotion.

c'était celle que Zadig adorait, et qu'il se reprochait d'adorer; c'était celle dont il avait tant pleuré et tant craint la destinée. Il fut un moment privé de l'usage de ses sens [1]; et quand il eut attaché ses regards sur les yeux d'Astarté, qui se rouvraient avec une langueur mêlée de confusion et de tendresse: O puissances immortelles! s'écria-t-il, qui présidez aux destins 5 des faibles humains, me rendez-vous Astarté? En quel temps, en quels lieux, en quel état la revois-je! Il se jeta à genoux devant Astarté, et il attacha son front à la poussière [2] de ses pieds. La reine de Babylone le relève, et le fait asseoir auprès d'elle sur le bord de ce ruisseau; elle essuyait à plusieurs reprises [3] ses yeux dont les larmes recommençaient toujours à 10 couler. Elle reprenait [4] vingt fois des discours que ses gémissements [5] interrompaient; elle l'interrogeait sur le hasard qui les rassemblait, et prévenait soudain ses réponses par d'autres questions. Elle entamait [6] le récit de ses malheurs, et voulait savoir ceux de Zadig. Enfin tout deux ayant un peu apaisé le tumulte de leurs âmes, Zadig lui conta en peu de mots par quelle 15 aventure il se trouvait dans cette prairie. Mais, ô malheureuse et respectable reine! comment vous retrouvé-je en ce lieu écarté,[7] vêtue en esclave et accompagnée d'autres femmes esclaves qui cherchent un basilic pour le faire cuire dans de l'eau rose par ordonnance [8] du médecin?

Pendant qu'elles cherchent leur basilic, dit la belle Astarté, je vais vous 20 apprendre tout ce que j'ai souffert, et tout ce que je pardonne au ciel depuis que je vous revois. Vous savez que le roi mon mari trouva mauvais [9] que vous fussiez le plus aimable de tous les hommes; et ce fut pour cette raison qu'il prit une nuit la résolution de vous faire étrangler et de m'empoisonner. Vous savez comme le ciel permit que mon petit muet m'avertît de l'ordre 25 de sa sublime majesté. A peine le fidèle Cador vous eut-il forcé de m'obéir et de partir, qu'il osa entrer chez moi au milieu de la nuit par une issue [10] secrète. Il m'enleva et me conduisit dans le temple d'Orosmade,[11] où le mage, son frère, m'enferma dans une statue colossale dont la base touche aux fondements du temple, et dont la tête atteint la voûte. Je fus là comme 30 ensevelie, mais servie par le mage, et ne manquant d'aucune chose nécessaire. Cependant,[12] au point du jour, l'apothicaire de sa majesté entra dans ma chambre avec une potion mêlée de jusquiame,[13] d'opium, de ciguë, d'ellébore noire, et d'aconit; et un autre officier alla chez vous avec un lacet de soie bleue. On ne trouva personne. Cador, pour mieux tromper le roi, feignit de venir 35 nous accuser tous deux. Il dit que vous aviez pris la route des Indes, et moi celle de Memphis: on envoya des satellites après vous et après moi.

Les courriers qui me cherchaient ne me connaissaient pas. Je n'avais

---

1. fut... privé...: *remained as if stunned.* **2.** *dust.* Un oriental se prosterne devant son souverain le front dans la poussière. **3.** à...: *repeatedly.* **4.** recommençait. **5.** lamentations. **6.** commençait. **7.** *out-of-the-way.* **8.** prescription. **9.** trouva...: désapprouva. **10.** sortie, porte. **11.** *Voir la note 10, p. 265.* **12.** Pendant ce temps. **13.** jusquiame, *henbane;* ciguë, *hemlock;* ellébore, *hellebore;* aconit, *wolfbane. All these are poisonous plants.*

presque jamais montré mon visage qu'à vous seul, en présence et par ordre de mon époux. Ils coururent à ma poursuite, sur le portrait qu'on leur faisait de ma personne: une femme de la même taille que moi, et qui peut-être avait plus de charmes, s'offrit à leurs regards [1] sur les frontières de l'Égypte. Elle était éplorée,[2] errante; ils ne doutèrent pas que cette femme 5 ne fût la reine de Babylone, ils la menèrent à Moabdar. Leur méprise [3] fit entrer d'abord le roi dans une violente colère; mais bientôt ayant considéré de plus près cette femme, il la trouva très belle, et fut consolé. On l'appelait Missouf. On m'a dit depuis que ce nom signifie en langue égyptienne *la belle capricieuse*. Elle l'était en effet; mais elle avait autant d'art [4] que de 10 caprice. Elle plut à Moabdar. Elle le subjugua au point de se faire déclarer sa femme. Alors son caractère se développa tout entier: elle se livra [5] sans crainte à toutes les folies de son imagination. Elle voulut obliger le chef des mages, qui était vieux et goutteux,[6] de danser devant elle; et sur le refus du mage, elle le persécuta violemment. Elle ordonna à son grand écuyer 15 de lui faire une tourte de confitures.[7] Le grand écuyer eut beau lui représenter qu'il n'était point pâtissier [8]; il fallut qu'il fît la tourte; et on le chassa [9]; parce qu'elle était trop brûlée. Elle donna la charge de grand écuyer [10] à son nain, et la place de chancelier à un page. C'est ainsi qu'elle gouverna Babylone. Tout le monde me regrettait. Le roi, qui avait été assez honnête 20 homme jusqu'au moment où il avait voulu m'empoisonner et vous faire étrangler, semblait avoir noyé [11] ses vertus dans l'amour prodigieux qu'il avait pour la belle capricieuse. Il vint au temple le grand jour du feu sacré. Je le vis implorer les dieux pour Missouf aux pieds de la statue où j'étais renfermée. J'élevai la voix; je lui criai: « Les dieux refusent les vœux [12] d'un roi devenu 25 tyran, qui a voulu faire mourir une femme raisonnable, pour épouser une extravagante. » Moabdar fut confondu [13] de ces paroles au point que sa tête se troubla. L'oracle que j'avais rendu, et la tyrannie de Missouf, suffisaient pour lui faire perdre le jugement. Il devint fou en peu de jours.

Sa folie, qui parut un châtiment du ciel, fut le signal de la révolte. On se 30 souleva, on courut aux armes. Babylone, si longtempρs plongée dans une mollesse oisive,[14] devint le théâtre d'une guerre civile affreuse. On me tira du creux [15] de ma statue, et on me mit à la tête d'un parti. Cador courut à Memphis, pour vous ramener à Babylone. Le prince d'Hyrcanie, apprenant ces funestes nouvelles, revint avec son armée faire un troisième parti dans 35 la Chaldée. Il attaqua le roi, qui courut au-devant de lui avec son extravagante Égyptienne. Moabdar mourut percé de coups. Missouf tomba aux mains du vainqueur. Mon malheur voulut que je fusse prise moi-même par un parti hyrcanien, et qu'on me menât devant le prince précisément dans le temps qu'on lui amenait Missouf. Vous serez flatté, sans doute, 40

1. s'offrit . . .: (lit., *came into (their) view*), *(they) caught sight of*. **2.** en larmes. **3.** erreur. **4.** avait autant . . .: *was as artful*. **5.** s'abandonna. **6.** *gouty*. **7.** tourte . . .: *jam tart*. **8.** *pastry-cook*. **9.** *dismissed*. **10.** *master of the horse*. **11.** *drowned*. **12.** désirs, prières. **13.** très troublé. **14.** mollesse . . .: *restful idleness*. **15.** *hollow*.

en apprenant que le prince me trouva plus belle que l'Égyptienne; mais vous serez fâché [1] d'apprendre qu'il me destina à son sérail.[2] Il me dit fort résolument que, dès qu'il aurait fini une expédition militaire qu'il allait exécuter, il viendrait à moi. Jugez de ma douleur. Mes liens avec Moabdar étaient rompus, je pouvais être à Zadig; et je tombais dans les chaînes de 5 ce barbare! Je lui répondis avec toute la fierté [3] que me donnaient mon rang et mes sentiments. J'avais toujours entendu dire que le ciel attachait aux personnes de ma sorte un caractère de grandeur qui d'un mot et d'un coup d'œil faisait rentrer dans l'abaissement [4] du plus profond respect les téméraires qui osaient s'en écarter. Je parlai en reine, mais je fus traitée en demoiselle 10 suivante.[5] L'Hyrcanien, sans daigner seulement [6] m'adresser la parole, dit à son eunuque noir que j'étais une impertinente, mais qu'il me trouvait jolie. Il lui ordonna d'avoir soin de moi et de me mettre au régime [7] des favorites, afin de me rafraîchir le teint,[8] et de me rendre plus digne de ses faveurs, pour le jour où il aurait la commodité [9] de m'en honorer. Je lui dis que je me 15 tuerais; il répliqua, en riant, qu'on ne se tuait point, qu'il était fait à ces façons-là [10] et me quitta comme un homme qui vient de mettre un perroquet dans sa ménagerie.[11] Quel état pour la première reine de l'univers, et, je dirai plus, pour un cœur qui était à Zadig!

A ces paroles il se jeta à ses genoux, et les baigna [12] de larmes. Astarté 20 le releva tendrement, et elle continua ainsi: Je me voyais au pouvoir d'un barbare, et rivale d'une folle avec qui j'étais renfermée. Elle me raconta son aventure d'Égypte. Je jugeai par les traits dont elle vous peignait, par le temps, par le dromadaire sur lequel vous étiez monté, par toutes les circonstances, que c'était Zadig qui avait combattu pour elle. Je ne doutai 25 pas que vous ne fussiez à Memphis; je pris la résolution de m'y retirer. Belle Missouf, lui dis-je, vous êtes beaucoup plus plaisante [13] que moi, vous divertirez [14] bien mieux que moi le prince d'Hyrcanie. Facilitez-moi les moyens de me sauver [15]; vous régnerez seule; vous me rendrez heureuse, en vous débarrassant [16] d'une rivale. Missouf concerta avec moi les moyens de ma 30 fuite. Je partis donc secrètement avec une esclave égyptienne.

J'étais déjà près de l'Arabie, lorsqu'un fameux voleur, nommé Arbogad, m'enleva et me vendit à des marchands qui m'ont amenée dans ce château, où demeure le seigneur Ogul. Il m'a achetée sans savoir qui j'étais. C'est un homme voluptueux qui ne cherche qu'à faire grande chère,[17] et qui croit que 35 Dieu l'a mis au monde pour tenir table.[18] Il est d'un embonpoint [19] excessif, qui est toujours prêt à le suffoquer.[20] Son médecin, qui n'a que peu de crédit auprès de lui quand il digère bien, le gouverne despotiquement quand il a trop mangé. Il lui a persuadé qu'il le guérirait avec un basilic cuit dans l'eau

---

1. *sorry.*   2. *ici:* harem. Le sérail est le palais du sultan.   3. la dignité.   4. humilité. 5. demoiselle...: *lady in waiting.*   6. même.   7. *diet.*   8. *complexion.*   9. *opportunity.* 10. fait...: *used to that kind of thing (or talk).*   11. lieu où on gardait les animaux rares. 12. *bathed.*   13. *attractive.*   14. amuserez.   15. échapper.   16. *ridding.*   17. faire...: bien manger.   18. tenir...: *feast.*   19. *fatness.*   20. *smother, choke.*

de rose. Le seigneur Ogul a promis sa main à celle de ses esclaves qui lui apporterait un basilic. Vous voyez que je les laisse s'empresser [1] à mériter cet honneur, et je n'ai jamais eu moins d'envie de trouver ce basilic que depuis que le ciel a permis que je vous revisse.

Alors Astarté et Zadig se dirent tout ce que des sentiments longtemps 5 retenus,[2] tout ce que leurs malheurs et leurs amours pouvaient inspirer aux cœurs les plus nobles et les plus passionnés; et les génies qui président à l'amour portèrent leurs paroles jusqu'à la sphère de Vénus.

Les femmes rentrèrent chez Ogul sans avoir rien trouvé. Zadig se fit présenter à lui, et lui parla en ces termes: Que la santé immortelle descende 10 du ciel pour avoir soin de tous vos jours! Je suis médecin, j'ai accouru vers vous sur le bruit [3] de votre maladie, et je vous ai apporté un basilic cuit dans de l'eau de rose. Ce n'est pas que je prétende [4] vous épouser: je ne vous demande que la liberté d'une jeune esclave de Babylone que vous avez depuis quelques jours; et je consens de rester en esclavage à sa place, si je n'ai pas 15 le bonheur de guérir le magnifique seigneur Ogul.

La proposition fut acceptée. Astarté partit pour Babylone avec le domestique de Zadig, en lui promettant de lui envoyer incessamment [5] un courrier, pour l'instruire de tout ce qui se serait passé. Leurs adieux furent aussi tendres que l'avait été leur reconnaissance. Le moment où l'on se 20 retrouve, et celui où l'on se sépare, sont les deux plus grandes époques de la vie, comme dit le grand livre du Zend. Zadig aimait la reine autant qu'il le jurait, et la reine aimait Zadig plus qu'elle ne le lui disait.

Cependant Zadig parla ainsi à Ogul: Seigneur, on ne mange point mon basilic, toute sa vertu doit entrer chez vous par les pores. Je l'ai mis dans 25 une petite outre [6] bien enflée et couverte d'une peau fine: il faut que vous poussiez cette outre de toute votre force, et que je vous la renvoie à plusieurs reprises [7]; et en peu de jours de régime [8] vous verrez ce que peut mon art. Ogul dès le premier jour fut tout essoufflé,[9] et crut qu'il mourrait de fatigue. Le second il fut moins fatigué, et dormit mieux. En huit jours il recouvra 30 toute la force, la santé, la légèreté,[10] et la gaieté de ses plus brillantes années. Vous avez joué au ballon,[11] et vous avez été sobre, lui dit Zadig: apprenez qu'il n'y a point de basilic dans la nature, qu'on se porte toujours bien avec de la sobriété et de l'exercice, et que l'art de faire subsister ensemble l'intempérance et la santé est un art aussi chimérique que la pierre philosophale,[12] 35 l'astrologie judiciaire,[13] et la théologie des mages.

Le premier médecin d'Ogul, sentant combien cet homme était dangereux pour la médecine, s'unit avec l'apothicaire du corps pour envoyer Zadig chercher des basilics dans l'autre monde. Ainsi, après avoir été toujours

---

1. *endeavor.*   2. *pent up.*   3. *rumor, report.*   4. *have any ambition to.*   5. immédiatement.   6. *bladder.*   7. à plusieurs...: *repeatedly.*   8. *regimen (course of diet and exercises).*   9. *out of breath.*   10. agilité.   11. joué...: *played football.*   12. pierre...: pierre qui, selon les alchimistes, transmutait tous les métaux en or.   13. L'art de prédire l'avenir d'un enfant par l'état du ciel à sa naissance.

puni pour avoir bien fait, il était près de périr pour avoir guéri un seigneur
gourmand.　On l'invita à un excellent dîner.　Il devait être empoisonné au
second service; mais il reçut un courrier de la belle Astarté au premier.
Il quitta la table et partit.　Quand on est aimé d'une belle femme, dit le
grand Zoroastre, on se tire toujours d'affaire [1] dans ce monde.　　　　　　5

LES COMBATS

La reine avait été reçue à Babylone avec les transports [2] qu'on a toujours
pour une belle princesse qui a été malheureuse.　Babylone alors paraissait
être plus tranquille.　Le prince d'Hyrcanie avait été tué dans un combat.
Les Babyloniens vainqueurs déclarèrent qu'Astarté épouserait celui qu'on
choisirait pour souverain.　On ne voulut point que la première place du monde, 10
qui serait celle de mari d'Astarté et de roi de Babylone, dépendît des intrigues
et des cabales.　On jura de reconnaître pour roi le plus vaillant et le plus
sage.　Une grande lice,[3] bordée d'amphithéâtres [4] magnifiquement ornés, fut
formée à quelques lieues [5] de la ville.　Les combattants devaient s'y rendre
armés de toutes pièces.[6]　Chacun d'eux avait derrière les amphithéâtres un 15
appartement séparé, où il ne devait être vu ni connu de personne.　Il fallait
courir quatre lances.[7]　Ceux qui seraient assez heureux pour vaincre quatre
chevaliers [8] devaient combattre ensuite les uns contre les autres, de façon
que celui qui resterait le dernier maître du camp [9] serait proclamé le vainqueur
des jeux.　Il devait revenir quatre jours après avec les mêmes armes, et 20
expliquer les énigmes proposées par les mages.　S'il n'expliquait point les
énigmes, il n'était point roi, et il fallait recommencer à courir des lances,
jusqu'à ce qu'on trouvât un homme qui fût vainqueur dans ces deux combats;
car on voulait absolument pour roi le plus vaillant et le plus sage.　La reine,
pendant tout ce temps, devait être étroitement [10] gardée: on lui permettait 25
seulement d'assister [11] aux jeux, couverte d'un voile; mais on ne souffrait
pas qu'elle parlât à aucun des prétendants, afin qu'il n'y eût ni faveur ni
injustice.

Voilà ce qu'Astarté faisait savoir à son amant, espérant qu'il montrerait
pour elle plus de valeur et d'esprit que personne.　Il arriva sur le rivage de 30
l'Euphrate, la veille de ce grand jour.　Il fit inscrire [12] sa devise [13] parmi celles
des combattants, en cachant son visage et son nom, comme la loi l'ordonnait,
et alla se reposer dans l'appartement qui lui échut par le sort.[14]　Son ami
Cador, qui était revenu à Babylone, après l'avoir inutilement cherché en
Égypte, fit porter dans sa loge [15] une armure complète que la reine lui en- 35
voyait.　Il lui fit amener aussi de sa part le plus beau cheval de Perse.　Zadig

---

1. se tire . . .: *comes out (of a difficult or dangerous situation) happily.*　**2.** démonstrations
de joie.　**3.** *lists (place where a tournament was held).*　**4.** *tiers of seats.*　**5.** distance de
quatre kilomètres.　**6.** armés . . .: *in full armor.*　**7.** courir . . .: (lit., *run four lances*),
fight four single combats with lances.　**8.** *knights.*　**9.** *field.*　**10.** *closely.*　**11.** être présente.
12. fit . . .: *registered.*　**13.** *motto.*　**14.** échut . . .: *fell to him by lot.*　**15.** petit appartement.

reconnut Astarté à ces présents: son courage et son amour en prirent de nouvelles forces et de nouvelles espérances.

Le lendemain, la reine étant venue se placer sous un dais de pierreries,[1] et les amphithéâtres étant remplis de toutes les dames et de tous les ordres de Babylone, les combattants parurent dans le cirque. Chacun d'eux vint 5 mettre sa devise aux pieds du grand mage. On tira au sort les devises; celle de Zadig fut la dernière. Le premier qui s'avança était un seigneur très riche, nommé Itobad, fort vain, peu courageux, très maladroit,[2] et sans esprit. Ses domestiques l'avaient persuadé qu'un homme comme lui devait être roi; il leur avait répondu: Un homme comme moi doit régner; ainsi on l'avait 10 armé de pied en cap.[3] Il portait une armure d'or émaillée[4] de vert, un panache[5] vert, une lance ornée de rubans verts. On s'aperçut d'abord, à la manière dont Itobad gouvernait son cheval, que ce n'était pas *un homme comme lui à qui le ciel* réservait le sceptre de Babylone. Le premier chevalier qui courut contre lui le désarçonna[6]; le second le renversa sur la croupe de 15 son cheval, les deux jambes en l'air et les deux bras étendus. Itobad se remit, mais de si mauvaise grâce que tout l'amphithéâtre se mit à rire. Un troisième ne daigna pas se servir de sa lance; mais en lui faisant une passe,[7] il le prit par la jambe droite, et lui faisant faire un demi-tour, il le fit tomber sur le sable: les écuyers des jeux accoururent à lui en riant, et le remirent 20 en selle. Le quatrième combattant le prend par la jambe gauche, et le fait tomber de l'autre côté. On le conduisit avec des huées[8] à sa loge, où il devait passer la nuit selon la loi; et il disait en marchant à peine[9]: Quelle aventure pour un homme comme moi!

Les autres chevaliers s'acquittèrent mieux de leur devoir. Il y en eut qui 25 vainquirent deux combattants de suite; quelques-uns allèrent jusqu'à trois. Il n'y eut que le prince Otame qui en vainquit quatre. Enfin Zadig combattit à son tour: il désarçonna quatre cavaliers de suite avec toute la grâce possible. Il fallut donc voir qui serait vainqueur d'Otame ou de Zadig. Le premier portait des armes bleues et or, avec un panache de même; celles de Zadig 30 étaient blanches. Tous les vœux se partageaient entre le chevalier bleu et le chevalier blanc. La reine, à qui le cœur palpitait, faisait des prières au ciel pour la couleur blanche.

Les deux champions firent des passes et des voltes[10] avec tant d'agilité, ils se donnèrent de si beaux coups de lance, ils étaient si fermes sur leurs 35 arçons, que tout le monde, hors la reine, souhaitait qu'il y eût deux rois dans Babylone. Enfin, leurs chevaux étant lassés[11] et leurs lances rompues, Zadig usa de cette adresse[12]: il passe derrière le prince bleu, s'élance sur la croupe de son cheval, le prend par le milieu du corps, le jette à terre, se met en selle à sa place, et caracole autour d'Otame étendu sur la place. Tout 40

1. *gems.* 2. *clumsy, unskillful.* 3. tête. 4. *enamelled.* 5. *crest.* 6. *unsaddled.* 7. en lui . . .: *as he advanced to attack him.* 8. *hoots.* 9. avec difficulté. 10. *turns.* 11. fatigués. 12. artifice.

l'amphithéâtre crie: Victoire au chevalier blanc! Otame indigné se relève, tire son épée; Zadig saute de cheval, le sabre à la main. Les voilà tous deux sur l'arène, livrant un nouveau combat, où la force et l'agilité triomphent tour à tour. Les plumes de leur casque, les clous [1] de leurs brassards,[2] les mailles [3] de leur armure sautent au loin sous mille coups précipités. Ils 5 frappent de pointe et de taille,[4] à droite, à gauche, sur la tête, sur la poitrine; ils reculent, ils avancent, ils se mesurent, ils se rejoignent, ils se saisissent, ils se replient [5] comme des serpents, ils s'attaquent comme des lions; le feu jaillit [6] à tout moment des coups qu'ils se portent. Enfin Zadig, ayant un moment repris ses esprits, s'arrête, fait une feinte, passe sur Otame, le fait 10 tomber, le désarme, et Otame s'écrie: O chevalier blanc! c'est vous qui devez régner sur Babylone. La reine était au comble de la joie. On reconduisit le chevalier bleu et le chevalier blanc à leur loge, ainsi que tous les autres, selon ce qui était porté [7] par la loi. Des muets vinrent les servir et leur apporter à manger. On peut juger si le petit muet de la reine ne fut pas 15 celui qui servit Zadig. Ensuite on les laissa dormir seuls jusqu'au lendemain matin, temps où le vainqueur devait apporter sa devise au grand mage, pour la confronter [8] et se faire reconnaître.

Zadig dormit, quoique amoureux, tant il était fatigué. Itobad, qui était couché auprès de lui, ne dormit point. Il se leva pendant la nuit, entra dans 20 sa loge, prit les armes blanches de Zadig avec sa devise, et mit son armure verte à la place. Le point du jour étant venu, il alla fièrement au grand mage déclarer qu'un homme comme lui était vainqueur. On ne s'y attendait pas [9]; mais il fut proclamé pendant que Zadig dormait encore. Astarté, surprise, et le désespoir dans le cœur, s'en retourna dans Babylone. Tout 25 l'amphithéâtre était déjà presque vide, lorsque Zadig s'éveilla; il chercha ses armes, et ne trouva que cette armure verte. Il était obligé de s'en couvrir, n'ayant rien autre chose auprès de lui. Étonné et indigné, il les endosse [10] avec fureur, il avance dans cet équipage.[11]

Tout ce qui était encore sur l'amphithéâtre et dans le cirque le reçut avec 30 des huées. On l'entourait; on lui insultait en face. Jamais homme n'essuya [12] des mortifications si humiliantes. La patience lui échappa; il écarta à coups de sabre la populace qui osait l'outrager; mais il ne savait quel parti [13] prendre. Il ne pouvait voir la reine; il ne pouvait réclamer l'armure blanche qu'elle lui avait envoyée; c'eût été la compromettre: ainsi, tandis qu'elle était 35 plongée dans la douleur, il était pénétré de fureur et d'inquiétude. Il se promenait sur les bords de l'Euphrate, persuadé que son étoile le destinait à être malheureux sans ressource,[14] repassant dans son esprit toutes ses disgrâces [15] depuis l'aventure de la femme qui haïssait les borgnes, jusqu'à celle

---

1. rivets. **2.** armure qui recouvre les bras. **3.** *links (of their coat of mail).* **4.** frappent de ...: *thrust and slash.* **5.** *twist.* **6.** *flies up, flashes.* **7.** prescrit. **8.** comparer (avec celle qu'il avait donnée le jour précédent). **9.** *it was unexpected, a surprise.* **10.** dons. **11.** *accoutrement.* **12.** *was subjected to.* **13.** résolution. **14.** sans ...: *without remedy.* **15.** infortunes.

de son armure.   Voilà ce que c'est, disait-il, de m'être éveillé trop tard; si
j'avais moins dormi, je serais roi de Babylone, je posséderais Astarté.   Les
sciences, les mœurs, le courage, n'ont donc jamais servi qu'à mon infortune.
Il lui échappa enfin de murmurer contre la Providence, et il fut tenté de
croire que tout était gouverné par une destinée cruelle qui opprimait les bons   5
et qui faisait prospérer les chevaliers verts.   Un de ses chagrins était de
porter cette armure verte qui lui avait attiré tant de huées.   Un marchand
passa, il la lui vendit à vil prix,[1] et prit du marchand une robe et un bonnet
long.   Dans cet équipage, il côtoyait l'Euphrate, rempli de désespoir, et
accusant en secret la Providence qui le persécutait toujours.   10

LES ÉNIGMES

Zadig hors de lui-même, et comme un homme auprès de qui est tombé le
tonnerre, marchait au hasard.   Il rentra dans Babylone le jour où ceux qui
avaient combattu dans la lice étaient déjà assemblés dans le grand vestibule
du palais pour expliquer les énigmes, et pour répondre aux questions du
grand mage.   Tous les chevaliers étaient arrivés, excepté l'armure verte. 15
Dès que Zadig parut dans la ville, le peuple s'assembla autour de lui; les
yeux ne se rassasiaient [2] point de le voir, les bouches de le bénir,[3] les cœurs
de lui souhaiter l'empire.   L'Envieux le vit passer, frémit [4] et se détourna;
le peuple le porta jusqu'au lieu de l'assemblée.   La reine, à qui on apprit
son arrivée, fut en proie à l'agitation de la crainte et de l'espérance; l'in- 20
quiétude la dévorait: elle ne pouvait comprendre, ni pourquoi Zadig était
sans armes, ni comment Itobad portait l'armure blanche.   Un murmure
confus s'éleva à la vue de Zadig.   On était surpris et charmé de le revoir;
mais il n'était permis qu'aux chevaliers qui avaient combattu de paraître
dans l'assemblée.   25
J'ai combattu comme un autre, dit-il; mais un autre porte ici mes armes;
et en attendant que j'aie l'honneur de le prouver, je demande la permission
de me présenter pour expliquer les énigmes.   On alla aux voix [5]: sa réputation
de probité était encore si fortement imprimée dans les esprits, qu'on ne
balança [6] pas à l'admettre.   30
Le grand mage proposa d'abord cette question: Quelle est de toutes les
choses du monde la plus longue et la plus courte, la plus prompte et la plus
lente, la plus divisible et la plus étendue, la plus négligée et la plus regrettée,
sans qui rien ne se peut faire, qui dévore tout ce qui est petit, et qui vivifie [7]
tout ce qui est grand?   35
C'était à Itobad à parler.   Il répondit qu'un homme comme lui n'entendait
rien aux énigmes, et qu'il lui suffisait d'avoir vaincu à grands coups de lance.
Les uns dirent que le mot de l'énigme était la fortune, d'autres la terre,

1. *at a very low price, dirt-cheap.*   2. (lit., *were never sated) never tired.*   3. *bless.*
4. *shuddered.*   5. on alla . . .: *it was put to the vote.*   6. hésita.   7. donne vie.

d'autres la lumière. Zadig dit que c'était le temps : Rien n'est plus long, ajouta-t-il, puisqu'il est la mesure de l'éternité, rien n'est plus court, puisqu'il manque à tous nos projets ; rien n'est plus lent pour qui attend ; rien de plus rapide pour qui jouit [1] ; il s'étend jusqu'à l'infini en grand ; il se divise jusque dans l'infini en petit ; tous les hommes le négligent, tous en regrettent 5 la perte [2] ; rien ne se fait sans lui ; il fait oublier tout ce qui est indigne de la postérité, et il immortalise les grandes choses. L'assemblée convint [3] que Zadig avait raison.

On demanda ensuite : Quelle est la chose qu'on reçoit sans remercier, dont on jouit [1] sans savoir comment, qu'on donne aux autres quand on ne sait où 10 l'on en est,[4] et qu'on perd sans s'en apercevoir ?

Chacun dit son mot : Zadig devina [5] seul que c'était la vie. Il expliqua toutes les autres énigmes avec la même facilité. Itobad disait toujours que rien n'était plus aisé, et qu'il en serait venu à bout [6] tout aussi facilement, s'il avait voulu s'en donner la peine. On proposa des questions sur la justice, 15 sur le souverain bien, sur l'art de régner. Les réponses de Zadig furent jugées les plus solides. C'est bien dommage,[7] disait-on, qu'un si bon esprit soit un si mauvais cavalier.

Illustres seigneurs, dit Zadig, j'ai eu l'honneur de vaincre dans la lice. C'est à moi qu'appartient l'armure blanche. Le seigneur Itobad s'en em- 20 para [8] pendant mon sommeil : il jugea apparemment qu'elle lui siérait [9] mieux que la verte. Je suis prêt à lui prouver d'abord devant vous, avec ma robe et mon épée, contre toute cette belle armure blanche qu'il m'a prise, que c'est moi qui ai eu l'honneur de vaincre le brave Otame.

Itobad accepta le défi [10] avec la plus grande confiance. Il ne doutait pas 25 qu'étant casqué,[11] cuirassé, brassardé, il ne vînt aisément à bout d'un champion en bonnet de nuit [12] et en robe de chambre. Zadig tira son épée, en saluant la reine qui le regardait, pénétrée de joie et de crainte. Itobad tira la sienne, en ne saluant personne. Il s'avança sur Zadig comme un homme qui n'avait rien à craindre. Il était prêt à lui fendre [13] la tête : Zadig sut 30 parer le coup, en opposant ce qu'on appelle le fort [14] de l'épée au faible [14] de son adversaire, de façon que l'épée d'Itobad se rompit. Alors Zadig saisissant son ennemi au corps le renversa par terre, et lui portant la pointe de son épée au défaut [15] de la cuirasse : Laissez-vous désarmer, dit-il, ou je vous tue. Itobad, toujours surpris des disgrâces qui arrivaient à un homme comme lui, 35 laissa faire Zadig, qui lui ôta paisiblement son magnifique casque, sa superbe cuirasse, ses beaux brassards, ses brillants cuissards [16] ; s'en revêtit,[17] et courut dans cet équipage se jeter aux genoux d'Astarté. Cador prouva aisément

---

1. *is happy*, e.g. *enjoys*.   2. *loss.*   3. admit, fut d'accord.   4. quand on . . . : *when one is beside oneself.*   5. *guessed.*   6. en serait . . . : *would have succeeded* (*in guessing*).   7. C'est bien . . . : *It's such a pity.*   8. prit possession.   9. *would be more becoming.*   10. *challenge.*   11. *helmeted.*   12. bonnet . . . : *night cap.*   13. prêt à . . . : *about to split open.*   14. le fort : *the thick part of the blade;* le faible : *the thin, flexible end of the blade towards the point.*   15. *the joint.*   16. *thigh pieces.*   17. *donned.*

que l'armure appartenait à Zadig. Il fut reconnu roi d'un consentement unanime, et surtout de celui d'Astarté, qui goûtait,[1] après tant d'adversités, la douceur de voir son amant digne aux yeux de l'univers d'être son époux. Itobad alla se faire appeler monseigneur dans sa maison. Zadig fut roi, et fut heureux.... La reine et lui adorèrent la Providence. Zadig laissa la 5 belle capricieuse Missouf courir le monde.[2] Il envoya chercher le brigand Arbogad, auquel il donna un grade honorable dans son armée, avec promesse de l'avancer aux premières dignités, s'il se comportait en vrai guerrier, et de le faire pendre,[3] s'il faisait le métier de brigand.

Sétoc fut appelé du fond de l'Arabie, avec la belle Almona, pour être à la 10 tête du commerce de Babylone. Cador fut placé et chéri selon ses services; il fut l'ami du roi, et le roi fut alors le seul monarque de la terre qui eût un ami. Le petit muet ne fut pas oublié....

Ni la belle Sémire ne se consolait d'avoir cru que Zadig serait borgne, ni Azora ne cessait de pleurer d'avoir voulu lui couper le nez. Il adoucit[4] leurs 15 douleurs par des présents. L'Envieux mourut de rage et de honte. L'empire jouit de la paix, de la gloire et de l'abondance: ce fut le plus beau siècle de la terre; elle était gouvernée par la justice et par l'amour. On bénissait Zadig, et Zadig bénissait le ciel.

1. appréciait. **2.** courir...: chercher d'autres aventures. **3.** faire pendre: *have (him) hanged.* **4.** *softened, alleviated.*

LES CONFESSIONS

de JEAN-JACQUES ROUSSEAU

(1712–1778)

Deux grandes figures d'écrivains, Voltaire et Rousseau, dominent, en France, l'histoire de la seconde moitié du XVIIIe siècle. Tous deux ont, par leurs ouvrages mais d'une façon très différente, exercé une action puissante sur les idées politiques et sociales de leur temps, tous deux ont préparé le terrain pour la Révolution, Rousseau a, de plus, jeté le germe du Romantisme.

Il a conté lui-même dans ses *Confessions* (voir l'extrait donné plus loin) comment, né à Genève, il s'y éleva au hasard et comment sa mauvaise fortune fit de lui un ennemi précoce de la société, un vagabond prêt à essayer tous les métiers, à subir toutes les humiliations pour ne pas mourir de faim. Elle eut l'avantage de le faire se replier sur lui-même (*retire within himself*), de lui apprendre à sentir et à penser. Tour à tour scribe, apprenti graveur, valet, musicien errant, étudiant, en Suisse et en Italie, il trouve enfin un foyer (*home*) en Savoie. Là, il se repose, se recueille (*collects his thoughts*), reprend son équilibre moral, achève ses études, se prépare à écrire les ouvrages qui le rendront célèbre.

Il arrive à Paris en 1742, pauvre, inconnu, cherchant sa voie. Il gagne péniblement sa vie en copiant de la musique: il s'associe avec un groupe d'hommes imbus, comme lui, d'idées subversives contre la société établie. En 1749, l'Académie de Dijon couronne son *Discours sur le Rétablissement des Lettres et des Arts* où il lance son fameux paradoxe que les progrès de la civilisation ont rendu les hommes méchants et malheureux, et quatre ans plus tard il lance un second « discours » où le bonheur des hommes de la nature est exalté aux dépens de celui des civilisés. En 1752, son opéra, *Le Devin du Village*, est représenté avec succès à Versailles et à Paris. L'avenir s'annonce meilleur: il se verra bientôt de grands seigneurs le protéger, de grandes dames et des savants rechercher son amitié. Il se retire à la campagne, car il aime la solitude et il adore la nature. C'est là, à Montmorency, qu'il va composer ses trois grands ouvrages: *La Nouvelle Héloïse, Le Contrat social*, et *Émile*.

La Nouvelle Héloïse (1759) marque une date dans l'évolution du roman. L'auteur y raconte, sous forme de lettres, une simple histoire d'amour, mais il décrit les paysages des Alpes en un style enchanteur qui inspirera tous les romantiques. On a appelé *Le Contrat social* (1762) « la Bible de la Révolution ». Rousseau y proclame le dogme de la souveraineté populaire. Dans le roman didactique d'*Émile*, il expose, après Rabelais, Montaigne et Fénelon, ses théories, ses « rêveries d'un visionnaire » sur l'éducation, et trace, avec plus d'éloquence que de sens pratique, le programme d'une éducation et le système d'une religion (voir la *Profession de foi du Vicaire savoyard*) fondés uniquement sur la nature.

Émile fit une énorme sensation. Censuré par l'Église, ce livre fut brûlé par ordre du Parlement de Paris. Rousseau dut s'enfuir. Il se réfugie en Suisse, puis en Angleterre. D'un naturel sensible à l'excès, il voit des ennemis partout: c'est une obsession. Il peut enfin rentrer à Paris, y séjourne quelques années et va achever sa triste vieillesse à Ermenonville, chez le marquis de Girardin. Il y meurt subitement en 1778. On a parlé de suicide, sans preuves. La Révolution triomphante fera porter au Panthéon, ıe *Westminster* de la France, les restes de son grand initiateur. C'est surtout grâce à son éloquence un peu déclamatoire, mais vibrante de sincérité, grâce à son style harmonieux et imagé que cet étrange misanthrope a pu séduire d'innombrables lecteurs, introduire des idées de liberté et de justice dans nos lois et dans nos mœurs, et faire aimer la nature à un siècle trop dépourvu de sensibilité.

Le livre des *Confessions* ne fut publié que quatre ans après la mort de Rousseau. Il y a raconté d'une façon charmante sa propre enfance. Il a appelé ce livre *Confessions* parce qu'il avait des ennemis et qu'il désirait les confondre (*convict of error*) en confessant en toute sincérité les mauvais comme les bons côtés de sa nature. On trouvera, par endroits (*in places*), dans ces pages-là une note assez sentimentale fréquente à cette époque qui préparait le grand mouvement romantique dans l'Europe entière.

LES PARENTS DE JEAN-JACQUES ROUSSEAU

Je suis né à Genève en 1712, d'Isaac Rousseau, citoyen [1] et de Susanne Bernard, citoyenne. Un bien [2] fort médiocre, à partager entre quinze enfants, ayant réduit presque à rien la portion de mon père, il n'avait pour subsister que son métier d'horloger,[3] dans lequel il était à la vérité fort habile. Ma mère, fille du ministre Bernard, était plus riche: elle avait de la sagesse et de 5 la beauté. Ce n'était pas sans peine que mon père l'avait obtenue. Leurs amours avaient commencé presque avec leur vie; dès l'âge de huit à neuf ans ils se promenaient ensemble tous les soirs sur la Treille [4]; à dix ans ils ne pouvaient plus se quitter. La sympathie, l'accord des âmes, affermit [5] en eux le sentiment qu'avait produit l'habitude. Tous deux, nés tendres et 10 sensibles,[6] n'attendaient que le moment de trouver dans un autre la même disposition, ou plutôt ce moment les attendait eux-mêmes, et chacun d'eux jeta son cœur dans le premier qui s'ouvrit pour le recevoir. Le sort, qui semblait contrarier [7] leur passion, ne fit que l'animer. Le jeune amant, ne pouvant obtenir sa maîtresse, se consumait de douleur: elle lui conseilla de 15 voyager pour l'oublier. Il voyagea sans fruit [8] et revint plus amoureux que jamais. Il retrouva celle qu'il aimait tendre et fidèle. Après cette épreuve,[9] il ne restait qu'à s'aimer toute la vie; ils le jurèrent,[10] et le Ciel bénit leur serment.

Gabriel Bernard, frère de ma mère, devint amoureux d'une des sœurs de 20 mon père; mais elle ne consentit à épouser le frère qu'à condition que son frère épouserait la sœur. L'amour arrangea tout, et les deux mariages se firent le même jour. Ainsi mon oncle était le mari de ma tante, et leurs enfants furent doublement mes cousins germains.[11] Il en naquit un de part et d'autre [12] au bout d'une année; ensuite il fallut encore se séparer. 25

1. Il y avait alors à Genève quatre classes: *a. Citoyen*, fils de bourgeois et né à Genève (qui avait droit à la magistrature); *b. Bourgeois*, fils de citoyen, mais né à l'étranger; *c. Habitant*, étranger domicilié dans la ville; *d. Natif*, fils d'habitant. **2.** fortune. **3.** *watchmaker's trade*. **4.** promenade plantée d'arbres à Genève. **5.** *strengthened*. **6.** *sensitive* (not *sensible*). **7.** opposer, aller contre. **8.** sans fruit: inutilement. **9.** *test*. **10.** promirent par un serment (*oath*) (de s'aimer toujours). **11.** cousins germains: *first cousins*. **12.** de part et d'autre; *ici:* à chacun des deux jeunes couples.

Mon oncle Bernard était ingénieur: il alla servir [1] dans l'Empire [2] et en Hongrie sous le prince Eugène.[3] Mon père, après la naissance de mon frère unique, partit pour Constantinople, où il était appelé, et devint horloger du sérail.[4] Durant son absence, la beauté de ma mère, son esprit,[5] ses talents, lui attirèrent des hommages. M. de La Closure, résident de France,[6] fut des 5 plus empressés [7] à lui en offrir. Il fallait que sa passion fût vive, puisqu'au bout de trente ans je l'ai vu s'attendrir [8] en me parlant d'elle. Ma mère avait plus que de la vertu pour s'en défendre: elle aimait tendrement son mari. Elle le pressa de revenir: il quitta tout, et revint. Je fus le triste fruit de ce retour. Dix mois après, je naquis infirme et malade. Je coûtai la vie à ma 10 mère, et ma naissance fut le premier de mes malheurs.

Je n'ai pas su comment mon père supporta cette perte,[9] mais je sais qu'il ne s'en consola jamais. Il croyait la revoir en moi, sans pouvoir oublier que je la lui avais ôtée [10]; jamais il ne m'embrassa que [11] je ne sentisse à ses soupirs,[12] à ses convulsives étreintes,[13] qu'un regret amer se mêlait à ses caresses: elles 15 n'en étaient que plus tendres. Quand il me disait: « Jean-Jacques, parlons de ta mère », je lui disais: « Hé bien! mon père, nous allons donc pleurer »; et ce mot seul lui tirait déjà des larmes.[14] « Ah! disait-il en gémissant,[15] rends-la-moi, console-moi d'elle, remplis le vide [16] qu'elle a laissé dans mon âme. T'aimerais-je ainsi si tu n'étais que mon fils? » Quarante ans après 20 l'avoir perdue, il est mort dans les bras d'une seconde femme, mais le nom de la première à la bouche, et son image au fond du cœur.

Tels furent les auteurs de mes jours. De tous les dons [17] que le Ciel leur avait départis,[18] un cœur sensible [19] est le seul qu'ils me laissèrent; mais il avait fait leur bonheur, et fit tous les malheurs de ma vie. 25

NAISSANCE DE ROUSSEAU

J'étais né presque mourant [20]; on espérait peu de me conserver. Une sœur de mon père, fille aimable et sage, prit si grand soin de moi qu'elle me sauva. Au moment où j'écris ceci, elle est encore en vie, soignant, à l'âge de quatre-vingts ans, un mari plus jeune qu'elle, mais usé par la boisson.[21] Chère tante, je vous pardonne de m'avoir fait vivre, et je m'afflige [22] de ne pouvoir vous 30 rendre à la fin de vos jours les tendres soins que vous m'avez prodigués au commencement des miens! J'ai aussi ma mie [23] Jacqueline encore vivante, saine [24] et robuste. Les mains qui m'ouvrirent les yeux à ma naissance pourront me les fermer à ma mort.

---

1. servir (dans l'armée). **2.** en Allemagne. **3.** prince Eugène (1662–1736), comte de Soissons, se mit au service de l'Autriche, gagna les batailles d'Oudenarde et de Malplaquet. **4.** harem du Sultan. **5.** *intelligence, humor.* **6.** résident de France: la France avait un représentant diplomatique à Genève. **7.** *assiduous.* **8.** être ému, trahir de l'émotion. **9.** *loss.* **10.** *taken away.* **11.** (sans) que. **12.** *sighs.* **13.** *embraces.* **14.** tirait: *drew;* larmes: *tear.* **15.** *moaning.* **16.** *void.* **17.** *gifts.* **18.** distribués. **19.** *sensitive.* **20.** *moribund.* **21.** *worn out by drink.* **22.** *am grieved.* **23.** contraction de *ma amie.* C'est ainsi que Rousseau appelait sa bonne (*nurse*). **24.** *healthy.*

LES PREMIÈRES LECTURES ET LE GOÛT [1] POUR LA MUSIQUE

Je sentis avant de penser [2]: c'est le sort commun de l'humanité. Je
.l'éprouvai [3] plus qu'un autre. J'ignore ce que je fis jusqu'à cinq ou six ans.
Je ne sais comment j'appris à lire; je ne me souviens que de mes premières
lectures et de leur effet sur moi: c'est le temps d'où je date sans interruption
la conscience de moi-même. Ma mère avait laissé des romans [4]; nous nous   5
mîmes à les lire après souper, mon père et moi. Il n'était question d'abord
que de m'exercer à la lecture par des livres amusants; mais bientôt l'intérêt
devint si vif que nous lisions tour à tour sans relâche,[5] et passions les nuits à
cette occupation. Nous ne pouvions jamais quitter qu'à la fin du volume.
Quelquefois mon père, entendant le matin les hirondelles,[6] disait tout hon- 10
teux: « Allons nous coucher; je suis plus enfant que toi. »

En peu de temps j'acquis, par cette dangereuse méthode, non seulement
une extrême facilité à lire et à m'entendre,[7] mais une intelligence unique à
mon âge sur les passions. Je n'avais aucune idée des choses, que [8] tous les
sentiments m'étaient déjà connus. Je n'avais rien conçu, j'avais tout senti. 15
Ces émotions confuses, que j'éprouvai coup sur coup,[9] n'altéraient [10] point
la raison, que je n'avais pas encore, mais elles m'en formèrent une d'une
autre trempe,[11] et me donnèrent de la vie humaine des notions bizarres et
romanesques, dont l'expérience et la réflexion n'ont jamais pu bien me
guérir.[12]   20

Les romans finirent avec l'été de 1719. L'hiver suivant, ce fut autre chose.
La bibliothèque de ma mère épuisée,[13] on eut recours à la portion de celle de
son père qui nous était échue.[14] Heureusement il s'y trouva de bons livres;
et cela ne pouvait guère être autrement, cette bibliothèque ayant été formée
par un ministre, à la vérité, et savant [15] même, car c'était la mode alors, mais 25
homme de goût et d'esprit.[16] L'*Histoire de l'Église et de l'Empire* par Le Sueur,
le *Discours* de Bossuet *sur l'Histoire universelle*, les *Hommes illustres* de
Plutarque,[17] l'*Histoire de Venise* par Nani, les *Métamorphoses* d'Ovide, La
Bruyère,[18] les *Mondes* de Fontenelle,[19] ses *Dialogues des morts*, et quelques
tomes de Molière furent transportés dans le cabinet [20] de mon père, et je les 30
lui lisais tous les jours durant son travail. J'y pris un goût [21] rare et peut-être
unique à cet âge. Plutarque surtout devint ma lecture favorite. Le plaisir
que je prenais à le relire sans cesse me guérit un peu des romans, et je pré-
férai bientôt Agésilas, Brutus, Aristide,[22] à Orondate, Artamène et Juba.[23]

---

1. *liking.* **2.** *I was a sensitive being before I could think.* **3.** *experienced.* **4.** *novels.*
5. *interruption.* **6.** *swallows.* **7.** acquérir conscience de moi-même. **8.** *when.* **9.** l'une
après l'autre, sans relâche. **10.** changeaient en mal, gâtaient. **11.** caractère, nature.
12. *cure.* **13.** *exhausted.* **14.** *fallen to our lot.* **15.** *scholarly.* **16.** homme de . . . esprit:
man with a cultured mind. **17.** l'auteur des *Vies des Hommes illustres Grecs et Romains.*
18. moraliste célèbre du 17e siècle. **19.** écrivain du 17e siècle, auteur des *Entretiens*
(discourses) *sur la Pluralité des Mondes*, et de *Dialogues des morts.* **20.** *workroom.* **21.** pris
un goût: *developed a liking.* **22.** trois héros de l'antiquité chez Plutarque. **23.** trois héros
des romans sentimentaux lus par Rousseau et son père.

De ces intéressantes lectures, des entretiens [1] qu'elles occasionnaient entre mon père et moi, se forma cet esprit libre et républicain, ce caractère indomptable et fier, impatient de joug,[2] et de servitude, qui m'a tourmenté tout le temps de ma vie dans les situations les moins propres [3] à lui donner l'essor.[4] Sans cesse occupé de Rome et d'Athènes, vivant pour ainsi dire avec leurs 5 grands hommes, né moi-même citoyen d'une république et fils d'un père dont l'amour de la patrie était la plus forte passion, je m'en enflammais à son exemple, je me croyais Grec ou Romain; je devenais le personnage dont je lisais la vie; le récit des traits de constance et d'intrépidité qui m'avaient frappé me rendait les yeux étincelants [5] et la voix forte. Un jour que je 10 racontais à table l'aventure de Scévola,[6] on fut effrayé de me voir avancer et tenir la main sur un réchaud [7] pour représenter son action.

VIE DE FAMILLE

J'avais un frère plus âgé que moi de sept ans. Il apprenait la profession de mon père. L'extrême affection qu'on avait pour moi le faisait un peu négliger, et ce n'est pas cela que j'approuve. Son éducation se sentit [8] 15 de cette négligence. Il prit le train du libertinage,[9] même avant l'âge d'être un vrai libertin. On le mit chez un autre maître,[10] d'où il faisait des escapades comme il en avait fait de la maison paternelle. Je ne le voyais presque point, à peine puis-je dire avoir fait connaissance avec lui; mais je ne laissais [11] pas de l'aimer tendrement, et il m'aimait autant qu'un polisson [12] peut aimer 20 quelque chose. Je me souviens qu'une fois que mon père le châtiait rudement [13] et avec colère, je me jetai impétueusement entre deux,[14] l'embrassant étroitement.[15] Je le couvris ainsi de mon corps, recevant les coups qui lui étaient portés, et je m'obstinai si bien dans cette attitude qu'il fallut enfin que mon père lui fît grâce,[16] soit désarmé par mes cris et mes larmes, soit pour 25 ne pas me maltraiter plus que lui. Enfin mon frère tourna si mal [17] qu'il s'enfuit et disparut tout à fait. Quelque temps après on sut [18] qu'il était en Allemagne. Il n'écrivit pas une seule fois. On n'a plus eu de ses nouvelles depuis ce temps-là, et voilà comment je suis demeuré [19] fils unique.

Si ce pauvre garçon fut élevé négligemment, il n'en fut pas ainsi [20] de son 30 frère, et les enfants des rois ne sauraient être soignés avec plus de zèle que je le fus durant mes premiers ans, idolâtré de tout ce qui m'environnait, et toujours, ce qui est bien plus rare, traité en enfant chéri, jamais en enfant

---

1. conversations. **2.** (lit., *yoke*): contrainte, autorité. **3.** favorables. **4.** libre expression. **5.** *sparkling, shining.* **6.** Scévola (ou Scaevola) qui pendant le siège de Rome par les Étrusques, pénétra dans le camp ennemi et pensant assassiner leur roi Porsenna, mit à mort son secrétaire. Quand on le mena devant le roi, il mit sa main droite dans un feu de charbon (*charcoal*) pour la punir de s'être trompée, et pour montrer qu'il ne craignait pas la torture. **7.** (*charcoal*) *dish-warmer.* **8.** souffrit. **9.** prit ... libertinage: *took to licentiousness.* **10.** chez un autre maître: l'apprenti d'un métier (*trade*) à cette époque, non seulement apprenait chez son maître, mais demeurait chez celui-ci; le frère de Rousseau quitta donc la maison paternelle. **11.** cessais. **12.** *rake, dissipated fellow.* **13.** vigoureusement. **14.** entre (les) deux. **15.** *tightly.* **16.** fît grâce: pardonnât. **17.** tourna si mal: *became so bad.* **18.** apprit. **19.** resté. **20.** il ... ainsi: *this was not the case.*

gâté.[1] Jamais une seule fois, jusqu'à ma sortie [2] de la maison paternelle, on ne m'a laissé courir seul dans la rue avec les autres enfants; jamais on n'eut à réprimer [3] en moi ni à satisfaire aucune de ces fantasques humeurs [4] qu'on impute à la nature, et qui naissent toutes de la seule éducation. J'avais les défauts de mon âge: j'étais babillard,[5] gourmand,[6] quelquefois menteur.[7] J'aurais volé des fruits, des bonbons, de la mangeaille [8]; mais jamais je n'ai pris plaisir à faire du mal, du dégât,[9] à charger [10] les autres, à tourmenter de pauvres animaux. Je me souviens pourtant d'avoir une fois pissé dans la marmite [11] d'une de nos voisines, appelée Mme Clot, tandis qu'elle était au prêche.[12] J'avoue [13] même que ce souvenir me fait encore rire, parce que Mme Clot, bonne femme au demeurant,[14] était bien la vieille la plus grognon [15] que je connus de ma vie. Voilà la courte et véridique histoire de tous mes détails enfantins.

Comment serais-je devenu méchant, quand je n'avais sous les yeux que des exemples de douceur,[16] et autour de moi que les meilleures gens du monde? [17] Mon père, ma tante, ma mie, mes parents, nos amis, nos voisins, tout ce qui m'environnait ne m'obéissait pas à la vérité, mais m'aimait; et moi, je les aimais de même. Mes volontés [18] étaient si peu excitées et si peu contrariées [19] qu'il ne me venait pas dans l'esprit d'en avoir. Je puis jurer que jusqu'à mon asservissement [20] sous un maître, je n'ai pas su ce que c'était qu'une fantaisie. Hors [21] le temps que je passais à lire ou écrire auprès de mon père, et celui où ma mie me menait promener, j'étais toujours avec ma tante, à la voir broder,[22] à l'entendre chanter, assis ou debout à côté d'elle; et j'étais content. Son enjouement,[23] sa douceur, sa figure agréable, m'ont laissé de si fortes impressions que je vois encore son air, son regard, son attitude; je me souviens de ses petits propos caressants [24]; je dirais comment elle était vêtue et coiffée,[25] sans oublier les deux crochets [26] que ses cheveux noirs faisaient sur ses tempes,[27] selon la mode de ce temps-là.

Je suis persuadé que je lui dois le goût ou plutôt la passion pour la musique, qui ne s'est bien développée en moi que longtemps après. Elle savait une quantité prodigieuse d'airs et de chansons qu'elle chantait avec un filet de voix [28] fort douce. La sérénité d'âme de cette excellente fille éloignait [29] d'elle et de tout ce qui l'environnait la rêverie et la tristesse. L'attrait [30] que son chant avait pour moi fut tel que non seulement plusieurs de ces chansons me sont toujours restées dans la mémoire, mais qu'il m'en revient même, aujourd'hui que je l'ai perdue, qui, totalement oubliées depuis mon enfance, se retracent [31] à mesure que je vieillis, avec un charme que je ne puis

---

1. *spoiled.* 2. départ. 3. *curb.* 4. bizarres caprices. 5. qui parle beaucoup. 6. qui mange trop. 7. *liar.* 8. ce qu'on mange. 9. *wanton destruction.* 10. mettre le blâme sur. 11. *kettle.* 12. sermon. 13. admets, confesse. 14. au reste, d'ailleurs. 15. *grumbling.* 16. *gentleness.* 17. les . . . monde: *best people in the world.* 18. *wishes.* 19. *crossed.* 20. servitude. 21. *except for.* 22. *embroider.* 23. gaieté douce. 24. *endearing words.* 25. comment . . . coiffée: *what kind of cap she wore.* 26. (lit., *hooks*): *kiss-curls, spit-curls.* 27. *temples.* 28. petite voix, voix faible (*Cf.* filet d'eau, *streamlet*). 29. *banished.* 30. charme. 31. reviennent à la mémoire.

exprimer. Dirait-on que moi, vieux radoteur,[1] rongé de soucis et de peines,[2] je me surprends [3] quelquefois à pleurer comme un enfant, en marmottant [4] ces petits airs d'une voix cássée [5] et tremblante? Il y en a un surtout qui m'est bien revenu tout entier quant à [6] l'air; mais la seconde moitié des paroles s'est constamment refusée à tous mes efforts pour me la rappeler, quoiqu'il m'en revienne confusément les rimes. Voici le commencement, et ce que j'ai pu me rappeler du reste:

> Tircis, je n'ose
> Écouter ton chalumeau
> Sous l'ormeau:
> Car on en cause
> Déjà dans notre hameau.
> . . . .
> . . . . un berger
> . . . . s'engager
> . . . . sans danger;
> Et toujours l'épine est sous la rose.[7]

Je cherche où est le charme attendrissant [8] que mon cœur trouve à cette chanson: c'est un caprice auquel je ne comprends rien, mais il m'est de toute impossibilité de la chanter jusqu'à la fin sans être arrêté par mes larmes. J'ai cent fois projeté d'écrire à Paris pour faire chercher le reste des paroles, si tant est que [9] quelqu'un les connaisse encore. Mais je suis presque sûr que le plaisir que je prends à me rappeler cet air s'évanouirait [10] en partie si j'avais la preuve que d'autres que ma pauvre tante Suson l'ont chanté.

Telles furent les premières affections de mon entrée à la vie; ainsi commençait à se former ou à se montrer en moi ce cœur à la fois si fier et si tendre, ce caractère efféminé, mais pourtant indomptable, qui, flottant toujours entre la faiblesse et le courage, entre la mollesse [11] et la vertu, m'a jusqu'au bout mis en contradiction avec moi-même, et a fait que l'abstinence et la jouissance,[12] le plaisir et la sagesse, m'ont également échappé.

---

1. *dotard.* **2.** (lit., *gnawed with cares*): Rousseau était alors en exil et persécuté pour ses idées. **3.** *I catch myself.* **4.** répétant indistinctement. **5.** *broken.* **6.** quant à . . .: *so far as . . . is concerned.* **7.** La chanson a été retrouvée; la voici:

> Tircis, je n'ose (*dare not*)
> Écouter ton chalumeau (*flute*)
> Sous l'ormeau (*elm tree*):
> Car on en cause (*gossips*)
> Déjà dans notre hameau (*hamlet*)
> Un cœur s'expose
> A trop s'engager
> Avec un berger (*shepherd*);
> Et toujours l'épine (*thorn*)
> Est sous la rose.

8. qui cause de l'émotion. **9.** si . . . que: à supposer même que. **10.** *would vanish.* **11.** manque d'énergie. **12.** *enjoyment.*

EN PENSION À BOSSEY AVEC LE COUSIN BERNARD

Ce train d'éducation [1] fut interrompu par un accident dont les suites [2] ont influé sur le reste de ma vie. Mon père eut un démêlé [3] avec un M. Gautier, capitaine en France et apparenté dans le conseil.[4] Ce Gautier, homme insolent et lâche,[5] saigna [6] du nez, et, pour se venger, accusa mon père d'avoir mis l'épée [7] à la main dans la ville. Mon père, qu'on voulut 5 envoyer en prison, s'obstinait à vouloir que, selon la loi, l'accusateur y entrât aussi bien que lui: n'ayant pu l'obtenir, il aima mieux sortir de Genève et s'expatrier pour le reste de sa vie que de céder sur un point où l'honneur et la liberté lui paraissaient compromis.[8]

Je restai sous la tutèle [9] de mon oncle Bernard, alors employé aux fortifica- 10 tions de Genève. Sa fille aînée était morte, mais il avait un fils de même âge que moi. Nous fûmes mis ensemble à Bossey en pension chez le ministre Lambercier, pour y apprendre, avec le latin, tout le menu fatras [10] dont on l'accompagne sous le nom d'éducation.

Deux ans passés au village adoucirent [11] un peu mon âpreté [12] romaine et 15 me ramenèrent à l'état d'enfant. A Genève, où l'on ne m'imposait rien, j'aimais l'application,[13] la lecture: c'était presque mon seul amusement; à Bossey, le travail me fit aimer les jeux qui lui servaient de relâche.[14] La campagne était pour moi si nouvelle que je ne pouvais me lasser d'en jouir. Je pris pour elle un goût si vif qu'il n'a jamais pu s'éteindre.[15] Le souvenir 20 des jours heureux que j'y ai passés m'a fait regretter son séjour [16] et ses plaisirs dans tous les âges, jusqu'à celui [17] qui m'y a ramené. M. Lambercier était un homme fort raisonnable, qui, sans négliger notre instruction, ne nous chargeait point de devoirs extrêmes. La preuve qu'il s'y prenait bien [18] est que, malgré mon aversion pour la gêne,[19] je ne me suis jamais rappelé avec 25 dégoût mes heures d'étude, et que, si je n'appris pas de lui beaucoup de choses, ce que j'appris je l'appris sans peine, et n'en ai rien oublié.

La simplicité de cette vie champêtre [20] me fit un bien d'un prix inestimable, en ouvrant mon cœur à l'amitié. Jusqu'alors je n'avais connu que des sentiments élevés, mais imaginaires. L'habitude de vivre ensemble dans un état 30 paisible m'unit tendrement à mon cousin Bernard. En peu de temps j'eus pour lui des sentiments plus affectueux que ceux que j'avais eus pour mon frère, et qui ne se sont jamais effacés. C'était un grand garçon fort efflanqué,[21] fort fluet,[22] aussi doux d'esprit que faible de corps, et qui n'abusait pas trop de la prédilection qu'on avait pour lui dans la maison comme fils de mon 35 tuteur.[23] Nos travaux, nos amusements, nos goûts, étaient les mêmes; nous

1. *course of education.* 2. conséquences. 3. dispute. 4. *with influential relatives in the City Council.* 5. couard, poltron. 6. *bled.* 7. La loi de Genève condamnait le duel. 8. *brought into discredit.* 9. *guardianship.* 10. *trash.* 11. tempérèrent, modérèrent. 12. *harshness.* 13. travail, effort soutenu. 14. repos, cessation de travail. 15. *die out.* 16. regretter ... séjour: *miss the pleasantness of residing there.* 17. celui = l'âge. 18. *went about it in the right way.* 19. contrainte, manque de liberté. 20. des champs; à la campagne. 21. *lean.* 22. *slender.* 23. *guardian.*

étions seuls, nous étions de même âge, chacun des deux avait besoin d'un
camarade; nous séparer était en quelque sorte nous anéantir.[1] Quoique
nous eussions peu d'occasions de faire preuve de notre attachement l'un
pour l'autre, il était extrême: et non seulement nous ne pouvions vivre un
instant séparés, mais nous n'imaginions pas que nous pussions l'être. Tous 5
deux d'un esprit facile à céder aux caresses, complaisants[2] quand on ne voulait
pas nous contraindre, nous étions toujours d'accord sur tout. Si, par la faveur de ceux qui nous gouvernaient, il avait sur moi quelque ascendant[3]
sous leurs yeux, quand nous étions seuls j'en avais un sur lui qui rétablissait
l'équilibre. Dans nos études je lui soufflais[4] sa leçon quand il hésitait; 10
quand mon thème[5] était fait, je lui aidais à faire le sien, et, dans nos amusements, mon goût[6] plus actif lui servait toujours de guide. Enfin nos deux
caractères s'accordaient si bien, et l'amitié qui nous unissait était si vraie, que,
dans plus de cinq ans que nous fûmes presque inséparables, tant à Bossey qu'à
Genève, nous nous battîmes souvent, je l'avoue, mais jamais on n'eut besoin de 15
nous séparer, jamais une de nos querelles ne dura plus d'un quart d'heure, et
jamais une seule fois nous ne portâmes l'un contre l'autre aucune accusation.[7]

La manière dont je vivais à Bossey me convenait[8] si bien qu'il ne lui a
manqué que[9] de durer plus longtemps pour fixer absolument mon caractère.
Les sentiments tendres, affectueux, paisibles en faisaient le fond.[10] Je crois 20
que jamais individu de notre espèce n'eut naturellement moins de vanité que
moi. Je m'élevais par élans[11] à des mouvements sublimes, mais je retombais
aussitôt dans ma langueur. Être aimé de tout ce qui m'approchait était le
plus vif de mes désirs. J'étais doux, mon cousin l'était; ceux qui nous gouvernaient l'étaient eux-mêmes. Pendant deux ans entiers je ne fus ni témoin 25
ni victime d'un sentiment violent. Tout nourrissait dans mon cœur les dispositions qu'il reçut de la nature. Je ne connaissais rien d'aussi charmant que
de voir tout le monde content de moi et de toute chose. Je me souviendrai
toujours qu'au temple, répondant au catéchisme, rien ne me troublait plus,
quand il m'arrivait[12] d'hésiter, que de voir sur le visage de Mlle Lambercier 30
des marques d'inquiétude et de peine. Cela seul m'affligeait plus que la honte[13]
de manquer[14] en public, qui m'affectait pourtant extrêmement: car, quoique
peu sensible aux louanges,[15] je le fus toujours beaucoup à la honte, et je puis
dire ici que l'attente des réprimandes de Mlle Lambercier me donnait moins
d'alarmes que la crainte de la chagriner.[16]   35

Cependant elle ne manquait pas au besoin[17] de sévérité, non plus que son
frère; mais, comme cette sévérité, presque toujours juste, n'était jamais
emportée,[18] je m'en affligeais et ne m'en mutinais[19] point.

---

1. réduire au désespoir.   2. *accommodating*.   3. autorité, supériorité.   4. *prompted*.
5. thème (latin): traduction en latin.   6. *manner, disposition*.   7. porter accusation:
report on.   8. *suited*.   9. il ne lui a manqué que: *all it lacked*.   10. *foundation*.   11. *sudden
impulses; fits and starts*.   12. *I happened*.   13. *shame*.   14. *to fail*.   15. sensible aux louanges:
sensitive to praise.   16. peiner, affliger.   17. *She did not lack in case of need*.   18. violente.
19. révoltais.

ÉPISODES DE LA VIE À BOSSEY; LE PEIGNE CASSÉ [1]

J'étudiais un jour seul ma leçon dans la chambre contiguë [2] à la cuisine. La servante avait mis sécher [3] à la plaque [4] les peignes de Mlle Lambercier. Quand elle revint les prendre, il s'en trouva un dont tout un côté de dents était brisé. A qui s'en prendre [5] de ce dégât [6]? personne autre que moi n'était entré dans la chambre. On m'interroge: je nie d'avoir touché le peigne. [5] M. et Mlle Lambercier se réunissent, m'exhortent, me pressent, me menacent: je persiste avec opiniâtreté [7]; mais la conviction était trop forte, elle l'emporta [8] sur toutes mes protestations, quoique ce fût la première fois qu'on m'eût trouvé tant d'audace à mentir. La chose fut prise au sérieux; elle méritait de l'être. La méchanceté,[9] le mensonge,[10] l'obstination, parurent également [10] dignes de punition; elle me fut infligée. On écrivit à mon oncle Bernard: il vint. Mon pauvre cousin était chargé d'un autre délit [11] non moins grave; nous fûmes enveloppés dans la même exécution.[12] Elle fut terrible.

On ne put m'arracher l'aveu [13] qu'on exigeait.[14] Repris [15] à plusieurs fois et mis dans l'état le plus affreux,[16] je fus inébranlable.[17] J'aurais souffert la mort, [15] et j'y étais résolu. Il fallut que la force même cédât [18] au diabolique entêtement [19] d'un enfant, car on n'appela pas autrement ma constance. Enfin je sortis de cette cruelle épreuve en pièces,[20] mais triomphant.

Il y a maintenant près de cinquante ans de cette aventure, et je n'ai pas peur d'être puni derechef [21] pour le même fait: hé bien! je déclare à la face du [20] Ciel que j'en étais innocent, que je n'avais ni cassé ni touché le peigne, que je n'avais pas approché de la plaque, et que je n'y avais pas même songé. Qu'on ne me demande pas comment ce dégât se fit, je l'ignore [22] et ne le puis comprendre; ce que je sais très certainement, c'est que j'en étais innocent.

Qu'on se figure [23] un caractère timide et docile dans la vie ordinaire, mais [25] ardent, fier, indomptable [24] dans les passions; un enfant toujours gouverné par la voix de la raison, toujours traité avec douceur, équité, complaisance, qui n'avait pas même l'idée de l'injustice, et qui pour la première fois en éprouve [25] une si terrible de la part précisément des gens qu'il chérit [26] et qu'il respecte le plus: quel renversement [27] d'idées! quel désordre de senti- [30] ments! quel bouleversement [28] dans son cœur, dans sa cervelle,[29] dans tout son petit être intelligent et moral! Je dis qu'on s'imagine tout cela, s'il est possible: car pour moi je ne me sens pas capable de démêler,[30] de suivre la moindre trace de tout ce qui se passait alors en moi.

---

1. *The broken comb.* **2.** à côté de. **3.** *dry.* **4.** (*mot local*): niche pratiquée dans le mur épais (*thick wall*) des anciennes cheminées, et où l'on tenait au chaud (*kept warm*) certains objets. **5.** accuser, blâmer. **6.** dommage. **7.** *obstinacy.* **8.** triompha. **9.** mauvaise action. **10.** *lying.* **11.** *offense.* **12.** ici: *whipping.* **13.** arracher l'aveu: *wrest the confession.* **14.** *demanded.* **15.** c'est-à-dire: battu encore. **16.** *frightful.* **17.** *unshakable.* **18.** *yield.* **19.** *obstinacy.* **20.** en pièces: *broken.* **21.** de nouveau, encore une fois. **22.** ne sais pas. **23.** Qu'on se figure: *let the reader imagine.* **24.** *unconquerable.* **25.** *experiences.* **26.** aime beaucoup. **27.** désordre, confusion. **28.** agitation. **29.** cœur; *ici:* sentiments; cervelle; *ici:* pensée. **30.** *unravel.*

Je n'avais pas encore assez de raison pour sentir combien les apparences me condamnaient, et pour me mettre à la place des autres. Je me tenais à la mienne, et tout ce que je sentais, c'était la rigueur d'un châtiment effroyable [1] pour un crime que je n'avais pas commis. La douleur du corps,[2] quoique vive,[3] m'était peu sensible [4]; je ne sentais que l'indignation, la rage, le 5 désespoir. Mon cousin, dans un cas à peu près semblable, et qu'on avait puni d'une faute involontaire comme d'un acte prémédité, se mettait [5] en fureur à mon exemple, et se montait, pour ainsi dire, à mon unisson.[6] Tous deux dans le même lit, nous nous embrassions avec des transports convulsifs,[7] nous étouffions [8]; et, quand nos jeunes cœurs un peu soulagés pouvaient ex- 10 haler leur colère, nous nous levions sur notre séant,[9] et nous nous mettions tous deux à crier cent fois de toute notre force: *carnifex! carnifex! carnifex!* [10]

Je sens en écrivant ceci que mon pouls [11] s'élève encore; ces moments me seront toujours présents, quand je vivrais cent mille ans. Ce premier senti- ment de la violence et de l'injustice est resté si profondément gravé dans mon 15 âme que toutes les idées qui s'y rapportent [12] me rendent ma première émo- tion; et ce sentiment, relatif à moi dans son origine, a pris une telle con- sistance [13] en lui-même, et s'est tellement détaché de tout intérêt personnel, que mon cœur s'enflamme au spectacle ou au récit de toute action injuste, quel qu'en soit l'objet et en quelque lieu [14] qu'elle se commette, comme si 20 l'effet en retombait sur moi. Quand je lis les cruautés d'un tyran féroce, les subtiles noirceurs [15] d'un fourbe [16] de prêtre, je partirais volontiers [17] pour aller poignarder ces misérables, dussé-je cent fois y périr.[18] Je me suis sou- vent mis en nage [19] à poursuivre à la course [20] ou à coups de pierre [21] un coq, une vache, un chien, un animal que je voyais en tourmenter un autre unique- 25 ment parce qu'il se sentait le plus fort. Ce mouvement peut m'être naturel, et je crois qu'il l'est; mais le souvenir profond de la première injustice que j'ai soufferte y fut trop longtemps et trop fortement lié [22] pour ne l'avoir pas beaucoup renforcé.[23]

Là fut le terme [24] de la sérénité de ma vie enfantine. Dès ce moment je 30 cessai de jouir d'un bonheur pur, et je sens aujourd'hui même que le souvenir des charmes de mon enfance s'arrête là. Nous restâmes encore à Bossey quelques mois. Nous y fûmes comme on nous représente le premier homme encore dans le paradis terrestre, mais ayant cessé d'en jouir: c'était en ap- parence la même situation, et en effet une tout autre manière d'être. L'at- 35 tachement, le respect, l'intimité, la confiance, ne liaient [25] plus les élèves à leurs guides; nous ne les regardions plus comme des dieux qui lisaient dans

---

1. terrible punition. **2.** *physical pain.* **3.** *acute.* **4.** j'y étais plus ou moins indifférent. **5.** entrait en. **6.** se montait . . . unisson: *his passion rose, so to speak, in unison with mine.* **7.** *fits of sobbing.* **8.** *choking (with rage).* **9.** levions . . . séant: *we sat up.* **10.** bourreau; homme cruel, brutal. **11.** *pulse.* **12.** *have any relation to it.* **13.** *substance.* **14.** *in whatever place.* **15.** perfidies, méchancetés particulièrement odieuses. **16.** *crafty and knavish fellow.* **17.** *gladly.* **18.** dussé-je . . . périr: *though I had to die a hundred times.* **19.** *got into a sweat.* **20.** poursuivre à la course: *while racing after.* **21.** (poursuivre) à coups de pierre: *pelting with stones.* **22.** associé. **23.** *strengthened.* **24.** fin, conclusion. **25.** *bound, linked.*

nos cœurs; nous étions moins honteux[1] de mal faire et plus craintifs[2] d'être accusés: nous commencions à nous cacher, à nous mutiner, à mentir. Tous les vices de notre âge corrompaient notre innocence et enlaidissaient[3] nos jeux. La campagne même perdit à nos yeux cet attrait[4] de douceur et de simplicité qui va au cœur: elle nous semblait déserte et sombre; elle 5 s'était comme couverte d'un voile qui nous en cachait les beautés. Nous cessâmes de cultiver nos petits jardins, nos herbes, nos fleurs. Nous n'allions plus gratter[5] légèrement la terre, et crier de joie en découvrant le germe du grain que nous avions semé.[6] Nous nous dégoûtâmes[7] de cette vie; on se dégoûta de nous; mon oncle nous retira, et nous nous séparâmes de M. et 10 Mlle Lambercier, rassasiés[8] les uns des autres, et regrettant peu de nous quitter.[9]

Près de trente ans se sont passés depuis ma sortie de Bossey, sans que je m'en sois rappelé le séjour[10] d'une manière agréable par des souvenirs un peu liés; mais, depuis qu'ayant passé l'âge mûr[11] je décline vers la vieillesse, je 15 sens que ces mêmes souvenirs renaissent[12] tandis que les autres s'effacent, et se gravent dans ma mémoire avec des traits[13] dont le charme et la force augmentent de jour en jour: comme si, sentant déjà la vie qui s'échappe, je cherchais à la ressaisir[14] par ses commencements. Les moindres faits[15] de ce temps-là me plaisent par cela seul qu'ils sont de ce temps-là. Je me rappelle 20 toutes les circonstances des lieux, des personnes, des heures. Je vois la servante ou le valet agissant dans la chambre, une hirondelle[16] entrant par la fenêtre, une mouche se poser sur ma main tandis que je récitais ma leçon; je vois tout l'arrangement de la chambre où nous étions; le cabinet de M. Lambercier à main droite,[17] une estampe[18] représentant tous les papes,[19] 25 un baromètre, un grand calendrier, des framboisiers[20] qui, d'un jardin fort élevé dans lequel la maison s'enfonçait[21] sur le derrière,[22] venaient ombrager[23] la fenêtre et passaient quelquefois jusqu'en dedans. Je sais bien que le lecteur n'a pas grand besoin de savoir tout cela, mais j'ai besoin, moi, de le lui dire. Que n'osé-je[24] lui raconter de même toutes les petites anecdotes 30 de cet heureux âge, qui me font encore tressaillir d'aise[25] quand je me les rappelle! cinq ou six surtout . . . Composons.[26] Je vous fais grâce[27] des cinq; mais j'en veux une, une seule, pourvu[28] qu'on me la laisse conter le plus longuement qu'il me sera possible, pour prolonger mon plaisir.

1. *ashamed.* **2.** *fearful.* **3.** *marred.* **4.** *its appeal.* **5.** *to scratch.* **6.** *sown.* **7.** cessâmes d'avoir le goût, de nous intéresser à. **8.** ayant assez et trop. **9.** nous séparer. **10.** *sojourn, life (in a given place).* **11.** de la maturité. **12.** *are reborn.* **13.** *marks, lines.* **14.** saisir de nouveau. **15.** les moindres faits: même les incidents les moins importants. **16.** *swallow.* **17.** *on the right.* **18.** *engraving.* **19.** *popes.* **20.** *raspberry bushes.* **21.** pénétrait. **22.** *at the back.* **23.** *to cast a shadow upon.* **24.** Ah! que je voudrais oser . . . **25.** tressaillir d'aise: *to thrill with pleasure.* **26.** Composons = *Let us compromise.* **27.** fais grâce: *let you off.* **28.** à la condition.

LA GRANDE HISTOIRE DU NOYER DE LA TERRASSE

Si je ne cherchais que le vôtre, je pourrais choisir celle du derrière [1] de Mlle Lambercier, qui, par une malheureuse culbute [2] au bas du pré,[3] fut étalé [4] tout en plein devant le roi de Sardaigne à son passage; mais celle du noyer de la terrasse est plus amusante pour moi qui fus acteur, au lieu que [5] je ne fus que spectateur de la culbute; et j'avoue que je ne trouvai pas le moindre 5 mot pour rire à un accident qui, bien que comique en lui-même, m'alarmait pour une personne que j'aimais comme une mère.

O vous, lecteurs curieux de la grande histoire du noyer de la terrasse, écoutez-en l'horrible tragédie, et vous abstenez de frémir [6] si vous pouvez !

Il y avait, hors la porte de la cour, une terrasse à gauche en entrant, sur 10 laquelle on allait souvent s'asseoir l'après-midi, mais qui n'avait pas d'ombre. Pour lui en donner, M. Lambercier y fit planter un noyer. La plantation de cet arbre se fit avec solennité: les deux pensionnaires [7] en furent les parrains [8]: et, tandis qu'on comblait le creux,[9] nous tenions l'arbre chacun d'une main avec des chants de triomphe. On fit, pour l'arroser,[10] une espèce 15 de bassin tout autour du pied. Chaque jour, ardents spectateurs de cet arrosement, nous nous confirmions, mon cousin et moi, dans l'idée naturelle qu'il était plus beau de planter un arbre sur la terrasse qu'un drapeau sur la brèche,[11] et nous résolûmes de nous procurer cette gloire sans la partager avec qui que ce fût.[12]   20

Pour cela nous allâmes couper une bouture [13] d'un jeune saule,[14] et nous la plantâmes sur la terrasse, à huit ou dix pieds de l'auguste noyer. Nous n'oubliâmes pas de faire aussi un creux [15] autour de notre arbre; la difficulté était d'avoir de quoi [16] le remplir: car l'eau venait d'assez loin,[17] et on ne nous laissait pas courir pour en aller prendre. Cependant il en fallait absolu- 25 ment pour notre saule. Nous employâmes toutes sortes de ruses pour lui en fournir durant quelques jours; et cela nous réussit [18] si bien que nous le vîmes bourgeonner [19] et pousser [20] de petites feuilles dont nous mesurions l'accroissement [21] d'heure en heure, persuadés, quoiqu'il ne fût pas à un pied de terre,[22] qu'il ne tarderait [23] pas à nous ombrager.   30

Comme notre arbre, nous occupant tout entiers, nous rendait incapables de toute application, de toute étude, que nous étions comme en délire, et que, ne sachant à qui nous en avions,[24] on nous tenait de plus court qu'auparavant,[25] nous vîmes l'instant fatal où l'eau nous allait manquer,[26] et nous nous

---

1. *posterior.*   **2.** *fall.*   **3.** *lower end of the meadow.*   **4.** *displayed.*   **5.** au lieu que: tandis que.   **6.** *shudder.*   **7.** *boarders.*   **8.** *godfathers.*   **9.** *filled up the hole.*   **10.** *water.* **11.** planter . . . drapeau sur la brèche: *raise a flag on the breach (of a city wall); perform a deed of valor.*   **12.** qui que ce fût: aucune autre personne.   **13.** *slip.*   **14.** *willow tree.* **15.** *hollow.*   **16.** de quoi: *the wherewithal.*   **17.** *came from a distance.*   **18.** *succeeded.* **19.** *bud.*   **20.** *put forth.*   **21.** *growth.*   **22.** à un pied de terre: *a foot high.*   **23.** *would not be long.*   **24.** ne sachant . . . avions: *not knowing what we were up to.*   **25.** tenait . . . qu'auparavant: *held us with a tighter rein;* nous laissait moins de liberté.   **26.** *to fail.*

désolions [1] dans l'attente de voir notre arbre périr de sécheresse.[2] Enfin la nécessité, mère de l'industrie,[3] nous suggéra une invention pour garantir l'arbre et nous d'une mort certaine: ce fut de faire par-dessous terre [4] une rigole [5] qui conduisît secrètement au saule une partie de l'eau dont on arrosait le noyer. Cette entreprise, exécutée avec ardeur, ne réussit pourtant pas 5 d'abord. Nous avions si mal pris la pente [6] que l'eau ne coulait point; la terre s'éboulait [7] et bouchait [8] la rigole; l'entrée se remplissait d'ordures [9]; tout allait de travers.[10] Rien ne nous rebuta [11]: *Labor omnia vincit improbus.*[12] Nous creusâmes [13] davantage la terre et notre bassin, pour donner à l'eau son écoulement [14]; nous coupâmes des fonds de boîtes [15] en petites 10 planches étroites,[16] dont les unes mises de plat à la file [17] et d'autres posées en angle des deux côtés sur celles-là nous firent un canal triangulaire pour notre conduit.[18] Nous plantâmes à l'entrée de petits bouts [19] de bois mince et à claire-voie [20] qui, faisant une espèce de grillage,[21] retenaient le limon [22] et les pierres sans boucher le passage à l'eau. Nous recouvrîmes soigneuse- 15 ment notre ouvrage de terre bien foulée [23]; et le jour où tout fut fait, nous attendîmes dans des transes [24] d'espérance et de crainte l'heure de l'arrose- ment. Après des siècles d'attente, cette heure vint enfin; M. Lambercier vint aussi à son ordinaire [25] assister [26] à l'opération, durant laquelle nous nous tenions tous deux derrière lui pour cacher notre arbre, auquel très 20 heureusement il tournait le dos.

A peine achevait-on de verser [27] le premier seau [28] d'eau que nous com- mençâmes d'en voir couler dans notre bassin. A cet aspect, la prudence nous abandonna; nous nous mîmes à pousser des cris de joie qui firent retourner M. Lambercier; et ce fut dommage,[29] car il prenait grand plaisir à voir 25 comment la terre du noyer était bonne et buvait avidement son eau. Frappé [30] de la voir se partager en deux bassins, il s'écrie à son tour, regarde, aperçoit la friponnerie,[31] se fait brusquement apporter une pioche,[32] donne un coup, fait voler [33] deux ou trois éclats [34] de nos planches, et, criant à pleine tête [35]: « Un aqueduc ! un aqueduc ! » il frappe de toutes parts [36] des coups impitoya- 30 bles,[37] dont chacun portait [38] au milieu de nos cœurs. En un moment, les planches, le conduit, le bassin, le saule, tout fut détruit, tout fut labouré,[39] sans qu'il y eût, dans cette exécution terrible, nul autre mot prononcé, sinon l'exclamation qu'il répétait sans cesse: « Un aqueduc ! s'écriait-il en brisant tout, un aqueduc ! un aqueduc ! » 35

On croira que l'aventure finit mal pour les petits architectes; on se trom-

---

1. étions au désespoir. **2.** *drought.* **3.** ingéniosité. **4.** *underground.* **5.** *channel, stream.* **6.** pris la pente: calculé l'inclinaison (*slope*). **7.** *would cave in.* **8.** obstruait. **9.** *dirt.* **10.** *wrong.* **11.** découragea. **12.** un dur labeur vainc (*conquers*) tout. **13.** *dug.* **14.** (*an opportunity to*) *flow.* **15.** *bottoms of boxes.* **16.** *narrow boards.* **17.** de plat à la file: *flat and end to end.* **18.** *passage, canal.* **19.** morceaux. **20.** à claire-voie: *in open work (as a grid).* **21.** *grating.* **22.** boue. **23.** *well trampled down.* **24.** grande appréhension, anxiété. **25.** comme toujours. **26.** être présent (not *assist*). **27.** pour. **28.** *pail.* **29.** *it was a pity.* **30.** fort étonné. **31.** *roguery, trick.* **32.** *pickaxe.* **33.** sauter en l'air. **34.** fragments. **35.** *at the top of his voice.* **36.** de . . . parts: partout. **37.** sans pitié, sans merci. **38.** *hit.* **39.** *ploughed up.*

pera [1]: tout fut fini. M. Lambercier ne nous dit pas un mot de reproche, ne nous fit pas plus mauvais visage et ne nous en parla plus; nous l'entendîmes même un peu après rire auprès de sa sœur à gorge déployée,[2] car le rire de M. Lambercier s'entendait de loin; et ce qu'il y eut de plus étonnant encore, c'est que, passé le premier saisissement,[3] nous ne fûmes pas nous- 5 mêmes fort affligés.[4] Nous plantâmes ailleurs un autre arbre, et nous nous rappelions souvent la catastrophe du premier, en répétant entre nous avec emphase: « Un aqueduc! un aqueduc! » Jusque-là j'avais eu des accès d'orgueil [5] par intervalles, quand j'étais Aristide ou Brutus: ce fut ici mon premier mouvement de vanité bien marquée. Avoir pu construire un aqueduc 10 de nos mains, avoir mis une bouture en concurrence [6] avec un grand arbre, me paraissait le suprême degré de la gloire. A dix ans j'en jugeais mieux que César à trente.

CHEZ L'ONCLE BERNARD

De retour à Genève, je passai [7] deux ou trois ans chez mon oncle, en attendant que l'on résolût ce que l'on ferait de moi. Comme il destinait 15 son fils au génie,[8] il lui fit apprendre un peu de dessin, et lui enseignait les *Éléments* d'Euclide. J'apprenais tout cela par compagnie, et j'y pris goût,[9] surtout au dessin. Cependant on délibérait si on me ferait horloger, procureur ou ministre.[10] J'aimais mieux être ministre, car je trouvais bien beau de prêcher, mais le petit revenu du bien [11] de ma mère à partager [12] entre mon 20 frère et moi ne suffisait pas pour pousser [13] mes études. Comme l'âge où j'étais ne rendait pas ce choix bien pressant encore, je restais en attendant chez mon oncle, perdant à peu près mon temps, et ne laissant [14] pas de payer, comme il était juste, une assez forte pension.[15]

Mon oncle, homme de plaisir ainsi que mon père, ne savait pas comme lui 25 se captiver [16] pour ses devoirs, et prenait assez peu de soin de nous. Ma tante était une dévote un peu piétiste, qui aimait mieux chanter les psaumes que de veiller [17] à notre éducation. On nous laissait presque une liberté entière, dont nous n'abusâmes jamais. Toujours inséparables, nous nous suffisions l'un à l'autre, et, n'étant point tentés de fréquenter les polissons [18] de notre 30 âge, nous ne prîmes aucune des habitudes libertines que l'oisiveté [19] nous pouvait inspirer. J'ai même tort de nous supposer oisifs, car de la vie nous ne le fûmes moins, et ce qu'il y avait d'heureux était que tous les amusements dont nous nous passionnions successivement nous tenaient ensemble occupés dans la maison, sans que nous fussions même tentés de descendre à la rue. 35 Nous faisions des cages, des flûtes, des volants,[20] des tambours,[21] des maisons,

---

1. *will be mistaken.* **2.** *boisterously* (à gorge déployée: *throat wide open*). **3.** passé . . . saisissement: *the first surprise once over.* **4.** *distressed.* **5.** *pride.* **6.** compétition. **7.** *spent.* **8.** *engineering.* **9.** *liking.* **10.** horloger . . . ministre: *watchmaker, lawyer or clergyman.* **11.** revenu du bien: *income from the estate.* **12.** *to be divided.* **13.** *ici:* prolonger. **14.** manquant. **15.** argent payé pour la nourriture et le logement. **16.** s'enthousiasmer. **17.** *to supervise.* **18.** *urchins.* **19.** *leisure, idleness.* **20.** *shuttlecocks.* **21.** *drums.*

des *équiffles*,[1] des arbalètes.[2] Nous gâtions[3] les outils[4] de mon bon vieux
grand-père pour faire des montres, à son imitation. Nous avions surtout un
goût de préférence pour barbouiller[5] du papier, dessiner, laver,[6] enluminer,[7]
faire un dégât[8] de couleurs. Il vint à Genève un charlatan italien appelé
Gamba-Corta; nous allâmes le voir une fois, et puis nous n'y voulûmes plus 5
aller; mais il avait des marionnettes, et nous nous mîmes à faire des marionnettes; ses marionnettes jouaient des manières[9] de comédies, et nous fîmes
des comédies pour les nôtres. Faute de[10] pratique, nous contrefaisions[11]
du gosier[12] la voix de Polichinelle, pour jouer ces charmantes comédies que
nos pauvres bons parents avaient la patience de voir et d'entendre. Mais, 10
mon oncle Bernard ayant un jour lu dans la famille un très beau sermon
de sa façon,[13] nous quittâmes les comédies, et nous nous mîmes à composer
des sermons. Ces détails ne sont pas fort intéressants, je l'avoue; mais ils
montrent à quel point il fallait que notre première éducation eût été[14] bien
dirigée, pour que, maîtres presque de notre temps et de nous dans un âge si 15
tendre, nous fussions si peu tentés d'en abuser. Nous avions si peu besoin
de nous faire des camarades que nous en négligions même l'occasion. Quand
nous allions nous promener, nous regardions en passant leurs jeux sans
convoitise[15] sans songer même à y prendre part. L'amitié remplissait si
bien nos cœurs qu'il nous suffisait d'être ensemble pour que les plus simples 20
goûts fissent nos délices.[16]

A force de nous voir inséparables, on y prit garde[17]; d'autant plus que,[18]
mon cousin étant très grand et moi très petit, cela faisait un couple assez
plaisamment[19] assorti. Sa longue figure effilée,[20] son petit visage de pomme
cuite,[21] son air mou,[22] sa démarche[23] nonchalante, excitaient les enfants à se 25
moquer de lui. Dans le patois du pays on lui donna le surnom de *Barnâ
Bredanna*[24]; et, sitôt que nous sortions, nous n'entendions que *Barnâ
Bredanna* tout autour de nous. Il endurait cela plus tranquillement que
moi. Je me fâchai, je voulus me battre: c'était ce que les petits coquins[25]
demandaient. Je battis, je fus battu. Mon pauvre cousin me soutenait[26] 30
de son mieux; mais il était faible, d'un coup de poing[27] on le renversait.
Alors je devenais furieux. Cependant, quoique j'attrapasse force horions,[28]
ce n'était pas à moi qu'on en voulait,[29] c'était à *Barnâ Bredanna;* mais
j'augmentai tellement le mal par ma mutine colère[30] que nous n'osions plus
sortir qu'aux heures où on était en classe, de peur d'être hués[31] et suivis par 35
les écoliers.

1. (*colloquial*): *gunboats.* Littré dit: «jouet d'enfant avec lequel on lançait de l'eau comme avec une seringue.» **2.** *crossbows.* **3.** *spoiled.* **4.** *tools.* **5.** *to daub.* **6.** *wash (with water colors).* **7.** *to color, illuminate (as a MS).* **8.** *waste.* **9.** sortes. **10.** *for lack of practice.* **11.** imitions. **12.** *throat.* **13.** qu'il avait composé. **14.** il fallait que . . . eût été: *must have been.* **15.** envie. **16.** fissent nos délices: *fill us with delight.* **17.** on y prit garde: *notice was taken of it.* **18.** surtout parce que. **19.** drôlement, comiquement. **20.** *thin.* **21.** *baked apple.* **22.** sans énergie. **23.** *gait.* **24.** *Bernard the sluggard.* **25.** *rascals.* **26.** *stood by me, helped me.* **27.** *punch.* **28.** force horions: *many a hard knock.* **29.** qu'on en voulait: *that they were after.* **30.** *rebellious anger.* **31.** de peur . . . hués: *for fear of being hooted.*

LE PREMIER AMOUR

Me voilà déjà redresseur de torts.[1] Pour être un paladin[2] dans les formes,[3] il ne me manquait[4] que d'avoir une dame: je l'eus. J'allais de temps en temps voir mon père à Nyon, petite ville du pays de Vaud,[5] où il s'était établi. Mon père était fort aimé, et son fils se sentait de cette bienveillance.[6] Pendant le peu de séjour que je faisais près de lui, c'était à qui[7] me   5 fêterait. Une Mme de Vulson surtout me faisait mille caresses, et, pour y mettre le comble,[8] sa fille me prit pour son galant. On sent ce que c'est qu'un galant de onze ans pour une fille de vingt-deux. Mais toutes ces friponnes[9] sont si aises de mettre ainsi de petites poupées[10] en avant pour cacher les grandes, ou pour les tenter par l'image d'un jeu qu'elles savent   10 rendre attirant! Pour moi, qui ne voyais point entre elle et moi de disconvenance,[11] je pris la chose au sérieux; je me livrai[12] de tout mon cœur, ou plutôt de toute ma tête, car je n'étais guère amoureux que par là, quoique je le fusse à la folie,[13] et que mes transports, mes agitations, mes fureurs, donnassent des scènes à pâmer de rire.[14]   15

Nos séparations ne se faisaient jamais sans larmes et il est singulier dans quel vide accablant[15] je me sentais plongé après l'avoir quittée. Je ne pouvais parler que d'elle, ni penser qu'à elle. Pour tempérer les douleurs de l'absence, nous nous écrivions des lettres d'un pathétique[16] à fendre les rochers.[17] Enfin j'eus la gloire qu'elle n'y put plus tenir,[18] et qu'elle vint me voir à Genève. 20 Pour le coup,[19] la tête acheva de me tourner[20]; je fus ivre et fou[21] les deux jours qu'elle y resta. Quand elle partit, je voulais me jeter dans l'eau après elle, et je fis longtemps retentir[22] l'air de mes cris. Huit jours après, elle m'envoya des bonbons et des gants, ce qui m'eût paru fort galant si je n'eusse appris en même temps qu'elle était mariée, et que ce voyage dont il lui avait 25 plu de me faire honneur était pour acheter ses habits de noce.[23] Je ne décrirai pas ma fureur, elle se conçoit. Je jurai, dans mon noble courroux,[24] de ne plus revoir la perfide, n'imaginant pas pour elle de plus terrible punition. Elle n'en mourut pas cependant: car vingt ans après, étant allé voir mon père et me promenant avec lui sur le lac, je demandai qui étaient des dames 30 que je voyais dans un bateau peu loin du nôtre. « Comment! me dit mon père en souriant, le cœur ne te le dit pas? Ce sont tes anciennes amours: c'est Mme Cristin, c'est Mlle de Vulson. »

1. redresseur de torts: *righter of wrongs* (allusion à son livre, *Le Contrat Social*, où il proteste contre les injustices sociales). **2.** *knight.* **3.** *(a legal expression): in due form; according to established custom.* **4.** il . . . manquait: *all I lacked.* **5.** aujourd'hui « canton » de Vaud, au nord du lac de Genève; un des 22 cantons qui forment la confédération suisse. **6.** se sentait . . . bienveillance: *felt the effects of (benefited by) this goodwill.* **7.** c'était à qui: *they vied with each other.* **8.** comble: *highest point; to top it off.* **9.** *rogues.* **10.** *dolls.* **11.** *unsuitableness, discrepancy.* **12.** abandonnai. **13.** à la folie: *to the point of madness.* **14.** à pâmer de rire: *(comic enough to make one) swoon away for laughter, killingly funny.* **15.** *overwhelming.* **16.** *pathos.* **17.** à fendre les rochers: *capable of splitting rocks.* **18.** n'y put tenir: *could not hold out.* **19.** cette fois. **20.** *I became completely dizzy (mad).* **21.** *delirious and mad.* **22.** *to resound.* **23.** *wedding gowns.* **24.** colère.

LA VIE SÉVÈRE

Ainsi se perdait en niaiseries [1] le plus précieux temps de mon enfance avant qu'on eût décidé de ma destination. Après de longues délibérations pour suivre mes dispositions naturelles, on prit enfin le parti [2] pour lequel j'en avais le moins, et l'on me mit chez M. Masseron, greffier [3] de la ville, pour apprendre sous lui, comme disait M. Bernard, l'utile métier de grapignan.[4] 5 Ce surnom me déplaisait souverainement [5]; l'espoir de gagner force écus [6] par une voie ignoble flattait peu mon humeur [7] hautaine [8]; l'occupation me paraissait ennuyeuse, insupportable; l'assiduité, l'assujettissement,[9] achevèrent de m'en rebuter,[10] et je n'entrais jamais au greffe [11] qu'avec une horreur qui croissait [12] de jour en jour. M. Masseron, de son côté,[13] peu content de 10 moi, me traitait avec mépris,[14] me reprochant sans cesse mon engourdissement,[15] ma bêtise [16]; me répétant tous les jours que mon oncle l'avait assuré *que je savais, que je savais!* tandis que, dans le vrai, je ne savais rien; qu'il lui avait promis un joli garçon, et qu'il ne lui avait donné qu'un âne. Enfin je fus renvoyé du greffe ignominieusement pour mon ineptie,[17] et il fut 15 prononcé [18] par les clercs de M. Masseron que je n'étais bon qu'à mener la lime.[19]

JEAN-JACQUES, APPRENTI GRAVEUR [20]

Ma vocation ainsi déterminée, je fus mis en apprentissage,[21] non toutefois chez un horloger, mais chez un graveur. Les dédains [22] du greffier m'avaient extrêmement humilié, et j'obéis sans murmure. Mon maître, M. Ducommun, 20 était un jeune homme rustre [23] et violent, qui vint à bout [24] en très peu de temps de ternir tout l'éclat [25] de mon enfance, d'abrutir [26] mon caractère [27] aimant et vif, et de me réduire, par l'esprit ainsi que par la fortune, à mon véritable état d'apprenti. Mon latin, mes antiquités, mon histoire, tout fut pour longtemps oublié; je ne me souvenais pas même qu'il y eût eu des 25 Romains au monde. Mon père, quand je l'allais voir, ne trouvait plus en moi son idole; je n'étais plus pour les dames le galant Jean-Jacques, et je sentais si bien moi-même que M. et Mlle Lambercier n'auraient plus reconnu en moi leur élève que j'eus honte de me représenter à eux, et ne les ai plus revus depuis lors. Les goûts les plus vils, la plus basse polissonnerie [28] succédèrent à mes aimables amusements, sans m'en laisser même la moindre idée. 30 Il faut que, malgré l'éducation la plus honnête,[29] j'eusse un grand penchant [30]

---

1. *silly things.* **2.** prit le parti: choisit (l'état). **3.** secrétaire du Conseil. **4.** (*dialect*): *scribbler.* **5.** suprêmement. **6.** beaucoup d'argent. **7.** disposition. **8.** fière. **9.** dépendance (de la volonté d'un autre). **10.** décourager et dégoûter. **11.** bureaux du greffier. **12.** devenait plus forte. **13.** *for his part.* **14.** *contempt.* **15.** torpeur de l'esprit. **16.** stupidité. **17.** incapacité. **18.** déclaré (comme un jugement). **19.** (lit., *handle the file*): pour un travail manuel. **20.** *engraver.* **21.** *apprenticeship.* **22.** mépris. **23.** *boorish.* **24.** réussit. **25.** brillant, splendeur. **26.** rendre stupide. **27.** disposition. **28.** dissipation. **29.** la mieux adaptée pour faire un honnête (*decent, respectable*) homme. **30.** inclination, prédisposition.

à dégénérer: car cela se fit [1] très rapidement, sans la moindre peine, et jamais César si précoce ne devint si promptement Laridon.[2]

Le métier ne me déplaisait pas en lui-même: j'avais un goût vif pour le dessin, le jeu du burin [3] m'amusait assez; et, comme le talent du graveur pour l'horlogerie est très borné,[4] j'avais l'espoir d'en atteindre la perfection. J'y 5 serais parvenu peut-être si la brutalité de mon maître et la gêne [5] excessive ne m'avaient rebuté [6] du travail. Je lui dérobais [7] mon temps pour l'employer en occupations du même genre, mais qui avaient pour moi l'attrait de la liberté. Je gravais des espèces de médailles pour nous servir, à moi et à mes camarades, d'ordre de chevalerie.[8] Mon maître me surprit à ce travail de contre- 10 bande,[9] et me roua de coups,[10] disant que je m'exerçais à faire de la fausse [11] monnaie, parce que nos médailles avaient les armes [12] de la République. Je puis bien jurer que je n'avais nulle idée de la fausse monnaie, et très peu de la véritable; je savais mieux comment se faisaient les as romains [13] que nos pièces de trois sous.   15

SA NATURE S'ALTÈRE DANS DES CONDITIONS DÉPLORABLES

La tyrannie de mon maître finit par me rendre insupportable le travail que j'aurais aimé, et par me donner des vices que j'aurais haïs,[14] tels que le mensonge, la fainéantise, le vol.[15] Rien ne m'a mieux appris la différence qu'il y a de la dépendance filiale à l'esclavage servile que le souvenir des changements que produisit en moi cette époque. Naturellement timide et hon- 20 teux,[16] je n'eus jamais plus d'éloignement [17] pour aucun défaut que pour l'effronterie; mais j'avais joui d'une liberté honnête, qui seulement s'était restreinte jusque-là par degrés, et s'évanouit [18] enfin tout à fait. J'étais hardi [19] chez mon père, libre chez M. Lambercier, discret chez mon oncle; je devins craintif [20] chez mon maître, et dès lors je fus un enfant perdu. Ac- 25 coutumé à une égalité parfaite avec mes supérieurs dans la manière de vivre, à ne pas connaître un plaisir qui ne fût à ma portée,[21] à ne pas voir un mets,[22] dont je n'eusse ma part, à n'avoir pas un désir que je ne témoignasse,[23] à mettre enfin tous les mouvements de mon cœur sur mes lèvres, qu'on juge de ce que je dus devenir dans une maison où je n'osais pas ouvrir la bouche, où 30 il fallait sortir de table au tiers du repas,[24] et de la chambre aussitôt que je n'y avais rien à faire; où, sans cesse enchaîné à mon travail, je ne voyais qu'objets de jouissances pour d'autres et de privations pour moi seul; où

---

1. s'accomplit.   2. nom donné par La Fontaine, dans une fable, à un chien dégénéré. *Oh! combien de Césars deviendront Laridon!*   3. jeu du burin: *handling of the graving tool.* 4. limité.   5. le sentiment qu'on n'est pas libre de parler, ou d'agir.   6. découragé et dégoûté.   7. prenais, volais.   8. *knighthood.*   9. de contrebande: fait en secret.   10. roua de coups: *beat me unmercifully.*   11. *counterfeit.*   12. *coat of arms.*   13. *as (a Roman coin of very small value).*   14. *hated.*   15. mensonge . . . vol: *deceit, laziness, theft.*   16 *shy.* 17. ici: *distaste.*   18. disparut.   19. *bold, outspoken.*   20. très timide, manquant de courage.   21. *within my reach.*   22. *dish.*   23. exprimasse.   24. au tiers du repas: *when the meal was only one third over.*

l'image de la liberté du maître et des compagnons augmentait le poids [1] de mon assujettissement; où, dans les disputes [2] sur ce que je savais le mieux, je n'osais ouvrir la bouche; où enfin tout ce que je voyais devenait pour mon cœur un objet de convoitise,[3] uniquement parce que j'étais privé de tout. Adieu l'aisance, la gaieté, les mots heureux qui jadis,[4] souvent dans mes 5 fautes, m'avaient fait échapper au châtiment. Je ne puis me rappeler sans rire qu'un soir, chez mon père, étant condamné pour quelque espièglerie,[5] à m'aller coucher sans souper, et passant par la cuisine avec mon triste morceau de pain, je vis et flairai [6] le rôti tournant à la broche.[7] On était autour du feu: il fallut en passant saluer [8] tout le monde. Quand la ronde fut faite, 10 lorgnant du coin de l'œil [9] ce rôti qui avait si bonne mine [10] et qui sentait si bon, je ne pus m'abstenir de lui faire aussi la révérence [11] et de lui dire d'un ton piteux: « Adieu, rôti ! » Cette saillie de naïveté [12] parut si plaisante qu'on me fit rester à souper. Peut-être eût-elle eu le même bonheur chez mon maître, mais il est sûr qu'elle ne m'y serait pas venue, ou que je n'aurais osé 15 m'y livrer.[13]

Voilà comment j'appris à convoiter en silence, à me cacher, à dissimuler, à mentir et à dérober enfin, fantaisie qui jusqu'alors ne m'était pas venue, et dont je n'ai pu depuis lors bien me guérir. La convoitise et l'impuissance [14] mènent toujours là. Voilà pourquoi tous les laquais sont fripons,[15] et pour- 20 quoi tous les apprentis doivent l'être; mais dans un état égal et tranquille, où tout ce qu'ils voient est à leur portée, ces derniers perdent en grandissant [16] ce honteux penchant.[17]

Ce sont presque toujours de bons sentiments mal dirigés qui font faire aux enfants le premier pas vers le mal. Malgré les privations et les tentations 25 continuelles, j'avais demeuré plus d'un an chez mon maître sans pouvoir me résoudre [18] à rien prendre, pas même des choses à manger.

LE VOL DE LA POMME [19]

Je n'étais pas absolument mal nourri chez mon maître, et la sobriété ne m'était pénible qu'en la lui voyant si mal garder. L'usage de faire sortir de table les jeunes gens quand on y sert ce qui les tente le plus me paraît très 30 bien entendu [20] pour les rendre aussi friands [21] que fripons. Je devins en peu de temps l'un et l'autre, et je m'en trouvais fort bien [22] pour l'ordinaire,[23] quelquefois fort mal quand j'étais surpris.

Un souvenir qui me fait frémir encore et rire tout à la fois [24] est celui d'une chasse aux pommes [25] qui me coûta cher. Ces pommes étaient au fond d'une 35

1. *ici:* oppression. 2. discussions. 3. désir immodéré. 4. autrefois. 5. *mischief.*
6. sentis (l'odeur). 7. *spit (rod for holding meat while roasting before an open fire).* 8. dire bonsoir à... 9. lorgnant... œil: *casting a side glance at.* 10. *appearance.* 11. *bow.*
12. saillie: *spontaneous joke.* 13. m'y abandonner. 14. *powerlessness.* 15. *knaves.*
16. se développant. 17. *inclination.* 18. me décider. 19. *apple.* 20. *intended, adapted.*
21. gourmands. 22. je m'en... bien: *I found it very advantageous* 23. généralement.
24. tout à la fois: en même temps. 25. *apple-hunt.*

dépense [1] qui, par une jalousie [2] élevée, recevait du jour [3] de la cuisine. Un jour que j'étais seul dans la maison, je montai sur la maie [4] pour regarder dans le jardin des Hespérides [5] ce précieux fruit dont je ne pouvais approcher. J'allai chercher la broche [6] pour voir si elle y pourrait attendre: elle était trop courte. Je l'allongeai [7] par une autre petite broche qui servait pour le menu gibier, [8] car mon maître aimait la chasse. [9] Je piquai [10] plusieurs fois sans succès; enfin je sentis avec transport [11] que j'amenais [12] une pomme. Je tirai très doucement; déjà la pomme touchait à la jalousie, j'étais prêt à la saisir. Qui dira ma douleur? La pomme était trop grosse, elle ne put passer par le trou. Que d'inventions ne mis-je point en usage pour la tirer! Il fallut trouver des supports pour tenir la broche en état, [13] un couteau assez long pour fendre [14] la pomme, une latte [15] pour la soutenir. A force d'adresse [16] et de temps je parvins [17] à la partager, [18] espérant tirer ensuite les pièces l'une après l'autre; mais à peine furent-elles séparées qu'elles tombèrent toutes deux dans la dépense. Lecteur pitoyable, [19] partagez mon affliction!

Je ne perdis point courage; mais j'avais perdu beaucoup de temps, je craignais d'être surpris; je renvoie au lendemain [20] une tentative plus heureuse, et je me remets [21] à l'ouvrage tout aussi tranquillement que si je n'avais rien fait, sans songer aux deux témoins [22] indiscrets qui déposaient [23] contre moi dans la dépense.

Le lendemain, retrouvant l'occasion belle, je tente un nouvel essai. [24] Je monte sur mes tréteaux, [25] j'allonge [26] la broche, je l'ajuste, [27] j'étais prêt à piquer.... Malheureusement le dragon ne dormait pas: tout à coup la porte de la dépense s'ouvre; mon maître en sort, croise [28] les bras, me regarde et me dit: « Courage!... » La plume me tombe des mains.

Bientôt, à force d'essuyer [29] de mauvais traitements, j'y devins moins sensible; ils me parurent enfin une sorte de compensation du vol, qui me mettait en droit [30] de le continuer. Au lieu de retourner les yeux en arrière [31] et de regarder la punition, je les portais en avant [32] et je regardais la vengeance. Je jugeais que me battre [33] comme fripon, c'était m'autoriser [34] à l'être. Je trouvais que voler et être battu allaient ensemble, et constituaient en quelque sorte un état, [35] et qu'en remplissant la partie de cet état qui dépendait de moi je pouvais laisser le soin de l'autre à mon maître. Sur cette idée je me mis à voler plus tranquillement qu'auparavant. Je me disais: « Qu'en arrivera-t-il enfin? Je serai battu? Soit [36]: je suis fait pour l'être. »

1. *pantry.* 2. *lattice window.* 3. lumière. 4. (*colloquial*): *bread bin.* 5. figures mythologiques: les trois filles d'Atlas qui possédaient un jardin dont les arbres produisaient des pommes d'or. 6. *spit (for roasting meat).* 7. *lengthened.* 8. *small game.* 9. (produit de la) chasse, gibier. 10. *thrust (the spit into the apple).* 11. grande joie. 12. *was bringing towards me.* 13. en place. 14. *split.* 15. *lath.* 16. *by dint of skill.* 17. réussis. 18. couper en deux. 19. bon; qui a de la compassion. 20. *postpone to the next day.* 21. *settle down again.* 22. *witnesses.* 23. *testified.* 24. *attempt.* 25. *trestles.* 26. *I stretch out.* 27. *take aim with it.* 28. *crosses.* 29. *undergo.* 30. me . . . droit: *constituted a right.* 31. au lieu de . . . arrière: *instead of looking backwards.* 32. je les . . . avant: *I looked towards the future.* 33. *beating me.* 34. donner l'autorisation. 35. *condition.* 36. *Be it so!*

J'aime à manger, sans être avide [1]; je suis sensuel, et non pas gourmand: trop d'autres goûts me distraient [2] de celui-là. Je ne me suis jamais occupé de ma bouche que quand mon cœur était oisif,[3] et cela m'est si rarement arrivé dans ma vie que je n'ai guère eu le temps de songer aux bons morceaux. Voilà pourquoi je ne bornai [4] pas longtemps ma friponnerie au comestible, je l'étendis [5] bientôt à tout ce qui me tentait; et si je ne devins pas un voleur en forme,[6] c'est que je n'ai jamais été beaucoup tenté d'argent. Dans le cabinet [7] commun, mon maître avait un autre cabinet à part, qui fermait à clef: je trouvai le moyen d'en ouvrir la porte et de la refermer sans qu'il y parût. Là je mettais à contribution [8] ses bons outils,[9] ses meilleurs dessins, ses empreintes,[10] tout ce qui me faisait envie et qu'il affectait [11] d'éloigner [12] de moi. Dans le fond [13] ces vols étaient bien innocents, puisqu'ils n'étaient faits que pour être employés à son service; mais j'étais transporté de joie [14] d'avoir ces bagatelles en mon pouvoir: je croyais voler le talent avec ses productions. Du reste, il y avait dans des boîtes des recoupes d'or et d'argent,[15] de petits bijoux, des pièces de prix,[16] de la monnaie. Quand j'avais quatre ou cinq sous dans ma poche, c'était beaucoup; cependant, loin de toucher à rien de tout cela, je ne me souviens pas même d'y avoir jeté de ma vie un regard de convoitise: je le [17] voyais avec plus d'effroi [18] que de plaisir. Je crois bien que cette horreur du vol de l'argent me venait en grande partie de l'éducation. Il se mêlait [19] à cela des idées secrètes d'infamie, de prison, de châtiment, de potence,[20] qui m'auraient fait frémir si j'avais été tenté; au lieu que mes tours [21] ne me semblaient que des espiègleries,[22] et n'étaient pas autre chose en effet. Tout cela ne pouvait valoir [23] que d'être bien étrillé [24] par mon maître, et d'avance je m'arrangeais là-dessus.

Mais, encore une fois, je ne convoitais pas même assez pour avoir à m'abstenir; je ne sentais rien à combattre.[25] Une seule feuille de papier à dessiner [26] me tentait plus que l'argent pour en payer une rame.[27] Cette bizarrerie [28] tient à [29] une des singularités de mon caractère; elle a eu tant d'influence sur ma conduite qu'il importe de l'expliquer.

J'ai des passions très ardentes, et tandis qu'elles m'agitent rien n'égale mon impétuosité: je ne connais plus ni ménagement,[30] ni respect, ni crainte, ni bienséance [31]; je suis cynique,[32] effronté,[33] violent, intrépide; il n'y a ni honte qui m'arrête, ni danger qui m'effraye: hors le seul objet qui m'occupe, l'univers n'est plus rien pour moi. Mais tout cela ne dure qu'un moment, et le moment qui suit me jette dans l'anéantissement.[34] Prenez-moi dans le calme, je suis l'indolence et la timidité même; tout m'effarouche,[35] tout me

---

1. *over-eager.* **2.** *draw (my) interest.* **3.** *unoccupied.* **4.** limitai. **5.** *extended.* **6.** *regular.* **7.** *working room.* **8.** *put to good use, into requisition.* **9.** *tools.* **10.** modèles. **11.** *made a point of.* **12.** *keep away.* **13.** en réalité. **14.** transporté de joie: *delighted.* **15.** *scraps of gold and silver.* **16.** pièces de prix: *valuable things.* **17.** le: tout cela. **18.** crainte. **19.** *mingled.* **20.** *gallows.* **21.** *tricks.* **22.** *frolics.* **23.** mériter. **24.** *thrashed.* **25.** résister. **26.** papier à dessiner: *drawing paper.* **27.** *ream* (500 feuillets). **28.** curieux caprice. **29.** tient à: *owes its origin to.* **30.** réserve, circonspection. **31.** *decorum, decency.* **32.** *shameless* (not *cynical*). **33.** *brazen.* **34.** *prostration.* **35.** intimide.

rebute [1]; une mouche en volant me fait peur; un mot à dire, un geste à faire, épouvante [2] ma paresse [3]; la crainte et la honte me subjuguent à tel point que je voudrais m'éclipser aux yeux de tous les mortels. S'il faut agir, je ne sais que faire; s'il faut parler, je ne sais que dire; si l'on me regarde, je suis décontenancé. Quand je me passionne, je sais trouver quelquefois 5 ce que j'ai à dire; mais dans les entretiens ordinaires je ne trouve rien, rien du tout; ils me sont insupportables par cela seul que je suis obligé de parler.

Ajoutez qu'aucun de mes goûts dominants ne consiste en choses qui s'achètent. [4] Il ne me faut que des plaisirs purs, et l'argent les empoisonne tous. J'aime, par exemple, ceux de la table; mais, ne pouvant souffrir ni la 10 gêne [5] de la bonne compagnie ni la crapule du cabaret, [6] je ne puis les goûter [7] qu'avec un ami: car, seul, cela ne m'est pas possible; mon imagination s'occupe alors d'autre chose, et je n'ai pas le plaisir de manger.

Jamais l'argent ne me parut une chose aussi précieuse qu'on la trouve. Bien plus, il ne m'a même jamais paru fort commode [8]: il n'est bon à rien 15 par lui-même, il faut le transformer pour en jouir [9]; il faut acheter, marchander, [10] souvent être dupe, bien payer, être mal servi. Je voudrais une chose bonne dans sa qualité: avec mon argent je suis sûr de l'avoir mauvaise. J'achète cher un œuf frais, il est vieux; un beau fruit, il est vert. J'aime le bon vin, mais où en prendre? Chez un marchand de vin? Comme 20 que [11] je fasse, il m'empoisonnera. Veux-je absolument être bien servi? Que de soins, que d'embarras! [12] avoir des amis, des correspondants, donner des commissions, écrire, aller, venir, attendre; et souvent au bout [13] être encore trompé. Que de peine avec mon argent! Je la crains plus que je n'aime le bon vin. 25

Mille fois, durant mon apprentissage et depuis, je suis sorti dans le dessein [14] d'acheter quelque friandise. [15] J'approche de la boutique [16] d'un pâtissier, [17] j'aperçois là des femmes au comptoir; je crois déjà les voir rire et se moquer entre elles du petit gourmand. Je passe devant une fruitière, je lorgne [18] du coin de l'œil de belles poires, leur parfum me tente; deux ou trois jeunes 30 gens tout près de là me regardent; un homme qui me connaît est devant sa boutique; je vois de loin venir une fille: n'est-ce point la servante de la maison? Ma vue courte [19] me fait mille illusions. Je prends tous ceux qui passent pour des gens de ma connaissance; partout je suis intimidé, retenu [20] par quelque obstacle; mon désir croît avec ma honte, et je rentre 35 enfin comme un sot, [21] dévoré de convoitise, ayant dans ma poche de quoi [22] la satisfaire, et n'ayant osé rien acheter.

---

1. décourage. **2.** *frightens.* **3.** *laziness.* **4.** *are bought.* **5.** contrainte. **6.** *debauchery of public eating houses.* **7.** *enjoy.* **8.** *convenient, well adapted to its end.* **9.** *get the enjoyment of it.* **10.** *haggle (about the price).* **11.** comme que: quoi que. **12.** Que . . . embarras: *What a lot of trouble and fuss.* **13.** à la fin. **14.** intention. **15.** *delicacy.* **16.** *shop.* **17.** *pastry cook.* **18.** *cast a sidelong glance.* **19.** *shortsightedness.* **20.** *checked.* **21.** *fool* (not *sot*). **22.** de quoi: *the means.*

LA PASSION DE LA LECTURE

Je ne finirais pas ces détails si je voulais suivre toutes les routes par lesquelles, durant mon apprentissage, je passai de la sublimité de l'héroïsme à la bassesse [1] d'un vaurien.[2] Cependant, en prenant les vices de mon état, il me fut impossible d'en prendre tout à fait les goûts. Je m'ennuyais [3] des amusements des camarades; et, quand la trop grande gêne m'eut aussi rebuté du travail, 5 je m'ennuyai de tout. Cela me rendit le goût de la lecture, que j'avais perdu depuis longtemps. Ces lectures, prises sur mon travail, devinrent un nouveau crime qui m'attira [4] de nouveaux châtiments. Ce goût, irrité par la contrainte, devint passion, bientôt fureur. La Tribu,[5] fameuse loueuse de livres,[6] m'en fournissait de toute espèce. Bons et mauvais, tout passait [7]; 10 je ne choisissais point: je lisais tout avec une égale avidité. Je lisais à l'établi,[8] je lisais en allant faire mes messages, je lisais à la garde-robe,[9] et m'y oubliais des heures entières; la tête me tournait [10] de la lecture, je ne faisais plus que lire. Mon maître m'épiait,[11] me surprenait, me battait, me prenait mes livres. Que de volumes furent déchirés, brûlés,[12] jetés par les 15 fenêtres! que d'ouvrages restèrent dépareillés [13] chez la Tribu! Quand je n'avais plus de quoi la payer, je lui donnais mes chemises, mes cravates, mes hardes [14]; mes trois sous d'étrennes [15] tous les dimanches lui étaient régulièrement portés.

A force de querelles, de coups, de lectures dérobées [16] et mal choisies, mon 20 humeur [17] devint taciturne, sauvage [18]; ma tête commençait à s'altérer,[19] et je vivais en vrai loup-garou.[20] Cependant, si mon goût ne me préserva pas des livres plats et fades,[21] mon bonheur [22] me préserva des livres obscènes et licencieux: non que la Tribu, femme à tous égards [23] très accommodante, se fît un scrupule [24] de m'en prêter; mais, pour les faire valoir,[25] elle me les 25 nommait avec un air de mystère qui me forçait précisément à les refuser, tant par [26] dégoût que par honte.

En moins d'un an j'épuisai la mince boutique [27] de la Tribu, et alors je me trouvai dans mes loisirs cruellement désœuvré.[28] Guéri de mes goûts d'enfant et de polisson par celui de la lecture, et même par mes lectures, qui, 30 bien que sans choix et souvent mauvaises, ramenaient pourtant mon cœur à des sentiments plus nobles que ceux que m'avait donnés mon état [29]; dégoûté de tout ce qui était à ma portée,[30] et sentant trop loin de moi tout ce qui m'aurait tenté, je ne voyais rien de possible qui pût flatter [31] mon cœur.

---

1. *baseness.* **2.** *good-for-nothing.* **3.** *was bored.* **4.** *brought upon me.* **5.** *the Tribu woman.* **6.** *keeper of a lending library.* **7.** était acceptable. **8.** table de travail. **9.** *toilet.* **10.** *was dizzy.* **11.** *spied.* **12.** déchirés, brûlés: *torn, burned.* **13.** que de ... dépareillés: *how many works remained incomplete?* **14.** habits. **15.** argent de poche. **16.** *on the sly.* **17.** *disposition.* **18.** *unsociable.* **19.** changer (en mal). **20.** *surly fellow.* **21.** *silly and insipid.* **22.** *good luck.* **23.** *in every way.* **24.** se fît scrupule: hésitât (pour des raisons de conscience). **25.** faire valoir: *stress their importance or interest.* **26.** tant par: autant par. **27.** j'épuisai ... boutique: *I had exhausted the scanty shop.* **28.** *bored for want of occupation.* **29.** *business, calling.* **30.** *within my reach.* **31.** donner de la satisfaction à.

LA FUITE DE GENÈVE

J'atteignis ainsi ma seizième année, inquiet,[1] mécontent [2] de tout et de moi, sans goût de mon état, sans plaisir de mon âge, dévoré de désirs dont j'ignorais l'objet, pleurant sans sujet de larmes, soupirant [3] sans savoir de quoi; enfin caressant tendrement mes chimères,[4] faute de [5] rien voir autour de moi qui les valût.[6] Les dimanches, mes camarades venaient me chercher après le 5 prêche pour aller m'ébattre [7] avec eux. Je leur aurais volontiers échappé si j'avais pu; mais, une fois en train [8] dans leurs jeux,[9] j'étais plus ardent et j'allais plus loin qu'aucun autre. Difficile à ébranler [10] et à retenir, ce fut là de tout temps ma disposition constante. Dans nos promenades hors de la ville, j'allais toujours en avant [11] sans songer au retour, à moins que d'autres 10 n'y songeassent pour moi. J'y fus pris deux fois [12]: les portes furent fermées avant que je pusse arriver.[13] Le lendemain je fus traité comme on s'imagine; et la seconde fois il me fut promis un tel accueil [14] pour la troisième que je résolus de ne m'y pas exposer. Cette troisième fois si redoutée [15] arriva pourtant. Ma vigilance fut mise en défaut [16] par un maudit [17] capitaine appelé 15 M. Minutoli, qui fermait toujours la porte où il était de garde une demi-heure avant les autres. Je revenais avec deux camarades. A une demi-lieue [18] de la ville j'entends sonner la retraite,[19] je double le pas [20]; j'entends battre la caisse,[21] je cours à toutes jambes [22]: j'arrive essoufflé,[23] tout en nage [24]; le cœur me bat; je vois de loin des soldats à leur poste; j'accours,[25] je crie d'une voix 20 étouffée.[26] Il était trop tard. A vingt pas de l'avancée [27] je vois lever le premier pont.[28] Je frémis en voyant en l'air ces cornes [29] terribles, sinistre et fatal augure du sort inévitable que ce moment commençait pour moi.

Dans le premier transport de ma douleur, je me jetai sur les glacis [30] et mordis [31] la terre. Mes camarades, riant de leur malheur, prirent à l'instant 25 leur parti.[32] Je pris aussi le mien, mais ce fut d'une autre manière. Sur le lieu [33] même je jurai de ne retourner jamais chez mon maître; et le lendemain, quand à l'heure de la découverte [34] ils rentrèrent en ville, je leur dis adieu pour jamais,[35] les priant seulement d'avertir [36] en secret mon cousin Bernard de la résolution que j'avais prise, et du lieu où il pourrait me voir 30 encore une fois.

A mon entrée en apprentissage, étant plus séparé de lui, je le vis moins;

---

1. troublé. 2. mal satisfait. 3. *sighing.* 4. illusions. 5. *for want of.* 6. les valût: *was worth them.* 7. *play.* 8. une fois en train: *once engaged.* 9. *sports.* 10. *get started.* 11. *ahead.* 12. J'y fus pris deux fois: *I was caught twice.* 13. Les portes de la ville étaient fermées au coucher du soleil (*sunset*). 14. *welcome.* 15. *dreaded.* 16. mise en défaut (terme de chasse): *outwitted.* 17. *accursed.* 18. *half a league.* 19. *I heard the sounding of the retreat* (*signal of the coming closing of doors*). 20. double le pas: *hasten, run.* 21. *beating of the drum* (*second signal*). 22. cours ... jambes: *run at full speed.* 23. *out of breath.* 24. *all in a sweat.* 25. *run, arrive running.* 26. *breathless.* 27. *outpost.* 28. *drawbridge.* 29. *the two beams of the drawbridge which looked like horns.* 30. terrain en pente (*sloping*) qui descend du haut des fortifications jusqu'au sol (*ground*). 31. *bit.* 32. parti: décision (de passer la nuit dehors et rentrer le lundi au matin). 33. à ce moment même. 34. *the* (*morning*) *patrol.* 35. *ici*: toujours. 36. informer.

toutefois, durant quelque temps, nous nous rassemblions les dimanches; mais insensiblement [1] chacun prit d'autres habitudes, et nous nous vîmes plus rarement. Je suis persuadé que sa mère contribua beaucoup à ce changement. Il était, lui, un garçon *du haut* [2]; moi, chétif [3] apprenti, je n'étais plus qu'un enfant de *Saint-Gervais*. [4] Il n'y avait plus entre nous d'égalité, 5 malgré la naissance [5]; c'était déroger [6] que de me fréquenter. Cependant les liaisons ne cessèrent point tout à fait entre nous; et, comme c'était un garçon d'un bon naturel, [7] il suivait quelquefois son cœur malgré les leçons de sa mère. Instruit de ma résolution, il accourut, non pour m'en dissuader ou la partager, mais pour jeter, par de petits présents, quelque agrément [8] 10 dans ma fuite: car mes propres ressources ne pouvaient me mener fort loin. Il me donna entre autres une petite épée dont j'étais fort épris, [9] et que j'ai portée jusqu'à Turin, où le besoin [10] m'en fit défaire, [11] et où je me la passai, comme on dit, au travers du corps. Plus j'ai réfléchi depuis à la manière dont il se conduisit avec moi dans ce moment critique, plus je me suis per- 15 suadé qu'il suivit les instructions de sa mère, et peut-être de son père: car il n'est pas possible que de lui-même il n'eût fait quelque effort pour me retenir, ou qu'il n'eût été tenté de me suivre; mais point. Il m'encouragea dans mon dessein plutôt qu'il ne m'en détourna [12]; puis, quand il me vit bien résolu, il me quitta sans beaucoup de larmes. Nous ne nous sommes jamais 20 écrit ni revus. C'est dommage; il était d'un caractère essentiellement bon: nous étions faits pour nous aimer.

Avant de m'abandonner à la fatalité de ma destinée, qu'on me permette de tourner un moment les yeux sur celle qui m'attendait [13] naturellement si j'étais tombé dans les mains d'un meilleur maître. Rien n'était plus con- 25 venable [14] à mon humeur ni plus propre à me rendre heureux que l'état tranquille et obscur d'un bon artisan, [15] dans certaines classes surtout, telle qu'est à Genève celle des graveurs. Cet état, assez lucratif pour donner une subsistance aisée, et pas assez pour mener à la fortune, eût borné mon ambition pour le reste de mes jours; et, me laissant un loisir honnête pour cultiver des 30 goûts modérés, il m'eût contenu [16] dans ma sphère sans m'offrir aucun moyen d'en sortir. Ayant une imagination assez riche pour orner de ses chimères tous les états, assez puissante pour me transporter, pour ainsi dire, à mon gré [17] de l'un à l'autre, il m'importait peu dans lequel je fusse en effet. Il ne pouvait y avoir si loin [18] du lieu où j'étais au premier château en Espagne 35 qu'il [19] ne me fût aisé de m'y établir. De cela seul il suivait que l'état le plus simple, celui qui donnait le moins de tracas et de soins, [20] celui qui laissait l'esprit le plus libre, était celui qui me convenait le mieux, et c'était précisé-

---

1. petit à petit.   2. du haut (de la ville, où était le quartier riche).   3. de peu d'importance.   4. quartier populaire de Genève.   5. *in spite of our kinship.*   6. *lose caste, lower oneself.*   7. *kindly disposition.*   8. *pleasantness.*   9. *fond.*   10. besoin (d'argent).   11. me força à la vendre.   12. dissuada.   13. *was awaiting me (which would have been mine).*   14. *suited to.*   15. *skilled workman.*   16. retenu, gardé.   17. *to my liking.*   18. une si grande distance.   19. qu'il: (pour) qu'il.   20. *trouble and cares.*

ment le mien. J'aurais passé dans le sein [1] de ma religion, de ma patrie, de ma famille et de mes amis, une vie paisible [2] et douce, telle qu'il la fallait [3] à mon caractère, dans l'uniformité d'un travail de mon goût et d'une société selon mon cœur. J'aurais été bon chrétien, bon citoyen, bon père de famille, bon ami, bon ouvrier, bon homme en toute chose. J'aurais aimé mon état, 5 je l'aurais honoré peut-être, et, après avoir passé une vie obscure et simple, mais égale [4] et douce, je serais mort paisiblement dans le sein des miens. Bientôt oublié sans doute, j'aurais été regretté du moins aussi longtemps qu'on se serait souvenu de moi.

Au lieu de cela ... Quel tableau [5] vais-je faire! Ah! n'anticipons point 10 sur les misères de ma vie: je n'occuperai que trop [6] mes lecteurs de ce triste sujet.

[Les Livres 2 à 5 des *Confessions* racontent la vie vagabonde de Rousseau pendant le reste de sa jeunesse; mais à partir de 1742 (Livre 6 et suivants) il est à Paris où il trouvera la célébrité, mais avec la célébrité les malheurs; ses livres attireront sur lui des persécutions, et il recommencera sa vie errante de pays en pays jusqu'à sa mort en 1778. En 1792, ses cendres (*remains*) seront transportées au Panthéon. Au frontispice du Panthéon on lit cette inscription: « Aux grands hommes, la Patrie reconnaissante ».]

1. *bosom.*   **2.** *peaceful.*   **3.** convenait.   **4.** sans grandes douleurs ni grandes joies. **5.** *picture.*   **6.** je n'occuperai que trop: *I shall trouble only too much.*

ÉMILE OU DE L'ÉDUCATION

(Leçon de Cosmographie et Utilité de l'Astronomie)

Rousseau a écrit, à la veille de la Révolution Française, cet *Émile ou de l'Éducation*, qui est considéré comme aussi important dans le monde moderne que *La République*, dialogue dans lequel Platon a exposé ses idées sur l'éducation dans le monde antique. Émile est le nom de l'enfant imaginaire qu'il s'agit d'élever. Les deux grands thèmes du livre sont: (1) le droit de l'enfant au bonheur; (2) un programme d'éducation progressive — éducation d'abord des sens, puis de la raison, puis des sentiments moraux et religieux chez l'homme. Pour rendre plus vivantes ses théories, Rousseau introduit sans cesse des leçons sous la forme de récits — à tel point que parfois on appelle « roman », ce traité d'éducation. On y trouve un nouveau témoignage (*instance*) du talent de conteur pour lequel *Les Confessions* aussi l'ont rendu célèbre.

Une des théories favorites de Rousseau est qu'il faut autant que possible éviter d'apprendre par les livres ce qu'on peut étudier directement dans le monde de la réalité: « En général ne substituez jamais le signe à la chose; car le signe absorbe l'attention de l'enfant et lui fait oublier la chose représentée. » Avec non moins de conviction, Rousseau demande qu'on ne fasse étudier à l'enfant que les choses dont il peut, au cours de ses jeunes années, comprendre la valeur: « A quoi cela est-il bon? » a-t-il le droit de demander. L'horizon de ses intérêts s'étendra peu à peu.

Parmi les plus célèbres de ces petites scènes, on cite avec raison « La Première leçon de cosmographie », et la leçon sur « L'Utilité de l'astronomie. » Émile a alors entre douze et quinze ans.

LA PREMIÈRE LEÇON DE COSMOGRAPHIE [1]

Rendez votre élève attentif aux phénomènes de la nature, bientôt vous le rendrez curieux; mais, pour nourrir sa curiosité, ne vous pressez jamais de la satisfaire. Mettez les questions à sa portée,[2] et laissez-les-lui résoudre. Qu'il ne sache rien parce que vous le lui avez dit, mais parce qu'il l'a compris par lui-même; qu'il n'apprenne pas la science, qu'il l'invente. Si jamais 5 vous substituez dans son esprit l'autorité à la raison, il ne raisonnera plus; il ne sera plus que le jouet [3] de l'opinion des autres.

Vous voulez apprendre la géographie à cet enfant, et vous lui allez chercher des globes, des sphères, des cartes.[4] Que de machines! [5] Pourquoi toutes ces représentations? Que ne commencez-vous par lui montrer l'objet même, 10 afin qu'il sache au moins de quoi vous lui parlez!

Une belle soirée, on va se promener dans un lieu favorable, où l'horizon bien découvert laisse voir à plein ciel le soleil couchant,[6] et l'on observe les objets qui rendent reconnaissables le lieu de son coucher. Le lendemain,

1. *Émile*, Livre II.   2. *within his reach.*   3. *plaything (mirror).*   4. *maps.*   5. *implements, contrivances.*   6. *setting sun.*

pour respirer le frais,[1] on retourne au même lieu avant que le soleil se lève. On le voit s'annoncer de loin par les traits de feu [2] qu'il lance au devant de lui. L'incendie augmente, l'orient paraît en flammes: à leur éclat [3] on attend l'astre longtemps avant qu'il se montre: à chaque instant, on croit le voir paraître; on le voit enfin. Un point brillant part comme un éclair [4] et 5 remplit aussitôt tout l'espace; le voile des ténèbres s'efface et tombe. L'homme reconnaît son séjour [5] et le trouve embelli. La verdure a pris durant la nuit une vigueur nouvelle, le jour naissant [6] qui l'éclaire, les premiers rayons qui la dorent,[7] la montrent couverte d'un brillant réseau de rosée,[8] qui réfléchit à l'œil la lumière et les couleurs. Les oiseaux en chœur se réunissent 10 et saluent de concert [9] le père de la vie; en ce moment, pas un seul ne se tait; leur gazouillement,[10] faible encore, est plus haut et plus doux que dans le reste de la journée, il se sent de la langueur [11] d'un paisible réveil. Le concours de tous ces objets porte aux sens une impression de fraîcheur qui semble pénétrer jusqu'à l'âme. Il y a là une demi-heure d'enchantement 15 auquel nul homme ne résiste; un spectacle si grand, si beau, si délicieux, n'en laisse aucun de sang-froid.[12]

Plein de l'enthousiasme qu'il éprouve,[13] le maître veut le communiquer à l'enfant; il croit l'émouvoir en le rendant attentif aux sensations dont il est ému lui-même. Pure bêtise! C'est dans le cœur de l'homme qu'est la 20 vue du spectacle de la nature: pour le voir il faut le sentir. L'enfant aperçoit les objets, mais il ne peut encore apercevoir les rapports qui les lient; il ne peut entendre la douce harmonie de leur concert. . . . Ne tenez point à l'enfant des discours qu'il ne peut entendre. Point de descriptions, point d'éloquence, point de figures,[14] point de poésie. . . . Contentez-vous donc de lui 25 présenter à propos les objets; puis, quand vous verrez sa curiosité suffisamment occupée, faites-lui quelque question laconique qui le mette sur la voie [15] de la résoudre.

Dans cette occasion, après avoir bien contemplé avec lui le soleil levant, après lui avoir fait remarquer de même les montagnes et les autres objets 30 voisins, après l'avoir laissé causer là-dessus tout à son aise,[16] gardez quelques moments le silence comme un homme qui rêve, et puis vous lui direz: Je songe que hier au soir le soleil s'est couché là, et qu'il s'est levé là ce matin. Comment cela peut-il se faire? N'ajoutez rien de plus; parlez d'autre chose. Laissez-le à lui-même, et soyez sûr qu'il y pensera. 35

Pour qu'un enfant s'accoutume à être attentif, et qu'il soit bien frappé de quelque vérité sensible,[17] il faut qu'elle lui donne quelques jours d'inquiétude avant de la découvrir. S'il ne conçoit pas assez celle-ci de cette manière, il y a moyen de la lui rendre plus sensible [18] encore, et ce moyen c'est de re-

---

1. *cool.* **2.** *flashes of light.* **3.** *judging by their brilliancy.* **4.** *flash.* **5.** *abode.* **6.** *dawning.* **7.** *gild.* **8.** *dewy gauze* (réseau = *network*). **9.** tous ensemble. **10.** *warbling.* **11.** il se sent . . .: *it is affected by the languidness.* **12.** de . . .: *unmoved.* **13.** *experiences.* **14.** *figures of speech.* **15.** chemin. **16.** *to his heart's content.* **17.** obtenue par un des cinq sens. **18.** intelligible.

tourner [1] la question. S'il ne sait comment le soleil parvient de son coucher à son lever, il sait au moins comment il parvient de son lever à son coucher; ses yeux seuls le lui apprennent. Éclaircissez [2] donc la première question par l'autre; ou votre élève est absolument stupide, ou l'analogie est trop claire pour lui pouvoir échapper. Voilà sa première leçon de cosmographie. 5

Comme nous procédons toujours lentement d'idée sensible en idée sensible, que nous nous familiarisons longtemps avec la même avant de passer à une autre, et qu'enfin nous ne forçons jamais notre élève d'être attentif, il y a loin de cette première leçon à la connaissance du cours du soleil et de la figure de la terre. . . .   10

[Et voici venir une deuxième leçon:]

Nous avons vu lever le soleil à la Saint-Jean [3]; nous l'allons voir aussi lever à Noël ou quelque autre beau jour d'hiver; car on sait que nous ne sommes pas paresseux,[4] et que nous nous faisons un jeu [5] de braver le froid. J'ai soin de faire cette seconde observation dans le même lieu où nous avons fait la première; et, moyennant quelque adresse [6] pour préparer la remarque, 15 l'un ou l'autre ne manquera pas de s'écrier: « Oh! oh! voilà qui est plaisant! [7] le soleil ne se lève plus à la même place! Ici sont nos anciens renseignements,[8] et à présent il s'est levé là, etc. . . . » Jeune maître, vous voilà sur la voie. Ces exemples vous doivent suffire pour enseigner très clairement la sphère,[9] en prenant le monde pour le monde et le soleil pour le soleil.   20

En général, ne substituez jamais le signe à la chose que quand il vous est impossible de la montrer; car le signe absorbe l'attention de l'enfant, et lui fait oublier la chose représentée.

L'UTILITÉ DE L'ASTRONOMIE [10]

A quoi cela est-il bon? Voilà désormais le mot sacré, le mot déterminant entre lui et moi [11] dans toutes les actions de notre vie; voilà la question qui 25 de ma part suit infailliblement [12] toutes ses questions, et qui sert de frein [13] à ces multitudes d'interrogations sottes et fastidieuses [14] dont les enfants fatiguent sans relâche [15] et sans fruit tous ceux qui les environnent, plus pour exercer sur eux quelque espèce d'empire [16] que pour en tirer profit. Celui à qui, pour sa plus importante leçon, l'on apprend à ne vouloir rien savoir 30 que d'utile, interroge comme Socrate [17]; il ne fait pas une question sans s'en rendre à lui-même la raison qu'il sait qu'on va lui demander avant que de la résoudre.

1. *reverse.*   2. Élucidez.   3. *Midsummer day.*   4. Émile doit se lever toujours de bon matin.   5. *make a sport.*   6. *by means of some ingenuity.*   7. curieux.   8. indications. 9. (la théorie de) la sphère.   10. *Émile,* Livre II.   11. entre l'élève et le maître.   12. *unfailingly.*   13. *check, curb.*   14. *tiresome.*   15. sans . . .: *unceasingly.*   16. influence, autorité.   17. Socrate enseignait ses élèves en leur posant adroitement des questions qui leur faisaient trouver eux-mêmes la réponse.

Voyez quel instrument je vous mets entre les mains pour agir sur votre élève. Ne sachant les raisons de rien, le voilà presque réduit au silence quand il vous plaît; et vous, au contraire, quel avantage vos connaissances et votre expérience ne vous donnent-elles point pour lui montrer l'utilité de tout ce que vous lui proposez? Car, ne vous y trompez pas, lui faire cette [5] question, c'est lui apprendre à vous la faire à son tour; et vous devez compter, sur tout ce que vous lui proposerez dans la suite, qu'à votre exemple il ne manquera pas de dire: *A quoi cela est-il bon?*. . .

[Et voici le petit récit qui doit servir d'exemple:]

Nous observions la position de la forêt au nord de Montmorency,[1] quand Émile m'a interrompu par son importune question: « *A quoi sert cela?* » — [10] Vous avez raison, lui dis-je; il y faut penser à loisir; et si nous trouvons que ce travail n'est bon à rien, nous ne le reprendrons plus, car nous ne manquons pas d'amusements utiles. » On s'occupe d'autre chose, et il n'est plus question de géographie du reste de la journée.

Le lendemain matin, je lui propose un tour de promenade avant le dé- [15] jeuner; il ne demande pas mieux; pour courir, les enfants sont toujours prêts, et celui-ci a de bonnes jambes. Nous montons dans la forêt, nous parcourons les champeaux,[2] nous nous égarons,[3] nous ne savons plus où nous sommes, et, quand il s'agit de revenir, nous ne pourrons plus retrouver notre chemin. Le temps passe, la chaleur vient, nous avons faim; nous [20] nous pressons, nous errons vainement de côté et d'autre, nous ne trouvons partout que des bois, des carrières,[4] des plaines, nul renseignement pour nous reconnaître. Bien échauffés, bien recrus,[5] bien affamés, nous ne faisons avec nos courses que nous égarer davantage. Nous nous asseyons enfin pour nous reposer, pour délibérer. Émile que je suppose élevé comme un autre enfant,[6] [25] ne délibère point, il pleure; il ne sait pas que nous sommes à la porte de Montmorency, et qu'un simple taillis[7] nous le cache[8]; mais ce taillis est une forêt pour lui, un homme de sa stature est enterré dans les buissons.[9]

Après quelques moments de silence, je lui dis d'un air inquiet:

Mon cher Émile, comment ferons-nous pour sortir d'ici? — ÉMILE, *en* [30] *nage,*[10] *et pleurant à chaudes larmes.*[11] Je n'en sais rien. Je suis las[12]; j'ai faim; j'ai soif; je n'en puis plus.[13] — JEAN-JACQUES.[14] Me croyez-vous en meilleur état que vous, et pensez-vous que je me fisse faute[15] de pleurer si je pouvais déjeuner de mes larmes? Il ne s'agit pas de pleurer; il s'agit de se reconnaître. Voyons votre montre; quelle heure est-il, Émile? — ÉMILE. Il est [35]

1. Quand il écrivait son livre, Rousseau vivait à Montmorency, localité à quelques lieues au nord-ouest de Paris, et bordée au nord par une grande forêt. **2.** *for* prés champeaux, *meadows.* Le terme *pré champeau* (par opposition à *pré de rivière*) ne s'emploie plus que dans certaines régions. **3.** perdons. **4.** *quarries.* **5.** *worn out.* **6.** C'est-à-dire que l'Émile que Rousseau aurait élevé n'aurait jamais pleuré (*wept*). **7.** *thicket.* **8.** *hides.* **9.** *buried in the bushes.* **10.** *perspiring.* **11.** *shedding hot tears.* **12.** fatigué. **13.** je n'en . . .: *I'm done up.* **14.** le nom de Rousseau, le maître. **15.** me fisse . . .: *deprive myself of.*

midi, et je suis à jeun.[1] — JEAN-JACQUES. Le malheur est que mon dîner
ne viendra pas me trouver ici. Il est midi, c'est justement l'heure où nous
observions hier de Montmorency la position de la forêt. Si nous pouvions
de même observer de la forêt la position de Montmorency?... — ÉMILE. Oui,
mais hier nous voyions la forêt, et d'ici nous ne voyons pas la ville. — JEAN- 5
JACQUES. Voilà le mal... Si nous pouvions nous passer [2] de la voir pour
trouver sa position?... — ÉMILE. Ô mon bon ami! — JEAN-JACQUES. Ne
disions-nous pas que la forêt était?... — ÉMILE. Au nord de Montmorency.
— JEAN-JACQUES. Par conséquent, Montmorency doit être... — ÉMILE. Au
sud de la forêt. — JEAN-JACQUES. Nous avons le moyen de trouver le nord 10
à midi. — ÉMILE. Oui, par la direction de l'ombre. — JEAN-JACQUES.
Mais le sud! — ÉMILE. Comment faire? — JEAN-JACQUES. Le sud est
l'opposé du nord. — ÉMILE. Cela est vrai; il n'y a qu'à chercher l'opposé
de l'ombre. Oh! voilà le sud! sûrement Montmorency est de ce côté; cherchons de ce côté. — JEAN-JACQUES. Vous pouvez avoir raison, prenons ce 15
sentier à travers le bois. — ÉMILE. *frappant des mains* [3] *et poussant un cri de
joie.* Ah! je vois Montmorency! le voilà tout devant nous, tout à découvert.
Allons déjeuner, allons dîner, courons vite; l'astronomie est bonne à quelque
chose.

Prenez garde que, s'il ne dit pas cette dernière phrase, il la pensera; peu 20
importe, pourvu que ce ne soit pas moi qui la dise. Or, soyez sûr qu'il n'oubliera de sa vie la leçon de cette journée; au lieu que si je n'avais fait que
lui supposer tout cela dans sa chambre, mon discours eût été oublié dès [4] le
lendemain.

1. *have not eaten* (jeûner, *fast*).   2. *do without.*   3. *clapping his hands.*   4. *not later
than.*

ATALA

par FRANÇOIS-RENÉ DE CHATEAUBRIAND

(1768–1848)

Chateaubriand, le « père du Romantisme, » naquit à Saint-Malo, d'une vieille et noble famille de Bretagne. Il passa, avec sa sœur Lucile, âme rêveuse et mélancolique, une enfance morose dans le lugubre château féodal de Combourg. A 18 ans, il servit dans le régiment de Navarre qui fut dissous par la Révolution. Il entreprit alors un voyage d'exploration dans l'Amérique du Nord, voyage dont la littérature devait profiter plus que la géographie. Mais, quand il apprit l'arrestation du roi Louis XVI, il se hâta de rentrer en France pour défendre le trône des Bourbons. Blessé à Thionville, il s'enfuit en Angleterre où il vécut longtemps dans une affreuse pauvreté. C'est là qu'il composa (1797) son *Essai sur les Révolutions* dont il allait plus tard renier le scepticisme : il était encore un disciple de Rousseau, c'est la mort de sa mère qui le ramena au catholicisme : « j'ai pleuré et j'ai cru, » dira-t-il plus tard.

Rayé, grâce à son ami Fontanes, de la liste des émigrés, il revint en France en 1800 et publia sa belle idylle d'*Atala* où nous trouvons de touchantes scènes religieuses à côté de merveilleuses descriptions des forêts vierges de l'Amérique. Ce n'était qu'un épisode du grand ouvrage qui parut l'année suivante (1802) : *Le Génie du Christianisme.* Ce livre, qui était une défense littéraire et artistique plutôt que doctrinale du Christianisme, eut un succès éclatant et une influence décisive sur la littérature et l'art du XIXe siècle : il renouvela l'imagination française, il substitua la poésie chrétienne à la poésie païenne de la Renaissance, il fonda une esthétique nouvelle. *René*, qui en était un autre épisode et que l'auteur publia séparément en 1805, exerça aussi une influence incalculable sur les Romantiques atteints de cette mélancolie que Musset a appelée « le mal du siècle. »

Le Génie du Christianisme paraissait au moment où Bonaparte rétablissait le culte catholique. Au fait, Chateaubriand avait dédié l'ouvrage au Premier Consul qu'il regardait alors comme un homme providentiel. Bonaparte voulut se l'attacher, mais ces deux génies n'étaient pas faits pour s'entendre. Chateaubriand partit pour l'Orient d'où il rapporta le sujet de beaux livres : son *Itinéraire de Paris à Jérusalem* (1808), où il se révèle grand paysagiste, *Le Dernier des Abencérages* (1825), récit exquis où il évoque le souvenir de la domination des Mores en Espagne, et enfin une épopée en prose : *Les Martyrs* (1809). L'auteur applique, dans ce dernier ouvrage, la doctrine exposée dans le *Génie du Christianisme* en racontant la victoire du christianisme sur le paganisme vers la fin du IIIe siècle. Le livre contient de pittoresques tableaux et récits qui inspirèrent aux historiens l'amour de la couleur locale.

En 1814, l'auteur avait composé sa fameuse brochure *De Buonaparte et des Bourbons* qui fit de lui un personnage important sous la Restauration de l'ancien régime en France. Tour à tour ambassadeur, ministre, et pair de France, il n'écrivit alors que des opuscules politiques. Mais, à la chute des Bourbons, en 1830, il se consacra exclusivement à la littérature. De cette époque datent ses *Études historiques*, son roman américain *Les Natchez*, l'*Essai sur la Littérature anglaise*, la *Vie de Rancé*, etc. Mais il travaillait surtout à ses *Mémoires d'Outre-Tombe*, mine précieuse de documents parfois déformés par l'amour-propre de l'auteur.

Des infirmités, des embarras d'argent attristèrent la glorieuse vieillesse du grand initiateur: il trouva quelque consolation dans l'amitié de Mme Récamier. Ses cendres reposent sur le rocher de l'île du Grand-Bé, en face de Saint-Malo.

PROLOGUE

La France possédait autrefois, dans l'Amérique septentrionale, un vaste empire qui s'étendait depuis le Labrador jusqu'aux Florides,[1] et depuis les rivages[2] de l'Atlantique jusqu'aux lacs les plus reculés[3] du haut Canada.

Quatre grands fleuves, ayant leurs sources dans les mêmes montagnes, divisaient ces régions immenses: le fleuve Saint-Laurent, qui se perd à l'est 5 dans le golfe de son nom; la rivière de l'Ouest,[4] qui porte ses eaux à des mers inconnues; le fleuve Bourbon,[5] qui se précipite du midi[6] au nord dans la baie d'Hudson; et le Meschacebé,[7] qui tombe du nord au midi dans le golfe du Mexique.

Ce dernier fleuve, dans un cours de plus de mille lieues,[8] arrose[9] une 10 délicieuse contrée que les habitants des États-Unis appellent le *nouvel Eden*, et à laquelle les Français ont laissé le doux nom de *Louisiane*.[10] Mille autres fleuves, tributaires du Meschacebé, le Missouri, l'Illinois, l'Akanza, l'Ohio, le Wabache, le Tenase,[11] l'engraissent[12] de leur limon[13] et la fertilisent de leurs eaux. Quand tous ces fleuves se sont gonflés[14] des déluges de l'hiver, 15 quand les tempêtes ont abattu[15] des pans[16] entiers de forêts, les arbres déracinés[17] s'assemblent sur les sources. Bientôt la vase[18] les cimente, les lianes[19] les enchaînent; et les plantes, y prenant racine de toutes parts, achèvent de consolider ces débris. Charriés par les vagues écumantes,[20] ils descendent au Meschacebé: le fleuve s'en empare,[21] les pousse au golfe 20 Mexicain, les échoue[22] sur des bancs de sable, et accroît[23] ainsi le nombre de ses embouchures.[24] Par intervalle, il élève sa voix en passant sur les monts, et répand[25] ses eaux débordées[26] autour des colonnades des forêts et des pyramides des tombeaux indiens; c'est le Nil des déserts.[27] Mais la grâce est toujours unie à la magnificence dans les scènes de la nature; tandis 25 que le courant du milieu entraîne[28] vers la mer les cadavres[29] des pins et des chênes,[30] on voit sur les deux courants latéraux remonter,[31] le long des rivages, des îles flottantes de pistia[32] et de nénuphar,[33] dont les roses jaunes

1. Il y avait autrefois deux Florides, *East and West Florida*. 2. *shores*. 3. *remotest*. 4. La géographie de ces régions n'était pas encore très bien établie. On croyait que ce fleuve se vidait dans la mer de l'ouest, golfe large et profond du Pacifique. 5. Probablement le Winnipeg, dans le Manitoba d'aujourd'hui. 6. *south*. 7. Le Mississipi (signifie *Grand Fleuve*). 8. *leagues*. 9. *irrigates*. 10. Région découverte par les Français au XVIIe siècle et appelée ainsi en l'honneur de Louis XIV. 11. le Tennessee. 12. fertilisent. 13. limon: vase; *mud (deposited by a river)*. 14. *swollen*. 15. *felled*. 16. *sections*. 17. *uprooted*. 18. *mud*. 19. vignes sauvages. 20. *foaming waves*. 21. *takes hold of them*. 22. *strands*. 23. augmente. 24. *mouths*. 25. *distributes, spreads*. 26. *overflown*. 27. Ce terme signifiait, à l'époque, des contrées inhabitées, mais pas comme aujourd'hui des contrées stériles, et correspond à l'anglais *wilderness* (pas *desert*). 28. *carries*. 29. *corpses, skeletons*. 30. *fir and oak trees*. 31. *go upstream*. 32. plante flottante des tropiques, algues. 33. *water lilies*.

s'élèvent comme de petits pavillons.[1] Des serpents verts, des hérons bleus, des flamants [2] roses, de jeunes crocodiles, s'embarquent passagers sur ces vaisseaux de fleurs; et la colonie, déployant [3] aux vents ses voiles d'or,[4] va aborder [5] endormie [6] dans quelque anse [7] retirée du fleuve.

Les deux rives du Meschacebé présentent le tableau le plus extraordinaire. 5 Sur le bord [8] occidental, des savanes se déroulent à perte de vue [9]; leurs flots [10] de verdure, en s'éloignant, semblent monter dans l'azur du ciel, où ils s'évanouissent.[11] On voit dans ces prairies sans bornes errer à l'aventure des troupeaux [12] de trois ou quatre mille buffles sauvages. Quelquefois un bison chargé d'années,[13] fendant [14] les flots à la nage,[15] se vient coucher,[16] 10 parmi de hautes herbes, dans une île du Meschacebé. A son front orné de deux croissants,[17] à sa barbe [18] antique et limoneuse,[19] vous le prendriez pour le dieu du fleuve, qui jette un œil satisfait sur la grandeur de ses ondes [20] et la sauvage abondance [21] de ses rives.

Telle est la scène sur le bord occidental; mais elle change sur le bord 15 opposé, et forme avec la première un admirable contraste. Suspendus sur le cours des eaux, groupés sur les rochers et sur les montagnes, dispersés dans les vallées, des arbres de toutes les formes, de toutes les couleurs, de tous les parfums, se mêlent,[22] croissent [23] ensemble, montent dans les airs à des hauteurs qui fatiguent les regards. Les vignes sauvages, les bignonias, 20 les coloquintes,[24] s'entrelacent [25] au pied de ces arbres, escaladent [26] leurs ra-meaux,[27] grimpent à l'extrémité des branches, s'élancent [28] de l'érable [29] au tulipier, du tulipier à l'alcée,[30] en formant mille grottes, mille voûtes,[31] mille portiques. Souvent, égarées [32] d'arbre en arbre, ces lianes traversent des bras de rivière, sur lesquels elles jettent des ponts [33] de fleurs. Du sein de ces 25 massifs,[34] le magnolia élève son cône immobile ; surmonté de ses larges roses blanches, il domine toute la forêt, et n'a d'autre rival que le palmier, qui balance légèrement auprès de lui ses éventails [35] de verdure.

Une multitude d'animaux placés dans ces retraites par la main du Créateur y répandent [36] l'enchantement et la vie. De l'extrémité des avenues on 30 aperçoit des ours enivrés de raisin [37] qui chancellent [38] sur les branches des ormeaux [39]; des cariboux [40] se baignent dans un lac; des écureuils [41] noirs se jouent dans l'épaisseur [42] des feuillages; des oiseaux-moqueurs, des colombes [43] de Virginie, de la grosseur d'un passereau,[44] descendent sur les gazons rougis par les fraises [45]; des perroquets [46] verts à tête jaune, des piverts em- 35

---

1. *ici:* drapeaux (*banners*). 2. *flamingos.* 3. *spreading out.* 4. *golden sails* (*reference to the yellow water lilies*). 5. *run ashore.* 6. *dormant.* 7. *cove.* 8. *shore.* 9. *farther than the eye can see.* 10. *a sea of.* 11. *vanish.* 12. *herds.* 13. *laden with years.* 14. *cleaving.* 15. *by swimming.* 16. *lie down.* 17. crescents (*crescent-shaped horns*). 18. *beard.* 19. *muddy.* 20. *waters.* 21. richesse. 22. *mingle.* 23. *grow.* 24. *bitter apples.* 25. *inter-twine.* 26. *climb over.* 27. *branches.* 28. *spring.* 29. *maple tree.* 30. *hollyhock.* 31. *arches.* 32. *wandering.* 33. *bridges.* 34. *thickets.* 35. *fans.* 36. *bring.* 37. *bears intoxicated with grapes;* Chateaubriand réclame comme autorité pour les « ours enivrés » le fameux naturaliste de Philadelphie, Bartram. 38. *stand unsteadily.* 39. *elm trees.* 40. *reindeer.* 41. *squirrels.* 42. *thickness.* 43. *doves.* 44. *the size of a sparrow.* 45. *grass all red with strawberries.* 46. *parrots.*

pourprés,[1] des cardinaux de feu, grimpent en circulant au haut des cyprès; des colibris [2] étincellent sur le jasmin des Florides, et des serpents-oiseleurs sifflent suspendus aux dômes des bois, en s'y balançant [3] comme des lianes.

Si tout est silence et repos dans les savanes de l'autre côté du fleuve, tout ici, au contraire, est mouvement et murmure: des coups de bec [4] contre le 5 tronc des chênes, des froissements [5] d'animaux qui marchent, broutent [6] ou broient [7] entre leurs dents les noyaux [8] des fruits; des bruissements d'ondes,[9] de faibles gémissements,[10] de sourds meuglements,[11] de doux roucoulements,[12] remplissent ces déserts d'une tendre et sauvage harmonie.

Après la découverte du Meschacebé par le père Marquette [13] et l'infortuné 10 La Salle, les premiers Français qui s'établirent au Biloxi [14] et à la Nouvelle-Orléans firent alliance avec les Natchez,[15] nation indienne, dont la puissance était redoutable dans ces contrées. Des querelles et des jalousies ensanglantèrent [16] dans la suite la terre de l'hospitalité. Il y avait parmi ces sauvages un vieillard nommé Chactas,[17] qui, par son âge, sa sagesse et sa science dans 15 les choses de la vie, était le patriarche et l'amour des déserts. Comme tous les hommes, il avait acheté la vertu par l'infortune. Non seulement les forêts du Nouveau-Monde furent remplies de ses malheurs,[18] mais il les porta jusque sur les rivages de la France. Retenu aux galères [19] à Marseille par une cruelle injustice, rendu à la liberté, présenté à Louis XIV, il avait conversé 20 avec les grands hommes de ce siècle, et assisté aux fêtes de Versailles.

Depuis plusieurs années, rentré dans le sein [20] de sa patrie, Chactas jouissait du repos. Toutefois le ciel lui vendait encore cher [21] cette faveur: le vieillard était devenu aveugle.

Malgré les nombreuses injustices que Chactas avait éprouvées [22] de la part 25 des Français, il les aimait. Il se souvenait toujours de Fénelon,[23] dont il avait été l'hôte, et désirait pouvoir rendre quelque service aux compatriotes de cet homme vertueux. Il s'en présenta une occasion favorable. En 1725, un Français nommé René, poussé par des passions et des malheurs, arriva à la Louisiane. Il remonta [24] le Meschacebé jusqu'aux Natchez, et demanda à 30

1. *purple woodpeckers.* **2.** *humming birds.* **3.** *swinging.* **4.** *pecks, hammerings.* **5.** *rustlings.* **6.** *browse, graze.* **7.** *crush.* **8.** *stones.* **9.** *murmuring of waters.* **10.** *moanings.* **11.** *muffled bellowings.* **12.** *cooings.* **13.** Le père Marquette (mort, 1675) sans avoir « découvert » le Mississipi en a exploré le cours dans ses voyages de missionnaire. La Salle fit son fameux voyage en 1682; il mourut assassiné au Texas par ses propres hommes, en 1687. **14.** Sur le Golfe du Mexique. Les Français y avaient établi une colonie en 1699. **15.** Tribu d'Indiens sur la rive est du bas Mississipi, de civilisation apparentée à celle des Aztechs du Mexique, adorateurs du Soleil. D'abord amis des Français, ils se révoltèrent plus tard contre les exigences d'un gouverneur français, massacrèrent ses deux cents guerriers, et firent prisonniers les femmes et les enfants. L'année suivante (1730) les Français assistés par les Choktaws se vengèrent terriblement, annihilant à peu près la tribu. Chateaubriand pensait faire un grand poème de cette lutte des sauvages contre les Européens qui voulaient les priver de leur liberté. Ce qui reste de ce poème à la gloire de l'homme de la nature fut publié par l'auteur en 1826. **16.** *drenched with blood.* **17.** Chactas, selon Chateaubriand, signifierait: « La voix harmonieuse. » **18.** *filled with his misfortunes.* **19.** *galleys.* **20.** (lit., *in the bosom of*): *among (his tribesmen).* **21.** *made him pay dearly for.* **22.** *experienced.* **23.** Fénelon, un des grands dignitaires de l'Église de France au siècle de Louis XIV, célèbre pour la douceur de ses mœurs et sa sympathie pour les vertus naturelles. **24.** *followed upstream.*

être reçu guerrier de cette nation. Chactas, l'ayant interrogé et le trouvant inébranlable [1] dans sa résolution, l'adopta pour fils, et lui donna pour épouse une Indienne appelée Céluta. Peu de temps après ce mariage, les sauvages se préparèrent à la chasse du castor.[2]

Chactas, quoique aveugle, est désigné par le conseil des sachems[3] pour 5 commander l'expédition, à cause du respect que les tribus indiennes lui portaient. Les prières et les jeûnes [4] commencent; les jongleurs [5] interprètent les songes; on consulte les manitous [6]; on fait des sacrifices de petun [7]; on brûle des filets de langue d'orignal [8]; on examine s'ils pétillent [9] dans la flamme, afin de découvrir la volonté des génies; on part enfin, après 10 avoir mangé le chien sacré. René est de la troupe. A l'aide des contrecourants, les pirogues [10] remontent le Meschacebé et entrent dans le lit de l'Ohio. C'est en automne. Les magnifiques déserts du Kentucky se déploient [11] aux yeux étonnés du jeune Français. Une nuit, à la clarté de la lune,[12] tandis que tous les Natchez dorment au fond de leurs pirogues, René, 15 demeuré seul avec Chactas, lui demande le récit de ses aventures. Le vieillard consent à le satisfaire, et, assis avec lui sur la poupe [13] de la pirogue, il commence en ces mots:

LE RÉCIT

LES CHASSEURS [14]

« C'est une singulière destinée, mon cher fils, que celle qui nous réunit. Je vois en toi l'homme civilisé qui s'est fait sauvage; tu vois en moi l'homme 20 sauvage que le Grand Esprit (j'ignore pour quel dessein) a voulu civiliser. Entrés l'un et l'autre dans la carrière de la vie par les deux bouts opposés, tu es venu te reposer à ma place, et j'ai été m'asseoir à la tienne: ainsi nous avons dû avoir des objets une vue totalement différente. Qui, de toi ou de moi, a le plus gagné ou le plus perdu à ce changement de position? C'est ce 25 que savent les génies, dont le moins savant a plus de sagesse que tous les hommes ensemble.[15]

» A la prochaine lune de fleurs [16] il y aura sept fois dix neiges,[17] et trois neiges de plus, que ma mère me mit au monde [18] sur les bords du Meschacebé. Les Espagnols s'étaient depuis peu établis dans la baie de Pensacola [19]; mais 30 aucun blanc n'habitait encore la Louisiane. Je comptais à peine dix-sept chutes de feuilles,[20] lorsque je marchai avec mon père, le guerrier Outalissi, contre les Muscogulges, nation puissante des Florides. Nous nous joignîmes

---

1. *determined.* **2.** *beaver-hunt.* **3.** nom donné aux vieillards, chefs de tribus. **4.** *fasts.* **5.** *jugglers;* here: *acting priests.* **6.** *spirits.* **7.** *tobacco.* **8.** *elk.* **9.** *crackle.* **10.** *canoes.* **11.** *unfold.* **12.** *moonlight.* **13.** *stern.* **14.** *hunters.* **15.** Dès le 17e siècle, époque où Chateaubriand place son récit, on discutait beaucoup des avantages du retour à la vie de la nature; la question devint brûlante au temps de J.-J. Rousseau qui appartient à la génération précédant celle de Chateaubriand. **16.** lune de fleurs: mois de mai. **17.** neiges: hivers *ou* années. **18.** *gave birth to me.* **19.** baie dans le Golfe du Mexique. **20.** (lit., *falls of leaves*): *autumns, years.*

aux Espagnols nos alliés, et le combat se donna sur une des branches de la
Maubile.[1] Areskoui [2] et les manitous ne nous furent pas favorables. Les
ennemis triomphèrent, mon père perdit la vie; je fus blessé deux fois en le
défendant. Oh! que [3] ne descendis-je alors dans le pays des âmes! [4] j'aurais
évité [5] les malheurs qui m'attendaient sur la terre. Les esprits en ordon- 5
nèrent autrement: je fus entraîné par les fuyards [6] à Saint-Augustin.

» Dans cette ville, nouvellement bâtie par les Espagnols, je courais le
risque d'être enlevé [7] pour les mines de Mexico, lorsqu'un vieux Castillan,
nommé Lopez,[8] touché de ma jeunesse et de ma simplicité, m'offrit un asile,
et me présenta à une sœur avec laquelle il vivait sans épouse. 10

» Tous les deux prirent pour moi les sentiments les plus tendres. On
m'éleva [9] avec beaucoup de soin; on me donna toutes sortes de maîtres.
Mais après avoir passé trente lunes [10] à Saint-Augustin, je fus saisi du dégoût de la vie des cités. Je dépérissais à vue d'œil [11]: tantôt je demeurais
immobile pendant des heures à contempler la cime des lointaines forêts [12]; 15
tantôt on me trouvait assis au bord d'un fleuve que je regardais tristement
couler. Je me peignais [13] les bois à travers lesquels cette onde avait passé,
et mon âme était tout entière à la solitude.

» Ne pouvant plus résister à l'envie de retourner au désert, un matin je me
présentai à Lopez, vêtu de mes habits de sauvage, tenant d'une main mon 20
arc et mes flèches,[14] et de l'autre mes vêtements européens. Je les remis [15]
à mon généreux protecteur, aux pieds duquel je tombai en versant des torrents de larmes. Je me donnai des noms odieux; je m'accusai d'ingratitude.
« Mais enfin, lui dis-je, ô mon père! tu le vois toi-même: je meurs,[16] si je ne
reprends la vie de l'Indien. » 25

» Lopez, frappé d'étonnement, voulut me détourner [17] de mon dessein.
Il me représenta les dangers que j'allais courir, en m'exposant à tomber de
nouveau entre les mains des Muscogulges. Mais, voyant que j'étais résolu
à tout entreprendre,[18] fondant en pleurs [19] et me serrant dans ses bras [20]:
« Va, s'écria-t-il, enfant de la nature, reprends cette indépendance de l'homme, 30
» que Lopez ne veut point te ravir! Si j'étais plus jeune moi-même, je
» t'accompagnerais au désert (où j'ai aussi de doux souvenirs), et je te remet-
» trais dans les bras de ta mère. Quand tu seras dans tes forêts, songe quel-
» quefois à ce vieil Espagnol qui te donna l'hospitalité. » Lopez finit par une
prière au Dieu des chrétiens, dont j'avais refusé d'embrasser le culte, et nous 35
nous quittâmes avec des sanglots.[21]

» Je ne tardai pas [22] à être puni de mon ingratitude. Mon inexpérience
m'égara [23] dans les bois, et je fus pris par un parti de Muscogulges et de

1. *the river Mobile.* 2. dieu de la guerre. 3. *pourquoi?* 4. *abode of spirits.* 5. *avoided.*
6. *swept along by the fugitives.* 7. *impressed (be carried off forcibly to work in the mines).*
8. Le lecteur apprendra plus tard que Lopez est le père d'Atala. 9. *educated.* 10. *ici:*
mois. 11. *was pining away visibly.* 12. *tops of the far-away forests.* 13. me faisais une
image. 14. *bow and arrows.* 15. *handed back.* 16. *(shall certainly) die.* 17. *dissuader.*
18. *determined to undertake anything.* 19. *bursting into tears;* (fondre: *melt*). 20. *embracing.*
21. *sobs.* 22. *It was not long before I.* 23. *led me astray.*

Siminoles,[1] comme Lopez me l'avait prédit. Je fus reconnu pour Natchez à mon vêtement et aux plumes qui ornaient ma tête. On m'enchaîna, mais légèrement,[2] à cause de ma jeunesse. Simaghan, le chef de la troupe, voulut savoir mon nom; je répondis: « Je m'appelle Chactas, fils d'Outalissi, fils de » Miscou, qui ont enlevé plus de cent chevelures [3] aux héros muscogulges. » 5 Simaghan me dit: « Chactas, fils d'Outalissi, fils de Miscou, réjouis-toi, tu » seras brûlé au grand village. » Je repartis [4]: « Voilà qui va bien, » et j'entonnai [5] ma chanson de mort.

» Tout [6] prisonnier que j'étais, je ne pouvais, durant les premiers jours, m'empêcher [7] d'admirer mes ennemis. Le Muscogulge, et surtout son allié 10 le Siminole, respire la gaieté, l'amour, le contentement. Sa démarche [8] est légère, son abord [9] ouvert et serein. Il parle beaucoup et avec volubilité; son langage est harmonieux et facile. L'âge même ne peut ravir aux sachems cette simplicité joyeuse: comme les vieux oiseaux de nos bois, ils mêlent encore leurs vieilles chansons aux airs nouveaux de leur jeune postérité. 15

» Les femmes qui accompagnaient la troupe témoignaient [10] pour ma jeunesse une pitié tendre et une curiosité aimable. Elles me questionnaient sur ma mère, sur les premiers jours de ma vie; elles voulaient savoir si l'on suspendait mon berceau de mousse [11] aux branches fleuries des érables,[12] si les brises m'y balançaient auprès du nid [13] des petits oiseaux. C'étaient en- 20 suite mille autres questions sur l'état de mon cœur. Je répondais avec naïveté aux mères, aux filles et aux épouses des hommes; je leur disais: « Vous êtes les grâces du jour, et la nuit vous aime comme la rosée.[14] Vous » savez des paroles magiques qui endorment toutes les douleurs. Voilà ce » que m'a dit celle qui m'a mis au monde et qui ne me reverra plus ! Elle m'a 25 » dit encore que les vierges étaient des fleurs mystérieuses qu'on trouve dans » les lieux solitaires. »

» Ces louanges [15] faisaient beaucoup de plaisir aux femmes; elles me comblaient [16] de toute sorte de dons [17]; elles m'apportaient de la crème de noix,[18] du sucre d'érable, de la sagamité,[19] des jambons [20] d'ours,[21] des peaux de 30 castor, des coquillages [22] pour me parer et des mousses pour ma couche. Elles chantaient, elles riaient avec moi, et puis elles se prenaient [23] à verser des larmes en songeant que je serais brûlé.

» Une nuit que les Muscogulges avaient placé leur camp sur le bord d'une forêt, j'étais assis auprès du *feu de la guerre*, avec le chasseur commis à ma 35 garde. Tout à coup j'entendis le murmure d'un vêtement sur l'herbe, et une femme à demi voilée [24] vint s'asseoir à mes côtés. Des pleurs coulaient sous sa paupière [25]; à la lueur du feu, un petit crucifix d'or brillait sur son sein.

---

1. tribu indienne de Floride, alliée des Muscogulges. 2. *lightly.* 3. *scalps.* 4. répondis. 5. commençai de chanter. 6. bien que. 7. *help but.* 8. manière de marcher. 9. manière d'accueillir, de converser. 10. faisaient paraître, montraient. 11. *moss cradle.* 12. *maple trees.* 13. *nest.* 14. *dew.* 15. compliments. 16. *overwhelmed.* 17. présents. 18. *cocoanuts.* 19. *oatmeal.* 20. *hams.* 21. *bear.* 22. *shells.* 23. commençaient à. 24. *half-veiled.* 25. *eyelids.*

Elle était régulièrement belle; l'on remarquait sur son visage je ne sais quoi de vertueux et de passionné, dont l'attrait était irrésistible. Elle joignait à cela des grâces plus tendres; une extrême sensibilité, unie à une mélancolie profonde, respirait [1] dans ses regards; son sourire était céleste.

» Je crus que c'était la *Vierge des dernières amours,* cette vierge qu'on en- 5 voie au prisonnier de guerre pour enchanter sa tombe. Dans cette persuasion, je lui dis en balbutiant [2] et avec un trouble qui pourtant ne venait pas de la crainte du bûcher [3]: « Vierge, vous êtes digne des premières amours, et » vous n'êtes pas faite pour les dernières. Les mouvements d'un cœur qui » va bientôt cesser de battre répondraient mal aux mouvements du vôtre. 10 » Comment mêler la mort et la vie? Vous me feriez trop regretter le jour. » Qu'un autre soit plus heureux que moi, et que de longs embrassements » unissent la liane et le chêne ! » [4]

» La jeune fille me dit alors: « Je ne suis point la *Vierge des dernières amours.* » Es-tu chrétien? » Je répondis que je n'avais point trahi les génies de ma 15 cabane.[5] A ces mots, l'Indienne fit un mouvement involontaire. Elle me dit: « Je te plains [6] de n'être qu'un méchant idolâtre. Ma mère m'a faite » chrétienne: je me nomme *Atala,* fille de Simaghan aux bracelets d'or, et » chef des guerriers de cette troupe. Nous nous rendons [7] à Apalachucla, où » tu seras brûlé. » En prononçant ces mots, Atala se lève et s'éloigne.[8] » 20

» Plusieurs jours s'écoulèrent [9]: la fille du sachem revenait chaque soir me parler. Le sommeil avait fui [10] de mes yeux, et Atala était dans mon cœur.

» Le dix-septième jour de marche, vers le temps où l'éphémère [11] sort des eaux, nous entrâmes sur la grande savane Alachua.[12] Le chef poussa le cri d'arrivée, et la troupe campa au pied des collines.[13] On me relégua à quelque 25 distance, au bord d'un de ces puits [14] naturels, si fameux dans les Florides. J'étais attaché au pied d'un arbre; un guerrier veillait impatiemment auprès de moi. J'avais à peine passé quelques instants dans ce lieu, qu'Atala parut sous les liquidambars [15] de la fontaine. « Chasseur, dit-elle au héros » muscogulge, si tu veux poursuivre le chevreuil,[16] je garderai le prisonnier. » 30 Le guerrier bondit de joie à cette parole de la fille du chef; il s'élance [17] du sommet de la colline, et allonge ses pas [18] dans la plaine.

» Étrange contradiction du cœur de l'homme ! Moi qui avais tant désiré de dire les choses du mystère à celle que j'aimais déjà comme le soleil, main- tenant, interdit et confus,[19] je crois que j'eusse préféré d'être jeté aux croco- 35 diles de la fontaine à me trouver seul ainsi avec Atala. La fille du désert

---

1. (lit., *breathed): (her look) betokened.* **2.** *stammering.* **3.** *fear of the stake.* **4.** *oak.* **5.** *played false to the gods of my hut (birthplace).* **6.** *pity.* **7.** *we are on our way.* **8.** *s'en* va. **9.** *went by.* **10.** abandonné. **11.** « Les sauvages de Virginie marquent la sixième heure du jour par le moment où l'éphémère sort de l'eau. » (Chateaubriand.) Chateaubriand ne dit pas clairement s'il s'agit ici de l'éphémère, *insecte,* ou d'une variété de fleur de ce nom qu'on trouve en Virginie (*trandescantia virginiensis*). **12.** aujourd'hui encore, nom d'un comté en Floride, (capitale: Gainesville). **13.** *hills.* **14.** *wells, natural springs.* **15.** *gum trees.* **16.** *roebuck.* **17.** part en courant. **18.** *strides along.* **19.** interdit et confus: ex- trêmement intimidé.

était aussi troublée que son prisonnier: nous gardions un profond silence; les génies de l'amour avaient dérobé [1] nos paroles. Enfin Atala, faisant un effort, dit ceci: « Guerrier, vous êtes retenu [2] bien faiblement, vous pouvez » aisément vous échapper. » A ces mots, la hardiesse revint sur ma langue; je répondis: « Faiblement retenu, ô femme!... » Je ne sus comment 5 achever. Atala hésita quelques moments; puis elle dit: « Sauvez-vous. » Et elle me détacha du tronc de l'arbre. Je saisis la corde: je la remis dans la main de la fille étrangère, en forçant ses beaux doigts à se fermer sur ma chaîne. « Reprenez-la! reprenez-la! m'écriai-je. — Vous êtes un insensé,[3] » dit Atala d'une voix émue.[4] Malheureux! ne sais-tu pas que tu seras brûlé? 10 » Que prétends-tu? [5] Songes-tu bien [6] que je suis la fille d'un redoutable » sachem? — Il fut un temps, répliquai-je avec des larmes, que j'étais aussi » porté dans une peau de castor, aux épaules [7] d'une mère. Mon père avait » aussi une belle hutte, et ses chevreuils buvaient les eaux de mille torrents: » mais j'erre maintenant sans patrie. Quand je ne serai plus, aucun ami ne 15 » mettra un peu d'herbe sur mon corps pour le garantir des mouches. Le » corps d'un étranger malheureux n'intéresse personne. »

» Ces mots attendrirent [8] Atala. Ses larmes tombèrent dans la fontaine. « Ah! repris-je avec vivacité, si votre cœur parlait comme le mien! le désert » n'est-il pas libre? Les forêts n'ont-elles point des replis [9] où nous cacher? 20 » Faut-il donc, pour être heureux, tant de choses aux enfants des cabanes? » O fille plus belle que le premier songe de l'époux! ô ma bien-aimée! ose [10] » suivre mes pas. » Telles furent mes paroles. Atala me répondit d'une voix tendre: « Mon jeune ami, vous avez appris le langage des blancs; il est aisé » de tromper une Indienne. — Quoi! m'écriai-je, vous m'appelez votre jeune 25 » ami! Ah! si un pauvre esclave... — Eh bien, dit-elle en se penchant sur » moi, un pauvre esclave... » Je repris avec ardeur: « Qu'un baiser l'assure » de ta foi! » Atala écouta ma prière.

» Hélas! la douleur touche de près au plaisir. Qui eût pu croire que le moment où Atala me donnait le premier gage [11] de son amour serait celui-là 30 même où elle détruirait mes espérances? [12] Cheveux blanchis du vieux Chactas, quel fut votre étonnement lorsque la fille du sachem prononça ces paroles: « Beau prisonnier, j'ai follement cédé à ton désir; mais où nous » conduira cette passion? Ma religion me sépare de toi pour toujours... » O ma mère! qu'as-tu fait?... » Atala se tut [13] tout à coup, et retint je ne 35 sus quel fatal secret près d'échapper à ses lèvres. Ses paroles me plongèrent dans le désespoir. « Eh bien! m'écriai-je, je serai aussi cruel que vous; je » ne fuirai point. Vous me verrez dans le cadre de feu [14]; vous entendrez les » gémissements de ma chair,[15] et vous serez pleine de joie. » Atala saisit mes mains entre les deux siennes. « Pauvre jeune idolâtre! s'écria-t-elle, tu me 40

---

1. *robbed us of.* **2.** *bound.* **3.** *mad.* **4.** *moved, faltering.* **5.** *What do you think you can do?* **6.** *do you realize.* **7.** *shoulders.* **8.** touchèrent. **9.** endroits secrets. **10.** aie le courage. **11.** témoignage, preuve. **12.** *hopes.* **13.** cessa de parler. **14.** (lit., *frame of fire*): *burnt at the stake.* **15.** *flesh.*

» fais réellement pitié ! Tu veux donc que je pleure tout mon cœur ? Quel
» dommage que je ne puisse fuir avec toi ! »

» Dans ce moment même, les crocodiles, aux approches du coucher du
soleil, commençaient à faire entendre leurs rugissements.[1] Atala me dit:
« Quittons ces lieux. » J'entraînai la fille de Simaghan au pied des coteaux[2]
qui formaient des golfes de verdure en avançant leurs promontoires dans la
savane. Tout était calme et superbe au désert.

» Notre promenade fut presque muette. Je marchais à côté d'Atala; elle
tenait le bout de la corde, que je l'avais forcée de reprendre. Quelquefois
nous versions des pleurs, quelquefois nous essayions de sourire. Un regard
tantôt levé vers le ciel, tantôt attaché à la terre; une oreille attentive au
chant de l'oiseau, un geste vers le soleil couchant, une main tendrement
serrée,[3] un sein[4] tour à tour palpitant, tour à tour tranquille; les noms de
Chactas et d'Atala doucement répétés par intervalle ... O première promenade de l'amour ! il faut que votre souvenir soit bien puissant, puisque après tant d'années d'infortune vous remuez encore[5] le cœur du vieux
Chactas !

» Qu'ils sont incompréhensibles les mortels agités par les passions ! Je
venais d'abandonner le généreux Lopez, je venais de m'exposer à tous les
dangers pour être libre; dans un instant le regard d'une femme avait changé
mes goûts, mes résolutions, mes pensées ! Oubliant mon pays, ma mère, ma
cabane et la mort affreuse qui m'attendait, j'étais devenu indifférent à tout
ce qui n'était pas Atala.

» Ce fut donc vainement qu'après nos courses dans la savane, Atala, se
jetant à mes genoux,[6] m'invita de nouveau à la quitter. Je lui protestai
que je retournerais seul au camp si elle refusait de me rattacher au pied de
mon arbre. Elle fut obligée de me satisfaire, espérant me convaincre une
autre fois.

» Le lendemain de cette journée, qui décida du destin de ma vie, on s'arrêta
dans une vallée, non loin de Cuscowilla, capitale des Siminoles. Ces Indiens,
unis aux Muscogulges, forment avec eux la confédération des Creeks.[7] La
fille du pays des palmiers vint me trouver au milieu de la nuit. Elle me
conduisit dans une grande forêt de pins, et renouvela ses prières pour m'engager à la fuite.[8] La nuit était délicieuse. Le génie des airs secouait sa
chevelure[9] bleue, embaumée de la senteur des pins,[10] et l'on respirait la faible
odeur d'ambre qu'exhalaient les crocodiles couchés sous les tamarins[11] des
fleuves. La lune brillait au milieu d'un azur sans tache,[12] et sa lumière gris-
de-perle descendait sur la cime indéterminée des forêts. Aucun bruit ne se
faisait entendre, hors[13] je ne sais quelle harmonie lointaine qui régnait dans la

---

1. *roarings.* 2. *hills.* 3. *pressed.* 4. *bosom.* 5. *still stir.* 6. *throwing herself at my feet;*
(genoux: *knees*). 7. tribus alliées, dans les territoires qui sont aujourd'hui l'Alabama et la
Géorgie. 8. Les lignes qui suivent offrent un exemple des descriptions poétiques qu'aimait
Chateaubriand. 9. *hair.* 10. *laden with the odor of the fir trees.* 11. *Indian date trees.*
12. *spotless.* 13. excepté.

profondeur des bois: on eût dit que l'âme de la solitude soupirait dans toute l'étendue ¹ du désert.

» Nous aperçûmes à travers les arbres un jeune homme qui, tenant à la main un flambeau,² ressemblait au génie du printemps parcourant les forêts pour ranimer la nature. C'était un amant qui allait s'instruire de son sort à 5 la cabane de sa maîtresse.

» Si la vierge éteint le flambeau, elle accepte les vœux offerts; si elle se voile ³ sans l'éteindre, elle rejette un époux.

» Le guerrier, en se glissant dans les ombres,⁴ chantait à demi voix ces paroles: 10

« Je devancerai ⁵ les pas du jour sur le sommet des montagnes, pour » chercher ma colombe ⁶ solitaire parmi les chênes de la forêt.

» J'ai attaché à son cou un collier de porcelaines; on y voit trois grains » rouges pour mon amour, trois violets pour mes craintes, trois bleus pour » mes espérances. 15

» Mila a les yeux d'une hermine et la chevelure légère d'un champ de riz; » sa bouche est un coquillage ⁷ rose garni de perles.

» Ah! laissez-moi devancer les pas du jour sur le sommet des montagnes, » pour chercher ma colombe solitaire parmi les chênes de la forêt! »

» Ainsi chantait ce jeune homme, dont les accents portèrent le trouble 20 jusqu'au fond ⁸ de mon âme et firent changer de visage à Atala. Nos mains unies frémirent ⁹ l'une dans l'autre. Mais nous fûmes distraits de cette scène par une scène non moins dangereuse pour nous.

» Nous passâmes auprès du tombeau d'un enfant, qui servait de limite à deux nations. On l'avait placé au bord du chemin, selon l'usage. La mère 25 vint ensuite déposer une gerbe de maïs ¹⁰ et des fleurs de lis ¹¹ blancs sur le tombeau. Elle s'assit sur le gazon humide, et parla à son enfant d'une voix attendrie:

« Pourquoi te pleuré-je dans ton berceau ¹² de terre, ô mon nouveau-né? » Quand le petit oiseau devient grand, il faut qu'il cherche sa nourriture, et 30 » il trouve dans le désert bien des graines amères.¹³ Du moins tu as ignoré ¹⁴ » les pleurs; du moins ton cœur n'a point été exposé au souffle dévorant des » hommes. Le bouton ¹⁵ qui sèche dans son enveloppe passe avec tous ses » parfums, comme toi, ô mon fils! avec toute ton innocence. Heureux ceux » qui meurent au berceau! ils n'ont connu que les baisers et les souris ¹⁶ d'une 35 » mère. »

» Déjà subjugués par notre propre cœur, nous fûmes accablés ¹⁷ par ces images d'amour qui semblaient nous poursuivre dans ces solitudes enchantées. J'emportai Atala dans mes bras au fond de la forêt, et je lui dis des choses qu'aujourd'hui je chercherais en vain sur mes lèvres. Le vent 40

1. *expanse.* 2. torche. 3. *veils her face.* 4. *slipping through the shadows.* 5. précéderai. 6. *dove.* 7. *shell.* 8. *depths.* 9. tremblèrent. 10. *sheaf of Indian corn.* 11. *lilies.* 12. *cradle.* 13. *bitter.* 14. n'as pas connu (not *ignored*). 15. *bud.* 16. *smiles.* 17. *overwhelmed.*

du midi,[1] mon cher fils, perd sa chaleur en passant sur des montagnes de glace.[2] Les souvenirs de l'amour dans le cœur d'un vieillard sont comme les feux du jour réfléchis par l'orbe paisible de la lune, lorsque le soleil est couché et que le silence plane sur les huttes des sauvages.

» Tout à coup le cri de mort retentit dans la forêt. Quatre hommes armés 5 se précipitent [3] sur moi : nous avions été découverts ; le chef de guerre avait donné l'ordre de nous poursuivre.

« Atala, qui ressemblait à une reine pour l'orgueil de la démarche,[4] dédaigna de parler à ces guerriers. Elle leur lança un regard superbe, et se rendit 5 auprès de Simaghan.   10

» Elle ne put rien obtenir. On redoubla mes gardes, on multiplia mes chaînes, on écarta [6] mon amante. Cinq nuits s'écoulent,[7] et nous apercevons Apalachucla, située au bord de la rivière Chata-Uche.[8] Aussitôt on me couronne de fleurs, on me peint le visage d'azur et de vermillon, on m'attache des perles au nez et aux oreilles, et l'on me met à la main un chichikoué.[9]   15

» Ainsi paré [10] pour le sacrifice, j'entre dans Apalachucla, aux cris répétés de la foule.[11] C'en était fait [12] de ma vie.

» Plaignons [13] les hommes, mon cher fils ! Ces mêmes Indiens, dont les coutumes sont si touchantes, ces mêmes femmes qui m'avaient témoigné un intérêt si tendre, demandaient maintenant mon supplice [14] à grands cris.   20

» Dans une vallée au nord, à quelque distance du grand village, s'élevait un bois de cyprès et de sapins, appelé le *Bois du sang*. On y arrivait par les ruines d'un de ces monuments dont on ignore l'origine, et qui sont l'ouvrage d'un peuple maintenant inconnu. Au centre de ce bois s'étendait une arène, où l'on sacrifiait les prisonniers de guerre. On m'y conduit en triomphe. 25 Tout se prépare pour ma mort : on plante le poteau [15] d'Areskoui ; les pins, les ormes, les cyprès, tombent sous la cognée[16] ; le bûcher [17] s'élève ; les spectateurs bâtissent des amphithéâtres avec des branches et des troncs d'arbres. Chacun invente un supplice [18] : l'un se propose de m'arracher la peau du crâne, l'autre de me brûler les yeux avec des haches ardentes.[19] Je commence ma 30 chanson de mort :

« Je ne crains point les tourments : je suis brave, ô Muscogulges ! je vous » défie ; je vous méprise [20] plus que des femmes. Mon père Outalissi, fils de » Miscou, a bu dans le crâne de vos plus fameux guerriers ; vous n'arracherez » pas un soupir de mon cœur. »   35

» Provoqué par ma chanson, un guerrier me perça le bras d'une flèche ; je dis : « Frère, je te remercie. »

» Malgré l'activité des bourreaux,[21] les préparatifs du supplice ne purent être achevés avant le coucher du soleil. On consulta le jongleur, qui défendit

---

1. *south.* **2.** *ice.* **3.** *rush.* **4.** *dignity of her bearing.* **5.** alla. **6.** garda à distance. **7.** passent. **8.** aujourd'hui Chattahoochee. **9.** « instrument de musique des sauvages » (Note de Chateaubriand). **10.** orné. **11.** *mob, crowd.* **12.** c'était fini. **13.** ayons pitié de. **14.** mort. **15.** *stake.* **16.** *ax.* **17.** *pyre.* **18.** torture. **19.** *red-hot axes (tomahawks).* **20.** *despise.* **21.** *executioners.*

de troubler les génies des ombres [1]; et ma mort fut encore suspendue jusqu'au lendemain. Mais, dans l'impatience de jouir du spectacle et pour être plus tôt prêts au lever de l'aurore,[2] les Indiens ne quittèrent point le *Bois du sang;* ils allumèrent de grands feux, et commencèrent des festins et des danses.

» Cependant on m'avait étendu sur le dos. Des cordes partant de mon cou, de mes pieds, de mes bras, allaient s'attacher à des piquets [3] enfoncés en terre. Des guerriers étaient couchés sur ces cordes, et je ne pouvais faire un mouvement sans qu'ils en fussent avertis.[4] La nuit s'avance: les chants et les danses cessent par degrés; les feux ne jettent plus que des lueurs rougeâtres,[5] devant lesquelles on voit encore passer les ombres de quelques sauvages; tout s'endort; à mesure que le bruit des hommes s'affaiblit, celui du désert augmente, au tumulte des voix succèdent les plaintes des vents dans la forêt.

» Les yeux attachés au ciel, où le croissant [6] de la lune errait dans les nuages, je réfléchissais sur ma destinée. Atala me semblait un monstre d'ingratitude. M'abandonner au moment du supplice, moi qui m'étais dévoué aux flammes plutôt que de la quitter! Et pourtant je sentais que je l'aimais toujours et que je mourrais avec joie pour elle.

» Je cédai malgré moi à un lourd sommeil que goûtent quelquefois les misérables. Je rêvais qu'on m'ôtait mes chaînes; je croyais sentir ce soulagement [7] qu'on éprouve lorsque, après avoir été fortement pressé, une main secourable relâche nos fers.[8]

» Cette sensation devint si vive, qu'elle me fit soulever les paupières.[9] A la clarté de la lune, dont un rayon s'échappait entre deux nuages, j'entrevois [10] une grande figure blanche penchée sur moi et occupée à dénouer [11] silencieusement mes liens. J'allais pousser un cri, lorsqu'une main, que je reconnus à l'instant, me ferma la bouche. Une seule corde restait; mais il paraissait impossible de la couper sans toucher un guerrier qui la couvrait tout entière de son corps. Atala y porte la main, le guerrier s'éveille à demi [12] et se dresse sur son séant.[13] Atala reste immobile et le regarde. L'Indien croit voir l'Esprit des ruines; il se recouche en fermant les yeux et en invoquant son Manitou. Le lien est brisé. Je me lève; je suis [14] ma libératrice, qui me tend le bout d'un arc [15] dont elle tient l'autre extrémité. Mais que de dangers nous environnent! [16] Tantôt nous sommes près de heurter [17] des sauvages endormis; tantôt une garde [18] nous interroge, et Atala répond en changeant sa voix. Les enfants poussent des cris, des dogues aboient.[19] A peine sommes-nous sortis de l'enceinte [20] funeste, que des hurlements [21] ébranlent [22] la forêt. Le camp se réveille, mille feux s'allument, on voit courir de tous les côtés des sauvages avec des flambeaux: nous précipitons notre course.

---

1. *spirits of darkness.* **2.** *daybreak.* **3.** petits poteaux. **4.** *made aware.* **5.** *reddish glows.* **6.** *crescent.* **7.** *relief.* **8.** *loosens our fetters.* **9.** *eyelids.* **10.** vois indistinctement. **11.** défaire (un nœud). **12.** *half awakens.* **13.** se . . . séant: *sits up.* **14.** *follow.* **15.** *bow.* **16.** sont tout autour de nous. **17.** *stumble on.* **18.** sentinelle. **19.** *bark.* **20.** *enclosure.* **21.** *howlings.* **22.** *stir.*

» Quand l'aurore se leva sur les Apalaches, nous étions déjà loin. Quelle fut ma félicité lorsque je me trouvai encore une fois dans la solitude avec Atala, avec Atala, ma libératrice, avec Atala, qui se donnait à moi pour toujours! Les paroles manquèrent à ma langue; je tombai à genoux, et je dis à la fille de Simaghan: « Les hommes sont bien peu de chose; mais quand 5 » les génies les visitent, alors ils ne sont rien du tout. Vous êtes un génie, » vous m'avez visité, et je ne puis parler devant vous. » Atala me tendit la main avec un sourire: « Il faut bien, dit-elle, que je vous suive, puisque » vous ne voulez pas fuir sans moi. Cette nuit, j'ai enivré [1] vos bourreaux » avec de l'essence de feu [2] et j'ai dû hasarder ma vie pour vous, puisque 10 » vous aviez donné la vôtre pour moi. Oui, jeune idolâtre, ajouta-t-elle avec » un accent qui m'effraya, le sacrifice sera réciproque. »

» Atala me remit les armes qu'elle avait eu soin d'apporter; ensuite elle pansa ma blessure.[3] En l'essuyant [4] avec une feuille de papaya,[5] elle la mouillait [6] de ses larmes. » C'est un baume, lui dis-je, que tu répands sur 15 » ma plaie.[7] — Je crains plutôt que ce ne soit un poison, » répondit-elle. Elle déchira un des voiles de [8] son sein, dont elle fit une première compresse, qu'elle attacha avec une boucle [9] de ses cheveux.

» L'ivresse,[10] qui dure longtemps chez les sauvages, et qui est pour eux une espèce de maladie, les empêcha sans doute de nous poursuivre durant les 20 premières journées. S'ils nous cherchèrent ensuite, il est probable que ce fut du côté du couchant,[11] persuadés que nous aurions essayé de nous rendre au Meschacebé; mais nous avions pris notre route vers l'étoile immobile,[12] en nous dirigeant sur la mousse du tronc des arbres.

» Nous ne tardâmes pas à nous apercevoir que nous avions peu gagné à ma 25 délivrance. Le désert déroulait [13] maintenant devant nous ses solitudes dé-mesurées. Sans expérience de la vie des forêts, détournés de notre vrai chemin et marchant à l'aventure, qu'allions-nous devenir? Souvent, en regardant Atala, je me rappelais cette antique histoire d'Agar,[14] que Lopez m'avait fait lire, et qui est arrivée dans le désert de Bersabée il y a longtemps, 30 alors que les hommes vivaient trois âges de chêne.

» Quand nous rencontrions un fleuve, nous le passions sur un radeau [15] ou à la nage.[16] Atala appuyait une de ses mains sur mon épaule, et, comme deux cygnes [17] voyageurs, nous traversions ces ondes solitaires.

» Chaque soir nous allumions un grand feu, et nous bâtissions la hutte de 35 voyage avec une écorce [18] élevée sur quatre piquets. Si j'avais tué une dinde [19] sauvage, un ramier,[20] un faisan des bois, nous le suspendions, devant le chêne embrasé, au bout d'une gaule [21] plantée en terre, et nous abandonnions

---

1. *intoxicated.* **2.** « eau de vie » (*fire-water*). (Note de Chateaubriand). **3.** *dressed my wound.* **4.** *wiping.* **5.** *paw-paw tree.* **6.** *wetted.* **7.** *wound.* **8.** *tore one of the garments covering her breast.* **9.** *lock.* **10.** *intoxication.* **11.** ouest. **12.** c'est-à-dire: l'étoile polaire; le Nord. **13.** *unrolled, spread out.* **14.** L'histoire d'Agar, racontée dans la Genèse, XVI et XXI. **15.** *raft.* **16.** *swimming.* **17.** *swans.* **18.** *bark.* **19.** *turkey-hen.* **20.** pigeon sauvage. **21.** bâton.

au vent le soin de tourner la proie du chasseur. Nous mangions des mousses appelées *tripes de roches*,[1] des écorces sucrées de bouleau,[2] et des pommes de mai,[3] qui ont le goût de la pêche et de la framboise.[4] Le noyer noir, l'érable, le sumac,[5] fournissaient le vin à notre table. Quelquefois j'allais chercher, parmi les roseaux,[6] une plante dont la fleur allongée en cornet[7] contenait un   5 verre de la plus pure rosée.[8] Nous bénissions la Providence, qui, sur la faible tige[9] d'une fleur, avait placé cette source limpide au milieu des marais corrompus,[10] comme elle a mis l'espérance au fond des cœurs ulcérés par le chagrin, comme elle a fait jaillir la vertu du sein[11] des misères de la vie !

» Hélas ! je découvris bientôt que je m'étais trompé sur le calme apparent   10 d'Atala. A mesure que nous avancions, elle devenait triste. Souvent elle tressaillait[12] sans cause et tournait précipitamment la tête. Je la surprenais attachant sur moi un regard passionné, qu'elle reportait vers le ciel avec une profonde mélancolie. Ce qui m'effrayait surtout était un secret, une pensée cachée au fond de son âme, que j'entrevoyais dans ses yeux. Toujours m'at- 15 tirant et me repoussant, ranimant et détruisant mes espérances, quand je croyais avoir fait un peu de chemin dans son cœur, je me retrouvais au même point. Que de fois elle m'a dit : « O mon jeune amant ! je t'aime comme » l'ombre des bois au milieu du jour ! Tu es beau comme le désert avec toutes » ses fleurs et toutes ses brises. Si je me penche sur toi, je frémis[13] ; si ma 20 » main touche la tienne, il me semble que je vais mourir. L'autre jour, le » vent jeta tes cheveux sur mon visage, je crus sentir le léger toucher des » esprits invisibles. Oui, j'ai vu les chevrettes[14] de la montagne d'Occone[15] ; » j'ai entendu les propos[16] des hommes rassasiés[17] de jours ; mais la douceur » des chevreaux et la sagesse des vieillards sont moins plaisantes et moins 25 » fortes que tes paroles. Eh bien, pauvre Chactas, je ne serai jamais ton » épouse ! »

» C'était le vingt-septième soleil depuis notre départ des cabanes : la *lune de feu*[18] avait commencé son cours, et tout annonçait un orage. Vers l'heure où les matrones indiennes suspendent la crosse du labour[19] aux branches du 30 savinier[20] et où les perruches[21] se retirent dans le creux[22] des cyprès, le ciel commença à se couvrir. Les voix de la solitude s'éteignirent, le désert fit silence, et les forêts demeurèrent dans un calme universel. Bientôt les roule-ments d'un tonnerre lointain, se prolongeant[23] dans ces bois aussi vieux que le monde, en firent sortir des bruits sublimes.   35

» Cependant[24] l'obscurité redouble : les nuages abaissés[25] entrent sous l'ombrage des bois, la nue[26] se déchire,[27] et l'éclair[28] trace un rapide losange de feu. Un vent impétueux, sorti du couchant, roule les nuages sur les

1. sorte de lichen qui croît sur les roches. **2.** *birch tree.* **3.** *mandrakes.* **4.** *raspberry.* **5.** *sumach,* donne une boisson d'une couleur jaune. **6.** *reeds.* **7.** *long, cone-shaped.* **8.** *dew.* **9.** *stem.* **10.** *putrid marshs.* **11.** *midst.* **12.** *started.* **13.** tremble. **14.** *little goats.* **15.** nom de montagne en Géorgie. **16.** discours, conversations. **17.** *sated.* **18.** lune de feu : « le mois de juillet » (Note de Chateaubriand). **19.** *farm tools, probably hoes.* **20.** *juniper tree.* **21.** *parakeets, hen-parrots.* **22.** *hollow.* **23.** *echoing.* **24.** pendant ce temps. **25.** descendus plus bas. **26.** gros nuage. **27.** *is rent.* **28.** *lightning.*

nuages; les forêts plient [1]; le ciel s'ouvre coup sur coup, et à travers ses
crevasses on aperçoit de nouveaux cieux et des campagnes ardentes. Quel
affreux, quel magnifique spectacle! La foudre [2] met le feu dans les bois;
l'incendie s'étend comme une chevelure de flammes; des colonnes d'étincelles [3] et de fumée [4] assiègent les nues, qui vomissent leurs foudres dans le 5
vaste embrasement.[5] Alors le Grand Esprit couvre les montagnes d'épaisses
ténèbres [6]; du milieu de ce vaste chaos s'élève un mugissement [7] confus
formé par le fracas [8] des vents, le gémissement [9] des arbres, le hurlement [10]
des bêtes féroces, le bourdonnement [11] de l'incendie et la chute répétée du
tonnerre,[12] qui siffle [13] en s'éteignant dans les eaux.   10
    » Le Grand Esprit le sait: dans ce moment je ne vis qu'Atala, je ne pensai
qu'à elle. Sous le tronc penché d'un bouleau, je parvins à la garantir des
torrents de la pluie. . . .
    » Nous prêtions l'oreille au bruit de la tempête; tout à coup je sentis une
larme d'Atala tomber sur mon sein: « Orage du cœur, m'écriai-je, est-ce une 15
» goutte de votre pluie? »   Puis, embrassant étroitement celle que j'aimais:
« Atala, lui dis-je, vous me cachez quelque chose. Ouvre-moi ton cœur, ô
» ma beauté! cela fait tant de bien,[14] quand un ami regarde dans notre âme!
» Raconte-moi cet autre secret de la douleur, que tu t'obstines [15] à taire.
» Ah! je le vois, tu pleures la patrie. »   Elle repartit aussitôt: « Enfant des 20
» hommes, comment pleurerais-je ma patrie, puisque mon père n'était pas
» du pays des palmiers? — Quoi! répliquai-je avec un profond étonnement,
» votre père n'était point du pays des palmiers! Quel est donc celui qui vous
» a mise sur cette terre? Répondez. »   Atala dit ces paroles:
    « Avant que ma mère eût apporté en mariage au guerrier Simaghan trente 25
» esclaves, vingt buffles, cent mesures d'huile de gland,[16] cinquante peaux
» de castor et beaucoup d'autres richesses, elle avait connu un homme de la
» chair blanche.[17] Or, la mère de ma mère lui jeta de l'eau au visage [18] et la
» contraignit d'épouser le magnanime Simaghan, tout semblable à un roi et
» honoré des peuples comme un génie. Ma mère me fit chrétienne, afin que 30
» son Dieu et le Dieu de mon père fût aussi mon Dieu. Ensuite le chagrin
» d'amour vint la chercher, et elle descendit dans la petite cave garnie [19] de
» peaux d'où l'on ne sort jamais. »
    » Telle fut l'histoire d'Atala. « Et quel était donc ton père, pauvre or-
» pheline? lui dis-je; comment les hommes l'appelaient-ils sur la terre, et 35
» quel nom portait-il parmi les génies? — Je n'ai jamais lavé les pieds de mon
» père, dit Atala; je sais seulement qu'il vivait avec sa sœur à Saint-Augustin,
» et qu'il a toujours été fidèle à ma mère: *Philippe* était son nom parmi les
» anges, et les hommes le nommaient *Lopez*. »

1. *bend.*   **2.** *thunderbolt.*   **3.** *sparks.*   **4.** *smoke.*   **5.** *conflagration.*   **6.** *darkness.*   **7.** *bel-*
lowing.   **8.** *crash, noise.*   **9.** *moaning.*   **10.** *howling.*   **11.** *hollow roar.*   **12.** *repeated strikings*
of the lightning.   **13.** *hisses.*   **14.** *it is such a relief.*   **15.** *persist in.*   **16.** *acorn oil.*   **17.** (lit.,
white-fleshed): "*pale-face.*"   **18.** Elle l'avait ondoyée (baptisée) pour la faire chrétienne.
19. *lined.*

» A ces mots je poussai un cri qui retentit dans toute la solitude; le bruit
de mes transports se mêla au bruit de l'orage. Serrant Atala sur mon cœur,
je m'écriai avec des sanglots: « O ma sœur! ô fille de Lopez! fille de mon
» bienfaiteur! » Atala, effrayée, me demanda d'où venait mon trouble;
mais quand elle sut que Lopez était cet hôte généreux qui m'avait adopté à 5
Saint-Augustin et que j'avais quitté pour être libre, elle fut saisie elle-même
de confusion et de joie.

» Tout à coup un impétueux éclair, suivi d'un éclat [1] de la foudre, sillonne [2]
l'épaisseur des ombres, remplit la forêt de soufre [3] et de lumière et brise un
arbre à nos pieds. Nous fuyons. O surprise!... dans le silence qui succède, 10
nous entendons le son d'une cloche! [4] Tous deux interdits,[5] nous prêtons
l'oreille à ce bruit, si étrange dans un désert. A l'instant un chien aboie [6]
dans le lointain; il approche, il redouble ses cris, il hurle [7] de joie à nos
pieds; un vieux solitaire,[8] portant une petite lanterne, le suit à travers les
ténèbres de la forêt. « La Providence soit bénie! s'écria-t-il aussitôt qu'il 15
» nous aperçut. Il y a bien longtemps que je vous cherche! Notre chien
» vous a sentis [9] dès le commencement de l'orage, et il m'a conduit ici. Bon
» Dieu! comme ils sont jeunes! Pauvres enfants! comme ils ont dû souffrir!
» Allons: j'ai apporté une peau d'ours, ce sera pour cette jeune femme; voici
» un peu de vin dans notre calebasse.[10] Que Dieu soit loué dans toutes ses 20
» œuvres! sa miséricorde est bien grande, et sa bonté est infinie! »

» Atala était aux pieds du religieux: « Chef de la prière, lui disait-elle, je
» suis chrétienne; c'est le ciel qui t'envoie pour me sauver. — Ma fille, dit
» l'ermite en la relevant, nous sonnons ordinairement la cloche de la Mission
» pendant les tempêtes, pour appeler les étrangers; et, à l'exemple de nos 25
» frères des Alpes et du Liban,[11] nous avons appris à notre chien à découvrir
» les voyageurs égarés. » [12] Pour moi, je comprenais à peine l'ermite; cette
charité me semblait si fort au-dessus de l'homme, que je croyais faire un
songe. A la lueur de la petite lanterne que tenait le religieux, j'entrevoyais sa
barbe et ses cheveux tout trempés [13] d'eau; ses pieds, ses mains et son visage 30
étaient ensanglantés par les ronces.[14] « Vieillard, m'écriai-je enfin, quel cœur
» as-tu donc, toi qui n'as pas craint d'être frappé de la foudre? — Craindre!
» repartit le père avec une sorte de chaleur; craindre lorsqu'il y a des hommes
» en péril et que je leur puis être utile! je serais donc un bien indigne serviteur
» de Jésus-Christ! — Mais sais-tu, lui dis-je, que je ne suis pas chrétien! — 35
» Jeune homme, répondit l'ermite, vous ai-je demandé votre religion? Jésus-
» Christ n'a pas dit: Mon sang lavera celui-ci, et non celui-là. Il est mort
» pour le Juif et le Gentil, et il n'a vu dans tous les hommes que des frères
» et des infortunés. Ce que je fais ici pour vous est fort peu de chose, et
» vous trouveriez ailleurs bien d'autres secours; mais la gloire n'en doit point 40

1. *clap.* **2.** *furrows.* **3.** *sulfur.* **4.** *bell.* **5.** *amazed.* **6.** *barks.* **7.** *howls.* **8.** ermite.
9. *scented.* **10.** gourde. **11.** Les religieux du Mont Saint-Bernard, en Suisse, et ceux des
montagnes du Liban (*Lebanon*). **12.** qui ont perdu leur chemin. **13.** *soaked.* **14.** *brambles.*

» retomber sur les prêtres. Que sommes-nous, faibles solitaires, sinon de
» grossiers [1] instruments d'une œuvre céleste? Eh! quel serait le soldat
» assez lâche [2] pour reculer, lorsque son chef, la croix à la main et le front
» couronné d'épines,[3] marche devant lui au secours des hommes? »

» Ces paroles saisirent mon cœur; des larmes d'admiration et de tendresse 5
tombèrent de mes yeux. « Mes chers enfants, dit le missionnaire, je gouverne
» dans ces forêts un petit troupeau [4] de vos frères sauvages. Ma grotte est
» assez près d'ici dans la montagne; venez vous réchauffer chez moi, vous n'y
» trouverez pas les commodités de la vie, mais vous y trouverez un abri [5];
» et il faut encore en remercier la bonté divine, car il y a bien des hommes qui 10
» en manquent. »

LES LABOUREURS [6]

« Il y a des justes dont la conscience est si tranquille, qu'on ne peut approcher d'eux sans participer à la paix qui s'exhale, pour ainsi dire, de leur
cœur et de leurs discours. A mesure que le solitaire parlait, je sentais les
passions s'apaiser dans mon sein, et l'orage même du ciel semblait s'éloigner 15
à sa voix. Les nuages furent bientôt assez dispersés pour nous permettre de
quitter notre retraite. Nous sortîmes de la forêt, et nous commençâmes à
gravir le revers [7] d'une haute montagne. Le chien marchait devant nous en
portant au bout d'un bâton la lanterne éteinte. Je tenais la main d'Atala,
et nous suivions le missionnaire. Il se détournait souvent pour nous regarder, 20
contemplant avec pitié nos malheurs et notre jeunesse. Un livre était suspendu à son cou; il s'appuyait sur un bâton blanc. Sa taille [8] était élevée;
sa figure pâle et maigre, sa physionomie simple et sincère. Il n'avait pas les
traits morts et effacés de l'homme né sans passions; on voyait que ses jours
avaient été mauvais, et les rides [9] de son front montraient les belles cicatrices [10] 25
des passions guéries [11] par la vertu et par l'amour de Dieu et des hommes.
Quand il nous parlait debout et immobile, sa longue barbe, ses yeux modestement baissés, le son affectueux de sa voix, tout en lui avait quelque chose de
calme et de sublime. Quiconque [12] a vu, comme moi, le père Aubry chemi-
nant [13] seul avec son bâton et son bréviaire dans le désert, a une véritable idée 30
du voyageur chrétien sur la terre.

» Après une demi-heure d'une marche dangereuse par les sentiers [14] de la
montagne, nous arrivâmes à la grotte du missionnaire. Nous y entrâmes à
travers les lierres [15] et les giraumonts [16] humides, que la pluie avait abattus
des rochers. Il n'y avait dans ce lieu qu'une natte [17] de feuilles de papaya, 35
une calebasse pour puiser de l'eau, quelques vases de bois, une bêche,[18] es,
sur une pierre qui servait de table, un crucifix et le livre des chrétiens.

» L'homme des anciens jours se hâta d'allumer du feu avec des lianes sèches;

---

1. *rough.* 2. *cowardly.* 3. *thorns.* 4. *flock.* 5. *shelter.* 6. *ploughmen, husbandmen.*
7. *climb the slope.* 8. *stature.* 9. *wrinkles.* 10. *scars.* 11. *cured.* 12. toute personne
qui ... 13. marchant. 14. petits chemins. 15. *ivy.* 16. *pumpkins.* 17. *mat.* 18. *spade.*

il brisa du maïs [1] entre deux pierres, et, en ayant fait un gâteau, il le mit cuire sous la cendre.[2] Quand ce gâteau eut pris au feu une belle couleur dorée, il nous le servit tout brûlant,[3] avec de la crème de noix dans un vase d'érable. Le soir ayant ramené la sérénité, le serviteur du Grand Esprit nous proposa d'aller nous asseoir à l'entrée de la grotte. Nous le suivîmes dans ce lieu, qui 5 commandait une vue immense. Les restes de l'orage étaient jetés en désordre vers l'orient; les feux de l'incendie allumé dans les forêts par la foudre brillaient encore dans le lointain; au pied de la montagne, un bois de pins tout entier était renversé dans la vase,[4] et le fleuve roulait pêle-mêle les corps des animaux et les poissons morts, dont on voyait le ventre argenté 10 flotter à la surface des eaux.

» Ce fut au milieu de cette scène qu'Atala raconta notre histoire au vieux génie de la montagne. Son cœur parut touché, et des larmes tombèrent sur sa barbe: « Mon enfant, dit-il à Atala, il faut offrir vos souffrances à Dieu, » pour la gloire de qui vous avez fait tant de choses; il vous rendra le repos. 15 » Voyez fumer ces forêts, sécher ces torrents, se dissiper ces nuages: croyez- » vous que celui qui peut calmer une pareille tempête ne pourra pas apaiser » les troubles du cœur de l'homme? Si vous n'avez pas de meilleure retraite, » ma chère fille, je vous offre une place au milieu du troupeau que j'ai eu le » bonheur d'appeler à Jésus-Christ. J'instruirai Chactas, et je vous le don- 20 » nerai pour époux quand il sera digne de l'être. »

» A ces mots, je tombai aux genoux du solitaire en versant des pleurs de joie; mais Atala devint pâle comme la mort. Le vieillard me releva avec bénignité, et je m'aperçus alors qu'il avait les deux mains mutilées. Atala comprit sur-le-champ [5] ses malheurs.[6] « Les barbares ! » s'écria-t-elle. 25

« Ma fille, reprit le père avec un doux sourire, qu'est-ce que cela auprès de » ce qu'a enduré mon divin Maître? Si les Indiens idolâtres m'ont affligé, » ce sont de pauvres aveugles [7] que Dieu éclairera [8] un jour. Je les chéris [9] » même davantage, en proportion des maux qu'ils m'ont faits. Et quelle » récompense plus glorieuse pouvais-je recevoir de mes travaux, que d'avoir 30 » obtenu du chef de notre religion [10] la permission de célébrer le divin sacrifice [11] » avec ces mains mutilées? Il ne me restait plus, après un tel honneur, qu'à » tâcher de m'en rendre digne: je suis revenu au Nouveau-Monde consumer » le reste de ma vie au service de mon Dieu. Il y a bientôt trente ans que » j'habite cette solitude, et il y en aura demain vingt-deux que j'ai pris pos- 35 » session de ce rocher. Quand j'arrivai dans ces lieux, je n'y trouvai que des » familles vagabondes, dont les mœurs [12] étaient féroces et la vie fort misérable. » Je leur ai fait entendre [13] la parole de paix, et leurs mœurs se sont graduelle- » ment adoucies. Ils vivent maintenant rassemblés au bas de cette montagne. » J'ai tâché,[14] en leur enseignant les voies [15] du salut, de leur apprendre les 40

1. *Indian corn.* **2.** *bake under the ashes.* **3.** très chaud. **4.** *mire.* **5.** immédiatement. **6.** Il avait été torturé par les Indiens. **7.** *blind.* **8.** donnera la lumière, instruira. **9.** aime. **10.** pape. **11.** divin sacrifice, et (page 346, ligne 31) saint sacrifice: la messe (*mass*). **12.** coutumes, habitudes. **13.** comprendre. **14.** essayé. **15.** *ways.*

» premiers arts de la vie. Pour moi, craignant de les gêner [1] par ma présence,
» je me suis retiré sous cette grotte, où ils viennent me consulter. C'est ici
» que, loin des hommes, j'admire Dieu dans la grandeur de ces solitudes, et
» que je me prépare à la mort, que m'annoncent mes vieux jours. »

» En achevant ces mots, le solitaire se mit à genoux, et nous imitâmes son 5
exemple.

» Nous rentrâmes dans la grotte, où l'ermite étendit un lit de mousse de
cyprès pour Atala. Une profonde langueur se peignait [2] dans les yeux et
dans les mouvements de cette vierge; elle regardait le père Aubry, comme si
elle eût voulu lui communiquer un secret; mais quelque chose semblait la 10
retenir, soit ma présence, soit une certaine honte, soit l'inutilité de l'aveu.[3]
Je l'entendis se lever au milieu de la nuit; elle cherchait le solitaire: mais,
comme il lui avait donné sa couche, il était allé contempler la beauté du ciel
et prier Dieu sur le sommet de la montagne. Il me dit le lendemain que
c'était assez sa coutume, même pendant l'hiver, aimant à voir les forêts 15
balancer leurs cimes [4] dépouillées, les nuages voler dans les cieux, et à entendre
les vents et les torrents gronder [5] dans la solitude. Ma sœur fut donc obligée
de retourner à sa couche, où elle s'assoupit.[6] Hélas ! comblé [7] d'espérance,
je ne vis dans la faiblesse d'Atala que des marques passagères de lassitude.

» Le lendemain, je m'éveillai aux chants des cardinaux et des oiseaux- 20
moqueurs, nichés [8] dans les acacias et les lauriers qui environnaient la grotte.
J'allai cueillir une rose de magnolia, et je la déposai, humectée [9] des larmes
du matin, sur la tête d'Atala endormie. Je cherchai ensuite mon hôte; je
le trouvai, un chapelet à la main, et m'attendant assis sur le tronc d'un pin
tombé de vieillesse. Il me proposa d'aller avec lui à la Mission, tandis 25
qu'Atala reposait encore; j'acceptai son offre, et nous nous mîmes en route
à l'instant.

» Nous arrivâmes à l'entrée d'une vallée, où je vis un ouvrage merveilleux:
c'était un pont naturel, semblable à celui de la Virginie,[10] dont tu as peut-être
entendu parler. Les hommes, mon fils, surtout ceux de ton pays, imitent 30
souvent la nature, et leurs copies sont toujours petites; il n'en est pas ainsi
de la nature quand elle a l'air d'imiter les travaux des hommes en leur offrant
en effet des modèles. C'est alors qu'elle jette des ponts du sommet d'une
montagne au sommet d'une autre montagne, suspend des chemins dans les
nues, répand des fleuves pour canaux, sculpte des monts pour colonnes, et 35
pour bassins creuse des mers.[11]

» Nous passâmes sous l'arche unique de ce pont, et nous nous trouvâmes
devant une autre merveille: c'était le cimetière des Indiens de la Mission,
ou les *Bocages* [12] *de la mort*. Le père Aubry avait permis à ses néophytes d'ensevelir [13] leurs morts à leur manière, et de conserver au lieu de leurs sépultures 40

---

1. embarrasser. 2. se manifestait. 3. confession. 4. sommets (hautes branches) des
forêts. 5. *rumble.* 6. s'endormit. 7. *filled with.* 8. dont les nids (*nests*) étaient. 9. humide.
10. Le pont en matière calcaire (*limestone*) qui traverse une rivière dans le Rockbridge
County, Virginie. 11. *hollows out, digs out* (*the beds of*) *seas.* 12. *groves.* 13. *bury.*

son nom sauvage; il avait seulement sanctifié ce lieu par une croix. Le sol en était divisé en autant de lots qu'il y avait de familles. Chaque lot faisait à lui seul un bois, qui variait selon le goût de ceux qui l'avaient planté. Un ruisseau [1] serpentait [2] sans bruit au milieu de ces bocages; on l'appelait le *Ruisseau de la paix*. Ce riant asile des âmes [3] était fermé à l'orient par le pont sous 5 lequel nous avions passé; deux collines [4] le bornaient [5] au septentrion et au midi; il ne s'ouvrait qu'à l'occident, où s'élevait un grand bois de sapins. Les troncs de ces arbres, rouges, marbrés [6] de vert, montant sans branches jusqu'à leurs cimes, ressemblaient à de hautes colonnes et formaient le péristyle de ce temple de la mort; il y régnait un bruit religieux, semblable au 10 sourd mugissement [7] de l'orgue sous les voûtes d'une église; mais, lorsqu'on pénétrait au fond du sanctuaire, on n'entendait plus que les hymnes des oiseaux, qui célébraient à la mémoire des morts une fête éternelle.

» En sortant de ce bois, nous découvrîmes le village de la Mission, situé au bord d'un lac, au milieu d'une savane semée [8] de fleurs. On y arrivait par 15 une avenue de magnolias et de chênes-verts, qui bordaient une de ces anciennes routes que l'on trouve vers les montagnes qui divisent le Kentucky des Florides. Aussitôt que les Indiens aperçurent leur pasteur dans la plaine, ils abandonnèrent leurs travaux et accoururent au-devant de lui. Les uns baisaient sa robe, les autres aidaient ses pas; les mères élevaient dans leurs 20 bras leurs petits enfants, pour leur faire voir l'homme de Jésus-Christ, qui répandait des larmes. Il s'informait en marchant de ce qui se passait au village; il donnait un conseil à celui-ci, réprimandait doucement celui-là; il parlait des moissons [9] à recueillir,[10] des enfants à instruire, des peines à consoler; et il mêlait Dieu à tous ses discours. 25

» Ainsi escortés, nous arrivâmes au pied d'une grande croix qui se trouvait sur le chemin. C'était là que le serviteur de Dieu avait accoutumé de célébrer les mystères de sa religion: « Mes chers néophytes, dit-il en se tournant vers » la foule, il vous est arrivé un frère et une sœur; et, pour surcroît [11] de bon- » heur, je vois que la divine Providence a épargné [12] hier vos moissons: voilà 30 » deux grandes raisons de la remercier. Offrons donc le saint sacrifice, et » que chacun y apporte un recueillement [13] profond, une foi vive, une recon- » naissance [14] infinie et un cœur humilié. »

» Aussitôt le prêtre divin revêt [15] une tunique blanche d'écorce [16] de mûrier [17]; les vases sacrés sont tirés d'un tabernacle au pied de la croix, l'autel [18] se 35 prépare sur un quartier [19] de roche, l'eau se puise [20] dans le torrent voisin, et une grappe de raisin sauvage [21] fournit le vin du sacrifice. Nous nous mettons tous à genoux dans les hautes herbes; le mystère commence.

» L'aurore,[22] paraissant derrière les montagnes, enflammait l'orient. Tout

---

1. *stream.* 2. *meandered.* 3. *souls.* 4. *hills.* 5. *bounded.* 6. *veined.* 7. *deep notes.* 8. *covered, strewn.* 9. *harvests.* 10. *to be gathered.* 11. *to add to.* 12. *spared.* 13. attitude de dévotion. 14. gratitude. 15. *puts on.* 16. *bark.* 17. *mulberry tree.* 18. *altar.* 19. gros bloc. 20. *is drawn.* 21. grappe . . . sauvage: *bunch of wild grapes.* 22. première lumière du matin.

était d'or ou de rose dans la solitude. L'astre annoncé par tant de splendeur sortit enfin d'un abîme [1] de lumière, et son premier rayon rencontra l'hostie [2] consacrée, que le prêtre en ce moment même élevait dans les airs. O charme de la religion! ô magnificence du culte chrétien! Pour sacrificateur un vieil ermite, pour autel un rocher, pour église le désert, pour assistance [3] d'in- 5 nocents sauvages! Non, je ne doute point qu'au moment où nous nous prosternâmes [4] le grand mystère [5] ne s'accomplît et que Dieu ne descendît sur la terre, car je le sentis descendre dans mon cœur.

» Après le sacrifice, où il ne manqua pour moi que la fille de Lopez, nous nous rendîmes au village. Là régnait le mélange [6] le plus touchant de la vie 10 sociale et de la vie de la nature: au coin d'une cyprière [7] de l'antique désert, on découvrait une culture naissante [8]; les épis [9] roulaient à flots [10] d'or sur le tronc du chêne abattu,[11] et la gerbe [12] d'un été [13] remplaçait l'arbre de trois siècles. Partout on voyait les forêts livrées aux flammes pousser de grosses fumées dans les airs, et la charrue [14] se promener lentement entre les débris 15 de leurs racines.[15] Des arpenteurs [16] avec de longues chaînes allaient mesurant le terrain; des arbitres établissaient les premières propriétés; l'oiseau cédait son nid; le repaire [17] de la bête féroce se changeait en une cabane; on entendait gronder des forges,[18] et les coups de la cognée [19] faisaient pour la dernière fois mugir [20] des échos, expirant eux-mêmes avec les arbres qui leur 20 servaient d'asile.

» J'errais avec ravissement au milieu de ces tableaux, rendus plus doux par l'image d'Atala et par les rêves de félicité dont je berçais [21] mon cœur. J'admirais le triomphe du christianisme sur la vie sauvage; je voyais l'Indien se civilisant à la voix de la religion; j'assistais aux noces [22] primitives de 25 l'homme et de la terre: l'homme, par ce grand contrat, abandonnant à la terre l'héritage de ses sueurs [23]; et la terre s'engageant en retour à porter fidèlement les moissons, les fils et les cendres [24] de l'homme.

» Cependant on présenta un enfant au missionnaire, qui le baptisa parmi des jasmins en fleur, au bord d'une source,[25] tandis qu'un cercueil,[26] au milieu 30 des jeux et des travaux, se rendait aux Bocages de la mort. Deux époux reçurent la bénédiction nuptiale sous un chêne, et nous allâmes ensuite les établir dans un coin du désert. Le pasteur marchait devant nous, bénissant [27] ça et là, et le rocher, et l'arbre, et la fontaine, comme autrefois, selon le livre des chrétiens, Dieu bénit la terre inculte [28] en la donnant en héritage à Adam. 35

» Je voulus savoir du saint ermite comment il gouvernait ses enfants; il me répondit avec une grande complaisance: « Je ne leur ai donné aucune loi; » je leur ai seulement enseigné à s'aimer, à prier Dieu et à espérer une meilleure

1. *abyss.* 2. *host (wafer used at Holy Communion).* 3. *congregation.* 4. *knelt down.* 5. L'hostie et le vin devinrent le corps réel du Christ. 6. *blending.* 7. *cypress grove.* 8. *husbandry of recent date.* 9. *ears (of corn).* 10. *waves.* 11. sur . . . abattu: *on the emplacement of felled oak trees.* 12. *sheaf.* 13. deuxième saison de l'année. 14. *plough.* 15. *roots.* 16. *surveyors.* 17. *den.* 18. *blacksmiths' fires.* 19. *ax.* 20. *resound.* 21. *lulled.* 22. *nuptials.* 23. *sweat, labors.* 24. *ashes.* 25. *spring.* 26. *coffin.* 27. *giving his bless- ings.* 28. *uncultivated.*

» vie: toutes les lois du monde sont là-dedans. Vous voyez au milieu du
» village une cabane plus grande que les autres: elle sert de chapelle dans la
» saison des pluies. On s'y assemble soir et matin pour louer [1] le Seigneur, et,
» quand je suis absent, c'est un vieillard qui fait la prière, car la vieillesse est,
» comme la maternité, une espèce de sacerdoce.[2] Ensuite on va travailler 5
» dans les champs; et, si les propriétés sont divisées, afin que chacun puisse
» apprendre l'économie sociale, les moissons sont déposées dans des greniers [3]
» communs, pour maintenir la charité fraternelle. Quatre vieillards dis-
» tribuent avec égalité le produit du labeur. Ajoutez à cela des cérémonies
» religieuses, beaucoup de cantiques,[4] la croix où j'ai célébré les mystères, 10
» l'ormeau sous lequel je prêche dans les bons jours, nos tombeaux tout près
» de nos champs de blé,[5] nos fleuves où je plonge les petits enfants et les
» saints Jeans de cette nouvelle Béthanie,[6] vous aurez une idée complète
» de ce royaume de Jésus-Christ. »

» Les paroles du solitaire me ravirent, et je sentis la supériorité de cette vie 15
stable et occupée, sur la vie errante et oisive [7] du sauvage.

» Ah! René, je ne murmure point contre la Providence, mais j'avoue que
je ne me rappelle jamais cette société évangélique sans éprouver [8] l'amertume [9] des regrets. Qu'une hutte, avec Atala, sur ces bords, eût rendu ma
vie heureuse! Là finissaient toutes mes courses; là avec une épouse, in- 20
connu des hommes, cachant mon bonheur au fond [10] des forêts, j'aurais passé
comme ces fleuves qui n'ont pas même un nom dans le désert. Au lieu de
cette paix que j'osais alors me promettre, dans quel trouble n'ai-je point
coulé [11] mes jours! Jouet [12] continuel de la fortune, brisé sur tous les rivages,
longtemps exilé de mon pays, et n'y trouvant, à mon retour, qu'une cabane en 25
ruine et des amis dans la tombe: telle devait être la destinée de Chactas. »[13]

LE DRAME

« Si mon songe de bonheur fut vif,[14] il fut aussi d'une courte durée, et le
réveil m'attendait à la grotte du solitaire. Je fus surpris, en y arrivant au
milieu du jour, de ne pas voir Atala accourir au-devant de nos pas. Je ne
sais quelle soudaine horreur me saisit. En approchant de la grotte je n'osais 30
appeler la fille de Lopez; mon imagination était également épouvantée [15]
ou du bruit ou du silence qui succéderait à mes cris. Encore plus effrayé de
la nuit qui régnait à l'entrée du rocher, je dis au missionnaire: « O vous que
» le ciel accompagne et fortifie, pénétrez dans ces ombres. »

» Qu'il est faible celui que les passions dominent! Qu'il est fort celui qui 35
se repose en Dieu! Il y avait plus de courage dans ce cœur religieux, flétri [16]

1. *praise.* 2. *priesthood.* 3. *granaries.* 4. *hymns.* 5. champs de blé: *wheat fields.*
6. La localité où demeuraient St. Jean, le disciple que Jésus aimait, et Marthe et Marie,
les amies chez qui Jésus aimait à trouver la paix. 7. paresseuse, sans occupation utile.
8. être conscient de; sentir. 9. *bitterness.* 10. *depth.* 11. *spent my days,* (couler: *flow*).
12. *toy.* 13. Chactas appartenait à la tribu des Natchez qui avait été exterminée et dont
les villages avaient été mis en ruines. 14. *lively, bright.* 15. *frightened.* 16. *withered.*

par soixante-seize années, que dans toute l'ardeur de ma jeunesse. L'homme de paix entra dans la grotte, et je restai au dehors, plein de terreur. Bientôt un faible murmure semblable à des plaintes sortit du fond du rocher et vint frapper mon oreille. Poussant un cri et retrouvant mes forces, je m'élançai [1] dans la nuit de la caverne . . . Esprits de mes pères, vous savez seuls le spec- 5 tacle qui frappa mes yeux !

» Le solitaire avait allumé un flambeau de pin [2]; il le tenait d'une main tremblante au-dessus de la couche d'Atala. Cette belle et jeune femme, à moitié soulevée [3] sur le coude,[4] se montrait pâle et échevelée.[5] Les gouttes d'une sueur pénible brillaient sur son front; ses regards à demi éteints cher- 10 chaient encore à m'exprimer son amour, et sa bouche essayait de sourire. Frappé comme d'un coup de foudre, les yeux fixés, les bras étendus, les lèvres entr'ouvertes, je demeurai immobile. Un profond silence règne un moment parmi les trois personnages de cette scène de douleur. Le solitaire le rompt [6] le premier: « Ceci, dit-il, ne sera qu'une fièvre occasionnée par la fatigue; et, 15 » si nous nous résignons à la volonté de Dieu, il aura pitié de nous. »

» A ces paroles, le sang suspendu reprit son cours [7] dans mon cœur, et, avec la mobilité du sauvage, je passai subitement de l'excès de la crainte à l'excès de la confiance. Mais Atala ne m'y laissa pas longtemps. Balançant [8] tristement la tête, elle nous fit signe de nous approcher de sa couche. 20

« Mon père, dit-elle d'une voix affaiblie en s'adressant au religieux, je » touche au moment de la mort. O Chactas ! écoute sans désespoir le funeste » secret que je t'ai caché pour ne pas te rendre trop misérable et pour obéir à » ma mère. Tâche de ne pas m'interrompre par des marques d'une douleur » qui précipiterait le peu d'instants que j'ai à vivre. J'ai beaucoup de choses à 25 » raconter, et, aux battements [9] de ce cœur, qui se ralentissent [10] . . . à je ne » sais quel fardeau glacé [11] que mon sein soulève à peine . . . je sens que je ne » me saurais [12] trop hâter. »

» Après quelques moments de silence, Atala poursuivit ainsi:

« Ma triste destinée a commencé presque avant que j'eusse vu la lumière. 30 » On désespéra de ma vie. Pour sauver mes jours, ma mère fit un vœu: elle » promit à la Reine des Anges [13] que je me consacrerais à elle si j'échappais à » la mort . . . Vœu fatal qui me précipite au tombeau !

» J'entrais dans ma seizième année lorsque je perdis ma mère. Quelques heures avant de mourir, elle m'appela au bord de sa couche. « Ma fille, me 35 » dit-elle en présence d'un missionnaire qui consolait ses derniers instants; » ma fille, tu sais le vœu [14] que j'ai fait pour toi. Voudrais-tu démentir [15] » ta mère? O mon Atala ! je te laisse dans un monde qui n'est pas digne de » posséder une chrétienne, au milieu d'idolâtres qui persécutent le Dieu de » ton père et le mien, le Dieu qui, après t'avoir donné le jour, te l'a conservé 40

1. pénétrai à la hâte. 2. *fir torch.* 3. *raised.* 4. *elbow.* 5. les cheveux en désordre.
6. *breaks.* 7. *began to flow again.* 8. *shaking.* 9. *beats, heart throbbings.* 10. vont plus
lentement. 11. *ice-cold burden, load, weight.* 12. pourrais. 13. La Vierge Marie. 14. *That
dedication included a vow of celibacy.* 15. *give the lie to; make (her) a liar.*

» par un miracle. Eh ! ma chère enfant, en acceptant le voile des vierges, tu
» ne fais que renoncer aux soucis [1] de la cabane et aux funestes passions qui
» ont troublé le sein de ta mère ! Viens donc, ma bien-aimée, viens ; jure sur
» cette image de la Mère du Sauveur, entre les mains de ce saint prêtre et de
» ta mère expirante, que tu ne me trahiras point à la face du ciel. Songe que 5
» je me suis engagée pour toi, afin de te sauver la vie, si tu ne tiens ma pro-
» messe, tu plongeras l'âme de ta mère dans des tourments éternels. »

« O ma mère ! pourquoi parlâtes-vous ainsi ? O religion qui fais à la fois
» mes maux [2] et ma félicité, qui me perds et qui me consoles ! Et toi, cher et
» triste objet d'une passion qui me consume jusque dans les bras de la mort, 10
» tu vois maintenant, ô Chactas ! ce qui a fait la rigueur [3] de notre destinée !
» ... Fondant en pleurs [4] et me précipitant dans le sein maternel, je promis
» tout ce qu'on me voulut faire promettre. Le missionnaire prononça sur
» moi les paroles redoutables et me donna le scapulaire [5] qui me lie pour
» jamais. Ma mère me menaça de sa malédiction si jamais je rompais mes 15
» vœux ; et, après m'avoir recommandé un secret inviolable envers les païens, [6]
» persécuteurs de ma religion, elle expira en me tenant embrassée.

» Je ne connus pas d'abord le danger de mes serments. Pleine d'ardeur
» et chrétienne véritable, fière du sang espagnol qui coule dans mes veines,
» je n'aperçus autour de moi que des hommes indignes de recevoir ma main ; 20
» je m'applaudis [7] de n'avoir d'autre époux que le Dieu de ma mère. Je te vis,
» jeune et beau prisonnier, je m'attendris [8] sur ton sort, je t'osai parler au
» bûcher de la forêt ; alors je sentis tout le poids de mes vœux. Quel tour-
» ment de te voir sans cesse auprès de moi, loin de tous les hommes, dans de
» profondes solitudes, et de sentir entre toi et moi une barrière invincible ! 25
» Passer ma vie à tes pieds, te servir comme ton esclave, apprêter [9] ton repas
» et la couche dans quelque coin [10] ignoré de l'univers, eût été pour moi le
» bonheur suprême ; ce bonheur, j'y touchais, et je ne pouvais en jouir. Quel
» dessein n'ai-je point rêvé ! Quel songe n'est point sorti de ce cœur si triste !
» Quelquefois, en attachant mes yeux sur toi, j'allais jusqu'à former des désirs 30
» aussi insensés que coupables : tantôt j'aurais voulu être avec toi la seule
» créature vivante sur la terre ; tantôt, sentant une divinité qui m'arrêtait
» dans mes horribles transports, j'aurais désiré que cette divinité se fût
» anéantie, [11] pourvu que, [12] serrée dans tes bras, j'eusse roulé d'abîme en abîme
» avec les débris de Dieu et du monde ! A présent même ... le dirai-je ? à 35
» présent que l'éternité va m'engloutir, [13] que je vais paraître devant le Juge
» inexorable, par une affreuse contradiction, j'emporte le regret de n'avoir pas
» été à toi.

« Ma fille, interrompit le missionnaire, votre douleur vous égare. [14] Cet

---

1. anxiétés. 2. malheurs. 3. dureté. 4. *bursting into tears.* 5. *scapular;* petite
image bénie que des Catholiques portent comme emblème d'une dévotion particulière ou
comme symbole d'un vœu. 6. idolâtres. 7. félicitai. 8. fus touchée. 9. préparer.
10. *corner.* 11. *annihilated, utterly destroyed.* 12. *if only.* 13. *swallow up.* 14. *leads you
astray.*

» excès de passion auquel vous vous livrez [1] est rarement juste, il n'est pas
» même dans la nature; et en cela il est moins coupable aux yeux de Dieu,
» parce que c'est plutôt quelque chose de faux [2] dans l'esprit que de vicieux
» dans le cœur. Il faut donc éloigner de vous ces emportements,[3] qui ne sont
» pas dignes de votre innocence. Mais aussi, ma chère enfant, votre imagina- 5
» tion impétueuse vous a trop alarmée sur vos vœux. La religion n'exige [4]
» point de sacrifice plus qu'humain. Ses sentiments vrais, ses vertus tem-
» pérées, sont bien au-dessus des sentiments exaltés et des vertus forcées d'un
» prétendu [5] héroïsme. Si vous aviez succombé, eh bien, pauvre brebis
» égarée,[6] le bon Pasteur [7] vous aurait cherchée pour vous ramener au 10
» troupeau. Les trésors du repentir vous étaient ouverts: il faut des torrents
» de sang pour effacer nos fautes aux yeux des hommes; une seule larme
» suffit à Dieu. Rassurez-vous donc, ma chère fille, votre situation exige du
» calme; adressons-nous à Dieu, qui guérit toutes les plaies [8] de ses serviteurs.
» Si c'est sa volonté, comme je l'espère, que vous échappiez à cette maladie, 15
» j'écrirai à l'évêque de Québec [9]; il a les pouvoirs nécessaires pour vous
» relever [10] de vos vœux, qui ne sont que des vœux simples, et vous achèverez
» vos jours près de moi, avec Chactas votre époux. »

» A ces paroles du vieillard, Atala fut saisie d'une longue convulsion, dont
elle ne sortit que pour donner des marques d'une douleur effrayante. « Quoi ! 20
» dit-elle en joignant les deux mains avec passion, il y avait du remède ? Je
» pouvais être relevée de mes vœux ? — Oui, ma fille, et vous le pouvez en-
» core. — Il est trop tard, il est trop tard ! s'écria-t-elle. Faut-il mourir au
» moment où j'apprends que j'aurais pu être heureuse ! Que n'ai-je connu [11]
» plus tôt ce saint vieillard ! Aujourd'hui, de quel bonheur je jouirais avec 25
» toi . . . avec Chactas chrétien . . . consolée, rassurée par ce prêtre auguste
» . . . dans ce désert . . . pour toujours . . . Oh ! c'eût été trop de félicité !
— » Calme-toi, lui dis-je en saisissant une des mains de l'infortunée; calme-toi:
» ce bonheur, nous allons le goûter.[12] — Jamais ! jamais ! dit Atala. — Com-
» ment? repartis-je. — Tu ne sais pas tout ! s'écria la vierge: c'est hier . . . 30
» pendant l'orage . . . J'allais violer mes vœux; j'allais plonger ma mère dans
» les flammes de l'abîme; déjà sa malédiction était sur moi, déjà je mentais
» au Dieu qui m'a sauvé la vie . . . Quand tu baisais mes lèvres tremblantes,
» tu ne savais pas que tu n'embrassais que la mort ! — O ciel ? s'écria le mis-
» sionnaire; chère enfant, qu'avez-vous fait ? — Un crime, mon père, dit 35
» Atala les yeux égarés [13]: mais je ne perdais que moi et je sauvais ma mère.
» — Achève donc, m'écriai-je plein d'épouvante. — Eh bien, dit-elle, j'avais
» prévu [14] ma faiblesse: en quittant les cabanes, j'ai emporté avec moi . . .
» — Quoi ! repris-je avec horreur. — Un poison ! dit le père. — Il est dans mon
» sein ! » s'écria Atala. 40

1. laissez aller. **2.** *faulty.* **3.** paroles ou mouvements violents causés par une passion.
4. *demands.* **5.** *alleged.* **6.** *lost sheep.* **7.** *Shepherd.* **8.** *wounds.* **9.** (alors la maison-
mère des missions dans le Nouveau-Monde). **10.** *release.* **11.** Que n'ai-je connu: *Oh! that I
had known.* **12.** (lit., *taste*): *enjoy.* **13.** *hagards.* **14.** *foreseen.*

» Le flambeau échappe de la main du solitaire, je tombe mourant près de la fille de Lopez; le vieillard nous saisit l'un et l'autre dans ses bras, et tous trois, dans l'ombre, nous mêlons un moment nos sanglots sur cette couche funèbre.

« Réveillons-nous,[1] réveillons-nous! dit bientôt le courageux ermite en 5 » allumant une lampe. Nous perdons des moments précieux: intrépides » chrétiens, bravons[2] les assauts de l'adversité: jetons-nous aux pieds du » Très-Haut, pour implorer sa clémence, pour nous soumettre à ses décrets. » Peut-être est-il temps encore. Ma fille, vous eussiez dû m'avertir[3] hier au » soir. » 10

« Hélas! mon père, dit Atala, je vous ai cherché la nuit dernière; mais » le ciel, en punition de mes fautes, vous a éloigné de moi. Tout secours eût » d'ailleurs été inutile; car les Indiens mêmes, si habiles dans ce qui regarde » les poisons, ne connaissent point de remède à celui que j'ai pris. »

» Ce ne fut plus ici par des sanglots que je troublai le récit d'Atala, ce fut 15 par ces emportements qui ne sont connus que des sauvages. Je me roulai furieux sur la terre en me tordant les bras.[4] Le vieux prêtre, avec une ten- dresse merveilleuse, courait du frère à la sœur et nous prodiguait[5] mille secours. Dans le calme de son cœur et sous le fardeau[6] des ans, il savait se faire entendre à notre jeunesse, et sa religion lui fournissait des accents plus 20 tendres et plus brûlants que nos passions mêmes.

» Hélas! ce fut en vain qu'il essaya d'apporter quelque remède aux maux d'Atala. La fatigue, le chagrin, le poison, et une passion plus mortelle que tous les poisons ensemble, se réunissaient pour ravir cette fleur à la solitude. Vers le soir, des symptômes effrayants se manifestèrent; un engourdissement[7] 25 général saisit les membres d'Atala, et les extrémités de son corps com- mencèrent à refroidir[8]: « Touche mes doigts, me disait-elle; ne les trouves-tu » pas bien glacés? » Je ne savais que répondre et mes cheveux se hérissaient[9] d'horreur; ensuite elle ajoutait: « Hier encore, mon bien-aimé, ton seul » toucher me faisait tressaillir[10]; et voilà que je ne sens plus ta main, je 30 » n'entends presque plus ta voix; les objets de la grotte disparaissent tour à » tour. Ne sont-ce pas les oiseaux qui chantent? Le soleil doit être près de » se coucher maintenant? Chactas, ses rayons seront bien beaux au désert » sur ma tombe! »

» Atala, s'apercevant que ces paroles nous faisaient fondre en pleurs, nous 35 dit: « Pardonnez-moi, mes bons amis; je suis bien faible, mais peut-être que » je vais devenir plus forte. Cependant mourir si jeune, tout à la fois, quand » mon cœur était si plein de vie! Chef de la prière, aie pitié de moi; soutiens- » moi.[11] Crois-tu que ma mère soit contente et que Dieu me pardonne ce que » j'ai fait? » 40

« Ma fille, répondit le bon religieux en versant des larmes et les essuyant

---

1. *Awake!* **2.** *challenge.* **3.** informer. **4.** me tordant les bras, *writhing.* **5.** *lavished.* **6.** *burden.* **7.** *numbness.* **8.** *grow cold.* **9.** *bristled.* **10.** *thrill.* **11.** *sustain, comfort.*

» avec ses doigts tremblants et mutilés; ma fille, tous vos malheurs viennent
» de votre ignorance; c'est votre éducation sauvage et le manque d'instruc-
» tion nécessaire qui vous ont perdue; vous ne saviez pas qu'une chrétienne
» ne peut disposer de sa vie. Consolez-vous donc, ma chère brebis; Dieu
» vous pardonnera, à cause de la simplicité de votre cœur. Votre mère et 5
» l'imprudent missionnaire qui la dirigeait ont été plus coupables que vous;
» ils ont passé leurs pouvoirs [1] en vous arrachant [2] un vœu indiscret; mais
» que la paix du Seigneur soit avec eux! Vous offrez tous trois un terrible
» exemple des dangers de l'enthousiasme et du défaut de lumières en matière
» de religion. Rassurez-vous, mon enfant; celui qui sonde les reins et les 10
» cœurs [3] vous jugera sur vos intentions, qui étaient pures, et non sur votre
» action, qui est condamnable.

» Quant à la vie, si le moment est arrivé de vous endormir dans le Seigneur,
» ah! ma chère enfant, que vous perdez peu de chose en perdant ce monde!
» Malgré la solitude où vous avez vécu, vous avez connu les chagrins; que 15
» penseriez-vous donc si vous eussiez été témoin des maux de la société? si,
» en abordant sur les rivages de l'Europe, votre oreille eût été frappée de ce
» long cri de douleur [4] qui s'élève de cette vieille terre? L'habitant de la
» cabane et celui des palais, tout souffre, tout gémit [5] ici-bas; les reines ont
» été vues pleurant comme de simples femmes, et l'on s'est étonné de la 20
» quantité de larmes que contiennent les yeux des rois!

» Est-ce votre amour que vous regrettez? Ma fille, il vaudrait autant [6]
» pleurer un songe. Connaissez-vous le cœur de l'homme, et pourriez-vous
» compter les inconstances [7] de son désir? Vous calculeriez plutôt le nombre
» des vagues [8] que la mer roule dans une tempête. Ma chère fille, le grand 25
» tort [9] des hommes, dans leur songe de bonheur, est d'oublier cette infirmité
» de la mort attachée à leur nature: il faut finir. Tôt ou tard, quelle qu'eût
» été [10] votre félicité, ce beau visage se fût changé en cette figure uniforme que
» le sépulcre donne à la famille d'Adam; l'œil même de Chactas n'aurait pu
» vous reconnaître entre vos sœurs de la tombe. L'amour n'étend point son 30
» empire sur les vers du cercueil.[11]

» Remerciez donc la bonté divine, ma chère fille, qui vous retire si vite
» de cette vallée de misère. Déjà le vêtement blanc et la couronne éclatante [12]
» des vierges se préparent pour vous sur les nuées; déjà j'entends la Reine
» des anges qui vous crie: Venez, ma digne servante; venez, ma colombe; 35
» venez vous asseoir sur un trône de candeur, parmi toutes ces filles qui ont
» sacrifié leur beauté et leur jeunesse au service de l'humanité,[13] à l'éducation
» des enfants et aux chefs-d'œuvre de la pénitence. Venez, rose mystique,[14]
» vous reposer sur le sein de Jésus-Christ. Ce cercueil, lit nuptial que vous

---

1. ont passé leurs pouvoirs: *exceeded their rights.* 2. *wresting.* 3. sonde . . . cœurs: *probes the hearts. Cf. God trieth the heart and reins.* Ps. vii, 9. 4. long . . . douleur: l'auteur fait ici allusion à la Révolution. 5. *groans.* 6. *one might just as well.* 7. *fickleness.* 8. *waves.* 9. *mistake.* 10. quelle qu'eût été: *whatever may have been.* 11. vers du cercueil (*coffin*): *worms of the grave.* 12. brillante. 13. Allusion aux nonnes. 14. nom donné à la Vierge.

» vous êtes choisi, ne sera point trompé [1]; et les embrassements de votre » céleste époux ne finiront jamais ! »

» Comme le dernier rayon du jour abat [2] les vents et répand le calme dans le ciel, ainsi la parole tranquille du vieillard apaisa les passions dans le sein de mon amante. Elle ne parut plus occupée que de ma douleur et des moyens 5 de me faire supporter sa perte. Tantôt elle me disait qu'elle mourrait heureuse si je lui promettais de sécher mes pleurs; tantôt elle me parlait de ma mère, de ma patrie; elle cherchait à me distraire [3] de la douleur présente en réveillant en moi une douleur passée.

» Cependant l'ermite redoublait de zèle. Ses vieux os [4] s'étaient ranimés 10 par l'ardeur de la charité, et, toujours préparant des remèdes, rallumant le feu, rafraîchissant la couche, il faisait d'admirables discours sur Dieu et sur le bonheur des justes. Le flambeau de la religion à la main, il semblait précéder Atala dans la tombe pour lui en montrer les secrètes merveilles. L'humble grotte était remplie de la grandeur de ce trépas [5] chrétien, et les esprits 15 célestes étaient sans doute attentifs à cette scène, où la religion luttait seule contre l'amour, la jeunesse et la mort.

» Vers le milieu de la nuit, Atala sembla se ranimer pour répéter des prières que le religieux prononçait au bord de sa couche. Peu de temps après elle me tendit la main, et, avec une voix qu'on entendait à peine, elle me dit: « Fils 20 » d'Outalissi, te rappelles-tu cette première nuit où tu me pris pour la Vierge » des dernières amours ? Singulier présage de notre destinée ! » Elle s'arrêta, puis elle reprit: « Quand je songe que je te quitte pour toujours, mon cœur » fait un tel effort pour revivre, que je me sens presque le pouvoir de me » rendre immortelle à force d'aimer. Mais, ô mon Dieu ! que votre volonté 25 » soit faite ! »

» Ici la voix d'Atala s'éteignit; les ombres de la mort se répandirent autour [6] de ses yeux et de sa bouche; ses doigts errants cherchaient à toucher quelque chose; elle conversait tout bas avec des esprits invisibles. Bientôt, faisant un effort, elle essaya, mais en vain, de détacher de son cou le petit crucifix; 30 elle me pria de le dénouer [7] moi-même, et elle me dit:

« Quand je te parlai pour la première fois, tu vis cette croix briller [8] à la » lueur du feu sur mon sein; c'est le seul bien [9] que possède Atala. Lopez, ton » père et le mien, l'envoya à ma mère peu de jours après ma naissance. » Reçois donc de moi cet héritage, ô mon frère ! conserve-le en mémoire de 35 » mes malheurs. Tu auras recours à ce Dieu des infortunés, dans les chagrins » de ta vie. Chactas, j'ai une dernière prière à te faire. Ami, notre union » aurait été courte sur la terre; mais il est après cette vie une plus longue vie. » Qu'il serait affreux [10] d'être séparée de toi pour jamais ! Je ne fais que te » devancer [11] aujourd'hui et je te vais attendre dans l'empire céleste. Si tu 40

---

1. *will cause no disillusion.* **2.** *stills, hushes.* **3.** *turn my thoughts away.* **4.** *bones.* **5.** mort. **6.** *spread around.* **7.** *untie.* **8.** *glitter.* **9.** propriété, possession. **10.** terrible. **11.** partir avant toi.

» m'as aimée, fais-toi instruire dans la religion chrétienne, qui préparera notre
» réunion. Elle fait sous tes yeux un grand miracle, cette religion, puisqu'elle
» me rend capable de te quitter sans mourir dans les angoisses [1] du désespoir. »

» Navré de douleur, je promis à Atala d'embrasser un jour la religion chrétienne. A ce spectacle, le solitaire se levant d'un air inspiré et étendant les 5
bras vers la voûte de la grotte: « Il est temps, s'écria-t-il, il est temps d'appeler
» Dieu ici ! » [2]

» A peine a-t-il prononcé ces mots, qu'une force surnaturelle me contraint
de tomber à genoux, et m'incline la tête au pied du lit d'Atala. Le prêtre
ouvre un lieu [3] secret où était renfermée [4] une urne d'or, couverte d'un voile de 10
soie [5]; il se prosterne, et adore profondément. La grotte parut soudain
illuminée; on entendit dans les airs les paroles des anges et les frémissements [6]
des harpes célestes; et lorsque le solitaire tira le vase sacré de son tabernacle,
je crus voir Dieu lui-même sortir du flanc de la montagne.

» Le prêtre ouvrit le calice [7]; il prit entre ses deux doigts une hostie [8] 15
blanche comme la neige, et s'approcha d'Atala en prononçant des mots
mystérieux. Cette sainte avait les yeux levés au ciel, en extase. Toutes ses
douleurs parurent suspendues, toute sa vie se rassembla [9] sur sa bouche;
ses lèvres s'entr'ouvrirent [10] et vinrent avec respect chercher le Dieu caché
sous le pain mystique. Ensuite le divin vieillard trempe [11] un peu de coton 20
dans une huile consacrée; il en frotte [12] les tempes [13] d'Atala; il regarde un
moment la fille mourante, et tout à coup ces fortes paroles lui échappent:
« Partez, âme chrétienne, allez rejoindre votre Créateur ! » Relevant alors
ma tête abattue,[14] je m'écriai en regardant le vase où était l'huile sainte:

« Mon père, ce remède rendra-t-il la vie à Atala? — Oui, mon fils, dit le 25
» vieillard en tombant dans mes bras, la vie éternelle ! » Atala venait d'expirer. »

LES FUNÉRAILLES

« Je n'entreprendrai [15] point, ô René ! de te peindre aujourd'hui le désespoir
qui saisit mon âme lorsque Atala eut rendu le dernier soupir.[16] Il faudrait
avoir plus de chaleur [17] qu'il ne m'en reste. Il faudrait que mes yeux fermés 30
se pussent rouvrir au soleil, pour demander compte des pleurs qu'ils versèrent [18]
à sa lumière. Oui, cette lune qui brille à présent sur nos têtes se lassera [19]
d'éclairer [20] les solitudes du Kentucky; oui, le fleuve qui porte maintenant nos
pirogues suspendra le cours de ses eaux, avant que mes larmes cessent de
couler pour Atala ! Pendant deux jours entiers je fus insensible aux discours 35
de l'ermite. En essayant de calmer mes peines, cet excellent homme ne se
servait point des vaines raisons de la terre; il se contentait de me dire:
« Mon fils, c'est la volonté de Dieu »; et il me pressait dans ses bras. Je

---

1. *anguish.* **2.** *pour* l'extrême onction. **3.** *place, closet.* **4.** *shut up.* **5.** *silk cloth.*
6. *quivering.* **7.** *chalice.* **8.** *host (wafer used at Holy Communion).* **9.** *gathered.* **10.** *half
opened.* **11.** *dips.* **12.** *rubs.* **13.** *temples.* **14.** *lowered, cast down.* **15.** *shall undertake.*
16. *breath, sigh.* **17.** *warmth, life.* **18.** *shed.* **19.** *will grow weary.* **20.** *illumine.*

n'aurais jamais cru qu'il y eût tant de consolation dans ce peu de mots du chrétien résigné, si je ne l'avais éprouvé [1] moi-même.

» La tendresse, l'onction, l'inaltérable patience du vieux serviteur de Dieu, vainquirent enfin l'obstination de ma douleur. J'eus honte [2] des larmes que je lui faisais répandre. « Mon père, lui dis-je, c'en est trop [3] : que les passions 5 » d'un jeune homme ne troublent plus la paix de tes jours. Laisse-moi » emporter les restes [4] de mon épouse ; je les ensevelirai [5] dans quelque coin » du désert ; et si je suis encore condamné à la vie, je tâcherai de me rendre » digne de ces noces [6] éternelles qui m'ont été promises par Atala. »

» A ce retour inespéré de courage, le bon père tressaillit de joie ; il s'écria : 10 « O sang de Jésus-Christ, sang de mon divin Maître, je reconnais là tes mérites ! » Tu sauveras sans doute ce jeune homme. Mon Dieu, achève ton ouvrage ; » rends la paix à cette âme troublée, et ne lui laisse de ses malheurs que d'hum- » bles et utiles souvenirs ! »

» Le juste refusa de m'abandonner le corps de la fille de Lopez ; mais il 15 me proposa de faire venir ses néophytes, et de l'enterrer [7] avec toute la pompe chrétienne ; je m'y refusai à mon tour. « Les malheurs et les vertus d'Atala, » lui dis-je, ont été inconnus des hommes ; que [8] sa tombe, creusée furtive- » ment par nos mains, partage cette obscurité. » Nous convînmes [9] que nous partirions le lendemain au lever du soleil, pour enterrer Atala sous 20 l'arche du pont naturel, à l'entrée des Bocages de la mort. Il fut aussi résolu que nous passerions la nuit en prière auprès du corps de cette sainte.

» Vers le soir, nous transportâmes ses précieux restes à une ouverture de la grotte qui donnait vers [10] le nord. L'ermite les avait roulés dans une pièce de lin [11] d'Europe, filé [12] par sa mère : c'était le seul bien qui lui restât de sa 25 patrie, et depuis longtemps il le destinait à son propre tombeau. Atala était couchée sur un gazon de sensitives [13] des montagnes ; ses pieds, sa tête, ses épaules et une partie de son sein étaient découverts. On voyait dans ses cheveux une fleur de magnolia fanée,[14] celle-là même que j'avais déposée sur le lit de la vierge. Ses lèvres, comme un bouton [15] de rose cueilli depuis deux 30 matins, semblaient languir et sourire. Dans ses joues, d'une blancheur éclatante,[16] on distinguait quelques veines bleues. Ses beaux yeux étaient fermés, ses pieds modestes étaient joints, et ses mains d'albâtre pressaient sur son cœur un crucifix d'ébène.[17] Elle paraissait enchantée [18] par l'ange de la mélancolie et par le double sommeil de l'innocence et de la tombe ; je n'ai 35 rien vu de plus céleste. Quiconque eût ignoré que cette jeune fille avait joui de la lumière, aurait pu la prendre pour la statue de la virginité en- dormie.

» Le religieux ne cessa de prier toute la nuit. J'étais assis en silence au chevet [19] du lit funèbre de mon Atala. Que de fois, durant son sommeil, 40

1. *experienced.* 2. *I was ashamed.* 3. *it is too much.* 4. *remains.* 5. *bury.* 6. *nuptials.* 7. mettre en terre. 8. c'est-à-dire : je désire *que sa.* 9. *agreed.* 10. donnait vers : *faced.* 11. *linen.* 12. *spun.* 13. *sensitive plant, mimosa.* 14. *withered.* 15. *bud.* 16. *brilliant whiteness.* 17. *ebony.* 18. *under the spell.* 19. *head (of bed).*

j'avais supporté sur mes genoux cette tête charmante ! Que de fois je m'étais
penché sur elle pour entendre et pour respirer son souffle ! Mais à présent
aucun bruit ne sortait de ce sein immobile, et c'était en vain que j'attendais
le réveil de la beauté.

» La lune prêta son pâle flambeau à cette veillée [1] funèbre. Elle se leva au 5
milieu de la nuit, comme une blanche vestale qui vient pleurer sur le cercueil
d'une compagne. Bientôt elle répandit dans les bois ce grand secret de
mélancolie qu'elle aime à raconter aux vieux chênes et aux rivages antiques
des mers. De temps en temps, le religieux plongeait un rameau fleuri [2] dans
une eau consacrée; puis, secouant [3] la branche humide, il parfumait la nuit 10
des baumes [4] du ciel. Parfois il répétait sur un air antique quelques vers
d'un vieux poète nommé *Job;* il disait:

« J'ai passé comme une fleur; j'ai séché comme l'herbe des champs.

» Pourquoi la lumière a-t-elle été donnée à un misérable, et la vie à ceux
» qui sont dans l'amertume [5] du cœur? »   15

» Ainsi chantait l'ancien des hommes. Sa voix grave et un peu cadencée
allait roulant dans le silence des déserts. Le nom de Dieu et du tombeau
sortait de tous les échos, de tous les torrents, de toutes les forêts. Les roucoulements [6] de la colombe de Virginie, la chute [7] d'un torrent dans la montagne, les tintements [8] de la cloche qui appelait les voyageurs, se mêlaient à 20
ces chants funèbres; et l'on croyait entendre dans les Bocages de la mort le
chœur [9] lointain des décédés [10] qui répondait à la voix du solitaire.

» Cependant une barre d'or se forma dans l'orient. Les éperviers [11] criaient
sur les rochers et les martres [12] rentraient dans le creux des ormes [13]; c'était
le signal du convoi [14] d'Atala. Je chargeai [15] le corps sur mes épaules; l'ermite 25
marchait devant moi, une bêche [16] à la main. Nous commençâmes à descendre
de rochers en rochers; la vieillesse et la mort ralentissaient [17] également nos
pas. A la vue du chien qui nous avait trouvés dans la forêt, et qui maintenant, bondissant de joie, nous traçait une autre route, je me mis à fondre en
larmes. Souvent la longue chevelure d'Atala, jouet [18] des brises matinales, 30
étendait son voile d'or sur mes yeux; souvent, pliant [19] sous le fardeau,
j'étais obligé de le déposer sur la mousse et de m'asseoir auprès, pour reprendre des forces. Enfin, nous arrivâmes au lieu marqué par ma douleur; nous
descendîmes sous l'arche du pont. O mon fils ! il eût fallu voir un jeune
sauvage et un vieil ermite, à genoux l'un vis-à-vis de l'autre [20] dans un désert, 35
creusant [21] avec leurs mains un tombeau pour une pauvre fille dont le corps
était étendu [22] près de là, dans la ravine desséchée [23] d'un torrent !

» Quand notre ouvrage fut achevé, nous transportâmes la beauté dans son
lit d'argile.[24] Hélas ! j'avais espéré de préparer une autre couche pour elle !

---

1. *night watch.* 2. *branch in blossom.* 3. *shaking.* 4. *balmy breath.* 5. *bitterness.* 6. *coo-ings.* 7. *fall.* 8. *tinklings.* 9. *choir.* 10. *deceased.* 11. *hawks.* 12. *martens.* 13. creux des ormes: *cavities of elm trees.* 14. *funeral procession.* 15. *took upon (my back).* 16. *spade.* 17. *slowed down.* 18. *plaything, toy.* 19. *bending, giving way.* 20. l'un . . . l'autre: *facing each other.* 21. *digging.* 22. était étendu: *lay.* 23. *dried up.* 24. *bed of clay.*

Prenant alors un peu de poussière [1] dans ma main et gardant un silence effroyable, j'attachai pour la dernière fois mes yeux sur le visage d'Atala. Ensuite je répandis la terre du sommeil sur un front [2] de dix-huit printemps; je vis graduellement disparaître les traits de ma sœur et ses grâces se cacher sous le rideau [3] de l'éternité; son sein surmonta quelque temps le sol [4] noirci, 5 comme un lis [5] blanc s'élève du milieu d'une sombre argile: « Lopez, m'écriai-je » alors, vois ton fils inhumer [6] ta fille! » Et j'achevai de couvrir Atala de la terre du sommeil.

» Nous retournâmes à la grotte, et je fis part [7] au missionnaire du projet que j'avais formé de me fixer près de lui. Le saint, qui connaissait merveilleuse- 10 ment le cœur de l'homme, découvrit ma pensée et la ruse [8] de ma douleur. Il me dit: « Chactas, fils d'Outalissi, tandis qu'Atala a vécu, je vous ai sollicité » moi-même de demeurer auprès de moi; mais à présent votre sort est changé: » vous vous devez [9] à votre patrie. Croyez-moi, mon fils, les douleurs ne » sont point éternelles; il faut tôt ou tard qu'elles finissent parce que le cœur 15 » de l'homme est fini [10]; c'est une de nos grandes misères: nous ne sommes pas » même capables d'être longtemps malheureux. Retournez au Meschacebé; » allez consoler votre mère, qui vous pleure tous les jours et qui a besoin de » votre appui.[11] Faites-vous instruire dans la religion de votre Atala lorsque » vous en trouverez l'occasion; et souvenez-vous que vous lui avez promis 20 » d'être vertueux et chrétien. Moi, je veillerai [12] ici sur son tombeau. Partez, » mon fils. Dieu, l'âme de votre sœur et le cœur de votre vieil ami vous » suivront. »

» Telles furent les paroles de l'homme du rocher, son autorité était trop grande, sa sagesse trop profonde, pour ne lui obéir pas. Dès le lendemain [13] 25 je quittai mon vénérable hôte, qui, me pressant sur son cœur, me donna ses derniers conseils, sa dernière bénédiction et ses dernières larmes. Je passai au tombeau; je fus surpris d'y trouver une petite croix qui se montrait au-dessus de la mort, comme on aperçoit encore le mât [14] d'un vaisseau qui a fait naufrage.[15] Je jugeai [16] que le solitaire était venu prier au tombeau pen- 30 dant la nuit; cette marque d'amitié et de religion fit couler mes pleurs en abondance. Je fus tenté de rouvrir la fosse [17] et de voir encore une fois ma bien-aimée; une crainte religieuse me retint. Je m'assis sur la terre fraîche-ment remuée.[18] Un coude appuyé sur mes genoux et la tête soutenue dans ma main, je demeurai enseveli [19] dans la plus amère [20] rêverie . . . 35

» Ayant vu le soleil se lever et se coucher sur ce lieu de douleur, le lendemain, au premier cri de la cigogne,[21] je me préparai à quitter la sépulture sacrée. Trois fois j'évoquai [22] l'âme d'Atala; trois fois le génie du désert répondit à mes cris sous l'arche funèbre. Je saluai ensuite l'orient, et je découvris au

1. *dust.* 2. *forehead.* 3. *curtain, veil.* 4. *ground, soil.* 5. *lily.* 6. *bury, inter.* 7. *informed.* 8. *cunning (hidden thought).* 9. *owe yourself, your duty is towards.* 10. *finite.* 11. *support, protection.* 12. *shall watch.* 13. *the very next day.* 14. *mast.* 15. qui a fait naufrage: *has been wrecked.* 16. *surmised.* 17. *grave.* 18. *dug, disturbed.* 19. *(buried), absorbed.* 20. *bitter.* 21. *stork.* 22. *called to.*

loin,[1] dans les sentiers de la montagne, l'ermite qui se rendait à la cabane de quelque infortuné. Tombant à genoux et embrassant étroitement [2] la fosse, je m'écriai: « Dors en paix dans cette terre étrangère, fille trop malheureuse ! » pour prix de ton amour, de ton exil et de ta mort, tu vas être abandonnée, » même de Chactas ! » Alors versant des flots [3] de larmes, je me séparai de la fille de Lopez; alors je m'arrachai [4] de ces lieux, laissant au pied du monument de la nature un monument plus auguste: l'humble tombeau de la vertu. »

1. *in the distance.*   **2.** *closely.*   **3.** *streams, torrents.*   **4.** *tore myself away.*

RUY BLAS

par VICTOR HUGO

(1802–1885)

Né à Besançon d'un père destiné à se distinguer dans les guerres de Napoléon, Victor Hugo suivit les armées impériales en Corse, à l'île d'Elbe, en Italie, en Espagne: il eut ainsi, tout enfant, d'héroïques et splendides visions. Mais il fut surtout élevé, à Paris, par sa mère vendéenne,

> « Ange qui, sur trois fils attachés à ses pas
> Épandait son amour et ne mesurait pas. »

Elle lui inculqua ses sentiments catholiques et royalistes.

Le général Hugo voulait faire de lui un ingénieur; il préféra cultiver les Muses. Jeune écolier, il avait dit: « je veux être Chateaubriand ou rien. » Ce fut en effet un poète précoce. Trois fois de suite il gagna le prix aux Jeux Floraux de Toulouse (académie fondée au XIVe siècle). A seize ans, il crée avec ses frères une Revue. Il publie des articles, des poèmes, qui attirent l'attention des connaisseurs. C'est alors, dit-on, que Chateaubriand l'appelle « l'enfant sublime. » Plus tard, en 1823, il sera le principal rédacteur de la *Muse française*, organe des jeunes Romantiques qui le choisissent pour chef. Entre temps, il a épousé son amie d'enfance, Adèle Foucher, et il a donné au public ses *Odes et Ballades*, (que suivront *Les Orientales* et *les Feuilles d'Automne*), avec deux récits en prose: *Han d'Islande*, *Bug-Jargal*, où se révèle déjà son amour pour l'antithèse.

En 1827, il écrit un drame *Cromwell*, avec une Préface qui sera le manifeste de la nouvelle École. Et ce sera, en 1830, la bataille fanatique d'*Hernani* racontée par Théophile Gautier. Dès lors, les œuvres se succèdent sans relâche, dont aucune ne passe inaperçue: des romans, *Le Dernier Jour d'un Condamné*, et l'admirable *Notre-Dame de Paris;* des volumes de poèmes, *Chants du Crépuscule*, *Voix intérieures*, *Rayons et Ombres;* des drames, *Marion Delorme*, *Le Roi s'amuse*, *Lucrèce Borgia*, *Marie Tudor*, *Angelo*, *Ruy Blas*, *Les Burgraves* dont l'insuccès le fit renoncer au théâtre (1843). Il était d'ailleurs désespéré par la mort de sa fille Léopoldine, noyée avec son mari dans un accident de bateau sur la Seine. Victor Hugo exprimera sa douleur dans les beaux poèmes des *Contemplations*. Il appartenait à l'Académie Française depuis 1841.

La vie le reprend, il continue son œuvre. Il s'était déjà lancé dans la politique, persuadé que les poètes doivent être des conducteurs d'hommes. Il avait perdu sa foi monarchique. La Révolution de 1830 avait fait de lui un libéral; il inclinera bientôt vers un socialisme humanitaire, mais il ne cessera de prêcher l'ordre, la paix, l'amour des humbles et des enfants. « Toujours la même tige avec une autre fleur. »

En 1848, il applaudit à la chute de Louis-Philippe qui, pourtant, l'avait fait Pair de France, et, comme Lamartine, il joue un rôle important (surtout comme orateur) dans les événements qui précèdent le Coup d'État du 2 décembre 1851. Il admirait maintenant Napoléon premier, mais n'avait que du mépris pour son neveu, « Napoléon le Petit » qui l'exila. Il se retira à l'île de Jersey, puis à Guernesey, près des côtes de France.

Ces dix-huit années d'exil le rendirent au culte des lettres. Il se vengea d'abord du nouvel empereur par les violents, mais admirables poèmes satiriques des *Châtiments* et par son *Histoire d'un Crime*. Puis il médita, continua ou composa ses deux grandes œuvres: *La Légende des siècles, Les Misérables* dont le succès fut mondial.

En 1870, après la chute lamentable de Napoléon III, il rentre à Paris et dans la vie publique. Il parle; il écrit *L'Année terrible, Les Travailleurs de la Mer, L'Homme qui rit, L'Art d'être Grand-père*, etc., etc. Jamais vieillesse ne fut plus féconde ni plus honorée. Il s'éteint en 1885, laissant beaucoup d'œuvres inédites. La France fait des funérailles nationales à son plus grand poète épique et lyrique. Les cendres de Hugo reposent au Panthéon.

On a beaucoup discuté les idées de Victor Hugo: elles sont discutables. Mais personne ne contestera la puissance de son cerveau toujours en ébullition, sa vaste érudition, sa prodigieuse imagination, l'acuité (*penetration and accuracy*) de son observation visuelle, la richesse inouïe et le coloris de son vocabulaire, pas plus que son amour de l'humanité et sa tendresse pour les enfants. Dans la poésie lyrique, épique et dramatique, dans la satire, dans le roman, il s'est révélé *unique*, un des plus grands génies de l'histoire. On trouvera, dans la seconde partie de ce volume, quelques poèmes de Hugo.

Si l'Angleterre a son Shakespeare, l'Italie, son Dante, la France a son Hugo.

[On trouve dans *Ruy Blas* tous les traits qui distinguent le drame-romantique, tel que Victor Hugo l'avait conçu dans sa fameuse *Préface de Cromwell* (1827) et réalisé dans *Hernani* (1830): peinture de la vie plutôt que des caractères, recherche du contraste, opposition du bien et du mal, du grotesque et du sublime, couleur locale, somptuosité du décor, action mouvementée et indépendante de la règle classique des trois unités, richesse du vocabulaire, abondance des images, vers aux rimes sonores et aux rythmes variés. Le poète semble y avoir atteint la perfection du genre.

Le sujet de *Ruy Blas* est très simple, sinon très vraisemblable: la passion romanesque d'un valet pour une reine, « ver de terre (*earthworm*) amoureux d'une étoile. » C'est l'amour fatal condamné d'avance au malheur, cet amour si cher aux Romantiques.

En revanche, l'intrigue est très compliquée. Personnages nombreux, incidents multiples. On songe au théâtre de Shakespeare.

Comme pour *Hernani*, le poète a situé l'action dans un cadre (*setting*) historique, en Espagne. Mais, tandis qu'avec *Hernani* nous avons vu la grandeur de l'Espagne à son aurore, ici nous assistons à son déclin: « dans *Hernani* le soleil de la maison d'Autriche se lève, dans *Ruy Blas* il se couche, » a dit Victor Hugo lui-même. Le tableau est d'un pittoresque saisissant.

Ruy Blas fut représenté pour la première fois le 8 novembre 1838 au théâtre Ventadour. C'est, depuis 1879, une des pièces favorites du répertoire de la Comédie française.]

NOTE: On a résumé et parfois supprimé des passages du texte qui ne semblaient pas absolument essentiels à la marche de l'action ou à la peinture des caractères.

PERSONNAGES

RUY BLAS	MONTAZGO
DON SALLUSTE DE BAZAN	DON ANTONIO UBILLA
DON CÉSAR DE BAZAN	COVADENGA
DON GURITAN	GUDIEL
LE COMTE DE CAMPOREAL	*Un Laquais*
LE MARQUIS DE SANTA-CRUZ	*Un Alcade* [1]
LE MARQUIS DEL BASTO	*Un Huissier* [2]
LE COMTE D'ALBE	*Un Alguazil* [3]
LE MARQUIS DE PRIEGO	*Un Page*
DON MANUEL ARIAS	
DOÑA MARIA DE NEUBOURG, REINE D'ESPAGNE	LA DUCHESSE D'ALBUQUERQUE
	Une Duègne
CASILDA	

Dames, seigneurs, conseillers privés, pages, duègnes, alguazils, gardes, huissiers de chambre et de cour

MADRID — Fin du XVIIe siècle.

ACTE PREMIER

DON SALLUSTE

Un salon dans le palais du roi, à Madrid. DON [4] SALLUSTE *entre par la petite porte de gauche, suivi de* RUY BLAS *et de* GUDIEL, *qui porte une cassette* [5] *et divers paquets qu'on dirait disposés* [6] *pour un voyage.* DON SALLUSTE *est vêtu de velours* [7] *noir, costume de cour du temps de Charles II.* [8] *La toison d'or* [9] *au cou.* GUDIEL *est en noir, épée au côté.* RUY BLAS *est en livrée.*

SCÈNE PREMIÈRE

DON SALLUSTE DE BAZAN, GUDIEL; *par instants* RUY BLAS

Don Salluste. Ruy Blas, fermez la porte, — ouvrez cette fenêtre.
(RUY BLAS *obéit, puis, sur un signe de* DON SALLUSTE, *il sort par la porte du fond.* DON SALLUSTE *va à la fenêtre.*)
Ils dorment encor tous ici, — le jour va naître. [10]
(*Il se tourne brusquement vers* GUDIEL.)
Ah! c'est un coup de foudre! [11]... — oui, mon règne est passé,

---

1. magistrat. 2. *usher.* 3. *policeman.* 4. don (doña): titre de noblesse, *Lord, Lady.* 5. petit coffre (où l'on met de l'argent, des bijoux). 6. préparés. 7. *velvet.* 8. Charles II d'Espagne (1665–1700). 9. *Order of the Golden Fleece.* 10. ici: paraître. 11. *thunderbolt.*

Gudiel! — renvoyé, disgrâcié, chassé! —
Ah! tout perdre en un jour! — L'aventure [1] est secrète   5
Encor, n'en parle pas. — Oui, pour une amourette,[2]
— Chose, à mon âge, sotte et folle, j'en convien![3] —
Avec une suivante,[4] une fille de rien!
Séduite, beau malheur! parce que la donzelle [5]
Est à la reine, et vient de Neubourg [6] avec elle,   10
Que cette créature a pleuré contre moi,
Et traîné son enfant dans les chambres du roi;
Ordre de l'épouser. Je refuse. On m'exile.
On m'exile! Et vingt ans d'un labeur difficile,
Vingt ans d'ambition, de travaux nuit et jour;   15
Le président haï [7] des alcades [8] de cour,
Dont nul ne prononçait le nom sans épouvante [9];
Le chef de la maison de Bazan, qui s'en vante;
Mon crédit, mon pouvoir; tout ce que je rêvais,[10]
Tout ce que je faisais et tout ce que j'avais,   20
Charge,[11] emplois,[12] honneurs, tout en un instant s'écroule [13]
Au milieu des éclats de rire [14] de la foule! [15]
   Gudiel. Nul ne le sait encor, monseigneur.
   Don Salluste.   Mais demain!
Demain on le saura! — Nous serons en chemin.
Je ne veux pas tomber, non, je veux disparaître!   25
(*Il déboutonne violemment son pourpoint.*[16])
— Tu m'agrafes [17] toujours comme on agrafe un prêtre,
Tu serres [18] mon pourpoint, et j'étouffe,[19] mon cher! (*Il s'assied.*)
Oh! mais je vais construire, et sans en avoir l'air,
Une sape [20] profonde, obscure et souterraine . . .
— Chassé! — (*Il se lève.*)
   Gudiel.   D'où vient le coup, monseigneur?
   Don Salluste.   De la reine.   30
Oh! je me vengerai, Gudiel! — Tu m'entends!
Toi dont je suis l'élève, et qui depuis vingt ans
M'as aidé, m'as servi dans les choses passées,
Tu sais bien jusqu'où vont dans l'ombre [21] mes pensées,
Comme un bon architecte, au coup d'œil exercé,   35
Connaît la profondeur du puits [22] qu'il a creusé.[23]

---

1. (*dans le sens étymologique du mot*): une chose qui arrive.   **2.** *love affair of no conse-quence.*   **3.** ou conviens; licence poétique. Dans la prosodie classique, la rime était pour les yeux comme pour l'oreille.   **4.** *lady attendant.*   **5.** *wench.*   **6.** *Neuburg,* en Allemagne; (la reine était la fille de l'électeur de Neubourg).   **7.** détesté.   **8.** magistrats.   **9.** terreur. **10.** désirais (avoir ou accomplir).   **11.** fonction (de magistrat).   **12.** occupations (de haut fonctionnaire).   **13.** tombe soudainement.   **14.** *bursts of laughter, jeers.*   **15.** populace. **16.** *doublet.*   **17.** *fasten (my clothes).*   **18.** *draw (my doublet) tight.*   **19.** *I can't breathe.* **20.** *mine.*   **21.** en secret.   **22.** (*well*) *pit.*   **23.** *dug.*

Je pars. Je vais aller à Finlas, en Castille,[1]
Dans mes états, — et, là, songer ! — Pour une fille !
— Toi, règle [2] le départ, car nous sommes pressés.[3]
Moi, je vais dire un mot au drôle [4] que tu sais.   40
A tout hasard. Peut-il me servir ? Je l'ignore.
Ici jusqu'à ce soir je suis le maître encore.
Je me vengerai, va ! [5] Comment ? je ne sais pas ;
Mais je veux que ce soit effrayant ! — De ce pas [6]
Va faire nos apprêts [7] et hâte-toi. — Silence !   45
Tu pars avec moi. Va. (Gudiel *salue et sort.* — Don Salluste *appelant.*)
                    — Ruy Blas !
  Ruy Blas.   (*Se présentant à la porte du fond*)   Votre Excellence ?
  Don Salluste.   Comme je ne dois plus coucher dans le palais,
Il faut laisser les clefs et clore les volets.[8]
  Ruy Blas.   (*S'inclinant*) Monseigneur, il suffit.[9]
  Don Salluste.   Écoutez, je vous prie.
La reine va passer, là, dans la galerie,   50
En allant de la messe à sa chambre d'honneur,
Dans deux heures. Ruy Blas, soyez là.
  Ruy Blas.   Monseigneur,
J'y serai.
  Don Salluste. (*A la fenêtre*) Voyez-vous cet homme dans la place [10]
Qui montre aux gens de garde un papier, et qui passe ?
Faites-lui, sans parler, signe qu'il peut monter   55
Par l'escalier étroit.[11] (Ruy Blas *obéit.* Don Salluste *continue en lui*
      montrant la petite porte à droite.) — Avant de nous quitter,
Dans cette chambre où sont les hommes de police,
Voyez donc si les trois alguazils [12] de service
Sont éveillés.[13]
  Ruy Blas.   (*Il va à la porte, l'entr'ouvre et revient.*)
           Seigneur, ils dorment.
  Don Salluste.   Parlez bas.
J'aurai besoin de vous, ne vous éloignez pas.   60
Faites le guet [14] afin que les fâcheux [15] nous laissent.
Entre Don César de Bazan. *Chapeau défoncé.*[16] *Grande cape déguenillée.*[17]
    Épée de spadassin.[18] *Au moment où il entre, lui et* Ruy Blas *se regardent*
    et font en même temps, chacun de son côté, un geste de surprise.
  Don Salluste. (*Les observant, à part*)
    Ils se sont regardés ! Est-ce qu'ils se connaissent ? (Ruy Blas *sort.*)

---

  1. province au Sud de l'Espagne. **2.** prépare. **3.** *in a hurry.* **4.** *rascal.* **5.** *never you fear!* **6.** immédiatement. **7.** préparatifs. **8.** *close the shutters.* **9.** il suffit (que vous le disiez). **10.** *public square.* **11.** (par çontraste avec *le grand escalier,* ou *l'escalier d'honneur*), *the back stairs.* **12.** *policemen.* **13.** *awake.* **14.** *keep watch.* **15.** *intruders.* **16.** *battered in.* **17.** *ragged.* **18.** *swashbuckler.*

SCÈNE II

DON SALLUSTE, DON CÉSAR

Don Salluste.   Ah ! vous voilà, bandit !

Don César.   Oui, cousin, me voilà.

Don Salluste.   C'est grand plaisir de voir un gueux [1] comme cela !

Don César. (*Saluant*)   Je suis charmé . . .

Don Salluste.   Monsieur, on sait de vos histoires.[2]

Don César. (*Gracieusement*)   Qui sont de votre goût ? [3]

Don Salluste.   Oui, des plus méritoires.

[Don Salluste reproche à Don César ses dettes, ses débauches, son association scandaleuse avec une bande abjecte de malfaiteurs.]

. . . .

Don César.   Mon cousin, tenez, trêve [4] aux reproches.   5
Je suis un grand seigneur, c'est vrai, l'un de vos proches [5];
Je m'appelle César, comte de Garofa;
Mais le sort de folie en naissant me coiffa.[6]
J'étais riche, j'avais des palais, des domaines,
Je pouvais largement [7] renter les Célimènes.[8]   10
Bah ! mes vingt ans n'étaient pas encor révolus [9]
Que j'avais mangé [10] tout ! il ne me restait plus
De mes prospérités, ou réelles ou fausses,
Qu'un tas [11] de créanciers [12] hurlant après mes chausses.[13]
Ma foi, j'ai pris la fuite [14] et j'ai changé de nom.   15
A présent, je ne suis qu'un joyeux compagnon,[15]
Zafari,[16] que hors [17] vous nul ne peut reconnaître.
Vous ne me donnez pas du tout d'argent, mon maître;
Je m'en passe.[18]   Le soir, le front sur un pavé,
Devant l'ancien palais des comtes de Tevé,   20
— C'est là, depuis neuf ans, que la nuit je m'arrête, —
Je vais dormir avec le ciel bleu sur ma tête.
Je suis heureux ainsi.   Pardieu, c'est un beau sort !
Tout le monde me croit dans l'Inde, au diable,[19] — mort.
La fontaine voisine a de l'eau, j'y vais boire,   25
Et puis je me promène avec un air de gloire.
Mon palais, d'où jadis mon argent s'envola,[20]
Appartient à cette heure au nonce [21] Espinola.

1. *beggar.*   **2.** vos prouesses (de brigand).   **3.** *taste, liking.*   **4.** *a truce, no more of.*
5. *relatives.*   **6.** le sort . . . coiffa: *fate provided me, at birth, with a jester's cap.*   **7.** généreusement.   **8.** enrichir les coquettes. Allusion à la coquette Célimène du *Misanthrope* de
Molière.   **9.** *completed.*   **10.** (lit., *eaten up*): *squandered.*   **11.** (lit., *heap*): *lot.*   **12.** *creditors.*
13. hurlant après mes chausses (*breeches*): *yelling at my heels.*   **14.** *ran away.*   **15.** *happy-
go-lucky fellow.*   **16.** Zafari, (*an assumed name*).   **17.** excepté.   **18.** *I do without.*   **19.** très
loin.   **20.** prit des ailes.   **21.** ambassadeur du pape.

C'est bien.   Quand par hasard jusque-là je m'enfonce,[1]
Je donne des avis aux ouvriers du nonce   30
Occupés à sculpter sur la porte un Bacchus.[2] —
Maintenant, pouvez-vous me prêter dix écus?[3]
    Don Salluste.   Écoutez-moi ...
    Don César.   (*Croisant les bras*)   Voyons à présent votre style.
    Don Salluste.   Je vous ai fait venir, c'est pour vous être utile.
César, sans enfants, riche, et de plus votre aîné,[4]   35
Je vous vois à regret vers l'abîme [5] entraîné;
Je veux vous en tirer.   Bravache [6] que vous êtes,
Vous êtes malheureux.   Je veux payer vos dettes,
Vous rendre vos palais, vous remettre à la cour,
Et refaire de vous un beau seigneur d'amour.   40
Que Zafari s'éteigne [7] et que César renaisse [8];
Je veux qu'à votre gré [9] vous puisiez dans ma caisse,[10]
Sans crainte, à pleines mains,[11] sans soin de l'avenir.
Quand on a des parents, il faut les soutenir,
César, et pour les siens se montrer pitoyable.   (*Pendant que* DON SALLUSTE 45
    parle, le visage de DON CÉSAR *prend une expression de plus en plus étonnée,*
    joyeuse et confiante; enfin il éclate.[12])
    Don César.   Vous avez toujours eu de l'esprit comme un diable,
Et c'est fort éloquent ce que vous dites là.
— Continuez.
    Don Salluste.   César, je ne mets à cela
Qu'une condition. — Dans l'instant je m'explique.
Prenez d'abord ma bourse.[13]
    Don César.   (*Soupesant* [14] *la bourse, qui est pleine d'or*)
                Ah ça! c'est magnifique!   50
    Don Salluste.   Et je vais vous donner cinq cents ducats ...
    Don César.   (*Ébloui* [15])   Marquis!
    Don Salluste.   (*Continuant*)   Dès aujourd'hui.
    Don César.   Pardieu, je vous suis tout acquis.[16]
Quant aux conditions, ordonnez.   Foi de brave,[17]
Mon épée est à vous, je deviens votre esclave,
Et, si cela vous plaît, j'irai croiser le fer [18]   55
Avec don Spavento,[19] capitan de l'enfer.

---

   1. pénètre.   **2.** un Bacchus (dieu du vin) comme armoiries (*coat of arms*) du nonce!
Remarquez la mordante ironie de don César.   **3.** (vieille monnaie d'argent): *half-crowns,*
half dollars.   **4.** votre aîné: plus âgé que vous.   **5.** *abyss.*   **6.** *swaggerer.*   **7.** disparaisse.
8. revive.   **9.** selon votre volonté, comme et quand vous le voudrez.   **10.** puisiez ...
caisse (*cashbox*): *draw upon my funds.*   **11.** à ... mains: *by the handful.*   **12.** *he bursts* (*into*
speech).   **13.** *purse.*   **14.** *estimating the weight.*   **15.** *dazzled.*   **16.** je ... acquis: *I am entirely*
at your service.   **17.** soldat.   **18.** *cross swords.*   **19.** Spavento (italien = *Terrible*): personnage
conventionnel de la comédie italienne et espagnole, comme les Rodomonts et les Matamores:
brave, mais d'une vanité grotesque; introduit en France, en 1577, par la troupe italienne des
Gelosi (Jaloux).

Don Salluste.   Non, je n'accepte pas, don César, et pour cause,
Votre épée.

Don César.   Alors quoi? je n'ai guère autre chose.

Don Salluste.   (*Se rapprochant de lui en baissant la voix*)
Vous connaissez, — et c'est en ce cas un bonheur, —
Tous les gueux de Madrid.

Don César.   Vous me faites honneur.   60

Don Salluste.   Vous en traînez toujours après vous une meute [1];
Vous pourriez, au besoin, soulever une émeute,[2]
Je le sais.   Tout cela peut-être servira.

Don César.   (*Éclatant de rire*)
D'honneur! vous avez l'air de faire un opéra.
Quelle part donnez-vous dans l'œuvre à mon génie?   65
Sera-ce le poème ou bien la symphonie?
Commandez.   Je suis fort pour le charivari.[3]

Don Salluste.   (*Gravement*) Je parle à Don César, et non à Zafari. (*Baissant
la voix de plus en plus.*) Écoute. J'ai besoin, pour un résultat sombre,
De quelqu'un qui travaille à mon côté dans l'ombre   70
Et qui m'aide à bâtir [4] un grand événement.
Je ne suis pas méchant,[5] mais il est tel moment
Où le plus délicat, quittant toute vergogne,[6]
Doit retrousser sa manche [7] et faire la besogne.[8]
Tu seras riche, mais il faut m'aider sans bruit   75
A dresser,[9] comme font les oiseleurs [10] la nuit,
Un bon filet [11] caché sous un miroir qui brille,[12]
Un piège [13] d'alouette ou bien de jeune fille.
Il faut, par quelque plan terrible et merveilleux,
— Tu n'es pas, que je pense, un homme scrupuleux, —   80
Me venger!

Don César.   Vous venger?

Don Salluste.   Oui.

Don César.   De qui?

Don Salluste.   D'une femme.

Don César.   (*Se redresse [14] et regarde fièrement* Don Salluste)
Ne m'en dites pas plus.   Halte-là! — Sur mon âme,
Mon cousin, en ceci voilà mon sentiment.
Celui qui, bassement et tortueusement,[15]
Se venge, ayant le droit de porter une lame,[16]   85
Noble, par une intrigue, homme, sur une femme,
Et qui, né gentilhomme, agit en alguazil,

1. *pack, crowd.*   2. *riot.*   3. *a great hand at creating a hubbub.*   4. *build up* (*prepare*).
5. *spiteful.*   6. *shame.*   7. *roll up his sleeve.*   8. travail (qu'il faut faire).   9. *set.*   10. ceux
qui attrapent des oiseaux.   11. *net.*   12. allusion aux miroirs employés pour attirer les
alouettes (*larks*).   13. *snare.*   14. *straightens.*   15. *crookedly.*   16. *blade, sword.*

Celui-là, — fût-il grand de Castille,[1] fût-il
Suivi de cent clairons sonnant des tintamarres,[2]
Fût-il tout harnaché [3] d'ordres et de chamarres,[4]　　　　　　　90
Et marquis, et vicomte, et fils des anciens preux,[5] —
N'est pour moi qu'un maraud [6] sinistre et ténébreux [7]
Que je voudrais, pour prix [8] de sa lâcheté [9] vile,
Voir pendre à quatre clous [10] au gibet [11] de la ville !
 Don Salluste.　César !...
 Don César.　　　　　　　　N'ajoutez pas un mot, c'est outrageant.[12]　　95
(*Il jette la bourse aux pieds de* DON SALLUSTE.)
Gardez votre secret, et gardez votre argent.
Oh ! je comprends [13] qu'on vole, et qu'on tue, et qu'on pille,
Que par une nuit noire on force une bastille,[14]
D'assaut, la hache au poing,[15] avec cent flibustiers [16];
Qu'on égorge [17] estafiers,[18] geôliers [19] et guichetiers.[20]　　　100
Tous, taillant [21] et hurlant,[22] en bandits que nous sommes,
Œil pour œil, dent pour dent, c'est bien ! hommes contre hommes !
Mais doucement détruire une femme ! et creuser
Sous ses pieds une trappe ! et contre elle abuser,
Qui sait ? de son humeur peut-être hasardeuse ! [23]　　　　　105
Prendre ce pauvre oiseau dans quelque glu [24] hideuse !
Oh ! plutôt qu'arriver jusqu'à ce déshonneur,
Plutôt qu'être, à ce prix, un riche et haut seigneur,
— Et je le dis ici pour Dieu qui voit mon âme, —
J'aimerais mieux, plutôt qu'être à ce point infâme,　　　　　110
Vil, odieux, pervers, misérable et flétri,[25]
Qu'un chien rongeât [26] mon crâne au pied du pilori !
 Don Salluste.　Cousin ...
 Don César.　　　　　　　De vos bienfaits [27] je n'aurai nulle envie,
Tant que je trouverai, vivant ma libre vie,
Aux fontaines de l'eau, dans les champs le grand air,　　　　115
A la ville un voleur qui m'habille [28] l'hiver,
Dans mon âme l'oubli [29] des prospérités mortes,
Et devant vos palais, monsieur, de larges portes
Où je puis, à midi, sans souci du réveil,
Dormir, la tête à l'ombre et les pieds au soleil !　　　　　　120
— Adieu donc. — De nous deux Dieu sait quel est le juste.

---

 1. *a Castilian grandee; a man of the highest nobility, considered as a peer of the king.* **2.** *flourishes.* **3.** *covered.* **4.** (*gold*) *braid.* **5.** *doughty knights.* **6.** *knave, cad.* **7.** *underhand.* **8.** récompense. **9.** bassesse et manque de courage. **10.** *nails.* **11.** *gallows.* **12.** insultant. **13.** j'admets, j'accepte (sans indignation). **14.** *ici:* prison. **15.** *hatchet in hand* (poing = fist). **16.** *freebooters, robbers.* **17.** (lit., *cut the throat of*): *slay.* **18.** *policemen.* **19.** *jailers.* **20.** *turnkeys.* **21.** *slashing.* **22.** *howling.* **23.** humeur hasardeuse: disposition à avoir trop facilement confiance. **24.** *birdlime.* **25.** déshonoré. **26.** *gnaw.* **27.** générosités. **28.** me fournit (*furnishes with*) des habits. **29.** (lit., *forgetfulness*): *indifference.*

Avec les gens de cour, vos pareils, Don Salluste,
Je vous laisse, et je reste avec mes chenapans.[1]
Je vis avec les loups,[2] non avec les serpents.

Don Salluste.   Un instant . . .

Don César.   Tenez, maître, abrégeons la visite.   125
Si c'est pour m'envoyer en prison, faites vite.

Don Salluste.   Allons, je vous croyais, César, plus endurci.[3]
L'épreuve vous est bonne et vous a réussi [4];
Je suis content de vous.   Votre main, je vous prie.

Don César.   Comment ?

Don Salluste.   Je n'ai parlé que par plaisanterie.   130
Tout ce que j'ai dit là, c'est pour vous éprouver.
Rien de plus.

Don César.   Çà,[5] debout vous me faites rêver.[6]
La femme, le complot, cette vengeance . . .

Don Salluste.   Leurre ! [7]
Imagination ! chimère ! [8]

Don César.   A la bonne heure ! [9]
Et l'offre de payer mes dettes ! vision ?   135
Et les cinq cents ducats ! imagination ?

Don Salluste.   Je vais vous les chercher.

(Il se dirige vers la porte du fond, et fait signe à Ruy Blas *de rentrer.)*

Don César.   (*A part sur le devant, et regardant* Don Salluste *de travers*)
                              Hum ! visage de traître !
Quand la bouche dit oui, le regard dit peut-être.

Don Salluste.   (*A* Ruy Blas)
   Ruy Blas, restez ici.   (*A* Don César.) Je reviens.

(Il sort par la petite porte de gauche. Sitôt qu'il est sorti, Don César *et* Ruy
   Blas *vont vivement l'un à l'autre.)*

SCÈNE III

Don César, Ruy Blas

Don César.   Sur ma foi,
Je ne me trompais pas.   C'est toi, Ruy Blas !

Ruy Blas.   C'est toi,
Zafari !   Que fais-tu dans ce palais ?

Don César.   J'y passe.
Mais je m'en vais.   Je suis oiseau, j'aime l'espace.
Mais toi ? cette livrée ? est-ce un déguisement ?   5

---

1. *scamps.* **2.** *wolves.* **3.** *hardened.* **4.** vous a été favorable (a montré que vous êtes
homme d'honneur). **5.** *Come!* **6.** *wonder (dream standing up).* **7.** *lure, snare.* **8.** *idle
fancy.* **9.** *Good!*

Ruy Blas. (*Avec amertume*[1]) Non, je suis déguisé quand je suis autrement.
Don César. Que dis-tu?
 Ruy Blas.   Donne-moi ta main que je la serre,[2]
Comme en cet heureux temps de joie et de misère
Où je vivais sans gîte,[3] où le jour j'avais faim,
Où j'avais froid la nuit, où j'étais libre enfin !   10
— Quand tu me connaissais, j'étais un homme encore.
Tous deux nés dans le peuple, — hélas ! c'était l'aurore ![4] —
Nous nous ressemblions au point qu'on nous prenait
Pour frères; nous chantions dès l'heure où l'aube [5] naît,
Et le soir devant Dieu, notre père et notre hôte,   15
Sous le ciel étoilé [6] nous dormions côte à côte.
Oui, nous partagions tout. Puis enfin arriva
L'heure triste où chacun de son côté s'en va.
Je te retrouve, après quatre ans, toujours le même,
Joyeux comme un enfant, libre comme un bohème,   20
Toujours ce Zafari, riche en sa pauvreté,
Qui n'a rien eu jamais, et n'a rien souhaité.[7]
Mais moi, quel changement ! Frère, que te dirai-je?
Orphelin, par pitié nourri dans un collège
De science et d'orgueil,[8] de moi, triste faveur !   25
Au lieu d'un ouvrier [9] on a fait un rêveur.
Tu sais, tu m'as connu. Je jetais mes pensées
Et mes vœux vers le ciel en strophes insensées.[10]
J'opposais cent raisons à ton rire moqueur.
J'avais je ne sais quelle ambition au cœur.   30
A quoi bon travailler? Vers un but [11] invisible
Je marchais, je croyais tout réel, tout possible,
J'espérais tout du sort ! [12] — Et puis je suis de ceux
Qui passent tout un jour, pensifs et paresseux,[13]
Devant quelque palais regorgeant [14] de richesses,   35
A regarder entrer et sortir des duchesses. —
Si bien qu'un jour, mourant de faim sur le pavé,
J'ai ramassé du pain, frère, où j'en ai trouvé;
Dans la fainéantise [15] et dans l'ignominie.
Oh ! quand j'avais vingt ans, crédule à mon génie,   40
Je me perdais, marchant pieds nus dans les chemins,
En méditations sur le sort des humains;
J'avais bâti des plans sur tout, — une montagne
De projets; — je plaignais [16] le malheur de l'Espagne;

1. *bitterness.* 2. *press, grip.* 3. lieu où dormir. 4. commencement de la journée; *ici:* le bon temps, la jeunesse. 5. matin. 6. *starry.* 7. désiré. 8. *pride.* 9. *workman.* 10. en poésies pleines de folies. 11. *goal.* 12. destinée, hasard. 13. *idle.* 14. plein, trop plein. 15. paresse. 16. avais pitié.

Je croyais, pauvre esprit, qu'au monde je manquais [1]... — 45
Ami, le résultat, tu le vois : — Un laquais !
    Don César. Oui, je le sais, la faim est une porte basse :
Et, par nécessité lorsqu'il faut qu'il y passe,
Le plus grand est celui qui se courbe [2] le plus.
Mais le sort a toujours son flux et son reflux.[3] 50
Espère.
    Ruy Blas. Le marquis de Finlas est mon maître.
    Don César. Je le connais. — Tu vis dans ce palais peut-être ?
    Ruy Blas. Non, avant ce matin et jusqu'à ce moment,
Je n'en avais jamais passé le seuil.[4]
    Don César.   Vraiment ?
Ton maître cependant pour sa charge y demeure. 55
    Ruy Blas. Oui, car la cour le fait demander à toute heure.
Mais il a quelque part un logis inconnu,
Où jamais en plein jour peut-être il n'est venu.
A cent pas du palais. Une maison discrète.
Frère, j'habite là. Par la porte secrète 60
Dont il a seul la clef, quelquefois, à la nuit,
Le marquis vient, suivi d'hommes qu'il introduit.
Ces hommes sont masqués et parlent à voix basse.
Ils s'enferment, et nul ne sait ce qui se passe.
Là, de deux noirs [5] muets je suis le compagnon. 65
Je suis pour eux le maître. Ils ignorent mon nom.
    Don César. Oui, c'est là qu'il reçoit, comme chef des alcades,
Ses espions,[6] c'est là qu'il tend ses embuscades.
C'est un homme profond qui tient tout dans sa main.
    Ruy Blas. Hier, il m'a dit : — Il faut être au palais demain, 70
Avant l'aurore. Entrez par la grille dorée.[7] —
En arrivant il m'a fait mettre la livrée,
Car l'habit odieux sous lequel tu me vois,
Je le porte aujourd'hui pour la première fois.
    Don César. (Lui serrant la main) Espère !
    Ruy Blas.   Espérer ! Mais tu ne sais rien encore. 75
Vivre sous cet habit qui souille et déshonore,
Avoir perdu la joie et l'orgueil, ce n'est rien.
Être esclave, être vil, qu'importe ! — Écoute bien.
Frère ! je ne sens pas cette livrée infâme,
Car j'ai dans ma poitrine une hydre aux dents de flamme 80
Qui me serre le cœur dans ses replis [8] ardents.
Le dehors te fait peur ? si tu voyais dedans !

    1. *that the world needed me.* **2.** *bends.* **3.** *flow and ebb.* **4.** *threshold.* **5.** *negroes.*
6. *spies.* **7.** *gilded iron gate.* **8.** *coils.*

Don César.   Que veux-tu dire?

Ruy Blas.   Invente, imagine, suppose.

Fouille [1] dans ton esprit. Cherches-y quelque chose

D'étrange, d'insensé, d'horrible et d'inouï.[2]   85

Une fatalité dont on soit ébloui!

Oui, compose un poison affreux, creuse un abîme

Plus sourd [3] que la folie et plus noir que le crime,

Tu n'approcheras pas encor de mon secret.

— Tu ne devines pas? Hé! qui devinerait? —   90

Zafari! dans le gouffre [4] où mon destin m'entraîne

Plonge les yeux! — je suis amoureux de la reine!

Don César.   Ciel!

Ruy Blas.   Sous un dais orné du globe impérial,

Il est, dans Aranjuez [5] ou dans l'Escurial,[6]

— Dans ce palais, parfois, — mon frère, il est un homme   95

Qu'à peine on voit d'en bas, qu'avec terreur on nomme;

Pour qui, comme pour Dieu, nous sommes égaux tous;

Qu'on regarde en tremblant et qu'on sert à genoux;

Devant qui se couvrir [7] est un honneur insigne;

Qui peut faire tomber nos deux têtes d'un signe;   100

Dont chaque fantaisie est un événement;

Qui vit, seul et superbe, enfermé gravement

Dans une majesté redoutable et profonde,

Et dont on sent le poids [8] dans la moitié du monde.

Eh bien! — moi, le laquais, — tu m'entends, — eh bien! oui,   105

Cet homme-là! le roi! je suis jaloux de lui!

Don César.   Jaloux du roi!

Ruy Blas.   Hé! oui, jaloux du roi! sans doute,

Puisque j'aime sa femme!

Don César.   Oh! malheureux!

Ruy Blas.   Écoute.

Je l'attends tous les jours au passage. Je suis

Comme un fou! Ho! sa vie est un tissu d'ennuis,[9]   110

A cette pauvre femme! — Oui, chaque nuit j'y songe. —

Vivre dans cette cour de haine [10] et de mensonge,[11]

Mariée à ce roi qui passe tout son temps

A chasser! Imbécile! — un sot! vieux à trente ans!

Moins qu'un homme! à régner comme à vivre inhabile.[12]   115

---

1. cherche jusqu'au fond. **2.** *unheard of.* **3.** *deaf* (parce que la folie n'écoute pas les conseils de la raison). **4.** abîme. **5.** *Spanish town, on the river Tagus, with a royal palace.* **6.** *monastery near Madrid, built by Philippe II in atonement for the burning of a church during the Flemish war.* **7.** mettre son chapeau. Les Grands d'Espagne avaient seuls le privilège de rester couverts en présence du roi. **8.** *weight, power.* **9.** (*a fabric of troubles*) i.e., *all made up of troubles.* **10.** *hatred.* **11.** *falsehood, deceit.* **12.** sans aptitude.

— Famille qui s'en va.[1] — Le père était débile [2]
Au point qu'il ne pouvait tenir un parchemin.
— Oh ! si belle et si jeune, avoir donné sa main
A ce roi Charles Deux ! Elle ! Quelle misère !
— Elle va tous les soirs chez les sœurs [3] du Rosaire,   120
Tu sais, en remontant la rue Ortaleza.
Comment cette démence [4] en mon cœur s'amassa,
Je l'ignore. Mais juge ! elle aime une fleur bleue
D'Allemagne . . . — Je fais [5] chaque jour une lieue,[6]
Jusqu'à Caramanchel, pour avoir de ces fleurs.   125
J'en ai cherché partout sans en trouver ailleurs.
J'en compose un bouquet, je prends les plus jolies . . .
— Oh ! mais je te dis là des choses, des folies ! —
Puis à minuit, au parc royal, comme un voleur,
Je me glisse [7] et je vais déposer cette fleur   130
Sur son banc [8] favori. Même, hier, j'osais mettre
Dans le bouquet, — vraiment, plains-moi,[9] frère ! — une lettre !
La nuit, pour parvenir jusqu'à ce banc, il faut
Franchir [10] les murs du parc, et je rencontre en haut
Ces broussailles de fer [11] qu'on met sur les murailles.   135
Un jour j'y laisserai ma chair [12] et mes entrailles.
Trouve-t-elle mes fleurs, ma lettre ? je ne sai.[13]
Frère, tu le vois bien, je suis un insensé.[14]
    Don César. Diable ! ton algarade [15] a son danger. Prends garde ! [16]
Le comte d'Oñate, qui l'aime aussi, la garde   140
Et comme un majordome et comme un amoureux.
Quelque reître,[17] une nuit, gardien peu langoureux,
Pourrait bien, frère, avant que ton bouquet se fane,[18]
Te le clouer [19] au cœur d'un coup de pertuisane.[20] —
Mais quelle idée ! aimer la reine ! ah ça, pourquoi ?   145
Comment diable as-tu fait ?
    Ruy Blas. (*Avec emportement*) Est-ce que je sais, moi !
— Oh ! mon âme au démon ! je la vendrais, pour être
Un des jeunes seigneurs que, de cette fenêtre,
Je vois en ce moment, comme un vivant affront,
Entrer, la plume au feutre et l'orgueil sur le front ! [21]   150
Oui, je me damnerais pour dépouiller ma chaîne,
Et pour pouvoir comme eux m'approcher de la reine

---

1. Famille . . . va: *A degenerate family.* **2.** faible. **3.** nonnes. **4.** folie. **5.** *ici:* marche.
6. lieue = 4 kilomètres. **7.** j'entre furtivement. **8.** *bench.* **9.** aie-moi en pitié. **10.** passer par-dessus. **11.** nombreuses pointes de fer. **12.** *flesh.* **13.** sai: sais (pour la rime). **14.** fou. **15.** escapade. **16.** *beware!* **17.** soldat mercenaire. **18.** perde sa fraîcheur. **19.** *nail.* **20.** hallebarde (sorte de lance). **21.** *feather in hat and pride in their countenance* (lit.: *on their foreheads*).

Avec un vêtement qui ne soit pas honteux ! [1]
Mais, ô rage ! être ainsi, près d'elle ! devant eux !
En livrée ! un laquais ! être un laquais pour elle !   155
Ayez pitié de moi, mon Dieu !
(*Se rapprochant de* DON CÉSAR.)   Je me rappelle.
Ne demandais-tu pas pourquoi je l'aime ainsi,
Et depuis quand ? . . . — Un jour . . . — Mais à quoi bon ceci ?
C'est vrai, je t'ai toujours connu cette manie !
Par mille questions vous mettre à l'agonie !   160
Demander où ? comment ? quand ? pourquoi ? Mon sang bout ! [2]
Je l'aime follement ! Je l'aime, voilà tout !
    Don César.   Là, ne te fâche [3] pas.
    Ruy Blas.   (*Tombant épuisé [4] et pâle sur le fauteuil*)
                             Non. Je souffre. — Pardonne.
Ou plutôt, va, fuis-moi. [5] Va-t'en, frère. Abandonne
Ce misérable fou qui porte avec effroi [6]   165
Sous l'habit d'un valet les passions d'un roi !
    Don César.   (*Lui posant la main sur l'épaule*)
     Te fuir ! — Moi qui n'ai pas souffert, n'aimant personne,
Moi, pauvre grelot vide [7] où manque ce qui sonne,
Gueux, qui vais mendiant [8] l'amour je ne sais où,
A qui de temps en temps le destin jette un sou,   170
Moi, cœur éteint, dont l'âme, hélas ! s'est retirée,
Du spectacle d'hier affiche déchirée, [9]
Vois-tu, [10] pour cet amour dont tes regards sont pleins,
Mon frère, je t'envie autant que je te plains !   174
— Ruy Blas ! —
Moment de silence. Ils se tiennent les mains serrées en se regardant tous les
    deux avec une expression de tristesse et d'amitié confiante.
Entre DON SALLUSTE. *Il s'avance à pas lents, [11] fixant un regard d'attention*
    profonde sur DON CÉSAR *et* RUY BLAS, *qui ne le voient pas. Il tient d'une*
    main un chapeau et une épée qu'il apporte en entrant sur un fauteuil, et
    de l'autre une bourse qu'il dépose sur la table.
    Don Salluste. (*A* DON CÉSAR) Voici l'argent.
(*A la voix de* DON SALLUSTE, RUY BLAS *se lève comme réveillé en sursaut, [12] et*
    se tient debout, les yeux baissés, dans l'attitude du respect.)
    Don César. (*A part, regardant* DON SALLUSTE *de travers [13]*)
                                 Hum ! le diable m'emporte !
Cette sombre figure écoutait à la porte.

---

   1. dégradant. **2.** *is boiling.* **3.** *do not get angry.* **4.** *exhausted.* **5.** abandonne-moi.
6. terreur. **7.** *empty, soundless sleigh-bell.* **8.** *begging.* **9.** Du spectacle . . . déchirée (lit.,
Torn play-bill of yesterday's entertainment): *Worthless reminder of past pleasures.* **10.** (lit.,
see): *believe me.* **11.** à pas lents: *slowly.* **12.** réveillé en sursaut: *startled out of sleep.*
13. *sideways; looking suspiciously at.*

Bah ! qu'importe, après tout ! (*Haut à* Don Salluste.) Don Salluste,
merci.

Il ouvre la bourse, la répand sur la table et remue [1] *avec joie les ducats, qu'il
range en piles sur le tapis* [2] *de velours. Pendant qu'il les compte,* Don
Salluste *va au fond, en regardant derrière lui s'il n'éveille pas l'attention
de* Don César. *Il ouvre la petite porte de droite. — A un signe qu'il fait,
trois alguazils armés d'épées et vêtus de noir en sortent.* Don Salluste
leur montre mystérieusement Don César. Ruy Blas *se tient immobile et
debout près de la table comme une statue, sans rien voir ni rien entendre.*

   Don Salluste. (*Bas, aux alguazils*) Vous allez suivre, alors qu'il sortira d'ici,
L'homme qui compte là de l'argent. — En silence
Vous vous emparerez [3] de lui. — Sans violence. —   180
Vous l'irez embarquer, par le plus court chemin,
A Denia.[4] — (*Il leur remet un parchemin scellé.*[5])   Voici l'ordre écrit de ma
   main. —
Enfin, sans écouter sa plainte chimérique,[6]
Vous le vendrez en mer aux corsaires [7] d'Afrique.
Mille piastres [8] pour vous. Faites vite à présent !   185
                     (*Les trois alguazils s'inclinent et sortent.*)
   Don César. (*Achevant* [9] *de ranger* [10] *ses ducats*)
   Rien n'est plus gracieux et plus divertissant [11]
Que des écus à soi qu'on met en équilibre.
(*Il fait deux parts égales et se tourne vers* Ruy Blas.)
Frère, voici ta part.
   Ruy Blas.   Comment !
   Don César. (*Lui montrant une des deux piles d'or*)   Prends ! viens ! sois libre !
   Don Salluste. (*Qui les observe au fond, à part*)
   Diable !
   Ruy Blas. (*Secouant la tête en signe de refus*)
        Non. C'est le cœur qu'il faudrait délivrer.
Non, mon sort est ici. Je dois y demeurer.   190
   Don César. Bien. Suis ta fantaisie. Es-tu fou ? suis-je sage ?
Dieu le sait.
(*Il ramasse l'argent et le jette dans le sac, qu'il empoche.*[12])
   Don Salluste. (*Au fond, à part, et les observant toujours*)
   A peu près même air, même visage.
   Don César. (*A* Ruy Blas) Adieu.
   Ruy Blas.   Ta main ! (*Ils se serrent la main.* Don
   César *sort sans voir* Don Salluste, *qui se tient à l'écart.*[13])

---

1. *rummages* (*as in shuffling dominoes*). **2.** *table cover.* **3.** prendrez, arrêterez. **4.** port
de mer espagnol, au sud de Valence. **5.** portant un sceau (*seal*). **6.** vaine. **7.** pirates.
8. piastre: monnaie d'argent, de valeur très variable. **9.** finissant. **10.** mettre en piles.
11. amusant. **12.** met dans sa poche. **13.** *aside.*

SCÈNE IV

RUY BLAS, DON SALLUSTE

Don Salluste. Ruy Blas!

Ruy Blas. (*Se retournant vivement*) Monseigneur?

Don Salluste. Ce matin,
Quand vous êtes venu, je ne suis pas certain
S'il faisait jour déjà?

Ruy Blas. Pas encore, Excellence.
J'ai remis au portier votre passe en silence,
Et puis, je suis monté.

Don Salluste. Vous étiez en manteau. 5

Ruy Blas. Oui, monseigneur.

Don Salluste. Personne, en ce cas, au château,
Ne vous a vu porter cette livrée encore?

Ruy Blas. Ni personne à Madrid.

Don Salluste. (*Désignant du doigt la porte par où est sorti* DON CÉSAR)
C'est fort bien. Allez clore [1]
Cette porte. Quittez [2] cet habit.
(RUY BLAS *dépouille son surtout* [3] *de livrée et le jette sur un fauteuil.*)
Vous avez
Une belle écriture, il me semble. — Écrivez. (*Il fait signe à* RUY BLAS *de* 10
s'asseoir à la table où sont les plumes et les écritoires. [4] RUY BLAS *obéit.*)
Vous m'allez aujourd'hui servir de secrétaire.
D'abord un billet doux, — je ne veux rien vous taire, [5] —
Pour ma reine d'amour, pour doña Praxedix,
Ce démon que je crois venu du paradis.
— Là, je dicte. « Un danger terrible est sur ma tête. 15
» Ma reine seule peut conjurer [6] la tempête,
» En venant me trouver ce soir dans ma maison.
» Sinon, je suis perdu. Ma vie et ma raison
» Et mon cœur, je mets tout à ses pieds que je baise. » (*Il rit et s'interrompt.*)
Un danger! la tournure, [7] au fait, [8] n'est pas mauvaise 20
Pour l'attirer chez moi. C'est que, j'y suis expert,
Les femmes aiment fort à sauver qui les perd.
— Ajoutez: — « Par la porte au bas de l'avenue,
» Vous entrerez la nuit sans être reconnue.
» Quelqu'un de dévoué vous ouvrira. » — D'honneur, 25
C'est parfait. — Ah! signez.

Ruy Blas. Votre nom, monseigneur?

---

1. fermer. 2. enlevez. 3. *coat.* 4. *writing materials.* 5. cacher, tenir secret. 6. *ward off.* 7. *ici:* l'expression. 8. à vrai dire.

Don Salluste. Non pas. Signez César. C'est mon nom d'aventure.[1]

Ruy Blas. (*Après avoir obéi*) La dame ne pourra connaître [2] l'écriture?

Don Salluste. Bah! le cachet [3] suffit. J'écris souvent ainsi.

Ruy Blas, je pars ce soir, et je vous laisse ici.   30
J'ai sur vous les projets d'un ami très sincère.
Votre état [4] va changer, mais il est nécessaire
De m'obéir en tout. Comme en vous j'ai trouvé
Un serviteur discret, fidèle et réservé . . .

    Ruy Blas. (*S'inclinant*) Monseigneur!

    Don Salluste. (*Continuant*)   Je vous veux faire un destin plus large. 35

    Ruy Blas. (*Montrant le billet qu'il vient d'écrire*)
    Où faut-il adresser la lettre?

    Don Salluste.   Je m'en charge.

(*S'approchant de* Ruy Blas *d'un air significatif.*)
Je veux votre bonheur. (*Un silence. Il fait signe à* Ruy Blas *de se rasseoir
   à la table.*)   Écrivez: — « Moi, Ruy Blas,
» Laquais de monseigneur le marquis de Finlas,
» En toute occasion, ou secrète ou publique,
» M'engage à [5] le servir comme un bon domestique. » (Ruy Blas *obéit.*)   40
— Signez de votre nom. La date. Bien. Donnez.
(*Il ploie [6] et serre [7] dans son portefeuille [8] la lettre et le papier que* Ruy Blas
   vient d'écrire.*)
On vient de m'apporter une épée. Ah! tenez,
Elle est sur ce fauteuil. (*Il désigne le fauteuil sur lequel il a posé l'épée et le
   chapeau. Il y va et prend l'épée.*) L'écharpe [9] est d'une soie
Peinte et brodée au goût le plus nouveau qu'on voie.
(*Il lui fait admirer la souplesse [10] du tissu.*)
Touchez. — Que dites-vous, Ruy Blas, de cette fleur?   45
La poignée [11] est de Gil, le fameux ciseleur,[12]
Celui qui le mieux creuse, au gré des belles filles,
Dans un pommeau [13] d'épée une boîte à pastilles.[14]
(*Il passe au cou de* Ruy Blas *l'écharpe, à laquelle est attachée l'épée.*)
Mettez-la donc. — Je veux en voir sur vous l'effet.
— Mais vous avez ainsi l'air d'un seigneur parfait!   50
(*Écoutant.*) On vient . . . oui. C'est bientôt l'heure où la reine passe. —
— Le marquis del Basto! — (*La porte du fond sur la galerie s'ouvre.* Don
   Salluste *détache son manteau et le jette vivement sur les épaules de* Ruy
   Blas, *au moment où le* marquis del Basto *paraît; puis il va droit au*
   marquis, *en entraînant avec lui* Ruy Blas *stupéfait.*)

---

1. le nom que je prends quand je ne veux pas me compromettre.   2. reconnaître.
3. sceau.   4. *status.*   5. *pledge myself to.*   6. *folds.*   7. *puts away.*   8. *wallet.*   9. *bandoleer.*
10. flexibilité.   11. *hilt.*   12. sculpteur (de métaux).   13. *pommel.*   14. *receptacle for pas-*
tilles.

SCÈNE V

Don Salluste, Ruy Blas, Don Pamfilo d'Avalos, *le* Marquis del Basto;
puis le Marquis de Santa-Cruz; *puis le* Comte d'Albe; *puis toute
la cour*

Don Salluste. (*Au* marquis del Basto) Souffrez qu'à votre grâce
Je présente, marquis, mon cousin don César,
Comte de Garofa, près de Velalcazar.
  Ruy Blas. (*A part*) Ciel!
  Don Salluste. (*Bas, à* Ruy Blas) Taisez-vous![1]
  Le Marquis del Basto. (*A* Ruy Blas) Monsieur . . . charmé . . .
(*Il lui prend la main que* Ruy Blas *lui livre avec embarras.*)
  Don Salluste. (*Bas, à* Ruy Blas) Laissez-vous faire.[2]
Saluez! (Ruy Blas *salue* le marquis.)
  Le Marquis del Basto. (*A* Ruy Blas) J'aimais fort madame votre mère. 5
(*Bas, à* Don Salluste, *en lui montrant* Ruy Blas.)
Bien changé! Je l'aurais à peine reconnu.
  Don Salluste. (*Bas, au* marquis) Dix ans d'absence!
  Le Marquis del Basto. (*De même*) Au fait![3]
  Don Salluste. (*Frappant sur l'épaule de* Ruy Blas) Le voilà revenu!
Vous souvient-il, marquis? oh! quel enfant prodigue!
Comme il vous répandait [4] les pistoles [5] sans digue![6]
Tous les soirs danse et fête au vivier [7] d'Apollo,   10
Et cent musiciens faisant rage [8] sur l'eau!
A tous moments, galas, masques, concerts, fredaines,[9]
Éblouissant Madrid de visions soudaines!
— En trois ans, ruiné! — c'était un vrai lion.[10]
— Il arrive de l'Inde avec le galion.[11]   15
  Ruy Blas. (*Avec embarras*) Seigneur . . .
  Don Salluste. (*Gaiement*) Appelez-moi cousin, car nous le sommes.
Les Bazan sont, je crois, d'assez francs gentilshommes.[12]

. . . .

  Ruy Blas. (*A part*) Où donc m'entraîne-t-il? [13]
Pendant que Don Salluste *a parlé, le* marquis de Santa-Cruz, Don Alvar
  de Bazan y Benavides, *vieillard à moustache blanche et à grande per-
  ruque, s'est approché d'eux.*
  Le Marquis de Santa-Cruz. (*A* Don Salluste) Vous l'expliquez fort bien.
S'il est votre cousin, il est aussi le mien.

---

1. silence! **2.** ne faites pas d'objections. **3.** Naturellement! **4.** *spilled, squandered.*
5. pistole: monnaie d'or valant à peu près cinq dollars. **6.** (lit., *dike or dam*): *restraint.*
7. *fish pond.* **8.** *going full blast.* **9.** *frolics.* **10.** *society "lion," gay young spark.* **11.** *galleon.* **12.** d'assez francs gentilshommes: *fairly authentic nobility* (*a playful understatement*).
Salluste means nobility of very high rank. **13.** *What is he leading me into?*

Don Salluste. C'est vrai, car nous avons une même origine, 20
Monsieur de Santa-Cruz. (*Il lui présente* Ruy Blas.) Don César.

Le Marquis de Santa-Cruz. J'imagine
Que ce n'est pas celui qu'on croyait mort.

Don Salluste. Si fait.[1]

Le Marquis de Santa-Cruz. Il est donc revenu?

Don Salluste. Des Indes.

Le Marquis de Santa-Cruz. (*Examinant* Ruy Blas) En effet![2]

Don Salluste. Vous le reconnaissez?

Le Marquis de Santa-Cruz. Pardieu! je l'ai vu naître![3]

Don Salluste. (*Bas à* Ruy Blas)
Le bonhomme est aveugle[4] et se défend de l'être.[5] 25
Il vous a reconnu pour prouver ses bons yeux.

Le Marquis de Santa-Cruz. (*Tendant la main à* Ruy Blas)
Touchez-là,[6] mon cousin.

Ruy Blas. (*S'inclinant*) Seigneur . . .

Le Marquis de Santa-Cruz. (*Bas à* Don Salluste *et lui montrant* Ruy
Blas) On n'est pas mieux![7]

(*A* Ruy Blas) Charmé de vous revoir!

Don Salluste. (*Bas au* marquis *en le prenant à part*)
Je vais payer ses dettes.

Vous le pouvez servir dans le poste où vous êtes.
Si quelque emploi de cour vaquait[8] en ce moment, 30
Chez le roi, — chez la reine . . . —

Le Marquis de Santa-Cruz. (*Bas*) Un jeune homme charmant!
J'y vais songer. — Et puis, il est de la famille.

Don Salluste. (*Bas*) Vous avez tout crédit au conseil de Castille.
Je vous le recommande. . . .

Un Huissier[9] *de cour.* (*Au fond*) La reine approche
Prenez vos rangs, messieurs. (Ruy Blas, *haletant,*[10] *hors de lui, vient sur le*
devant[11] *comme pour s'y réfugier.* Don Salluste *l'y suit.*)

Don Salluste. (*Bas, à* Ruy Blas) Est-ce que, sans reproche, 35
Quand votre sort grandit, votre esprit s'amoindrit?[12]
Réveillez-vous, Ruy Blas. Je vais quitter Madrid.
Ma petite maison, près du pont, où vous êtes,
— Je n'en veux rien garder, hormis[13] les clefs secrètes, —
Ruy Blas, je vous la donne, et les muets aussi. 40
Vous recevrez bientôt d'autres ordres. Ainsi
Faites ma volonté, je fais votre fortune.
Montez, ne craignez rien, car l'heure est opportune.

---

1. (*forte affirmation*): mais si (c'est lui-même). **2.** c'est vrai! **3.** je . . . naître: je l'ai
connu bébé. **4.** *blind.* **5.** ne veut pas admettre qu'il l'est. **6.** là: dans la main. **7.** on
ne peut pas être plus charmant. **8.** était vacant. **9.** *usher.* **10.** *panting.* **11.** *forward.*
12. devient moindre (plus petit). **13.** excepté.

La cour est un pays où l'on va sans voir clair.

Marchez les yeux bandés [1]; j'y vois pour vous, mon cher!   45

(De nouveaux gardes paraissent au fond.)

L'Huissier. (*A haute voix*) La reine!

Ruy Blas. (*A part*)   La reine! ah!

LA REINE, *vêtue magnifiquement, paraît, entourée de dames et de pages, sous un dais de velours écarlate [2] porté par quatre gentilshommes de chambre, tête nue. Ruy Blas, effaré,[3] la regarde comme absorbé par cette resplendissante vision. Tous les grands d'Espagne se couvrent, le* MARQUIS DEL BASTO, *le* COMTE D'ALBE, *le* MARQUIS DE SANTA-CRUZ, DON SALLUSTE. DON SALLUSTE *va rapidement au fauteuil, et y prend le chapeau, qu'il apporte à* RUY BLAS.

Don Salluste. (*A* RUY BLAS, *en lui mettant le chapeau sur la tête*)

Quel vertige vous gagne? [4]

Couvrez-vous donc, César. Vous êtes grand d'Espagne.

Ruy Blas. (*Éperdu,[5] bas à* DON SALLUSTE)

Et que m'ordonnez-vous, seigneur, présentement?

Don Salluste. (*Lui montrant* LA REINE, *qui traverse lentement la galerie*)
De plaire à cette femme et d'être son amant.

ACTE DEUXIÈME

LA REINE D'ESPAGNE

Un salon contigu à la chambre à coucher de LA REINE. . . . *Une figure de sainte, richement enchâssée,[6] est adossée au mur [7]; au bas on lit:* Santa Maria Esclava. *Au côté opposé est une madone devant laquelle brûle une lampe d'or. Près de la madone, un portrait en pied [8] du roi Charles II.* LA REINE *doña Maria de Neubourg est dans un coin,[9] assise à côté d'une de ses femmes, jeune et jolie fille.* LA REINE *est vêtue de blanc, robe de drap d'argent. Elle brode. Dans le coin opposé est assise doña Juana de la Cueva,* DUCHESSE D'ALBUQUERQUE, *camerera mayor,[10] une tapisserie [11] à la main; vieille femme en noir. Près de* LA DUCHESSE, *à une table, plusieurs duègnes [12] travaillant à des ouvrages de femmes. Au fond,* DON GURITAN, *comte d'Oñate, majordome; mine de vieux militaire, vêtu avec une élégance exagérée.*

---

1. *blindfolded.* 2. *scarlet.* 3. *frightened.* 4. Quel . . . gagne: *are you seized with giddiness?*
5. *bewildered.* 6. *enshrined.* 7. placée le dos au mur. 8. *full length portrait.* 9. *corner.*
10. *first lady of the bed chamber.* 11. *tapestry.* 12. vieilles femmes chargées de veiller (*watch*) sur la reine.

SCÈNE PREMIÈRE

La Reine, La Duchesse d'Albuquerque, Don Guritan, Casilda, *Duègnes*

La Reine. Il est parti pourtant ! je devrais être à l'aise.
Eh bien, non ! ce marquis de Finlas, il me pèse ! [1]
Cet homme-là me hait. [2]
   Casilda.   Selon votre souhait
N'est-il pas exilé ?
   La Reine.   Cet homme-là me hait.
   Casilda. Votre majesté . . .
    La Reine.   Vrai ! Casilda, c'est étrange,   5
Ce marquis est pour moi comme le mauvais ange.
L'autre jour, il devait partir le lendemain, [3]
Et, comme à l'ordinaire, il vint au baise-main. [4]
Tous les grands s'avançaient vers le trône à la file ;
Je leur livrais ma main, j'étais triste et tranquille,   10
Regardant vaguement, dans le salon obscur,
Une bataille au fond peinte sur un grand mur,
Quand tout à coup, mon œil se baissant vers la table,
Je vis venir à moi cet homme redoutable !
Sitôt que je le vis, je ne vis plus que lui.   15
Il venait à pas lents, jouant avec l'étui [5]
D'un poignard dont parfois j'entrevoyais la lame, [6]
Grave, et m'éblouissant [7] de son regard de flamme.
Soudain il se courba, souple et comme rampant [8] . . . —
Je sentis sur ma main sa bouche de serpent !   20
   Casilda. Il rendait ses devoirs [9] ; — rendons-nous pas les nôtres ?
   La Reine. Sa lèvre n'était pas comme celle des autres.
C'est la dernière fois que je l'ai vu. Depuis,
J'y pense très souvent. J'ai bien d'autres ennuis,
C'est égal, je me dis : — L'enfer est dans cette âme.   25
Devant cet homme-là je ne suis qu'une femme. —
Dans mes rêves, la nuit, je rencontre en chemin
Cet effrayant démon qui me baise la main ;
Je vois luire [10] son œil d'où rayonne [11] la haine ;
Et, comme un noir poison qui va de veine en veine,   30
Souvent, jusqu'à mon cœur qui semble se glacer, [12]
Je sens en longs frissons [13] courir son froid baiser !
Que dis-tu de cela ?

   1. (lit., *weighs upon me*); *oppresses me.* **2.** *hates.* **3.** *the next day.* **4.** *handkissing (royal reception).* **5.** *sheath.* **6.** *blade.* **7.** *dazzling.* **8.** *cringing.* **9.** présentait ses hommages. **10.** *glisten.* **11.** *shines.* **12.** *grow cold.* **13.** *shudders.*

Casilda.   Purs fantômes, madame !

La Reine.   Au fait,[1] j'ai des soucis [2] bien plus réels dans l'âme.

(*A part.*)   Oh ! ce qui me tourmente, il faut le leur cacher.   35

(*A* CASILDA.)   Dis-moi, ces mendiants qui n'osaient approcher . . .

    Casilda.   (*Allant à la fenêtre*)

       Je sais, madame.   Ils sont encor là, dans la place.

    La Reine.   Tiens, jette-leur ma bourse.   (CASILDA *prend la bourse et va la*
       jeter par la fenêtre.)

    Casilda.   Oh ! madame, par grâce,[3]

Vous qui faites l'aumône [4] avec tant de bonté,

(*Montrant à* LA REINE DON GURITAN, *qui, debout et silencieux au fond de la*
       chambre, fixe sur LA REINE *un œil plein d'adoration muette.*)

Ne jetterez-vous rien au comte d'Oñate ? [5]   40

Rien qu'un mot ! — Un vieux brave, amoureux sous l'armure !

D'autant plus tendre au cœur que l'écorce [6] est plus dure ?

    La Reine.   Il est bien ennuyeux ! [7]

    Casilda.   J'en conviens.[8] — Parlez-lui !

    La Reine.   (*Se tournant vers* DON GURITAN)

       Bonjour, comte.

DON GURITAN *s'approche avec trois révérences,*[9] *et vient baiser en soupirant la*
       main de LA REINE, *qui le laisse faire d'un air indifférent et distrait. Puis*
       il retourne à sa place, à côté du siège de la camerera mayor.

    Don Guritan.   (*En se retirant, bas à* CASILDA)

       La reine est charmante aujourd'hui !

    Casilda.   (*Le regardant s'éloigner*)

       Oh ! le pauvre héron ! près de l'eau qui le tente [10]   45

Il se tient.   Il attrape, après un jour d'attente,[11]

Un bonjour, un bonsoir, souvent un mot bien sec,

Et s'en va tout joyeux, cette pâture [12] au bec.

    La Reine.   (*Avec un sourire triste*)   Tais-toi !

    Casilda.   Pour être heureux, il suffit qu'il vous voie.

Voir la reine, pour lui cela veut dire : — joie !   50

(*S'extasiant sur une boîte posée sur un guéridon.*[13])

Oh ! la divine boîte !

    La Reine.   Ah ! j'en ai la clef là.

    Casilda.   Ce bois de calambour [14] est exquis !

    La Reine.   (*Lui présentant la clef*)   Ouvre-la.

Vois : — je l'ai fait emplir de reliques, ma chère ;

Puis je vais l'envoyer à Neubourg, à mon père ;

Il sera très content !   (*Elle rêve un instant, puis s'arrache vivement à sa rêverie.*)

---

1. *As a matter of fact.*   **2.** *worries.*   **3.** *for mercy sake.*   **4.** *alms.*   **5.** Prononcez *Oñaté*,
pour rimer avec *vérité.*   **6.** (lit., *bark*): *exterior.*   **7.** *boring.*   **8.** Je l'admets.   **9.** *bows.*
10. *tempts.*   **11.** *waiting.*   **12.** *food.*   **13.** petite table.   **14.** *aloes wood.*

(*A part.*)   Je ne veux pas penser ! 55
Ce que j'ai dans l'esprit, je voudrais le chasser.
(*A* CASILDA.)   Va chercher dans ma chambre un livre . . . — Je suis
folle !
Pas un livre allemand ! tout en langue espagnole !
Le roi chasse. Toujours absent. Ah ! quel ennui !
En six mois, j'ai passé douze jours près de lui. 60
    Casilda.   Épousez donc un roi pour vivre de la sorte !
LA REINE *retombe dans sa rêverie, puis en sort de nouveau violemment et
comme avec effort.*
    La Reine.   Je veux sortir !
A ce mot, prononcé impérieusement par LA REINE, LA DUCHESSE D'ALBU-
QUERQUE, *qui est jusqu'à ce moment restée immobile sur son siège, lève la
tête, puis se dresse debout et fait une profonde révérence à* LA REINE.
    La Duchesse d'Albuquerque.   (*D'une voix brève et dure*)
                Il faut, pour que la reine sorte,
Que chaque porte soit ouverte, — c'est réglé ! —
Par un des grands d'Espagne ayant droit à la clé.[1]
Or nul d'eux ne peut être au palais à cette heure. 65
    La Reine.   Mais on m'enferme donc ! mais on veut que je meure !
Duchesse, enfin !
    La Duchesse.   (*Avec une nouvelle révérence*)   Je suis camerera mayor,
Et je remplis ma charge.[2]   (*Elle se rassied.*)
    La Reine.   (*Prenant sa tête à deux mains, avec désespoir, à part*)
                Allons rêver encor !
Non !   (*Haut*) — Vite ! un lansquenet ![3] à moi, toutes mes femmes !
Une table, et jouons !
    La Duchesse.   (*Aux duègnes*)   Ne bougez pas, mesdames. 70
(*Se levant et faisant la révérence à* LA REINE.)
Sa majesté ne peut, suivant l'ancienne loi,
Jouer qu'avec des rois ou des parents du roi.
    La Reine.   (*Avec emportement* [4])   Eh bien ! faites venir ces parents.
    Casilda.   (*A part, regardant* LA DUCHESSE)   Oh ! la duègne ![5]
    La Duchesse.   (*Avec un signe de croix*)
    Dieu n'en a pas donné, madame, au roi qui règne.
La reine mère est morte. Il est seul à présent. 75
    La Reine.   Qu'on me serve à goûter ![6]
    Casilda.   Oui, c'est très amusant.
    La Reine.   Casilda, je t'invite.
    Casilda.   (*A part, regardant la camerera*)   Oh ! respectable aïeule !

---

1. clé (*old spelling for* clef), *used here to rhyme with* réglé.   **2.** *I am doing my duty.*   **3.** *card game.*   **4.** colère.   **5.** « duègne » est employé ici dans le sens de « méchante vieille. »   **6.** *let me be served a light lunch.*

La Duchesse. (*Avec une révérence*)

    Quand le roi n'est pas là, la reine mange seule. (*Elle se rassied.*)

La Reine. (*Poussée à bout* [1])

    Ne pouvoir, — ô mon Dieu! qu'est-ce que je ferai?

Ni sortir, ni jouer, ni manger à mon gré!   80

Vraiment, je meurs depuis un an que je suis reine.

    Casilda. (*A part, la regardant avec compassion*)

Pauvre femme! passer tous ses jours dans la gêne,[2]

Au fond de cette cour insipide! et n'avoir

D'autre distraction que le plaisir de voir,

Au bord de ce marais [3] à l'eau dormante et plate,   85

(*Regardant* Don Guritan, *toujours immobile et debout au fond de la chambre.*)

Un vieux comte amoureux rêvant sur une patte! [4]

    La Reine. (*A* Casilda)   Que faire? voyons! cherche une idée.

    Casilda.   Ah! tenez!

En l'absence du roi, c'est vous qui gouvernez.

Faites, pour vous distraire,[5] appeler les ministres!

    La Reine. (*Haussant les épaules*) Ce plaisir! — avoir là huit visages sinistres 90

Me parlant de la France et de son roi caduc,[6]

De Rome, et du portrait de monsieur l'archiduc,

Qu'on promène à Burgos, parmi des cavalcades,

Sous un dais de drap d'or porté par quatre alcades!

— Cherche autre chose.

    Casilda.   Eh bien, pour vous désennuyer,[7]   95

Si je faisais monter quelque jeune écuyer? [8]

    La Reine.   Casilda!

    Casilda.   Je voudrais regarder un jeune homme,

Madame! cette cour vénérable m'assomme.[9]

Je crois que la vieillesse arrive par les yeux,

Et qu'on vieillit plus vite à voir toujours des vieux!   100

    La Reine.   Ris, folle! — Il vient un jour où le cœur se reploie.[10]

Comme on perd le sommeil,[11] enfant, on perd la joie.

(*Pensive.*)   Mon bonheur, c'est ce coin du parc où j'ai le droit

D'aller seule.

    Casilda.   Oh! le beau bonheur! l'aimable endroit!

Des pièges [12] sont creusés derrière tous les marbres.[13]   105

On ne voit rien. Les murs sont plus hauts que les arbres.

    La Reine.   Oh! je voudrais sortir parfois!

    Casilda. (*Bas*)   Sortir. Eh bien,

Madame, écoutez-moi. Parlons bas. Il n'est rien

---

1. *driven to desperation.* **2.** *discomfort.* **3.** *swamp.* **4.** sur un pied (comme un héron).
5. amuser. **6.** très vieux et faible (Louis XIV: il n'avait pas encore 60 ans, mais la reine
était très jeune). **7.** divertir. **8.** *equerry.* **9.** me donne de l'ennui. **10.** se ferme. **11.** *sleep.*
12. *traps.* **13.** *statues.*

De tel qu'une prison bien austère et bien sombre
Pour vous faire chercher et trouver dans son ombre   110
Ce bijou rayonnant [1] nommé la clef des champs.[2]
— Je l'ai ! — Quand vous voudrez, en dépit [3] des méchants
Je vous ferai sortir, la nuit, et par la ville
Nous irons.
   La Reine.   Ciel ! jamais ! tais-toi !
   Casilda.   C'est très facile !
   La Reine.   Paix !   (*Elle s'éloigne un peu de* Casilda *et retombe dans sa*
     rêverie.)   Que ne suis-je encor, moi qui crains tous ces grands,   115
Dans ma bonne Allemagne, avec mes bons parents !
Comme, ma sœur et moi, nous courions dans les herbes !
Et puis des paysans passaient, traînant des gerbes [4];
Nous leur parlions. C'était charmant. Hélas ! un soir,
Un homme vint, qui dit, — il était tout en noir,   120
Je tenais par la main ma sœur, douce compagne, —
« Madame, vous allez être reine d'Espagne. »
Mon père était joyeux, et ma mère pleurait.
Ils pleurent tous les deux à présent. — En secret
Je vais faire envoyer cette boîte à mon père,   125
Il sera bien content. — Vois, tout me désespère.
Mes oiseaux d'Allemagne, ils sont tous morts.
(Casilda *fait le signe de tordre le cou* [5] *à des oiseaux, en regardant de travers* [6]
    la camerera.)   Et puis
On m'empêche [7] d'avoir des fleurs de mon pays.
Jamais à mon oreille un mot d'amour ne vibre.
Aujourd'hui je suis reine. Autrefois j'étais libre.   130
Comme tu dis, ce parc est bien triste le soir,
Et les murs sont si hauts qu'ils empêchent de voir.
— Oh ! l'ennui !
(*On entend au dehors un chant éloigné.*)
               Qu'est ce bruit ?
   Casilda.   Ce sont les lavandières [8]
Qui passent en chantant, là-bas, dans les bruyères.[9] (*Le chant se rapproche.*
   On distingue les paroles. La reine *écoute avidement.*)

                 VOIX DU DEHORS

        A quoi bon entendre   135
        Les oiseaux des bois ?
        L'oiseau le plus tendre
        Chante dans ta voix.

---

1. brillant. **2.** clef des champs: (lit., *key of the fields*): *freedom, the means to freedom.*
3. *in spite of.* **4.** *sheaves.* **5.** *of wringing the neck.* **6.** (lit., *sideways*): *looking askance at.*
7. *they prevent me.* **8.** *washerwomen.* **9.** *heather.*

Que Dieu montre ou voile [1]
Les astres des cieux !   140
La plus pure étoile
Brille dans tes yeux.

Qu'avril renouvelle
Le jardin en fleur !
La fleur la plus belle   145
Fleurit dans ton cœur.

Cet oiseau de flamme,
Cet astre du jour,
Cette fleur de l'âme,
S'appelle l'amour !   150
                    (*Les voix décroissent et s'éloignent.*)

La Reine. (*Rêveuse*)
     L'amour ! — Oui, celles-là sont heureuses. — Leur voix,
Leur chant me fait du mal et du bien à la fois.
     La Duchesse. (*Aux duègnes*)
     Ces femmes, dont le chant importune [2] la reine,
Qu'on les chasse !
     La Reine. (*Vivement*)   Comment ! on les entend à peine.
Pauvres femmes ! je veux qu'elles passent en paix,   155
Madame.
{*A* Casilda, *en lui montrant une croisée* [3] *au fond.*)
          Par ici le bois est moins épais, [4]
Cette fenêtre-là donne sur la campagne ;
Viens, tâchons [5] de les voir.   (*Elle se dirige vers la fenêtre avec* Casilda.)
     La Duchesse. (*Se levant, avec une révérence*)   Une reine d'Espagne
Ne doit pas regarder à la fenêtre.
     La Reine. (*S'arrêtant et revenant sur ses pas*)   Allons !
Le beau soleil couchant [6] qui remplit les vallons,   160
La poudre d'or du soir qui monte sur la route,
Les lointaines [7] chansons que toute oreille écoute,
N'existent plus pour moi ! j'ai dit au monde adieu.
Je ne puis même voir la nature de Dieu !
Je ne puis même voir la liberté des autres !   165
     La Duchesse. (*Faisant signe aux assistants de sortir*)
     Sortez. C'est aujourd'hui le jour des saints apôtres.
(Casilda *fait quelques pas vers la porte.* La reine *l'arrête.*)
     La Reine.   Tu me quittes ?

---

1. *veil.*   **2.** *annoys.*   **3.** fenêtre.   **4.** *thick.*   **5.** *essayons.*   **6.** *setting.*   **7.** *distant.*

Casilda. (*Montrant* LA DUCHESSE) Madame, on veut que nous sortions.
La Duchesse. (*Saluant* LA REINE *jusqu'à terre*)
  Il faut laisser la reine à ses dévotions.
(*Tous sortent avec de profondes révérences.*)

SCÈNE II

La Reine. (*Seule*) A ses dévotions? dis donc à sa pensée!
Où la fuir maintenant? Seule! Ils m'ont tous laissée.
Pauvre esprit sans flambeau ¹ dans un chemin obscur!
(*Rêvant.*) Oh! cette main sanglante ² empreinte sur le mur!
Il s'est donc blessé? ³ Dieu! — Mais aussi c'est sa faute.   5
Pourquoi vouloir franchir la muraille si haute?
Pour m'apporter les fleurs qu'on me refuse ici,
Pour cela, pour si peu, s'aventurer ainsi!
C'est aux pointes de fer qu'il s'est blessé sans doute.
Un morceau de dentelle ⁴ y pendait. Une goutte   10
De ce sang répandu pour moi vaut tous mes pleurs.
(*S'enfonçant dans sa rêverie.*)
Chaque fois qu'à ce banc je vais chercher les fleurs,
Je promets à mon Dieu, dont l'appui ⁵ me délaisse,⁶
De n'y plus retourner. J'y retourne sans cesse.
— Mais lui! voilà trois jours qu'il n'est pas revenu.   15
— Blessé! — Qui que tu sois, ô jeune homme inconnu,
Toi qui, me voyant seule et loin de ce qui m'aime,
Sans me rien demander, sans rien espérer même,
Viens à moi, sans compter les périls où tu cours;
Toi qui verses ⁷ ton sang, toi qui risques tes jours   20
Pour donner une fleur à la reine d'Espagne;
Qui que tu sois, ami dont l'ombre m'accompagne,
Puisque mon cœur subit ⁸ une inflexible loi,
Sois aimé par ta mère et sois béni par moi!
(*Vivement et portant la main à son cœur.*)
— Oh! sa lettre me brûle!
(*Retombant dans sa rêverie.*) Et l'autre! implacable   25
Don Salluste! le sort me protège et m'accable.⁹
En même temps qu'un ange, un spectre affreux me suit;
Et, sans les voir, je sens s'agiter dans ma nuit,
Pour m'amener peut-être à quelque instant suprême,
Un homme qui me hait près d'un homme qui m'aime.   30
L'un me sauvera-t-il de l'autre? Je ne sais.

---

1. lumière. **2.** *bloody.* **3.** *wounded.* **4.** *lace.* **5.** aide. **6.** m'abandonne. **7.** *sheddest.*
8. souffre. **9.** *crushes.*

Hélas ! mon destin flotte [1] à deux vents opposés.
Que c'est faible, une reine, et que c'est peu de chose !
Prions. (*Elle s'agenouille* [2] *devant la madone.*)
    — Secourez-moi, madame ! car je n'ose
Élever mon regard jusqu'à vous ! (*Elle s'interrompt.*) — O mon Dieu !   35
La dentelle, la fleur, la lettre, c'est du feu !
Elle met la main dans sa poitrine [3] *et en arrache* [4] *une lettre froissée,* [5] *un*
    bouquet desséché [6] *de petites fleurs bleues et un morceau de dentelle taché* [7]
    de sang qu'elle jette sur la table; puis elle retombe à genoux.
Vierge, astre [8] de la mer ! Vierge, espoir du martyre !
Aidez-moi ! — (*S'interrompant.*) Cette lettre !
(*Se tournant à demi vers la table.*)   Elle est là qui m'attire.
(*S'agenouillant de nouveau.*)   Je ne veux plus la lire ! — O reine de douceur !
Vous qu'à tout affligé Jésus donne pour sœur !   40
Venez, je vous appelle ! —
Elle se lève, fait quelques pas vers la table, puis s'arrête, puis enfin se précipite
    sur la lettre, comme cédant à une attraction irrésistible.
                    Oui, je vais la relire
Une dernière fois ! Après, je la déchire ! [9]
(*Avec un sourire triste.*)   Hélas ! depuis un mois je dis toujours cela.
(*Elle déplie la lettre résolument et lit.*)
« Madame, sous vos pieds, dans l'ombre, un homme est là
» Qui vous aime, perdu dans la nuit qui le voile [10];   45
» Qui souffre, ver de terre [11] amoureux d'une étoile;
» Qui pour vous donnera son âme, s'il le faut;
» Et qui se meurt en bas quand vous brillez en haut. »
(*Elle pose la lettre sur la table.*)
Quand l'âme a soif, il faut qu'elle se désaltère,[12]
Fût-ce [13] dans du poison ! (*Elle remet la lettre et la dentelle dans sa poitrine.*)
            Je n'ai rien sur la terre.   50
Mais enfin il faut bien que j'aime quelqu'un, moi !
Oh ! s'il avait voulu, j'aurais aimé le roi.
Mais il me laisse ainsi, — seule, — d'amour privée. (*La grande porte s'ouvre*
    à deux battants.[14] *Entre un* HUISSIER [15] *de chambre en grand costume.*)
   L'Huissier. (*A haute voix*) Une lettre du roi !
   La Reine. (*Comme réveillée en sursaut, avec un cri de joie*)
                   Du roi ! je suis sauvée !

---

1. *is wafted.* **2.** *kneels.* **3.** *bodice.* **4.** *snatches.* **5.** *rumpled.* **6.** *dried up.* **7.** *stained.*
8. *star.* **9.** *tear up.* **10.** *cache.* **11.** *earthworm.* **12.** *quench its thirst.* **13.** fût-ce = même
si c'était. **14.** La porte s'ouvre à deux battants: *The folding doors open wide.* **15.** *usher.*

SCÈNE III

LA REINE, LA DUCHESSE D'ALBUQUERQUE, CASILDA, DON GURITAN,
FEMMES DE LA REINE, PAGES, RUY BLAS

Tous entrent gravement. LA DUCHESSE *en tête, puis les femmes.* RUY BLAS
*au fond de la chambre. Il est magnifiquement vêtu. Son manteau tombe
sur son bras gauche et le cache. Deux pages, portant sur un coussin de drap
d'or la lettre du roi, viennent s'agenouiller devant* LA REINE, *à quelques pas
de distance.*

Ruy Blas. (*Au fond, à part*)
Où suis-je ? — Qu'elle est belle ! — Oh ! pour qui suis-je ici ?
La Reine. (*A part*) C'est un secours [1] du ciel ! (*Haut.*) Donnez vite !
(*Se retournant vers le portrait du roi.*) Merci,
Monseigneur ! (*A* LA DUCHESSE.) D'où me vient cette lettre ?
La Duchesse. Madame,
D'Aranjuez, où le roi chasse.
La Reine. Du fond de l'âme
Je lui rends grâce. Il a compris qu'en mon ennui   5
J'avais besoin d'un mot d'amour qui vînt de lui !
— Mais donnez donc.
La Duchesse. (*Avec une révérence, montrant la lettre*)
L'usage, il faut que je le dise,
Veut que ce soit d'abord moi qui l'ouvre et la lise.
La Reine. Encore ! — Eh bien, lisez !
(LA DUCHESSE *prend la lettre et la déploie lentement.*)
Casilda. (*A part*) Voyons le billet doux.
La Duchesse. (*Lisant*) « Madame, il fait grand vent et j'ai tué six loups. » 10
Signé : « CARLOS. »
La Reine. (*A part*) Hélas !
Don Guritan. (*A* LA DUCHESSE) C'est tout ?
La Duchesse. Oui, seigneur comte.
Casilda. (*A part*) Il a tué six loups ! comme cela vous monte [2]
L'imagination ! Votre cœur est jaloux,
Tendre, ennuyé, malade ? — Il a tué six loups !
La Duchesse. (*A* LA REINE, *en lui présentant la lettre*)
Si Sa Majesté veut ? . . .
La Reine. (*La repoussant*) Non.
Casilda. (*A* LA DUCHESSE) C'est bien tout ?
La Duchesse. Sans doute.   15
Que faut-il donc de plus ? Notre roi chasse ; en route

1. *help.*   2. stimule.

Il écrit ce qu'il tue avec le temps qu'il fait.
C'est fort bien. (*Examinant de nouveau la lettre.*) Il écrit, non, il dicte.
　　La Reine. (*Lui arrachant la lettre et l'examinant à son tour*)　En effet,
Ce n'est pas de sa main.　Rien que sa signature !
(*Elle l'examine avec plus d'attention et paraît frappée de stupeur.　A part.*)
Est-ce une illusion ? c'est la même écriture　　　　　　　　　　　　　　　20
Que celle de la lettre !　(*Elle désigne de la main la lettre qu'elle vient de cacher
　　　sur son cœur.*)　　Oh ! qu'est-ce que cela ?
(*A* LA DUCHESSE.)　Où donc est le porteur du message ?
　　La Duchesse. (*Montrant* RUY BLAS)　　　　　　　　Il est là.
　　La Reine. (*Se tournant à demi vers* RUY BLAS)
　　　Ce jeune homme ?
　　La Duchesse.　　　　C'est lui qui l'apporte en personne.
— Un nouvel écuyer que Sa Majesté donne
A la reine.　Un seigneur que, de la part du roi,　　　　　　　　　　　　25
Monsieur de Santa-Cruz me recommande, à moi.
　　La Reine.　Son nom ?
　　La Duchesse.　　　　C'est le seigneur César de Bazan, comte
De Garofa.　S'il faut croire ce qu'on raconte,
C'est le plus accompli gentilhomme qui soit.
　　La Reine.　Bien.　Je veux lui parler.　(*A* RUY BLAS.)　Monsieur . . .
　　Ruy Blas. (*A part, tressaillant* [1])　　　　　　　　Elle me voit ! 30
Elle me parle !　Dieu ! je tremble.
　　La Duchesse. (*A* RUY BLAS)　Approchez, comte.
　　Don Guritan. (*Regardant* RUY BLAS *de travers, à part*)
　　　Ce jeune homme ! écuyer ! ce n'est pas là mon compte.[2]
(RUY BLAS, *pâle et troublé, approche à pas lents.*)
　　La Reine. (*A* RUY BLAS)　Vous venez d'Aranjuez ?
　　Ruy Blas. (*S'inclinant*)　　　　　　　　Oui, madame.
　　La Reine.　　　　　　　　　　　　　　　　　　Le roi
Se porte bien ?
(RUY BLAS *s'incline, elle montre la lettre royale.*)
　　　　　　　Il a dicté ceci pour moi ?
　　Ruy Blas.　Il était à cheval.　Il a dicté la lettre . . . (*Il hésite un moment.*) 35
A l'un des assistants.
　　La Reine. (*A part, regardant* RUY BLAS)　Son regard me pénètre.
Je n'ose demander à qui. (*Haut.*)　C'est bien, allez.
— Ah ! — (RUY BLAS, *qui avait fait quelques pas pour sortir, revient vers*
　　　LA REINE.)　Beaucoup de seigneurs étaient là rassemblés ?
(*A part.*)　Pourquoi donc suis-je émue [3] en voyant ce jeune homme ?
(RUY BLAS *s'incline, elle reprend.*)　Lesquels ?

---

1. faisant un mouvement soudain (*starting*).　**2.** ce n'est pas mon compte: je n'aime
pas cela.　**3.** troublée.

Ruy Blas.   Je ne sais point les noms dont on les nomme. 40
Je n'ai passé là-bas que des instants fort courts.
Voilà trois jours que j'ai quitté Madrid.
   La Reine. (*A part*)   Trois jours !
(*Elle fixe un regard plein de trouble sur* Ruy Blas.)
   Ruy Blas. (*A part*)   C'est la femme d'un autre ! ô jalousie affreuse !
— Et de qui ! — Dans mon cœur un abîme se creuse.
   Don Guritan. (*S'approchant de* Ruy Blas)
   Vous êtes écuyer de la reine ? Un seul mot.   45
Vous connaissez quel est votre service ? Il faut
Vous tenir cette nuit dans la chambre prochaine,[1]
Afin d'ouvrir au roi, s'il venait chez la reine.
   Ruy Blas. (*Tressaillant, à part.*)
   Ouvrir au roi ! moi ! (*Haut.*) Mais . . . il est absent.
   Don Guritan.   Le roi
Peut-il pas arriver à l'improviste ?[2]
   Ruy Blas. (*A part*)   Quoi !   50
   Don Guritan. (*A part, observant* Ruy Blas)
   Qu'a-t-il ?
   La Reine.   (*Qui a tout entendu et dont le regard est resté fixé sur* Ruy Blas)
      Comme il pâlit !
(Ruy Blas *chancelant*[3] *s'appuie sur le bras d'un fauteuil.*)
   Casilda. (*A* la reine)   Madame, ce jeune homme
Se trouve mal ![4]
   Ruy Blas. (*Se soutenant à peine*) Moi, non ! mais c'est singulier comme
Le grand air . . . le soleil . . . la longueur du chemin . . .
(*A part.*) — Ouvrir au roi ! (*Il tombe épuisé*[5] *sur un fauteuil. Son manteau se*
   dérange et laisse voir sa main gauche enveloppée de linges ensanglantés.[6])
   Casilda.   Grand Dieu, madame ! à cette main
Il est blessé !
   La Reine. Blessé !
   Casilda.   Mais il perd connaissance ![7]   55
Mais, vite, faisons-lui respirer[8] quelque essence !
   La Reine. (*Fouillant dans sa gorgerette*[9])
   Un flacon[10] que j'ai là contient une liqueur . . .
En ce moment son regard tombe sur la manchette[11] *que* Ruy Blas *porte au bras droit.*
(*A part.*)   C'est la même dentelle !
Au même instant elle a tiré le flacon de sa poitrine, et, dans son trouble, elle a
   pris en même temps le morceau de dentelle qui y était caché. Ruy Blas,
   qui ne la quitte pas des yeux, voit cette dentelle sortir du sein de la reine.

---

1. à côté (de celle de la reine).   2. subitement, sans annoncer sa visite.   3. *tottering.*
4. *is feeling faint.*   5. sans forces.   6. tachés de sang.   7. *is losing consciousness.*   8. *in-*
hale.   9. collarette (*broad linen collar covering the neck and part of the shoulders*).   10. *vial.*
11. *lace cuff.*

Ruy Blas. (*Éperdu* [1])　　　　　Oh!

(*Le regard de* LA REINE *et le regard de* RUY BLAS *se rencontrent.　Un silence.*)

La Reine. (*A part*)　　　　　C'est lui!

Ruy Blas. (*A part*)　　　　　　　　Sur son cœur!

La Reine. (*A part*) C'est lui!

Ruy Blas. (*A part*)　　　　Faites,[2] mon Dieu, qu'en ce moment je meure!

(*Dans le désordre de toutes les femmes s'empressant autour de* RUY BLAS,
ce qui se passe entre LA REINE *et lui n'est remarqué de personne.*)

Casilda. (*Faisant respirer le flacon à* RUY BLAS)

Comment vous êtes-vous blessé? c'est tout à l'heure? [3]　　　　　　　　60
Non? cela s'est rouvert en route?　Aussi pourquoi
Vous charger [4] d'apporter le message du roi?

La Reine. (*A* CASILDA)　Vous finirez bientôt vos questions, j'espère.

La Duchesse. (*A* CASILDA)　Qu'est-ce que cela fait à la reine,[5] ma chère?

La Reine.　Puisqu'il avait écrit la lettre, il pouvait bien　　　　　65
L'apporter, n'est-ce pas?

Casilda.　　　　　Mais il n'a dit en rien
Qu'il eût écrit la lettre.

La Reine. (*A part*) Oh! (*A* CASILDA.) Tais-toi!

Casilda. (*A* RUY BLAS)　　　　　　　Votre grâce
Se trouve-t-elle mieux?

Ruy Blas.　　　　Je renais! [6]

La Reine. (*A ses femmes*)　　　L'heure passe,
Rentrons. — Qu'en son logis le comte soit conduit.

(*Aux pages, au fond.*)　Vous savez que le roi ne vient pas cette nuit.　　70
Il passe la saison tout entière à la chasse.

(*Elle rentre avec sa suite, dans ses appartements.*)

Casilda. (*La regardant sortir*)

La reine a dans l'esprit quelque chose.　(*Elle sort par la même porte que*
LA REINE *en emportant la petite cassette* [7] *aux reliques.*)

Ruy Blas. (*Resté seul.　Il semble écouter encore quelque temps avec une joie*
profonde les dernières paroles de LA REINE.　*Il paraît comme en proie à* [8]
un rêve.　Le morceau de dentelle, que LA REINE *a laissé tomber dans son*
trouble, est resté à terre sur le tapis.[9] *Il le ramasse, le regarde avec amour,*
et le couvre de baisers.　Puis il lève les yeux au ciel.)　O Dieu! grâce!
Ne me rendez pas fou! (*Regardant le morceau de dentelle.*)
　　　　　C'était bien sur son cœur!

Il le cache dans sa poitrine. — Entre DON GURITAN.　*Il revient par la porte*
de la chambre où il a suivi LA REINE.　*Il marche à pas lents vers* RUY
BLAS.　*Arrivé près de lui sans dire un mot, il tire à demi son épée, et*

---

1. très troublé.　**2.** permettez.　**3.** récemment (pendant le voyage).　**4.** *undertake.*
5. Qu'est . . . reine?　Croyez-vous que cela intéresse la reine?　**6.** je reviens à la vie.　**7.** la
petite boîte en calambour que la reine veut envoyer à son père.　**8.** absorbé, au pouvoir
de . . .　**9.** *carpet.*

la mesure du regard avec celle de Ruy Blas. *Elles sont inégales. Il remet son épée dans le fourreau.*[1] Ruy Blas *le regarde avec étonnement.*

SCÈNE IV

Ruy Blas, Don Guritan

Don Guritan. (*Repoussant son épée dans le fourreau*)
J'en apporterai deux de pareille [2] longueur.

. . . . °

Ruy Blas. ... Que veut dire cela, monsieur?
Don Guritan.   Cela veut dire,
Que le soleil se lève à quatre heures demain;
Qu'il est un lieu désert et loin de tout chemin,
Commode [3] aux gens de cœur,[4] derrière la chapelle;   5
Qu'on vous nomme, je crois, César, et qu'on m'appelle
Don Gaspar Guritan Tassis y Guevarra,
Comte d'Oñate.
    Ruy Blas. (*Froidement*) Bien, monsieur. On y sera. (*Depuis quelques
    instants,* Casilda, *curieuse, est entrée à pas de loup [5] par la petite porte du
    fond, et a écouté les dernières paroles des deux interlocuteurs sans être vue
    d'eux.*)
    Casilda. (*A part*) Un duel! avertissons [6] la reine. (*Elle rentre et disparaît
    par la petite porte.*)

. . . .

Don Guritan.   Comte   10
De Garofa, demain, à l'heure où le jour monte,
A l'endroit indiqué, sans témoin ni valet,
Nous nous égorgerons galamment, s'il vous plaît,
Avec épée et dague, en dignes gentilshommes,
Comme il sied [7] quand on est des maisons dont nous sommes.   15
(*Il tend la main à* Ruy Blas, *qui la prend.*)
    Ruy Blas. Pas un mot de ceci, n'est-ce pas? —
(Le comte *fait un signe d'adhésion.*)   A demain.
                                 (Ruy Blas *sort.*)
Don Guritan. (*Resté seul*) Non, je n'ai pas du tout senti trembler sa main.
Être sûr de mourir et faire de la sorte,
C'est d'un brave jeune homme. (*Bruit d'une clef à la petite porte de la chambre
    de* la reine. Don Guritan *se retourne.*) On ouvre cette porte?
La reine *paraît et marche vivement vers* don Guritan, *surpris et charmé de
    la voir. Elle tient entre ses mains la petite cassette.*

1. *scabbard.* **2.** *égale.* **3.** *convenient.* **4.** courage. **5.** à pas de loup (*wolf*): sans bruit,
sur la pointe des pieds. **6.** informons. **7.** il convient, il est correct.

SCÈNE V

Don Guritan, La Reine

La Reine. (*Avec un sourire*) C'est vous que je cherchais !

Don Guritan. (*Ravi*) 　　　　　　　Qui me vaut [1] ce bonheur ?

La Reine. (*Posant la cassette sur le guéridon*)

Oh Dieu ! rien, ou du moins peu de chose, seigneur. (*Elle rit.*)

Tout à l'heure on disait, parmi d'autres paroles, —

Casilda, — vous savez que les femmes sont folles,

Casilda soutenait [2] que vous feriez pour moi　　　　　　　　　　5

Tout ce que je voudrais.

Don Guritan. 　　　　Elle a raison !

La Reine. (*Riant*) 　　　　　　Ma foi,

J'ai soutenu que non.

Don Guritan. 　　　　Vous avez tort, madame !

La Reine. Elle a dit que pour moi vous donneriez votre âme,

Votre sang . . .

Don Guritan. Casilda parlait fort bien ainsi.

La Reine. Et moi, j'ai dit que non.

Don Guritan. 　　　　　　Et moi, je dis que si !　　　　10

Pour Votre Majesté, je suis prêt [3] à tout faire.

La Reine. Tout ?

Don Guritan. 　　　Tout !

La Reine. 　　　　　　Eh bien, voyons, jurez que pour me plaire

Vous ferez à l'instant ce que je vous dirai.

Don Guritan. Par le saint roi Gaspar, mon patron vénéré,

Je le jure ! ordonnez. J'obéis, ou je meurs !　　　　　　　　15

La Reine. (*Prenant la cassette*)

Bien. Vous allez partir de Madrid tout à l'heure

Pour porter cette boîte en bois de calambour

A mon père monsieur l'électeur de Neubourg.

Don Guritan. (*A part*) Je suis pris ! [4] (*Haut.*) A Neubourg !

La Reine. 　　　　　　　　　　　A Neubourg.

Don Guritan. 　　　　　　　　　　Six cents lieues !

La Reine. Cinq cent cinquante. — (*Elle montre la housse [5] de soie qui enveloppe la cassette.*) 　　　　　Ayez grand soin des franges [6] bleues.　20

Cela peut se faner [7] en route.

Don Guritan. 　　　　Et quand partir ?

La Reine. Sur-le-champ.[8]

Don Guritan. 　　　　Ah ! demain !

---

1. procure. **2.** affirmait. **3.** (toujours) disposé. **4.** *I am caught.* **5.** *covering.* **6.** *fringes.*
7. *fade.* **8.** immédiatement.

La Reine. Je n'y puis consentir.

Don Guritan. (*A part*)

Je suis pris ! (*Haut.*) Mais . . .

La Reine. Partez !

Don Guritan. Quoi ? . . .

La Reine. J'ai votre parole.

Don Guritan. Une affaire . . .

La Reine. Impossible.

Don Guritan. Un objet si frivole . . .

La Reine. Vite !

Don Guritan. Un seul jour !

La Reine. Néant.[1]

Don Guritan. Car . . .

La Reine. Faites à mon gré.[2] 25

Don Guritan. Je . . .

La Reine. Non.

Don Guritan. Mais . . .

La Reine. Partez !

Don Guritan. Si . . .

La Reine. Je vous embrasserai !

(*Elle lui saute au cou* [3] *et l'embrasse.*)

Don Guritan. (*Fâché et charmé. Haut.*)

Je ne résiste plus. J'obéirai, madame.

(*A part.*) Dieu s'est fait homme; soit. Le diable s'est fait femme !

La Reine. (*Montrant la fenêtre*) Une voiture [4] en bas est là qui vous attend.

Don Guritan. Elle avait tout prévu ! (*Il écrit sur un papier quelques mots à la hâte et agite une sonnette.*[5] *Un page paraît.*) Page, porte à l'instant 30
Au seigneur don César de Bazan cette lettre.

(*A part.*) Ce duel ! à mon retour il faut bien le remettre.[6]

Je reviendrai ! (*Haut.*) Je vais contenter de ce pas
Votre Majesté.

La Reine. Bien. (*Il prend la cassette, baise la main de* LA REINE, *salue profondément et sort. Un moment après, on entend le roulement* [7] *d'une voiture qui s'éloigne.*[8])

La Reine. (*Tombant sur un fauteuil*) Il ne le tuera pas !

---

1. rien. **2.** mon désir. **3.** *She throws her arms around his neck.* **4.** carriage. **5.** bell.
6. *postpone.* **7.** *rumbling.* **8.** *goes away.*

ACTE TROISIÈME

RUY BLAS

La salle de Gouvernement, dans le palais du roi à Madrid. Au moment où le rideau [1] se lève, la junte (séance) du Despacho universal (conseil privé du roi) est au moment de prendre séance.

SCÈNE PREMIÈRE

DON MANUEL ARIAS, *président de Castille;* DON PEDRO VELEZ DE GUEVARRA, COMTE DE CAMPOREAL, *conseiller de cape et d'épée;* DON FERNANDO DE CORDOVA Y AGUILAR, MARQUIS DE PRIEGO, *même qualité [2]*; ANTONIO UBILLA, *écrivain-mayor des rentes [3];* MONTAZGO, *conseiller de robe [4] de la chambre des Indes;* COVADENGA, *secrétaire suprême des îles. Plusieurs autres conseillers. Les conseillers de robe vêtus de noir. Les autres en habit de cour.* CAMPOREAL *a la croix de Calatrava [5] au manteau.* PRIEGO, *la toison d'or au cou.*

DON MANUEL ARIAS, *président de Castille, et le* COMTE DE CAMPOREAL *causent à voix basse, et entre eux, sur le devant.[6] Les autres conseillers font des groupes çà et là dans la salle.*

Don Manuel Arias. Cette fortune-là cache quelque mystère.
Le Comte de Camporeal. Il a la toison d'or. Le voilà secrétaire
Universel, ministre, et puis duc d'Olmedo !
Don Manuel Arias. En six mois !
Le Comte de Camporeal. On le sert derrière le rideau.[7]
Don Manuel Arias. (Mystérieusement) La reine !
Le Comte de Camporeal. Au fait, le roi, malade et fou dans l'âme, 5
Vit avec le tombeau de sa première femme.
Il abdique, enfermé dans son Escurial,
Et la reine fait tout !
Don Manuel Arias. Mon cher Camporeal,
Elle règne sur nous, et don César sur elle !
Le Comte de Camporeal. Il vit d'une façon qui n'est pas naturelle. 10
D'abord, quant à la reine, il ne la voit jamais.
Ils paraissent se fuir.[8] Vous me direz non, mais
Comme depuis six mois je les guette,[9] et pour cause,
J'en suis sûr. Puis il a le caprice morose
D'habiter, assez près de l'hôtel de Tormez, 15
Un logis aveuglé [10] par des volets [11] fermés,

---

1. *curtain.* **2.** même titre (que le précédent). **3.** *first registrar of royal revenue.* **4.** *legal counsellor.* **5.** ordre religieux et militaire établi par le roi Sanche III et chargé de défendre la Castille contre les Maures. **6.** (de la scène). **7.** il a quelque protecteur puissant et caché. **8.** *avoid each other.* **9.** *watch.* **10.** *darkened.* **11.** *shutters.*

Avec deux laquais noirs, gardeurs de portes closes,
Qui, s'ils n'étaient muets, diraient beaucoup de choses.
Don Manuel Arias.   Des muets?
Le Comte de Camporeal   Des muets. — Tous ses autres valets
Restent au logement qu'il a dans le palais.   20
Don Manuel Arias.   C'est singulier.
Don Antonio Ubilla.   (Qui s'est approché d'eux depuis quelques instants)
                              Il est de grande race, en somme.
Le Comte de Camporeal.
     L'étrange, c'est qu'il veut faire son honnête homme![1]
(*A* Don Manuel Arias.) — Il est cousin, — aussi Santa-Cruz l'a poussé, —
De ce marquis Salluste écroulé[2] l'an passé. —
Jadis,[3] ce don César, aujourd'hui notre maître,   25
Était le plus grand fou que la lune eût vu naître.
C'était un drôle,[4] — on sait des gens qui l'ont connu, —
Qui prit un beau matin son fonds[5] pour revenu,[6]
Qui changeait tous les jours de femmes, de carrosses,[7]
Et dont la fantaisie avait des dents féroces   30
Capables de manger en un an le Pérou.
Un jour il s'en alla, sans qu'on ait su par où.
Don Manuel Arias.   L'âge a du fou joyeux fait un sage fort rude.[8]
Le Comte de Camporeal.   Toute fille de joie en séchant devient prude.[9]
Ubilla.   Je le crois homme probe.[10]
Le Comte de Camporeal.   (Riant)   Oh! candide Ubilla!   35
Qui se laisse éblouir à ces probités-là!
(*D'un ton significatif.*)   La maison de la reine, ordinaire et civile,[11]
(*Appuyant sur les chiffres.*[12])   Coûte par an six cent soixante-quatre mille
Soixante-six ducats! — c'est un pactole[13] obscur
Où, certe, on doit jeter le filet à coup sûr.[14]   40
Eau trouble, pêche claire.[15]
Le Marquis de Priego.   (Survenant)   Ah çà, ne vous déplaise,[16]
Je vous trouve imprudents et parlant fort à l'aise.[17]
Feu[18] mon grand-père, auprès du comte-duc nourri,
Disait: — Mordez[19] le roi, baisez le favori. —
Messieurs, occupons-nous des affaires publiques.   45

[En vérité, ils ne s'occupent que de leurs affaires personnelles, se disputant tous les monopoles de l'Espagne et de ses colonies. Ruy Blas est entré, sans être vu, au plus fort de la querelle: il les écoute un moment, puis il leur dit son indignation.]

1. jouer le rôle d'honnête homme.   **2.** disgracié.   **3.** autrefois.   **4.** *scoundrel.*   **5.** *capital.*
6. *income.*   **7.** grandes voitures.   **8.** sévère.   **9.** Toute fille . . . prude: *Every aging strumpet becomes a prude.*   **10.** honnête.   **11.** *for general and personal expenses.*   **12.** *stressing the figures.*   **13.** *Pactolus,* fabuleuse rivière qui charriait de l'or et qui fut la source des richesses de Crésus.   **14.** jeter . . . sûr: *cast the net and be sure of luck.*   **15.** *muddy water, easy fishing.*   **16.** *Come now, if you don't mind (my saying so).*   **17.** fort à l'aise: trop ouvertement.   **18.** *late.*   **19.** (lit., *bite*): dites du mal du roi . . .

SCÈNE II

LES MÊMES, RUY BLAS

Ruy Blas.   Bon appétit, messieurs ! —
Tous se retournent.   Silence de surprise et d'inquiétude.   RUY BLAS *se couvre,
croise les bras, et poursuit en les regardant en face.*

O ministres intègres ! [1]
Conseillers vertueux ! voilà votre façon
De servir, serviteurs qui pillez la maison !
Donc vous n'avez pas honte et vous choisissez l'heure,
L'heure sombre où l'Espagne agonisante [2] pleure !   5
Donc vous n'avez ici pas d'autres intérêts
Que remplir [3] votre poche et vous enfuir [4] après !
Soyez flétris,[5] devant votre pays qui tombe,
Fossoyeurs [6] qui venez le voler dans sa tombe ! [7]
— Mais voyez, regardez, ayez quelque pudeur.[8]   10
L'Espagne et sa vertu, l'Espagne et sa grandeur,
Tout s'en va. . . .

[Ruy Blas rappelle l'ancienne grandeur de l'Espagne.   Il déplore la perte de son
prestige et de ses possessions à l'étranger, le désordre de ses finances, la misère de son
armée, la vénalité des fonctionnaires, l'audace grandissante des voleurs de tous rangs.]

. . . — Messieurs, en vingt ans, songez-y,
Le peuple, — j'en ai fait le compte, et c'est ainsi ! —
Portant sa charge énorme et sous laquelle il ploie,[9]   15
Pour vous, pour vos plaisirs, pour vos filles de joie,
Le peuple misérable, et qu'on pressure [10] encor,
A sué [11] quatre cent trente millions d'or !
Et ce n'est pas assez ! et vous voulez, mes maîtres ! . . . —
Ah ! j'ai honte pour vous ! . . .   20
. . . La moitié de Madrid pille l'autre moitié.
Tous les juges vendus.   Pas un soldat payé. . . .
. . . — Charles-Quint,[12] dans ces temps d'opprobre et de terreur,
Que fais-tu dans ta tombe, ô puissant empereur ?
Oh ! lève-toi ! viens voir ! — Les bons font place aux pires.[13]   25
Ce royaume effrayant, fait d'un amas [14] d'empires,
Penche [15] . . .   Il nous faut ton bras ! au secours, Charles-Quint !
Car l'Espagne se meurt, car l'Espagne s'éteint ! [16] . . .
. . . — O géant ! se peut-il que tu dormes ? —

1. très probes, très honnêtes.   2. mourante.   3. *fill.*   4. *run away.*   5. déshonorés.
6. *grave-diggers.*   7. *grave.*   8. *decency.*   9. *is weighed down, bends.*   10. (lit., *squeezes, as
in a wine press*): *drains.*   11. *have sweated out (by toil and taxes).*   12. Charles V, roi
d'Espagne (1516) et empereur d'Allemagne (1519).   13. *the worst.*   14. *mass.*   15. *is tottering.*   16. (lit., *going out, like a candle or a lamp*): *dying out.*

On vend ton sceptre au poids ! [1] un tas de nains [2] difformes 30
Se taillent des pourpoints [3] dans ton manteau de roi ;
Et l'aigle impérial, qui, jadis, sous ta loi,
Couvrait le monde entier de tonnerre [4] et de flamme,
Cuit, [5] pauvre oiseau plumé, [6] dans leur marmite [7] infâme ! (*Les conseillers
se taisent consternés.* [8] *Seuls,* LE MARQUIS DE PRIEGO *et* LE COMTE DE
CAMPOREAL *redressent la tête et regardent* RUY BLAS *avec colère. Puis*
CAMPOREAL, *après avoir parlé à* PRIEGO, *va à la table, écrit quelques mots
sur un papier, les signe et les fait signer au* MARQUIS.)
    Le Comte de Camporeal. (*Désignant* LE MARQUIS DE PRIEGO *et remettant le
papier à* RUY BLAS) Monsieur le duc, — au nom de tous les deux, —
voici 35
Notre démission [9] de notre emploi.
    Ruy Blas. (*Prenant le papier, froidement*) Merci.
Vous vous retirerez, avec votre famille,
(*A* PRIEGO.) Vous, en Andalousie, — (*A* CAMPOREAL.) Et vous, comte, en
Castille.
Chacun dans vos états. Soyez partis demain. (*Les deux seigneurs s'inclinent
et sortent fièrement, le chapeau sur la tête.* RUY BLAS *se tourne vers les
autres conseillers.*)
Quiconque ne veut pas marcher dans mon chemin 40
Peut suivre ces messieurs.
Silence dans les assistants. RUY BLAS *s'assied à la table sur une chaise à
dossier* [10] *placée à droite du fauteuil royal, et s'occupe à décacheter* [11] *une
correspondance. Pendant qu'il parcourt les lettres l'une après l'autre,*
COVADENGA, ARIAS *et* UBILLA *échangent quelques paroles à voix basse.*
    Ubilla. (*A* COVADENGA, *montrant* RUY BLAS) Fils, nous avons un maître.
Cet homme sera grand.
    Don Manuel Arias. Oui, s'il a le temps d'être.
    Covadenga. Et s'il ne se perd pas à tout voir de trop près.
    Ubilla. Il sera Richelieu !
    Don Manuel Arias. S'il n'est Olivarez ! [12]
    Ruy Blas. (*Après avoir parcouru vivement une lettre, qu'il vient d'ouvrir*)
Un complot ! [13] qu'est ceci ? Messieurs, que vous disais-je ? 45
(*Lisant.*) — ... « Duc d'Olmedo, veillez. Il se prépare un piège [14]
» Pour enlever [15] quelqu'un de très grand de Madrid. »
(*Examinant la lettre.*) — On ne nomme pas qui. Je veillerai. — L'écrit [16]
Est anonyme. (*Entre un* HUISSIER [17] *de cour qui s'approche de* RUY BLAS *avec
une profonde révérence.*) Allons ! qu'est-ce ?

1. *by the weight.* 2. *dwarfs.* 3. *doublets.* 4. *thunder.* 5. *is being cooked.* 6. *plucked
fowl.* 7. *caldron.* 8. frappés de stupéfaction. 9. *resignation.* 10. *high-backed chair.*
11. *unseal.* 12. célèbre premier ministre d'Espagne (1587–1645), adversaire de Richelieu.
Olivarez accabla (*overwhelmed*) le peuple d'impôts (*taxes*). 13. *plot.* 14. *snare.* 15. *kidnap.*
16. lettre. 17. *usher.*

L'Huissier.   A votre excellence   50
J'annonce monseigneur l'ambassadeur de France.
    Ruy Blas.   Ah! d'Harcourt! Je ne puis à présent.
    L'Huissier.   (*S'inclinant*)   Monseigneur,
Le nonce impérial dans la chambre d'honneur
Attend votre excellence.
    Ruy Blas.   A cette heure? impossible. (L'HUISSIER *s'incline et*
    sort. Depuis quelques instants un page est entré, vêtu d'une livrée couleur
    de feu à galons d'argent,[1] *et s'est approché de* RUY BLAS.)
    Ruy Blas.   (*L'apercevant*)   Mon page! Je ne suis pour personne visible.
    Le Page.   (*Bas*)   Le comte Guritan, qui revient de Neubourg . . .   55
    Ruy Blas.   (*Avec un geste de surprise*)
    Ah! — Page, enseigne-lui [2] ma maison du faubourg.[3]
Qu'il m'y vienne trouver demain, si bon lui semble.
Va. (*Le page sort. Aux conseillers.*)   Nous aurons tantôt à travailler ensemble.
Dans deux heures, messieurs. — Revenez.
              (*Tous sortent en saluant profondément* RUY BLAS.)
RUY BLAS, *resté seul, fait quelques pas en proie à une rêverie profonde. Tout à*
    coup, à l'angle du salon, la tapisserie s'écarte [4] *et* LA REINE *apparaît,*
    rayonnante [5] *de joie. Elle soutient d'un bras la tapisserie, derrière laquelle*
    on entrevoit [6] *une sorte de cabinet* [7] *obscur où l'on distingue une petite porte.*
RUY BLAS, *en se retournant, aperçoit* LA REINE, *et reste comme pétrifié.*

SCÈNE III

RUY BLAS, LA REINE

La Reine.   Oh! merci!
    Ruy Blas.   Ciel!
    La Reine.   Vous avez bien fait de leur parler ainsi.
Je n'y puis résister, duc, il faut que je serre
Cette loyale main si ferme et si sincère! (*Elle marche vivement à lui et lui*
    prend la main, qu'elle presse avant qu'il ait pu s'en défendre.)
    Ruy Blas.   (*A part.*)   La fuir depuis six mois et la voir tout à coup!   5
(*Haut.*)   Vous étiez là, madame? . . .
    La Reine.   Oui, duc, j'entendais tout.
J'étais là. J'écoutais avec toute mon âme!
    Ruy Blas.   (*Montrant la cachette* [8])
    Je ne soupçonnais [9] pas . . . — Ce cabinet, madame . . .
    La Reine.   Personne ne le sait. C'est un réduit [10] obscur

---

1. *silver-braided.*   **2.** montre-lui.   **3.** *suburb.*   **4.** *the tapestry is drawn aside.*   **5.** *radiant.*
6. voit indistinctement.   **7.** petite chambre.   **8.** *hiding place.*   **9.** *I did not suspect.*
10. petite chambre (comme une alcôve).

Que Don Philippe Trois[1] fit creuser dans ce mur,   10
D'où le maître invisible entend tout comme une ombre.
Là j'ai vu bien souvent Charles Deux,[2] morne et sombre,
Assister[3] aux conseils où l'on pillait son bien,
Où l'on vendait l'état.

    Ruy Blas.   Et que disait-il?

    La Reine.   Rien.

    Ruy Blas.   Rien? — et que faisait-il?

    La Reine.   Il allait à la chasse.   15
Mais vous! j'entends encor votre accent qui menace.
Comme vous les traitiez d'une haute façon,
Et comme vous aviez superbement raison!
. . . Mais où donc avez-vous appris toutes ces choses?
D'où vient que vous savez les effets et les causes?   20
Vous n'ignorez donc rien?   D'où vient que votre voix
Parlait comme devrait parler celle des rois?
Pourquoi donc étiez-vous, comme eût été Dieu même,
Si terrible et si grand?

    Ruy Blas.   Parce que je vous aime!
Parce que je sens bien, moi qu'ils haïssent tous,   25
Que ce qu'ils font crouler[4] s'écroulera sur vous!
Parce que rien n'effraie[5] une ardeur si profonde,
Et que pour vous sauver je sauverais le monde!
Je suis un malheureux qui vous aime d'amour.
Hélas! je pense à vous comme l'aveugle au jour.[6]   30
Madame, écoutez-moi.   J'ai des rêves sans nombre.
Je vous aime de loin, d'en bas, du fond de l'ombre;
Je n'oserais toucher le bout de votre doigt,
Et vous m'éblouissez comme un ange qu'on voit!
— Vraiment, j'ai bien[7] souffert.   Si vous saviez, madame!   35
Je vous parle à présent.   Six mois, cachant ma flamme,[8]
J'ai fui.   Je vous fuyais et je souffrais beaucoup.
Je ne m'occupe pas[9] de ces hommes du tout,
Je vous aime. — O mon Dieu, j'ose le dire en face
A votre majesté.   Que faut-il que je fasse?   40
Si vous me disiez: meurs! je mourrais.   J'ai l'effroi[10]
Dans le cœur.   Pardonnez!

    La Reine.   Oh! parle![11] ravis-moi![12]
Jamais on ne m'a dit ces choses-là.   J'écoute!
Ton âme en me parlant me bouleverse[13] toute.

1. roi d'Espagne (1598–1621), petit-fils de Charles-Quint.   **2.** Ceci se passe pendant le règne de Charles II.   **3.** être présent.   **4.** tomber.   **5.** intimide.   **6.** lumière.   **7.** beaucoup. **8.** amour.   **9.** *am not concerned.*   **10.** trouble, peur.   **11.** Notez que la reine tutoie (dit *tu* et *toi à*) Ruy Blàs — comme font les amants.   **12.** *enrapture me!*   **13.** agite.

J'ai besoin de tes yeux, j'ai besoin de ta voix. 45

Oh ! c'est moi qui souffrais ! Si tu savais ! cent fois,

Cent fois, depuis six mois que ton regard m'évite . . .

— Mais non, je ne dois pas dire cela si vite.

Je suis bien malheureuse. Oh ! je me tais. J'ai peur !

    Ruy Blas. (*Qui l'écoute avec ravissement*)

       Oh ! madame, achevez ! vous m'emplissez le cœur ! 50

    La Reine. Eh bien, écoute donc ! (*Levant les yeux au ciel.*) Oui, je vais tout lui dire.

Est-ce un crime ? Tant pis ! Quand le cœur se déchire,[1]

Il faut bien laisser voir tout ce qu'on y cachait. —

Tu fuis la reine ? Eh bien, la reine te cherchait.

Tous les jours je viens là — là, dans cette retraite — 55

T'écoutant, recueillant [2] ce que tu dis, muette,

Contemplant ton esprit qui veut, juge et résout,[3]

Et prise [4] par ta voix qui m'intéresse à tout.

Va, tu me sembles bien le vrai roi, le vrai maître.

C'est moi, depuis six mois, tu t'en doutes [5] peut-être, 60

Qui t'ai fait, par degrés, monter jusqu'au sommet.

Où Dieu t'aurait dû mettre une femme te met.

Oui, tout ce qui me touche [6] a tes soins. Je t'admire.

Autrefois une fleur, à présent un empire !

D'abord je t'ai vu bon, et puis je te vois grand. 65

Mon Dieu ! c'est à cela qu'une femme se prend ![7]

Mon Dieu ! si je fais mal, pourquoi, dans cette tombe,

M'enfermer, comme on met en cage une colombe,[8]

Sans espoir, sans amour, sans un rayon doré ?

— Un jour que nous aurons le temps, je te dirai 70

Tout ce que j'ai souffert. — Toujours seule, oubliée ! —

Et puis, à chaque instant, je suis humiliée.

Duc, il faut, — dans ce but le ciel t'envoie ici, —

Sauver l'état qui tremble, et retirer du gouffre [9]

Le peuple qui travaille, et m'aimer, moi qui souffre. 75

Je te dis tout cela sans suite,[10] à ma façon,

Mais tu dois cependant voir que j'ai bien raison.

    Ruy Blas. (*Tombant à genoux*) Madame . . .

    La Reine. (*Gravement*)   Don César, je vous donne mon âme.

Reine pour tous, pour vous je ne suis qu'une femme.

Par l'amour, par le cœur, duc, je vous appartien.[11] 80

J'ai foi dans votre honneur pour respecter le mien.

---

1. *is torn.* **2.** *gathering.* **3.** *decides.* **4.** captivée. **5.** devines, soupçonnes. **6.** concerne. **7.** c'est . . . prend: *that is what makes a woman fall in love.* **8.** *dove.* **9.** abîme. **10.** pêle-mêle, en désordre. **11.** (*pour:* appartiens): suis à vous.

Quand vous m'appellerez, je viendrai. Je suis prête.
— O César ! un esprit sublime est dans ta tête.
Sois fier, car le génie est ta couronne, à toi ! (*Elle baise* RUY BLAS *au front.*)
Adieu. (*Elle soulève la tapisserie et disparaît.*)

SCÈNE IV

Ruy Blas. (*Seul. Il est comme absorbé dans une contemplation angélique.*)
  Devant mes yeux c'est le ciel que je voi ! [1]
. . . La reine m'aime ! ô Dieu ! c'est bien vrai, c'est moi-même !
Je suis plus que le roi puisque la reine m'aime !
Oh ! cela m'éblouit. Heureux, aimé, vainqueur !
Duc d'Olmedo, — l'Espagne à mes pieds, — j'ai son cœur !   5
Cet ange, qu'à genoux je contemple et je nomme,
D'un mot me transfigure et me fait plus qu'un homme.
Donc je marche vivant dans mon rêve étoilé ! [2]
Oh ! oui, j'en suis bien sûr, elle m'a bien parlé.
C'est bien [3] elle. Elle avait un petit diadème   10
En dentelle d'argent. Et je regardais même,
Pendant qu'elle parlait, — je crois la voir encor, —
Un aigle ciselé [4] sur son bracelet d'or.
Elle se fie à [5] moi, m'a-t-elle dit. — Pauvre ange !
Oh ! s'il est vrai que Dieu, par un prodige [6] étrange, 15
En nous donnant l'amour, voulut mêler en nous
Ce qui fait l'homme grand à ce qui le fait doux,
Moi, qui ne crains plus rien maintenant qu'elle m'aime,
Moi, qui suis tout-puissant, grâce à son choix suprême,
Moi, dont le cœur gonflé [7] ferait envie aux rois,   20
Devant Dieu qui m'entend, sans peur, à haute voix,
Je le dis, vous pouvez vous confier, [8] madame,
A mon bras comme reine, à mon cœur comme femme !
Le dévouement [9] se cache au fond de mon amour
Pur et loyal ! — Allez, [10] ne craignez rien ! (*Depuis quelques instants, un homme* 25
  est entré par la porte du fond, enveloppé d'un grand manteau, coiffé d'un
  chapeau galonné d'argent.[11] *Il s'est avancé lentement vers* RUY BLAS *sans*
  être vu, et, au moment où RUY BLAS, *ivre d'extase*[12] *et de bonheur, lève les yeux*
  au ciel, cet homme lui pose brusquement la main sur l'épaule. RUY BLAS
  se retourne comme réveillé en sursaut. L'homme laisse tomber son manteau,
  et RUY BLAS *reconnaît* DON SALLUSTE. DON SALLUSTE *est vêtu d'une*
  livrée couleur de feu à galons d'argent, pareille à celle du page de RUY BLAS.)

---

1. vois. **2.** *I go forth, though still living, in my starry (heavenly) dream.* **3.** bien . . . bien
. . . bien: *quite . . . indeed . . . verily.* **4.** sculpté (dans un métal). **5.** se fie à: compte
sur. **6.** *miracle.* **7.** *elated.* **8.** *rely upon.* **9.** *wholehearted devotion.* **10.** *Oh!* **11.** *silver-braided.* **12.** ivre d'extase: *enraptured.*

SCÈNE V

RUY BLAS, DON SALLUSTE

Don Salluste. (*Posant la main sur l'épaule de* RUY BLAS)
Bonjour.

Ruy Blas. (*Effaré* [1] *à part*) Grand Dieu! je suis perdu! le marquis!

Don Salluste. (*Souriant*)   Je parie [2]
Que vous ne pensiez pas à moi.

Ruy Blas.   Sa seigneurie,
En effet, me surprend. (*A part.*) Oh! mon malheur renaît.[3]
J'étais tourné vers l'ange et le démon venait. (*Il court à la tapisserie qui cache
le cabinet secret et en ferme la petite porte au verrou* [4]; *puis il revient tout
tremblant vers* DON SALLUSTE.)

Don Salluste. Eh bien! comment cela va-t-il?

Ruy Blas. (*L'œil fixé sur* DON SALLUSTE *impassible,*[5] *et comme pouvant à
peine rassembler ses idées* [6])   Cette livrée? . . .   5

Don Salluste. (*Souriant toujours*) Il fallait du palais me procurer l'entrée.
Avec cet habit-là l'on arrive partout.
J'ai pris votre livrée et la trouve à mon goût.
(*Il se couvre.* RUY BLAS *reste tête nue.*)

Ruy Blas. Mais j'ai peur pour vous . . .

Don Salluste.   Peur! Quel est ce mot risible? [7]

Ruy Blas. Vous êtes exilé!

Don Salluste.   Croyez-vous? c'est possible.   10

Ruy Blas. Si l'on vous reconnaît, au palais, en plein jour?

Don Salluste. Ah bah! des gens heureux, qui sont des gens de cour,
Iraient perdre leur temps, ce temps qui sitôt passe,
A se ressouvenir [8] d'un visage en disgrâce!
D'ailleurs, regarde-t-on le profil d'un valet?   15
(*Il s'assied dans un fauteuil, et* RUY BLAS *reste debout.*)
A propos, que dit-on à Madrid, s'il vous plaît?
Est-il vrai que, brûlant d'un zèle hyperbolique,[9]
Ici, pour les beaux yeux de [10] la caisse publique,[11]
Vous exilez ce cher Priego, l'un des grands?
Vous avez oublié que vous êtes parents . . .   20
Cela ne se fait pas entre parents, mon cher.
Les loups pour nuire [12] aux loups font-ils les bons apôtres? [13]
Ouvrez les yeux pour vous, fermez-les pour les autres.
Chacun pour soi.

---

1. troublé, inquiet. **2.** *wager.* **3.** revient à la vie, reparaît. **4.** ferme . . . au verrou: *bolts.*
5. qui ne trahit aucune émotion. **6.** rassembler ses idées: *pull himself together.* **7.** qui fait
rire. **8.** se rappeler. **9.** exagéré. **10.** pour . . . yeux de: pour l'amour de. **11.** *public
treasury.* **12.** faire du mal. **13.** un « bon apôtre » est un homme fin (*clever*) et de mauvaise
foi; un hypocrite.

Ruy Blas. (*Se rassurant un peu*)   Pourtant, monsieur, permettez-moi,
Monsieur de Priego, comme noble du roi,   25
A grand tort d'aggraver [1] les charges de l'Espagne.
Or, il va falloir mettre une armée en campagne;
Nous n'avons pas d'argent, et pourtant il le faut.
L'héritier bavarois [2] penche [3] à mourir bientôt . . .
La guerre éclatera . . .
    Don Salluste.   L'air me semble un peu froid.   30
Faites-moi le plaisir de fermer la croisée. [4]
Ruy Blas, *pâle de honte et de désespoir, hésite un moment; puis il fait un*
    effort et se dirige lentement vers la fenêtre, la ferme, et revient vers Don
    Salluste, *qui, assis dans le fauteuil, le suit des yeux d'un air indifférent.*
    Ruy Blas. (*Reprenant, et essayant de convaincre* Don Salluste)
    Daignez voir à quel point la guerre est malaisée. [5]
Que faire sans argent?   Excellence, écoutez.
Le salut de l'Espagne est dans nos probités. . . .
    Don Salluste. (*Interrompant* Ruy Blas *et lui montrant son mouchoir qu'il*
    a laissé tomber en entrant)
    Pardon! ramassez-moi mon mouchoir.
Ruy Blas, *comme à la torture, hésite encore, puis se baisse, ramasse le mouchoir,*
    et le présente à Don Salluste.   Don Salluste, *mettant le mouchoir dans*
    sa poche
                              — Vous disiez? . . . 35
    Ruy Blas. (*Avec effort*)   Le salut de l'Espagne! — oui, l'Espagne à nos pieds,
Et l'intérêt public demandent qu'on s'oublie.
Ah! toute nation bénit qui la délie. [6]
Sauvons ce peuple!   Osons être grands, et frappons!
Otons l'ombre à l'intrigue et le masque aux fripons! [7]   40
    Don Salluste. (*Nonchalamment*)
    Et d'abord ce n'est pas de bonne compagnie. [8] —
. . . Les intérêts publics?   Songez d'abord aux vôtres.
Le salut de l'Espagne est un mot creux [9] que d'autres
Feront sonner, mon cher, tout aussi bien que vous.
La popularité? c'est la gloire en gros sous. [10]   45
    Ruy Blas.   . . . Mais pourtant, monseigneur . . .
    Don Salluste. (*Avec un sourire glacé*)   Vous êtes étonnant.
Occupons-nous d'objets sérieux, maintenant.   (*D'un ton bref et impérieux.*)
— Vous m'attendrez demain toute la matinée
Chez vous, dans la maison que je vous ai donnée.
La chose que je fais touche à l'événement. [11]   50

1. rendre plus graves, lourdes.   2. *Bavarian heir.*   3. est en danger de, sur le point de.
4. fenêtre.   5. difficile.   6. délivre.   7. *cheats, grafters.*   8. n'est pas . . . compagnie: ce
n'est pas agir en honnête (*well-bred*) homme.   9. *empty word.*   10. (lit., *in penny bits*): *cheap.*
11. *conclusion.*

Gardez pour nous servir les muets seulement.

Ayez dans le jardin, caché sous le feuillage,

Un carrosse attelé,[1] tout prêt pour un voyage.

J'aurai soin des relais. Faites tout à mon gré.

— Il vous faut de l'argent, je vous en enverrai. —   55

    Ruy Blas. Monsieur, j'obéirai. Je consens à tout faire.

Mais jurez-moi d'abord qu'en toute cette affaire

La reine n'est pour rien.

    Don Salluste. (*Qui jouait avec un couteau d'ivoire sur la table, se retourne à*

        demi)   De quoi vous mêlez-vous?[2]

    Ruy Blas. (*Chancelant*[3] *et le regardant avec épouvante*[4])

        Oh! vous êtes un homme effrayant. Mes genoux

Tremblent . . . Vous m'entraînez vers un gouffre invisible.   60

Oh! je sens que je suis dans une main terrible!

Vous avez des projets monstrueux. J'entrevoi

Quelque chose d'horrible . . . — Ayez pitié de moi!

Il faut que je vous dise, — hélas! jugez vous-même!

Vous ne le saviez pas! cette femme, je l'aime!   65

    Don Salluste. (*Froidement*) Mais si.[5] Je le savais.

    Ruy Blas.   Vous le saviez!

    Don Salluste.   Pardieu!

Qu'est-ce que cela fait?[6]

    Ruy Blas. (*S'appuyant au mur pour ne pas tomber, et comme se parlant à*

        lui-même)   Donc il s'est fait un jeu,

Le lâche,[7] d'essayer sur moi cette torture!

Mais c'est que ce serait une affreuse aventure! (*Il lève les yeux au ciel.*)

Seigneur Dieu tout-puissant! mon Dieu qui m'éprouvez,[8]   70

Épargnez-moi,[9] Seigneur!

    Don Salluste.   Ah çà, mais — vous rêvez![10]

Vraiment! vous vous prenez au sérieux, mon maître.[11]

C'est bouffon.[12] Vers un but[13] que seul je dois connaître,

But plus heureux pour vous que vous ne le pensez,

J'avance. Tenez-vous tranquille. Obéissez.   75

Je vous l'ai déjà dit et je vous le répète,

Je veux votre bonheur. Marchez, la chose est faite.

Puis, grand'chose après tout que des chagrins[14] d'amour!

Nous passons tous par là. C'est l'affaire d'un jour.

. . . Mais, ne l'oubliez pas, vous êtes mon valet.   80

Vous courtisez la reine ici par aventure,[15]

---

1. (lit., *harnessed*): avec les chevaux. **2.** (lit., *With what are you meddling?*): *What business is that of yours?* **3.** *staggering.* **4.** terreur. **5.** *Yes, I did.* **6.** *What difference does that make?* **7.** *dastard.* **8.** *who have sent me this trial.* **9.** *Spare me!* **10.** vous êtes fou! **11.** (not *my master*): *young fellow.* **12.** ridicule. **13.** *goal.* **14.** tourments. **15.** *by chance; (you happen to be courting).*

Comme vous monteriez derrière ma voiture.

Soyez donc raisonnable.

   Ruy Blas. (*Qui l'a écouté avec égarement* [1] *et comme ne pouvant en croire ses*
    oreilles)   O mon Dieu ! — Dieu clément !

Dieu juste ! de quel crime est-ce le châtiment ?

Qu'est-ce donc que j'ai fait ? Vous êtes notre père,   85

Et vous ne voulez pas qu'un homme désespère !

Voilà donc où j'en suis ! — Et, volontairement,

Et sans tort [2] de ma part, — pour voir, — uniquement

Pour voir agoniser une pauvre victime,

Monseigneur, vous m'avez plongé dans cet abîme !   90

Tordre [3] un malheureux cœur plein d'amour et de foi,

Afin d'en exprimer [4] la vengeance pour soi ! (*Se parlant à lui-même.*)

Car c'est une vengeance ! oui, la chose est certaine !

Et je devine bien que c'est contre la reine ! (*Il se jette aux pieds* de DON
    SALLUSTE.)

... Ayez pitié de moi ! grâce ! ayez pitié d'elle !   95

Vous savez que je suis un serviteur fidèle.

Vous l'avez dit souvent. Voyez ! je me soumets !

Grâce !

   Don Salluste. Cet homme-là ne comprendra jamais.

C'est impatientant !

   Ruy Blas. (*Se traînant à ses pieds*) Grâce !

   Don Salluste.   Abrégeons,[5] mon maître. (*Il*
   se tourne vers la fenêtre.) Gageons [6] que vous avez mal fermé la fenêtre.

Il vient un froid par là ! (*Il va à la croisée et la ferme.*)   100

   Ruy Blas. (*Se relevant*) Ho ! c'est trop ! A présent

Je suis duc d'Olmedo, ministre tout-puissant !

Je relève le front sous le pied qui m'écrase.[7]

   Don Salluste. Comment dit-il cela ? Répétez donc la phrase.

Ruy Blas, duc d'Olmedo ? Vos yeux ont un bandeau.[8]   105

Ce n'est que sur Bazan qu'on a mis Olmedo.

   Ruy Blas. Je vous fais arrêter.

   Don Salluste.   Je dirai qui vous êtes.

   Ruy Blas. (*Exaspéré*) Mais ...

   Don Salluste.   Vous m'accuserez ? J'ai risqué nos deux têtes.

C'est prévu. Vous prenez trop tôt l'air triomphant.

   Ruy Blas. Je nierai [9] tout !

   Don Salluste.   Allons ! vous êtes un enfant.   110

   Ruy Blas. Vous n'avez pas de preuve ! [10]

   Don Salluste.   Et vous pas de mémoire.

---

  1. *bewilderment.* **2.** *wrongdoing* (*towards you*). **3.** *wring.* **4.** *squeeze out.* **5.** *cut it short!* **6.** *wager.* **7.** *crushes.* **8.** *bandage.* **9.** *I shall deny.* **10.** *proof.*

Je fais ce que je dis, et vous pouvez m'en croire.
Vous n'êtes que le gant [1] et moi, je suis la main.
(*Bas et se rapprochant de* RUY BLAS.)
Si tu n'obéis pas, si tu n'es pas demain
Chez toi, pour préparer ce qu'il faut que je fasse,   115
Si tu dis un seul mot de tout ce qui se passe,
Si tes yeux, si ton geste en laissent rien percer,[2]
Celle pour qui tu crains, d'abord, pour commencer,
Par ta folle aventure, en cent lieux répandue,
Sera publiquement diffamée et perdue.   120
Puis elle recevra, ceci n'a rien d'obscur,
Sous cachet,[3] un papier, que je garde en lieu sûr,
Écrit, te souvient-il avec quelle écriture ?
Signé, tu dois savoir de quelle signature ?
Voici ce que ses yeux y liront : « Moi, Ruy Blas,   125
» Laquais de monseigneur le marquis de Finlas,
» En toute occasion, ou secrète ou publique,
» M'engage à le servir comme un bon domestique. »
    Ruy Blas. (*Brisé et d'une voix éteinte* [4])
    Il suffit. — Je ferai, monsieur, ce qu'il vous plaît.
(*La porte du fond s'ouvre. On voit rentrer les conseillers du conseil privé.* DON
    SALLUSTE *s'enveloppe vivement de son manteau.*)
Don Salluste. (*Bas*) On vient. (*Il salue profondément* RUY BLAS. *Haut.*)
        Monsieur le duc, je suis votre valet. (*Il sort.*)

ACTE QUATRIÈME

DON CÉSAR

*Une petite chambre somptueuse et sombre. Une seule fenêtre à gauche, placée
très haut et garnie de barreaux comme les croisées [5] des prisons. C'est le
matin. Au lever du rideau,* RUY BLAS, *vêtu de noir, sans manteau et sans
la toison,[6] vivement agité, se promène à grands pas dans la chambre. Au
fond, se tient son page, immobile et comme attendant ses ordres.*

SCÈNE PREMIÈRE
RUY BLAS, LE PAGE

Ruy Blas. (*A part, et se parlant à lui-même*)
    Que faire ? — Elle d'abord ! elle avant tout ! — rien qu'elle !
Dût-on [7] voir sur un mur rejaillir [8] ma cervelle,[9]

    1. *glove.* **2.** *transpire.* **3.** *seal.* **4.** mourante. **5.** fenêtres. **6.** (*insignia of the*) *Golden
Fleece.* **7.** même si on devait. **8.** *splash.* **9.** *brains.*

Dût le gibet me prendre ou l'enfer me saisir !
Il faut que je la sauve ! — Oui ! mais y réussir ?
Comment faire ? Donner mon sang, mon cœur, mon âme, 5
Ce n'est rien, c'est aisé. Mais rompre cette trame ! [1]
Deviner . . . — deviner ! car il faut deviner ! —
Ce que cet homme a pu construire et combiner !
. . . Que faire ? Pensons bien. D'abord empêchons-la [2]
De sortir du palais. — Oh ! oui, le piège est là 10
Sans doute. Autour de moi, tout est nuit, tout est gouffre.
Je sens le piège, mais je ne vois pas. — Je souffre !
C'est dit. Empêchons-la de sortir du palais.
Faisons-la prévenir sûrement, sans délais. —
Par qui ? — je n'ai personne ! (*Il rêve avec accablement.*[3] *Puis, tout à coup,*
   comme frappé d'une idée subite et d'une lueur [4] *d'espoir, il relève la tête.*)
                    Oui, Don Guritan l'aime ! 15
C'est un homme loyal ! oui ! (*Faisant signe au page de s'approcher. Bas.*)
                    — Page, à l'instant même,
Va chez don Guritan, et fais-lui de ma part
Mes excuses; et puis dis-lui que sans retard
Il aille chez la reine et qu'il la prie en grâce,
En mon nom comme au sien, quoi qu'on dise ou qu'on fasse, 20
De ne point s'absenter du palais de trois jours.
Quoi qu'il puisse arriver. De ne point sortir. Cours !
(*Rappelant le page.*) Ah !
(*Il tire de son garde-notes* [5] *une feuille et un crayon.*)
                    Qu'il donne ce mot à la reine, — et qu'il veille ! [6]
(*Il écrit rapidement sur son genou.*)
— « Croyez Don Guritan, faites ce qu'il conseille ! » (*Il ploie le papier et le*
   remet au page.)
Quant à ce duel, dis-lui que j'ai tort, que je suis 25
A ses pieds, qu'il me plaigne [7] et que j'ai des ennuis,
Qu'il porte chez la reine à l'instant mes suppliques,
Et que je lui ferai des excuses publiques.
Qu'elle est en grand péril. Qu'elle ne sorte point.
Quoi qu'il arrive. Au moins trois jours ! — De point en point [8] 30
Fais tout. Va, sois discret, ne laisse rien paraître.
   Le Page. Je vous suis dévoué. Vous êtes un bon maître.
   Ruy Blas. Cours, mon bon petit page. As-tu bien tout compris ?
   Le Page. Oui, monseigneur; soyez tranquille.[9] (*Il sort.*)
   Ruy Blas. (*Resté seul, tombant sur un fauteuil*) Mes esprits

---

1. (lit., *web*): *plot.* **2.** *let us prevent her from.* **3.** extrême découragement. **4.** *gleam.*
5. *notebook.* **6.** *let him be watchful.* **7.** qu'il ait pitié de moi. **8.** exactement. **9.** *don't worry.*

Se calment. Cependant, comme dans la folie,   35
Je sens [1] confusément des choses que j'oublie.
Oui, le moyen [2] est sûr. — Don Guritan . . . — Mais moi ?
Faut-il attendre ici don Salluste ? Pourquoi ?
Non. Ne l'attendons pas. Cela le paralyse
Tout un grand jour. Allons prier dans quelque église.   40
Sortons. J'ai besoin d'aide, et Dieu m'inspirera !
(*Il prend son chapeau sur une crédence,*[3] *et secoue une sonnette posée sur la*
    table. Deux nègres paraissent à la porte du fond.)
Je sors. Dans un instant un homme ici viendra.
— Par une entrée à lui.[4] — Dans la maison, peut-être,
Vous le verrez agir comme s'il était maître.
Laissez-le faire. Et si d'autres viennent . . .
(*Après avoir hésité un moment.*)   Ma foi,   45
Vous laisserez entrer ! (*Il congédie* [5] *du geste les noirs, qui s'inclinent en signe*
    d'obéissance et qui sortent.) Allons !   (*Il sort.*)
(*Au moment où la porte se referme sur* RUY BLAS, *on entend un grand bruit*
    dans la cheminée, par laquelle on voit tomber tout à coup un homme, en-
    veloppé d'un manteau déguenillé,[6] *qui se précipite dans la chambre. C'est*
    DON CÉSAR.)

SCÈNE II

Don César. (*Effaré,*[7] *essoufflé,*[8] *décoiffé,*[9] *étourdi,*[10] *avec une expression joy-*
    euse et inquiète en même temps.)   Tant pis ! c'est moi !
(*Il se relève en se frottant la jambe sur laquelle il est tombé, et s'avance dans la*
    chambre avec force [11] *révérences et chapeau bas.*)
Pardon ! ne faites pas attention, je passe.
Vous parliez entre vous. Continuez, de grâce.
J'entre un peu brusquement, messieurs, j'en suis fâché !
(*Il s'arrête au milieu de la chambre et s'aperçoit qu'il est seul.*)
— Personne ? — sur le toit tout à l'heure perché,   5
J'ai cru pourtant ouïr [12] un bruit de voix. — Personne ! (*S'asseyant dans un*
    fauteuil.) Fort bien. Recueillons-nous.[13] La solitude est bonne.

[Il se raconte sa vie chez les pirates, son évasion, son retour à Madrid où il vient
d'échapper aux alguazils. Puis il échange son vieux manteau et ses vieux souliers
contre le beau manteau et les élégantes bottines qu'il trouve dans un coffre. Il examine l'appartement.]

Maison mystérieuse et propre aux tragédies.
Portes closes, volets barrés, un vrai cachot.[14]

---

1. *sense.*   **2.** *means, expedient.*   **3.** *sideboard.*   **4.** *private entrance.*   **5.** *dismisses.*
6. *ragged.*   **7.** *bewildered.*   **8.** *out of breath.*   **9.** *hatless.*   **10.** *dizzy, half-stunned.*   **11.** beaucoup de, nombre de.   **12.** *entendre.*   **13.** *réfléchissons.*   **14.** *dungeon.*

Dans ce charmant logis on entre par en haut, 10
Juste comme le vin entre dans les bouteilles.
(*Avec un soupir.*) — C'est bien bon, du bon vin ! —
(*Il aperçoit la petite porte à droite, l'ouvre, s'introduit vivement dans le cabinet
avec lequel elle communique, puis rentre avec des gestes d'étonnement.*)

Merveille des merveilles !

Cabinet sans issue où tout est clos [1] aussi ! (*Il va à la porte du fond, l'entr'ouvre,[2]
et regarde au dehors; puis il la laisse retomber et revient sur le devant.*)
Personne ! — Où diable suis-je ? — Au fait j'ai réussi
A fuir les alguazils. Que m'importe le reste ? 15
Vais-je pas m'effarer [3] et prendre un air funeste
Pour n'avoir jamais vu de maison faite ainsi ? (*Il se rassied sur le fauteuil,
bâille,[4] puis se relève presque aussitôt.*)
Ah çà, mais — je m'ennuie horriblement ici !
(*Avisant [5] une petite armoire.[6]*) Voyons, ceci m'a l'air d'une bibliothèque.[7]
(*Il y va et l'ouvre. C'est un garde-manger [8] bien garni.*)
Justement.[9] — Un pâté,[10] du vin, une pastèque.[11] 20
C'est un en-cas [12] complet. Six flacons [13] bien rangés ! [14]
Diable ! sur ce logis j'avais des préjugés.
(*Examinant les flacons l'un après l'autre.*)
C'est d'un bon choix. — Allons ! l'armoire est honorable.
(*Il prend une des bouteilles.*) Lisons d'abord ceci. (*Il emplit un verre et boit
d'un trait.[15]*) C'est une œuvre admirable
De ce fameux poète appelé le soleil ! 25
Xérès-des-Chevaliers [16] n'a rien de plus vermeil.[17] (*Il s'assied, se verse un se-
cond verre et boit.*)
Quel livre vaut cela ? Trouvez-moi quelque chose
De plus spiritueux ! [18] (*Il boit.*) Ah Dieu, cela repose !
Mangeons. (*Il entame [19] le pâté.*) Chiens d'alguazils ! je les ai déroutés.[20]
Ils ont perdu ma trace. (*Il mange.*) Oh ! le roi des pâtés ! 30
Quant au maître du lieu, s'il survient . . . (*Il va au buffet [21] et en rapporte
un verre et un couvert [22] qu'il pose sur la table.*) je l'invite !
— Pourvu qu'il n'aille pas me chasser ! Mangeons vite.
Mon dîner fait, j'irai visiter la maison.
Mais qui peut l'habiter ? peut-être un bon garçon.
Ceci peut ne cacher qu'une intrigue de femme. 35
Bah ! quel mal fais-je ici ? qu'est-ce que je réclame ?
Rien, — l'hospitalité de ce digne mortel,

---

1. fermé. **2.** ouvre partiellement. **3.** me troubler. **4.** *yawns.* **5.** apercevant.
6. *cupboard.* **7.** *bookcase.* **8.** *larder.* **9.** *most opportunely.* **10.** *meat pie.* **11.** *water-
melon.* **12.** un repas froid préparé *en cas* de besoin. **13.** *flasks.* **14.** *in their (right) place.*
15. *at one gulp.* **16.** César confond Xérès des Chevaliers avec Xérès d'Andalousie qui produit d'excellents vins (*Sherry*). (Note de Levaillant.) **17.** *golden.* **18.** César fait un jeu de
mots (*pun*); un livre est spirituel (*witty*), un vin spiritueux (*spirituous, alcoholic*). **19.** *cuts
into.* **20.** *have thrown them off the scent.* **21.** *sideboard.* **22.** cuillère et fourchette.

A la manière antique,   (*Il s'agenouille à demi et entoure la table de ses bras.*[1])
en embrassant l'autel. (*Il boit.*)
D'abord, ceci n'est point le vin d'un méchant homme,
Et puis, c'est convenu, si l'on vient, je me nomme.   40
Ah! vous endiablerez,[2] mon vieux cousin maudit!
Quoi, ce bohémien? ce galeux?[3] ce bandit?
Ce Zafari? ce gueux? ce va-nu-pieds?... — Tout juste!
Don César de Bazan, cousin de don Salluste!
Oh! la bonne surprise! et dans Madrid quel bruit![4]   45
Quand est-il revenu? ce matin? cette nuit?
Quel tumulte partout en voyant cette bombe,[5]
Ce grand nom oublié qui tout à coup retombe!
Don César de Bazan! oui, messieurs, s'il vous plaît.
Personne n'y pensait, personne n'en parlait,   50
Il n'était donc pas mort? il vit, messieurs, mesdames!
Les hommes diront: Diable! — Oui-dà![6] diront les femmes.
Doux bruit, qui vous reçoit rentrant dans vos foyers,[7]
Mêlé de l'aboiement[8] de trois cents créanciers![9]
Quel beau rôle à jouer! — Hélas! l'argent me manque. (*Bruit à la porte.*) 55
On vient! Sans doute on va comme un vil saltimbanque[10]
M'expulser. — C'est égal, ne fais rien à demi,
César! (*Il s'enveloppe de son manteau jusqu'aux yeux. La porte du fond*
s'ouvre. Entre un LAQUAIS *en livrée portant sur son dos une grosse sa-*
coche.[11])

SCÈNE III

DON CÉSAR, UN LAQUAIS

Don César. (*Toisant*[12] *le* LAQUAIS *de la tête aux pieds*)
Qui venez-vous chercher céans,[13] l'ami?
(*A part.*) Il faut beaucoup d'aplomb,[14] le péril est extrême.
Le Laquais. Don César de Bazan?
Don César. (*Dégageant son visage du manteau*)
Don César! C'est moi-même!
(*A part.*) Voilà du merveilleux!
Le Laquais.   Vous êtes le seigneur
Don César de Bazan?
Don César.   Pardieu! j'ai cet honneur.   5

1. Chez les anciens, l'étranger qui demandait l'hospitalité entourait de ses bras (*put his arms around*) l'autel des dieux domestiques. (Note de Levaillant.) 2. enragerez (comme le diable). 3. *scabby fellow.* 4. scandale. 5. *bombshell.* 6. *Oh! good!* 7. (lit., *hearth*): home. 8. *yapping.* 9. *creditors.* 10. *mountebank.* 11. sac de cuir (*leather*). 12. examinant (de la tête aux pieds). 13. ici. 14. *poise.*

César ! le vrai César ! le seul César ! le comte
De Garo . . .

    Le Laquais. (*Posant sur le fauteuil la sacoche*)
          Daignez voir si c'est là votre compte.

    Don César. (*Comme ébloui. A part.*)
        De l'argent ! c'est trop fort ![1] (*Haut.*)   Mon cher . . .

    Le Laquais.   Daignez compter.
C'est la somme que j'ai ordre de vous porter.

    Don César. (*Gravement*)
        Ah ! fort bien ! je comprends. (*A part.*) Je veux bien que le diable . . . — 10
Ça, ne dérangeons pas cette histoire admirable.
Ceci vient fort à point.[2] (*Haut.*) Vous faut-il des reçus ?[3]

    Le Laquais. Non, monseigneur.

    Don César. (*Lui montrant la table*) Mettez cet argent là-dessus. (*Le*
    LAQUAIS *obéit.*)
De quelle part ?

    Le Laquais.   Monsieur le sait bien.

    Don César.   Sans nul doute.
Mais . . .

    Le Laquais.   Cet argent, — voilà ce qu'il faut que j'ajoute, — 15
Vient de qui vous savez pour ce que vous savez.

    Don César. (*Satisfait de l'explication*) Ah !

    Le Laquais.   Nous devons, tous deux, être fort réservés.
Chut !

    Don César. Chut !!! — Cet argent vient . . . — La phrase est magnifique !
Redites-la-moi donc.

    Le Laquais.   Cet argent . . .

    Don César.   Tout s'explique !
Me vient de qui je sais . . .

    Le Laquais.   Pour ce que vous savez. 20
Nous devons . .

    Don César.   Tous les deux !!!

    Le Laquais.   Être fort réservés.

    Don César. C'est parfaitement clair.

    Le Laquais.   Moi, j'obéis; du reste
Je ne comprends pas.

    Don César.   Bah ![4]

    Le Laquais.   Mais vous comprenez !

    Don César.   Peste ![5]

    Le Laquais. Il suffit.

    Don César.   Je comprends et je prends, mon très cher.
De l'argent qu'on reçoit, d'abord, c'est toujours clair. 25

---

1. *Well I never!* **2.** juste au bon moment. **3.** *receipts.* **4.** *Oh! come!* **5.** *Rather!*

Le Laquais.   Chut !

Don César.   Chut ! ! ! ne faisons pas d'indiscrétion.   Diantre ! [1]

Le Laquais.   Comptez, seigneur !

Don César.   Pour qui me prends-tu ?   (*Admirant la
rondeur* [2] *du sac posé sur la table.*)   Le beau ventre ! [3]

Le Laquais. (*Insistant*)   Mais . . .

Don César.   Je me fie à toi.   (Don César *ouvre la
sacoche et en tire* [4] *plusieurs sacs pleins d'or et d'argent, qu'il ouvre et vide
sur la table avec admiration; puis il se met à puiser* [5] *à pleines poignées* [6]
dans les sacs d'or, et remplit ses poches.) . . .

Le Laquais.   (*Qui le regarde avec impassibilité*)
Et maintenant, j'attends vos ordres.

Don César. (*Se retournant*)   Pour quoi faire ?

Le Laquais.   Afin d'exécuter, vite et sans qu'on diffère,[7]   30
Ce que je ne sais pas et ce que vous savez.
De très grands intérêts . . .

Don César.   (*L'interrompant d'un air d'intelligence*)   Oui, publics et privés ! ! !

Le Laquais.   Veulent que tout cela se fasse à l'instant même.
Je dis ce qu'on m'a dit de dire.

Don César. (*Lui frappant* [8] *sur l'épaule*)   Et je t'en aime,
Fidèle serviteur !

Le Laquais.   Pour ne rien retarder,[9]   35
Mon maître à vous me donne afin de vous aider.

Don César.   C'est agir congrûment.[10]   Faisons ce qu'il désire.
(*A part.*)   Je veux être pendu si je sais que lui dire.
(*Haut.*)   Approche, galion,[11] et d'abord —   (*Il remplit de vin l'autre verre.*)
                                       bois-moi ça !

Le Laquais.   Quoi, seigneur ? . . .

Don César.   Bois-moi ça !

(*Le* Laquais *boit.* Don César *lui remplit son verre.*)   Du vin d'Oropesa !   40
(*Il fait asseoir* le laquais, *le fait boire, et lui verse de nouveau vin.*)
Causons.   (*A part.*)   Il a déjà la prunelle allumée.[12]

(*Haut et s'étendant* [13] *sur sa chaise.*)

L'homme, mon cher ami, n'est que de la fumée,
Noire, et qui sort du feu des passions.   Voilà.   (*Il lui verse à boire.*)
C'est bête comme tout,[14] ce que je te dis là.
. . . Mon cher, raccroche-moi [15] le col de mon manteau.   45

Le Laquais.   (*Fièrement*)
Seigneur, je ne suis pas valet de chambre.

1. The devil!   **2.** rotondité.   **3.** The lovely belly!   **4.** withdraws.   **5.** draw out.   **6.** by the handful.   **7.** sans délai, immédiatement.   **8.** tapant.   **9.** pour . . . retarder: pour agir promptement.   **10.** fittingly.   **11.** (lit., galleon; because he has come laden with gold): Les vaisseaux qui apportaient en Espagne les richesses d'Amérique étaient des galions.   **12.** his eye shines (is lit up) already.   **13.** lolling.   **14.** bête comme tout: perfectly silly.   **15.** hook up.

(*Avant que* Don César *ait pu l'en empêcher, il secoue la sonnette* [1] *posée sur la table.*)

Don César. (*A part, effrayé*) Il sonne!

Le maître va peut-être arriver en personne.

Je suis pris!

(*Entre un des noirs.* Don César, *en proie à la plus vive anxiété, se retourne du côté opposé, comme ne sachant que devenir.*)

Le Laquais. (*Au nègre*) Remettez l'agrafe [2] à monseigneur.

(*Le nègre rattache l'agrafe du manteau, salue, et sort, laissant* Don César *pétrifié.*)

Don César. (*Se levant de table. A part.*)

Je suis chez Belzébuth,[3] ma parole d'honneur!

(*Il vient sur le devant et se promène à grands pas.*)

Ma foi, laissons-nous faire,[4] et prenons ce qui s'offre. . . .   50

Ah!

Le Laquais. (*Vidant son verre*) Que m'ordonnez-vous?

Don César. Laisse-moi, je médite.

Bois en m'attendant.

(*Le* laquais *se remet à boire. Lui, continue de rêver, et tout à coup se frappe le front comme ayant trouvé une idée.*)

Oui! (*Au* laquais.) Lève-toi tout de suite.

Voici ce qu'il faut faire. Emplis tes poches d'or. (*Le* laquais *se lève en trébuchant,[5] et emplit d'or les poches de son justaucorps.[6]* Don César *l'y aide.*)

[Il donne au laquais l'adresse de trois vieux compagnons de débauche, avec ordre de leur porter de l'argent.]

Donne à tous ces faquins [7] ton argent le plus rond,

Et ne t'ébahis [8] pas des yeux qu'ils ouvriront.   55

Le Laquais. Après?

Don César. Garde le reste. Et pour dernier chapitre . . .

Le Laquais. Qu'ordonne monseigneur?

Don César. Va te soûler,[9] bélître! [10]

Casse beaucoup de pots et fais beaucoup de bruit,

Et ne rentre chez toi que demain — dans la nuit.

Le Laquais. Suffit, mon prince.

(*Il se dirige vers la porte en faisant des zigzags.*)

Don César. (*Le regardant marcher. A part.*) Il est effroyablement ivre! 60

(*Le rappelant. L'autre se rapproche.*)

Ah! . . . — Quand tu sortiras, les oisifs [11] vont te suivre.

Fais par ta contenance honneur à la boisson.[12]

---

1. *shakes the bell.* **2.** *clasp.* **3.** Belzébuth: prince des démons. **4.** n'offrons pas de résistance à ce qui nous arrive. **5.** *stumbling.* **6.** *jacket.* **7.** *scamps.* **8.** ne sois pas étonné. **9.** *get drunk.* **10.** *rascal.* **11.** *idlers.* **12.** *drink.*

Sache te comporter [1] d'une noble façon.
S'il tombe par hasard des écus [2] de tes chausses,[3]
Laisse tomber, — et si des essayeurs de sauces,[4]   65
Des clercs, des écoliers, des gueux qu'on voit passer,
Les ramassent, — mon cher, laisse-les ramasser. . . . (*Le* LAQUAIS *sort. Resté*
    seul, DON CÉSAR *se rassied et paraît plongé dans de profondes réflexions.*)
. . . C'est le devoir du chrétien et du sage,
Quand il a de l'argent, d'en faire un bon usage.
J'ai de quoi [5] vivre au moins huit jours ! Je les vivrai.   70
Et, s'il me reste un peu d'argent, je l'emploierai
A des fondations [6] pieuses. Mais je n'ose
M'y fier, car on va me reprendre la chose.
C'est méprise [7] sans doute, et ce mal-adressé
Aura mal entendu,[8] j'aurai mal prononcé . . .   75
(*La porte du fond se rouvre. Entre une* DUÈGNE, *vieille, cheveux gris.*)

SCÈNE IV

DON CÉSAR, UNE DUÈGNE

   La Duègne. (*Sur le seuil de la porte*)
    Don César de Bazan ?
(DON CÉSAR, *absorbé dans ses méditations, relève brusquement la tête.*)
   Don César.   Pour le coup ! [9] (*A part.*) Oh ! femelle ! (*Pendant que* LA DUÈGNE *accomplit une profonde révérence au fond, il vient stupéfait sur le devant.*)
Mais il faut que le diable ou Salluste s'en mêle !
Gageons que je vais voir arriver mon cousin.
Une duègne ! (*Haut.*) C'est moi, Don César. — Quel dessein ? . . .[10]
(*A part.*) D'ordinaire une vieille en annonce une jeune.   5
   La Duègne. (*Révérence avec un signe de croix*)
    Seigneur, je vous salue, aujourd'hui jour de jeûne,[11]
En Jésus Dieu le fils, sur qui rien ne prévaut.[12]
   Don César. (*A part*) A galant dénouement [13] commencement dévot.
(*Haut.*) Ainsi soit-il ! [14] Bonjour.
   La Duègne.   Dieu vous maintienne en joie ! (*Mystérieusement.*)
Avez-vous à quelqu'un, qui jusqu'à vous m'envoie,   10
Donné pour cette nuit un rendez-vous secret ?

---

1. te conduire. **2.** pièces d'argent. **3.** *breeches.* **4.** (lit., *sauce tasters*): *scullions.* **5.** de quoi: le nécessaire; assez pour. **6.** *endowments.* **7.** erreur. **8.** future anterior denoting a supposition which is believed probable: *must have misunderstood.* **9.** *Well! this is the climax!* **10.** *What purpose . . . (brings you here)?* **11.** *fasting.* **12.** *prevails.* **13.** *ending.* **14.** *amen.*

Don César.   Mais j'en suis fort capable.

La Duègne.   (*Elle tire de son garde-infante* [1] *un billet plié* [2] *et le lui présente, mais sans le lui laisser prendre.*)   Ainsi, mon beau discret,[3]
C'est bien vous qui venez, et pour cette nuit même,
D'adresser ce message à quelqu'un qui vous aime
Et que vous savez bien?

    Don César.   Ce doit être moi.

    La Duègne.   Bon.   15
La dame, mariée à quelque vieux barbon,[4]
A des ménagements [5] sans doute est obligée,
Et de me renseigner [6] céans [7] on m'a chargée.
Je ne la connais pas, mais vous la connaissez.
La soubrette [8] m'a dit les choses.   C'est assez,   20
Sans les noms.

    Don César.   Hors le mien.

    La Duègne.   C'est tout simple.   Une dame
Reçoit un rendez-vous de l'ami de son âme,
Mais on craint de tomber dans quelque piège, mais
Trop de précautions ne gâtent rien jamais.
Bref, ici l'on m'envoie avoir de votre bouche   25
La confirmation . . .

    Don César.   Oh! la vieille farouche! [9]
Vrai Dieu! quelle broussaille [10] autour d'un billet doux!
Oui, c'est moi, moi, te dis-je!

    La Duègne.   (*Elle pose sur la table le billet plié, que* Don César *examine avec curiosité.*)   En ce cas, si c'est vous,
Vous écrirez: *Venez,* au dos de cette lettre.
Mais pas de votre main, pour ne rien compromettre.[11]   30

    Don César.   Peste! au fait, de ma main! (*A part.*)   Message bien rempli!
(*Il tend la main pour prendre la lettre; mais elle est recachetée,[12] et la* Duègne *ne la lui laisse pas toucher.*)

    La Duègne.   N'ouvrez pas.   Vous devez reconnaître le pli.[13]

    Don César.   Pardieu! [14] (*A part.*)   Moi qui brûlais de voir!... jouons
mon rôle! (*Il agite la sonnette.   Entre un des noirs.*)
Tu sais écrire? (*Le noir fait un signe de tête affirmatif.   Étonnement de* Don
César.   *A part.*)   Un signe! (*Haut.*)   Es-tu muet, mon drôle? [15]
(*Le noir fait un nouveau signe d'affirmation.   Nouvelle stupéfaction de* Don
César.   *A part.*)
Fort bien! continuez! des muets à présent!   35

---

  1. *skirt pocket.*   **2.** *folded note.*   **3.** Don César n'a pas répondu directement à la question de la duègne.   Elle croit qu'il fait des mystères et l'appelle « mon discret » — (*my fine mystery-maker*).   **4.** *graybeard.*   **5.** précautions.   **6.** *make inquiries.*   **7.** ici même.
8. servante.   **9.** sauvage.   **10.** (lit., *brambles*): *a lot of idle words.*   **11.** pour ne rien risquer.   **12.** *sealed again.*   **13.** *fold.*   **14.** *of course.*   **15.** *fellow.*

(Au muet, en lui montrant la lettre, que la vieille tient appliquée sur la table.)
— Écris-moi là: *Venez.*
(Le muet écrit. DON CÉSAR *fait signe à la* DUÈGNE *de reprendre la lettre, et
au muet de sortir. Le muet sort. A part.)*
Il est obéissant!

*La Duègne. (Remet d'un air mystérieux le billet dans son garde-infante, et se
rapprochant de* DON CÉSAR*)* Vous la verrez ce soir. Est-elle bien jolie?

Don César. Charmante!

La Duègne. La suivante[1] est d'abord accomplie.[2]
Elle m'a prise à part au milieu du sermon.
Mais belle! un profil d'ange avec l'œil d'un démon.   40
Puis aux choses d'amour elle paraît savante.

Don César. (A part) Je me contenterais fort bien de la servante!

La Duègne. Nous jugeons, — car toujours le beau fait peur au laid,[3] —
La sultane à l'esclave et le maître au valet.
La vôtre est, à coup sûr,[4] fort belle.

Don César. Je m'en flatte!   45

La Duègne. (Faisant une révérence pour se retirer)
Je vous baise la main.

Don César. (Lui donnant une poignée de doublons) Je te graisse la patte,[5]
Tiens, vieille!

La Duègne. (Empochant [6]) La jeunesse est gaie aujourd'hui!

Don César. (La congédiant) Va.

La Duègne. (Révérences) Si vous aviez besoin . . . J'ai nom dame Oliva.
Couvent San-Isidro. — *(Elle sort. Puis la porte se rouvre, et l'on voit sa tête
reparaître.)* Toujours à droite assise
Au troisième pilier[7] en entrant dans l'église. *(*DON CÉSAR *se retourne avec* 50
*impatience. La porte retombe; puis elle se rouvre encore, et la vieille
reparaît.)*
Vous la verrez ce soir! monsieur, pensez à moi
Dans vos prières.

Don César. (La chassant avec colère)
Ah! *(La* DUÈGNE *disparaît. La porte se referme.)*
(Seul.) Je me résous,[8] ma foi,
A ne plus m'étonner. J'habite dans la lune.
Me voici maintenant une bonne fortune[9];
Et je vais contenter mon cœur après ma faim.   55
(Rêvant.) Tout cela me paraît bien beau. — Gare la fin![10] *(La porte du fond
se rouvre. Paraît* DON GURITAN *avec deux longues épées nues sous le bras.)*

---

1. servante.   **2.** *to all appearances efficient.*   **3.** *ugly.*   **4.** très certainement.
5. (lit., *I grease your paw*): *give you a tip.*   **6.** mettant (l'or) en poche.   **7.** colonne.
8. prends la résolution.   **9.** *love affair.*   **10.** *Look out for the end!*

SCÈNE V

Don César, Don Guritan

Don Guritan. (*Du fond*) Don César de Bazan?
Don César. (*Il se retourne et aperçoit* Don Guritan *et les deux épées.*)
Enfin! à la bonne heure![1]

L'aventure était bonne, elle devient meilleure.
Bon dîner, de l'argent, un rendez-vous, — un duel!
Je redeviens César à l'état naturel! (*Il aborde*[2] *gaiement, avec force*[3] *saluta-*
    tions empressées, Don Guritan, *qui fixe sur lui un œil inquiétant et*
    s'avance d'un pas raide sur le devant.)
C'est ici, cher seigneur. Veuillez prendre la peine   5
(*Il lui présente un fauteuil.* Don Guritan *reste debout.*)
D'entrer, de vous asseoir. — Comme chez vous, — sans gêne.[4]
Enchanté de vous voir. Çà, causons[5] un moment.
Que fait-on à Madrid? Ah! quel séjour charmant!
... J'arrive[6] des pays les plus extravagants.
    Don Guritan. Vous arrivez, mon cher monsieur? Eh bien, j'arrive   10
Encor bien plus que vous!
    Don César.   De quelle illustre rive?[7]
    Don Guritan. De là-bas, dans le nord.
    Don César.   Et moi, de tout là-bas,
Dans le midi.[8]
    Don Guritan. Je suis furieux!
    Don César.   N'est-ce pas?
Moi, je suis enragé!
    Don Guritan.   J'ai fait douze cents lieues!
    Don César. Moi, deux mille! J'ai vu des femmes jaunes, bleues,   15
Noires, vertes. J'ai vu des lieux du ciel bénis,
Alger, la ville heureuse, et l'aimable Tunis,
Où l'on voit, tant ces Turcs ont des façons accortes,[9]
Force gens empalés[10] accrochés[11] sur les portes.
    Don Guritan. On m'a joué,[12] monsieur!
    Don César.   Et moi, l'on m'a vendu!   20
    Don Guritan. L'on m'a presque exilé!
    Don César.   L'on m'a presque pendu!
    Don Guritan. On m'envoie à Neubourg, d'une manière adroite,
Porter ces quatre mots écrits dans une boîte:
« Gardez le plus longtemps possible ce vieux fou. »
    Don César. (*Éclatant de rire*) Parfait! qui donc cela?

1. *good! at last!* **2.** *greets.* **3.** nombre de. **4.** cérémonie. **5.** *let's chat.* **6.** *ici:* je reviens. **7.** *shore.* **8.** sud. **9.** aimables. **10.** *impaled.* **11.** suspendus. **12.** on s'est moqué de moi.

Don Guritan. .Mais je tordrai le cou [1] 25
A César de Bazan !
   Don César. (*Gravement*) Ah !
   Don Guritan.   Pour comble d'audace,[2]
Tout à l'heure il m'envoie un laquais à sa place.
Pour l'excuser ! dit-il. Un dresseur de buffet ! [3]
Je n'ai point voulu voir le valet. Je l'ai fait
Chez moi mettre en prison, et je viens chez le maître.   30
Ce César de Bazan ! cet impudent ! ce traître !
Voyons, que je le tue ! Où donc est-il ?
   Don César. (*Toujours avec gravité*)   C'est moi.
   Don Guritan. Vous ! — Raillez-vous,[4] monsieur ?
   Don César.   Je suis don César.
   Don Guritan.   Quoi !
Encor !
   Don César. Sans doute, encor !
   Don Guritan.   Mon cher, quittez ce rôle.
Vous m'ennuyez beaucoup si vous vous croyez drôle.   35
Savez-vous bien, monsieur, que vous m'exaspérez ?
   Don César. Bah !
   Don Guritan.   Que c'est trop fort !
   Don César.   Vrai ?
   Don Guritan.   Que vous me le paierez !
   Don César. (*Il examine d'un air goguenard* [5] *les souliers de* DON GURITAN,
    qui disparaissent sous des flots [6] *de rubans, selon la nouvelle mode.*)
    Jadis on se mettait des rubans sur la tête.
Aujourd'hui, je le vois, c'est une mode honnête,[7]
On en met sur sa botte, on se coiffe [8] les pieds.   40
C'est charmant !
   Don Guritan. Nous allons nous battre !
   Don César. (*Impassible* [9])   Vous croyez ?
   Don Guritan. Vous n'êtes pas César, la chose me regarde [10];
Mais je vais commencer par vous.
   Don César.   Bon. Prenez garde [11]
De finir par moi.
   Don Guritan. (*Il lui présente une des deux épées.*)
    Fat ! [12] Sur-le-champ.[13]
   Don César. (*Prenant l'épée*)   De ce pas.[14]
Quand je tiens un bon duel, je ne le lâche [15] pas !   45

---

1. *I shall wring the neck of.* **2.** *in his downright impudence.* **3.** (lit., *sideboard trimmer*
or *dresser*): *butler.* **4.** Est-ce que vous vous moquez ? Est-ce pour rire ? **5.** moqueur.
6. des quantités. **7.** *genteel.* **8.** *puts a headdress on.* **9.** sans trahir la moindre émotion.
10. *that's my business.* **11.** *mind you don't.* **12.** *coxcomb, conceited puppy.* **13.** ici et
maintenant. **14.** sans délai. **15.** *let go.*

Don Guritan. Où?

Don César. Derrière le mur. Cette rue est déserte.

Don Guritan. (*Essayant la pointe de l'épée sur le parquet* [1])
Pour César, je le tue ensuite !

Don César. Vraiment?

Don Guritan. Certe !

Don César. (*Faisant aussi ployer* [2] *son épée*)
Bah ! l'un de nous deux mort, je vous défie après
De tuer don César.

Don Guritan. Sortons !

Ils sortent. On entend le bruit de leurs pas qui s'éloignent. Une petite porte masquée s'ouvre à droite dans le mur, et donne passage à DON SALLUSTE.

SCÈNE VI

Don Salluste. (*Vêtu d'un habit vert sombre, presque noir. Il paraît soucieux et préoccupé. Il regarde et écoute avec inquiétude.*) Aucuns apprêts ! [3]
(*Apercevant la table chargée de mets.* [4]) Que veut dire ceci?
(*Écoutant le bruit des pas de* CÉSAR *et de* GURITAN.) Quel est donc ce tapage? [5]
(*Il se promène rêveur.*) Gudiel ce matin a vu sortir le page,
Et l'a suivi. — Le page allait chez Guritan. —
Je ne vois pas Ruy Blas. — Et ce page . . . — Satan !   5
C'est quelque contre-mine ! oui, quelque avis [6] fidèle
Dont il aura chargé [7] don Guritan pour elle !
— On ne peut rien savoir des muets ! — C'est cela !
Je n'avais pas prévu [8] ce Don Guritan-là ! (*Rentre* DON CÉSAR. *Il tient à la main l'épée nue, qu'il jette en entrant sur un fauteuil.*)

SCÈNE VII

DON SALLUSTE, DON CÉSAR

Don César. (*Du seuil de la porte*)
Ah ! j'en étais bien sûr ! vous voilà donc, vieux diable !

Don Salluste. (*Se retournant, pétrifié*)
Don César !

Don César. (*Croisant les bras avec un grand éclat de rire*)
Vous tramez [9] quelque histoire [10] effroyable !
Mais, je dérange tout, pas vrai, dans ce moment?
Je viens au beau milieu m'épater [11] lourdement ! [12]

Don Salluste. (*A part*) Tout est perdu !

---

1. *floor.* **2.** *bend.* **3.** préparatifs (de départ). **4.** choses à manger. **5.** grand bruit.
6. *warning.* **7.** (*Voir note 8, page 416.*) *must have entrusted.* **8.** pensé à. **9.** *you're weaving.* **10.** *ici:* affaire. **11.** *sprawl* (*on all fours*). **12.** *heavily.*

Don César. (*Riant*) Depuis toute la matinée, 5
Je patauge ¹ à travers vos toiles d'araignée.²
Aucun de vos projets ne doit être debout.
Je m'y vautre ³ au hasard. Je vous démolis tout.
C'est très réjouissant.
   Don Salluste. (*A part*) Démon! qu'a-t-il pu faire?
   Don César. (*Riant de plus en plus fort*)
    Votre homme au sac d'argent, — qui venait pour l'affaire! 10
— Pour ce que vous savez! — qui vous savez! — (*Il rit.*) Parfait!
   Don Salluste. Eh bien?
   Don César. Je l'ai soûlé.⁴
   Don Salluste. Mais l'argent qu'il avait?
   Don César. (*Majestueusement*)
    J'en ai fait des cadeaux ⁵ à diverses personnes.
Dame! on a des amis.
   Don Salluste. A tort tu me soupçonnes . . .
Je . . .
   Don César. (*Faisant sonner ses grègues* ⁶)
    J'ai d'abord rempli mes poches, vous pensez. 15
(*Il se remet à rire.*) Vous savez bien? la dame! . . .
   Don Salluste. Oh!
   Don César. (*Qui remarque son anxiété*) Que vous connaissez, —
(Don Salluste *écoute avec un redoublement d'angoisse.* Don César *poursuit*
   en riant:)
Qui m'envoie une duègne, affreuse compagnonne,
Dont la barbe fleurit ⁷ et dont le nez trognonne ⁸ . . .
   Don Salluste. Pourquoi?
   Don César. Pour demander, par prudence et sans bruit,
Si c'est bien don César qui l'attend cette nuit . . . 20
   Don Salluste. (*A part*) Ciel! (*Haut.*) Qu'as-tu répondu?
   Don César. J'ai dit que oui, mon maître!
Que je l'attendais!
   Don Salluste. (*A part*) Tout n'est pas perdu peut-être!
   Don César. Enfin votre tueur,⁹ votre grand capitan,¹⁰
Qui m'a dit sur le pré ¹¹ s'appeler — Guritan, (*Mouvement de* Don Salluste.)
Qui ce matin n'a pas voulu voir, l'homme sage, 25
Un laquais de César lui portant un message,
Et qui venait céans m'en demander raison ¹² . . .

---

1. *I've been floundering.* 2. *spider webs.* 3. *wallow.* 4. *I made him drunk.* 5. présents.
6. breeches. 7. *flourishes.* 8. *is in full bloom.* The verb *trognonner* was coined by the
author from the noun *trogne* (a "mug"—a face bearing every mark of high living).
Levaillant points out that in this line Victor Hugo has punned on the names of Fleury and
Trognon, collaborators in the production of a well-known series of history manuals.
9. assassin. 10. *swashbuckler.* 11. le terrain du duel. 12. satisfaction.

Don Salluste. Eh bien, qu'en as-tu fait?

Don César. J'ai tué cet oison.[1]

Don Salluste. Vrai?

Don César. Vrai. Là, sous le mur, à cette heure il expire.

Don Salluste. Es-tu sûr qu'il soit mort?

Don César. J'en ai peur.

Don Salluste. (*A part*) Je respire! 30
Allons! bonté du ciel![2] il n'a rien dérangé!
Au contraire. Pourtant donnons-lui son congé.[3]
Débarrassons-nous-en![4] Quel rude auxiliaire![5]
Pour l'argent, ce n'est rien. (*Haut.*) L'histoire est singulière
Et vous n'avez pas vu d'autres personnes?

Don César. Non. 35
Mais j'en verrai. Je veux continuer. Mon nom,
Je compte en faire éclat[6] tout à travers la ville.
Je vais faire un scandale affreux. Soyez tranquille.

Don Salluste. (*A part*) Diable! (*Vivement et se rapprochant de* Don
César.) Garde l'argent, mais quitte la maison.

Don César. . . . Je veux, pour tout gâter, rester dans l'aventure. 40
Je vous sais assez fort,[7] cousin, assez subtil,
Pour pendre deux ou trois pantins[8] au même fil.[9]
Tiens, j'en suis un! Je reste!

Don Salluste. Écoute . . .

Don César. Rhétorique!
Ah! vous me faites vendre aux pirates d'Afrique!
Ah! vous me fabriquez ici des faux César! 45
Ah! vous compromettez mon nom!

Don Salluste. Hasard!

Don César. Hasard?
Mais je prétends[10] sauver ceux qu'ici vous perdez.
Je vais crier mon nom sur les toits. (*Il monte sur l'appui*[11] *de la fenêtre
et regarde au dehors.*) Attendez!
Juste! des alguazils passent sous la fenêtre.
(*Il passe son bras à travers les barreaux, et l'agite en criant.*)
Holà!

Don Salluste. (*Effaré, sur le devant du théâtre. A part.*)
Tout est perdu s'il se fait reconnaître! 50
Entrent les ALGUAZILS *précédés d'un* ALCADE. DON SALLUSTE *paraît en proie
à une vive perplexité.* DON CÉSAR *va vers l'*ALCADE *d'un air de triomphe.*

---

1. (lit., *gosling*): *simpleton.* **2.** Dieu merci! **3.** donnons-lui congé: *let's send him about
his business.* **4.** *Let's get rid of him.* **5.** *What a tough helper!* **6.** *uproar.* **7.** habile.
8. marionnettes. **9.** *thread.* **10.** j'ai la prétention, je veux. **11.** *window sill.*

SCÈNE VIII

Les mêmes, un Alcade, des Alguazils

Don César. (*A l'*alcade)
  Vous allez consigner,[1] dans vos procès-verbaux [2] ...
Don Salluste. (*Montrant* Don César *à l'*alcade)
  Que voici le fameux voleur Matalobos !
Don César. (*Stupéfait*) Comment !
Don Salluste. (*A part*)   Je gagne tout en gagnant vingt-quatre heures
(*A l'*alcade.) Cet homme ose en plein jour entrer dans les demeures.[3]
Saisissez ce voleur. (*Les* alguazils *saisissent* Don César *au collet.*)
  Don César. (*Furieux, à* Don Salluste) Je suis votre valet,   5
Vous mentez hardiment ! [4]
  L'Alcade.   Qui donc nous appelait ?
  Don Salluste.   C'est moi.
  Don César.   Pardieu ! c'est fort ! [5]
  L'Alcade.   Paix ! je crois qu'il raisonne.[6]
  Don César.   Mais je suis don César de Bazan en personne !
  Don Salluste.   Don César ? — Regardez son manteau, s'il vous plaît.
Vous trouverez Salluste écrit sous le collet.[7]   10
C'est un manteau qu'il vient de me voler.
(*Les* alguazils *arrachent le manteau, l'*alcade *l'examine.*)
  L'Alcade.   C'est juste.
  Don Salluste.   Et le pourpoint qu'il porte ...
  Don César. (*A part*)   Oh ! le damné Salluste !
  Don Salluste. (*Continuant*) Il est au comte d'Albe, auquel il fut volé ... —
(*Montrant un écusson* [8] *brodé sur le parement* [9] *de la manche gauche.*)
Dont voici le blason ! [10]
  Don César. (*A part*) Il est ensorcelé ! [11]
  L'Alcade. (*Examinant le blason*)
  Oui, les deux châteaux d'or ...
  Don Salluste.   Et puis, les deux chaudières,[12]   15
Enriquez et Gusman. (*En se débattant,*[13] Don César *fait tomber quelques*
    doublons de ses poches. Don Salluste *montre à l'*alcade *la façon dont*
    elles sont remplies.) Sont-ce là les manières
Dont les honnêtes gens portent l'argent qu'ils ont ?
  L'Alcade. (*Hochant* [14] *la tête*) Hum !
  Don César. (*A part*)   Je suis pris !
(*Les* alguazils *le fouillent* [15] *et lui prennent son argent.*)

---

1. écrire.   2. *police reports.*   3. maisons particulières.   4. avec effronterie.   5. *that is
too much.*   6. argues.   7. *collar.*   8. *escutcheon, coat of arms.*   9. *cuff (of the sleeve).*
10. *coat of arms.*   11. (*a bewitcher*): il est ligué avec le diable.   12. *caldrons.*   13. *strug-
gling.*   14. *shaking.*   15. *search.*

Un Alguazil. (*Fouillant* [1])   Voilà des papiers.

Don César. (*A part*)   Ils y sont !

Oh ! pauvres billets doux sauvés dans mes traverses ! [2]

L'Alcade. (*Examinant les papiers*)

Des lettres . . . qu'est cela ? — d'écritures diverses . . .   20

Don Salluste. (*Lui faisant remarquer les suscriptions* [3])

Toutes au comte d'Albe !

L'Alcade.   Oui.

Don César.   Mais . . .

Les Alguazils. (*Lui liant les mains*)   Pris ! quel bonheur !

Un Alguazil. (*Entrant, à l'*ALCADE)

Un homme est là qu'on vient d'assassiner, seigneur.

L'Alcade. Quel est l'assassin ?

Don Salluste. (*Montrant* DON CÉSAR) Lui !

Don César. (*A part*)   Ce duel ! quelle équipée ! [4]

Don Salluste. En entrant, il tenait à la main une épée.

La voilà.

L'Alcade. (*Examinant l'épée*)

Du sang. — Bien. (*A* DON CÉSAR.) Allons, marche avec eux !   25

Don Salluste. (*A* DON CÉSAR, *que les* ALGUAZILS *emmènent*)

Bonsoir, Matalobos.

Don César. (*Faisant un pas vers lui et le regardant fixement*)

Vous êtes un fier gueux ! [5]

ACTE CINQUIÈME

LE TIGRE ET LE LION

Même chambre. C'est la nuit. Une lampe est posée sur la table. Au lever du rideau, RUY BLAS *est seul. Une sorte de longue robe noire cache ses vêtements.*

SCÈNE PREMIÈRE

Ruy Blas. (*Seul*) C'est fini. Rêve éteint ! [6] Visions disparues !

Jusqu'au soir au hasard j'ai marché dans les rues.

J'espère en ce moment. Je suis calme. La nuit,

On pense mieux, la tête est moins pleine de bruit.

Rien de trop effrayant sur ces murailles noires;   5

Les meubles [7] sont rangés; les clefs sont aux armoires;

Les muets sont là-haut qui dorment; la maison

Est vraiment bien tranquille. Oh ! oui, pas de raison

---

1. *searching.* **2.** *mishaps.* **3.** adresses. **4.** aventure. **5.** *perfect rascal.* **6.** *extinguished, vanished.* **7.** *furniture.*

D'alarme. Tout va bien. Mon page est très fidèle.

Don Guritan est sûr [1] alors qu'il s'agit d'elle. [2]   10

O mon Dieu! n'est-ce pas que je puis vous bénir, [3]

Que vous avez laissé l'avis lui parvenir,

Que vous m'avez aidé, vous, Dieu bon, vous, Dieu juste,

A protéger cet ange, à déjouer [4] Salluste,

Qu'elle n'a rien à craindre, hélas, rien à souffrir,   15

Et qu'elle est bien sauvée, — et que je puis mourir!

(*Il tire de sa poitrine une petite fiole [5] qu'il pose sur la table.*)

Oui, meurs maintenant, lâche! [6] et tombe dans l'abîme! [7]

Meurs comme on doit mourir quand on expie [8] un crime!

Meurs dans cette maison, vil, misérable et seul!

(*Il écarte sa robe noire, sous laquelle on entrevoit la livrée qu'il portait au premier acte.*)

Meurs avec ta livrée enfin sous ton linceul! [9]   20

— Dieu! si ce démon vient voir sa victime morte,

(*Il pousse un meuble de façon à barricader la porte secrète.*)

Qu'il n'entre pas du moins par cette horrible porte! (*Il revient vers la table.*)

— Oh! le page a trouvé Guritan, c'est certain,

Il n'était pas encor huit heures du matin. (*Il fixe son regard sur la fiole.*)

— Pour moi, j'ai prononcé mon arrêt, [10] et j'apprête   25

Mon supplice, [11] et je vais moi-même sur ma tête

Faire choir [12] du tombeau le couvercle pesant. [13]

J'ai du moins le plaisir de penser qu'à présent

Personne n'y peut rien. Ma chute est sans remède. (*Tombant sur le fauteuil.*)

Elle m'aimait pourtant! Que Dieu me soit en aide!   30

Je n'ai pas de courage! (*Il pleure.*) Oh! l'on aurait bien dû

Nous laisser en paix!

(*Il cache sa tête dans ses mains et pleure à sanglots. [14]*)

          Dieu!

(*Relevant la tête et comme égaré, [15] regardant la fiole.*)

                  L'homme, qui m'a vendu

Ceci, me demandait quel jour du mois nous sommes.

Je ne sais pas. J'ai mal dans la tête. Les hommes

Sont méchants. Vous mourez, personne ne s'émeut. [16]   35

Je souffre. — Elle m'aimait! — Et dire qu'on ne peut

Jamais rien ressaisir [17] d'une chose passée! —

Je ne la verrai plus! — Sa main que j'ai pressée,

Sa bouche qui toucha mon front . . . — Ange adoré!

Pauvre ange! — Il faut mourir, mourir désespéré!   40

---

1. *reliable.* **2.** *it concerns her.* **3.** *bless, thank.* **4.** *frustrate (the plans of).* **5.** *phial.* **6.** poltron. **7.** enfer. **8.** atones for. **9.** shroud. **10.** sentence (de mort). **11.** punition. **12.** tomber. **13.** *heavy lid.* **14.** *cries, sobbing.* **15.** troublé, hagard. **16.** personne ne s'émeut: tout le monde est indifférent. **17.** reprendre.

Sa robe où tous les plis [1] contenaient de la grâce,
Son pied qui fait trembler mon âme quand il passe,
Son œil où s'enivraient [2] mes yeux irrésolus,
Son sourire, sa voix . . . — Je ne la verrai plus !
Je ne l'entendrai plus ! — Enfin c'est donc possible ?   45
Jamais ! (*Il avance avec angoisse sa main vers la fiole; au moment où il la saisit
    convulsivement, la porte du fond s'ouvre.* LA REINE *paraît, vêtue de blanc,
    avec une mante* [3] *de couleur sombre, dont le capuchon,* [4] *rejeté sur ses épaules,
    laisse voir sa tête pâle. Elle tient une lanterne sourde* [5] *à la main, elle la* 55
    pose à terre, et marche rapidement vers RUY BLAS.)

SCÈNE II

RUY BLAS, LA REINE

La Reine. (*Entrant*) Don César !
Ruy Blas. (*Se retournant avec un mouvement d'épouvante, et fermant pré-
    cipitamment la robe qui cache sa livrée*)
                                    Dieu ! c'est elle ! — Au piège horrible
Elle est prise ! (*Haut.*) Madame ! . . .
La Reine.   Eh bien ! quel cri d'effroi !
César . . .
Ruy Blas. Qui vous a dit de venir ici ?
La Reine.   Toi.
Ruy Blas. Moi ? — Comment ?
La Reine.   J'ai reçu de vous . . .
Ruy Blas. (*Haletant* [6])   Parlez donc vite !
La Reine. Une lettre.
Ruy Blas.   De moi !
La Reine.   De votre main écrite.   5
Ruy Blas. Mais c'est à se briser [7] le front contre le mur !
Mais je n'ai pas écrit, pardieu, j'en suis bien sûr !
La Reine. (*Tirant de sa poitrine un billet qu'elle lui présente*)
    Lisez donc.
(RUY BLAS *prend la lettre avec emportement,* [8] *se penche vers la lampe et lit.*)
Ruy Blas. (*Lisant*) « Un danger terrible est sur ma tête.
» Ma reine seule peut conjurer la tempête . . .
(*Il regarde la lettre avec stupeur, comme ne pouvant aller plus loin.*)
La Reine. (*Continuant, et lui montrant du doigt la ligne qu'elle lit*)
    « En venant me trouver ce soir dans ma maison.   10
» Sinon, je suis perdu. »

1. *folds.* 2. *gazed with rapture.* 3. *cloak.* 4. *hood.* 5. *dark lantern.* 6. *panting.*
7. c'est à se briser: *it is enough to make you shatter.* 8. *frenzy.*

Ruy Blas. (*D'une voix éteinte*)　Ho ! quelle trahison !
Ce billet !

　　La Reine. (*Continuant de lire*)　« Par la porte au bas de l'avenue,
» Vous entrerez la nuit sans être reconnue.
» Quelqu'un de dévoué vous ouvrira. »

　　Ruy Blas. (*A part*)　　　　　　J'avais
Oublié ce billet. (*A* LA REINE, *d'une voix terrible.*)　Allez-vous-en !

　　La Reine.　　　　　　　　　　　　　　　　　　Je vais　15
M'en aller, don César.　O mon Dieu ! que vous êtes
Méchant ! [1]　Qu'ai-je donc fait ?

　　Ruy Blas.　　　　　　O ciel ! ce que vous faites ?
Vous vous perdez !

　　La Reine.　　　　Comment ?

　　Ruy Blas.　　　　　　　Je ne puis l'expliquer.
Fuyez vite !

　　La Reine. J'ai même, et pour ne rien manquer,
Eu le soin d'envoyer ce matin une duègne . . .　　　　　　　　　　20

　　Ruy Blas.　Dieu ! — mais, à chaque instant, comme d'un cœur qui saigne [2]
Je sens que votre vie à flots coule [3] et s'en va.
Partez !

　　La Reine. (*Comme frappée d'une idée subite*)
　　　　　Le dévouement que mon amour rêva
M'inspire.　Vous touchez à quelque instant funeste.
Vous voulez m'écarter de vos dangers ! — Je reste.　　　　　25

　　Ruy Blas.　Ah ! voilà, par exemple, une idée ! — O mon Dieu !
Rester à pareille heure et dans un pareil lieu !

　　La Reine.　La lettre est bien de vous.　Ainsi . . .

　　Ruy Blas. (*Levant les bras au ciel de désespoir*)　Bonté divine !

　　La Reine.　Vous voulez m'éloigner.

　　Ruy Blas. (*Lui prenant les mains*)　Comprenez !

　　La Reine.　　　　　　　　　　　Je devine.
Dans le premier moment vous m'écrivez, et puis . . .　　　　30

　　Ruy Blas.　Je ne t'ai pas écrit.　Je suis un démon.　Fuis !
Mais c'est toi, pauvre enfant, qui te prends dans un piège !
Mais c'est vrai ! mais l'enfer de tous côtés t'assiège ! [4]
Pour te persuader je ne trouve donc rien ?
Écoute, comprends donc, je t'aime, tu sais bien.　　　　　35
Pour sauver ton esprit de ce qu'il imagine,
Je voudrais arracher [5] mon cœur de ma poitrine !
Oh ! je t'aime.　Va-t'en !

　　La Reine.　　　　Don César . . .

---

1. cruel.　**2.** *is bleeding.*　**3.** coule à flots: *is streaming.*　**4.** te presse, t'attaque.
5. *tear out.*

Ruy Blas.   Oh ! va-t'en !
— Mais, j'y songe, on a dû t'ouvrir ?
La Reine.   Mais oui.
Ruy Blas.   Satan !
Qui ?
La Reine.   Quelqu'un de masqué, caché par la muraille.   40
Ruy Blas.   Masqué ! Qu'a dit cet homme ? est-il de haute taille ? [1]
Cet homme, quel est-il ? Mais parle donc ! j'attends !
(*Un homme en noir et masqué paraît à la porte du fond.*)
L'Homme masqué. C'est moi ! (*Il ôte son masque. C'est* Don Salluste.
La reine *et* Ruy Blas *le reconnaissent avec terreur.*)

SCÈNE III

Les mêmes, Don Salluste

Ruy Blas.   Grand Dieu ! fuyez, madame !
Don Salluste.   Il n'est plus temps.
Madame de Neubourg n'est plus reine d'Espagne.
La Reine. (*Avec horreur*) Don Salluste !
Don Salluste. (*Montrant* Ruy Blas)   A jamais vous êtes la compagne
De cet homme.
La Reine.   Grand Dieu ! c'est un piège, en effet !
Et don César . . .
Ruy Blas. (*Désespéré*) Madame, hélas ! qu'avez-vous fait ?   5
Don Salluste. (*S'avançant à pas lents vers* LA REINE)
Je vous tiens.[2] — Mais je vais parler, sans lui déplaire,
A votre majesté, car je suis sans colère.
Je vous trouve, — écoutez, ne faisons pas de bruit, —
Seule avec Don César, dans sa chambre, à minuit.
Ce fait, — pour une reine, — étant public,[3] — en somme,   10
Suffit pour annuler le mariage à Rome.
Le saint-père [4] en serait informé promptement.
Mais on supplée au fait par le consentement.
Tout peut rester secret. (*Il tire de sa poche un parchemin qu'il déroule et qu'il
présente à* LA REINE.) Signez-moi cette lettre
Au seigneur notre roi. Je la ferai remettre [5]   15
Par le grand écuyer au notaire mayor.[6]
Ensuite, — une voiture, où j'ai mis beaucoup d'or, (*Désignant le dehors.*)
Est là. — Partez tous deux sur-le-champ. Je vous aide.
Sans être inquiétés, vous pourrez par Tolède
Et par Alcantara gagner [7] le Portugal.   20

1. stature. **2.** vous êtes en mon pouvoir. **3.** si je le rends public. **4.** le pape. **5.** *delivered.* **6.** notaire de la cour. **7.** arriver jusqu'à.

Allez où vous voudrez, cela nous est égal.[1]
Nous fermerons les yeux. — Obéissez. Je jure
Que seul en ce moment je connais l'aventure;
Mais, si vous refusez, Madrid sait tout demain.
Ne nous emportons [2] pas. Vous êtes dans ma main.   25
(*Montrant la table, sur laquelle il y a une écritoire.*)
Voilà tout ce qu'il faut pour écrire, madame.

   La Reine. (*Atterrée,[3] tombant sur un fauteuil*)
     Je suis en son pouvoir!

   Don Salluste.   De vous je ne réclame [4]
Que ce consentement pour le porter au roi. (*Bas, à* Ruy Blas, *qui écoute tout
   immobile et comme frappé de la foudre.[5]*)
Laisse-moi faire, ami, je travaille pour toi.
(*A* la reine.) Signez.

   La Reine. (*Tremblant, à part*) Que faire?

   Don Salluste. (*Se penchant [6] à son oreille et lui présentant une plume*)
                           Allons! qu'est-ce qu'une couronne? 30
Vous gagnez le bonheur, si vous perdez le trône.
Tous mes gens sont restés dehors. On ne sait rien
De ceci. Tout se passe entre nous trois. (*Essayant de lui mettre la plume entre
   les doigts sans qu'elle la repousse ni la prenne.*) Eh bien?
(*La* reine, *indécise et égarée, le regarde avec angoisse.*)
Si vous ne signez point, vous vous frappez vous-même.
Le scandale et le cloître! [7]

   La Reine. (*Accablée [8]*) O Dieu!

   Don Salluste. (*Montrant* Ruy Blas) César vous aime.   35
Il est digne de vous. Il est, sur mon honneur,
De fort grande maison. Presque un prince. Un seigneur
Ayant donjon sur roche et fief dans la campagne.
Il est duc d'Olmedo, Bazan, et grand d'Espagne . . . (*Il pousse sur le par-
   chemin la main de* la reine *éperdue [9] et tremblante, et qui semble prête à
   signer.*)

   Ruy Blas. (*Comme se réveillant tout à coup*)
     Je m'appelle Ruy Blas, et je suis un laquais! (*Arrachant des mains de* la 40
   reine *la plume, et le parchemin qu'il déchire.[10]*)
Ne signez pas, madame! — Enfin! — Je suffoquais!

   La Reine. Que dit-il? don César!

   Ruy Blas. (*Laissant tomber sa robe et se montrant vêtu de la livrée; sans
   épée*)   Je dis que je me nomme
Ruy Blas, et que je suis le valet de cet homme!
(*Se retournant vers* Don Salluste.)

---

1. indifférent. 2. restons calmes, ne perdons pas la tête. 3. astounded. 4. demand.
5. frappé . . .: thunderstruck. 6. leaning. 7. cloister. 8. crushed. 9. frantic. 10. tears up.

Je dis que c'est assez de trahison ainsi,

Et que je ne veux pas de mon bonheur ! — Merci ! 45

— Ah ! vous avez eu beau me parler à l'oreille ! —

Je dis qu'il est bien temps qu'enfin je me réveille,

Quoique tout garrotté [1] dans vos complots hideux,

Et que je n'irai pas plus loin, et qu'à nous deux,

Monseigneur, nous faisons un assemblage infâme. 50

J'ai l'habit d'un laquais, et vous en avez l'âme !

> Don Salluste. (*A* LA REINE, *froidement*)

> Cet homme est en effet mon valet.

(*A* RUY BLAS *avec autorité.*) Plus un mot.

> La Reine. (*Laissant enfin échapper un cri de désespoir et se tordant* [2] *les*
> *mains*) Juste ciel !

> Don Salluste. (*Poursuivant*) Seulement il a parlé trop tôt.

(*Il croise les bras et se redresse, avec une voix tonnante.* [3])

Eh bien, oui ! maintenant disons tout. Il n'importe !

Ma vengeance est assez complète de la sorte. 55

(*A* LA REINE.) Qu'en pensez-vous ? — Madrid va rire, sur ma foi !

Ah ! vous m'avez cassé ! [4] je vous détrône, moi.

Ah ! vous m'avez banni ! je vous chasse, et m'en vante.

Ah ! vous m'avez pour femme [5] offert votre suivante ! (*Il éclate de*
rire.)

Moi, je vous ai donné mon laquais pour amant. 60

Vous pourrez l'épouser aussi ! certainement.

Le roi s'en va. — Son cœur sera votre richesse, (*Il rit.*)

Et vous l'aurez fait duc afin d'être duchesse !

(*Grinçant des dents.* [6]) Ah ! vous m'avez brisé, flétri, [7] mis sous vos pieds,

Et vous dormiez en paix, folle que vous étiez ! 65

> *Pendant qu'il a parlé,* RUY BLAS *est allé à la porte du fond et en a poussé le*
> *verrou,* [8] *puis il s'est approché de lui sans qu'il s'en soit aperçu par derrière,*
> *à pas lents.   Au moment où* DON SALLUSTE *achève, fixant des yeux pleins*
> *de haine et de triomphe sur* LA REINE *anéantie,* [9] RUY BLAS *saisit l'épée du*
> MARQUIS *par la poignée* [10] *et la tire vivement.*

> Ruy Blas. (*Terrible, l'épée de* DON SALLUSTE *à la main*)

> Je crois que vous venez d'insulter votre reine !

(DON SALLUSTE *se précipite vers la porte.* RUY BLAS *la lui barre.*)

— Oh ! n'allez point par là, ce n'en est pas la peine, [11]

J'ai poussé le verrou depuis longtemps déjà. —

Marquis, jusqu'à ce jour Satan te protégea,

Mais, s'il veut t'arracher de mes mains, qu'il se montre. 70

---

1. *gagged.* **2.** *wringing.* **3.** très forte. **4.** *you broke (ruined) me.* **5.** *wife.* **6.** *grinding his teeth.* **7.** déshonoré. **8.** *bolt.* **9.** *prostrated.* **10.** *hilt.* **11.** *it is not worth while, you cannot do anything.*

— A mon tour ! — On écrase [1] un serpent qu'on rencontre.
— Personne n'entrera, ni tes gens, ni l'enfer !
Je te tiens écumant [2] sous mon talon [3] de fer !
— Cet homme vous parlait insolemment, madame ?
Je vais vous expliquer. Cet homme n'a point d'âme,   75
C'est un monstre. En riant hier il m'étouffait.
Il m'a broyé [4] le cœur à plaisir. Il m'a fait
Fermer une fenêtre, et j'étais au martyre ! [5]
Je priais ! je pleurais ! je ne peux pas vous dire.
(*Au* MARQUIS.) Vous contiez vos griefs [6] dans ces derniers moments.   80
Je ne répondrai pas à vos raisonnements,
Et d'ailleurs — je n'ai pas compris. — Ah ! misérable !
Vous osez, — votre reine, une femme adorable !
Vous osez l'outrager [7] quand je suis là ! — Tenez,
Pour un homme d'esprit,[8] vraiment, vous m'étonnez !   85
Et vous vous figurez [9] que je vous verrai faire
Sans rien dire ! — Écoutez, quelle que soit sa sphère,
Monseigneur, lorsqu'un traître, un fourbe [10] tortueux,
Commet de certains faits rares et monstrueux,
Noble ou manant,[11] tout homme a droit, sur son passage,   90
De venir lui cracher [12] sa sentence [13] au visage,
Et de prendre une épée, une hache,[14] un couteau ! [15] . . . —
Pardieu ! j'étais laquais ! quand je serais bourreau ? [16]
    La Reine.   Vous n'allez pas frapper cet homme ?
    Ruy Blas.   Je me blâme
D'accomplir devant vous ma fonction, madame.   95
Mais il faut étouffer [17] cette affaire en ce lieu. (*Il pousse* DON SALLUSTE *vers
    le cabinet.*)
— C'est dit, monsieur ! allez là dedans prier Dieu !
    Don Salluste.   C'est un assassinat !
    Ruy Blas.   Crois-tu ?
    Don Salluste.   (*Désarmé, et jetant un regard plein de rage autour de lui*)
                               Sur ces murailles
Rien ! pas d'arme ! (*A* RUY BLAS.) Une épée au moins !
    Ruy Blas.   Marquis ! tu railles ! [18]
Maître ! est-ce que je suis un gentilhomme, moi ?   100
Un duel ! fi donc ! [19] je suis un de tes gens à toi,
Valetaille [20] de rouge et de galons vêtue,[21]
Un maraud [22] qu'on châtie et qu'on fouette,[23] — et qui tue !

1. *crushes.* 2. *foaming.* 3. *heel.* 4. *crushed.* 5. je souffrais le martyre. 6. *grievances.*
7. insulter. 8. d'intelligence. 9. imaginez. 10. perfide. 11. paysan, homme du peuple.
12. *spit.* 13. condamnation. 14. *ax.* 15. *knife.* 16. *why not an executioner ?* 17. *stifle,
hush up.* 18. tu ne parles pas sérieusement. 19. *Pshaw !* 20. *of the flunky tribe.* 21. de
rouge . . . vêtue: *clad in red and braided livery.* 22. *knave.* 23. *whips.*

Oui, je vais te tuer, monseigneur, vois-tu bien ?
Comme un infâme ! comme un lâche ! comme un chien !   105
   La Reine.   Grâce pour lui !
   Ruy Blas. (*A* LA REINE, *saisissant* LE MARQUIS) Madame, ici chacun se
  venge.
Le démon ne peut plus être sauvé par l'ange !
   La Reine. (*A genoux*)   Grâce !
   Don Salluste. (*Appelant*)   Au meurtre ! au secours ! [1]
   Ruy Blas. (*Levant l'épée*)   As-tu bientôt fini ?
   Don Salluste. (*Se jetant sur lui en criant*)
     Je meurs assassiné ! Démon !
   Ruy Blas. (*Le poussant dans le cabinet*)   Tu meurs puni !
(*Ils disparaissent dans le cabinet dont la porte se referme sur eux.*)
   La Reine. (*Restée seule, tombant demi-morte sur le fauteuil*)
     Ciel ! (*Un moment de silence. Rentre* RUY BLAS, *pâle, sans épée.*)

SCÈNE IV

LA REINE, RUY BLAS

RUY BLAS *fait quelques pas en chancelant* [2] *vers* LA REINE *immobile et glacée,* [3]
  puis il tombe à deux genoux, l'œil fixé à terre, comme s'il n'osait lever les
  yeux jusqu'à elle.

   Ruy Blas. (*D'une voix grave et basse*)
     Maintenant, madame, il faut que je vous dise.
— Je n'approcherai pas. — Je parle avec franchise. [4]
Je ne suis point coupable autant que vous croyez.
Je sens, ma trahison, comme vous la voyez,
Doit vous paraître horrible. Oh ! ce n'est pas facile   5
A raconter. Pourtant je n'ai pas l'âme vile,
Je suis honnête au fond. — Cet amour m'a perdu. —
Je ne me défends pas ; je sais bien, j'aurais dû
Trouver quelque moyen. La faute est consommée !
— C'est égal, voyez-vous, je vous ai bien aimée.   10
   La Reine.   Monsieur . . .
   Ruy Blas. (*Toujours à genoux*) N'ayez pas peur. Je n'approcherai point.
A votre Majesté je vais de point en point
Tout dire. Oh ! croyez-moi, je n'ai pas l'âme vile ! —
Aujourd'hui tout le jour j'ai couru par la ville
Comme un fou. Bien souvent même on m'a regardé.   15
Auprès de l'hôpital que vous avez fondé,
J'ai senti vaguement, à travers mon délire,
Une femme du peuple essuyer [5] sans rien dire

     1. *murder! help!* **2.** *tottering.* **3.** *cold.* **4.** sincérité. **5.** *wipe.*

Les gouttes de sueur qui tombaient de mon front.
Ayez pitié de moi, mon Dieu ! mon cœur se rompt ! [1]   20
  La Reine. Que voulez-vous ?
  Ruy Blas. (*Joignant les mains*) Que vous me pardonniez, madame !
  La Reine. Jamais.
  Ruy Blas.   Jamais ! (*Il se lève et marche lentement vers la table.*)
  Bien sûr ?
  La Reine.   Non. Jamais !
  Ruy Blas. (*Il prend la fiole posée sur la table, la porte à ses lèvres et la vide
  d'un trait.*[2])   Triste flamme,
Éteins-toi !
  La Reine. (*Se levant et courant à lui*) Que fait-il ?
  Ruy Blas. (*Posant la fiole*)   Rien. Mes maux [3] sont finis.
Rien. Vous me maudissez,[4] et moi je vous bénis.
Voilà tout.
  La Reine. (*Éperdue* [5]) Don César !
  Ruy Blas.   Quand je pense, pauvre ange,   25
Que vous m'avez aimé !
  La Reine.   Quel est ce philtre étrange ?
Qu'avez-vous fait ? Dis-moi, réponds-moi, parle-moi,
César ! je te pardonne et t'aime, et je te crois !
  Ruy Blas. Je m'appelle Ruy Blas.
  La Reine. (*L'entourant* [6] *de ses bras*) Ruy Blas, je vous pardonne !
Mais qu'avez-vous fait là ? Parle, je te l'ordonne !   30
Ce n'est pas du poison, cette affreuse liqueur ?
Dis ?
  Ruy Blas. Si ! [7] c'est du poison. Mais j'ai la joie au cœur.
(*Tenant* LA REINE *embrassée et levant les yeux au ciel.*)
Permettez, ô mon Dieu, justice souveraine,
Que ce pauvre laquais bénisse cette reine,
Car elle a consolé mon cœur crucifié,   35
Vivant, par son amour, mourant, par sa pitié !
  La Reine. Du poison ! Dieu ! c'est moi qui l'ai tué ! — Je t'aime !
Si j'avais pardonné ? . . .
  Ruy Blas. (*Défaillant* [8]) J'aurais agi de même.[9]
(*Sa voix s'éteint.* LA REINE *le soutient dans ses bras.*)
Je ne pouvais plus vivre. Adieu ! (*Montrant la porte.*) Fuyez d'ici !
— Tout restera secret. — Je meurs.   (*Il tombe.*)
  La Reine. (*Se jetant sur son corps*) Ruy Blas !
  Ruy Blas. (*Qui allait mourir, se réveille à son nom prononcé par* LA REINE)
                       Merci !   40

---

1. *is breaking.* **2.** *empties at one draught.* **3.** souffrances. **4.** *curse.* **5.** *frantic.*
6. *encircling.* **7.** oui. **8.** *sinking.* **9.** de (la) même (manière).

LE COLONEL CHABERT

par HONORÉ DE BALZAC

(1799–1850)

Honoré de Balzac naquit à Tours d'un père lettré, original, visionnaire, et d'une mère portée au mysticisme. Il grandit assez tristement, avec sa sœur Laure (son futur biographe), dans leur maison froide et sévère. On le mit, très jeune, au Collège de Vendôme où il resta sept ans sans vacances, élève médiocre, taciturne, mais passionné de lecture. Son père, avocat, l'obligea plus tard à étudier le Droit (*Law*) à Paris, puis à travailler chez un notaire. Honoré s'y ennuya mortellement, mais il y prit contact avec les hommes de loi dont il allait peupler plusieurs de ses romans (voir, plus loin, *Le Colonel Chabert*). Après deux ans de ce pénible esclavage, il résolut de vivre de sa plume, malgré l'opposition violente de sa famille.

Il s'installe, très pauvre, mais heureux, dans une mansarde (*attic room*). Conscient de sa force, il a trois ambitions: être célèbre, être riche, être aimé. Il cherche sa voie: épopée, tragédie, roman? Il se décide pour le roman et, sous divers pseudonymes, il publie un grand nombre de volumes qu'il dira plus tard n'avoir aucun mérite littéraire. La gloire ne vient pas, la fortune non plus. Alors, il demandera celle-ci à l'industrie. Il se fait imprimeur et ne réussit qu'à accumuler des dettes, ce qu'il appelle sa *boule de neige*. Il se libère enfin, non sans peine, mais cette expérience ne l'aura pas corrigé; plus tard, pour payer de nouvelles dettes, il se compromettra encore dans les entreprises les plus chimériques.

En 1829, la *Physiologie du Mariage*, puis *La Peau de Chagrin* et *Les Chouans*, roman à la Walter Scott, lui procurent quelque notoriété. Il se remet à l'œuvre avec une ardeur inconcevable. Un plan se forme déjà dans son esprit: peindre la société contemporaine sous toutes ses faces, montrer le pouvoir de l'or, l'influence sur les individus du milieu physique et social, substituer le roman social au roman individuel. Balzac se documente, il observe; il cherche des noms appropriés à ses héros jusque sur les enseignes des magasins et les inscriptions des cimetières. Il travaille jour et nuit. De 1829 à 1835, il écrit 200 études. Il compose jusqu'à 5 volumes en 40 jours. Il vit en pleine hallucination: il parle des personnages qu'il a créés comme s'ils existaient réellement. Il connaît le grand succès, la gloire, mais il devient l'esclave des éditeurs. Il fonde la *Revue de Paris*. C'est vers 1833 qu'il conçoit l'idée de réunir les romans parus et les romans à venir sous un seul titre: *La Comédie humaine:* il les classera en séries, vie privée, vie de province, vie parisienne, vie politique, vie militaire, vie de campagne: il composera ainsi une vaste synthèse de la vie contemporaine. L'idée était grandiose: il n'eut pas le temps de la réaliser entièrement.

C'est vers la même époque que Balzac rencontra à Neuchâtel la comtesse Hanska, sa correspondante polonaise. (Voir les *Lettres à l'Étrangère*.) D'autres femmes étaient entrées dans sa vie, surtout Mme de Berny et Mme de Castries; mais, cette fois, c'est le grand amour, la passion qui envahit tout. Balzac veut offrir à Mme Hanska un intérieur digne d'elle. Pour acquérir ce luxe, il se tue de travail, écrit de nouveaux romans, fait du théâtre, d'ailleurs sans grand succès; il entreprend de nouvelles affaires plus ou moins ruineuses, il parcourt l'Europe à la recherche d'objets d'art pour décorer l'hôtel où il va installer sa fiancée.

Enfin, il a liquidé quelques dettes, Mme Hanska est devenue veuve, le mariage a lieu et, cinq mois après, Balzac meurt pour avoir « trop tendu sa vie », âgé de 51 ans, comme Molière et Napoléon. A peine a-t-il expiré que les créanciers se précipitent dans l'appartement et, cherchant de l'or, jettent par les fenêtres lettres, papiers et manuscrits. On enterre Balzac au Père-Lachaise; Hugo et Dumas accompagnent le convoi funèbre.

L'œuvre complète de ce Titan des Lettres françaises comprend près de cent volumes écrits hâtivement, mais péniblement: (il se corrigeait sans cesse et faisait le désespoir des imprimeurs). Elle est disparate; on y trouve des exubérances, des préciosités, des digressions parfois fatigantes: ce père du réalisme était par tempérament un romantique. Mais quelle vérité, quelle vigueur et quelle couleur dans la peinture des caractères et des détails les plus minutieux! quelle précision dans l'analyse des mobiles de nos actions! et surtout quelle puissance de création, quelle intensité de vie! Plus de 3000 personnages se meuvent dans *La Comédie humaine:* environ 2000 se retrouvent çà et là dans divers romans, ils sont toujours reconnaissables. Balzac en a marqué quelques-uns de traits immortels: *Goriot, Grandet, Vautrin, Gobseck, Rastignac, Pons, Claes,* vivront aussi longtemps que les types créés par Molière.

On ne saurait mesurer l'influence exercée par Balzac. Le romancier Goncourt l'a définie d'un mot: « Balzac, c'est le père et le maître à nous tous. »

[Dans l'introduction du Colonel Chabert, qui est un peu longue et que nous supprimons, Balzac décrit l'étude (*office*) d'un avoué (*attorney*), maître Derville, où une demi-douzaine de clercs travaillent tout en causant. Un vieillard à l'air misérable et timide, vêtu d'un vieux carrick [1] et chaussé de souliers en mauvais état, se présente et demande à parler à maître Derville. Il veut lui parler en particulier (*in private*) et refuse de révéler aux clercs pour quelle affaire il est venu. Pour se moquer de lui, on lui répond que le patron (*master*) ne travaille que la nuit, et on lui conseille de revenir à une heure du matin. Le vieillard hésite un moment, puis, disant qu'il reviendrait à l'heure indiquée, il se retire.

Les clercs le rappellent pour l'interroger:

— Monsieur, lui dit Bocard, le premier (*principal*) clerc, voulez-vous avoir la complaisance de nous donner votre nom?

— Chabert.

— Est-ce le colonel Chabert mort à Eylau? [2] demande un autre.

— Lui-même, monsieur, répond le bonhomme avec une simplicité antique! [3]
Et il se retira.]

Vers une heure du matin, le prétendu [4] colonel Chabert vint frapper à la porte de maître Derville, avoué près le tribunal de première instance [5] du département de la Seine. Le portier lui répondit que M. Derville n'était pas rentré. Le vieillard allégua le rendez-vous [6] et monta chez ce célèbre légiste,[7] qui, malgré sa jeunesse, passait pour être [8] une des plus fortes têtes du Palais.[9]   5
Après avoir sonné, le défiant [10] solliciteur [11] ne fut pas médiocrement étonné de voir le premier clerc occupé à ranger sur la table de la salle à manger de

1. sorte de pardessus à trois collets (*short capes*).   2. Ville de Prusse où, en 1807, Napoléon remporta une brillante victoire sur les Prussiens et les Russes.   3. comme celle qu'on attribue aux hommes de l'antiquité.   4. *alleged.*   5. Tribunal qui juge les contestations en matière civile (non criminelle).   6. *said he had an appointment.*   7. homme de loi.
8. *was regarded as.*   9. Palais (de Justice), *Law Courts.*   10. *cautious*, (not *defiant*).
11. *petitioner.*

son patron les nombreux dossiers [1] des affaires qui *venaient* [2] le lendemain en ordre utile. Le clerc, non moins étonné, salua [3] le colonel en le priant de s'asseoir; ce que fit le plaideur.

— Ma foi, monsieur, j'ai cru que vous plaisantiez [4] hier en m'indiquant une heure si matinale pour une consultation, dit le vieillard avec la fausse gaieté [5] d'un homme ruiné qui s'efforce [5] de sourire.

— Les clercs plaisantaient et disaient vrai tout ensemble, répondit le principal [6] en continuant son travail. M. Derville a choisi cette heure pour examiner ses causes, en résumer [7] les moyens, en ordonner la conduite,[8] en disposer les *défenses*.[9] Sa prodigieuse intelligence est plus libre en ce mo- [10] ment, le seul où il obtient le silence et la tranquillité nécessaires à la conception des bonnes idées. Vous êtes, depuis qu'il est avoué, le troisième exemple d'une consultation donnée à cette heure nocturne. Après être rentré, le patron discutera chaque affaire, lira tout, passera peut-être quatre ou cinq heures à sa besogne [10]; puis il me sonnera [11] et m'expliquera ses intentions. [15] Le matin, de dix heures à deux heures, il écoute ses clients, puis il emploie le reste de la journée à ses rendez-vous. Le soir, il va dans le monde [12] pour y entretenir ses relations.[13] Il n'a donc que la nuit pour creuser [14] ses procès,[15] fouiller les arsenaux du Code [16] et faire ses plans de bataille. Il ne veut pas perdre une seule cause, il a l'amour de son art. Il ne se charge pas, comme ses [20] confrères, de toute espèce d'affaire. Voilà sa vie, qui est singulièrement active. Aussi [17] gagne-t-il beaucoup d'argent.

En entendant cette explication, le vieillard resta silencieux, et sa bizarre figure prit une expression si dépourvue [18] d'intelligence, que le clerc, après l'avoir regardé, ne s'occupa plus de lui.[19] Quelques instants après, Derville [25] rentra, mis [20] en costume de bal: son maître [21] clerc lui ouvrit la porte, et se remit à achever [22] le classement des dossiers. Le jeune avoué demeura pendant un moment stupéfait en entrevoyant [23] dans le clair-obscur [24] le singulier client qui l'attendait. Le colonel Chabert était aussi parfaitement immobile que peut l'être une figure en cire.[25] Cette immobilité n'aurait peut- [30] être pas été un sujet d'étonnement, si elle n'eût complété le spectacle surnaturel [26] que présentait l'ensemble [27] du personnage. Le vieux soldat était sec et maigre. Son front, volontairement [28] caché sous les cheveux de sa perruque lisse,[29] lui donnait quelque chose de mystérieux. Ses yeux paraissaient couverts d'une taie [30] transparente: vous eussiez dit de la nacre [31] sale dont les [35]

1. ensemble des pièces (*documents*) se rapportant à une cause (*case*). **2.** *were coming up.* **3.** *greeted.* **4.** *you were joking.* **5.** essaye. **6.** premier clerc. **7.** *summarize.* **8.** *plan the course to be taken.* **9.** disposer les *défenses:* Quand un défendeur veut contester une réclamation, il doit d'avance faire savoir à la cour de quels arguments il va faire usage: ce sont les défenses. **10.** travail. **11.** *will ring for me.* **12.** *society.* **13.** *connections.* **14.** examiner à fond; *delve into.* **15.** *lawsuits.* **16.** lit., *search the arsenals of the Code: consult his law books.* **17.** *And, as a consequence.* **18.** *void.* **19.** *ceased to take any interest in him.* **20.** habillé. **21.** premier, principal. **22.** finir (not *achieve*). **23.** voyant indistinctement, partiellement. **24.** (*sharply contrasted*) *light and shade.* **25.** *waxwork model.* **26.** (sur = *super*): *weird.* **27.** *taken as a whole.* **28.** *deliberately.* **29.** plate (*ici:* pas frisée). **30.** *cataract.* **31.** *mother of pearl.*

reflets bleuâtres chatoyaient [1] à la lueur [2] des bougies.[3] Le visage, pâle,
livide et en lame de couteau,[4] s'il est permis d'emprunter cette expression
vulgaire,[5] semblait mort. Le cou était serré par une mauvaise [6] cravate de
soie noire. L'ombre cachait si bien le corps à partir de la ligne brune que
décrivait ce haillon,[7] qu'un homme d'imagination aurait pu prendre cette 5
vieille tête pour quelque silhouette due au hasard, ou pour un portrait de
Rembrandt,[8] sans cadre.[9] Les bords [10] du chapeau qui couvrait le front du
vieillard projetaient un sillon [11] noir sur le haut du visage. Cet effet bizarre,
quoique naturel, faisait ressortir,[12] par la brusquerie [13] du contraste, les rides [14]
blanches, les sinuosités froides,[15] le sentiment [16] décoloré [17] de cette physiono- 10
mie cadavéreuse. Enfin l'absence de tout mouvement dans le corps, de toute
chaleur dans le regard, s'accordait [18] avec une certaine expression de démence [19] triste, avec les dégradants symptômes par lesquels se caractérise
l'idiotisme,[20] pour faire de cette figure je ne sais quoi de funeste [21] qu'aucune
parole humaine ne pourrait exprimer. Mais un observateur, et surtout un 15
avoué, aurait trouvé de plus en cet homme foudroyé [22] les signes d'une douleur
profonde, les indices d'une misère [23] qui avait dégradé [24] ce visage, comme
les gouttes d'eau tombées du ciel sur un beau marbre [25] l'ont à la longue
défiguré. Un médecin, un auteur, un magistrat, eussent pressenti [26] tout
un drame à l'aspect de cette sublime horreur dont le moindre mérite était 20
de ressembler à ces fantaisies que les peintres [27] s'amusent à dessiner au bas [28]
de leurs pierres lithographiques en causant avec leurs amis.

En voyant l'avoué, l'inconnu tressaillit [29] par un mouvement convulsif
semblable à celui qui échappe aux poètes [30] quand un bruit inattendu vient les
détourner d'une féconde rêverie,[31] au milieu du silence et de la nuit. Le 25
vieillard se découvrit [32] promptement et se leva pour saluer le jeune homme;
le cuir [33] qui garnissait [34] l'intérieur de son chapeau était sans doute fort gras,[35]
sa perruque y resta collée [36] sans qu'il s'en aperçût, et laissa voir à nu [37] son
crâne horriblement mutilé par une cicatrice [38] transversale [39] qui prenait à
l'occiput [40] et venait mourir [41] à l'œil droit, en formant partout une grosse 30
couture [42] saillante.[43] L'enlèvement [44] soudain de cette perruque sale,[45] que
le pauvre homme portait pour cacher sa blessure, ne donna nulle envie [46]
de rire aux deux gens de loi, tant ce crâne fendu [47] était épouvantable à voir.

1. *changed color, glistened.* **2.** lumière. **3.** *candles.* **4.** en lame de couteau: long et
mince. **5.** *trite.* **6.** vieille et usée. **7.** *rag.* **8.** Peintre hollandais (1606–1669) dont les
portraits sont connus pour la science du clair-obscur, c'est-à-dire la vigueur des ombres et
l'éclat (*brilliancy*) des lumières. **9.** *frame.* **10.** *rims.* **11.** *furrow, line.* **12.** *stand out.*
13. *suddenness; here, sharpness.* **14.** *wrinkles.* **15.** *sharply marked curves.* **16.** *ici:*
apparence. **17.** sans couleur (blanc). **18.** *blended.* **19.** folie. **20.** *idiocy (not idiotism).*
21. je ne . . . funeste: *an indefinable balefulness.* **22.** *lit.,* frappé par la foudre (*lightning*):
utterly crushed. **23.** grande pauvreté et grande souffrance. **24.** gâté, détérioré. **25.** *ici:*
sculpture en marbre (*marble*). **26.** *sensed.* **27.** lit., *painters,* but here, *engravers.* **28.** *at the
foot of, in the lower margin of.* **29.** *started.* **30.** semblable . . . poètes: *such as poets give.*
31. méditation. **32.** ôta son chapeau. **33.** *leather.* **34.** *lined.* **35.** *greasy.* **36.** *stuck.*
37. *revealed, bared to the view.* **38.** *scar.* **39.** qui va d'un côté à l'autre et de travers.
40. partie inférieure du derrière de la tête. **41.** *ici:* finir. **42.** *seam.* **43.** en relief.
44. *removal.* **45.** *dirty.* **46.** désir. **47.** *split.*

La première pensée que suggérait l'aspect de cette blessure était celle-ci: « Par là s'est enfuie [1] l'intelligence ! »

— Si ce n'est pas le colonel Chabert, ce doit être un fier [2] troupier ! [3] pensa Boucard.

— Monsieur, lui dit Derville, à qui ai-je l'honneur de parler ? 5

— Au colonel Chabert.

— Lequel ?

— Celui qui est mort à Eylau, répondit le vieillard.

En entendant cette singulière phrase, le clerc et l'avoué se jetèrent un regard qui signifiait: « C'est un fou ! » 10

— Monsieur, reprit le colonel, je désirerais ne confier [4] qu'à vous le secret de ma situation.

Une chose digne de remarque est l'intrépidité naturelle aux avoués. Soit l'habitude de recevoir un grand nombre de personnes, soit le profond sentiment de la protection que les lois leur accordent, soit confiance en leur minis- 15 tère,[5] ils entrent partout sans rien craindre, comme les prêtres et les médecins. Derville fit un signe à Boucard, qui disparut.

— Monsieur, reprit l'avoué, pendant le jour je ne suis pas trop avare [6] de mon temps; mais, au milieu de la nuit, les minutes me sont précieuses. Ainsi, soyez bref et concis. Allez au fait [7] sans digression. Je vous de- 20 manderai moi-même les éclaircissements [8] qui me sembleront nécessaires. Parlez.

Après avoir fait asseoir son singulier client, le jeune homme s'assit lui-même devant la table; mais, tout en prêtant [9] son attention au discours du feu [10] colonel, il feuilleta [11] ses dossiers. 25

— Monsieur, dit le défunt,[12] peut-être savez-vous que je commandais un régiment de cavalerie à Eylau. J'ai été pour beaucoup dans [13] le succès de la célèbre charge que fit Murat,[14] et qui décida de la victoire. Malheureusement pour moi, ma mort est un fait historique consigné [15] dans les *Victoires et Conquêtes*,[16] où elle est rapportée en détail. Nous fendîmes [17] en deux les trois 30 lignes russes, qui, s'étant aussitôt reformées, nous obligèrent à les retraverser en sens contraire. Au moment où nous revenions vers l'empereur, après avoir dispersé les Russes, je rencontrai un gros de cavalerie [18] ennemie. Je me précipitai sur ces entêtés-là.[19] Deux officiers russes, deux vrais géants, m'attaquèrent à la fois. L'un d'eux m'appliqua [20] sur la tête un coup de sabre 35 qui fendit tout,[21] jusqu'à [22] un bonnet [23] de soie noire que j'avais sur la tête, et m'ouvrit profondément le crâne. Je tombai de cheval. Murat vint à mon

1. *fled, departed.* 2. *ici:* très brave. 3. homme de troupe, soldat. 4. *confide.* 5. service, profession. 6. *sparing.* 7. *state the matter.* 8. explications. 9. *even while lending (giving).* 10. *late.* 11. regarda en tournant les feuillets (*pages*). 12. le mort. 13. j'ai beaucoup contribué à. 14. célèbre général de l'Empire qui devint roi de Naples en 1808. 15. *on record.* 16. *Victoires et Conquêtes, Revers et Guerres civiles* 1798–1815. 17. traversâmes (en séparant en deux). 18. gros de cavalerie: groupe assez nombreux de cavaliers (*cavalrymen*). 19. *headstrong, stubborn fellows.* 20. donna. 21. c'est-à-dire, le casque (*helmet*) même. 22. *including.* 23. *skullcap.*

secours, il me passa sur le corps, lui et tout son monde, quinze cents hommes, excusez du peu![1] Ma mort fut annoncée à l'empereur, qui, par prudence[2] (il m'aimait un peu,[3] le patron![4]), voulut savoir s'il n'y aurait pas quelque chance de sauver l'homme auquel il était redevable[5] de cette vigoureuse attaque. Il envoya, pour me reconnaître[6] et me rapporter aux ambulances, deux chirurgiens[7] en leur disant, peut-être trop négligemment, car il avait de l'ouvrage: « Allez donc voir si, par hasard, mon pauvre Chabert vit encore. » Ces sacrés[8] carabins,[9] qui venaient de me voir foulé aux pieds[10] par les chevaux de deux régiments, se dispensèrent[11] sans doute de me tâter le pouls[12] et dirent que j'étais bien mort. L'acte[13] de mon décès fut donc probablement dressé[14] d'après les règles établies par la jurisprudence militaire.

En entendant son client s'exprimer avec une lucidité parfaite et raconter des faits si vraisemblables,[15] quoique étranges, le jeune avoué laissa ses dossiers, posa son coude gauche sur la table, se mit la tête dans la main et regarda le colonel fixement.

— Savez-vous, monsieur, lui dit-il en l'interrompant, que je suis l'avoué de la comtesse Ferraud, veuve[16] du colonel Chabert?

— Ma femme! Oui, monsieur. Aussi, après cent démarches[17] infructueuses[18] chez des gens de loi qui m'ont tous pris pour un fou, me suis-je déterminé à venir vous trouver. Je vous parlerai de mes malheurs plus tard. Laissez-moi d'abord vous établir les faits, vous expliquer plutôt comme ils ont dû se passer,[19] que comme ils sont arrivés. Certaines circonstances, qui ne doivent être connues que du Père éternel,[20] m'obligent à en présenter plusieurs comme des hypothèses. Donc, monsieur, les blessures que j'ai reçues auront probablement produit un tétanos,[21] ou m'auront mis dans une crise analogue à une maladie nommée, je crois, catalepsie.[22] Autrement, comment concevoir que j'aie été, suivant l'usage de la guerre, dépouillé de mes vêtements,[23] et jeté dans la fosse[24] aux soldats par les gens chargés d'enterrer les morts? Ici, permettez-moi de placer un détail que je n'ai pu connaître que postérieurement[25] à l'événement qu'il faut bien[26] appeler ma mort. J'ai rencontré, en 1814, à Stuttgart, un ancien maréchal des logis[27] de mon régiment. Ce cher homme, le seul qui ait voulu me reconnaître, et de qui je vous parlerai tout à l'heure, m'expliqua le phénomène de ma conservation en me disant que mon cheval avait reçu un boulet[28] dans le flanc au moment où je fus blessé moi-

---

1. excusez du peu (*ironique*): *a mere handful!*   2. par prudence: pour s'assurer qu'il n'y avait pas d'erreur.   3. *ici:* beaucoup (*façon ironique de parler*).   4. *"boss."*   5. *was under obligation for.*   6. *ici:* identifier.   7. *surgeons.*   8. (devant le nom qu'il qualifie): *damned.*   9. étudiants en chirurgie. *Ici:* terme de mépris (*contempt*) pour chirurgien; *"saw-bones."*   10. *trodden under foot.*   11. négligèrent.   12. *feel the pulse.*   13. écrit légal constatant un fait, *e.g.,* acte de naissance (*birth certificate*), acte de décès (*death certificate*), etc.   14. *drawn up.*   15. *believable.*   16. *widow.*   17. *visits (with a definite end in view).*   18. *unavailing.*   19. ils ont dû se passer: *how they must have occurred.*   20. Dieu.   21. *lockjaw.*   22. maladie caractérisée par l'insensibilité et l'immobilité.   23. dépouillé . . . vêtements: *stripped.*   24. (*common*) grave, or trench.   25. plus tard.   26. *one cannot but.*   27. sous-officier de cavalerie; grade correspondant à celui de sergent dans l'infanterie.   28. *cannon ball* (not *bullet*).

même. La bête et le cavalier s'étaient donc abattus [1] comme des capucins de cartes.[2] En me renversant,[3] soit à droite, soit à gauche, j'avais été sans doute couvert par le corps de mon cheval, qui m'empêcha d'être écrasé [4] par les chevaux, ou atteint [5] par des boulets. Lorsque je revins à moi,[6] monsieur, j'étais dans une position et dans une atmosphère dont je ne vous donnerais pas une idée en vous en entretenant [7] jusqu'à demain. Le peu d'air que je respirais [8] était méphitique.[9] Je voulus me mouvoir et ne trouvai point d'espace. En ouvrant les yeux, je ne vis rien. La rareté [10] de l'air fut l'accident le plus menaçant, et qui m'éclaira [11] le plus vivement sur ma position. Je compris que là où j'étais l'air ne se renouvelait [12] point et que j'allais mourir. Cette pensée m'ôta le sentiment de la douleur inexprimable [13] par laquelle j'avais été réveillé. Mes oreilles tintèrent [14] violemment. J'entendis, ou je crus entendre, je ne veux rien affirmer, des gémissements [15] poussés [16] par le monde de cadavres au milieu duquel je gisais.[17] Quoique la mémoire de ces moments soit bien ténébreuse,[18] quoique mes souvenirs soient bien confus, malgré les impressions de souffrances encore plus profondes que je devais éprouver [19] et qui ont brouillé [20] mes idées, il y a des nuits où je crois encore entendre ces soupirs étouffés ! [21] Mais il y a eu quelque chose de plus horrible que les cris, un silence que je n'ai jamais retrouvé nulle part,[22] le vrai silence du tombeau. Enfin, en levant les mains, en tâtant les morts, je reconnus un vide [23] entre ma tête et le fumier humain [24] supérieur. Je pus donc mesurer l'espace qui m'avait été laissé par un hasard dont la cause m'était inconnue. Il paraît que, grâce à l'insouciance [25] ou à la précipitation [26] avec laquelle on nous avait jetés pêle-mêle, deux morts s'étaient croisés [27] au-dessus de moi de manière à décrire un angle semblable à celui de deux cartes mises l'une contre l'autre par un enfant qui pose les fondements [28] d'un château. En furetant [29] avec promptitude, car il ne fallait pas flâner,[30] je rencontrai fort heureusement un bras qui ne tenait à rien, le bras d'un Hercule ! un bon os auquel je dus mon salut.[31] Sans ce secours [32] inespéré, je périssais ! [33] Mais, avec une rage que vous devez concevoir, je me mis à travailler [34] les cadavres qui me séparaient de la couche [35] de terre sans doute jetée sur nous, je dis nous, comme s'il y eût eu des vivants ! J'y allais ferme,[36] monsieur, car me voici ! Mais je ne sais pas aujourd'hui comment j'ai pu parvenir à [37] percer la couverture de chair qui mettait une barrière entre la vie et moi.

---

1. tombés lourdement.   **2.** cartes mises l'une contre l'autre de façon à former un angle comme celui d'un toit (*roof*), et que les enfants s'amusent à mettre en rangs (*files*) pour les faire tomber. **3.** *in spilling me.* **4.** *crushed.* **5.** frappé. **6.** repris connaissance. **7.** parlant. **8.** *breathed.* **9.** qui a une odeur de corruption. **10.** *lack.* **11.** renseigna; (*Cf.* Angl. en*light*en). **12.** *was renewed.* **13.** *unutterable.* **14.** *rang.* **15.** *groans.* **16.** *uttered.* **17.** étais couché. **18.** noire (comme la nuit), indistincte. **19.** *experience, feel.* **20.** befuddled, confused. **21.** *stifled sighs.* **22.** *nowhere.* **23.** *empty space.* **24.** fumier humain (lit., *human dunghill*): masse de chair (*flesh*) humaine en décomposition. **25.** manque de soin, indifférence. **26.** *haste, hurry.* **27.** *had fallen across each other.* **28.** *lays the foundations, begins to build.* **29.** cherchant. **30.** perdre du temps. **31.** *salvation.* **32.** *help;* (*Cf.* succor). **33.** *I should (certainly) have perished.* **34.** *Cf.* travailler (la terre): *dig, delve.* **35.** *layer.* **36.** avec énergie. **37.** arriver à.

Vous me direz que j'avais trois bras ! Ce levier,[1] dont je me servais avec habileté,[2] me procurait toujours un peu de l'air qui se trouvait entre les cadavres que je déplaçais, et je ménageais mes aspirations.[3] Enfin je vis le jour, mais à travers la neige, monsieur ! En ce moment, je m'aperçus que j'avais la tête ouverte. Par bonheur, mon sang, celui de mes camarades ou la peau meurtrie[4] de mon cheval peut-être, que sais-je ! m'avait, en se coagulant, comme enduit[5] d'un emplâtre[6] naturel. Malgré cette croûte,[7] je m'évanouis[8] quand mon crâne fut en contact avec la neige. Cependant, le peu de chaleur qui me restait ayant fait fondre[9] la neige autour de moi, je me trouvai, quand je repris connaissance, au centre d'une petite ouverture par laquelle je criai aussi longtemps que je pus. Mais alors le soleil se levait, j'avais donc bien peu de chances pour être entendu. Y avait-il déjà du monde[10] aux champs ? Je me haussais[11] en faisant de mes pieds un ressort[12] dont le point d'appui[13] était sur les défunts qui avaient les reins solides.[14] Vous sentez que ce n'était pas le moment de leur dire: *Respect au courage malheureux !* Bref, monsieur, après avoir eu la douleur, si le mot peut rendre ma rage, de voir pendant longtemps, oh ! oui, longtemps ! ces sacrés Allemands se sauvant[15] en entendant une voix là où ils n'apercevaient point d'homme, je fus enfin dégagé[16] par une femme assez hardie[17] ou assez curieuse pour s'approcher de ma tête, qui semblait avoir poussé[18] hors de terre comme un champignon.[19] Cette femme alla chercher son mari, et tous deux me transportèrent dans leur pauvre baraque.[20] Il paraît que j'eus une rechute[21] de catalepsie, passez-moi[22] cette expression pour vous peindre[23] un état duquel je n'ai nulle idée, mais que j'ai jugé, sur les dires[24] de mes hôtes, devoir être un effet de cette maladie. Je suis resté pendant six mois entre la vie et la mort, ne parlant pas, ou déraisonnant[25] quand je parlais. Enfin mes hôtes me firent admettre à l'hôpital d'Heilsberg. Vous comprenez, monsieur, que j'étais sorti du ventre[26] de la fosse aussi nu que de celui de ma mère; en sorte que, six mois après, quand, un beau matin, je me souvins d'avoir été le colonel Chabert, et qu'en recouvrant ma raison je voulus obtenir de ma garde[27] plus de respect qu'elle n'en accordait[28] à un pauvre diable, tous mes camarades de chambrée se mirent à rire. Heureusement pour moi, le chirurgien avait répondu,[29] par amour-propre,[30] de ma guérison, et s'était naturellement intéressé à son malade. Lorsque je lui parlai d'une manière suivie[31] de mon ancienne existence, ce brave[32] homme, nommé Sparchmann, fit constater,[33] dans les formes juridiques[34] voulues[35] par le droit[36] du pays, la manière

---

1. *lever.*　**2.** *skill.*　**3.** ménageais . . . aspirations: respirais aussi peu que possible. **4.** *bruised.*　**5.** *smeared.*　**6.** *plaster.*　**7.** (lit., *crust*): *scab.*　**8.** *fainted.*　**9.** *thaw, melt.* **10.** quelqu'un.　**11.** *raised myself.*　**12.** *spring.*　**13.** *fulcrum.*　**14.** *strong backs.*　**15.** s'enfuyant, courant (pour éviter un danger).　**16.** *délivré.*　**17.** courageuse.　**18.** *sprung up.* **19.** *mushroom.*　**20.** petite maison très pauvre.　**21.** *relapse.*　**22.** *ici:* permettez, pardonnez.　**23.** décrire.　**24.** d'après ce que dirent.　**25.** *talking irrationally, wandering.* **26.** *belly.*　**27.** *nurse.*　**28.** donnait, montrait.　**29.** garanti de me guérir (*cure*).　**30.** respect de soi-même; sentiment de sa valeur.　**31.** rationnelle.　**32.** *ici:* bon.　**33.** *placed on record.*　**34.** légales.　**35.** *required.*　**36.** *legal practice or custom.*

miraculeuse dont j'étais sorti de la fosse des morts, le jour et l'heure où
j'avais été trouvé par ma bienfaitrice [1] et par son mari; le genre,[2] la position
exacte de mes blessures, en joignant à ces différents procès-verbaux [3] une
description de ma personne. Eh bien, monsieur, je n'ai ni ces pièces [4] importantes, ni la déclaration que j'ai faite chez un notaire d'Heilsberg, en vue [5]
d'établir mon identité! Depuis le jour où je fus chassé [5] de cette ville par
les événements de la guerre, j'ai constamment erré comme un vagabond,
mendiant mon pain, traité de [6] fou lorsque je racontais mon aventure, et sans
avoir ni trouvé ni gagné un sou pour me procurer les actes [7] qui pouvaient
prouver mes dires, et me rendre à la vie sociale. Souvent, mes douleurs me [10]
retenaient durant des semestres entiers dans de petites villes où l'on prodiguait [8] des soins au Français malade, mais où l'on riait au nez [9] de cet
homme dès qu'il prétendait [10] être le colonel Chabert. Pendant longtemps,
ces rires, ces doutes me mettaient dans une fureur [11] qui me nuisit [12] et me fit
même enfermer [13] comme fou à Stuttgart. A la vérité, vous pouvez juger, [15]
d'après mon récit, qu'il y avait des raisons suffisantes pour faire coffrer [14] un
homme!

Après deux ans de détention que je fus obligé de subir,[15] après avoir entendu
mille fois mes gardiens [16] disant: « Voilà un pauvre homme qui croit être le
colonel Chabert! » à des gens qui répondaient: « Le pauvre homme! » je fus [20]
convaincu [17] de l'impossibilité de ma propre aventure, je devins triste, résigné,
tranquille, et renonçai à [18] me dire le colonel Chabert, afin de pouvoir sortir
de prison et revoir la France. Oh! monsieur, revoir Paris! c'était un délire [19]
que je ne . . .

A cette phrase inachevée,[20] le colonel Chabert tomba dans une rêverie pro- [25]
fonde que Derville respecta.

— Monsieur, un beau jour, reprit [21] le client, un jour de printemps, on me
donna la clef des champs [22] et dix thalers,[23] sous prétexte que je parlais très
sensément [24] sur toute sorte de sujets et que je ne me disais plus le colonel
Chabert. Ma foi, vers cette époque, et encore aujourd'hui, par moments, [30]
mon nom m'est désagréable. Je voudrais n'être pas moi. Le sentiment [25]
de mes droits [26] me tue. Si ma maladie m'avait ôté tout souvenir de mon existence passée, j'aurais été heureux! J'eusse repris du service sous un nom
quelconque, et, qui sait? je serais peut-être devenu feld-maréchal [27] en Autriche
ou en Russie.   [35]

---

1. *benefactress.*   2. sorte, nature.   3. procès verbal: écrit constatant un fait, dressé
par un fonctionnaire public (notaire, police, etc.). 4. documents. 5. *turned out.* 6. appelé.
7. documents. (*Voir note 13, page 440.*)   8. donnait généreusement.   9. *in the face.*
10. *claimed* (not *pretended*).   11. colère, rage.   12. faisait du mal (dont ma cause, ma
réputation souffraient). 13. *ici:* mettre dans une maison de fous. 14. enfermer. 15. *undergo.* 16. (*male*) *nurses.* 17. persuadé. 18. *gave up.* 19. délire (de joie), enthousiasme.   20. qu'il ne termina pas.   21. dit (après une pause).   22. me donna . . .
champs: me remit en liberté. (*Voir note 2, page 385.*)   23. monnaie allemande valant
alors à peu près 4 francs. (On lui donna donc une quarantaine de francs.)   24. raison-
nablement. 25. *consciousness.* 26. *rights.* 27. Le titre le plus élevé dans l'armée allemande, russe, anglaise.

— Monsieur, dit l'avoué, vous brouillez toutes mes idées. Je crois rêver en vous écoutant. De grâce,[1] arrêtons-nous pendant un moment.

— Vous êtes, dit le colonel d'un air mélancolique, la seule personne qui m'ait si patiemment écouté. Aucun homme de loi n'a voulu m'avancer dix napoléons [2] afin de faire venir d'Allemagne les pièces nécessaires pour com- 5 mencer mon procès . . .[3]

— Quel procès? dit l'avoué, qui oubliait la situation douloureuse de son client en entendant le récit de ses misères passées.

— Mais, monsieur, la comtesse Ferraud n'est-elle pas ma femme? Elle possède trente mille livres [4] de rente qui m'appartiennent, et ne veut pas me 10 donner deux liards.[5] Quand je dis ces choses à des avoués, à des hommes de bon sens [6]; quand je propose, moi, mendiant, de plaider [7] contre un comte et une comtesse; quand je m'élève,[8] moi, mort, contre un acte de décès,[9] un acte de mariage et des actes de naissance, ils m'éconduisent,[10] suivant leur caractère, soit avec cet air froidement poli que vous savez prendre pour vous 15 débarrasser [11] d'un malheureux, soit brutalement, en gens qui croient rencontrer un intrigant [12] ou un fou. J'ai été enterré sous des morts; mais, maintenant, je suis enterré sous des vivants, sous des actes, sous des faits, sous la société tout entière, qui veut me faire rentrer sous terre!

— Monsieur, veuillez poursuivre maintenant, dit l'avoué. 20

— *Veuillez*, s'écria le malheureux vieillard en prenant la main du jeune homme, voilà le premier mot de politesse que j'entends depuis . . .

Le colonel pleura. La reconnaissance [13] étouffa [14] sa voix. Cette pénétrante et indicible [15] éloquence qui est dans le regard, dans le geste, dans le silence même, acheva de convaincre [16] Derville et le toucha vivement.[17] 25

— Écoutez, monsieur, dit-il à son client, j'ai gagné ce soir trois cents francs au jeu [18]; je puis bien employer la moitié de cette somme à faire le bonheur [19] d'un homme. Je commencerai les poursuites [20] et diligences [21] nécessaires pour vous procurer les pièces dont vous me parlez, et, jusqu'à leur arrivée, je vous remettrai [22] cent sous [23] par jour. Si vous êtes le colonel Chabert, vous 30 saurez pardonner la modicité [24] du prêt [25] à un jeune homme qui a sa fortune à faire. Poursuivez.[26]

Le prétendu colonel resta pendant un moment immobile et stupéfait [27]: son extrême malheur avait sans doute détruit [28] ses croyances.[29]

Les paroles du jeune avoué furent donc comme un miracle pour cet homme 35 rebuté [30] pendant dix années par sa femme, par la justice, par la création so-

---

1. *please!* **2.** pièce d'or de vingt francs. **3.** *lawsuit.* **4.** francs. **5.** petite monnaie de cuivre (*copper*) valant le quart d'un sou. **6.** raisonnables. **7.** *plead, sue.* **8.** *rise up.* **9.** *Voir note 13, page 440.* **10.** *turn me out.* **11.** *rid.* **12.** *schemer, crook.* **13.** *thankfulness.* **14.** *stifled.* **15.** *inexpressible.* **16.** persuader (de la vérité du récit du colonel). **17.** *deeply.* **18.** en jouant aux cartes. **19.** en rendant heureux. **20.** *prosecution.* **21.** *proceedings.* **22.** donnerai (*Cf.* Angl. *remit*). **23.** cinq francs. **24.** petitesse. **25.** *loan.* **26.** *go on* (*with your story*). **27.** incapable de parler. **28.** *destroyed.* **29.** ce que l'on *croit*, la foi. **30.** repoussé.

ciale entière. Trouver chez un avoué ces dix pièces d'or qui lui avaient été
refusées pendant si longtemps, par tant de personnes et de tant de manières !
Le colonel ressemblait à cette dame qui, ayant eu la fièvre [1] durant quinze
années, crut avoir changé de maladie le jour où elle fut guérie.[2] Il est des
félicités auxquelles on ne croit plus; elles arrivent, c'est la foudre,[3] elles 5
consument. Aussi la reconnaissance du pauvre homme était-elle trop vive
pour qu'il pût l'exprimer. Il eût [4] paru froid aux gens superficiels, mais
Derville devina [5] toute une probité [6] dans cette stupeur. Un fripon [7] aurait
eu de la voix.

— Où en [8] étais-je ? dit le colonel avec la naïveté d'un enfant ou d'un soldat, 10
car il y a souvent de l'enfant dans le vrai soldat, et presque toujours du soldat
chez l'enfant, surtout en France.

— A Stuttgart. Vous sortiez de prison, répondit l'avoué.

— Vous connaissez ma femme ? demanda le colonel.

— Oui, répliqua Derville en inclinant la tête.[9]   15

— Comment est-elle ? [10]

— Toujours ravissante.[11]

Le vieillard fit un signe de main, et parut dévorer quelque secrète douleur
avec cette résignation grave et solennelle [12] qui caractérise les hommes
éprouvés [13] dans le sang et le feu des champs de bataille.   20

.   .   .   .

Le jour même où l'on me jeta sur le pavé [14] comme un chien, je rencontrai
le maréchal des logis de qui je vous ai déjà parlé. Le camarade se nommait
Boutin. Le pauvre diable et moi faisions la plus belle paire de rosses [15] que
j'aie jamais vue; je l'aperçus à la promenade; si je le reconnus, il lui fut
impossible de deviner qui j'étais. Nous allâmes ensemble dans un cabaret.[16] 25
Là, quand je me nommai, la bouche de Boutin se fendit [17] en éclat de rire
comme un mortier [18] qui crève.[19] Cette gaieté, monsieur, me causa l'un de
mes plus vifs chagrins ! Elle me révélait sans fard [20] tous les changements
qui étaient survenus [21] en moi ! J'étais donc méconnaissable,[22] même pour
l'œil du plus humble et du plus reconnaissant de mes amis ! jadis [23] j'avais 30
sauvé la vie à Boutin, mais c'était une revanche [24] que je lui devais. Je ne
vous dirai pas comment il me rendit ce service. La scène eut lieu en Italie, à
Ravenne. La maison où Boutin m'empêcha d'être poignardé [25] n'était pas
une maison fort décente. A cette époque, je n'étais pas colonel, j'étais simple

---

1. *fever.* **2.** *cured.* **3.** *lightning.* **4.** aurait. **5.** *sensed.* **6.** grande honnêteté. **7.** *cheat,*
thief.   **8.** (de mon récit).   **9.** *nodding.*   **10.** *how is she* (*in health* = comment va-t-elle)
in appearance. **11.** extrêmement jolie. **12.** *solemn.* **13.** *who have been tried, have suffered.*
14. mit dehors. **15.** personnes sans valeur; "*down-and-outs.*" **16.** lieu où les ouvriers vont
boire (pas *cabaret* au sens américain du mot). **17.** *split.* **18.** (artil.): *mortar.* **19.** qui crève:
bursting.   **20.** Le fard est une préparation cosmétique. *Sans fard* signifie ici: sans rien
cacher, ouvertement, sans déguisement. **21.** arrivés. **22.** *unrecognizable.* **23.** autrefois.
24. *revenge.* Le terme est pris ici dans le sens de *settlement of an old score;* un terme de jeu,
de sport: Chabert avait déjà des obligations envers Boutin qui lui avait sauvé la vie.
25. blessé ou tué avec un poignard (*dagger*).

cavalier, comme Boutin. Heureusement, cette histoire comportait [1] des détails qui ne pouvaient être connus que de nous seuls, et, quand je les lui
rappelai, son incrédulité diminua.   Puis je lui contai les accidents [2] de ma
bizarre existence.   Quoique mes yeux, ma voix, fussent, me dit-il, singulièrement altérés,[3] que je n'eusse plus ni cheveux, ni dents, ni sourcils,[4] que je fusse   5
blanc comme un albinos, il finit par retrouver [5] son colonel dans le mendiant,
après mille interrogations auxquelles je répondis victorieusement.   Il me
raconta ses aventures, elles n'étaient pas moins extraordinaires que les
miennes: il revenait des confins [6] de la Chine, où il avait voulu pénétrer après
s'être échappé de la Sibérie.   Il m'apprit les désastres de la campagne de   10
Russie [7] et la première abdication [8] de Napoléon.   Cette nouvelle est une
des choses qui m'ont fait le plus de mal ! [9]   Nous étions deux débris [10] curieux,
après avoir ainsi roulé [11] sur le globe comme roulent dans l'Océan les cailloux [12]
emportés d'un rivage [13] à l'autre par les tempêtes.   A nous deux,[14] nous
avions vu l'Égypte, la Syrie, l'Espagne, la Russie, la Hollande, l'Allemagne,   15
l'Italie, la Dalmatie, l'Angleterre, la Chine, la Tartarie, la Sibérie; il ne
nous manquait que [15] d'être allés dans les Indes et en Amérique !   Enfin,
plus ingambe [16] que je ne l'étais, Boutin se chargea [17] d'aller à Paris le plus
lestement [18] possible afin d'instruire [19] ma femme de l'état dans lequel je me
trouvais.   J'écrivis à madame Chabert une lettre bien détaillée.   C'était la   20
quatrième, monsieur !   Si j'avais eu des parents,[20] tout cela ne serait peut-
être pas arrivé; mais, il faut vous l'avouer,[21] je suis un enfant d'hôpital,[22]
un soldat qui pour patrimoine [23] avait son courage, pour famille tout le
monde, pour patrie la France, pour tout [24] protecteur le bon Dieu.   Je me
trompe ! j'avais un père, l'empereur !   Ah ! s'il était debout,[25] le cher homme !   25
et qu'il vît *son Chabert*, comme il me nommait, dans l'état où je suis, mais il se
mettrait en colère.[26]   Que voulez-vous ! [27] notre soleil s'est couché, nous avons
tous froid maintenant.   Après tout, les événements politiques pouvaient
justifier le silence de ma femme !   Boutin partit.   Il était bien heureux, lui ! [28]
Il avait deux ours [29] blancs supérieurement [30] dressés [31] qui le faisaient vivre.[32]   30
Je ne pouvais l'accompagner; mes douleurs ne me permettaient pas de faire
de longues étapes.[33]   Je pleurai, monsieur, quand nous nous séparâmes, après
avoir marché aussi longtemps que mon état [34] put me le permettre, en compagnie de ses ours et de lui.   A Carlsruhe, j'eus un accès [35] de névralgie [36] à la tête,
et restai six semaines sur la paille [37] dans une auberge ! [38]   Je ne finirais pas,   35
monsieur, s'il fallait vous raconter tous les malheurs de ma vie de mendiant.

1. *contained.*   **2.** ici: *happenings.*   **3.** changés (mais en mal).   **4.** *eyebrows.*   **5.** reconnaître.   **6.** frontières, limites.   **7.** en 1812.   **8.** en 1814.   **9.** *hurt, pain.*   **10.** *wrecks,*
ruins.   **11.** *wandered.*   **12.** *pebbles.*   **13.** côte; *coast, shore.*   **14.** *between us.*   **15.** il ...
que: *all we lacked.*   **16.** alerte (ayant l'usage de ses jambes).   **17.** *undertook.*   **18.** rapidement.   **19.** informer, faire savoir à.   **20.** *relatives* (*not merely father and mother*).
21. confesser, admettre.   **22.** hôpital (des enfants abandonnés).   **23.** héritage.   **24.** *ici:*
seul.   **25.** pas tombé (s'il régnait encore).   **26.** *would fly into a rage.*   **27.** *But, it can't be*
helped.   **28.** *He, at least, was fortunate.*   **29.** *bears.*   **30.** remarquablement bien.   **31.** *trained*
32. *brought him a livelihood.*   **33.** marches (d'une journée).   **34.** état (de santé).
35. attaque.   **36.** *neuralgia.*   **37.** (lit., *on the straw*): mal logé.   **38.** *inn.*

Les souffrances morales, auprès desquelles pâlissent les douleurs physiques, excitent cependant moins de pitié, parce qu'on ne les voit point. Je me souviens d'avoir pleuré devant un hôtel de Strasbourg où j'avais donné jadis une fête, et où je n'obtins rien, pas même un morceau de pain. Ayant déterminé, de concert [1] avec Boutin, l'itinéraire qui je devais suivre, j'allais à [5] chaque bureau de poste [2] demander s'il y avait une lettre et de l'argent pour moi. Je vins jusqu'à Paris sans avoir rien trouvé. Combien de désespoirs ne m'a-t-il pas fallu dévorer ! « Boutin sera [3] mort, » me disais-je. En effet, le pauvre diable avait succombé à Waterloo. J'appris sa mort plus tard et par hasard. Sa mission auprès de ma femme fut sans doute infructueuse.[4] [10] Enfin j'entrai dans Paris, en même temps que les Cosaques.[5] Pour moi, c'était douleur sur douleur. En voyant les Russes en France, je ne pensais plus que je n'avais ni souliers aux pieds ni argent dans ma poche. Oui, monsieur, mes vêtements étaient en lambeaux.[6] La veille de mon arrivée, je fus forcé de bivaquer [7] dans les bois de Claye. La fraîcheur [8] de la nuit me causa [15] sans doute un accès de je ne sais quelle maladie, qui me prit quand je traversai le faubourg Saint-Martin. Je tombai presque évanoui [9] à la porte d'un marchand de fer. Quand je me réveillai, j'étais dans un lit de l'Hôtel-Dieu.[10] Là, je restai pendant un mois assez heureux. Je fus bientôt renvoyé [11]; j'étais sans argent, mais bien portant [12] et sur le bon pavé de Paris. Avec [20] quelle joie et quelle promptitude j'allai rue du Mont-Blanc, où ma femme devait être logée dans un hôtel [13] à moi ! Bah ! la rue du Mont-Blanc était devenue la rue de la Chaussée-d'Antin. Je n'y vis plus mon hôtel, il avait été vendu, démoli. Des spéculateurs avaient bâti plusieurs maisons dans mes jardins. Ignorant [14] que ma femme fût mariée à M. Ferraud, je ne pouvais [25] obtenir aucun renseignement.[15] Enfin je me rendis chez un vieil avocat qui jadis était chargé de mes affaires. Le bonhomme était mort après avoir cédé sa clientèle à un jeune homme. Celui-ci m'apprit, à mon grand étonnement, l'ouverture de ma succession,[16] sa liquidation, le mariage de ma femme et la naissance de ses deux enfants. Quand je lui dis être le colonel Chabert, [30] il se mit à rire si franchement,[17] que je le quittai sans lui faire la moindre observation.[18] Ma détention de Stuttgart me fit songer à Charenton,[19] et je résolus d'agir avec prudence. Alors, monsieur, sachant où demeurait ma femme, je m'acheminai [20] vers son hôtel, le cœur plein d'espoir. Eh bien, dit le colonel avec un mouvement de rage concentrée, je n'ai pas été reçu [35] lorsque je me fis annoncer sous un nom d'emprunt,[21] et, le jour où je pris le mien, je fus consigné [22] à sa porte. Pour voir la comtesse rentrant du bal ou

---

1. par arrangement.   2. *post office*.   3. passé dans le futur, pour exprimer un fait que l'on considère comme probable, mais incertain.   4. *fruitless*.   5. soldats russes. Après Waterloo (1815), les alliés envahirent (*invaded*) la France.   6. *tatters, rags*.   7. camper; *ici*: coucher.   8. froid.   9. *fainting*.   10. hôpital (des pauvres).   11. *discharged*.   12. en bonne santé.   13. *mansion;* (not *hôtel* here).   14. Ne sachant pas (not *ignoring*).   15. *information*.   16. *settlement of my estate*.   17. sans cacher ses sentiments; ouvertement.   18. *remark;* (not *observation*).   19. grand établissement d'aliénés (fous) près de Charenton, département de la Seine.   20. j'allai.   21. *borrowed, false*.   22. *once for all refused admittance*.

du spectacle,[1] au matin, je suis resté pendant des nuits entières collé[2] contre la borne[3] de sa porte cochère.[4] Mon regard plongeait dans cette voiture qui passait devant mes yeux avec la rapidité de l'éclair,[5] et où j'entre-voyais[6] à peine cette femme qui est mienne et qui n'est plus à moi! Oh! dès ce jour, j'ai vécu pour la vengeance, s'écria le vieillard d'une voix sourde[7] en se dressant[8] tout à coup devant Derville. Elle sait que j'existe; elle a reçu de moi, depuis mon retour, deux lettres écrites par moi-même. Elle ne m'aime plus! Moi, j'ignore si je l'aime ou si je la déteste! je la désire et la maudis[9] tour à tour. Elle me doit sa fortune, son bonheur; eh bien, elle ne m'a pas seulement[10] fait parvenir[11] le plus léger[12] secours! Par mo-ments, je ne sais plus que devenir!

A ces mots, le vieux soldat retomba sur sa chaise, et redevint immobile. Derville resta silencieux, occupé à contempler son client.

— L'affaire est grave, dit-il enfin machinalement.[13] Même en admettant l'authenticité des pièces qui doivent se trouver à Heilsberg, il ne m'est pas prouvé que nous puissions triompher tout d'abord. Le procès ira successive-ment devant trois tribunaux. Il faut réfléchir à tête reposée[14] sur une semblable cause,[15] elle est tout[16] exceptionnelle.

— Oh! répondit froidement le colonel en relevant la tête par un mouve-ment de fierté,[17] si je succombe, je saurai mourir, mais en compagnie.

Là, le vieillard avait disparu.[18] Les yeux de l'homme énergique brillaient rallumés[19] aux feux du désir et de la vengeance.

— Il faudra peut-être transiger,[20] dit l'avoué.

— Transiger! répéta le colonel Chabert. Suis-je mort ou suis-je vivant?

— Monsieur, reprit l'avoué, vous suivrez, je l'espère, mes conseils. Votre cause sera ma cause. Vous vous apercevrez bientôt de l'intérêt que je prends à votre situation, presque sans exemple dans les fastes[21] judiciaires.[22] En attendant, je vais vous donner un mot pour mon notaire, qui vous remettra, sur votre quittance,[23] cinquante francs tous les dix jours. Il ne serait pas convenable[24] que vous vinssiez[25] chercher ici des secours. Si vous êtes le colonel Chabert, vous ne devez être à la merci de personne. Je donnerai à ces avances la forme d'un prêt.[26] Vous avez des biens[27] à recouvrer,[28] vous êtes riche.

Cette dernière délicatesse[29] arracha des larmes[30] au vieillard. Derville se leva brusquement,[31] car il n'était peut-être pas de coutume qu'un avoué parût s'émouvoir[32]; il passa dans son cabinet,[33] d'où il revint avec une lettre non

---

1. play. **2.** glued to, riveted to. **3.** pierre placée sur les côtés d'une porte pour les protéger contre le choc des véhicules. **4.** grande porte par laquelle un coche (coach) peut passer. **5.** flash. **6.** caught a glimpse of. **7.** (voix) grave et creuse (hollow). **8.** standing up. **9.** curse. **10.** so much as. **11.** envoyé. **12.** (lit., lightest): least. **13.** comme une machine ou mécanique; automatiquement. **14.** à tête reposée: avec calme, sans agitation ni émotion. **15.** case (at law). **16.** tout à fait. **17.** dignité. **18.** vanished, ceased to be. **19.** glowing again. **20.** faire des concessions mutuelles. **21.** annales, récits de faits re-marquables: records. **22.** de la loi. **23.** receipt. **24.** proper. **25.** should come. **26.** loan. **27.** une fortune. **28.** recover. **29.** tactful remark. **30.** drew tears. **31.** soudainement. **32.** be moved. **33.** private office.

cachetée [1] qu'il remit au comte Chabert.   Lorsque le pauvre homme la tint entre ses doigts, il sentit deux pièces d'or à travers le papier.

— Voulez-vous me désigner [2] les actes, me donner le nom de la ville, du royaume? [3] dit l'avoué.

Le colonel dicta les renseignements en vérifiant [4] l'orthographe des noms de lieux; puis il prit son chapeau d'une main, regarda Derville, lui tendit l'autre main, une main calleuse,[5] et lui dit d'une voix simple:

— Ma foi, monsieur, après l'empereur, vous êtes l'homme auquel je devrai le plus!   Vous êtes *un brave*.[6]

L'avoué frappa dans la main [7] du colonel, le reconduisit [8] jusque sur l'escalier et l'éclaira.[9]

— Boucard, dit Derville à son maître clerc, je viens d'entendre une histoire qui me coûtera peut-être vingt-cinq louis.[10]   Si je suis volé,[11] je ne regretterai pas mon argent, j'aurai vu le plus habile [12] comédien [13] de notre époque.

Quand le colonel se trouva dans la rue et devant un réverbère,[14] il retira de la lettre les deux pièces de vingt francs que l'avoué lui avait données, et les regarda pendant un moment à la lumière.   Il revoyait de l'or pour la première fois depuis neuf ans.

Je vais donc pouvoir fumer des cigares! se dit-il.

Environ trois mois après cette consultation, nuitamment [15] faite par le colonel Chabert, chez Derville, le notaire chargé de payer la demi-solde [16] que l'avoué faisait à son singulier client vint le voir pour conférer sur une affaire grave, et commença par lui réclamer [17] six cents francs donnés au vieux militaire.

— Tu t'amuses donc à entretenir [18] l'ancienne armée? lui dit en riant ce notaire, nommé Crottat, jeune homme qui venait d'acheter l'étude [19] où il était maître clerc, et dont le patron avait pris la fuite [20] en faisant une épouvantable faillite.[21]

— Je te remercie, mon cher maître, répondit Derville, de me rappeler cette affaire-là.   Ma philanthropie n'ira pas au delà de [22] vingt-cinq louis, je crains déjà d'avoir été la dupe de mon patriotisme.

Au moment où Derville achevait sa phrase, il vit sur son bureau les paquets que son maître clerc y avait mis.   Ses yeux furent frappés à l'aspect des timbres [23] oblongs, carrés, triangulaires, rouges, bleus, apposés [24] sur une lettre par les postes prussienne, autrichienne, bavaroise et française.

— Ah! dit-il en riant, voici le dénoûment [25] de la comédie, nous allons voir si je suis attrapé.[26]

---

1. (cachet = *seal*): dont l'enveloppe n'était pas fermée.   **2.** indiquer.   **3.** L'Allemagne était alors une confédération de petits états.   **4.** *checking up.*   **5.** dure; (*Cf.* Angl. *callous*).   **6.** (*compliment de soldat*).   **7.** *heartily shook hands.*   (*The manner of the handshake indicated that they had come to an understanding.*)   **8.** accompagna.   **9.** *held a light for him.*   **10.** pièce d'or de 20 francs.   **11.** *robbed.*   **12.** *clever.*   **13.** acteur (not necessarily *comedian*).   **14.** *street lamp.*   **15.** pendant la nuit.   **16.** *half-pay;* (solde: la paye d'un soldat).   **17.** *claim.*   **18.** faire vivre.   **19.** *bought the office* (*business*).   **20.** *absconded.*   **21.** *bankruptcy.*   **22.** *beyond.*   **23.** *stamps.*   **24.** *put on.*   **25.** *ending* (*of a play, story, etc.*).   **26.** trompé.

Il prit la lettre et l'ouvrit, mais il n'y put rien lire, elle était écrite en allemand.

— Boucard, allez vous-même faire traduire cette lettre, et revenez promptement, dit Derville en entr'ouvrant [1] la porte de son cabinet et tendant la lettre à son maître clerc. 5

Le notaire de Berlin auquel s'était adressé l'avoué lui annonçait que les actes dont les expéditions [2] étaient demandées lui parviendraient [3] quelques jours après cette lettre d'avis.[4] Les pièces étaient, disait-il, parfaitement en règle,[5] et revêtues [6] des légalisations [7] nécessaires pour faire foi en justice.[8] En outre,[9] il lui mandait [10] que presque tous les témoins [11] des faits con- 10 sacrés [12] par les procès-verbaux existaient à Prussich-Eylau; et que la femme à laquelle M. le comte Chabert devait la vie vivait encore dans un des faubourgs d'Heilsberg.

— Ceci devient sérieux, s'écria Derville quand Boucard eut fini de lui donner la substance de la lettre. — Mais, dis donc, mon petit,[13] reprit-il en 15 s'adressant au notaire, je vais avoir besoin de renseignements qui doivent être en ton étude. N'est-ce pas chez ce vieux fripon [14] de Roguin . . .

— Nous disons l'infortuné, le malheureux Roguin, reprit maître Alexandre Crottat en riant et interrompant Derville.

— N'est-ce pas chez cet infortuné qui vient d'emporter [15] huit cent mille 20 francs à ses clients, et de réduire plusieurs familles au désespoir, que s'est faite [16] la liquidation de la succession [17] Chabert? Il me semble que j'ai vu cela dans nos pièces Ferraud.

— Oui, répondit Crottat, j'étais alors troisième clerc; je l'ai copiée et bien étudiée, cette liquidation. Rose Chapotel, épouse et veuve de Hyacinthe, dit 25 Chabert, comte de l'Empire, grand officier [18] de la Légion d'honneur; ils s'étaient mariés sans contrat, ils étaient donc communs en biens.[19] Autant que [20] je puis m'en souvenir, l'actif [21] s'élevait [22] à six cent mille francs. Avant son mariage, le comte Chabert avait fait un testament en faveur des hospices [23] de Paris, par lequel il leur attribuait le quart de la fortune qu'il 30 posséderait au moment de son décès, le domaine [24] héritait de l'autre quart. Il y a eu licitation,[25] vente [26] et partage,[27] parce que les avoués sont allés bon train.[28] Lors de [29] la liquidation, le monstre [30] qui gouvernait alors la France a rendu par un décret [31] la portion du fisc [32] à la veuve du colonel.

1. ouvrant à demi. **2.** *official copies.* **3.** *would reach him.* **4.** lettre d'avis: *notification.* **5.** *in good order.* **6.** (lit., *covered*): *bearing* (*signatures, seals, etc.*). **7.** *signs and seals.* **8.** *to be accepted by the Court.* **9.** *furthermore.* **10.** faisait savoir. **11.** *witnesses.* **12.** *established.* **13.** (*term of endearment*): *old man.* **14.** voleur. **15.** voler en prenant la fuite. **16.** *carried out.* **17.** *estate* (*of a dead man*). **18.** La Légion d'honneur se compose de chevaliers, officiers, commandeurs, grands officiers et grands croix. **19.** communs en biens: c'est-à-dire que, à la mort de Chabert, sa veuve hériterait de toute sa fortune. **20.** *so far as.* **21.** *assets.* **22.** *amounted to.* **23.** maisons où l'on reçoit les vieillards, enfants, aveugles, etc., sans argent. **24.** trésor de l'État. **25.** vente faite à un seul acheteur par plusieurs copropriétaires, dans le but de pouvoir partager le prix de revient de la vente. (*Voir notes suivantes, 31 et 32*). **26.** *sale (by auction).* **27.** *sharing.* **28.** *went at it with a will.* **29.** au moment de. **30.** Napoléon. (Crottat favorisait la monarchie.) **31.** décision prise par une autorité. **32.** administration chargée des impôts (*taxes*).

— Ainsi la fortune personnelle du comte Chabert ne se monterait [1] donc qu'à trois cent mille francs?

— Par conséquent, mon vieux! répondit Crottat. Vous avez parfois l'esprit juste,[2] vous autres avoués, quoiqu'on vous accuse de vous le fausser [3] en plaidant aussi bien le pour que le contre.   5

Le comte Chabert, dont l'adresse se lisait [4] au bas de la première quittance qu'il avait remise au notaire, demeurait dans le faubourg Saint-Marceau, rue du Petit-Banquier, chez un vieux maréchal des logis de la garde impériale, devenu nourrisseur [5] et nommé Vergniaud. Arrivé là, Derville fut forcé d'aller à pied à la recherche [6] de son client; car son cocher refusa de s'engager [7]   10 dans une rue non pavée et dont les ornières [8] étaient un peu trop profondes pour les roues d'un cabriolet.[9] En regardant de tous les côtés, l'avoué finit par trouver, dans la partie de cette rue qui avoisine [10] le boulevard, entre deux murs bâtis avec des ossements [11] et de la terre, deux mauvais [12] pilastres en moellons,[13] que le passage des voitures avait ébréchés,[14] malgré deux morceaux   15 de bois placés en forme de bornes. Ces pilastres soutenaient une poutre [15] couverte d'un chaperon [16] en tuiles,[17] sur laquelle ces mots étaient écrits en rouge: VERGNIAUD, NOURICEURE.[18] A droite de ce nom se voyaient des œufs, et à gauche une vache, le tout peint en blanc. La porte était ouverte et restait sans doute ainsi pendant toute la journée. Au fond d'une cour assez   20 spacieuse s'élevait, en face de la porte, une maison, si toutefois ce nom convient [19] à l'une de ces masures [20] bâties dans les faubourgs de Paris, et qui ne sont comparables à rien, pas même aux plus chétives [21] habitations de la campagne, dont elles ont la misère sans en avoir la poésie. En effet, au milieu des champs, les cabanes [22] ont encore une grâce que leur donnent la   25 pureté de l'air, la verdure, l'aspect des champs, une colline,[23] un chemin tortueux, des vignes,[24] une haie vive,[25] la mousse des chaumes,[26] et les ustensiles champêtres [27]; mais, à Paris, la misère ne se grandit [28] que par son horreur. Quoique récemment construite, cette maison semblait près de tomber en ruine. Aucun des matériaux n'y avait eu sa vraie destination, ils pro-   30 venaient [29] tous des démolitions qui se font journellement [30] dans Paris. Derville lut sur un volet [31] fait avec les planches d'une enseigne [32]: *Magasin de nouveautés.*[33] Les fenêtres ne se ressemblaient point entre elles et se trouvaient bizarrement placées. Le rez-de-chaussée, qui paraissait être la partie habitable, était exhaussé [34] d'un côté, tandis que de l'autre les cham-   35 bres étaient enterrées par une éminence. Entre la porte et la maison s'éten-

---

1. *would amount to.* **2.** avez . . . juste: *reason correctly.* **3.** *distort, warp (your reasoning faculties).* **4.** était écrite. **5.** celui qui *nourrit* des vaches pour en vendre le lait. **6.** *in search of.* **7.** entrer dans. **8.** *ruts.* **9.** voiture légère à deux roues. **10.** *is near to.* **11.** *bones.* **12.** en mauvais état. **13.** petites pierres. **14.** *chipped.* **15.** *beam.* **16.** sorte de petit toit (*roof*) couvrant un mur. **17.** *tiles.* **18.** (*faute d'orthographe*): nourrisseur. **19.** *is applicable to.* **20.** *tumble-down hovels.* **21.** *Jerry-built.* **22.** petites maisons. **23.** *hill.* **24.** *grapevines.* **25.** *quickset hedge.* **26.** *thatch.* **27.** d'agriculture. **28.** *is magnified.* **29.** came *from.* **30.** tous les jours. **31.** *shutter.* **32.** *signboard.* **33.** *Fancy-goods store.* **34.** plus haut.

dait [1] une mare [2] pleine de fumier [3] où coulaient [4] les eaux pluviales [5] et ménagères.[6] Le mur sur lequel s'appuyait [7] ce chétif logis,[8] et qui paraissait être plus solide que les autres, était garni [9] de cabanes [10] grillagées [11] où de vrais lapins [12] faisaient leurs nombreuses familles. A droite de la porte cochère se trouvait la vacherie [13] surmontée d'un grenier [14] à fourrage, et qui 5 communiquait à la maison par une laiterie.[15] A gauche étaient une basse-cour,[16] une écurie [17] et un toit à cochons [18] qui avait été fini, comme celui de la maison, en mauvaises planches de bois blanc clouées [19] les unes sur les autres, et mal recouvertes avec du jonc.[20] Comme presque tous les endroits où se cuisinent [21] les éléments du grand repas que Paris dévore chaque jour, la cour 10 dans laquelle Derville mit le pied offrait les traces de la précipitation voulue [22] par la nécessité d'arriver à heure fixe. Ces grands vases [23] de fer-blanc [24] bossués [25] dans lesquels se transporte le lait, et les pots qui contiennent la crème, étaient jetés pêle-mêle devant la laiterie, avec leurs bouchons [26] de linge.[27] Les loques [28] trouées qui servaient à les essuyer flottaient au soleil, 15 étendues sur des ficelles [29] attachées à des piquets.[30] Ce cheval pacifique, dont la race ne se trouve que chez les laitières, avait fait quelques pas en avant de sa charrette [31] et restait devant l'écurie, dont la porte était fermée. Une chèvre [32] broutait [33] le pampre [34] de la vigne grêle [35] et poudreuse [36] qui garnissait le mur jaune et lézardé [37] de la maison. Un chat était accroupi [38] sur les pots à 20 crème et les léchait.[39] Les poules,[40] effarouchées [41] à l'approche de Derville, s'envolèrent en criant, et le chien de garde aboya.[42]

— L'homme qui a décidé [43] le gain de la bataille d'Eylau serait [44] là ! se dit Derville en saisissant d'un seul coup d'œil l'ensemble de ce spectacle ignoble.

La maison était restée sous la protection de trois gamins.[45] L'un, grimpé [46] 25 sur le faîte [47] d'une charrette chargée de fourrage vert, jetait des pierres dans un tuyau de cheminée [48] de la maison voisine, espérant qu'elles y tomberaient dans la marmite.[49] L'autre essayait d'amener un cochon sur le plancher de la charrette qui touchait à terre, tandis que le troisième, pendu [50] à l'autre bout, attendait que le cochon y fût placé pour l'enlever [51] en faisant faire la bas- 30 cule [52] à la charrette. Quand Derville leur demanda si c'était bien là que demeurait M. Chabert, aucun ne répondit, et tous trois le regardèrent avec une stupidité spirituelle,[53] s'il est permis d'allier ces deux mots. Derville

1. *spread.* 2. *pool.* 3. *dung.* 4. *ran, drained.* 5. des pluies. 6. des ménages (maisons). 7. *leaned, rested.* 8. habitation. 9. *lined with, along which were built.* 10. *hutches.* 11. *with chicken-wire fronts.* 12. *rabbits.* 13. étable où l'on garde des vaches. 14. *loft.* 15. *dairy.* 16. endroit où on élève la volaille (*poultry*). 17. *stable.* 18. (lit., *pig-roof*): *pigsty.* 19. *nailed.* 20. *rushes.* 21. se préparent (de cuisine, *kitchen*). 22. *required, demanded.* 23. *containers, cans;* (not *vases*). 24. (lit. *white iron; i.e., iron sheeting covered with tin*): tin. 25. *battered.* 26. *stoppers.* 27. *linen or cotton cloths.* 28. *rags.* 29. *strings.* 30. morceaux de bois pointus plantés en terre. 31. voiture à deux roues servant à transporter des marchandises. 32. *goat.* 33. *browsed.* 34. feuilles (de vigne). 35. mince, chétive. 36. *dusty.* 37. *cracked.* 38. *crouching.* 39. *was licking.* 40. *hens.* 41. effrayées, ayant peur. 42. *barked.* 43. *was the deciding factor in.* 44. (Conditionnel indiquant un fait invraisemblable): Est-il possible que l'homme . . . soit là? 45. *urchins.* 46. monté. 47. partie la plus élevée, sommet. 48. *chimney-pot.* 49. pot dans lequel on fait la soupe. 50. suspendu. 51. *raise it up.* 52. faisant . . . bascule: *teetering.* 53. *knowing "dumbness."*

réitéra ses questions sans succès. Impatienté par l'air narquois [1] des trois drôles,[2] il leur dit de ces injures plaisantes [3] que les jeunes gens se croient le droit [4] d'adresser aux enfants, et les gamins rompirent le silence par un rire brutal. Derville se fâcha. Le colonel, qui l'entendit, sortit d'une petite chambre basse située près de la laiterie et apparut sur le seuil [5] de la porte 5 avec un flegme [6] militaire inexprimable. Il avait à la bouche une de ces pipes notablement *culottées* [7] (expression technique des fumeurs), une de ces humbles pipes de terre [8] blanche nommées des *brûle-gueule*.[9] Il leva la visière [10] d'une casquette [11] horriblement crasseuse,[12] aperçut Derville et traversa le fumier, pour venir plus promptement à son bienfaiteur, en criant d'une voix 10 amicale aux gamins:

— Silence dans les rangs!

Les enfants gardèrent aussitôt un silence respectueux qui annonçait l'empire [13] exercé sur eux par le vieux soldat.

— Pourquoi ne m'avez-vous pas écrit? dit-il à Derville. Allez le long de 15 la vacherie! Tenez, là,[14] le chemin est pavé, s'écria-t-il en remarquant l'indécision de l'avoué, qui ne voulait pas se mouiller [15] les pieds dans le fumier.

En sautant de place en place, Derville arriva sur le seuil de la porte par où le colonel était sorti. Chabert parut désagréablement affecté [16] d'être obligé de le recevoir dans la chambre qu'il occupait. En effet, Derville n'y aperçut 20 qu'une seule chaise. Le lit du colonel consistait en quelques bottes [17] de paille sur lesquelles son hôtesse avait étendu deux ou trois lambeaux [18] de ces vieilles tapisseries, ramassées je ne sais où, qui servent aux laitières à garnir les bancs de leurs charrettes. Le plancher était tout simplement en terre battue. Les murs, salpêtrés,[19] verdâtres et fendus,[20] répandaient [21] une si 25 forte humidité, que le mur contre lequel couchait le colonel était tapissé [22] d'une natte en jonc.[23] Son vieux carrick pendait à un clou. Deux mauvaises paires de bottes [24] gisaient [25] dans un coin. Nul vestige de linge. Sur la table vermoulue,[26] les *Bulletins de la Grande Armée*,[27] réimprimés [28] par Plancher, étaient ouverts et paraissaient être la lecture du colonel, dont la 30 physionomie était calme et sereine au milieu de cette misère. Sa visite chez Derville semblait avoir changé le caractère [29] de ses traits, où l'avoué trouva les traces d'une pensée heureuse, une lueur [30] particulière qu'y avait jetée l'espérance.

— La fumée de la pipe vous incommode-t-elle? dit-il en tendant à son 35 avoué la chaise à moitié dépaillée.[31]

---

1. moqueur. 2. *young rascals*. 3. insultes pour rire (not *pleasant*). 4. privilège. 5. *threshold*. 6. calme. 7. colorées par le tabac. 8. ici: *clay*. 9. pipe à tuyau très court (Angl.: "*cutty*"). 10. *visor, peak*. 11. *cap*. 12. sale, graisseuse. 13. autorité. 14. *Look, there*. 15. *wet*. 16. ennuyé, mal à l'aise. 17. *bundles*. 18. *tattered remnants*. 19. couverts de salpêtre. 20. *cracked*. 21. émettaient. 22. couvert (comme d'une tapisserie). 23. *rush-matting*. 24. *high boots*. 25. *lay, sprawled*. 26. *worm-eaten*. 27. Armée rassemblée à Boulogne par Napoléon pour l'invasion de l'Angleterre, et qu'il employa, après la bataille de Trafalgar, pour la campagne de Russie. 28. *reprinted*. 29. (ce qui caractérise), expression. 30. *glow*. 31. dont la paille (du siège) était en mauvais état.

— Mais, colonel, vous êtes horriblement mal [1] ici!

Cette phrase fut arrachée [2] à Derville par la défiance [3] naturelle aux avoués, et par la déplorable expérience que leur donnent de bonne heure les épouvantables drames inconnus auxquels ils assistent.[4]

— Voilà, se dit-il, un homme qui aura certainement employé mon argent à satisfaire les trois vertus théologales [5] du troupier: le jeu,[6] le vin et les femmes!

— C'est vrai, monsieur, nous ne brillons pas ici par le luxe. C'est un bivac tempéré par l'amitié, mais... (Ici le soldat lança un regard profond à l'homme de loi), mais, je n'ai fait de tort [7] à personne, je n'ai jamais repoussé [8] personne, et je dors tranquille.

L'avoué songea qu'il y aurait peu de délicatesse à demander compte à son client des sommes qu'il lui avait avancées, et il se contenta de lui dire:

— Pourquoi n'avez-vous donc pas voulu venir dans Paris, où vous auriez pu vivre aussi peu chèrement [9] que vous vivez ici, mais où vous auriez été mieux?

— Mais, répondit le colonel, les braves gens chez lesquels je suis m'avaient recueilli,[10] nourri *gratis* [11] depuis un an! comment les quitter au moment où j'avais un peu d'argent? Puis, le père de ces trois gamins est un vieux *Égyptien*. . . .[12]

— Comment, un Égyptien?

— Nous appelons ainsi les troupiers qui sont revenus de l'expédition d'Égypte,[13] de laquelle j'ai fait partie. Non seulement tous ceux qui en sont revenus sont un peu frères, mais Vergniaud était alors dans mon régiment, nous avions partagé [14] de l'eau dans le désert; enfin, je n'ai pas encore fini d'apprendre à lire à ses marmots.[15]

— Il aurait bien pu vous mieux loger, pour votre argent, lui.[16]

— Bah! dit le colonel, ses enfants couchent comme moi sur la paille! Sa femme et lui n'ont pas un lit meilleur; ils sont bien pauvres, voyez-vous! ils ont pris un établissement au-dessus de leurs forces. Mais, si je recouvre ma fortune... Enfin, suffit![17]

— Colonel, je dois recevoir demain ou après vos actes d'Heilsberg. Votre libératrice [18] vit encore!

— Sacré argent! Dire que [19] je n'en ai pas! s'écria-t-il en jetant sa pipe à terre.

Une pipe *culottée* est une pipe précieuse pour un fumeur; mais ce fut par un geste si naturel, par un mouvement si généreux, que tous les fumeurs et

---

1. mal (logé), sans confort. **2.** *wrested, torn.* **3.** manque de confiance; prudence (pas "*defiance*" au sens anglais). **4.** *which they witness* (not *in which they assist*). **5.** allusion aux vertus théologales chrétiennes (théos = Dieu, logos = parole) mentionnées par Saint Paul: la foi, l'espérance et la charité. **6.** *gambling.* **7.** mal; fait de tort: *wronged.* **8.** *turned away, repulsed, denied assistance.* **9.** peu chèrement: *cheaply.* **10.** *offered shelter, taken in.* **11.** gratuitement, sans demander de paiement. **12.** Chabert explique deux lignes plus bas. **13.** Expédition entreprise par Napoléon Bonaparte en 1798–99. **14.** *shared.* **15.** *youngsters.* **16.** *Well, he, for his part.* **17.** assez! **18.** celle qui lui avait rendu la liberté en le retirant de la fosse à Eylau. **19.** *And to say, or think, that.*

même la Régie [1] lui eussent pardonné ce crime de lèse-tabac.[2] Les anges
auraient peut-être ramassé les morceaux.

— Colonel, votre affaire est excessivement compliquée, lui dit Derville en
sortant de la chambre pour s'aller promener au soleil le long de la maison.

— Elle me paraît, dit le soldat, parfaitement simple. On m'a cru mort, me   5
voilà! Rendez-moi ma femme et ma fortune; donnez-moi le grade [3] de
général auquel j'ai droit, car j'ai passé colonel dans la garde impériale la
veille de la bataille d'Eylau.

— Les choses ne vont pas ainsi dans le monde judiciaire,[4] reprit Derville.
Écoutez-moi. Vous êtes le comte Chabert, je le veux bien [5]; mais il s'agit de 10
le prouver judiciairement à des gens qui vont avoir intérêt à nier [6] votre
existence. Ainsi, vos actes seront discutés. Cette discussion entraînera [7] dix
ou douze questions préliminaires. Toutes iront contradictoirement [8] jusqu'à
la cour suprême, et constitueront autant de procès coûteux,[9] qui traîneront [10]
en longueur, quelle que soit l'activité que j'y mette.[11] Vos adversaires de-   15
manderont une enquête [12] à laquelle nous ne pourrons pas nous refuser, et qui
nécessitera peut-être une commission rogatoire [13] en Prusse. Mais supposons
tout au mieux: admettons qu'il soit reconnu promptement par la justice [14]
que vous êtes le colonel Chabert. Savons-nous comment sera jugée la question soulevée [15] par la bigamie fort innocente de la comtesse Ferraud? Dans 20
votre cause, le point de droit [16] est en dehors du Code,[17] et ne peut être jugé
par les juges que suivant [18] les lois de la conscience, comme fait le jury dans
les questions délicates que présentent les bizarreries [19] sociales de quelques
procès criminels. Or, vous n'avez pas eu d'enfants de votre mariage, et
M. le comte Ferraud en a deux du sien; les juges peuvent déclarer nul le   25
mariage où se rencontrent les liens [20] les plus faibles, au profit du mariage qui
en comporte [21] de plus forts, du moment [22] qu'il y a eu bonne foi chez les con-
tractants. Serez-vous dans une position morale bien belle, en voulant *mor-
dicus* [23] avoir, à votre âge et dans les circonstances où vous vous trouvez, une
femme qui ne vous aime plus? Vous aurez contre vous votre femme et son   30
mari, deux personnes puissantes qui pourront influencer les tribunaux. Le
procès a donc des éléments de durée.[24] Vous aurez le temps de vieillir dans les
chagrins les plus cuisants.[25]

— Et ma fortune?

— Vous vous croyez [26] donc une grande fortune?   35

— N'avais-je pas trente mille livres de rente?

1. Administration chargée de la surveillance de certains travaux publics exécutés par
l'État, entre autres, la manufacture et la vente du tabac.   **2.** (*Expression humoristique*):
Cf. lèse-majesté.   **3.** *rank.*   **4.** de la loi.   **5.** *I grant it.*   **6.** *deny.*   **7.** aura pour conséquence.   **8.** *both parties being heard.*   **9.** *costly.*   **10.** *will drag.*   **11.** quelle . . . mette: *however energetically I act.*   **12.** *inquiry.*   **13.** *judicial inquiry.*   **14.** *the courts.*   **15.** *raised.*
16. *the point of law* (*in your particular case*).   **17.** n'a pas été prévu (*foreseen*) dans le
Code. Code (Napoléon): recueil de lois préparé pendant le règne de Napoléon.   **18.** *in
accordance with.*   **19.** étranges situations.   **20.** *ties.*   **21.** *has, presents.*   **22.** du moment: *in
consideration of the fact that.*   **23.** à tout prix, avec ténacité ou entêtement.   **24.** *duration.*
25. très pénibles, intolérables.   **26.** Vous croyez avoir.

— Mon cher colonel, vous aviez fait, en 1799, avant votre mariage, un testament qui léguait [1] le quart de vos biens aux hospices.

— C'est vrai.

— Eh bien, vous censé [2] mort, n'a-t-il pas fallu procéder à un inventaire, à une liquidation afin de donner ce quart aux hospices? Votre femme ne 5 s'est pas fait scrupule de tromper les pauvres. L'inventaire, où sans doute elle s'est bien gardée [3] de mentionner l'argent comptant,[4] les pierreries,[5] où elle aura produit peu d'argenterie,[6] et où le mobilier [7] a été estimé à deux tiers au-dessous du prix [8] réel, soit pour la favoriser, soit pour payer moins de droits [9] au fisc, et aussi parce que les commissaires-priseurs [10] sont respon- 10 sables de leurs estimations, l'inventaire, ainsi fait, a établi six cent mille francs de valeurs.[11] Pour sa part, votre veuve avait droit à la moitié. Tout a été vendu, racheté par elle, elle a bénéficié [12] sur tout, et les hospices ont eu leurs soixante-quinze mille francs. Puis, comme le fisc héritait de vous, attendu que [13] vous n'aviez pas fait mention de votre femme dans votre testa- 15 ment, l'empereur a rendu par un décret à votre veuve la portion qui revenait au domaine public. Maintenant, à quoi avez-vous droit? A trois cent mille francs seulement, moins les frais.[14]

— Et vous appelez cela la justice? dit le colonel ébahi.[15]

— Mais certainement . . . 20

— Elle est belle! [16]

— Elle est ainsi, mon pauvre colonel. Vous voyez que ce que vous avez cru facile ne l'est pas. Madame Ferraud peut même vouloir garder la portion qui lui a été donnée par l'empereur.

— Mais elle n'était pas veuve, le décret est nul . . . 25

— D'accord.[17] Mais tout se plaide. Écoutez-moi. Dans ces circonstances, je crois qu'une transaction [18] serait, et pour vous et pour elle, le meilleur dénoûment du procès. Vous y gagneriez une fortune plus considérable que celle à laquelle vous auriez droit.

— Ce serait vendre ma femme? 30

— Avec vingt-quatre mille francs de rente, vous aurez, dans la position où vous vous trouvez, des femmes qui vous conviendront [19] mieux que la vôtre et qui vous rendront plus heureux. Je compte [20] aller voir aujourd'hui même madame la comtesse Ferraud afin de sonder le terrain [21]; mais je n'ai pas voulu faire cette démarche [22] sans vous en prévenir.[23] 35

— Allons ensemble chez elle . . .

— Fait [24] comme vous êtes? dit l'avoué. Non, non, colonel, non. Vous pourriez y perdre tout à fait votre procès . . .

1. laissait. 2. supposé. 3. *took good care not to.* 4. *liquid assets.* 5. *gems.* 6. *silver,* *plate.* 7. *furniture.* 8. valeur. 9. ici: *dues (payable to the State).* 10. *(government)* *appraisers.* 11. *assets amounting to.* 12. gagné, tiré profit. 13. puisque. 14. *costs.* 15. *astounded.* 16. Chabert parle avec ironie. 17. *granted; of course.* 18. *compromise.* (*Voir note 20, page 448.*) 19. *will suit.* 20. j'ai l'intention. 21. sonder le terrain, (lit. *take soundings): see how things are.* 22. visite en vue d'obtenir quelque chose. 23. dire *ou* informer à l'avance. 24. *ici:* habillé.

— Mon procès est-il gagnable? [1]

— Sur tous les chefs,[2] répondit Derville. Mais, mon cher colonel Chabert, vous ne faites pas attention à une chose. Je ne suis pas riche, ma charge [3] n'est pas entièrement payée. Si les tribunaux vous accordent une *provision*,[4] c'est-à-dire une somme à prendre par avance sur votre fortune, ils ne l'ac- 5 corderont qu'après avoir reconnu vos qualités de comte Chabert, grand officier de la Légion d'honneur.

— Tiens, je suis grand officier de la Légion, je n'y pensais plus, dit-il naïvement.

— Eh bien, jusque-là, reprit Derville, ne faut-il pas plaider, payer des 10 avocats, lever et solder les jugements,[5] faire marcher [6] des huissiers,[7] et vivre? Les frais des instances [8] préparatoires [9] se monteront, à vue de nez,[10] à plus de douze ou quinze mille francs. Je ne les ai pas, moi qui suis écrasé par les intérêts énormes que je paye à celui qui m'a prêté l'argent de ma charge. Et vous! où les trouverez-vous?   15

De grosses larmes tombèrent des yeux flétris [11] du pauvre soldat et roulèrent sur ses joues ridées. A l'aspect de ces difficultés, il fut découragé. Le monde social et le monde judiciaire lui pesaient sur la poitrine comme un cauchemar.[12]

— J'irai, s'écria-t-il, au pied de la colonne [13] de la place Vendôme, je crierai là: « Je suis le colonel Chabert qui a enfoncé [14] le grand carré des Russes à 20 Eylau! » Le bronze, lui! [15] me reconnaîtra.

— Et l'on vous mettra sans doute à Charenton.

A ce nom redouté,[16] l'exaltation du militaire tomba.

— N'y aurait-il donc pas pour moi quelques chances favorables au minis- tère de la guerre? [17]   25

— Les bureaux! [18] dit Derville. Allez-y, mais avec un jugement bien en règle [19] qui déclare nul [20] votre acte de décès. Les bureaux voudraient pouvoir anéantir [21] les gens de l'Empire.

Le colonel resta pendant un moment interdit,[22] immobile, regardant sans voir, abîmé [23] dans un désespoir sans bornes.[24] La justice militaire est franche,[25] 30 rapide, elle décide à la turque, et juge presque toujours bien; cette justice était la seule que connût Chabert. En apercevant le dédale [26] de difficultés où il fallait s'engager,[27] en voyant combien il fallait d'argent pour y voyager, le pauvre soldat reçut un coup mortel dans cette puissance particulière à l'homme et que l'on nomme la *volonté*.[28] Il lui parut impossible de vivre 35

1. qui peut être gagné.   **2.** points capitaux (essentiels).   **3.** *business (of a lawyer). His reference is to the cost of purchase of the office equipment and goodwill of his business.*   **4.** argent que l'État prête à un plaideur (*litigant*) sans moyens (expliqué dans la phrase suivante). **5.** lever et solder les jugements: *settle (certain matters) out of court.*   **6.** *set to work.*   **7.** *process- servers.*   **8.** *suits.*   **9.** *preliminary.*   **10.** à vue de nez: *at a guess; let us say.*   **11.** *faded.* **12.** *nightmare.*   **13.** colonne de la Grande Armée de Napoléon, au milieu de la place Vendôme à Paris; faite avec le bronze des canons pris à l'ennemi en 1805.   **14.** *broken through.*   **15.** lui: le bronze (par opposition à sa femme, les tribunaux, la société).   **16.** qui faisait peur.   **17.** *War Office.*   **18.** *the offices!* (comme s'il disait *"red tape!"*)   **19.** *in perfect order.*   **20.** *void.* **21.** (*néant:* rien): abolir.   **22.** *ici:* comme paralysé.   **23.** (abîme: *abyss*): plongé. **24.** limites.   **25.** simple.   **26.** *maze.*   **27.** pénétrer.   **28.** *will.*

en plaidant, il fût [1] pour lui mille fois plus simple de rester pauvre, mendiant, de s'engager [2] comme cavalier [3] si quelque régiment voulait de lui.[4] Ses souffrances physiques et morales lui avaient déjà vicié [5] le corps dans quelques-uns des organes les plus importants. Il touchait à [6] l'une de ces maladies pour lesquelles la médecine n'a pas de nom, dont le siège est en quelque sorte 5 mobile comme l'appareil [7] nerveux qui paraît le plus attaqué parmi tous ceux de notre machine,[8] affection [9] qu'il faudrait nommer le *spleen* du malheur. Quelque grave que [10] fût déjà ce mal invisible, mais réel, il était encore guérissable [11] par une heureuse conclusion. Pour ébranler [12] tout à fait cette vigoureuse organisation, il suffirait d'un obstacle nouveau, de quelque fait 10 imprévu [13] qui en romprait les ressorts [14] affaiblis et produirait ces hésitations, ces actes incompris,[15] incomplets, que les physiologistes observent chez les êtres ruinés par les chagrins.

En reconnaissant alors les symptômes d'un profond abattement [16] chez son client, Derville lui dit: 15

— Prenez courage, la solution de cette affaire ne peut que vous être favorable. Seulement, examinez si vous pouvez me donner toute votre confiance, et accepter aveuglément le résultat que je croirai le meilleur pour vous.

— Faites comme vous voudrez, dit Chabert.

— Oui, mais vous vous abandonnez à moi comme un homme qui marche à 20 la mort?

— Ne vais-je pas rester sans état,[17] sans nom? Est-ce tolérable?

— Je ne l'entends [18] pas ainsi, dit l'avoué. Nous poursuivrons à l'amiable [19] un jugement pour annuler votre acte de décès et votre mariage, afin que vous repreniez vos droits. Vous serez même, par l'influence du comte Ferraud, 25 porté sur les cadres de l'armée comme général,[20] et vous obtiendrez sans doute une pension.

— Allez donc! répondit Chabert, je me fie [21] entièrement à vous.

— Je vous enverrai une procuration [22] à signer, dit Derville. Adieu, bon courage! S'il vous faut de l'argent, comptez sur moi. 30

Chabert serra [23] chaleureusement [24] la main de Derville, et resta le dos appuyé contre la muraille, sans avoir la force de le suivre autrement que des yeux. Comme tous les gens qui comprennent peu les affaires judiciaires, il s'effrayait [25] de cette lutte [26] imprévue.

Pendant cette conférence, à plusieurs reprises,[27] il [28] s'était avancé, hors 35 d'un pilastre de la porte cochère, la figure d'un homme posté dans la rue

---

1. il fût = (il pensa qu')il serait. 2. *enlist.* 3. *cavalryman.* 4. *would have him.* 5. altéré, atteint (par une maladie). 6. était très près de (*on the brink of*). 7. organisation; (*ici:* le système nerveux). 8. *ici:* le corps. 9. maladie. 10. Quelque . . . que: *In spite of the gravity.* 11. *curable.* 12. *ici:* ruiner. 13. *unforeseen.* 14. (*springs*), *powers of recuperation.* 15. *unexplained.* 16. grande dépression morale. 17. ici: *status.* 18. Je . . . entends: *I don't see it like that. It is not at all my intention that it should be so.* 19. par arrangement mutuel. 20. (lit., *inscribed on the lists as general*): *promoted to rank of general.* 21. *trust in.* 22. pouvoir donné à une personne pour agir à la place d'une autre; *power of attorney.* 23. *gripped.* 24. *warmly.* 25. avait peur. 26. *struggle.* 27. plusieurs fois. 28. *il est* ici impersonnel.

pour guetter [1] la sortie de Derville, et qui l'accosta quand il sortit. C'était un vieux homme vêtu d'une veste [2] bleue, d'une cotte blanche plissée [3] semblable à celle des brasseurs,[4] et qui portait sur la tête une casquette de loutre.[5] Sa figure était brune, creusée,[6] ridée, mais rougie sur les pommettes [7] par l'excès du travail et hâlée [8] par le grand air. 5

— Excusez, monsieur, dit-il à Derville en l'arrêtant par le bras, si je prends la liberté de vous parler, mais je me suis douté,[9] en vous voyant, que vous étiez l'ami de notre général.

— Eh bien, dit Derville, en quoi vous intéressez-vous à lui? Mais qui êtes-vous? reprit le défiant [10] avoué. 10

— Je suis Louis Vergniaud, répondit-il d'abord. Et j'aurais deux mots à vous dire.

— Et c'est vous qui avez logé le comte Chabert comme il l'est?

— Pardon, excuse, monsieur, il a la plus belle chambre. Je lui aurais donné la mienne, si je n'en avais eu qu'une. J'aurais couché dans l'écurie. Un 15 homme qui a souffert comme lui, qui apprend à lire à mes mioches,[11] un général, un Égyptien, le premier lieutenant sous lequel j'ai servi ... faudrait voir! [12] Du tout, il est le mieux logé. J'ai partagé avec lui ce que j'avais. Malheureusement, ce n'était pas grand'chose, du pain, du lait, des œufs; enfin à la guerre comme à la guerre! [13] C'est de bon cœur.[14] Mais il nous a vexés. 20

— Lui?

— Oui, monsieur, vexés, là, ce qui s'appelle en plein ... J'ai pris un établissement au-dessus de mes forces, il le voyait bien. Ça vous [15] le contrariait [16] et il pansait [17] le cheval! Je lui dis: « Mais, mon général! — Bah! ... qu'i dit,[18] je ne veux pas être comme un fainéant,[19] et il y a long- 25 temps que je sais brosser le lapin. » [20] J'avais donc fait des billets [21] pour le prix de ma vacherie à un nommé Grados.... Le connaissez-vous, monsieur?

— Mais, mon cher,[22] je n'ai pas le temps de vous écouter. Seulement, dites-moi comment le colonel vous a vexés! 30

— Il nous a vexés, monsieur, aussi vrai que je m'appelle Louis Vergniaud et que ma femme en a pleuré. Il a su par les voisins que nous n'avions pas le premier sou de notre billet. Le vieux grognard,[23] sans rien dire, a amassé tout ce que vous lui donniez, a guetté le billet et l'a payé. C'te [24] malice! [25] Que ma femme et moi, nous savions qu'il n'avait pas de tabac, ce pauvre 35 vieux, et qu'il s'en passait! [26] Oh! maintenant, tous les matins, il a ses cigares!

1. *watch.* **2.** *coat,* (not *vest*). **3.** *smock,* (plissée: *with small tucks*). **4.** *brewers.* **5.** *otter skin.* **6.** *deeply carved.* **7.** *cheekbones.* **8.** brunie. **9.** j'ai deviné, j'ai pensé. **10.** *wary* (not *defiant*). **11.** (terme familier): jeunes enfants; (Angl.: *kiddies*). **12.** "*you bet.*" **13.** (lit., *at war, as at war*): *It's no use grumbling.* **14.** *most willingly, ungrudgingly.* **15.** *ethical dative, not used in modern English; but Cf.: Saddle me the ass* (Bible), *He plucked me ope his doublet* (Shakespeare). **16.** ennuyait. **17.** *groomed.* **18.** qu'i dit = dit-il (*dans le langage populaire*). **19.** (fait + néant): celui qui ne fait rien, paresseux. **20.** (*argot militaire*): brosser le lapin (*rabbit*) = panser le cheval. **21.** (*promissory*) *notes.* **22.** *my good man.* **23.** nom donné sous le Premier Empire aux soldats de la vieille garde; *grumbler.* **24.** prononciation populaire de *cette.* **25.** *trick* (not *malice*). **26.** *did without.*

je me vendrais plutôt . . . Non ! nous sommes vexés. Donc, je voudrais vous proposer de nous prêter, vu qu'il [1] nous a dit que vous étiez un brave [2] homme, une centaine d'écus [3] sur notre établissement, afin que nous lui fassions faire des habits, que nous lui meublions sa chambre. Il a cru nous acquitter,[4] pas vrai ? Eh bien, au contraire, voyez-vous, l'ancien [5] nous a 5 endettés . . . et vexés ! Il ne devait pas nous faire cette avanie-là.[6] Il nous a vexés ! et des amis, encore ! Foi d'honnête homme, aussi vrai que je m'appelle Louis Vergniaud, je m'engagerais [7] plutôt que de ne pas vous rendre cet argent-là . . .

Derville regarda le nourrisseur, et fit quelques pas en arrière pour revoir la 10 maison, la cour, les fumiers, l'étable, les lapins, les enfants.

— Par ma foi, je crois qu'un des caractères de la vertu est de ne pas être propriétaire,[8] se dit-il. — Va,[9] tu auras tes cent écus ! et davantage même. Mais ce n'est pas moi qui te les donnerai, le colonel sera bien assez riche pour t'aider, et je ne veux pas lui en ôter le plaisir. 15

— Ce sera-t-il bientôt ?

— Mais oui.

— Ah ! mon Dieu, que mon épouse va-t-être [10] contente !

Et la figure tannée du nourrisseur sembla s'épanouir.[11]

— Maintenant, se dit Derville en remontant dans son cabriolet, allons chez 20 notre adversaire. Ne laissons pas voir notre jeu, tâchons de connaître le sien, et gagnons la partie d'un seul coup.[12] Il faudrait l'effrayer. Elle est femme. De quoi s'effrayent le plus les femmes ? Mais les femmes ne s'effrayent que de . . .

Il se mit à étudier la position de la comtesse, et tomba dans une de ces 25 méditations auxquelles se livrent [13] les grands politiques en concevant leurs plans, en tâchant de deviner le secret des cabinets ennemis. Les avoués ne sont-ils pas en quelque sorte des hommes d'État chargés des affaires privées ?

Un coup d'œil [14] jeté sur la situation de M. le comte Ferraud et de sa femme 30 est ici nécessaire pour faire comprendre le génie de l'avoué.

M. le comte Ferraud était le fils d'un ancien conseiller au parlement [15] de Paris, qui avait émigré [16] pendant le temps de la Terreur, et qui, s'il sauva sa tête, perdit sa fortune. Il rentra sous le Consulat [17] et resta constamment

1. vu que: car. 2. *kindly.* 3. pièces d'argent portant un écusson (*escutcheon*); half crowns, half dollars. 4. payer une dette. 5. ancien (soldat): vétéran. 6. affront humiliant. 7. *would enlist.* 8. *owner of real estate.* 9. *don't worry.* 10. (*prononciation populaire*): va être. 11. *broaden into a smile.* 12. *win the game in one stroke.* 13. s'absorbent. 14. *glance.* 15. Sous l'ancien régime, les Parlements n'étaient pas des assemblées législatives, mais des groupes de tribunaux. Le père du comte Ferraud avait été attaché au Parlement de Paris, et était noble par le seul fait qu'il était magistrat. 16. Au moment de la Révolution, beaucoup de nobles s'enfuirent et se mirent au service des rois étrangers qu'ils incitèrent à faire la guerre à la France. Le gouvernement révolutionnaire leur ordonna de rentrer en France sous peine (*penalty*) de confiscation de leurs biens. Beaucoup de ceux qui restèrent furent guillotinés. 17. période entre la Terreur et l'Empire.

fidèle aux intérêts de Louis XVIII,[1] dans les entours [2] duquel était son père avant la Révolution. Il appartenait donc à cette partie du faubourg Saint-Germain [3] qui résista noblement aux séductions de Napoléon. La réputation de capacité que se fit le jeune comte, alors simplement appelé M.[4] Ferraud, le rendit l'objet des coquetteries de l'empereur, qui souvent était aussi 5 heureux de ses conquêtes sur l'aristocratie que du gain d'une bataille. On promit au comte la restitution de son titre, celle de ses biens non vendus,[5] on lui montra dans le lointain [6] un ministère, une sénatorerie.[7] L'empereur échoua.[8] M. Ferraud était, lors de la mort du comte Chabert, un jeune homme de vingt-six ans, sans fortune, doué de formes agréables,[9] qui avait 10 des succès [10] et que le faubourg Saint-Germain avait adopté comme une de ses gloires; mais madame la comtesse Chabert avait su tirer un si bon parti [11] de la succession [12] de son mari, qu'après dix-huit mois de veuvage [13] elle possédait environ quarante mille livres de rente. Son mariage avec le jeune comte ne fut pas accepté comme une nouvelle [14] par les coteries du faubourg 15 Saint-Germain. Heureux de ce mariage qui répondait à ses idées de fusion,[15] Napoléon rendit à madame Chabert la portion dont héritait le fisc dans la succession du colonel; mais l'espérance [16] de Napoléon fut encore trompée. Madame Ferraud n'aimait pas seulement son amant dans le jeune homme, elle avait été séduite aussi par l'idée d'entrer dans cette société dédaigneuse [17] 20 qui, malgré son abaissement,[18] dominait la cour impériale. Toutes ses vanités étaient flattées autant que ses passions dans ce mariage. Elle allait devenir *une femme comme il faut.*[19] Quand le faubourg Saint-Germain sut que le mariage du jeune comte n'était pas une défection,[20] les salons s'ouvrirent à sa femme. La Restauration vint. La fortune politique du comte Ferraud ne 25 fut pas rapide. Il comprenait les exigences de la position dans laquelle se trouvait Louis XVIII, il était du nombre des initiés qui attendaient que *l'abîme des révolutions fut fermé,* car cette phrase royale, dont se moquèrent tant les libéraux, cachait [21] un sens politique. Néanmoins, une ordonnance royale lui avait rendu deux forêts et une terre [22] dont la valeur avait con- 30 sidérablement augmenté pendant le séquestre.[23] En ce moment, quoique le

1. Louis, comte de Paris, frère de Louis XVI. Émigra et resta à l'étranger pendant la Révolution et l'Empire. Après la première abdication de Napoléon, il revint en France, et, sous la protection des armées ennemies, monta sur le trône. Quand Napoléon revint de l'île d'Elbe, il se réfugia à Gand, en Belgique, et ne rentra qu'après la défaite de Waterloo et la seconde abdication de Napoléon (1815). **2.** entourage (cour, connaissances, serviteurs). **3.** quartier aristocratique de Paris. **4.** A la Révolution tous les titres de noblesse furent supprimés. Louis XVI lui-même fut jugé sous le nom de Louis Capet. Capet était le patronyme des rois de France. **5.** La plupart des biens confisqués aux émigrés et à l'Église furent vendus au profit des hôpitaux, etc. *Voir note 16, page 460.* **6.** in the distance. **7.** dignité et dotation (*endowment*) d'un sénateur sous le Premier Empire. **8.** *failed (in his attempt).* **9.** assez beau et bien fait. **10.** succès (dans la société du faubourg Saint-Germain). **11.** profité de, fait fructifier. **12.** héritage. **13.** état de veuve. **14.** *ici:* chose qui surprend. **15.** fusion (de la vieille noblesse et de celle qui avait été créée par l'Empereur). **16.** *expectation.* **17.** *disdainful, snobbish.* **18.** *loss of caste and prestige.* **19.** respectable. Quand Chabert l'avait épousée, c'était une fille de rien. **20.** C'est-à-dire qu'il n'allait pas abandonner le parti royaliste pour servir Napoléon. **21.** *contained and conveyed.* **22.** domaine. **23.** l'époque où ses biens étaient administrés par l'État.

comte Ferraud fût conseiller d'État, directeur général,[1] il ne considérait sa position que comme le début de sa fortune politique. Préoccupé par les soins d'une ambition dévorante, il s'était attaché[2] comme secrétaire un ancien avoué ruiné nommé Delbecq, homme plus qu'habile,[3] qui connaissait admirablement les ressources de la chicane,[4] et auquel il laissait la conduite[5] de ses affaires privées. Le rusé[6] praticien[7] avait assez bien compris sa position chez le comte, pour y être probe[8] par spéculation.[9] Il espérait parvenir à quelque place par le crédit de son patron, dont la fortune était l'objet de tous ses soins. Sa conduite démentait[10] tellement sa vie antérieure, qu'il passait pour un homme calomnié. Avec le tact et la finesse[11] dont sont plus ou moins douées[12] toutes les femmes, la comtesse, qui avait deviné[13] son intendant, le surveillait[14] adroitement, et savait si bien le manier,[15] qu'elle en avait déjà tiré un très-bon parti pour l'augmentation de sa fortune particulière.[16] Elle avait su persuader à Delbecq qu'elle gouvernait M. Ferraud, et lui avait promis de le faire nommer[17] président d'un tribunal de première instance dans l'une des plus importantes villes de France s'il se dévouait[18] entièrement à ses intérêts. La promesse d'une place inamovible[19] qui lui permettrait de se marier avantageusement, et de conquérir plus tard une haute position dans la carrière politique en devenant député, fit de Delbecq l'âme damnée[20] de la comtesse. Il ne lui avait laissé manquer aucune des chances favorables que les mouvements de Bourse[21] et la hausse[22] des propriétés[23] présentèrent dans Paris aux gens habiles pendant les trois premières années de la Restauration. Il avait triplé les capitaux de sa protectrice avec d'autant plus de facilité, que tous les moyens avaient paru bons à la comtesse afin de rendre promptement sa fortune énorme. Elle employait les émoluments des places occupées par le comte aux dépenses de la maison, afin de pouvoir capitaliser[24] ses revenus,[25] et Delbecq se prêtait aux calculs de cette avarice sans chercher à s'en expliquer les motifs. Ces sortes de gens ne s'inquiètent[26] que des secrets dont la découverte est nécessaire à leurs intérêts. D'ailleurs, il en trouvait si naturellement la raison dans cette soif d'or dont sont atteintes[27] la plupart des Parisiennes, et il fallait une si grande fortune pour appuyer[28] les prétentions[29] du comte Ferraud, que l'intendant croyait parfois entrevoir dans l'avidité de la comtesse un effet de son dévouement[30] pour l'homme de qui elle était toujours[31] éprise.[32]

---

1. directeur général (d'une administration ou d'un service de l'État). **2.** *attached to his person, had taken into his service.* **3.** d'une habileté plus qu'ordinaire. **4.** procédure peu honnête, *"all the tricks of lawyers."* **5.** *management.* **6.** *crafty.* **7.** *experienced lawyer.* **8.** honnête. **9.** par calcul (de ses intérêts). **10.** *(gave the lie), was (so) different from.* **11.** *cleverness.* **12.** *gifted.* **13.** deviné (le caractère et les ambitions de) son intendant (*steward*). **14.** *watched.* **15.** *handle, manage.* **16.** personnelle. **17.** *appointed.* **18.** se consacrait, se donnait à . . . **19.** En France, les magistrats sont inamovibles; *i.e.* ils ne peuvent être destitués de leur poste que pour fautes très graves (corruption) dans l'exercice de leurs fonctions. **20.** personne aveuglément dévouée aux intérêts d'une autre; dévouée au point de se damner pour elle. **21.** *Stock Exchange.* **22.** *rise in the price or value.* **23.** *real estate.* **24.** *capitalize, re-invest.* **25.** *income (from investments).* **26.** *are interested.* **27.** *(of an illness, a passion): afflicted with.* **28.** *further.* **29.** ambitions (politiques). **30.** *devotion.* **31.** encore. **32.** *in love.*

La comtesse avait enseveli [1] les secrets de sa conduite au fond de son cœur. Là étaient des secrets de vie et de mort pour elle, là était précisément le nœud [2] de cette histoire. Au commencement de l'année 1818, la Restauration fut assise [3] sur des bases en apparence inébranlables,[4] ses doctrines gouvernementales, comprises par les esprits élevés,[5] leur parurent devoir 5 amener pour la France une ère de prospérité nouvelle, alors la société parisienne changea de face.[6] Madame la comtesse Ferraud se trouva par hasard [7] avoir fait tout ensemble un mariage d'amour, de fortune et d'ambition. Encore jeune et belle, madame Ferraud joua le rôle d'une femme à la mode, et vécut dans l'atmosphère de la cour. Riche par elle-même, riche par son mari, qui, 10 prôné [8] comme un des hommes les plus capables du parti royaliste et l'ami du roi, semblait promis [9] à quelque ministère, elle appartenait à l'aristocratie, elle en partageait la splendeur. Au milieu de ce triomphe, elle fut atteinte d'un cancer moral. Il est [10] de ces sentiments que les femmes devinent malgré le soin que les hommes mettent à les enfouir.[11] Au premier retour du roi, le 15 comte Ferraud avait conçu [12] quelques regrets de son mariage. La veuve du colonel Chabert ne l'avait allié à personne, il était seul et sans appui pour se diriger [13] dans une carrière pleine d'écueils [14] et pleine d'ennemis. Puis, peut-être, quand il avait pu juger froidement [15] sa femme, avait-il reconnu chez elle quelques vices [16] d'éducation qui la rendaient impropre [17] à le seconder [18] dans 20 ses projets. Un mot dit par lui à propos du mariage de Talleyrand [19] éclaira la comtesse, à laquelle il fut prouvé que, si son mariage était à faire,[20] jamais elle n'eût été madame Ferraud. Ce regret, quelle femme le pardonnerait? Ne contient-il pas toutes les injures, tous les crimes, toutes les répudiations en germe? Mais quelle plaie [21] ne devait pas faire ce mot dans le cœur de la 25 comtesse, si l'on vient à supposer qu'elle craignait de voir revenir son premier mari! Elle l'avait su vivant, elle l'avait repoussé. Puis, pendant le temps où elle n'en avait plus entendu parler, elle s'était plu à le croire [22] mort à Waterloo avec les aigles impériales, en compagnie de Boutin. Néanmoins, elle résolut d'attacher le comte à elle par le plus fort des liens, par la chaîne 30 d'or, et voulut être si riche, que sa fortune rendît son second mariage indissoluble, si par hasard le comte Chabert reparaissait encore. Et il avait reparu, sans qu'elle s'expliquât [23] pourquoi la lutte qu'elle redoutait [24] n'avait pas déjà commencé. Les souffrances, la maladie, l'avaient peut-être délivrée

1. (se dit des morts et des secrets): enterré, caché.   **2.** point essentiel (d'une histoire, d'un drame).   **3.** solidement établie.   **4.** très solides.   **5.** *lofty.*   **6.** prit un autre aspect. **7.** *by (good) luck.*   **8.** *extolled.*   **9.** *ici:* destiné.   **10.** il existe.   **11.** cacher, tenir secrets. **12.** *conceived (a thought, a sentiment).*   **13.** *make his way.*   **14.** *reefs,* "*snags.*"   **15.** objectivement.   **16.** défauts.   **17.** *ici:* incapable (à cause des vices d'éducation).   **18.** aider. **19.** Diplomate français très habile qui servit la Révolution, l'Empire et la Monarchie. Épousa en 1802 une Mme Grand, Franco-Indienne de Pondichéry, dont les nombreuses aventures amoureuses avaient fait scandale. Pour faciliter ce mariage, Grand consentit au divorce après que Talleyrand lui eut trouvé (aux frais de l'État) une place, et lui eut payé des sommes considérables d'argent.   **20.** n'était pas déjà fait.   **21.** blessure (qui ne se ferme pas).   **22.** s'était ... croire: s'était fait croire; s'était convaincue (qu'il était mort). **23.** comprît.   **24.** craignait.

de cet homme. Peut-être était-il à moitié fou, Charenton pouvait encore lui en faire raison.[1] Elle n'avait pas voulu mettre Delbecq ni la police dans sa confidence, de peur de se donner un maître, ou de précipiter la catastrophe. Il existe à Paris beaucoup de femmes qui, semblables à la comtesse Ferraud, vivent avec un monstre moral inconnu, ou côtoient[2] un abîme; elles se font un calus[3] à l'endroit de leur mal, et peuvent encore rire et s'amuser.

— Il y a quelque chose de bien singulier dans la situation de M. le comte Ferraud, se dit Derville en sortant de sa longue rêverie, au moment où son cabriolet s'arrêtait rue de Varennes, à la porte de l'hôtel Ferraud. Comment, lui si riche, aimé du roi, n'est-il pas encore pair[4] de France? Il est vrai qu'il entre peut-être dans la politique du roi, comme me le disait madame de Grandlieu, de donner une haute importance à la pairie[5] en ne la prodiguant[6] pas. D'ailleurs, le fils d'un conseiller au parlement n'est ni un Crillon,[7] ni un Rohan.[7] Le comte Ferraud ne peut entrer que subrepticement[8] dans la Chambre haute.[9] Mais, si son mariage était cassé, ne pourrait-il faire passer sur sa tête,[10] à la grande satisfaction du roi, la pairie d'un de ces vieux sénateurs qui n'ont que des filles? Voilà certes une bonne bourde[11] à mettre en avant pour effrayer notre comtesse, se dit-il en montant le perron.[12]

Derville avait, sans le savoir, mis le doigt sur la plaie secrète, enfoncé[13] la main dans le cancer qui dévorait madame Ferraud. Il fut reçu par elle dans une jolie salle à manger d'hiver, où elle déjeunait en jouant avec un singe[14] attaché par une chaîne à une espèce de petit poteau[15] garni[16] de bâtons en fer. La comtesse était enveloppée dans un élégant peignoir[17]; les boucles de ses cheveux, négligemment rattachés, s'échappaient d'un bonnet[18] qui lui donnait un air mutin.[19] Elle était fraîche[20] et rieuse.[21] L'argent, le vermeil,[22] la nacre,[23] étincelaient[24] sur la table, et il y avait autour d'elle des fleurs curieuses plantées dans de magnifiques vases en porcelaine. En voyant la femme du comte Chabert, riche de ses dépouilles,[25] au sein[26] du luxe, au faîte[27] de la société, tandis que le malheureux vivait chez un pauvre nourrisseur au milieu des bestiaux,[28] l'avoué se dit:

— La morale de ceci est qu'une jolie femme ne voudra jamais reconnaître son mari, ni même son amant, dans un homme en vieux carrick, en perruque de chiendent[29] et en bottes percées.

Un sourire malicieux[30] et mordant[31] exprima les idées moitié philoso-

---

1. l'en débarrasser; *rid her of him.*   **2.** marchent sur le bord (la *côte*).   **3.** callosité (partie dure de la peau).   **4.** *peer.*   **5.** *peerage.*   **6.** donnant facilement, largement.   **7.** deux familles de la vieille noblesse française.   **8.** pas ouvertement, furtivement.   **9.** Sénat. **10.** passer . . . tête; *settle upon him, transfer to him.*   **11.** histoire, "*yarn.*"   **12.** escalier de pierre devant la porte d'entrée.   **13.** *thrust* (*in*).   **14.** *monkey.*   **15.** colonne de bois. **16.** *furnished with, fitted with.*   **17.** *dressing gown.*   **18.** ici: (*linen*) *cap.*   **19.** *saucy, pert.* **20.** *rosy.*   **21.** *gay.*   **22.** argent doré.   **23.** *mother-of-pearl.*   **24.** *sparkled.*   **25.** *spoils, things robbed from.*   **26.** *bosom* (translate: *lap*).   **27.** sommet.   **28.** *cattle.*   **29.** (lit., *dog tooth*): *dog grass, couch grass.* Herbe dont on emploie les racines (*roots*) pour faire des brosses à récurer (*scrubbing*) très dures. Derville veut dire une perruque jaune et dure comme le chiendent d'une brosse.   **30.** *arch* (not *malicious*).   **31.** *biting; sarcastic.*

phiques, moitié railleuses [1] qui devaient [2] venir à un homme si bien placé pour connaître le fond des choses, malgré les mensonges [3] sous lesquels la plupart des familles parisiennes cachent leur existence.

— Bonjour, monsieur Derville, dit-elle en continuant à faire prendre du café au singe. 5

— Madame, dit-il brusquement, car il se choqua du ton léger avec lequel la comtesse lui avait dit: « Bonjour, monsieur Derville, » je viens causer avec vous d'une affaire assez grave.

— J'en suis *désespérée*,[4] M. le comte est absent. . . .

— J'en suis enchanté,[5] moi, madame. Il serait *désespérant* [6] qu'il assistât 10 à notre conférence. Je sais d'ailleurs, par Delbecq, que vous aimez à faire vos affaires vous-même sans en ennuyer M. le comte.

— Alors, je vais faire appeler Delbecq, dit-elle.

— Il vous serait inutile, malgré son habileté, reprit Derville. Écoutez, madame, un mot suffira pour vous rendre sérieuse. Le comte Chabert existe. 15

— Est-ce en disant de semblables bouffonneries que vous voulez me rendre sérieuse? dit-elle en partant d'un éclat de rire.

Mais la comtesse fut tout à coup domptée par l'étrange lucidité du regard fixe par lequel Derville l'interrogeait en paraissant lire au fond de son âme.

— Madame, répondit-il avec une gravité froide et perçante,[7] vous ignorez 20 l'étendue [8] des dangers qui vous menacent. Je ne vous parlerai pas de l'incontestable authenticité des pièces, ni de la certitude des preuves qui attestent l'existence du comte Chabert. Je ne suis pas homme à me charger d'une mauvaise cause, vous le savez. Si vous vous opposez à notre inscription en faux [9] contre l'acte de décès, vous perdrez ce premier procès, et cette 25 question résolue en notre faveur nous fait gagner toutes les autres.

— De quoi prétendez-vous [10] donc me parler?

— Ni du colonel, ni de vous. Je ne vous parlerai pas non plus des mémoires [11] que pourraient faire des avocats spirituels,[12] armés des faits curieux de cette cause, et du parti qu'ils tireraient [13] des lettres que vous avez reçues de votre 30 premier mari avant la célébration de votre mariage avec votre second.

— Cela est faux! dit-elle avec toute la violence d'une petite-maîtresse.[14] Je n'ai jamais reçu de lettres du comte Chabert; et, si quelqu'un dit être le colonel, ce n'est qu'un intrigant, quelque forçat [15] libéré, comme Cogniard [16]

---

1. moqueuses. **2.** *were bound to.* **3.** *lies, shams.* **4.** *"dreadfully sorry."* **5.** très content. **6.** *"dreadful."* **7.** pénétrante. **8.** grandeur, immensité. **9.** *formal denial, in writing, before a court.* **10.** *do you wish or intend* (not *pretend*). **11.** exposés de faits relatifs à un procès. **12.** *witty.* **13.** parti qu'ils tireraient: l'usage avantageux qu'ils feraient. **14.** jeune élégante aux manières prétentieuses, femme capricieuse, coquette. **15.** *convict.* **16.** Cogniard, ou Coignard: célèbre voleur qui fut condamné aux travaux forcés en 1801, s'échappa de Toulon en 1805, passa en Espagne où il prit le nom de Comte Pontis de Sainte-Hélène, revint en France où il entra dans l'armée, suivit Louis XVIII à Gand (*voir note 1, page 461*), en revint avec le grade de lieutenant-colonel, organisa une bande d'adroits voleurs, fut reconnu par un ancien forçat de Toulon, jugé et condamné aux travaux forcés à perpétuité en 1819. Évidemment, Balzac commet un anachronisme en faisant citer le cas de ce criminel à la comtesse Ferraud, car en 1820 (*voir page 482*) Chabert était déjà à Bicêtre après avoir passé deux ans au dépôt de mendicité de Saint-Denis (*voir page 480*).

peut-être. Le frisson prend [1] rien que d'y penser.[2] Le colonel peut-il ressusciter, monsieur? Bonaparte [3] m'a fait complimenter [4] sur sa mort par un
aide de camp, et je touche [5] encore aujourd'hui trois mille francs de pension
accordée à sa veuve par les Chambres.[6] J'ai eu mille fois raison de repousser
tous les Chabert qui sont venus, comme je repousserai tous ceux qui viendront. 5

— Heureusement, nous sommes seuls, madame. Nous pouvons mentir à
notre aise, dit-il froidement en s'amusant à aiguillonner [7] la colère qui agitait
la comtesse afin de lui arracher quelques indiscrétions, par une manœuvre
familière aux avoués, habitués à rester calmes quand leurs adversaires ou
leurs clients s'emportent.[8] — Eh bien donc, à nous deux,[9] se dit-il à lui-même 10
en imaginant à l'instant un piège [10] pour lui démontrer sa faiblesse. — La
preuve de la remise [11] de la première lettre existe, madame, reprit-il à haute
voix, elle contenait des valeurs.[12] . . .

— Oh! pour des valeurs, elle n'en contenait pas.

— Vous avez donc reçu cette première lettre, reprit Derville en souriant. 15
Vous êtes déjà prise [13] dans le premier piège que vous tend un avoué, et vous
croyez pouvoir lutter [14] avec la justice.[15] . . .

La comtesse rougit, pâlit, se cacha la figure dans les mains. Puis elle
secoua [16] sa honte, et reprit avec le sang-froid [17] naturel à ces sortes de femmes:

— Puisque vous êtes l'avoué du prétendu Chabert, faites-moi le plaisir 20
de . . .

— Madame, dit Derville en l'interrompant, je suis encore en ce moment
votre avoué comme celui du colonel. Croyez-vous que je veuille perdre une
clientèle [18] aussi précieuse que l'est la vôtre? Mais vous ne m'écoutez pas. . . .

— Parlez, monsieur, dit-elle gracieusement. 25

— Votre fortune vous venait de M. le comte Chabert, et vous l'avez repoussé. Votre fortune est colossale, et vous le laissez mendier. Madame, les
avocats sont bien éloquents lorsque les causes sont éloquentes par elles-
mêmes: il se rencontre ici des circonstances capables de soulever contre vous
l'opinion publique. 30

— Mais, monsieur, dit la comtesse impatientée de la manière dont Derville
la tournait et retournait sur le gril,[19] en admettant que votre M. Chabert
existe, les tribunaux maintiendront mon second mariage à cause des enfants,
et j'en serai quitte pour [20] rendre deux cent vingt-cinq mille francs à M. Chabert. 35

---

1. le frisson prend: *one shudders.* **2.** rien . . . penser: *at the mere thought of it.* **3.** Remarquer que la comtesse dit Bonaparte et non Napoléon ou l'Empereur. Elle a adopté le
style du faubourg Saint-Germain. **4.** envoyer ses condoléances. **5.** reçois. **6.** Chambre
des Députés et Sénat. Après Waterloo la Monarchie était devenue constitutionnelle et
toutes les dépenses (le budget) de l'État devaient être votées par les Chambres. **7.** *goad,
irritate.* **8.** se fâchent, perdent le calme. **9.** Eh bien . . . deux: *You want to fight, do
you? Well, I accept the challenge.* **10.** *snare.* **11.** *delivery.* **12.** valeurs: terme général
pour désigner des titres (*deeds*), titres de rente (*bonds*), actions (*shares*), etc. **13.** *caught.*
14. *measure your strength.* **15.** *courts.* **16.** *shook off.* **17.** *self-possession.* **18.** patronage.
19. *grill* or *gridiron;* la mettait à la torture. **20.** serai quitte pour: tout ce que j'aurai à
faire, c'est.

— Madame, nous ne savons pas de quel côté les tribunaux verront la question sentimentale. Si, d'une part, nous avons une mère et ses enfants, nous avons de l'autre un homme accablé [1] de malheurs, vieilli par vous, par vos refus.[2] Où trouvera-t-il une femme? Puis les juges peuvent-ils heurter [3] la loi? Votre mariage avec le colonel a pour lui le droit, la priorité. Mais, si 5 vous êtes représentée sous d'odieuses couleurs, vous pourriez avoir un adversaire auquel vous ne vous attendez pas. Là, madame, est ce danger dont je voudrais vous préserver.

— Un nouvel adversaire, dit-elle; qui?

— M. le comte Ferraud, madame. 10

— M. Ferraud a pour moi un trop vif attachement, et, pour la mère de ses enfants, un trop grand respect. . . .

— Ne parlez pas de ces niaiseries-là, dit Derville en l'interrompant, à des avoués habitués à lire au fond des cœurs. En ce moment, M. Ferraud n'a pas la moindre envie de rompre votre mariage et je suis persuadé qu'il vous adore; 15 mais, si quelqu'un venait lui dire que son mariage peut être annulé, que sa femme sera traduite en criminelle [4] au banc de l'opinion publique. . . .

— Il me défendrait, monsieur.

— Non, madame.

— Quelle raison aurait-il de m'abandonner, monsieur? 20

— Mais, celle d'épouser la fille unique [5] d'un pair de France, dont la pairie lui serait transmise par ordonnance du roi. . . .

La comtesse pâlit.

— Nous y sommes! [6] se dit en lui-même Derville. Bien, je te tiens,[7] l'affaire du pauvre colonel est gagnée. — D'ailleurs, madame, reprit-il à haute voix, il 25 aurait d'autant moins de remords,[8] qu'un homme couvert de gloire, général, comte, grand officier de la Légion d'honneur, ne serait pas un pis aller [9]; et, si cet homme lui redemande sa femme. . . .

— Assez! assez, monsieur! dit-elle. Je n'aurai jamais que vous pour avoué. Que faire? 30

— Transiger! dit Derville.

— M'aime-t-il encore? dit-elle.

— Mais je ne crois pas qu'il puisse en être autrement.

A ce mot, la comtesse dressa [10] la tête. Un éclair [11] d'espérance brilla dans ses yeux; elle comptait peut-être spéculer sur la tendresse de son premier mari 35 pour gagner son procès par quelque ruse de femme.

— J'attendrai vos ordres, madame, pour savoir s'il faut vous signifier [12] nos actes, ou si vous voulez venir chez moi pour arrêter [13] les bases d'une transaction, dit Derville en saluant la comtesse.

---

1. *crushed.* **2.** *refusals.* **3.** aller contre. **4.** traduite en criminelle: *prosecuted before the criminal court.* **5.** seule (sans frère ni sœur). **6.** *That settles it!* **7.** *I have you (in my power).* **8.** regrets (pour une mauvaise action). **9.** *makeshift.* **10.** releva. **11.** *flash.* **12.** notifier, informer officiellement. **13.** discuter et établir.

Huit jours après les deux visites que Derville avait faites, et par une belle matinée du mois de juin, les époux, désunis par un hasard presque surnaturel,[1] partirent des deux points les plus opposés de Paris pour venir se rencontrer dans l'étude de leur avoué commun. Les avances [2] qui furent largement [3] faites par Derville au colonel Chabert lui avaient permis d'être 5 vêtu selon son rang. Le défunt [4] arriva donc voituré [5] dans un cabriolet fort propre.[6] Il avait la tête couverte d'une perruque appropriée [7] à sa physionomie, il était habillé de drap bleu, avait du linge blanc, et portait sous son gilet [8] le sautoir [9] rouge des grands officiers de la Légion d'honneur. En reprenant les habitudes de l'aisance,[10] il avait retrouvé son ancienne élégance 10 martiale. Il se tenait droit. Sa figure, grave et mystérieuse, où se peignaient [11] le bonheur et toutes ses espérances, paraissait être rajeunie [12] et plus grasse,[13] pour emprunter à la peinture une de ses expressions les plus pittoresques. Il ne ressemblait pas plus au Chabert en vieux carrick, qu'un gros sou ne ressemble à une pièce de quarante francs nouvellement frappée.[14] A le voir, les 15 passants eussent facilement reconnu en lui l'un de ces beaux débris [15] de notre ancienne armée, un de ces hommes héroïques sur lesquels se reflète notre gloire nationale, et qui la représentent, comme un éclat [16] de glace [17] illuminé par le soleil semble en réfléchir tous les rayons. Ces vieux soldats sont tout ensemble des tableaux et des livres. Quand le comte descendit de sa voiture 20 pour monter chez Derville, il sauta légèrement comme aurait pu faire un jeune homme. A peine son cabriolet avait-il retourné, qu'un joli coupé tout armorié [18] arriva. Madame la comtesse Ferraud en sortit dans une toilette [19] simple, mais habilement calculée pour montrer la jeunesse de sa taille.[20] Elle avait une jolie capote [21] doublée de rose qui encadrait [22] parfaitement sa figure, 25 en dissimulait les contours, et la ravivait.[23]

. . . .

— La voilà ! dit Simonnin, le plus jeune des clercs.

. . . .

Le comte Chabert était chez Derville, au moment où sa femme entra par la porte de l'étude.

. . . .

Derville avait consigné le colonel dans la chambre à coucher, quand la 30 comtesse se présenta.

— Madame, lui dit-il, ne sachant pas s'il vous serait agréable de voir M. le comte Chabert, je vous ai séparés. Si cependant vous désiriez . . .

---

1. *supernatural.* **2.** avances (d'argent). **3.** avec largesse, sans compter. **4.** mort; (*Cf.* Angl., *defunct*). **5.** transporté (dans une voiture). **6.** de bonne apparence, présentable. **7.** qui convenait à; *suitable.* **8.** *vest, waistcoat.* **9.** ruban porté autour du cou et retombant en pointe (comme un collier) sur la poitrine. **10.** *well-being.* **11.** *were depicted, represented; appeared.* **12.** paraissait plus jeune. **13.** *softened.* **14.** (*of a coin*): *struck, minted.* **15.** restes, ruines. **16.** *splinter.* **17.** *mirror.* **18.** portant les armoiries (*arms, crest*) du comte Ferraud. **19.** *dress, attire.* **20.** *waist.* **21.** petit chapeau ou bonnet. **22.** *framed.* **23.** *ici:* rajeunissait.

— Monsieur, c'est une attention dont je vous remercie.

— J'ai préparé la minute [1] d'un acte dont les conditions pourront être discutées par vous et par M. Chabert, séance tenante.[2] J'irai alternativement de vous à lui, pour vous présenter, à l'un et à l'autre, vos raisons [3] respectives.   5

— Voyons, monsieur, dit la comtesse en laissant échapper un geste d'impatience.

Derville lut:

  « Entre les soussignés,

» M. Hyacinthe, dit [4] *Chabert*, comte, maréchal de camp [5] et grand officier 10
de la Légion d'honneur, demeurant à Paris, rue du Petit-Banquier, d'une part;

» Et la dame Rose Chapotel, épouse de M. le comte Chabert, ci-dessus nommé, née . . . »

— Passez, dit-elle, laissons les préambules, arrivons aux conditions.

— Madame, dit l'avoué, le préambule explique succinctement [6] la position 15
dans laquelle vous vous trouvez l'un et l'autre.   Puis, par l'article premier, vous reconnaissez, en présence de trois témoins, qui sont deux notaires et le nourrisseur chez lequel a demeuré votre mari, auxquels j'ai confié sous le secret [7] votre affaire, et qui garderont le plus profond silence; vous reconnaissez, dis-je, que l'individu désigné [8] dans les actes joints au sous-seing,[9] mais dont l'état [10] 20
se trouve d'ailleurs établi par un acte de notoriété [11] préparé chez Alexandre Crottat, votre notaire, est le comte Chabert, votre premier époux.   Par l'article second, le comte Chabert, dans l'intérêt de votre bonheur, s'engage à ne faire usage de ses droits que dans les cas prévus par l'acte lui-même. — Et ces cas, dit Derville en faisant une sorte de parenthèse, ne sont autres que la 25
non-exécution des clauses de cette convention secrète. — De son côté, reprit-il, M. Chabert consent à poursuivre de gré à gré [12] avec vous un jugement [13] qui annulera son acte de décès et prononcera la dissolution de son mariage.

— Ça ne me convient pas du tout, dit la comtesse étonnée, je ne veux pas de procès.   Vous savez pourquoi.   30

— Par l'article trois, dit l'avoué en continuant avec un flegme imperturbable, vous vous engagez à constituer au nom d'Hyacinthe, comte Chabert, une rente viagère [14] de vingt-quatre mille francs, inscrite sur le grand-livre de la dette publique,[15] mais dont le capital vous sera dévolu [16] à sa mort. . . .

---

1. (terme de jurisprudence): original d'un acte; *draft.*   **2.** séance tenante; sans sortir; immédiatement.   **3.** demandes et arguments.   **4.** appelé. Chabert était un enfant d'hôpital (*voir note 22, page 446*); il n'avait que son nom de baptême. Il prit le nom de Chabert comme patronyme.   **5.** aujourd'hui, général de brigade. Derville lui donne le titre qu'il aurait, s'il n'était pas « mort » à Eylau.   **6.** brièvement.   **7.** sous le secret: *in binding them to secrecy.*   **8.** *referred to.*   **9.** (lit., *undersigned*): acte fait en particulier sans l'intervention d'un officier public; *deed.*   **10.** *status.*   **11.** acte attestant un fait notable, signé devant notaire, et où les déclarations de témoins suppléent à des preuves écrites.   **12.** à l'amiable, par consentement mutuel.   **13.** *court decision.*   **14.** (lit., *life income*): *annuity.*   **15.** inscrite . . . publique: *entered in the ledger* (grand-livre) *of the national debt, to be paid by the State as interest on a capital invested in State funds.*   **16.** reviendra, sera remis.

— Mais c'est beaucoup trop cher! dit la comtesse.

— Pouvez-vous transiger à meilleur marché?[1]

— Peut-être.

— Que voulez-vous donc, madame?

— Je veux . . . je ne veux pas de procès; je veux . . .   5

— Qu'il reste mort? dit vivement Derville en l'interrompant.

— Monsieur, dit la comtesse, s'il faut vingt-quatre mille livres de rente, nous plaiderons.[2] . . .

— Oui, nous plaiderons, s'écria d'une voix sourde le colonel, qui ouvrit la porte et apparut tout à coup devant sa femme, en tenant une main dans son 10 gilet et l'autre étendue vers le parquet, geste auquel le souvenir de son aventure donnait une horrible énergie.

— C'est lui! se dit en elle-même la comtesse.

— Trop cher! reprit le vieux soldat. Je vous ai donné près d'un million, et vous marchandez[3] mon malheur. Eh bien, je vous veux maintenant, vous 15 et votre fortune. Nous sommes communs en biens, notre mariage n'a pas cessé. . . .

— Mais monsieur n'est pas le colonel Chabert, s'écria la comtesse en feignant la surprise.

— Ah! dit le vieillard d'un ton profondément ironique, voulez-vous des 20 preuves? Je vous ai prise au Palais-Royal.[4] . . .

La comtesse pâlit. En la voyant pâlir sous son rouge, le vieux soldat, touché de la vive souffrance qu'il imposait à une femme jadis aimée avec ardeur, s'arrêta; mais il en reçut un regard si venimeux, qu'il reprit tout à coup:

— Vous étiez chez la.[5] . . .   25

— De grâce,[6] monsieur, dit la comtesse à l'avoué, trouvez bon[7] que je quitte la place. Je ne suis pas venue ici pour entendre de semblables[8] horreurs.

Elle se leva et sortit. Derville s'élança dans l'étude. La comtesse avait trouvé des ailes et s'était comme envolée.[9] En revenant dans son cabinet, 30 l'avoué trouva le colonel dans un violent accès[10] de rage et se promenant à grands pas.

— Dans ce temps-là, chacun prenait sa femme où il voulait, disait-il; mais j'ai eu tort de la mal choisir, de me fier à des apparences. Elle n'a pas de cœur.   35

— Eh bien, colonel, n'avais-je pas raison en vous priant de ne pas venir? Je suis maintenant certain de votre identité. Quand vous vous êtes montré, la comtesse a fait un mouvement dont la pensée n'était pas équivoque.[11] Mais vous avez perdu votre procès, votre femme sait que vous êtes méconnaissable![12]   40

1. à meilleur marché: pour moins d'argent.   2. *go to law.*   3. *are niggardly about.*
4. (sur la place du) Palais-Royal.   5. *in the establishment of that creature.*   6. *please!*
7. trouvez bon: permettez que.   8. comme celles-là.   9. *flown away.*   10. *fit.*   11. n'était
. . . : était evidente.   12. qu'on ne peut reconnaître, très changé.

— Je la tuerai. . . .

— Folie ! vous serez pris et guillotiné comme un misérable.[1] D'ailleurs, peut-être manquerez-vous votre coup ! ce serait impardonnable, on ne doit jamais manquer sa femme quand on veut la tuer. Laissez-moi réparer vos sottises,[2] grand enfant ! Allez-vous-en. Prenez garde à vous,[3] elle serait ca- 5 pable de vous faire tomber dans quelque piège et de vous enfermer à Charenton. Je vais lui signifier nos actes afin de vous garantir [4] de toute surprise.

Le pauvre colonel obéit à son jeune bienfaiteur, et sortit en lui balbutiant [5] des excuses.[6] Il descendait lentement les marches de l'escalier noir, perdu dans de sombres pensées, accablé peut-être par le coup qu'il venait de recevoir, 10 pour lui le plus cruel, le plus profondément enfoncé [7] dans son cœur, lorsqu'il entendit, en parvenant au dernier palier,[8] le frôlement [9] d'une robe, et sa femme apparut.

— Venez, monsieur, lui dit-elle en lui prenant le bras par un mouvement semblable à ceux qui lui étaient familiers autrefois. 15

L'action de la comtesse, l'accent de sa voix redevenue gracieuse, suffirent [10] pour calmer la colère du colonel, qui se laissa mener jusqu'à la voiture.

— Eh bien, montez [11] donc ! lui dit la comtesse quand le valet eut achevé de déplier [12] le marchepied.[13]

Et il se trouva, comme par enchantement,[14] assis près de sa femme dans le 20 coupé.

— Où va madame ? demanda le valet.

— A Groslay, dit-elle.

Les chevaux partirent et traversèrent tout Paris.

— Monsieur . . ., dit la comtesse au colonel d'un son de voix qui révélait 25 une de ces émotions rares dans la vie, et par lesquelles tout en nous est agité.

En ces moments, cœur, fibres, nerfs, physionomie, âme et corps, tout, chaque pore même tressaille.[15] La vie semble ne plus être en nous; elle en sort et jaillit,[16] elle se communique comme une contagion, se transmet par le regard, par l'accent de la voix, par le geste, en imposant notre vouloir aux 30 autres. Le vieux soldat tressaillit en entendant ce seul mot, ce premier, ce terrible « Monsieur ! » Mais aussi était-ce tout à la fois un reproche, une prière, un pardon, une espérance, un désespoir, une interrogation, une réponse. Ce mot comprenait tout. Il fallait être comédienne pour jeter tant d'éloquence, tant de sentiments dans un mot. Le vrai n'est pas si complet 35 dans son expression, il ne met pas tout en dehors, il laisse voir tout ce qui est au dedans. Le colonel eut mille remords de ses soupçons, de ses demandes, de sa colère, et baissa les yeux pour ne pas laisser deviner son trouble.[17]

— Monsieur, reprit la comtesse après une pause imperceptible, je vous ai bien reconnu ! 40

1. *wretch.* 2. actions qui marquent qu'on manque de jugement. 3. Prenez . . . vous: *Be wary.* 4. protéger. 5. *stammering.* 6. *apologies.* 7. *driven in.* 8. *landing.* 9. *rustle.* 10. furent assez. 11. *step in.* 12. *unfold.* 13. *step.* 14. *magic.* 15. *is thrilled.* 16. *gushes forth.* 17. émotion.

— Rosine, dit le vieux soldat, ce mot contient le seul baume [1] qui pût me faire oublier mes malheurs.

Deux grosses larmes roulèrent toutes chaudes sur les mains de sa femme, qu'il pressa pour exprimer une tendresse paternelle.

— Monsieur, reprit-elle, comment n'avez-vous pas deviné qu'il me coûtait [2] horriblement de paraître devant un étranger dans une position aussi fausse que l'est la mienne? Si j'ai à rougir de ma situation, que ce ne soit au moins qu'en famille.[3] Ce secret ne devait-il pas rester enseveli dans nos cœurs? Vous m'absoudrez,[4] j'espère, de mon indifférence apparente pour les malheurs d'un Chabert à l'existence duquel je ne devais pas croire. J'ai reçu vos lettres, dit-elle vivement, en lisant sur les traits de son mari l'objection qui s'y exprimait, mais elles me parvinrent treize mois après la bataille d'Eylau; elles étaient ouvertes, salies, l'écriture en était méconnaissable, et j'ai dû croire, après avoir obtenu la signature de Napoléon sur mon nouveau contrat de mariage, qu'un adroit intrigant voulait se jouer [5] de moi. Pour ne pas troubler le repos de M. le comte Ferraud, et ne pas altérer les liens de la famille, j'ai donc dû prendre des précautions contre un faux Chabert. N'avais-je pas raison, dites?

— Oui, tu as eu raison; c'est moi qui suis un sot, un animal, une bête, de n'avoir pas su mieux calculer les conséquences d'une situation semblable. Mais où allons-nous? dit le colonel en se voyant à la barrière de la Chapelle.

— A ma campagne,[6] près de Groslay, dans la vallée de Montmorency. Là, monsieur, nous réfléchirons ensemble au parti que nous devons prendre. Je connais mes devoirs. Si je suis à vous en droit,[7] je ne vous appartiens plus en fait. Pouvez-vous désirer que nous devenions la fable [8] de tout Paris? N'instruisons [9] pas le public de cette situation qui pour moi présente un côté ridicule, et sachons garder notre dignité. Vous m'aimez encore, reprit-elle en jetant sur le colonel un regard triste et doux; mais, moi, n'ai-je pas été autorisée à former d'autres liens? En cette singulière position, une voix secrète me dit d'espérer en votre bonté, qui m'est si connue. Aurais-je donc tort en vous prenant pour seul et unique arbitre de mon sort? Soyez juge et partie.[10] Je me confie [11] à la noblesse de votre caractère.[12] Vous aurez la générosité de me pardonner les résultats de fautes innocentes. Je vous l'avouerai donc, j'aime M. Ferraud. Je me suis crue en droit de l'aimer. Je ne rougis pas de cet aveu devant vous; s'il vous offense, il ne nous déshonore point. Je ne puis vous cacher les faits. Quand le hasard m'a laissée veuve, je n'étais pas mère.

Le colonel fit un signe de main à sa femme, pour lui imposer silence, et

---

1. *balm.* **2.** il me coûtait: il m'était pénible. **3.** en famille: pas en public; dans l'intimité. **4.** pardonnerez. **5.** se moquer, s'amuser de. **6.** (maison de) campagne. **7.** en droit . . . en fait: Elle appartenait, en effet, à Chabert en droit (*legally*) puisque le mariage n'avait pas été annulé, mais en fait elle était l'épouse du comte Ferraud. **8.** la chose dont tout le monde parle, qu'on raconte et qui amuse. **9.** informons. **10.** (lit., *both judge and party*): *judge of one's own cause.* **11.** *trust in.* **12.** *nature, disposition.*

ils restèrent sans proférer [1] un seul mot pendant une demi-lieue.[2] Chabert croyait voir les deux petits enfants devant lui.

— Rosine !

— Monsieur ?

— Les morts ont donc bien tort de revenir ?   5

— Oh ! monsieur, non, non ! Ne me croyez pas ingrate.[3] Seulement, vous trouvez une amante, une mère, là où vous aviez laissé une épouse. S'il n'est plus en mon pouvoir de vous aimer, je sais tout ce que je vous dois et puis vous offrir encore toutes les affections d'une fille.

— Rosine, reprit le vieillard d'une voix douce, je n'ai plus aucun ressenti- 10 ment contre toi. Nous oublierons tout, ajouta-t-il avec un de ces sourires dont la grâce [4] est toujours le reflet d'une belle âme. Je ne suis pas assez peu délicat [5] pour exiger les semblants de l'amour chez une femme qui n'aime plus.

La comtesse lui lança un regard empreint [6] d'une telle reconnaissance, que le pauvre Chabert aurait voulu rentrer dans sa fosse d'Eylau. Certains 15 hommes ont une âme assez forte pour de tels dévouements,[7] dont la récom- pense se trouve pour eux dans la certitude d'avoir fait le bonheur d'une personne aimée.

— Mon ami, nous parlerons de tout ceci plus tard et à cœur reposé,[8] dit la comtesse.   20

La conversation prit un autre cours, car il était impossible de la continuer longtemps sur ce sujet. Quoique les deux époux revinssent souvent à leur situation bizarre, soit par des allusions, soit sérieusement, ils firent un char- mant voyage, se rappelant les événements de leur union passée et les choses de l'Empire. La comtesse sut imprimer [9] un charme doux à ces souvenirs, et 25 répandit [10] dans la conversation une teinte [11] de mélancolie nécessaire pour y maintenir la gravité. Elle faisait revivre l'amour sans exciter aucun désir, et laissait entrevoir [12] à son premier époux toutes les richesses morales qu'elle avait acquises, en tâchant de l'accoutumer à l'idée de restreindre [13] son bon- heur aux seules [14] jouissances [15] que goûte [16] un père près d'une fille chérie. 30 Le colonel avait connu la comtesse de l'Empire, il revoyait une comtesse de la Restauration.[17] Enfin les deux époux arrivèrent par un chemin de tra- verse [18] à un grand parc situé dans la petite vallée qui sépare les hauteurs de Margency du joli village de Groslay. La comtesse possédait là une délicieuse

---

1. *uttering.* **2.** deux kilomètres. **3.** *ungrateful.* **4.** *graciousness.* **5.** peu délicat: *coarse- grained, brutish.* **6.** marqué de, caractérisé par. **7.** sacrifices. **8.** à cœur reposé: *Cf.* à tête reposée. Quand nos cœurs ne seront plus aussi troublés ou agités. **9.** *was able to convey, to give (a certain impression).* **10.** *spread over, gave to.* **11.** (lit., *tint*): *touch.* **12.** *partly revealed.* **13.** limiter. **14.** a ici un sens adverbial: *only.* **15.** *joys.* **16.** *experiences, feels.* **17.** le colonel . . . Restauration: Napoléon avait anobli un grand nombre de ses officiers, créant ainsi une aristocratie nouvelle. Cette noblesse de l'Empire, fondée sur le mérite personnel, restait libérale. La noblesse de la Restauration était, en partie, la vieille noblesse de l'ancien régime qui tenait ses titres d'héritage, et était plus élégante que celle de l'Empire qu'elle dédaignait. La comtesse Ferraud, ayant été reçue dans le monde aristocratique du faubourg Saint-Germain, en avait adopté les attitudes, la mentalité, le langage et le ton. **18.** *crossroad, short cut.*

maison où le colonel vit, en arrivant, tous les apprêts [1] que nécessitaient son séjour [2] et celui de sa femme. Le malheur est une espèce de talisman dont la vertu consiste à corroborer [3] notre constitution primitive: il augmente la défiance [4] et la méchanceté chez certains hommes, comme il accroît [5] la bonté de ceux qui ont un cœur excellent.   5

L'infortune avait rendu le colonel encore plus secourable [6] et meilleur qu'il ne l'avait été, il pouvait donc s'initier [7] au secret des souffrances féminines qui sont inconnues à la plupart des hommes. Néanmoins, malgré son peu de défiance, il ne put s'empêcher de dire à sa femme:

— Vous étiez donc bien sûre de m'emmener ici?   10

— Oui, répondit-elle, si je trouvais le colonel Chabert dans le plaideur.

L'air de vérité qu'elle sut mettre dans cette réponse dissipa les légers soupçons que le colonel eut honte [8] d'avoir conçus. Pendant trois jours, la comtesse fut admirable près de son premier mari. Par de tendres soins et par sa constante douceur, elle semblait vouloir effacer le souvenir des souf- 15 frances qu'il avait endurées, se faire pardonner les malheurs que, suivant ses aveux, elle avait innocemment causés; elle se plaisait à déployer [9] pour lui, tout en lui faisant apercevoir une sorte de mélancolie, les charmes auxquels elle le savait faible; car nous sommes plus particulièrement accessibles à certaines façons, à des grâces de cœur ou d'esprit auxquelles nous ne résistons 20 pas; elle voulait l'intéresser à sa situation, et l'attendrir [10] assez pour s'emparer de [11] son esprit et disposer souverainement [12] de lui.

Décidée à tout pour arriver à ses fins, elle ne savait pas encore ce qu'elle devait faire de cet homme, mais certes elle voulait l'anéantir [13] socialement. Le soir du troisième jour, elle sentit que, malgré ses efforts, elle ne pouvait cacher 25 les inquiétudes que lui causait le résultat de ses manœuvres. Pour se trouver un moment à l'aise, elle monta chez elle, s'assit à son secrétaire, déposa le masque de tranquillité qu'elle conservait devant le comte Chabert, comme une actrice qui, rentrant fatiguée dans sa loge [14] après un cinquième acte pénible,[15] tombe demi-morte et laisse dans la salle [16] une image d'elle-même à laquelle 30 elle ne ressemble plus. Elle se mit à finir une lettre commencée qu'elle écrivait à Delbecq, à qui elle disait d'aller, en son nom, demander chez Derville communication [17] des actes qui concernaient le colonel Chabert, de les copier et de venir aussitôt la trouver à Groslay. A peine avait-elle achevé, qu'elle entendit dans le corridor le bruit des pas du colonel, qui, tout inquiet, venait 35 la retrouver.[18]

— Hélas! dit-elle à haute voix, je voudrais être morte! Ma situation est intolérable. . . .

1. préparatifs.   2. *sojourn.*   3. ajouter à la force de . . .   4. manque de confiance.
5. fait croître, grandir, augmenter.   6. disposé à secourir, à rendre service.   7. comprendre parfaitement.   8. *was ashamed.*   9. *unfold.*   10. émouvoir, exciter la pitié (de quelqu'un).
11. se rendre maîtresse de.   12. selon sa volonté.   13. réduire au *néant*, à rien; détruire complètement.   14. ici: *dressing room.*   15. difficile, fatigant.   16. *auditorium.*   17. demander . . . communication: demander à consulter.   18. *ici:* rejoindre, chercher.

— Eh bien, qu'avez-vous donc? demanda le bonhomme.

— Rien, rien, dit-elle.

Elle se leva, laissa le colonel et descendit pour parler sans témoin à sa femme de chambre, qu'elle fit partir pour Paris, en lui recommandant de remettre elle-même à Delbecq la lettre qu'elle venait d'écrire, et de la lui rapporter 5 aussitôt qu'il l'aurait lue. Puis la comtesse alla s'asseoir sur un banc où elle était assez en vue pour que le colonel vînt l'y trouver aussitôt qu'il le voudrait. Le colonel, qui déjà cherchait sa femme, accourut [1] et s'assit près d'elle.

— Rosine, lui dit-il, qu'avez-vous? 10

Elle ne répondit pas. La soirée était une de ces soirées magnifiques et calmes dont les secrètes harmonies répandent,[2] au mois de juin, tant de suavité [3] dans les couchers du soleil. L'air était pur et le silence profond, en sorte que l'on pouvait entendre dans le lointain du parc les voix de quelques enfants qui ajoutaient une sorte de mélodie aux sublimités du paysage.[4] 15

— Vous ne me répondez pas? demanda le colonel à sa femme.

— Mon mari . . ., dit la comtesse, qui s'arrêta, fit un mouvement et s'interrompit pour lui demander en rougissant: — Comment dirai-je en parlant de M. le comte Ferraud?

— Nomme-le ton mari, ma pauvre enfant, répondit le colonel avec un ac- 20 cent de bonté [5]; n'est-ce pas le père de tes enfants?

— Eh bien, reprit-elle, si monsieur me demande ce que je suis venue faire ici, s'il apprend que je m'y suis enfermée avec un inconnu, que lui dirai-je? Écoutez, monsieur, reprit-elle en prenant une attitude pleine de dignité, décidez de mon sort, je suis résignée à tout. . . . 25

— Ma chère, dit le colonel en s'emparant [6] des mains de sa femme, j'ai résolu de me sacrifier entièrement à votre bonheur. . . .

— Cela est impossible, s'écria-t-elle en laissant échapper un mouvement convulsif. Songez donc [7] que vous devriez alors renoncer à vous-même, et d'une manière authentique.[8] . . . 30

— Comment, dit le colonel, ma parole ne vous suffit pas?

Le mot *authentique* tomba sur le cœur du vieillard et y réveilla des défiances involontaires. Il jeta sur sa femme un regard qui la fit rougir, elle baissa les yeux, et il eut peur de se trouver obligé de la mépriser.[9] La comtesse craignait d'avoir effarouché la sauvage pudeur,[10] la probité sévère d'un homme 35 dont le caractère généreux, les vertus primitives lui étaient connus. Quoique ces idées eussent répandu quelques nuages [11] sur leur front, la bonne harmonie se rétablit aussitôt entre eux. Voici comment. Un cri d'enfant retentit [12] au loin.

— Jules, laissez votre sœur tranquille! s'écria la comtesse. 40

---

1. vint tout de suite. **2.** *shed, diffuse.* **3.** douceur. **4.** *landscape.* **5.** *in a kindly tone.* **6.** s'emparant de: *seizing.* **7.** *just.* **8.** c'est-à-dire, par un acte officiel. **9.** *despise, hold in contempt.* **10.** *shocked his delicate sense of decency.* **11.** (lit., *clouds*): *gloom.* **12.** *rang out.*

— Quoi! vos enfants sont ici? dit le colonel.

— Oui, mais je leur ai défendu de vous importuner.[1]

Le vieux soldat comprit la délicatesse, le tact de femme renfermé dans [2] ce procédé [3] si gracieux, et prit la main de la comtesse pour la baiser.

— Qu'ils viennent donc, dit-il.   5

La petite fille accourait pour se plaindre de son frère.

— Maman!

— Maman!

— C'est lui qui. . . .

— C'est elle. . . .   10

Les mains étaient étendues vers la mère, et les deux voix enfantines [4] se mêlaient. Ce fut un tableau soudain et délicieux.

— Pauvres enfants! s'écria la comtesse en ne retenant [5] plus ses larmes, il faudra les quitter; à qui le jugement les donnera-t-il? On ne partage pas un cœur de mère, je les veux, moi!   15

— Est-ce vous qui faites pleurer maman? dit Jules en jetant un regard de colère au colonel.

— Taisez-vous, Jules! s'écria la mère d'un air impérieux.

Les deux enfants restèrent debout et silencieux, examinant leur mère et l'étranger avec une curiosité qu'il est impossible d'exprimer par des paroles. 20

— Oh! oui, reprit-elle, si l'on me sépare du comte, qu'on me laisse les enfants, et je serai soumise à tout.[6] . . .

Ce fut un mot décisif qui obtint tout le succès qu'elle en avait espéré.[7]

— Oui, s'écria le colonel comme s'il achevait une phrase mentalement commencée, je dois rentrer sous terre.[8] Je me le suis déjà dit.   25

— Puis-je accepter un tel sacrifice? répondit la comtesse. Si quelques hommes sont morts pour sauver l'honneur de leur maîtresse, ils n'ont donné leur vie qu'une fois. Mais, ici, vous donneriez votre vie tous les jours! Non, non, cela est impossible. S'il ne s'agissait que de votre existence, ce ne serait rien; mais signer que vous n'êtes pas le colonel Chabert, reconnaître 30 que vous êtes un imposteur, donner votre honneur, commettre un mensonge à toute heure du jour, le dévouement humain ne saurait [9] aller jusque-là. Songez donc! Non. Sans mes pauvres enfants, je me serais déjà enfuie avec vous au bout du monde. . . .

— Mais, reprit Chabert, est-ce que je ne puis pas vivre ici, dans votre petit 35 pavillon, comme un de vos parents? Je suis usé comme un canon de rebut,[10] il ne me faut qu'un peu de tabac et le Constitutionnel.[11]

La comtesse fondit [12] en larmes. Il y eut entre la comtesse Ferraud et le

---

1. fatiguer, ennuyer. **2.** (lit., *contained in*): *evidenced by*. **3.** manière d'agir: acte. **4.** *childish*. **5.** *checking, keeping back*. **6.** je serai . . . tout: j'accepterai tout. **7.** attendu, voulu. **8.** rentrer sous terre: disparaître complètement (mais dans ce cas l'expression peut être prise dans un sens tragiquement littéral). **9.** pourrait. **10.** *fit only for the scrap heap*. **11.** Journal fondé pendant les Cent Jours (période entre la rentrée de Napoléon de l'île d'Elbe et la bataille de Waterloo). **12.** *melted*.

colonel Chabert un combat de générosité [1] d'où le soldat sortit vainqueur.
Un soir, en voyant cette mère au milieu de ses enfants, le soldat fut séduit [2]
par les touchantes grâces d'un tableau de famille, à la campagne, dans
l'ombre et le silence; il prit la résolution de rester mort, et, ne s'effrayant plus
de l'authenticité d'un acte, il demanda comment il fallait s'y prendre pour [3] 5
assurer irrévocablement le bonheur de cette famille.

— Faites comme vous voudrez! lui répondit la comtesse, je vous déclare
que je ne me mêlerai [4] en rien de cette affaire. Je ne le dois pas.

Delbecq était arrivé depuis quelques jours, et, suivant les instructions
verbales de la comtesse, l'intendant avait su gagner la confiance du vieux 10
militaire. Le lendemain matin donc, le colonel Chabert partit avec l'ancien [5]
avoué pour Saint-Leu-Taverny, où Delbecq avait fait préparer chez le notaire
un acte conçu en termes si crus,[6] que le colonel sortit brusquement de l'étude
après en avoir entendu la lecture.

— Mille tonnerres![7] je serais un joli coco![8] Mais je passerais pour un 15
faussaire![9] s'écria-t-il.

— Monsieur, lui dit Delbecq, je ne vous conseille pas de signer trop vite.
A votre place, je tirerais au moins trente mille livres de rente de ce procès-là,
car madame les donnerait.

Après avoir foudroyé [10] ce coquin émérite [11] par le lumineux regard de l'hon- 20
nête homme indigné, le colonel s'enfuit, emporté par mille sentiments con-
traires. Il redevint défiant, s'indigna, se calma tour à tour.

Enfin il entra dans le parc de Groslay par la brèche [12] d'un mur, et vint à
pas lents se reposer et réfléchir à son aise dans un cabinet [13] pratiqué [14] sous
un kiosque [15] d'où l'on découvrait [16] le chemin de Saint-Leu. L'allée étant 25
sablée avec cette espèce de terre jaunâtre par laquelle on remplace le gravier [17]
de rivière, la comtesse, qui était assise dans le petit salon de cette espèce de
pavillon, n'entendit pas le colonel, car elle était trop préoccupée du succès de
son affaire pour prêter la moindre attention au léger bruit que fit son mari.
Le vieux soldat n'aperçut pas non plus [18] sa femme au-dessus de lui dans le 30
petit pavillon.

— Eh bien, monsieur Delbecq, a-t-il signé? demanda la comtesse à son
intendant, qu'elle vit seul sur le chemin par-dessus la haie d'un saut-de-loup.[19]

— Non, madame. Je ne sais même pas ce que notre homme est devenu.
Le vieux cheval s'est cabré.[20]   35

— Il faudra donc finir par le mettre à Charenton, dit-elle, puisque nous le
tenons.[21]

---

1. (lit. *contest of generosity*): *they vied with each other in generosity.*   **2.** charmé.   **3.** s'y
prendre pour: *set about it to.*   **4.** *meddle with, have a hand in.*   **5.** *former* (not *ancient*).
6. *crude; blunt.*   **7.** (explétif): Un soldat américain aurait probablement dit, *"to hell with
it!"*   **8.** *a pretty fellow, a "beauty."*   **9.** *forger.*   **10.** (lit., frappé par la foudre), *crushed,
withered.*   **11.** coquin émérite, *most perfect rascal.*   **12.** *breach.*   **13.** petite chambre.
14. construit.   **15.** *summer house, pavilion.*   **16.** apercevait, voyait.   **17.** *gravel.*   **18.** *either,
neither.*   **19.** large fossé (*ditch*) autour d'un parc (assez large pour qu'un loup (*wolf*) ne
puisse pas le sauter).   **20.** *reared.*   **21.** avons (en notre pouvoir).

Le colonel, qui retrouva l'élasticité de la jeunesse pour franchir le saut-de-loup, fut en un clin d'œil [1] devant l'intendant, auquel il appliqua la plus belle paire de soufflets [2] qui jamais ait été reçue sur deux joues de procureur.[3]

— Ajoute que les vieux chevaux savent ruer ! [4] lui dit-il.

Cette colère dissipée, le colonel ne se sentit plus la force de sauter le fossé. 5 La vérité s'était montrée dans sa nudité.[5] Le mot de la comtesse et la réponse de Delbecq avaient dévoilé [6] le complot dont il allait être la victime. Les soins qui lui avaient été prodigués [7] étaient une amorce [8] pour le prendre dans un piège. Ce mot fut comme une goutte de quelque poison subtil qui détermina chez le vieux soldat le retour de ses douleurs et physiques et 10 morales. Il revint vers le kiosque par la porte du parc, en marchant lentement, comme un homme affaissé.[9] Donc, ni paix ni trêve [10] pour lui ! Dès ce moment, il fallait commencer avec cette femme la guerre odieuse [11] dont lui avait parlé Derville, entrer dans une vie de procès, se nourrir de fiel,[12] boire chaque matin un calice d'amertume.[13] Puis, pensée affreuse, où trouver 15 l'argent nécessaire pour payer les frais des premières instances ? Il lui prit [14] un si grand dégoût [15] de la vie, que, s'il y avait eu de l'eau près de lui, il s'y serait jeté; que, s'il avait eu des pistolets, il se serait brûlé la cervelle.[16] Puis il retomba dans l'incertitude [17] d'idées qui, depuis sa conversation avec Derville chez le nourrisseur, avait changé son moral. Enfin, arrivé devant le 20 kiosque, il monta dans le cabinet aérien dont les rosaces [18] de verre offraient la vue de chacune des ravissantes perspectives de la vallée, et où il trouva sa femme assise sur une chaise. La comtesse examinait le paysage et gardait une contenance pleine de calme en montrant cette impénétrable physionomie que savent prendre les femmes déterminées à tout. Elle s'essuya les yeux 25 comme si elle eût versé des pleurs, et joua par un geste distrait [19] avec le long ruban rose de sa ceinture.[20] Néanmoins, malgré son assurance apparente, elle ne put s'empêcher de frissonner [21] en voyant devant elle son vénérable bienfaiteur, debout, les bras croisés, la figure pâle, le front sévère.

— Madame, dit-il après l'avoir regardée fixement pendant un moment et 30 l'avoir forcée à rougir, madame, je ne vous maudis [22] pas, je vous méprise.[23] Maintenant, je remercie le hasard qui nous a désunis.[24] Je ne sens même pas un désir de vengeance, je ne vous aime plus. Je ne veux rien de vous. Vivez tranquille sur la foi [25] de ma parole, elle vaut mieux que les griffonnages [26] de tous les notaires de Paris. Je ne réclamerai [27] jamais le nom que j'ai peut- 35 être illustré. Je ne suis plus qu'un pauvre diable nommé Hyacinthe, qui ne demande que sa place au soleil. Adieu. . . .

1. *wink.* 2. *slaps.* 3. *attorney.* 4. (*of a horse*): *kick, hit out.* 5. dans sa nudité: sans déguisement. 6. révélé. 7. donnés si libéralement. 8. *bait.* 9. écrasé, courbé (par la souffrance). 10. suspension d'hostilités. 11. *hateful.* 12. *gall, bitterness.* 13. *chalice, cup of bitterness.* 14. il lui prit: il fut pris (saisi) de. 15. *disgust.* 16. brûlé la cervelle (lit., *burned out his brains*): suicidé d'un coup de pistolet dans la tête. 17. doute. 18. fenêtres rondes. 19. par . . . distrait: *absent-mindedly.* 20. *belt, sash.* 21. *shudder.* 22. *curse.* 23. *hold you in contempt.* 24. séparés. 25. sur la foi: ayant confiance en. 26. *scribblings, scrawlings.* 27. demanderai comme un droit.

La comtesse se jeta aux pieds du colonel, et voulut le retenir en lui prenant les mains, mais il la repoussa avec dégoût en lui disant:

— Ne me touchez pas.

La comtesse fit un geste intraduisible [1] lorsqu'elle entendit le bruit des pas de son mari. Puis, avec la profonde perspicacité que donne une haute [5] scélératesse [2] ou le féroce égoïsme du monde, elle crut pouvoir vivre en paix sur la promesse et le mépris de ce loyal soldat.

Chabert disparut en effet. Le nourrisseur fit faillite [3] et devint cocher [4] de cabriolet. Peut-être le colonel s'adonna-t-il [5] d'abord à quelque industrie du même genre. Peut-être, semblable à une pierre lancée dans un gouffre,[6] alla- [10] t-il, de cascade en cascade,[7] s'abîmer dans cette boue de haillons qui foisonne à travers les rues de Paris.[8]

Six mois après cet événement, Derville, qui n'entendait plus parler ni du colonel Chabert ni de la comtesse Ferraud, pensa qu'il était survenu sans doute entre eux une transaction, que, par vengeance, la comtesse avait fait [15] dresser dans une autre étude. Alors, un matin, il supputa [9] les sommes avancées audit [10] Chabert, y ajouta les frais,[11] et pria la comtesse Ferraud de réclamer à M. le comte Chabert le montant [12] de ce mémoire,[13] en présumant [14] qu'elle savait où se trouvait son premier mari.

Le lendemain même,[15] l'intendant du comte Ferraud, récemment nommé [20] président du tribunal de première instance dans une ville importante, écrivit à Derville ce mot désolant [16]:

« Monsieur,

» Madame la comtesse Ferraud me charge de vous prévenir que votre client avait complétement abusé de votre confiance, et que l'individu qui disait être [25] le comte Chabert a reconnu avoir indûment [17] pris de fausses qualités.

» Agréez,[18] etc.   » DELBECQ. »

— On rencontre des gens qui sont aussi, ma parole d'honneur! par trop bêtes.[19] Ils ont volé le baptême,[20] s'écria Derville. Soyez donc humain,[21] généreux, philanthrope et avoué, vous vous faites enfoncer! [22] Voilà une [30] affaire qui me coûte plus de deux billets [23] de mille francs.

Quelque temps après la réception de cette lettre, Derville cherchait au

1. vague. 2. *Villany.* 3. fit faillite: *failed (in business).* 4. *coachman.* 5. *devoted himself to.* 6. abîme. 7. *lower and lower.* 8. s'abîmer . . . Paris: *sink into the seething mass* (boue: lit., *mud) of human derelicts* (haillons: lit., *rags) which abounds* (foisonne) *on the streets of Paris.* 9. calcula. 10. (terme de jurisprudence): *aforesaid.* 11. *costs.* 12. *amount.* 13. *ici:* liste des sommes dues; *itemized account.* 14. conjecturant. 15. *the very next day.* 16. *disheartening.* 17. sans en avoir le droit. 18. En reproduisant une lettre, il est d'usage d'omettre les salutations. Delbecq avait probablement écrit: Agréez (recevez favorablement) l'assurance de ma considération distinguée. 19. (lit., *beast): stupid, brainless.* 20. volé le baptême: Le mot *bête* a deux sens (*voir note précédente).* Balzac qui, dans la première édition avait écrit: « bêtes à manger du foin » (*asinine enough to feed on hay),* dit ici à peu près la même chose. Ils sont si bêtes qu'en recevant le baptême (sacrement réservé aux humains) ils ont commis un vol. 21. *ici:* humane (*not human).* 22. *get cheated, "done in."* 23. billets (de banque).

Palais [1] un avocat auquel il voulait parler, et qui plaidait à la police correctionnelle.[2] Le hasard voulut que Derville entrât à la sixième chambre [3] au moment où le président condamnait comme vagabond le nommé Hyacinthe à deux mois de prison, et ordonnait qu'il fût ensuite conduit au dépôt de mendicité [4] de Saint-Denis, sentence [5] qui, d'après la jurisprudence des 5 préfets de police, équivaut à une détention perpétuelle.[6] Au nom d'Hyacinthe, Derville regarda le délinquant assis entre deux gendarmes sur le banc des prévenus,[7] et reconnut, dans la personne du condamné, son faux colonel Chabert.

Le vieux soldat était calme, immobile, presque distrait.[8] Malgré ses 10 haillons, malgré la misère empreinte sur sa physionomie, elle déposait [9] d'une noble fierté. Son regard avait une expression de stoïcisme qu'un magistrat n'aurait pas dû méconnaître [10]; mais, dès qu'un homme tombe entre les mains de la justice, il n'est plus qu'un être moral, une question de droit ou de fait, comme aux yeux des statisticiens il devient un chiffre.[11] 15 Quand le soldat fut reconduit au greffe [12] pour être emmené plus tard avec la fournée [13] de vagabonds que l'on jugeait en ce moment, Derville usa du droit qu'ont les avoués d'entrer partout au Palais, l'accompagna au greffe et l'y contempla pendant quelques instants, ainsi que les curieux mendiants parmi lesquels il se trouvait. L'antichambre du greffe offrait alors un de ces specta- 20 cles que malheureusement ni les législateurs, ni les philanthropes, ni les peintres, ni les écrivains [14] ne viennent étudier.

Comme tous les laboratoires de la chicane,[15] cette antichambre est une pièce obscure et puante,[16] dont les murs sont garnis d'une banquette [17] en bois noirci par le séjour perpétuel des malheureux qui viennent à ce rendez-vous de 25 toutes les misères sociales, et auquel pas un d'eux ne manque. Un poète dirait que le jour a honte d'éclairer ce terrible égout [18] par lequel passent tant d'infortunes ! Il n'est pas une seule place où ne se soit assis quelque crime en germe ou consommé [19]; pas un seul endroit où ne se soit rencontré quelque homme qui, désespéré [20] par la légère flétrissure [21] que la justice avait imprimée 30 à sa première faute, n'ait commencé une existence au bout de laquelle devait se dresser la guillotine, ou détoner [22] le pistolet du suicide. Tous ceux qui tombent sur le pavé de Paris rebondissent [23] contre ces murailles jaunâtres, sur lesquelles un philanthrope qui ne serait pas un spéculateur pourrait déchiffrer [24] la justification des nombreux suicides dont se plaignent [25] des 35 écrivains hypocrites, incapables de faire un pas pour les prévenir,[26] et qui se

---

1. Palais (de Justice). **2.** *police court.* **3.** sixième chambre: Dans les grandes villes les tribunaux sont divisés en chambres et plusieurs cas peuvent ainsi être jugés simultanément. **4.** dépôt de mendicité: Établissement où on loge et nourrit des personnes sans ressources en les faisant travailler; *workhouse.* **5.** jugement, condamnation. **6.** emprisonnement pour toujours; *life sentence.* **7.** accusés. **8.** pas attentif. **9.** (terme de jurisprudence); *bore witness to.* **10.** *fail to understand.* **11.** *cipher, number.* **12.** bureau du secrétaire du tribunal. **13.** *lit.,* quantité de pain cuit une fois dans un four (*oven*): *batch.* **14.** *writers.* **15.** toute l'administration de la justice. **16.** *smelly.* **17.** *bench, form.* **18.** *drain, cesspool.* **19.** déjà commis, accompli. **20.** *driven to despair.* **21.** tache (*blot*) sur l'honneur. **22.** *detonate, be fired.* **23.** *rebound.* **24.** *decipher, make out.* **25.** *bemoan.* **26.** *prevent.*

trouve écrite dans cette antichambre, espèce de préface pour les drames de la Morgue ou pour ceux de la place de Grève.[1]

En ce moment, le colonel Chabert s'assit au milieu de ces hommes à faces énergiques, vêtus des horribles livrées [2] de la misère,[3] silencieux par intervalles, ou causant à voix basse, car trois gendarmes de faction [4] se promenaient 5 en faisant retentir leurs sabres sur le plancher.

— Me reconnaissez-vous? dit Derville au vieux soldat en se plaçant devant lui.

— Oui, monsieur, répondit Chabert en se levant.

— Si vous êtes un honnête homme, reprit Derville à voix basse, comment 10 avez-vous pu rester mon débiteur? [5]

Le vieux soldat rougit comme aurait pu le faire une jeune fille accusée par sa mère d'un amour clandestin.

— Quoi! madame Ferraud ne vous a pas payé? s'écria-t-il à haute voix.

— Payé?... dit Derville. Elle m'a écrit que vous étiez un intrigant. 15

Le colonel leva les yeux par un sublime mouvement d'horreur et d'imprécation, comme pour en appeler au Ciel de cette tromperie [6] nouvelle.

— Monsieur, dit-il d'une voix calme à force d'altération,[7] obtenez des gendarmes la faveur de me laisser entrer au greffe, je vais vous signer un mandat [8] qui sera certainement acquitté.[9] 20

Sur un mot dit par Derville au brigadier,[10] il lui fut permis d'emmener son client dans le greffe, où Hyacinthe écrivit quelques lignes adressées à la comtesse Ferraud.

— Envoyez cela chez elle, dit le soldat, et vous serez remboursé [11] de vos frais et de vos avances. Croyez, monsieur, que, si je ne vous ai pas témoigné [12] 25 la reconnaissance [13] que je vous dois pour vos bons offices, elle n'en est pas moins là, dit-il en se mettant la main sur le cœur. Oui, elle est là, pleine et entière. Mais que peuvent les malheureux? Ils aiment, voilà tout.

— Comment, lui dit Derville, n'avez-vous pas stipulé pour vous quelque rente? 30

— Ne me parlez pas de cela! répondit le vieux militaire. Vous ne pouvez pas savoir jusqu'où va mon mépris pour cette vie extérieure à laquelle tiennent [14] la plupart des hommes. J'ai subitement été pris d'une maladie, le dégoût de l'humanité. Quand je pense que Napoléon est à Sainte-Hélène,[15] tout ici-bas m'est indifférent. Je ne puis plus être soldat, voilà tout mon mal- 35 heur. Enfin, ajouta-t-il en faisant un geste plein d'enfantillage,[16] il vaut mieux avoir du luxe dans ses sentiments que sur ses habits. Je ne crains, moi, le mépris de personne.

1. place de Grève: où on exécutait autrefois les condamnés à mort; maintenant place de l'Hôtel de Ville (City Hall) à Paris. **2.** *liveries.* **3.** *utter destitution.* **4.** *on guard duty.* **5.** *debtor.* **6.** *deceit.* **7.** à force d'altération: *calm through the very excess of anger.* **8.** *order.* **9.** (*of a debt, note, bill*): *honored.* **10.** *sergeant.* **11.** *refunded.* **12.** exprimé. **13.** *thankfulness, gratitude.* **14.** *put a value upon, eagerly desire and cling to.* **15.** Île anglaise de l'Atlantique au sud-ouest de l'Afrique, où Napoléon fut envoyé en exil après la bataille de Waterloo (1815) et où il mourut en 1821. **16.** *childishness.*

Et le colonel alla se remettre sur son banc.

Derville sortit. Quand il revint à son étude, il envoya Godeschal, alors son second clerc, chez la comtesse Ferraud, qui, à la lecture du billet, fit immédiatement payer la somme due à l'avoué du comte Chabert.

En 1840, vers la fin du mois de juin, Godeschal, alors avoué, allait à Ris, 5
en compagnie de Derville, son prédécesseur. Lorsqu'ils parvinrent à l'avenue qui conduit de la grande route à Bicêtre,[1] ils aperçurent sous un des ormes [2] du chemin un de ces vieux pauvres chenus [3] et cassés [4] qui ont obtenu le bâton de maréchal [5] des mendiants, en vivant à Bicêtre comme les femmes indigentes [6] vivent à la Salpêtrière.[7] Cet homme, l'un des deux mille mal- 10
heureux logés dans l'hospice de la *Vieillesse*, était assis sur une borne [8] et paraissait concentrer toute son intelligence dans une opération bien connue des invalides, et qui consiste à faire sécher au soleil le tabac de leurs mouchoirs, pour éviter de les blanchir [9] peut-être. Ce vieillard avait une physionomie attachante.[10] Il était vêtu de cette robe de drap rougeâtre que 15
l'hospice accorde à ses hôtes,[11] espèce de livrée horrible.

— Tenez, Derville, dit Godeschal à son compagnon de voyage, voyez donc ce vieux. Ne ressemble-t-il pas à ces grotesques [12] qui nous viennent d'Allemagne? Et cela vit, et cela est heureux peut-être!

Derville prit son lorgnon,[13] regarda le pauvre, laissa échapper un mouve- 20
ment de surprise et dit:

— Ce vieux-là, mon cher, est tout un poème, ou, comme disent les romantiques,[14] un drame. As-tu rencontré quelquefois la comtesse Ferraud?

— Oui, c'est une femme d'esprit et très agréable; mais un peu trop dévote,[15] dit Godeschal. 25

— Ce vieux bicêtrien est son mari légitime, le comte Chabert, l'ancien colonel; elle l'aura sans doute fait placer là. S'il est dans cet hospice au lieu d'habiter un hôtel,[16] c'est uniquement pour avoir rappelé à la jolie comtesse Ferraud qu'il l'avait prise, comme un fiacre,[17] sur la place.[18] Je me souviens encore du regard de tigre qu'elle lui jeta dans ce moment-là. 30

Ce début ayant excité la curiosité de Godeschal, Derville lui raconta l'histoire qui précède. Deux jours après, le lundi matin, en revenant à Paris, les deux amis jetèrent un coup d'œil sur Bicêtre, et Derville proposa d'aller voir le colonel Chabert.

A moitié chemin de l'avenue, les deux amis trouvèrent assis sur la souche [19] 35
d'un arbre abattu [20] le vieillard, qui tenait à la main un bâton et s'amusait à

---

1. village au sud de Paris, connu pour son grand hospice de vieillards et d'aliénés (fous). **2.** *elms*. **3.** aux cheveux blancs. **4.** *broken (with age)*. **5.** Le bâton de maréchal est l'insigne du grade le plus élevé dans l'armée. L'auteur veut dire: qui sont arrivés au dernier degré de misère, puisqu'ils sont à Bicêtre. **6.** pauvres. **7.** hospice à Paris pour femmes âgées, aliénées, etc. **8.** *milestone*. **9.** laver. Il s'agit ici des mouchoirs salis par du tabac à priser (*snuff-tobacco*). **10.** intéressante. **11.** *guests*. **12.** statuettes grotesques en porcelaine. **13.** *eyeglasses*. **14.** *romanticists*. **15.** personne qui a du zèle pour les pratiques religieuses. **16.** *mansion*. **17.** *cab*. **18.** *public square*. **19.** *stump*. **20.** *felled*.

tracer des raies [1] sur le sable. En le regardant attentivement, ils s'aperçurent qu'il venait de déjeuner autre part qu'à l'établissement.

— Bonjour, colonel Chabert, lui dit Derville.

— Pas Chabert! pas Chabert! je me nomme Hyacinthe, répondit le vieillard. Je ne suis plus un homme, je suis le numéro 164, septième salle, ajouta- 5 t-il en regardant Derville avec une anxiété peureuse,[2] avec une crainte de vieillard et d'enfant. — Vous allez voir le condamné à mort? dit-il après un moment de silence. Il n'est pas marié, lui! Il est bien heureux.

— Pauvre homme, dit Godeschal. Voulez-vous de l'argent pour acheter du tabac? 10

Avec toute la naïveté d'un gamin [3] de Paris, le colonel tendit avidement [4] la main à chacun des deux inconnus, qui lui donnèrent une pièce de vingt francs; il les remercia par un regard stupide, en disant:

— Braves troupiers!

Il se mit au port d'armes,[5] feignit de les coucher en joue,[6] et s'écria en souriant: 15

— Feu des deux pièces![7] vive Napoléon!

Et il décrivit en l'air avec sa canne une arabesque imaginaire.

— Le genre de sa blessure l'aura fait tomber en enfance, dit Derville.

— Lui en enfance! s'écria un vieux bicêtrien qui les regardait. Ah! il y a des jours où il ne faut pas lui marcher sur le pied. C'est un vieux malin [8] 20 plein de philosophie et d'imagination. Mais, aujourd'hui, que voulez-vous! [9] il a fait le lundi.[10] Monsieur, en 1820, il était déjà ici. Pour lors,[11] un officier prussien, dont la calèche [12] montait la côte [13] de Villejuif, vint à passer à pied. Nous étions nous deux, Hyacinthe et moi, sur le bord de la route. Cet officier causait en marchant avec un autre, avec un Russe, ou quelque animal 25 de la même espèce, lorsqu'en voyant l'ancien,[14] le Prussien, histoire de blaguer,[15] lui dit: « Voilà un vieux voltigeur [16] qui devait être à Rosbach.[17] — J'étais trop jeune pour y être, lui répondit-il; mais j'ai été assez vieux pour me trouver à Iéna. »[18] Pour lors,[19] le Prussien a filé,[20] sans faire d'autres questions. 30

— Quelle destinée! s'écria Derville. Sorti de l'hospice des *Enfants trouvés*,[21] il revient mourir à l'hospice de la *Vieillesse*, après avoir, dans l'intervalle, aidé Napoléon à conquérir l'Égypte et l'Europe. — Savez-vous, mon cher, reprit Derville après une pause, qu'il existe dans notre société trois hommes, le prêtre,[22] le médecin [23] et l'homme de justice, qui ne peuvent pas estimer le 35

---

1. lignes. **2.** *frightened.* **3.** *urchin.* **4.** *greedily.* **5.** au port d'armes: *at shoulder arms.* **6.** coucher en joue: *take aim at.* **7.** pièces d'artillerie, et, en même temps, pièces d'or. **8.** *canny old fellow.* **9.** que voulez-vous: *don't you see!* **10.** faire le lundi (ou le saint lundi): ne pas travailler le lundi; faire fête, boire à l'excès le lundi, selon une vieille coutume des ouvriers français. **11.** (*populaire*): alors. **12.** voiture légère à quatre roues. **13.** *slope, hill.* **14.** notre vétéran (Hyacinthe). **15.** histoire de blaguer (*expression populaire*): pour s'amuser. **16.** *light infantryman.* **17.** ou Rossbach, village de Saxe (*Saxony*) où les Français et leurs alliés allemands commandés par Soubise, furent vaincus par Frédéric II de Prusse en 1757. **18.** ville d'Allemagne (*Jena*) près de laquelle Napoléon vainquit les Prussiens en 1806. **19.** *ici:* après cela. **20.** *went off, "made tracks."* **21.** *foundlings.* **22.** *priest.* **23.** *physician.*

monde ? Ils ont des robes noires, peut-être parce qu'ils portent le deuil [1] de toutes les vertus, de toutes les illusions. Le plus malheureux des trois est l'avoué. Quand l'homme vient trouver le prêtre, il arrive poussé [2] par le repentir,[3] par le remords, par des croyances qui le rendent intéressant, qui le grandissent, et consolent l'âme du médiateur, dont la tâche ne va pas sans 5 une sorte de jouissance: il purifie, il répare,[4] et réconcilie. Mais, nous autres avoués, nous voyons se répéter les mêmes sentiments mauvais, rien ne les corrige, nos études sont des égouts qu'on ne peut pas curer.[5] Combien de choses n'ai-je pas apprises en exerçant ma charge ! [6] J'ai vu mourir un père dans un grenier,[7] sans sou ni maille,[8] abandonné par deux filles auxquelles il 10 avait donné quarante mille livres de rente ! J'ai vu brûler des testaments; j'ai vu des mères dépouillant [9] leurs enfants, des maris volant leurs femmes, des femmes tuant leurs maris en se servant de l'amour qu'elles leur inspiraient pour les rendre fous ou imbéciles, afin de vivre en paix avec un amant. J'ai vu des femmes donnant à l'enfant d'un premier lit des goûts [10] qui devaient 15 amener sa mort, afin d'enrichir l'enfant de l'amour. Je ne puis vous dire tout ce que j'ai vu, car j'ai vu des crimes contre lesquels la justice [11] est impuissante.[12] Enfin, toutes les horreurs que les romanciers [13] croient inventer sont toujours au-dessous de la vérité. Vous allez connaître ces jolies choses-là, vous; moi, je vais vivre à la campagne avec ma femme. Paris me fait horreur.[14]   20

— J'en ai déjà bien vu [15] chez Desroches, répondit Godeschal.

1. *mourning.* 2. *urged.* 3. *repentance.* 4. *amends.* 5. nettoyer, purifier. 6. *in the discharge of my duties (as a lawyer).* (Toutes les misères énumérées dans les lignes suivantes sont des cas traités dans les romans de Balzac.) 7. *garret.* 8. sans sou ni maille: Maille, ancienne monnaie de cuivre (*copper*) de très petite valeur. « sans sou ni maille » = dans la misère la plus complète. 9. enlevant, volant tout à. 10. *likings, tastes.* 11. *ici*, la loi. 12. *powerless.* 13. *novelists.* 14. me fait horreur: *I loathe.* 15. J'en . . . vu: *I've seen quite a lot already.*

LAURETTE

OU

LE CACHET ROUGE[1]

par ALFRED DE VIGNY

(1797–1863)

Alfred de Vigny naquit à Loches (Touraine) dans une famille de gentilshommes, soldats et marins, très attachés à la royauté. Élevé à Paris sous l'Empire, il se destina à l'armée et, dès la première abdication de Napoléon, entra comme sous-lieutenant dans la garde de Louis XVIII (la Maison du Roi). Il avait seize ans. Grandi pendant l'épopée napoléonienne, il rêvait la gloire militaire. Il fut désappointé: l'ère des grandes batailles était close. Fatigué de l'inaction de la vie de garnison, il rentra en 1828 dans la vie civile pour se consacrer au culte exclusif des lettres. Son talent d'écrivain s'était déjà révélé très original dans son poème biblique: *Éloa, sœur des Anges* (1824), inspiré de Milton et de Byron, qui était une glorification de la pitié, et par la publication (1826) d'un roman historique: *Cinq-Mars* (récit d'une conspiration contre Richelieu) et de ses *Poèmes antiques et modernes*.

En 1829, il fit représenter son *Othello*, traduit fidèlement de Shakespeare, dont il fut le premier interprète un peu fidèle en France. Vigny avait fréquenté, chez Nodier, le groupe des jeunes Romantiques, mais il ne contribua que par ses œuvres au triomphe de la nouvelle et turbulente École. Il préféra, mélancolique et hautain, s'isoler dans ce que Sainte-Beuve a appelé sa « tour d'ivoire ».

Sa vie se partagea entre Paris et la province, où languissait, toujours malade, sa femme Lydia Bunbury, une Anglaise qu'il avait épousée en 1825 et dont la fortune était aussi précaire que la santé. Ses succès au théâtre: *La Maréchale d'Ancre*, *Chatterton* (1835) — un chef-d'œuvre —, *Quitte pour la Peur* (comédie à la Marivaux); ses succès dans le roman et la nouvelle: *Consultations du Docteur Noir, Stello, Servitude et Grandeur militaires;* sa réception à l'Académie française (1846), ne purent le guérir de son fier pessimisme qu'aggravait encore sa malheureuse passion pour l'infidèle Marie Dorval, créatrice du rôle de Kitty Bell dans *Chatterton*.

Il mourut en 1863, laissant, avec sa *Correspondance*, deux ouvrages posthumes: *Les Destinées*, poèmes philosophiques, et *Le Journal d'un Poète* où il avait écrit: « Si j'étais peintre, je voudrais être un Raphaël noir ».

Il fut en effet le poète du désenchantement, le stoïcien grand seigneur du Romantisme, qui aimait « la majesté des souffrances humaines ». Il a laissé d'immortels poèmes: *Moïse, La Maison du Berger, La Colère de Samson, La Mort du Loup,* etc., et *La Bouteille à la Mer* où il espère que l'art et la science apporteront enfin un peu de bonheur à l'humanité.

Laurette ou le Cachet rouge est une des trois nouvelles qui composent *Servitude et Grandeur militaires*. L'auteur y exprime son admiration, mêlée de pitié, pour le soldat qui consacre sa vie simplement, sans hésiter, au salut et à la gloire de son pays

1. *The Red Seal.*
485

et qui, trop souvent, doit sacrifier ses convictions personnelles pour obéir, sans les discuter, aux ordres de ses chefs. Cet humble serviteur de la patrie personnifie la noble vertu d'*Abnégation:* il n'attend d'autre récompense que le sentiment d'avoir accompli son devoir, d'avoir fait ce que *l'Honneur* lui commandait.

La grande route d'Artois et de Flandre [1] est longue et triste.[2] Elle s'étend en ligne droite, sans arbres, sans fossés,[3] dans des campagnes unies [4] et pleines d'une boue [5] jaune en tout temps. Au mois de mars 1815,[6] je passai sur cette route, et je fis une rencontre que je n'ai point oubliée depuis.

J'étais seul, j'étais à cheval, j'avais un bon manteau blanc, un habit rouge, un 5 casque [7] noir, des pistolets et un grand sabre; il pleuvait à verse [8] depuis quatre jours et quatre nuits de marche, et je me souviens que je chantais *Joconde* [9] à pleine voix. J'étais si jeune! — La Maison du Roi,[10] en 1814, avait été remplie d'enfants et de vieillards; l'Empire semblait avoir pris et tué les hommes.

Mes camarades étaient en avant, sur la route, à la suite du roi Louis XVIII; 10 je voyais leurs manteaux blancs et leurs habits rouges, tout à l'horizon au nord; les lanciers de Bonaparte,[11] qui surveillaient [12] et suivaient notre retraite pas à pas, montraient de temps en temps la flamme [13] tricolore de leurs lances à l'autre horizon. Un fer perdu [14] avait retardé mon cheval: il était jeune et fort, je le pressai [15] pour rejoindre mon escadron; il partit au grand 15 trot. Je mis la main à ma ceinture,[16] elle était assez garnie d'or; j'entendis résonner le fourreau [17] de fer de mon sabre sur l'étrier,[18] et je me sentis très-fier [19] et parfaitement heureux.

Il pleuvait toujours, et je chantais toujours. Cependant je me tus [20] bientôt, ennuyé de n'entendre que moi, et je n'entendis plus que la pluie et les 20 pieds de mon cheval, qui pataugeaient [21] dans les ornières.[22] Le pavé de la route manqua [23]; j'enfonçais,[24] il fallut prendre le pas.[25] Mes grandes bottes étaient enduites,[26] en dehors, d'une croûte épaisse [27] de boue jaune comme de l'ocre; en dedans elles s'emplissaient de pluie. Je regardai mes épaulettes d'or toutes neuves, ma félicité et ma consolation; elles étaient hérissées [28] 25 par l'eau, cela m'affligea.

Mon cheval baissait la tête; je fis comme lui: je me mis à penser, et je me demandai, pour la première fois, où j'allais. Je n'en savais absolument rien; mais cela ne m'occupa pas longtemps: j'étais certain que, mon escadron étant là, là aussi était mon devoir.[29] Comme je sentais en mon cœur un calme pro- 30 fond et inaltérable, j'en rendis grâce à ce sentiment ineffable du Devoir et je cherchai à me l'expliquer. Voyant de près [30] comment des fatigues inac-

1. Anciennes provinces du nord de la France; une partie de la Flandre appartient maintenant à la Belgique. **2.** *gloomy.* **3.** *ditches.* **4.** *flat.* **5.** *mud.* **6.** Napoléon, échappé de l'île d'Elbe, avait reconquis son trône et chassait Louis XVIII. **7.** *helmet.* **8.** à torrents. **9.** chanson populaire de l'époque. **10.** la garde royale. **11.** Les royalistes, ne reconnaissant pas Napoléon comme empereur, lui donnaient toujours son nom de famille, Bonaparte ou Buonaparte. **12.** *watched.* **13.** *pennant.* **14.** *cast horseshoe.* **15.** *pushed.* **16.** *belt.* **17.** *scabbard.* **18.** *stirrup.* **19.** *proud.* **20.** *kept silent.* **21.** *splashed.* **22.** *ruts.* **23.** *came to an end; (the road now was unpaved).* **24.** *I was sinking in.* **25.** *walk (the horse).* **26.** *coated.* **27.** *thick crust.* **28.** *roughened.* **29.** *duty.* **30.** *at close quarters.*

coutumées étaient gaîment portées par des têtes si blondes ou si blanches, comment un avenir [1] assuré était si cavalièrement [2] risqué par tant d'hommes de vie heureuse et mondaine, et prenant ma part de cette satisfaction miraculeuse que donne à tout homme la conviction qu'il ne se peut soustraire [3] à nulle des dettes de l'Honneur,[4] je compris que c'était une chose plus facile et   5 plus commune qu'on ne pense, que l'*Abnégation*.

Je me demandais si l'Abnégation de soi-même n'était pas un sentiment né avec nous; ce que c'était que ce besoin d'obéir et de remettre [5] sa volonté en d'autres mains, comme une chose lourde et importune; d'où venait le bonheur secret d'être débarrassé [6] de ce fardeau,[7] et comment l'orgueil [8] humain 10 n'en était jamais révolté.   Je voyais bien ce mystérieux instinct lier,[9] de toutes parts, les peuples en de puissants faisceaux,[10] mais je ne voyais nulle part [11] aussi complète et aussi redoutable que dans les Armées la renonciation à ses actions, à ses paroles, à ses désirs et presque à ses pensées.   Je voyais partout la résistance possible et usitée,[12] le citoyen ayant, en tous lieux, une obéissance 15 clairvoyante et intelligente qui examine et peut s'arrêter.   Je voyais même la tendre soumission de la femme finir où le mal commence à lui être ordonné, et la loi prendre sa défense; mais l'obéissance militaire, passive et active en même temps, recevant l'ordre et l'exécutant, frappant, les yeux fermés, comme le Destin antique!   Je suivais dans ses conséquences possibles cette 20 Abnégation du soldat, sans retour, sans conditions, et conduisant quelquefois à des fonctions sinistres.

Je pensais ainsi en marchant au gré [13] de mon cheval, regardant l'heure à ma montre,[14] et voyant le chemin s'allonger [15] toujours en ligne droite, sans un arbre et sans une maison, et couper la plaine jusqu'à l'horizon, comme une 25 grande raie [16] jaune sur une toile [17] grise.   Quelquefois la raie liquide se délayait [18] dans la terre liquide [19] qui l'entourait, et quand un jour [20] un peu moins pâle faisait briller cette triste étendue [21] de pays, je me voyais au milieu d'une mer bourbeuse,[22] suivant un courant de vase [23] et de plâtre.[24]

En examinant avec attention cette raie jaune de la route, j'y remarquai, à 30 un quart de lieue [25] environ,[26] un petit point noir qui marchait.   Cela me fit plaisir, c'était quelqu'un.   Je n'en détournai plus les yeux.   Je vis que ce point noir allait comme moi dans la direction de Lille,[27] et qu'il allait en zigzag, ce qui annonçait une marche pénible.[28]   Je hâtai [29] le pas et je gagnai du terrain [30] sur cet objet, qui s'allongea un peu et grossit [31] à ma vue.   Je repris le trot sur 35 un sol [32] plus ferme et je crus reconnaître une sorte de petite voiture [33] noire. J'avais faim, j'espérai que c'était la voiture d'une cantinière,[34] et considérant

---

1. *future.*   **2.** *lightly and nobly.*   **3.** *avoid, shirk.*   **4.** *Honor (the theme of this story).* **5.** *hand over, entrust.*   **6.** *rid.*   **7.** *burden.*   **8.** *pride.*   **9.** *bind.*   **10.** *(fasces): unions.* **11.** *nowhere.*   **12.** à laquelle on a recours.   **13.** *to the liking.*   **14.** *watch.*   **15.** *stretch.* **16.** *stripe.*   **17.** *canvas.*   **18.** *melted.*   **19.** *slush.*   **20.** lumière (du jour).   **21.** *stretch.* **22.** *slimy.*   **23.** *mire.*   **24.** *plaster.*   **25.** (mesure de distance): 4 kilomètres.   **26.** *about.* **27.** grande ville industrielle de l'extrême nord de la France.   **28.** *difficile.*   **29.** *hastened.* **30.** *ground.*   **31.** *lengthened and broadened.*   **32.** *soil.*   **33.** *wagon, vehicle.*   **34.** *canteen woman.*

mon pauvre cheval comme une chaloupe,[1] je lui fis faire force de rames [2] pour arriver à cette île fortunée, dans cette mer où il s'enfonçait [3] jusqu'au ventre [4] quelquefois.

A une centaine de pas, je vins à distinguer clairement une petite charrette [5] de bois blanc, couverte de trois cercles et d'une toile cirée [6] noire. Cela res- semblait à un petit berceau [7] posé sur deux roues.[8] Les roues s'embour- baient [9] jusqu'à l'essieu [10]; un petit mulet [11] qui les tirait était péniblement conduit par un homme à pied qui tenait la bride.[12] Je m'approchai de lui et le considérai attentivement.

C'était un homme d'environ cinquante ans, à moustaches blanches, fort et grand, le dos voûté [13] à la manière des vieux officiers d'infanterie qui ont porté le sac.[14] Il en avait l'uniforme, et l'on entrevoyait [15] une épaulette de chef de bataillon [16] sous un petit manteau bleu, court et usé.[17] Il avait un visage en- durci [18] mais bon, comme à l'armée il y en a tant. Il me regarda de côté [19] sous ses gros sourcils [20] noirs, et tira lestement [21] de sa charrette un fusil [22] qu'il arma,[23] en passant de l'autre côté de son mulet, dont il se faisait un rem- part. Ayant vu sa cocarde blanche,[24] je me contentai de montrer la manche [25] de mon habit rouge, et il remit son fusil dans la charrette, en disant:

— Ah! c'est différent, je vous prenais pour un de ces lapins [26] qui courent après nous. Voulez-vous boire la goutte? [27]

— Volontiers,[28] dis-je en m'approchant, il y a vingt-quatre heures que je n'ai bu.

Il avait à son cou [29] une noix de coco,[30] très-bien sculptée, arrangée en fla- con,[31] avec un goulot [32] d'argent, et dont il semblait tirer assez de vanité. Il me la passa, et j'y bus un peu de mauvais vin blanc avec beaucoup de plaisir; je lui rendis le coco.

— A la santé [33] du roi! dit-il en buvant; il m'a fait officier de la Légion d'honneur, il est juste que je le suive [34] jusqu'à la frontière. Par exemple,[35] comme je n'ai que mon épaulette pour vivre, je reprendrai mon bataillon après, c'est mon devoir.

En parlant ainsi comme à lui-même, il remit en marche son petit mulet, en disant que nous n'avions pas de temps à perdre; et comme j'étais de son avis,[36] je me remis en chemin à deux pas de lui. Je le regardais toujours sans ques- tionner, n'ayant jamais aimé la bavarde [37] indiscrétion assez fréquente parmi nous.

Nous allâmes sans rien dire durant un quart de lieue environ. Comme il s'arrêtait alors pour faire reposer son pauvre petit mulet, qui me faisait peine

1. *launch.*   2. faire . . . rames: ramer (*to row*) énergiquement.   3. *sank.*   4. *belly.*
5. *cart.*   6. *oilcloth.*   7. *cradle.*   8. *wheels.*   9. *sank in the mud.*   10. *axle.*   11. *mule.*
12. *bridle.*   13. *round-shouldered.*   14. *knapsack.*   15. *caught sight of.*   16. chef de bataillon: *major.*   17. *worn out, threadbare.*   18. *hardened.*   19. *looked askance.*   20. *eyebrows.*
21. *briskly.*   22. *gun, rifle.*   23. *cocked.*   24. *white cockade (of the royalists).*   25. *sleeve.*
26. (*humorous*): *rabbits.*   27. *have a drink (a drop).*   28. *Willingly.*   29. *neck.*   30. *cocoa- nut.*   31. *flask.*   32. *neck.*   33. *health.*   34. *follow.*   35. *but.*   36. *opinion.*   37. *talkative.*

à voir,[1] je m'arrêtai aussi et je tâchai [2] d'exprimer [3] l'eau, qui remplissait mes bottes à l'écuyère,[4] comme deux réservoirs où j'aurais eu les jambes trempées.[5]

— Vos bottes commencent à vous tenir aux pieds,[6] dit-il.

— Il y a quatre nuits que je ne les ai quittées, lui dis-je.

— Bah ! dans huit jours vous n'y penserez plus, reprit-il avec sa voix en- 5
rouée [7]; c'est quelque chose que d'être seul, allez,[8] dans des temps comme ceux où nous vivons. Savez-vous ce que j'ai là dedans?

— Non, lui dis-je.

— C'est une femme.

Je dis: — Ah ! — sans trop d'étonnement, et je me remis en marche tran- 10
quillement, au pas. Il me suivit.

— Cette mauvaise brouette-là [9] ne m'a pas coûté bien cher,[10] reprit-il, ni le mulet non plus; mais c'est tout ce qu'il me faut,[11] quoique ce chemin-là soit un *ruban de queue* [12] un peu long.

Je lui offris de monter mon cheval quand il serait fatigué; et comme je ne 15
lui parlais que gravement et avec simplicité de son équipage [13] dont il craignait le ridicule, il se mit à son aise [14] tout à coup, et, s'approchant de mon étrier,[15] me frappa sur le genou [16] en me disant: — Eh bien, vous êtes un bon enfant, quoique dans les Rouges.[17]

Je sentis [18] dans son accent amer,[19] en désignant ainsi les quatre Compagnies- 20
Rouges, combien de préventions haineuses [20] avaient données à l'armée le luxe et les grades de ces corps d'officiers.

— Cependant, ajouta-t-il,[21] je n'accepterai pas votre offre, vu que [22] je ne sais pas monter à cheval et que ce n'est pas mon affaire, à moi.

— Mais, Commandant,[23] les officiers supérieurs comme vous y sont obligés. 25

— Bah ! une fois par an, à l'inspection, et encore [24] sur un cheval de louage.[25] Moi, j'ai toujours été marin,[26] et depuis fantassin [27]; je ne connais pas l'équitation.

Il fit vingt pas en me regardant de côté de temps à autre, comme s'attendant à [28] une question: et comme il ne venait pas un mot, il poursuivit: 30

— Vous n'êtes pas curieux, par exemple ! [29] cela devrait vous étonner, ce que je dis là.

— Je m'étonne bien peu, dis-je.

— Oh ! cependant si je vous contais comment j'ai quitté la mer, nous verrions. 35

— Eh bien, repris-je, pourquoi n'essayez-vous pas? cela vous réchauffera,[30] et cela me fera oublier que la pluie m'entre dans le dos et ne s'arrête qu'à mes talons.[31]

1. *which it hurt me to see.* **2.** *tried.* **3.** *squeeze out.* **4.** *riding boots.* **5.** *soaked.*
6. *stick to the feet.* **7.** *hoarse.* **8.** *believe me.* **9.** *barrow.* **10.** *did not cost a high price.*
11. *all I need.* **12.** (lit., *tail ribbon*)*: long, narrow road.* **13.** *turn-out.* **14.** *he felt at his ease.* **15.** *stirrup.* **16.** *knee.* **17.** Rouges: *the Royal Guards.* **18.** *felt.* **19.** *bitter.*
20. *spiteful prejudices.* **21.** *he added, continued.* **22.** *for the reason that.* **23.** *Major.*
24. *even so.* **25.** *hired horse.* **26.** *sailor.* **27.** *foot soldier.* **28.** *as if expecting.* **29.** *to be sure.* **30.** *will warm you up.* **31.** *heels.*

Le bon chef de bataillon s'apprêta [1] solennellement à parler, avec un plaisir d'enfant. Il rajusta sur sa tête le shako [2] couvert de toile cirée,[3] et il donna ce coup d'épaule [4] que personne ne peut se représenter s'il n'a servi dans l'infanterie, ce coup d'épaule que donne le fantassin à son sac pour le hausser [5] et alléger un moment son poids [6]; c'est une habitude du soldat qui, lorsqu'il devient officier, devient un tic.[7] Après ce geste convulsif, il but encore un peu de vin dans son coco, donna un coup de pied d'encouragement dans le ventre du petit mulet, et commença.

Vous saurez [8] d'abord, mon enfant, que je suis né à Brest [9]; j'ai commencé par être enfant de troupe,[10] gagnant ma demi-ration et mon demi-prêt [11] dès l'âge de neuf ans, mon père étant soldat aux gardes. Mais comme j'aimais la mer, une belle nuit, pendant que j'étais en congé [12] à Brest, je me cachai à fond de cale [13] d'un bâtiment [14] marchand qui partait pour les Indes; on ne m'aperçut qu'en pleine mer,[15] et le capitaine aima mieux me faire mousse [16] que de me jeter à l'eau. Quand vint la Révolution,[17] j'avais fait du chemin [18] et j'étais à mon tour devenu capitaine d'un petit bâtiment marchand assez propre,[19] ayant écumé [20] la mer quinze ans. Comme l'ex-marine royale, vieille bonne marine, ma foi! se trouva tout à coup dépeuplée d'officiers,[21] on prit des capitaines dans la marine marchande. J'avais eu quelques affaires de flibustiers [22] que je pourrai vous dire plus tard: on me donna le commandement d'un brick de guerre [23] nommé *le Marat*.[24]

Le 28 fructidor [25] 1797, je reçus l'ordre d'appareiller [26] pour Cayenne.[27] Je devais y conduire soixante soldats et un *déporté* [28] qui restait [29] des cent quatre vingt-treize que la frégate *la Décade* avait pris à bord [30] quelques jours auparavant. J'avais ordre de traiter cet individu avec ménagement,[31] et la première lettre du Directoire [32] en renfermait [33] une seconde, scellée [34] de trois cachets rouges, au milieu desquels il y en avait un démesuré.[35] J'avais défense [36] d'ouvrir cette lettre avant le premier degré de latitude nord, du vingt-sept au vingt-huitième de longitude, c'est-à-dire près de passer la ligne.[37]

Cette grande lettre avait une figure [38] toute particulière. Elle était longue, et fermée de si près [39] que je ne pus rien lire entre les angles ni à travers [40] l'enveloppe. Je ne suis pas superstitieux, mais elle me fit peur, cette lettre. Je la mis dans ma chambre sous le verre [41] d'une mauvaise petite pendule [42] anglaise clouée [43] au-dessus de mon lit.[44] Ce lit-là était un vrai lit de marin,

---

1. *prepared.* **2.** *tall military headdress.* **3.** *oil cloth.* **4.** *shrug.* **5.** *raise.* **6.** *lighten the weight.* **7.** *nervous habit.* **8.** vous saurez: que je vous dise. **9.** port militaire en Bretagne. **10.** fils de soldat servant avec son père. **11.** *half pay.* **12.** *on furlough.* **13.** *in the hold.* **14.** *vessel.* **15.** *out at sea.* **16.** *cabin boy.* **17.** en 1789. **18.** *had got on.* **19.** *neat, trim.* **20.** *scoured the sea.* **21.** *lacking officers.* **22.** *pirates.* **23.** *war-brig.* **24.** d'après Marat, célèbre révolutionnaire pendant la Terreur, assassiné par Charlotte Corday en 1793. **25.** le 28 fructidor, *(calendrier républicain):* 14 septembre. **26.** *sail.* **27.** pénitencier de la Guyane française, dans l'Amérique du Sud. **28.** *convict.* **29.** *remained.* **30.** *on board.* **31.** *consideration.* **32.** gouvernement (1795–1799) qui succéda à la Terreur et qui fut renversé par Bonaparte. **33.** *enclosed.* **34.** *sealed.* **35.** énorme. **36.** *I was forbidden.* **37.** équateur. **38.** *appearance.* **39.** fermée . . . près: *so tightly closed.* **40.** *through.* **41.** *glass.* **42.** *clock.* **43.** *nailed.* **44.** *bed, berth.*

comme vous savez qu'ils sont. Mais je ne sais, moi, ce que je dis: vous avez tout au plus seize ans, vous ne pouvez pas avoir vu ça.

La chambre d'une reine ne peut pas être aussi proprement rangée que celle d'un marin, soit dit sans vouloir nous vanter.[1] Chaque chose a sa petite place et son petit clou. Rien ne remue.[2] Le bâtiment peut rouler tant qu'il veut sans rien déranger.[3] Les meubles [4] sont faits selon la forme du vaisseau et de la petite chambre qu'on a. Mon lit était un coffre. Quand on l'ouvrait, j'y couchais; quand on le fermait, c'était mon sofa, et j'y fumais [5] ma pipe. Quelquefois c'était ma table; alors on s'asseyait sur deux petits tonneaux [6] qui étaient dans la chambre. Mon parquet [7] était ciré [8] et frotté [9] comme de l'acajou,[10] et brillant comme un bijou [11]: un vrai miroir! Oh! c'était une jolie petite chambre! Et mon brick avait bien son prix aussi. On s'y amusait souvent d'une fière façon,[12] et le voyage commença cette fois assez agréablement, si ce n'était... Mais n'anticipons pas.

Nous avions un joli vent nord-nord-ouest, et j'étais occupé à mettre cette lettre sous le verre de ma pendule, quand mon *déporté* entra dans ma chambre; il tenait par la main une belle petite [13] de dix-sept ans environ. Lui me dit qu'il en avait dix-neuf; beau garçon, quoiqu'un peu pâle et trop blanc pour un homme. C'était un homme cependant, et un homme qui se comporta [14] dans l'occasion mieux que bien des anciens [15] n'auraient fait: vous allez le voir. Il tenait sa petite femme sous le bras; elle était fraîche et gaie comme une enfant. Ils avaient l'air de deux tourtereaux.[16] Ça me faisait plaisir à voir, moi. Je leur dis:

— Eh bien, mes enfants! vous venez faire visite au vieux capitaine; c'est gentil à vous.[17] Je vous emmène [18] un peu loin; mais tant mieux, nous aurons le temps de nous connaître. Je suis fâché [19] de recevoir madame sans mon habit; mais c'est que je cloue [20] là-haut cette grande coquine [21] de lettre. Si vous vouliez m'aider un peu?

Ça faisait [22] vraiment de bons petits enfants.[23] Le petit mari [24] prit le marteau [25] et la petite femme les clous, et ils me les passaient à mesure que [26] je les demandais; et elle me disait: *A droite! à gauche!* [27] capitaine! tout en riant, parce que le tangage [28] faisait ballotter [29] ma pendule. Je l'entends encore d'ici avec sa petite voix: *A gauche! à droite! capitaine!* Elle se moquait de moi. — Ah! je dis, petite méchante! [30] je vous ferai gronder [31] par votre mari, allez.[32] — Alors elle lui sauta au cou et l'embrassa. Ils étaient vraiment gentils, et la connaissance se fit comme ça. Nous fûmes tout de suite bons amis.

Ce fut aussi une jolie traversée.[33] J'eus toujours un temps [34] fait exprès.[35]

---

1. *boast.* 2. *moves.* 3. déplacer. 4. *the furniture.* 5. *smoked.* 6. *barrels.* 7. *floor.* 8. *waxed.* 9. *polished.* 10. *mahogany.* 11. *jewel.* 12. *in a capital way.* 13. jeune fille. 14. *behaved.* 15. vétérans. 16. *turtledoves.* 17. *nice of you.* 18. *take.* 19. *sorry.* 20. *am nailing.* 21. *brute.* 22. Ça faisait = Ils faisaient. 23. petits enfants: *youngsters.* 24. *husband.* 25. *hammer.* 26. *as.* 27. *to the right, to the left.* 28. *pitching of the boat.* 29. *sway.* 30. *naughty one.* 31. *I'll have you scolded.* 32. *I will.* 33. *crossing.* 34. *weather.* 35. *made expressly for us, perfect.*

Comme je n'avais jamais eu que des visages noirs à mon bord, je faisais venir
à ma table, tous les jours, mes deux petits amoureux. Cela m'égayait.[1]
Quand nous avions mangé le biscuit et le poisson,[2] la petite femme et son mari
restaient à se regarder comme s'ils ne s'étaient jamais vus. Alors je me mettais à rire[3] de tout mon cœur et me moquais d'eux. Ils riaient aussi avec moi. 5
Vous auriez ri de nous voir comme trois imbéciles, ne sachant pas[4] ce que
nous avions. C'est que c'était vraiment plaisant de les voir s'aimer comme ça !
Ils se trouvaient bien partout; ils trouvaient bon tout ce qu'on leur donnait.
Cependant ils étaient à la ration comme nous tous; j'y ajoutais seulement un
peu d'eau-de-vie suédoise[5] quand ils dînaient avec moi, mais un petit verre, 10
pour tenir mon rang. Ils couchaient dans un hamac, où le vaisseau les roulait
comme ces deux poires[6] que j'ai là dans mon mouchoir mouillé.[7] Ils étaient
alertes et contents. Je faisais comme vous, je ne questionnais pas. Qu'avais-je
besoin de savoir leur nom et leurs affaires, moi, passeur d'eau ?[8] Je les portais
de l'autre côté de la mer, comme j'aurais porté deux oiseaux de paradis. 15

J'avais fini, après un mois, par les regarder comme mes enfants. Tout le
jour, quand je les appelais, ils venaient s'asseoir auprès de moi. Le jeune
homme écrivait sur ma table, c'est-à-dire sur mon lit; et, quand je voulais, il
m'aidait à faire mon *point*[9]: il le sut bientôt faire aussi bien que moi; j'en
étais quelquefois tout interdit.[10] La jeune femme s'asseyait sur un petit baril 20
et se mettait à coudre.[11]

Un jour qu'ils étaient posés comme cela, je leur dis:

— Savez-vous, mes petits amis, que nous faisons un tableau de famille
comme nous voilà ? Je ne veux pas vous interroger, mais probablement vous
n'avez pas plus d'argent qu'il ne vous en faut,[12] et vous êtes joliment délicats 25
tous deux pour bêcher et piocher[13] comme font les déportés à Cayenne. C'est
un vilain[14] pays, de tout mon cœur, je vous le dis; mais moi, qui suis une
vieille peau de loup[15] desséchée[16] au soleil, j'y vivrais comme un seigneur.[17]
Si vous aviez, comme il me semble (sans vouloir vous interroger), tant soit
peu[18] d'amitié pour moi, je quitterais assez volontiers mon vieux brick, qui 30
n'est qu'un sabot[19] à présent, et je m'établirais là avec vous, si cela vous convient. Moi, je n'ai pas plus de famille qu'un chien, cela m'ennuie; vous me
feriez une petite société. Je vous aiderais à bien des choses; et j'ai amassé[20]
une bonne pacotille de contrebande[21] assez honnête,[22] dont nous vivrions et
que je vous laisserais lorsque je viendrais à tourner l'œil,[23] comme on dit 35
poliment.

Ils restèrent tout ébahis[24] à se regarder, ayant l'air de croire que je ne disais
pas vrai; et la petite courut, comme elle faisait toujours, se jeter au cou de

---

1. *cheered me.* **2.** *fish.* **3.** *I began to laugh.* **4.** sans savoir pourquoi. **5.** *Swedish
brandy.* **6.** *pears.* **7.** *wet handkerchief.* **8.** *ferryman.* **9.** *reckon latitude and longitude.*
10. *amazed.* **11.** *sew.* **12.** *than you need.* **13.** *handle spade and pickaxe.* **14.** *ugly.*
15. *wolf's skin.* **16.** *dried up.* **17.** *lord.* **18.** *ever so little, however little.* **19.** (lit., *wooden
shoe): an old tub.* **20.** *piled up, gathered.* **21.** *stock of contraband goods.* **22.** *of a fair size.*
23. (*populaire): mourir.* **24.** *amazed.*

l'autre, et s'asseoir sur ses genoux, toute rouge et en pleurant. Il la serra bien fort dans ses bras,[1] et je vis aussi des larmes dans ses yeux; il me tendit la main et devint plus pâle qu'à l'ordinaire. Elle lui parlait bas, et ses grands cheveux blonds s'en allèrent sur son épaule; son chignon [2] s'était défait comme un câble qui se déroule tout à coup, parce qu'elle était vive comme 5 un poisson: ces cheveux-là, si vous les aviez vus! c'était comme de l'or. Comme ils continuaient à se parler bas, le jeune homme lui baisant le front [3] de temps en temps et elle pleurant, cela m'impatienta:

— Eh bien, ça vous va-t-il? [4] leur dis-je à la fin.

— Mais . . . mais, capitaine, vous êtes bien bon, dit le mari; mais c'est que 10 . . . vous ne pouvez pas vivre avec des *déportés*, et. . . . Il baissa les yeux.

— Moi, dis-je, je ne sais ce que vous avez fait pour être déporté, mais vous me direz ça un jour, ou pas du tout, si vous voulez. Vous ne m'avez pas l'air d'avoir la conscience bien lourde,[5] et je suis bien sûr que j'en ai fait bien d'autres [6] que vous dans ma vie, allez, pauvres innocents. Par exemple,[7] 15 tant que [8] vous serez sous ma garde, je ne vous lâcherai [9] pas, il ne faut pas vous y attendre [10]; je vous couperais plutôt le cou [11] comme à deux pigeons. Mais une fois l'épaulette de côté,[12] je ne connais plus ni amiral ni rien du tout.

— C'est que, reprit-il en secouant tristement sa tête brune, quoique un peu poudrée,[13] comme cela se faisait encore à l'époque, c'est que je crois qu'il serait 20 dangereux pour vous, capitaine, d'avoir l'air de nous connaître. Nous rions parce que nous sommes jeunes; nous avons l'air heureux, parce que nous nous aimons; mais j'ai de vilains moments quand je pense à l'avenir, et je ne sais pas ce que deviendra [14] ma pauvre Laure.

Il serra de nouveau la tête de la jeune femme sur sa poitrine: 25

— C'était bien là ce que je devais dire au capitaine; n'est-ce pas, mon enfant, que vous auriez dit la même chose?

Je pris ma pipe et je me levai, parce que je commençais à me sentir les yeux un peu mouillés,[15] et que ça ne me va pas, à moi.[16]

— Allons! allons! dis-je, ça s'éclaircira [17] par la suite.[18] Si le tabac incom- 30 mode madame, son absence est nécessaire.

Elle se leva, le visage tout en feu [19] et tout humide de larmes, comme un enfant qu'on a grondé.

— D'ailleurs, me dit-elle en regardant ma pendule, vous n'y pensez pas, vous autres; et la lettre! 35

Je sentis quelque chose qui me fit de l'effet.[20] J'eus comme une douleur aux cheveux quand elle me dit cela.

— Pardieu! je n'y pensais plus, moi, dis-je. Ah! par exemple, voilà une

---

1. serra . . . bras: *embraced her fondly.* **2.** *coiled knot of hair.* **3.** *forehead.* **4.** *does that suit you?* **5.** *burdened.* **6.** *many worse things.* **7.** *But, mind you.* **8.** aussi longtemps que. **9.** *shall not let you go.* **10.** *expect it.* **11.** couperais le cou: *should cut off your heads.* **12.** (mise) de côté: *discarded.* **13.** *powdered.* **14.** *what will become of.* **15.** humides. **16.** et, ça ne me va pas, à moi (capitaine) d'avoir les yeux mouillés. **17.** deviendra plus clair, plus compréhensible. **18.** plus tard. **19.** *all aflame, very red.* **20.** me donna un choc.

belle affaire ! [1] Si nous avions passé le premier degré de latitude nord, il ne me resterait plus qu'à me jeter à l'eau.[2] — Faut-il que j'aie du bonheur, pour que cette enfant-là m'ait rappelé cette grande coquine de lettre !

Je regardai vite ma carte de marine,[3] et quand je vis que nous en avions encore pour une semaine au moins, j'eus la tête soulagée,[4] mais pas le cœur, sans 5 savoir pourquoi.

— C'est que le Directoire ne badine [5] pas pour l'article obéissance ! dis-je. Allons, je suis au courant [6] cette fois-ci encore. Le temps a filé [7] si vite que j'avais tout à fait oublié cela.

Eh bien, monsieur, nous restâmes tous trois le nez en l'air à regarder cette 10 lettre, comme si elle allait nous parler. Ce qui me frappa beaucoup, c'est que le soleil, qui glissait par la claire-voie,[8] éclairait le verre de la pendule et faisait paraître le grand cachet rouge et les autres petits, comme les traits [9] d'un visage au milieu du feu.

— Ne dirait-on pas que les yeux lui sortent [10] de la tête ? leur dis-je pour les 15 amuser.

— Oh ! mon ami, dit la jeune femme, cela ressemble à des taches de sang.[11]

— Bah ! bah ! dit son mari en la prenant sous le bras, vous vous trompez, Laure ; cela ressemble au billet de *faire part* [12] d'un mariage. Venez vous reposer, venez ; pourquoi cette lettre vous occupe-t-elle ? 20

Ils se sauvèrent [13] comme si un revenant [14] les avait suivis, et montèrent sur le pont.[15] Je restai seul avec cette grande lettre, et je me souviens qu'en fumant ma pipe je la regardais toujours, comme si ses yeux rouges avaient attaché [16] les miens, en les humant [17] comme font des yeux de serpent. Sa grande figure pâle, son troisième cachet, plus grand que les yeux, tout ouvert, 25 tout béant [18] comme une gueule de loup [19]. . . cela me mit de mauvaise humeur ; je pris mon habit et je l'accrochai [20] à la pendule, pour ne plus voir ni l'heure ni la chienne de lettre.

J'allai achever ma pipe sur le pont. J'y restai jusqu'à la nuit.

Nous étions alors à la hauteur [21] des îles du cap Vert. *Le Marat* filait, vent 30 en poupe,[22] ses dix nœuds [23] sans se gêner.[24] La nuit était la plus belle que j'aie vue de ma vie près du tropique. La lune se levait à l'horizon, large comme un soleil ; la mer la coupait en deux et devenait toute blanche comme une nappe de neige [25] couverte de petits diamants. Je regardais cela en fumant, assis sur mon banc. L'officier de quart [26] et les matelots [27] ne disaient 35 rien et regardaient comme moi l'ombre du brick sur l'eau. J'étais content de ne rien entendre. J'aime le silence et l'ordre, moi. J'avais défendu [28] tous les bruits et tous les feux.[29] J'entrevis [30] cependant une petite ligne rouge

---

1. *a pretty mess!* 2. *jump overboard.* 3. *chart.* 4. *relieved.* 5. *does not trifle.* 6. *not at fault.* 7. *passé.* 8. *porthole bars.* 9. *features.* 10. *start out.* 11. *spots of blood.* 12. *announcement.* 13. *ran away.* 14. *ghost.* 15. *deck.* 16. *fastened, drawn.* 17. *by charming them.* 18. *gaping.* 19. *the jaws of a wolf.* 20. *suspendis.* 21. *latitude.* 22. *with a following wind (wind astern).* 23. *knots.* 24. *sans se gêner: facilement.* 25. *(lit., sheet): great expanse of snow.* 26. *watch.* 27. *sailors.* 28. *forbidden.* 29. *lights.* 30. *caught a glimpse of.*

presque sous mes pieds. Je me serais bien mis en colère [1] tout de suite; mais comme c'était chez mes petits *déportés*, je voulus m'assurer de ce qu'on faisait avant de me fâcher.[2] Je n'eus que la peine de me baisser,[3] je pus voir par le grand panneau [4] dans la petite chambre, et je regardai.

La jeune femme était à genoux et faisait ses prières. Il y avait une petite [5] lampe qui l'éclairait.

Son mari était assis sur une petite malle,[5] la tête sur ses mains, et la re- gardait prier. Elle leva la tête en haut comme au ciel, et je vis ses grands yeux bleus mouillés comme ceux d'une Madeleine.[6] Pendant qu'elle priait, il prenait le bout [7] de ses longs cheveux et les baisait sans faire de bruit. [10] Quand elle eut fini, elle fit un signe de croix en souriant avec l'air d'aller en paradis. Je vis qu'il faisait comme elle un signe de croix, mais comme s'il en avait honte. Au fait, pour un homme c'est singulier.

Elle se leva debout, l'embrassa, et s'étendit [8] la première dans son hamac, où il la jeta sans rien dire, comme on couche [9] un enfant dans une balançoire.[10] [15] Il faisait une chaleur étouffante: elle se sentait bercée [11] avec plaisir par le mouvement du navire et paraissait déjà commencer à s'endormir.

— Mon ami, dit-elle en dormant à moitié, n'avez-vous pas sommeil? Il est bien tard, sais-tu?

Il restait toujours le front sur ses mains sans répondre. Cela l'inquiéta un [20] peu, la bonne petite, et elle passa sa jolie tête hors du hamac, comme un oiseau hors de son nid,[12] et le regarda la bouche entr'ouverte, n'osant plus parler.

Enfin il lui dit:

— Eh! ma chère Laure, à mesure que nous avançons vers l'Amérique, je ne [25] puis m'empêcher de devenir plus triste. Je ne sais pourquoi, il me paraît que le temps le plus heureux de notre vie aura été celui de la traversée.

— Cela me semble aussi, dit-elle; je voudrais n'arriver jamais.

Il la regarda en joignant les mains avec un transport [13] que vous ne pouvez pas vous figurer.[14]   [30]

— Et cependant, mon ange, vous pleurez toujours en priant Dieu, dit-il; cela m'afflige [15] beaucoup, parce que je sais bien ceux à qui vous pensez, et je crois que vous avez regret de ce que vous avez fait.

— Moi, du regret! dit-elle avec un air bien peiné [16]; moi, du regret de t'avoir suivi, mon ami! Crois-tu que, pour t'avoir appartenu [17] si peu, je t'aie [35] moins aimé? N'est-on pas une femme, ne sait-on pas ses devoirs à dix-sept ans? Ma mère et mes sœurs n'ont-elles pas dit que c'était mon devoir de vous suivre à la Guyane? N'ont-elles pas dit que je ne faisais là rien de surpre-

---

1. *would have got angry.*   **2.** *before getting angry.*   **3.** *stoop.*   **4.** *hatch.*   **5.** *trunk.* **6.** femme de l'Évangile (*Gospel*), convertie par Jésus. Un jour elle arrosa les pieds du Christ de ses larmes et de parfums et les essuya (*wiped*) avec ses cheveux. Une Madeleine: une femme qui pleure.   **7.** *tip.*   **8.** *lay down.*   **9.** *sets down.*   **10.** *swing.*   **11.** *rocked.* **12.** *nest.*   **13.** admiration enthousiaste.   **14.** imaginer.   **15.** attriste.   **16.** affligé.   **17.** été à toi.

nant? [1] Je m'étonne [2] seulement que vous en ayez été touché, mon ami; tout cela est naturel. Et à présent je ne sais comment vous pouvez croire que je regrette rien, quand je suis avec vous pour vous aider à vivre, ou pour mourir avec vous si vous mourez.

Elle disait tout ça d'une voix si douce qu'on aurait cru que c'était une 5 musique. J'en étais tout ému et je dis:

— Bonne petite femme, va!

Le jeune homme se mit à soupirer [3] en frappant du pied et en baisant une jolie main qu'elle lui tendait.

— Laurette, ma Laurette! disait-il, quand je pense que si nous avions re- 10 tardé [4] de quatre jours notre mariage, on m'arrêtait seul et je partais tout seul, je ne puis me pardonner.

Elle sourit comme un enfant, et lui dit une quantité de petites choses de femme, comme moi je n'avais jamais rien entendu de pareil.[5] Elle lui fermait la bouche avec ses doigts pour parler toute seule. Elle disait, en jouant et en 15 prenant ses longs cheveux comme un mouchoir pour lui essuyer les yeux:

— Est-ce que ce n'est pas bien mieux d'avoir avec toi une femme qui t'aime, dis, mon ami? Je suis bien contente, moi, d'aller à Cayenne; je verrai des sauvages, des cocotiers [6] comme ceux de Paul et Virginie,[7] n'est-ce pas? Nous planterons chacun le nôtre. Nous verrons qui sera le meilleur jardinier.[8] 20 Nous nous ferons une petite case [9] pour nous deux. Je travaillerai toute la journée et toute la nuit, si tu veux. Je suis forte; tiens, regarde mes bras; — tiens, je pourrais presque te soulever. Ne te moque pas de moi; je sais très bien broder,[10] d'ailleurs; et n'y a-t-il pas une ville quelque part par là où il faille [11] des brodeuses? Je donnerai des leçons de dessin [12] et de musique 25 si l'on veut aussi; et si l'on y sait lire, tu écriras,[13] toi.

Je me souviens que le pauvre garçon fut si désespéré qu'il jeta [14] un grand cri lorsqu'elle dit cela.

— Écrire! — criait-il, — écrire!

Et il se prit la main droite avec la gauche en la serrant au poignet.[15] 30

— Ah! écrire? pourquoi ai-je jamais su écrire! Écrire! mais c'est le métier [16] d'un fou!... — J'ai cru à leur liberté de la presse! — Où avais-je l'esprit? Eh! pourquoi faire? pour imprimer [17] cinq ou six pauvres idées assez médiocres, lues seulement par ceux qui les aiment, jetées au feu par ceux qui les haïssent,[18] ne servant à rien qu'à nous faire persécuter! Moi, encore passe [19]; mais toi, 35 qu'avais-tu fait? Explique-moi, je te prie, comment je t'ai permis d'être bonne à ce point de me suivre ici? Sais-tu seulement où tu es, pauvre petite? Et où tu vas, le sais-tu? Bientôt, mon enfant, vous serez à seize cents lieues de votre mère et de vos sœurs ... et pour moi! tout cela pour moi!

---

1. surprenant: qui cause de la surprise. 2. *wonder.* 3. *sigh.* 4. *postponed.* 5. *the like.*
6. *cocoanut trees.* 7. héros d'un roman des régions tropicales, par Bernardin de St.-Pierre.
8. *gardener.* 9. *hutte.* 10. *embroider.* 11. on ait besoin de. 12. *drawing.* 13. écriras
(des livres, des articles). 14. *uttered.* 15. *wrist.* 16. profession. 17. *print.* 18. *hate.*
19. cela est sans importance.

Elle cacha sa tête un moment dans le hamac; et moi d'en haut [1] je vis qu'elle pleurait; mais lui d'en bas [2] ne voyait pas son visage; et quand elle le sortit de la toile,[3] c'était en souriant pour lui donner de la gaîté.

— Au fait, nous ne sommes pas riches à présent, dit-elle en riant aux éclats [4]; tiens, regarde ma bourse, je n'ai plus qu'un louis [5] tout seul. Et toi? 5

Il se mit à rire aussi comme un enfant:

— Ma foi, moi, j'avais encore un écu,[6] mais je l'ai donné au petit garçon qui a porté ta malle.

— Ah bah! qu'est-ce que ça fait? [7] dit-elle en faisant claquer [8] ses petits doigts blancs comme des castagnettes; on n'est jamais plus gai que lorsqu'on 10 n'a rien; et n'ai-je pas en réserve les deux bagues de diamants [9] que ma mère m'a données? cela est bon partout et pour tout, n'est-ce pas? Quand tu voudras, nous les vendrons. D'ailleurs je crois que le bonhomme de capitaine ne dit pas toutes ses bonnes intentions pour nous, et qu'il sait bien ce qu'il y a dans la lettre. C'est sûrement une recommandation pour nous au gouverneur 15 de Cayenne.

— Peut-être, dit-il; qui sait?

— N'est-ce pas? reprit [10] sa petite femme; tu es si bon que je suis sûre que le gouvernement t'a exilé pour un peu de temps, mais ne t'en veut pas.[11] 20

Elle avait dit ça si bien! m'appelant le bonhomme de capitaine, que j'en fus tout remué [12] et tout attendri; et je me réjouis [13] même, dans le cœur, de ce qu'elle avait peut-être deviné juste [14] sur la lettre cachetée. Ils commençaient encore à s'embrasser; je frappai du pied vivement sur le pont pour les faire finir. 25

Je leur criai:

— Eh! dites donc, mes petits amis! on a l'ordre d'éteindre [15] tous les feux du bâtiment. Soufflez-moi [16] votre lampe, s'il vous plaît.

Ils soufflèrent la lampe, et je les entendis rire en jasant [17] tout bas dans l'ombre comme des écoliers. Je me remis à me promener seul sur mon tillac [18] 30 en fumant ma pipe. Toutes les étoiles du tropique étaient à leur poste, larges comme de petites lunes. Je les regardais en respirant [19] un air qui sentait frais et bon.

Je me disais que certainement ces bons petits avaient deviné la vérité, et j'en étais tout ragaillardi.[20] Il y avait bien à parier [21] qu'un des cinq Direc- 35 teurs s'était ravisé [22] et me les recommandait; je ne m'expliquais pas bien pourquoi, parce qu'il y a des affaires d'État que je n'ai jamais comprises, moi; mais enfin je croyais cela, et, sans savoir pourquoi, j'étais content.

---

1. *from above.* **2.** *from below.* **3.** *canvas.* **4.** *bursting out laughing.* **5.** *gold coin, then 24 francs.* **6.** *silver coin, then 3 francs.* **7.** *what does it matter?* **8.** *snapping.* **9.** *diamond rings.* **10.** *resumed, continued.* **11.** *bears you no ill will.* **12.** ému, touché. **13.** fus heureux. **14.** correctement. **15.** *put out.* **16.** *blow out.* **17.** *chattering.* **18.** *deck.* **19.** *inhaling, breathing.* **20.** réjoui, heureux. **21.** Il y avait ... parier: on pouvait bien parier (*wager*). **22.** *had changed his mind.*

Je descendis dans ma chambre, et j'allai regarder la lettre sous mon vieil uniforme. Elle avait une autre figure; il me sembla qu'elle riait, et ses cachets paraissaient couleur de rose. Je ne doutai plus de sa bonté, et je lui fis un petit signe d'amitié.

Malgré cela, je remis mon habit dessus; elle m'ennuyait. 5

Nous ne pensâmes plus du tout à la regarder pendant quelques jours, et nous étions gais; mais quand nous approchâmes du premier degré de latitude, nous commençâmes à ne plus parler.

Un beau matin je m'éveillai assez étonné de ne sentir aucun mouvement dans le bâtiment. A vrai dire, je ne dors jamais que d'un œil comme on dit, 10 et le roulis me manquant,[1] j'ouvris les deux yeux. Nous étions tombés dans un calme plat,[2] et c'était sous le 1° de latitude nord, au 27° de longitude. Je mis le nez sur le pont: la mer était lisse [3] comme une jatte d'huile [4]; toutes les voiles [5] ouvertes tombaient collées aux mâts [6] comme des ballons vides. Je dis tout de suite: — J'aurai le temps de te lire, va! en regardant de travers [7] 15 du côté de la lettre. — J'attendis jusqu'au soir, au coucher du soleil. Cependant il fallait bien en venir là: j'ouvris la pendule, et j'en tirai vivement l'ordre cacheté. — Eh bien, mon cher, je le tenais à la main depuis un quart d'heure que je ne pouvais pas encore le lire. Enfin je me dis: — C'est par trop fort! [8] et je brisai [9] les trois cachets d'un coup de pouce [10]; et le grand 20 cachet rouge, je le broyai en poussière.[11]

Après avoir lu, je me frottai [12] les yeux, croyant m'être trompé.

Je relus la lettre tout entière; je la relus encore; je recommençai en la prenant par la dernière ligne et remontant à la première. Je n'y croyais pas. Mes jambes flageolaient [13] un peu sous moi, je m'assis; j'avais un certain 25 tremblement sur la peau [14] du visage; je me frottai un peu les joues avec du rhum, je m'en mis dans le creux [15] des mains, je me faisais pitié à moi-même d'être si bête [16] que cela; mais ce fut l'affaire d'un moment; je montai prendre l'air.

Laurette était ce jour-là si jolie, que je ne voulus pas m'approcher d'elle: 30 elle avait une petite robe blanche toute simple, les bras nus jusqu'au col, et ses grands cheveux tombants comme elle les portait toujours. Elle s'amusait à tremper [17] dans la mer son autre robe au bout d'une corde, et riait en cherchant à arrêter les goëmons,[18] plantes marines semblables à des grappes de raisin,[19] et qui flottent sur les eaux des Tropiques. 35

— Viens donc voir les raisins! viens donc vite! criait-elle; et son ami s'appuyait [20] sur elle, et se penchait,[21] et ne regardait pas l'eau, parce qu'il la regardait d'un air tout attendri.

Je fis signe à ce jeune homme de venir me parler sur le gaillard d'arrière.[22]

---

1. *missing the rolling (of the ship).* **2.** *dead calm.* **3.** *smooth.* **4.** *bowl of oil.* **5.** *sails.* **6.** *clinging to the masts.* **7.** *looking askance at.* **8.** *too foolish.* **9.** *broke.* **10.** *with one stroke of the thumb.* **11.** *ground it to dust.* **12.** *rubbed.* **13.** tremblaient. **14.** *skin.* **15.** paume. **16.** stupide. **17.** *dip.* **18.** *sea weeds.* **19.** *bunches of grapes.* **20.** *leaned.* **21.** *bent over.* **22.** *quarter-deck.*

Elle se retourna. . . . Je ne sais quelle figure [1] j'avais, mais elle laissa tomber sa corde; elle le prit violemment par le bras, et lui dit:

— Oh! n'y va pas, il est tout pâle.

Cela se pouvait [2] bien; il y avait de quoi [3] pâlir. Il vint cependant près de moi sur le gaillard; elle nous regardait, appuyée contre le grand mât. 5 Nous nous promenâmes longtemps de long en large sans rien dire. Je fumais un cigare que je trouvais amer [4] et je le crachai [5] dans l'eau. Il me suivait de l'œil; je lui pris le bras; j'étouffais,[6] ma foi, ma parole d'honneur! j'étouffais.

— Ah ça! lui dis-je enfin, contez-moi donc, mon petit ami, contez-moi un peu votre histoire. Que diable avez-vous donc fait à ces chiens d'avocats [7] 10 qui sont là comme cinq morceaux de roi? [8] Il paraît qu'ils vous en veulent fièrement! [9] C'est drôle! [10]

Il haussa [11] les épaules en penchant la tête (avec un air si doux, le pauvre garçon!), et me dit:

— O mon Dieu! capitaine, pas grand'chose, allez [12]: trois couplets de 15 vaudeville sur le Directoire, voilà tout.

— Pas possible! dis-je.

— O mon Dieu, si! [13] Les couplets n'étaient même pas trop bons. J'ai été arrêté le 15 fructidor [14] et conduit à la Force,[15] jugé le 16, et condamné à mort d'abord, et puis à la déportation par bienveillance.[16]   20

— C'est drôle! dis-je. Les Directeurs sont des camarades bien suscepti-bles [17]; car cette lettre que vous savez me donne ordre de vous fusiller.[18]

Il ne répondit pas, et sourit en faisant une assez bonne contenance pour un jeune homme de dix-neuf ans. Il regarda seulement sa femme, et s'essuya le front, d'où tombaient des gouttes de sueur.[19] J'en avais autant au moins sur 25 la figure, moi, et d'autres gouttes aux yeux.

Je repris:

— Il paraît que ces citoyens-là n'ont pas voulu faire votre affaire [20] sur terre, ils ont pensé qu'ici ça ne paraîtrait pas tant. Mais pour moi c'est fort triste; car vous avez beau être un bon enfant,[21] je ne peux pas m'en dis- 30 penser [22]; l'arrêt de mort [23] est là en règle, et l'ordre d'exécution signé, para-phé,[24] scellé; il n'y manque rien.[25]

Il me salua très poliment en rougissant.[26]

— Je ne demande rien, capitaine, dit-il avec une voix aussi douce que de coutume; je serais désolé [27] de vous faire manquer à vos devoirs.[28] Je vou- 35 drais seulement parler un peu à Laure, et vous prier de la protéger dans le cas où elle me survivrait, ce que je ne crois pas.

---

1. expression.   **2.** était bien possible.   **3.** *cause enough.*   **4.** *bitter.*   **5.** *spat.*   **6.** *was suffocating.*   **7.** *lawyers.*   **8.** *five bits of a king* (les cinq Directeurs).   **9.** (lit., *proudly*): *mightily.*   **10.** *queer.*   **11.** *shrugged.*   **12.** je vous assure.   **13.** oui (en répondant à une question négative).   **14.** le 2 septembre.   **15.** une prison à Paris.   **16.** bonté, indulgence. **17.** *touchy.*   **18.** *shoot.*   **19.** *drops of sweat.*   **20.** *have you disposed of.*   **21.** vous avez beau . . . enfant: *good fellow though you be.*   **22.** refuser d'obéir.   **23.** *death warrant.* **24.** *signed with a flourish;* (coutume française: le paraphe aide à identifier les signatures). **25.** *nothing is lacking.*   **26.** *blushing.*   **27.** *distressed.*   **28.** *make you fail in your duty.*

— Oh ! pour cela, c'est juste, lui dis-je, mon garçon; si cela ne vous déplaît pas, je la conduirai à sa famille à mon retour en France, et je ne la quitterai que quand elle ne voudra plus me voir. Mais, à mon sens,[1] vous pouvez vous flatter qu'elle ne reviendra pas de ce coup-là[2]; pauvre petite femme !

Il me prit les deux mains, les serra et me dit: 5

— Mon brave capitaine, vous souffrez plus que moi de ce qui vous reste à faire, je le sens bien; mais qu'y pouvez-vous? Je compte sur vous pour lui conserver le peu qui m'appartient, pour la protéger, pour veiller à ce qu'elle[3] reçoive ce que sa vieille mère pourrait lui laisser, n'est-ce pas? pour garantir sa vie, son honneur, n'est-ce pas? et aussi pour qu'on ménage toujours sa 10 santé.[4] — Tenez, ajouta-t-il plus bas, j'ai à vous dire qu'elle est très délicate; elle a souvent la poitrine affectée[5] jusqu'à s'évanouir[6] plusieurs fois par jour; il faut qu'elle se couvre bien[7] toujours. Enfin vous remplacerez son père, sa mère et moi autant que possible, n'est-il pas vrai? Si elle pouvait conserver les bagues que sa mère lui a données, cela me ferait bien plaisir. 15 Mais si on a besoin de les vendre pour elle, il le faudra[8] bien. Ma pauvre Laurette ! voyez comme elle est belle !

Comme ça commençait à devenir par trop tendre, cela m'ennuya, et je me mis à froncer le sourcil[9]; je lui avais parlé d'un air gai pour ne pas m'affaiblir[10]; mais je n'y tenais plus[11]: — Enfin, suffit, lui dis-je, entre braves gens 20 on s'entend de reste.[12] Allez lui parler, et dépêchons-nous.

Je lui serrai la main en ami, et comme il ne quittait pas la mienne et me regardait avec un air singulier: — Ah çà ! si j'ai un conseil à vous donner, ajoutai-je, c'est de ne pas lui parler de ça. Nous arrangerons la chose sans qu'elle s'y attende, ni vous non plus, soyez tranquille[13]; ça me regarde.[14] 25

— Ah ! c'est différent, dit-il, je ne savais pas . . . cela vaut mieux, en effet. D'ailleurs, les adieux ! les adieux ! cela affaiblit.

— Oui, oui, lui dis-je, ne soyez pas enfant, ça vaut mieux. Ne l'embrassez pas, mon ami, ne l'embrassez pas, si vous pouvez, ou vous êtes perdu.

Je lui donnai encore une bonne poignée de main,[15] et je le laissai aller. Oh ! 30 c'était dur pour moi, tout cela.

Il me parut qu'il gardait, ma foi, bien le secret: car ils se promenèrent, bras dessus, bras dessous[16] pendant un quart d'heure, et ils revinrent au bord de l'eau, reprendre la corde et la robe qu'un de mes mousses[17] avait repêchées.[18]   35

La nuit vint tout à coup. C'était le moment que j'avais résolu de prendre. Mais ce moment a duré[19] pour moi jusqu'au jour où nous sommes, et je le traînerai toute ma vie comme un boulet.[20]

1. mon opinion est que.   **2.** *will not recover from this blow.*   **3.** veiller à ce que: *to see that.*   **4.** *care for her health.*   **5.** *chest so affected as.*   **6.** *faint.*   **7.** *she must dress warmly.*   **8.** *it will have to be done.*   **9.** froncer le sourcil: *frown.*   **10.** *weaken.*   **11.** *I could stand it no longer.*   **12.** *(good people) understand each other easily.*   **13.** *you may rest assured.*   **14.** *that is my concern.*   **15.** *handshake.*   **16.** bras dessus, bras dessous: *arm in arm.*   **17.** *cabin boys.*   **18.** *had fished up again.*   **19.** *lasted.*   **20.** *convict's ball and chain.*

Ici le vieux Commandant fut forcé de s'arrêter. Je me gardai de[1] parler, de peur de détourner ses idées; il reprit en se frappant la poitrine:

— Ce moment-là, je vous le dis, je ne peux pas encore le comprendre. Je sentis la colère me prendre aux cheveux,[2] et en même temps je ne sais quoi me faisait obéir et me poussait en avant. J'appelai les officiers et je dis à l'un d'eux: 5

— Allons, un canot[3] à la mer . . . puisque à présent nous sommes des bourreaux![4] Vous y mettrez cette femme, et vous l'emmènerez au large[5] jusqu'à ce que vous entendiez des coups de fusil[6]; alors vous reviendrez.

— Obéir à un morceau de papier! car ce n'était que cela enfin! Il fallait 10 qu'il y eût quelque chose dans l'air qui me poussât. J'entrevis de loin ce jeune homme . . . oh! c'était affreux[7] à voir! . . . s'agenouiller[8] devant sa Laurette, et lui baiser les genoux et les pieds. N'est-ce pas que vous trouvez que j'étais bien malheureux?

Je criai comme un fou: Séparez-les! nous sommes tous des scélérats! 15

— Séparez-les. . . . La pauvre République est un corps mort! Directeurs, Directoire, c'en est la vermine! Je quitte la mer! Je ne crains pas tous vos avocats; qu'on leur dise ce que je dis, qu'est-ce que ça me fait? Ah! je me souciais[9] bien d'eux, en effet! J'aurais voulu les tenir, je les aurais fait fusiller tous les cinq, les coquins![10] Oh! je l'aurais fait; je me souciais de la 20 vie comme de l'eau qui tombe là, tenez. . . . Je m'en souciais bien! . . . une vie comme la mienne. . . . Ah bien, oui! pauvre vie . . . va! . . .

Et la voix du Commandant s'éteignit peu à peu et devint aussi incertaine que ses paroles; et il marcha en se mordant les lèvres[11] et en fronçant le sourcil dans une distraction[12] terrible et farouche.[13] Il avait de petits 25 mouvements convulsifs et donnait à son mulet des coups du fourreau[14] de son épée, comme s'il eût voulu le tuer. Ce qui m'étonna, ce fut de voir la peau jaune de sa figure devenir d'un rouge foncé.[15] Il défit[16] et entr'ouvrit violemment son habit sur la poitrine, la découvrant au vent et à la pluie. Nous continuâmes ainsi à marcher dans un grand silence. Je vis bien qu'il ne 30 parlerait plus de lui-même, et qu'il fallait me résoudre à questionner.

— Je comprends bien, lui dis-je, comme s'il eût fini son histoire, qu'après une aventure aussi cruelle on prenne son métier[17] en horreur.

— Oh! le métier; êtes-vous fou? me dit-il brusquement, ce n'est pas le métier! Jamais le capitaine d'un bâtiment ne sera obligé d'être un bourreau, 35 sinon quand viendront des gouvernements d'assassins et de voleurs, qui profiteront de l'habitude qu'a un pauvre homme d'obéir aveuglément,[18] d'obéir toujours, d'obéir comme une malheureuse mécanique, malgré son cœur.

1. *I refrained.* **2.** *go to my head.* **3.** *boat.* **4.** *executioners.* **5.** *far out to sea.* **6.** *gun-shots.* **7.** *awful.* **8.** *kneel.* **9.** *did I care a rap for them?* **10.** *rascals.* **11.** *biting his lips.* **12.** *absent-mindedness.* **13.** *fierce, wild.* **14.** *scabbard.* **15.** *dark red.* **16.** *unbuttoned.* **17.** *profession.* **18.** *blindly.*

En même temps il tira de sa poche un mouchoir rouge dans lequel il se mit à pleurer comme un enfant. Je m'arrêtai un moment comme pour arranger mon étrier [1] et, restant derrière la charrette, je marchai quelque temps à la suite, sentant qu'il serait humilié si je voyais trop clairement ses larmes abondantes.

J'avais deviné juste, car au bout d'un quart d'heure environ, il vint aussi 5 derrière son pauvre équipage, et me demanda si je n'avais pas de rasoirs [2] dans mon porte-manteau; à quoi je lui répondis simplement que, n'ayant pas encore de barbe, cela m'était fort inutile. Mais il n'y tenait [3] pas, c'était pour parler d'autre chose. Je m'aperçus cependant avec plaisir qu'il revenait à son histoire, car il me dit tout à coup: 10

— Vous n'avez jamais vu de vaisseau de votre vie, n'est-ce pas?

— Je n'en ai vu, dis-je, qu'au Panorama de Paris, et je ne me fie pas beaucoup à la science maritime que j'en ai tirée.[4]

— Vous ne savez pas, par conséquent, ce que c'est que le bossoir? [5]

— Je ne m'en doute pas,[6] dis-je. 15

— C'est une espèce de terrasse de poutres [7] qui sort de l'avant du navire, et d'où l'on jette l'ancre en mer. Quand on fusille un homme, on le fait placer là ordinairement, ajouta-t-il plus bas.

— Ah! je comprends, parce qu'il tombe de là dans la mer.

Il ne répondit pas, et se mit à décrire toutes les sortes de canots que peut 20 porter un brick, et leur position dans le bâtiment [8]; et puis, sans ordre dans ses idées, il continua son récit avec cet air affecté d'insouciance [9] que de longs services donnent infailliblement, parce qu'il faut montrer à ses inférieurs le mépris [10] du danger, le mépris des hommes, le mépris de la vie, le mépris de la mort et le mépris de soi-même; et tout cela cache, sous une dure enveloppe, 25 presque toujours une sensibilité profonde. — La dureté [11] de l'homme de guerre est comme un masque de fer sur un noble visage, comme un cachot [12] de pierre qui renferme un prisonnier royal.

— Ces embarcations tiennent six hommes, reprit-il. Ils s'y jetèrent et emportèrent Laure avec eux, sans qu'elle eût le temps de crier et de parler. 30 Oh! voici une chose dont aucun honnête homme ne peut se consoler quand il en est cause. On a beau dire,[13] on n'oublie pas une chose pareille!... Ah! quel temps [14] il fait! — Quel diable m'a poussé à raconter ça! Quand je raconte cela, je ne peux plus m'arrêter, c'est fini. C'est une histoire qui me grise [15] comme le vin de Jurançon.[16] — Ah! quel temps il fait! — Mon man- 35 teau est traversé.[17]

Je vous parlais, je crois, encore de cette petite Laurette! — La pauvre femme! — Qu'il y a des gens maladroits [18] dans le monde! l'officier fut assez

1. *stirrup.* 2. *razors.* 3. *he did not care.* 4. obtenue. 5. *cat-head* (*voir lignes 16–17.*) 6. Je n'en ai pas la moindre idée. 7. *beams.* 8. vaisseau. 9. indifférence. 10. *contempt.* 11. *hardness.* 12. prison (étroite et sans lumière). 13. *say what you will.* 14. *weather.* 15. *intoxicates.* 16. vin de Jurançon: *wine from the region of the Pyrenees.* 17. *soaked through.* 18. *blundering.*

sot [1] pour conduire le canot en avant du brick. Après cela, il est vrai de dire qu'on ne peut pas tout prévoir. Moi, je comptais sur la nuit pour cacher l'affaire, et je ne pensais pas à la lumière [2] des douze fusils faisant feu à la fois. Et, ma foi ! du canot elle vit son mari tomber à la mer, fusillé.

S'il y a un Dieu là-haut, il sait comment arriva ce que je vais vous dire : 5 moi, je ne le sais pas, mais on l'a vu et entendu comme je vous vois et vous entends. Au moment du feu, elle porta la main à sa tête comme si une balle [3] l'avait frappée au front, et s'assit dans le canot sans s'évanouir,[4] sans crier, sans parler, et revint au brick quand on voulut et comme on voulut. J'allai à elle, je lui parlai longtemps et le mieux que je pus. Elle avait l'air de m'écou- 10 ter et me regardait en face en se frottant [5] le front. Elle ne comprenait pas, et elle avait le front rouge et le visage tout pâle. Elle tremblait de tous ses membres comme ayant peur de tout le monde. Ça lui est resté.[6] Elle est encore de même, la pauvre petite ! idiote, ou comme imbécile, ou folle, comme vous voudrez. Jamais on n'en a tiré une parole, si ce n'est quand elle dit qu'on 15 lui ôte [7] ce qu'elle a dans la tête.

De ce moment-là je devins aussi triste qu'elle, et je sentis quelque chose en moi qui me disait : *Reste devant elle jusqu'à la fin de tes jours, et garde-la;* je l'ai fait. Quand je revins en France, je demandai à passer avec mon grade dans les troupes de terre, ayant pris la mer en haine [8] parce que j'y 20 avais jeté du sang innocent. Je cherchai la famille de Laure. Sa mère était morte. Ses sœurs, à qui je la conduisais folle, n'en voulurent pas,[9] et m'offrirent de la mettre à Charenton.[10] Je leur tournai le dos, et je la garde avec moi.

— Ah ! mon Dieu ! si vous voulez la voir, mon camarade, il ne tient qu'à 25 vous.[11] — Serait-elle là-dedans? lui dis-je. — Certainement ! tenez ! attendez. Hô ! hô ! la mule. . . .

Et il arrêta son pauvre mulet, qui me parut charmé que j'eusse fait cette question. En même temps il souleva la toile cirée de sa petite charrette, comme pour arranger la paille [12] qui la remplissait presque, et je vis quelque 30 chose de bien douloureux. Je vis deux yeux bleus, démesurés de grandeur,[13] admirables de forme, sortant d'une tête pâle, amaigrie [14] et longue, inondée [15] de cheveux blonds tout plats. Je ne vis, en vérité, que ces deux yeux, qui étaient tout dans cette pauvre femme, car le reste était mort. Son front était rouge; ses joues creuses [16] et blanches avaient des pommettes [17] bleuâtres; 35 elle était accroupie [18] au milieu de la paille si bien qu'on en voyait à peine sortir ses deux genoux sur lesquels elle jouait aux dominos toute seule. Elle nous regarda un moment, trembla longtemps, me sourit un peu, et se remit à jouer.

---

1. stupide. **2.** *flash.* **3.** *bullet.* **4.** *fainting.* **5.** *rubbing.* **6.** Ça lui est resté: *that* (*state*) *has remained with her,* (*she has not changed*). **7.** *should remove.* **8.** pris . . . en haine: *conceived a loathing for the sea.* **9.** refusèrent de la recevoir chez elles. **10.** hôpital pour les aliénés (fous), près de Paris. **11.** cela dépend de vous. **12.** *straw.* **13.** démesurés de grandeur: d'une grandeur extraordinaire. **14.** (devenue très maigre): émaciée. **15.** couverte. **16.** *hollow.* **17.** *cheekbones.* **18.** *huddled.*

Il me parut qu'elle s'appliquait à comprendre comment sa main droite battrait sa main gauche.

— Voyez-vous, il y a un mois qu'elle joue cette partie-là,[1] me dit le Chef de bataillon; demain, ce sera peut-être un autre jeu, qui durera longtemps. C'est drôle,[2] hein?　　　　　　　　　　　　　　　　　　　　　　　　　　　　5

En même temps il se mit à replacer la toile cirée de son shako, que la pluie avait un peu dérangée.

— Pauvre Laurette! dis-je, tu as perdu pour toujours, va!

J'approchai mon cheval de la charrette, et je lui tendis[3] la main; elle me donna la sienne machinalement et en souriant avec beaucoup de douceur. Je　10 remarquai avec étonnement qu'elle avait à ses longs doigts deux bagues de diamants; je pensai que c'étaient encore les bagues de sa mère, et je me demandai comment la misère[4] les avait laissées là. Pour un monde entier je n'en aurais pas fait l'observation[5] au vieux Commandant; mais comme il me suivait des yeux et voyait les miens arrêtés sur les doigts de Laure, il me dit　15 avec un certain air d'orgueil:

— Ce sont d'assez gros diamants, n'est-ce pas? Ils pourraient avoir leur prix dans l'occasion, mais je n'ai pas voulu qu'elle s'en séparât, la pauvre enfant. Quand on y touche, elle pleure, elle ne les quitte pas. Du reste, elle ne se plaint jamais, et elle peut coudre[6] de temps en temps. J'ai tenu parole[7]　20 à son pauvre petit mari, et, en vérité, je ne m'en repens pas. Je ne l'ai jamais quittée, et j'ai dit partout que c'était ma fille qui était folle. On a respecté ça. A l'armée tout s'arrange mieux qu'on ne le croit à Paris, allez! — Elle a fait toutes les guerres de l'Empereur avec moi, et je l'ai toujours tirée d'affaire.[8] Je la tenais toujours chaudement.[9] Avec de la paille et une petite voiture, ce　25 n'est jamais impossible. Elle avait une tenue assez soignée,[10] et moi, étant chef de bataillon, avec une bonne paye, ma pension de la Légion d'honneur et le mois Napoléon,[11] dont la solde[12] était double, dans le temps, j'étais tout à fait au courant de mon affaire,[13] et elle ne me gênait pas.[14] Au contraire, ses enfantillages[15] faisaient rire quelquefois les officiers du 7e léger.[16]　　　　30

Alors il s'approcha d'elle et lui frappa sur l'épaule, comme il eût fait à son petit mulet.

— Eh bien, ma fille! dis donc, parle donc un peu au lieutenant qui est là: voyons, un petit signe de tête.

Elle se remit à ses dominos.　　　　　　　　　　　　　　　　　　　　　35

— Oh! dit-il, c'est qu'elle est un peu farouche[17] aujourd'hui, parce qu'il pleut. Cependant elle ne s'enrhume[18] jamais. Les fous, ça n'est jamais malade, c'est commode de ce côté-là.[19] A la Bérésina[20] et dans toute la re-

---

1. one game. **2.** curieux. **3.** offris. **4.** pauvreté. **5.** la remarque. **6.** sew. **7.** gardé ma promesse. **8.** got her safely through. **9.** chaudement (vêtue, couverte). **10.** avait . . . soignée: était proprement habillée. **11.** mois Napoléon: mois d'août. Napoléon est né le 15 août 1769. **12.** paye (du soldat). **13.** au courant de mon affaire: had all the money I needed. **14.** caused me no inconvenience. **15.** childish ways. **16.** light (infantry). **17.** sauvage. **18.** prend froid. **19.** c'est . . . côté-là: they give no worry on that score. **20.** Fleuve de Russie où un grand nombre des soldats de Napoléon furent noyés (drowned) en 1812.

traite de Moscou, elle allait nu-tête.[1] — Allons, ma fille, joue toujours,[2] va, ne t'inquiète pas de nous; fais ta volonté, va, Laurette.

Elle lui prit la main qu'il appuyait sur son épaule, une grosse main noire et ridée [3]; elle la porta timidement à ses lèvres et la baisa comme une pauvre esclave. Je me sentis le cœur serré [4] par ce baiser et je tournai bride [5] violemment.

— Voulons-nous continuer notre marche, Commandant? lui dis-je; la nuit viendra avant que nous soyons à Béthune.[6]

Le Commandant racla [7] soigneusement avec le bout de son sabre la boue jaune [8] qui chargeait ses bottes; ensuite il monta sur le marchepied [9] de la charrette, ramena sur la tête de Laure le capuchon de drap [10] d'un petit manteau qu'elle avait. Il ôta sa cravate de soie noire et la mit autour du cou de sa fille adoptive; après quoi il donna le coup de pied au mulet, fit son mouvement d'épaule et dit: — En route, mauvaise troupe! [11] — Et nous repartîmes.

La pluie tombait toujours tristement; le ciel gris et la terre grise s'étendaient sans fin; une sorte de lumière terne,[12] un pâle soleil, tout mouillé, s'abaissait [13] derrière de grands moulins [14] qui ne tournaient pas. Nous retombâmes dans un grand silence.

Je regardais mon vieux Commandant; il marchait à grands pas, avec une vigueur toujours soutenue,[15] tandis que son mulet n'en pouvait plus [16] et que mon cheval même commençait à baisser la tête. Ce brave homme ôtait de temps à autre son shako pour essuyer son front chauve [17] et quelques cheveux gris de sa tête, ou ses gros sourcils,[18] ou ses moustaches blanches, d'où tombait la pluie. Il ne s'inquiétait pas de l'effet qu'avait pu faire sur moi son récit. Il ne s'était fait [19] ni meilleur ni plus mauvais qu'il n'était. Il n'avait pas daigné se dessiner.[20] Il ne pensait pas à lui-même, et au bout d'un quart d'heure il entama,[21] sur le même ton, une histoire bien plus longue sur une campagne du maréchal Masséna,[22] où il avait formé son bataillon en carré [23] contre je ne sais quelle cavalerie. Je ne l'écoutai pas, quoiqu'il s'échauffât [24] pour me démontrer la supériorité du fantassin [25] sur le cavalier.

La nuit vint, nous n'allions pas vite. La boue devenait plus épaisse [26] et plus profonde. Rien sur la route et rien au bout. Nous nous arrêtâmes au pied d'un arbre mort, le seul arbre du chemin. Il donna d'abord ses soins à son mulet, comme moi à mon cheval. Ensuite il regarda dans la charrette, comme une mère dans le berceau [27] de son enfant. Je l'entendais qui disait: — Allons, ma fille, mets cette redingote [28] sur tes pieds, et tâche [29] de dormir. — Allons, c'est bien! elle n'a pas une goutte de pluie.[30] — Ah! diable! elle a

---

1. sans chapeau. 2. joue toujours: continue de jouer. 3. *wrinkled.* 4. angoissé. 5. tournai bride (lit., *turned the rein*): *pulled my horse aside.* 6. Petite ville du nord-est de la France. 7. *scraped.* 8. *yellow mud.* 9. *step.* 10. *cloth hood.* 11. *forward, you bad lot.* 12. *dull.* 13. descendait (vers l'horizon). 14. *windmills.* 15. *maintained.* 16. était à bout de forces; très fatigué. 17. *bald.* 18. *eyebrows.* 19. représenté. 20. faire son portrait. 21. commença (à raconter). 22. fameux général de Napoléon. 23. *into a square* (*formation*). 24. il s'excitât. 25. soldat d'infanterie. 26. *thick.* 27. *cradle.* 28. *long coat.* 29. essaye. 30. *drop of rain.*

cassé ma montre,[1] que je lui avais laissée au cou! — Oh! ma pauvre montre
d'argent! — Allons, c'est égal[2]: mon enfant, tâche de dormir. Voilà le beau
temps qui va venir bientôt. — C'est drôle![3] elle a toujours la fièvre; les folles
sont comme ça. Tiens, voilà du chocolat pour toi, mon enfant.

Il appuya la charrette à l'arbre, et nous nous assîmes sous les roues, à 5
l'abri[4] de l'éternelle ondée,[5] partageant un petit pain à lui et un à moi;
mauvais souper.

— Je suis fâché[6] que nous n'ayons que ça, dit-il; mais ça vaut mieux que
du cheval cuit[7] sous la cendre[8] avec de la poudre[9] dessus, en manière de
sel,[10] comme on en mangeait en Russie. La pauvre petite femme, il faut bien 10
que je lui donne ce que j'ai de mieux. Vous voyez que je la mets toujours à
part; elle ne peut pas souffrir le voisinage[11] d'un homme depuis l'affaire de la
lettre. Je suis vieux, et elle a l'air de croire que je suis son père; malgré cela,
elle m'étranglerait[12] si je voulais l'embrasser seulement[13] sur le front. L'éducation leur laisse toujours quelque chose, à ce qu'il paraît, car je ne l'ai jamais 15
vue oublier de se cacher comme une religieuse.[14] — C'est drôle, hein?

Comme il parlait d'elle de cette manière, nous l'entendîmes soupirer et dire:
Otez ce plomb![15] *ôtez-moi ce plomb!* Je me levai, il me fit rasseoir.

— Restez, restez, me dit-il, ce n'est rien; elle dit ça toute sa vie, parce
qu'elle croit toujours sentir une balle dans sa tête. Ça ne l'empêche pas de 20
faire tout ce qu'on lui dit et cela avec beaucoup de douceur.

Je me tus[16] en l'écoutant avec tristesse. Je me mis à calculer que, de
1797 à 1815, où nous étions, dix-huit années s'étaient ainsi passées pour cet
homme. — Je demeurai longtemps en silence à côté de lui, cherchant à
me rendre compte[17] de ce caractère et de cette destinée. Ensuite, à propos 25
de rien, je lui donnai une poignée de main pleine d'enthousiasme. Il en fut
étonné.

— Vous êtes un digne homme! lui dis-je. Il me répondit:

— Eh! pourquoi donc? Est-ce à cause de cette pauvre femme?... Vous
sentez bien, mon enfant, que c'était un devoir. Il y a longtemps que j'ai fait 30
abnégation.[18]

Et il me parla encore de Masséna.

Le lendemain, au jour,[19] nous arrivâmes à Béthune, petite ville laide[20] et
fortifiée, où l'on dirait que les remparts, en resserrant leur cercle,[21] ont pressé
les maisons l'une sur l'autre. Tout y était en confusion, c'était le moment 35
d'une alerte. Les habitants commençaient à retirer[22] les drapeaux blancs[23]
des fenêtres et à coudre les trois couleurs[24] dans leurs maisons. Les tambours[25] battaient la générale,[26] les trompettes sonnaient *à cheval,*[27] par ordre

1. *watch.*   2. c'est sans importance.   3. curieux.   4. *shelter.*   5. *downpour.*   6. je regrette.   7. *cooked.*   8. *ash.*   9. *powder.*   10. *salt.*   11. proximité.   12. *would strangle me.*
13. même.   14. nonne.   15. *lead (bullet).*   16. Je ne dis plus rien.   17. rendre compte:
form an idea.   18. Il y a ... abnégation: *Years ago, I gave up everything (ambitions, pleasures, etc.).*   19. *at dawn.*   20. *ugly.*   21. *narrowing their circle.*   22. *take in.*   23. drapeaux
blancs (des Bourbons).   24. bleu, blanc, rouge, drapeau de la République et de l'Empire.
25. *drums.*   26. *the rally, to arms!*   27. *mount!*

de M. le duc de Berry.[1] Les longues charrettes picardes [2] portaient les Cent-
Suisses et leurs bagages; les canons des Gardes-du-Corps courant aux remparts, les voitures des princes, les escadrons des Compagnies-Rouges se
formant, encombraient [3] la ville. La vue des Gendarmes du roi et des Mousquetaires me fit oublier mon vieux compagnon de route. Je joignis ma com- 5
pagnie, et je perdis dans la foule la petite charrette et ses pauvres habitants.
A mon grand regret, c'était pour toujours que je les perdais.

Ce fut la première fois de ma vie que je lus au fond d'un vrai cœur de soldat.
Cette rencontre me révéla une nature d'homme qui m'était inconnue, et que
le pays connaît mal et ne traite pas bien; je la plaçai dès lors très haut dans 10
mon estime. J'ai souvent cherché depuis autour de moi quelque homme
semblable à celui-là et capable de cette abnégation de soi-même entière et
insouciante.[4] Or,[5] durant quatorze années que j'ai vécu dans l'armée, ce n'est
qu'en elle, et surtout dans les rangs dédaignés [6] et pauvres de l'infanterie, que
j'ai retrouvé ces hommes de caractère antique,[7] poussant le sentiment du de- 15
voir jusqu'à ses dernières conséquences, n'ayant ni remords de l'obéissance ni
honte de la pauvreté, simples de mœurs [8] et de langage, fiers [9] de la gloire du
pays, et insouciants de la leur propre,[10] s'enfermant [11] avec plaisir dans leur
obscurité, et partageant avec les malheureux le pain noir qu'ils payent de leur
sang.   20

J'ignorai [12] longtemps ce qu'était devenu ce pauvre chef de bataillon,
d'autant plus qu'il ne m'avait pas dit son nom et que je ne le lui avais pas demandé. Un jour cependant, au café, en 1825, je crois, un vieux capitaine
d'infanterie de ligne à qui je le décrivis,[13] en attendant la parade, me dit:

— Eh! pardieu, mon cher, je l'ai connu, le pauvre diable! C'était un brave 25
homme; il a été *descendu* [14] par un boulet [15] à Waterloo.[16] Il avait, en effet,
laissé aux bagages une espèce de fille folle que nous menâmes à l'hôpital
d'Amiens,[17] en allant à l'armée de la Loire, et qui y mourut, furieuse,[18] au
bout de trois jours.

— Je le crois bien, dis-je; elle n'avait plus son père nourricier! [19]   30

— Ah bah! *père!* qu'est-ce que vous dites donc? ajouta-t-il d'un air qu'il
voulait rendre fin.[20]

— Je dis qu'on bat le rappel,[21] repris-je en sortant. Et moi aussi, j'ai fait
abnégation.

1. neveu du roi Louis XVIII et fils de Charles X, assassiné en 1820 par un fanatique,
Louvel. Son fils, le comte de Chambord, fut le dernier des Bourbons en ligne directe.
2. de Picardie.   **3.** *crowded.*   **4.** (lit., *careless*): *made with utter indifference.*   **5.** *Well.*
6. *looked down upon.*   **7.** caractère antique: ayant les vertus qu'on attribue aux hommes de
l'antiquité.   **8.** *manners.*   **9.** *proud.*   **10.** *of their own.*   **11.** *shutting themselves up, retiring.*
12. restai sans savoir.   **13.** donnai la description.   **14.** *brought down, killed.*   **15.** *cannon
ball.*   **16.** fameuse bataille (en Belgique), la dernière de Napoléon (18 juin 1815). Vaincu,
il fut déporté à l'île de Sainte-Hélène, prisonnier des Alliés.   **17.** Ville importante de
l'ancienne Picardie, au nord de la France.   **18.** *raving mad.*   **19.** *foster father.*   **20.** *smart.*
21. *they are beating to arms.*

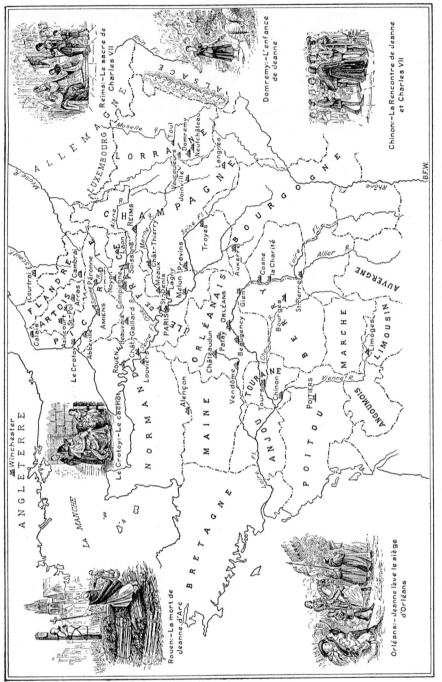

Reims:—Le sacre de Charles VII

Domremy:—L'enfance de Jeanne

Chinon:—La Rencontre de Jeanne et Charles VII

B.F.W.

Rouen:—La mort de Jeanne d'Arc

Orléans:—Jeanne lève le siège d'Orléans

PROVINCES FRANÇAISES PARCOURUES PAR JEANNE D'ARC

JEANNE D'ARC

par JULES MICHELET

(1798–1874)

La Révolution Française, qui avait détruit tant de choses, en avait mis d'autres en honneur, telles que le culte de la science et de l'histoire. Et Chateaubriand, avec son *Génie du Christianisme* et ses *Martyrs*, avait éveillé, lui aussi, la curiosité du passé. C'est pourquoi le XIXe siècle s'honore d'un si grand nombre de brillants historiens, Augustin Thierry, Barante, Guizot, Thiers, Mignet, H. Martin, etc. Michelet appartient à cette illustre phalange; mais, plus que les autres, il a subi l'influence du mouvement romantique.

Fils d'un imprimeur parisien, il révéla dès l'enfance un goût marqué pour l'histoire. A vingt-quatre ans, il l'enseignait au Collège Rollin; il l'enseignera plus tard à l'École Normale Supérieure, puis au Collège de France. Là, son éloquence attire une foule d'auditeurs; il fait de sa chaire une tribune d'où, libre-penseur, il attaque jésuites, prêtres et royalistes, avec une violence qui lui vaut plus d'un blâme du gouvernement.

Il était, depuis 1830, chef de la section d'histoire aux Archives nationales et pouvait se documenter pour les grandes œuvres qu'il avait en vue: *Histoire romaine, Histoire de France, Histoire de la Révolution Française, Bible de l'Humanité*. Il y travailla avec ardeur et prit rang parmi les maîtres du genre. Michelet ne se contente pas de raconter le passé, il le ressuscite; comme Hugo, il a le don de voir et de peindre, et de se passionner pour ses héros. Il fait surtout revivre *le peuple*, à travers le Moyen-âge trop ignoré et les temps modernes; il loue la Révolution d'avoir détruit les ennemis du peuple, le trône et l'autel. Chez lui, le savant documenté cède parfois la place au sectaire, mais alors la passion anime le récit et lui donne un accent poétique. Michelet est un évocateur, s'il n'est pas toujours un narrateur impartial des événements.

En 1852, il refusa de prêter serment à Napoléon III et perdit ainsi son poste aux Archives et sa chaire au Collège de France. Il voyagea et continua d'écrire. Il aimait la nature autant que les spectacles du passé, et, à ses trente volumes d'histoire, il ajouta des études sur *L'Oiseau, L'Insecte, La Mer, La Montagne, La Femme, L'Amour;* ce sont de véritables poèmes en prose, où l'on reconnaît la discrète collaboration de sa seconde femme.

Il mourut à Hyères en 1874. Il était membre de l'Institut depuis 1838, mais il n'avait jamais voulu être candidat à l'Académie française. Sa veuve soutint, contre M. Dumesnil (mari d'une fille que Michelet avait eue de sa première femme), un procès retentissant pour obtenir la permission de ramener à Paris les cendres du grand historien. L'inhumation eut lieu le 18 mai 1876 au cimetière du Père-Lachaise, dans un terrain offert par le Conseil municipal. Un beau monument en marbre, œuvre du sculpteur Mercié, y fut érigé par souscription publique.

Quelques chapitres de l'*Histoire de France* de Michelet sont de vraies monographies détachées. Celle de *Jeanne d'Arc* compte parmi les meilleures. Il a été nécessaire d'abréger le texte de Michelet. Nous n'avons rien supprimé de ce qui touche à la mort de l'héroïne, mais des notes, explications ou développements qui intéressent moins le jeune lecteur que l'historien ou le philosophe.

I. ENFANCE ET VOCATION DE JEANNE

Ce qui fait de Jeanne d'Arc une figure éminemment originale, ce qui la sépare de la foule des enthousiastes qui dans les âges d'ignorance entraînèrent [1] les masses populaires, c'est que ceux-ci pour la plupart [2] durent leur puissance à une force contagieuse de vertige.[3] Elle, au contraire, eut action [4] par la vive [5] lumière qu'elle jeta sur une situation obscure, par une force singulière 5 de bon sens et de bon cœur.

Le nœud [6] que les politiques et les incrédules ne pouvaient délier,[7] elle le trancha.[8] Elle déclara, au nom de Dieu, que Charles VII était l'héritier [9]; elle le rassura sur sa légitimité [10] dont il doutait lui-même. Cette légitimité, elle la sanctifia, menant son roi droit à Reims,[11] et gagnant de vitesse [12] sur 10 les Anglais l'avantage décisif du sacre.[13]

Il n'était pas rare de voir les femmes prendre les armes. Elles combattaient souvent dans les sièges, témoin [14] les trente femmes blessées à Amiens,[15] témoin Jeanne Hachette.[16] Au temps de la Pucelle [17] et dans les mêmes années, les femmes de Bohême se battaient comme les hommes, dans les guerres des 15 hussites.[18]

L'originalité de la Pucelle, je le répète, ne fut pas non plus dans ses visions. Qui n'en avait au Moyen-âge? Même dans ce prosaïque XVe siècle, l'excès des souffrances avait singulièrement exalté [19] les esprits. . . . Dans l'espace de quelques années, avant et après la Pucelle, toutes les provinces ont leurs 20 inspirés.[20] . . .

La Lorraine était, ce semble, l'une des dernières provinces où un tel phénomène eût dû [21] se présenter. Les Lorrains sont braves, batailleurs, mais volontiers [22] intrigants et rusés.

. . . La Lorraine des Vosges [23] a, il est vrai, un caractère plus grave. . . . Ce 25 fut entre la Lorraine et la Champagne, que naquit, à Domremy, la belle et brave fille qui devait porter si bien l'épée de la France.

Il y a quatre Domremy le long de la Meuse dans un cercle de dix lieues,

1. *carried away.* **2.** presque tous. **3.** enthousiasme allant presque jusqu'à la folie. **4.** eut action: produisit son effet; agit. **5.** forte. **6.** (lit., *knot*): difficulté. **7.** défaire. **8.** *cut through.* Toute cette phrase est une allusion au nœud gordien. **9.** *heir.* Voir la note suivante. **10.** Le roi Charles VI ne reconnaissait pas le dauphin (titre donné au fils aîné du roi de France) pour son fils, et, par le traité de Troyes (1420), il le déshérita et reconnut son gendre (*son-in-law*), Henri V d'Angleterre, pour son héritier. Quand Charles VI fut enterré (*buried*) à Saint-Denis en 1422, Henri V était déjà mort, et Berri, héraut royal de France, proclama Henri VI roi d'Angleterre et de France mais les partisans de Henri VI négligèrent de le faire sacrer. (*Voir note 13.*) **11.** Reims (rēıs): ville de Champagne où, sous l'ancien régime, les rois de France étaient sacrés. (*Voir note 13.*) **12.** *speed.* **13.** cérémonie religieuse du couronnement d'un roi. **14.** *witness.* **15.** Ville du nord de la France à mi-chemin entre Paris et Calais. Michelet fait ici allusion au siège d'Amiens de 1597 quand la ville fut prise par les Espagnols et reprise par Henri IV dans la même année. **16.** Jeanne Laisné, surnommée Hachette, héroïne de Beauvais, qui prit part à la défense de sa ville contre Charles le Téméraire, duc de Bourgogne, en 1472. Elle renversa d'un coup de *hachette* (*hatchet*) un porte-étendard (*standard-bearer*) ennemi. **17.** *Maid* (surnom de Jeanne d'Arc). **18.** défenseurs des doctrines de Jean Huss, réformateur tchèque, disciple du réformateur anglais Wycliffe. **19.** enthousiasmé. **20.** visionnaires. **21.** eût dû: aurait dû. **22.** *inclined to be.* **23.** montagnes au nord-est de la France.

trois du diocèse de Toul,[1] un de celui de Langres.[2] Probablement, ces quatre villages étaient, dans des temps plus anciens, des domaines de l'abbaye de Saint-Remy de Reims. Nos grandes abbayes avaient, comme on sait, dans les temps carlovingiens,[3] des possessions bien plus éloignées, jusqu'en Provence, jusqu'en Allemagne, jusqu'en Angleterre.   5

Cette ligne de la Meuse est la marche [4] de Lorraine et de Champagne, tant disputée entre le roi et le duc.[5] Le père de Jeanne, Jacques Darc était un digne Champenois. Jeanne tint [6] sans doute de son père; elle n'eut point l'âpreté [7] lorraine, mais bien plutôt la douceur champenoise, la naïveté mêlée de [8] sens et de finesse,[9] comme vous la trouvez dans Joinville.[10] . . .   10

Cette marche de Lorraine et de Champagne avait en tout temps cruellement souffert de la guerre; longue guerre entre l'est et l'ouest, entre le roi et le duc, pour la possession de Neufchâteau et des places [11] voisines; puis guerre du nord au sud, entre les Bourguignons [12] et les Armagnacs.[13] Le souvenir de ces guerres sans pitié n'a pu s'effacer jamais. On montrait na- 15 guère [14] encore, près de Neufchâteau, un arbre antique [15] au nom sinistre, dont les branches avaient sans doute porté bien des fruits humains: *Le Chêne* [16] *des partisans.*

Les pauvres gens des marches avaient l'honneur d'être sujets directs du roi, c'est-à-dire qu'au fond ils n'étaient à personne, n'étaient appuyés,[17] ni 20 ménagés [18] de personne, qu'ils n'avaient de seigneur, de protecteur que Dieu. Les populations sont sérieuses dans une telle situation; elles savent qu'elles n'ont à compter sur rien, ni sur les biens, ni sur la vie. Elles labourent,[19] et le soldat moissonne.[20] Nulle part le laboureur [21] ne s'inquiète davantage [22] des affaires du pays; personne n'y a plus d'intérêt [23]; il en sent si rudement [24] 25 les moindres contre-coups! [25] Il s'informe, il tâche de savoir, de prévoir [26]; du reste, il est résigné, quoi qu'il arrive, il s'attend à [27] tout, il est patient et brave. Les femmes même le [28] deviennent; il faut bien qu'elles le soient,[29] parmi tous ces soldats, sinon pour leur vie, au moins pour leur honneur.

Jeanne était la troisième fille d'un laboureur, Jacques *Darc* [ou d'Arc] et 30 d'Isabelle *Romée.*[30] Elle eut deux marraines,[31] dont l'une s'appelait *Jeanne,* l'autre *Sibylle.*

1. Toul, ville de Lorraine.   **2.** Langres, ville à 40 km. au sud de Toul.   **3.** de la dynastie des rois de France dont le plus grand fut Charlemagne (Carolus Magnus).   **4.** pays de frontière.   **5.** roi (de France), duc (de Lorraine). Les grands seigneurs féodaux, et notamment les ducs de Lorraine et de Bourgogne, quoique vassaux du roi de France, furent pendant longtemps de véritables rois dans leurs domaines, faisant, malgré les ordres du roi, la guerre à leurs voisins et quelquefois au roi lui-même.   **6.** tint . . . de: ressembla à (au physique ou au moral).   **7.** caractère rude (*rough*) et violent.   **8.** jointe à, associée à.   **9.** *shrewdness.* **10.** Historien français né à Joinville en Lorraine (1224–1317).   **11.** villes fortifiées. **12.** partisans du duc de Bourgogne (*Burgundy*).   **13.** partisans du duc d'Orléans, dont l'un des chefs était le comte d'Armagnac. Les Bourguignons et les Armagnacs se firent une guerre acharnée (*relentless*) qui dévasta la France.   **14.** il y a peu de temps.   **15.** très vieux. **16.** *oak.*   **17.** protégés.   **18.** *spared.*   **19.** *plough* (not *labor*).   **20.** *reaps.*   **21.** (lit., *ploughman*): peasant.   **22.** takes a keener interest.   **23.** a plus d'intérêt: has more at stake. **24.** cruellement.   **25.** effets.   **26.** *forecast.*   **27.** expects.   **29.** il faut . . . soient: *they have to be so, they have no choice but to be so.*   **30.** Le nom de Romé était souvent pris au Moyen-âge par ceux qui avaient fait le pèlerinage de Rome.   **31.** *godmothers.*

Le fils aîné avait été nommé *Jacques*, un autre *Pierre*. . . .

Tandis que les autres enfants allaient avec le père travailler aux champs ou garder les bêtes, la mère tint Jeanne près d'elle, l'occupant à coudre ou à filer.[1] Elle n'apprit ni à lire, ni à écrire; mais elle sut tout ce que savait sa mère des choses saintes. Elle reçut sa religion, non comme une leçon, une [5] cérémonie, mais dans la forme populaire et naïve d'une belle histoire de veillée,[2] comme la foi simple d'une mère. . . . Ce que nous recevons ainsi avec le sang et le lait, c'est chose vivante, et la vie même.

Nous avons sur la piété de Jeanne un touchant témoignage,[3] celui de son amie d'enfance, de son amie de cœur, Haumette, plus jeune de trois ou [10] quatre ans. « Que de fois, dit-elle, j'ai été chez son père, et couché avec elle, de bonne amitié.[4] . . . C'était une bien bonne fille, simple et douce. Elle allait volontiers à l'église et aux saints lieux. Elle filait, faisait le ménage,[5] comme font les autres filles. . . . Elle se confessait souvent. Elle rougissait, quand on lui disait qu'elle était trop dévote, qu'elle allait trop à l'église. » [15] Un laboureur, appelé aussi en témoignage, ajoute qu'elle soignait [6] les malades, donnait aux pauvres. « Je le sais bien, dit-il; j'étais enfant alors, et c'est elle qui m'a soigné. »

Tout le monde connaissait sa charité, sa piété. . . . Née sous les murs mêmes de l'église, bercée [7] du son des cloches [8] et nourrie de légendes, elle fut [20] une légende elle-même, rapide et pure, de la naissance à la mort.

Elle fut une légende vivante. . . . La jeune fille, à son insu,[9] *créait*, pour ainsi parler, et *réalisait* ses propres idées, elle en faisait des êtres,[10] elle leur communiquait, du trésor de sa vie virginale, une splendide et toute-puissante existence, à faire pâlir les misérables réalités [11] de ce monde. [25]

Si *poésie* [12] veut dire *création*, c'est là sans doute la poésie suprême. Il faut savoir par quels degrés elle en vint jusque-là,[13] de quel humble point de départ.

Humble à la vérité, mais déjà poétique. Son village était à deux pas [14] des grandes forêts des Vosges. De la porte de la maison de son père, elle voyait le vieux bois *des chênes*. Les fées [15] hantaient ce bois; elles aimaient [30] surtout une certaine fontaine près d'un grand hêtre [16] qu'on nommait l'arbre des fées, des *dames*. . . .

Mais le pays offrait à côté [17] une tout autre poésie, celle-ci, sauvage, atroce, trop réelle, hélas! la poésie de la guerre. . . . La guerre! ce mot seul dit toutes les émotions; ce n'est pas tous les jours sans doute l'assaut et le pillage, mais [35] bien plutôt l'attente,[18] le tocsin,[19] le réveil en sursaut,[20] et dans la plaine au loin le rouge sombre de l'incendie. . . . Jeanne eut sa part dans ces romanesques [21]

1. *spin.* **2.** (lit., *evening story*): *fireside story.* **3.** *testimony.* **4.** de . . . amitié: *in a friendly way.* **5.** faisait le ménage: *attended to household duties.* **6.** *cared for, nursed.* **7.** *lulled, soothed.* **8.** *bells.* **9.** à . . . insu: sans qu'elle le sût. **10.** *beings, realities.* **11.** à faire . . . réalités: (*so clear as to*) *make the poor realities seem less real.* **12.** Le mot *poésie* (du grec ποίησις, *poiesis*) signifie, en effet, l'acte de faire ou de créer. **13.** en vint . . . là: accomplit cela (cette poésie). **14.** tout près. **15.** *fairies.* **16.** *beech tree.* **17.** *moreover.* **18.** *anxious waiting.* **19.** cloche d'alarme annonçant un incendie (*fire*), l'approche de l'ennemi, etc. **20.** réveil en sursaut: *sudden awakening.* **21.** *romantic.*

aventures. Elle vit arriver les pauvres fugitifs, elle aida, la bonne fille, à les recevoir; elle leur cédait son lit et allait coucher au grenier.[1] Ses parents furent aussi une fois obligés de s'enfuir.[2] Puis, quand le flot [3] des brigands fut passé, la famille revint et retrouva le village saccagé,[4] la maison dévastée, l'église incendiée.[5]

Elle sut ainsi ce que c'est que la guerre. Elle comprit cet état antichrétien, elle eut horreur de ce règne du diable. . . . Elle se demanda si Dieu permettrait cela toujours, s'il ne mettrait pas un terme [6] à ces misères, s'il n'enverrait pas un libérateur. . . . Elle savait que plus d'une femme avait sauvé le peuple de Dieu. . . . Elle avait pu voir, au portail [7] des églises, sainte Marguerite, avec saint Michel, foulant aux pieds [8] le dragon. . . . Si, comme tout le monde disait, la perte du royaume était l'œuvre d'une femme,[9] d'une mère dénaturée,[10] le salut [11] pouvait bien venir d'une fille. C'est justement ce qu'annonçait une prophétie de Merlin [12]; cette prophétie, enrichie, modifiée selon les provinces, était devenue toute lorraine dans le pays de Jeanne d'Arc. C'était une pucelle des marches *de Lorraine* qui devait sauver le royaume. La prophétie avait pris probablement cet embellissement, par suite du [13] mariage récent de René d'Anjou avec l'héritière du duché de Lorraine, qui, en effet, était très heureux pour la France.

Un jour d'été, jour de jeûne,[14] à midi, Jeanne étant au jardin de son père, tout près de l'église, elle vit de ce côté une éblouissante [15] lumière, et elle entendit une voix: « Jeanne, sois bonne et sage enfant; va souvent à l'église. » La pauvre fille eut grand'peur.

Une autre fois, elle entendit encore la voix, vit la clarté,[16] mais dans cette clarté de nobles figures [17] dont l'une avait des ailes et semblait un sage prud'homme.[18] Il lui dit: « Jeanne, va au secours [19] du roi de France, et tu lui rendras son royaume. » Elle répondit, toute tremblante: « Messire,[20] je ne suis qu'une pauvre fille; je ne saurais chevaucher,[21] ni conduire les hommes d'armes. » La voix répliqua: « Tu iras trouver M. de Baudricourt, capitaine [22] de Vaucouleurs,[23] et il te fera mener [24] au roi. Sainte Catherine et sainte Marguerite viendront t'assister. » Elle resta stupéfaite [25] et en larmes, comme si elle eût déjà vu sa destinée tout entière.

Le prud'homme n'était pas moins que saint Michel, le sévère archange des jugements et des batailles. Il revint encore, lui rendit courage, « et lui raconta la pitié [26] qui estoit [27] au royaume de France. » Puis vinrent les blanches figures de saintes, parmi d'innombrables lumières, la tête parée [28]

1. *garret, loft.* 2. *flee.* 3. *flood.* 4. *sacked, looted.* 5. *burned down.* 6. fin. 7. grande porte. 8. foulant aux pieds: *trampling, crushing underfoot.* 9. Cette femme était Isabeau de Bavière, femme de Charles VI. (*Voir note 10, page 510.*) 10. qui n'a pas les sentiments que la *nature* donne ordinairement: amour maternel. 11. *salvation.* 12. enchanteur qui joue un grand rôle dans les romans de chevalerie. 13. par suite de: *as a consequence of.* 14. jeûne: *fast, fasting.* 15. *dazzling.* 16. lumière. 17. formes. 18. homme sage et honnête. 19. aide; (*Cf.* Angl. *succor*). 20. Monseigneur; (au Moyen-âge on donnait les titres de Monseigneur, Monsieur, Madame aux saints et aux saintes. *Cf. Lord Jesus*). 21. aller à cheval. 22. gouverneur. 23. petite ville de Lorraine. 24. *will have you led.* 25. *dumfounded.* 26. *ici:* misère, condition qui excite la pitié. 27. était. 28. ornée.

de riches couronnes, la voix douce et attendrissante [1] à en pleurer.[2] Mais
Jeanne pleurait surtout quand les saintes et les anges la quittaient. « J'aurais
bien voulu, dit-elle, que les anges m'eussent emportée. . . . »

Si elle pleurait . . . ce n'était pas sans raison. Quelque belles et glorieuses
que fussent ces visions, sa vie dès lors avait changé. Elle qui n'avait entendu 5
jusque-là qu'une voix, celle de sa mère, dont la sienne était l'écho, elle entendait
maintenant la puissante voix des anges! . . . Et que voulait la voix céleste?
Qu'elle délaissât [3] cette mère, cette douce maison. Elle qu'un seul mot
déconcertait, il lui fallait aller parmi les hommes, parler aux hommes, aux
soldats. 10

Jeanne ne nous a rien dit de ce premier combat qu'elle soutint. Mais il est
évident qu'il eut lieu et qu'il dura [4] longtemps, puisqu'il s'écoula [5] cinq années
entre sa première vision et sa sortie de la maison paternelle.

Les deux autorités, paternelle et céleste, commandaient des choses con-
traires. L'une voulait qu'elle restât dans l'obscurité, dans la modestie et le 15
travail, l'autre qu'elle partît et qu'elle sauvât le royaume. L'ange lui disait
de prendre les armes. Le père, rude [6] et honnête paysan, jurait [7] que, si sa
fille s'en allait avec les gens de guerre,[8] il la noierait [9] plutôt de ses propres
mains. De part ou d'autre,[10] il fallait qu'elle désobéît. Ce fut là sans doute
son plus grand combat; ceux qu'elle soutint contre les Anglais ne devaient 20
être qu'un jeu à côté.[11]

Pour échapper à l'autorité de sa famille, il fallait qu'elle trouvât dans sa
famille même quelqu'un qui la crût [12]; c'était le plus difficile. Au défaut de [13]
son père, elle convertit son oncle à sa mission. Il la prit avec lui, comme pour
soigner sa femme en couches.[14] Elle obtint de lui qu'il irait demander pour 25
elle l'appui [15] du sire [16] de Baudricourt, capitaine de Vaucouleurs. L'homme
de guerre reçut assez mal le paysan, et lui dit qu'il n'y avait rien à faire, sinon
de la ramener chez son père, « bien soufffletée. » [17] Elle ne se rebuta [18] pas;
elle voulut partir, et il fallut bien [19] que son oncle l'accompagnât. . . .

Elle arriva donc dans cette ville de Vaucouleurs, avec ses gros habits rouges 30
de paysanne, et alla loger avec son oncle chez la femme d'un charron,[20] qui la
prit en amitié.[21] Elle se fit mener chez Baudricourt, et lui dit avec fermeté [22]:
« Qu'elle venait vers lui de la part de [23] son Seigneur, pour qu'il mandât [24] au
dauphin [25] de se bien maintenir,[26] et qu'il n'assignât [27] point de bataille à ses
ennemis, parce que son Seigneur lui donnerait secours dans la mi-carême.[28] . . . 35
Le royaume n'appartenait pas au dauphin, mais à son Seigneur; toutefois

---

1. touchante. 2. à en pleurer: au point de vous faire pleurer. 3. abandonnât. 4. se
prolongea. 5. il se passa. 6. *rough* (not *rude*). 7. *vowed.* 8. gens . . . : soldats. 9. *would
drown.* 10. De . . . d'autre: *One way or the other.* 11. à côté: en comparaison. 12. *subj.
imparf. de* croire (*believe*). 13. Au défaut de: *Failing.* 14. en couches: *during* (*her*) con-
finement. 15. protection et aide. 16. seigneur. 17. *slapped.* 18. découragea. 19. il
fallut bien: *there was nothing for her uncle but; simply had to.* 20. *wheelwright.* 21. *took a
liking to her.* 22. sans hésitation ni faiblesse. 23. de la part de: *from, sent by.* 24. fît
savoir. 25. titre donné au fils aîné du roi de France. 26. se bien maintenir: rester ferme;
ne pas faiblir. 27. offrît, engageât. 28. *mid-lent.*

son Seigneur voulait que le dauphin devînt roi, et qu'il eût ce royaume en dépôt. »[1] Elle ajoutait que malgré les ennemis du dauphin, il serait fait roi, et qu'elle le mènerait sacrer.

Le capitaine fut bien étonné; il soupçonna qu'il y avait là quelque diablerie.[2] Il consulta le curé,[3] qui apparemment eut les mêmes doutes. Elle 5 n'avait parlé de ses visions à aucun homme d'Église. Le curé vint donc avec le capitaine dans la maison du charron; il déploya[4] son étole[5] et adjura Jeanne de s'éloigner,[6] si elle était envoyée du mauvais esprit.

Mais le peuple ne doutait point; il était dans l'admiration. De toutes parts[7] on venait la voir.... 10

Il paraît que Baudricourt envoya demander l'autorisation du roi. En attendant il la conduisit chez le duc de Lorraine qui était malade et voulait la consulter. Le duc n'en tira rien que le conseil d'apaiser[8] Dieu en se réconciliant avec sa femme. Néanmoins[9] il l'encouragea.

De retour[10] à Vaucouleurs, elle y trouva un messager du roi qui l'autorisait 15 à venir.... Les gens de Vaucouleurs ... se cotisèrent[11] pour l'équiper et lui acheter un cheval. Le capitaine ne lui donna qu'une épée....

C'était un rude[12] voyage et bien périlleux qu'elle entreprenait. Tout le pays était couru[13] par les hommes d'armes des deux partis. Il n'y avait plus ni route, ni pont; les rivières étaient grosses[14]; c'était au mois de février 1429. 20

S'en aller ainsi avec cinq ou six hommes d'armes, il y avait de quoi[15] faire trembler une fille.... Elle avait pris l'habit d'homme, et elle ne le quitta plus; cet habit serré[16] était sa meilleure sauvegarde....

Elle traversait avec une sérénité héroïque tout ce pays désert ou infesté de soldats. Ses compagnons regrettaient d'être partis avec elle; quelques-uns 25 pensaient que peut-être elle était sorcière[17]; ils avaient grande envie[18] de l'abandonner. Pour elle, elle était tellement paisible,[19] qu'à chaque ville elle voulait s'arrêter pour entendre la messe.[20] « Ne craignez rien, disait-elle, Dieu me fait ma route; c'est pour cela que je suis née. » Et encore: « Mes frères de paradis me disent ce que j'ai à faire. » 30

La cour de Charles VII était loin d'être unanime en faveur de la Pucelle. Cette fille inspirée qui arrivait de Lorraine, et que le duc de Lorraine avait encouragée, ne pouvait manquer[21] de fortifier[22] près du roi le parti de la reine et de sa mère, le parti de Lorraine et d'Anjou. Une embuscade[23] fut dressée[24] à la Pucelle à quelque distance de Chinon,[25] et elle n'y échappa que 35 par miracle.

L'opposition était si forte contre elle que, lorsqu'elle fut arrivée, le conseil discuta encore pendant deux jours si le roi la verrait. Ses ennemis crurent

---

1. *in trust.* **2.** intrigue du diable (*devil*). **3.** *priest* (not *curate*). **4.** *unfolded, spread out.* **5.** (partie du vêtement ecclésiastique): *stole.* **6.** *move away.* **7.** de tous les côtés. **8.** calmer (la colère de). **9.** malgré cela. **10.** Quand elle revint. **11.** *clubbed together.* **12.** difficile, pénible. **13.** *overrun.* **14.** *swollen, in flood.* **15.** de quoi: *enough.* **16.** *tight, close-fitting.* **17.** *witch.* **18.** avaient...envie: *were very much inclined to.* **19.** tellement paisible: si calme, si sereine. **20.** *mass.* **21.** *fail to.* **22.** rendre plus fort, encourager. **23.** *ambush.* **24.** *set, set up.* **25.** Le roi et la cour étaient alors à Chinon. (*Voir la carte.*)

ajourner l'affaire indéfiniment en faisant décider qu'on prendrait des informations dans son pays. Heureusement, elle avait aussi des amis, les deux reines,[1] sans doute, et surtout le duc d'Alençon, qui, sorti récemment des mains [2] des Anglais, était fort impatient de porter la guerre dans le nord pour recouvrer son duché. Les gens d'Orléans,[3] à qui, depuis le 12 février, Dunois [4] 5 promettait ce merveilleux secours, envoyèrent au roi et réclamèrent [5] la Pucelle.

Le roi la reçut enfin, et au milieu du plus grand appareil [6]; on espérait apparemment qu'elle serait déconcertée. C'était le soir; cinquante torches éclairaient la salle; nombre de seigneurs, plus de trois cents chevaliers [7] étaient réunis autour du roi. Tout le monde était curieux de voir la sorcière 10 ou l'inspirée.

La sorcière avait dix-huit ans; c'était une belle fille et fort désirable, assez grande de taille,[8] la voix douce et pénétrante.

Elle se présenta humblement, « comme une pauvre petite bergerette, » [9] démêla [10] au premier regard le roi qui s'était mêlé exprès [11] à la foule des sei- 15 gneurs, et quoiqu'il soutînt [12] d'abord qu'il n'était pas le roi, elle lui embrassa les genoux. Mais, comme il n'était pas sacré, elle ne l'appelait que dauphin: « Gentil dauphin,[13] dit-elle, j'ai nom [14] Jehanne [15] la Pucelle. Le Roi des cieux vous mande [16] par moi que vous serez sacré et couronné en la ville de Reims, et vous serez lieutenant du Roi des cieux qui est roi de France. » Le roi la 20 prit alors à part, et après un moment d'entretien,[17] tous deux changèrent de visage; elle lui disait, comme elle l'a raconté depuis à son confesseur: « Je te dis de la part de Messire,[18] que tu es *vrai héritier* de France et *fils du roi*. » [19]

[Il y avait autour du roi bien des gens timides ou intéressés qui ne voulaient pas croire à la mission de la Pucelle. L'archevêque de Reims réunit des professeurs de l'université de Poitiers,[20] des prêtres, des moines qui, pendant plusieurs jours, l'examinèrent sur sa foi et ses visions. Finalement, impatientée par leurs éternelles questions, leurs objections, leurs doctes [21] citations, elle leur répondit: « Écoutez, il y en a plus au livre de Dieu que dans tous vos livres. . . . Je viens de Dieu pour faire lever le siège d'Orléans et sacrer le dauphin à Reims »! et elle leur fit écrire une lettre aux capitaines anglais les sommant [22] de par [23] le Roi des Cieux de s'en aller en Angleterre. Après cela les examinateurs déclarèrent qu'on pouvait licitement [24] l'employer.]

. . . Il n'y avait plus de temps à perdre. Orléans criait au secours; Dunois envoyait coup sur coup.[25] On équipa la Pucelle; on lui forma une sorte de 25

1. les reines: Marie, que Charles VII avait épousée en 1422, et Yolande d'Aragon, sa mère, laquelle était femme de Louis III d'Anjou, roi de Sicile et de Naples. 2. sorti . . . des mains: libéré (après avoir été prisonnier). 3. Orléans, ville sur la Loire à 120 kilomètres au sud de Paris, assiégée par les Anglais (1428–1429). 4. fils naturel du duc d'Orléans, frère de Charles VI. 5. demandèrent comme leur droit; *demanded.* 6. pompe, éclat, splendeur. 7. *knights.* 8. *fairly tall.* 9. *diminutif de* bergère (*shepherdess*). 10. (lit., *unraveled*); *ici:* reconnut. 11. intentionnellement. 12. *maintained, asserted repeatedly.* 13. Gentil dauphin: Noble dauphin. *Cf. gentil*homme, *nobleman* (not *gentleman*). 14. je me nomme, mon nom est. 15. vieille forme du nom Jeanne. 16. fait savoir. 17. *conversation.* 18. Mon Seigneur. 19. *Voir note 10, page 510.* 20. capitale de la province du Poitou, au sud-ouest de Paris. 21. *learned.* 22. commandant. 23. de par: on dirait aujourd'hui *par l'ordre de*, ou *au nom de.* 24. *lawfully.* 25. coup sur coup: successivement et sans interruption.

maison.[1] On lui donna d'abord pour écuyer [2] un brave chevalier, d'âge mûr,[3] Jean Daulon, qui était au comte de Dunois, et le plus honnête homme qu'il eût parmi ses gens.[4] Elle eut aussi un noble page, deux hérauts [5] d'armes, un maître d'hôtel,[6] deux valets; son frère, Pierre d'Arc, vint la trouver et se joignit à ses gens. On lui donna pour confesseur Jean Pasquerel, frère ermite [7] 5 de Saint-Augustin.[8]

Ce fut une merveille pour les spectateurs, de voir la première fois Jeanne d'Arc dans son armure blanche et sur son beau cheval noir, au côté une petite hache [9] et l'épée de sainte Catherine. Elle avait fait chercher cette épée derrière l'autel [10] de Sainte-Catherine de Fierbois, où on la trouva en effet. 10 Elle portait à la main un étendard [11] blanc fleurdelisé,[12] sur lequel était Dieu avec le monde dans ses mains; à droite et à gauche, deux anges qui tenaient chacun une fleur de lis. « Je ne veux pas, disait-elle, me servir de mon épée pour tuer personne. » Et elle ajoutait que, quoiqu'elle aimât son épée, elle aimait « quarante fois plus » son étendard. Comparons les deux partis, au 15 moment où elle fut envoyée à Orléans.

Les Anglais s'étaient bien affaiblis dans ce long siège d'hiver. Après la mort de Salisbury, beaucoup d'hommes d'armes qu'il avait engagés [13] se crurent libres, et s'en allèrent. D'autre part, les Bourguignons [14] avaient été rappelés par le duc de Bourgogne. Quand on força la principale bastille [15] 20 des Anglais, dans laquelle s'étaient repliés [16] les défenseurs de quelques autres bastilles, on y trouva cinq cents hommes. Il est probable qu'en tout ils étaient deux ou trois mille. Sur ce petit nombre, tout n'était pas Anglais; il y avait aussi quelques Français, dans lesquels les Anglais n'avaient pas sans doute grande confiance. 25

S'ils avaient été réunis, cela eût fait un corps respectable; mais ils étaient divisés dans une douzaine de bastilles ou boulevards,[17] qui, pour la plupart, ne communiquaient pas entre eux. Cette disposition prouve que Talbot et les autres chefs anglais avaient eu jusque-là plus de bravoure et de bonheur que d'intelligence militaire. Il était évident que chacune de ces petites places [18] 30 isolées serait faible contre la grande et grosse ville qu'elles prétendaient [19] garder; que cette nombreuse population, aguerrie [20] par un long siège, finirait par assiéger [21] les assiégeants.

Quand on lit la liste formidable des capitaines qui se jetèrent dans Orléans, La Hire, Saintrailles, Gaucourt, Culan, Coaraze, Armagnac; quand on voit 35 qu'indépendamment des Bretons du maréchal de Retz, des Gascons du maréchal de Saint-Sévère, le capitaine de Châteaudun, Florent d'Illiers, avait

---

1. forma . . . maison: donna écuyer, page, serviteurs, etc. (la phrase suivante explique l'expression). 2. *equerry.* 3. *mature.* 4. *servants (of household).* 5. *heralds.* 6. *major-domo.* 7. *hermit.* 8. de (l'ordre de) Saint Augustin. 9. *hatchet.* 10. *altar.* 11. *standard, banner.* 12. orné de fleurs de lis (la fleur de lis était l'emblème des rois de France). 13. *recruited, enlisted.* 14. Les Bourguignons, alliés des Anglais, faisaient la guerre au roi de France. 15. autrefois, fort ou autre ouvrage détaché de fortification. 16. *fallen back.* 17. *bulwarks, ramparts.* 18. *ici:* forts. 19. voulaient. 20. *inured to war, made warlike.* 21. *besiege.*

entraîné la noblesse du voisinage [1] à cette courte expédition, la délivrance d'Orléans semble moins miraculeuse.

Il faut dire pourtant qu'il manquait une chose pour que ces grandes forces agissent avec avantage, chose essentielle, indispensable, l'unité d'action. Dunois eût [2] pu la donner, s'il n'eût [3] fallu pour cela que de l'adresse [4] et [5] de l'intelligence. Mais ce n'était pas assez. Il fallait une autorité, plus que l'autorité royale; les capitaines du roi n'étaient pas habitués à obéir au roi. Pour réduire [5] ces volontés sauvages,[6] indomptables,[7] il fallait Dieu même. Le Dieu de cet âge, c'était la Vierge [8] bien plus que le Christ. Il fallait la Vierge descendue sur terre, une vierge populaire, jeune, belle, douce, [10] hardie.[9]

La guerre avait changé les hommes en bêtes sauvages; il fallait de ces bêtes refaire des hommes, des chrétiens, des sujets dociles. Grand et difficile changement! quelques-uns de ces capitaines armagnacs étaient peut-être les hommes les plus féroces qui eussent jamais existé. Il suffit d'en nommer un, [15] dont le nom seul fait horreur, Gilles de Retz, l'original de la Barbe bleue.

Il restait pourtant une prise [10] sur ces âmes qu'on pouvait saisir; elles étaient sorties de [11] l'humanité, de la nature, sans avoir pu se dégager [12] entièrement de la religion. Les brigands, il est vrai, trouvaient moyen d'accommoder [13] de la manière la plus bizarre la religion au brigandage. L'un d'eux, le Gascon La [20] Hire, disait avec originalité: « Si Dieu se faisait homme d'armes, il serait pillard. » [14] Et quand il allait au butin,[15] il faisait sa petite prière gasconne,[16] sans trop [17] dire ce qu'il demandait, pensant bien que Dieu l'entendrait à demi-mot [18]: « Sire Dieu, je te prie de faire pour La Hire ce que La Hire ferait pour toi, si tu étais capitaine et si La Hire était Dieu. » [25]

Ce fut un spectacle risible et touchant de voir la conversion subite des vieux brigands armagnacs. Ils ne s'amendèrent pas à demi. La Hire n'osait plus jurer; la Pucelle eut compassion de la violence qu'il se faisait, elle lui permit de jurer: « Par son bâton. » Les diables se trouvaient devenus tout à coup de petits saints. [30]

Elle avait commencé par exiger qu'ils laissassent leurs folles [19] femmes et se confessassent. Puis, dans la route, le long de la Loire, elle fit dresser un autel sous le ciel, elle communia,[20] et ils communièrent. La beauté de la saison, le charme d'un printemps de Touraine, devaient singulièrement ajouter à la puissance religieuse de la jeune fille. Eux-mêmes, ils avaient rajeuni [21]; ils [35] s'étaient parfaitement oubliés,[22] ils se retrouvaient, comme en leurs belles années, pleins de bonne volonté et d'espoir, tous jeunes comme elle, tous enfants. . . . Avec elle, ils commençaient de tout cœur une nouvelle vie. Où les

1. *neighborhood.* 2. aurait. 3. avait. 4. *skill.* 5. maîtriser, faire obéir. 6. indisciplinées. 7. *untamable.* 8. *the Virgin.* 9. courageuse. 10. *a hold.* 11. étaient sorties de: avaient abandonné. 12. *free themselves from.* 13. concilier, faire accorder. 14. *looter.* 15. allait au butin: *was setting out on a looting expedition.* 16. c'est-à-dire, parlant à Dieu comme à un égal (on aime la familiarité en Gascogne, province du Midi de la France). 17. trop (clairement). 18. entendrait à demi-mot: *would understand a hint.* 19. pas sages. 20. *received the sacrament.* 21. *had become younger.* 22. *forgotten.*

menait-elle? peu leur importait.[1] Ils l'auraient suivie, non pas à Orléans, mais tout aussi bien à Jérusalem. Et il ne tenait qu'aux Anglais [2] d'y venir aussi; dans la lettre qu'elle leur écrivit, elle leur proposait gracieusement de se réunir et de s'en aller tous, Anglais et Français, délivrer le saint sépulcre.

II. JEANNE DÉLIVRE ORLÉANS ET FAIT SACRER LE ROI À REIMS

La première nuit qu'ils campèrent, elle coucha tout armée, n'ayant point de 5 femmes près d'elle; mais elle n'était pas encore habituée à cette vie dure; elle en [3] fut malade. Quant au péril, elle ne savait ce que c'était. Elle voulait qu'on passât du côté du nord, sur la rive [4] anglaise, à travers les bastilles des Anglais, assurant qu'ils ne bougeraient [5] point. On ne voulut pas [6] l'écouter; on suivit l'autre rive, de manière à passer deux lieues [7] au-dessus d'Orléans. 10 Dunois vint à la rencontre [8]: « Je vous amène, dit-elle, le meilleur secours qui ait jamais été envoyé à qui que ce soit,[9] le secours du roi des cieux. Il ne vient pas de moi, mais de Dieu même qui, à la requête de saint Louis et de saint Charlemagne,[10] a eu pitié de la ville d'Orléans et n'a pas voulu souffrir que les ennemis eussent tout ensemble le corps du duc et sa ville. » [11] 15

Elle entra dans la ville à huit heures du soir (29 avril), lentement; la foule ne permettait pas d'avancer. C'était à qui [12] toucherait au moins son cheval. Ils la regardaient « comme s'ils veissent [13] Dieu. » Tout en parlant doucement au peuple, elle alla jusqu'à l'église, puis à la maison du trésorier [14] du duc d'Orléans, homme honorable dont la femme et les filles la reçurent; elle 20 coucha avec Charlotte, l'une des filles.

Elle était entrée avec les vivres [15]; mais l'armée redescendit pour passer à Blois. Elle eût voulu néanmoins qu'on attaquât sur-le-champ les bastilles des Anglais. Elle envoya du moins une seconde sommation aux bastilles du nord, puis elle alla en faire une autre aux bastilles du midi. Le capitaine Glasdale 25 l'accabla [16] d'injures [17] grossières,[18] l'appelant vachère [19] et ribaude.[20] Au fond, ils la croyaient sorcière et en avaient grand'peur. Ils avaient gardé son héraut d'armes, et ils pensaient à le brûler, dans l'idée que peut-être cela romprait le charme. Cependant, ils crurent devoir,[21] avant tout, consulter les docteurs de l'université de Paris. Dunois les menaçait d'ailleurs de tuer aussi 30 leurs hérauts qu'il avait entre les mains. Pour la Pucelle, elle ne craignait rien pour son héraut; elle en envoya un autre, en disant: « Va dire à Talbot que

1. peu … importait: *little did it matter to them.*   **2.** il ne … Anglais: *the English themselves might* (had they only willed it).   **3.** *on that account.*   **4.** *shore, bank* (of a river).   **5.** *move;* (*Cf.* Angl. *budge*).   **6.** ne voulut pas: refusa.   **7.** lieue: distance d'environ quatre kilomètres.   **8.** vint à la rencontre: *came out to meet her.*   **9.** qui que ce soit: *anyone.*   **10.** Saint Louis (Louis IX), roi de France (1226–1270), et Charlemagne, roi des Francs et Empereur d'Occident (768–814), se distinguèrent tous deux par leur générosité envers l'Église.   **11.** le corps … sa ville: Charles, duc d'Orléans, avait été fait prisonnier à Azincourt en 1415. Il était alors en Angleterre d'où il ne revint qu'en 1440.   **12.** C'était à qui: *People vied with each other* …   **13.** (vieille forme du subjonctif de voir: vissent) voyaient.   **14.** *treasurer.*   **15.** provisions.   **16.** *hurled at her.*   **17.** insultes (not *injuries*).   **18.** *coarse;* (*Cf.* Angl. *gross*).   **19.** *cowherd.*   **20.** *loose woman.*   **21.** *thought it right.*

s'il s'arme, je m'armerai aussi. . . . S'il peut me prendre, qu'il me fasse brûler. »

[Michelet décrit ensuite longuement et avec force [1] détails techniques, les péripéties [2] de la lutte contre les Anglais: la prise successive de leurs bastilles, la panique qui, un jour, saisit les Français et que le courage de la Pucelle tourna en victoire, l'attaque de la forte bastille des Tournelles où Jeanne reçut sa première blessure,[3] le massacre de la garnison, enfin la retraite des débris [4] des armées anglaises vers le nord.]

L'effet de la délivrance d'Orléans fut prodigieux. Tout le monde y reconnut une puissance surnaturelle. Plusieurs la rapportaient [5] au diable, mais la plupart à Dieu; on commença à croire généralement que Charles VII 5 avait pour lui le bon droit.[6] . . .

Charles VII devait saisir ce moment, aller hardiment [7] d'Orléans à Reims, mettre la main sur la couronne. Cela semblait téméraire,[8] et n'en était pas moins facile dans le premier effroi [9] des Anglais. Puisqu'ils avaient fait l'insigne [10] faute de ne point sacrer encore leur jeune Henri VI, il fallait les 10 devancer.[11] Le premier sacré devait rester roi. C'était aussi une grande chose pour Charles VII de faire sa royale chevauchée [12] à travers la France anglaise, de prendre possession, de montrer que partout en France le roi est chez lui.

La Pucelle était seule de cet avis, et cette folie héroïque était la sagesse [13] même. Les politiques, les fortes têtes [14] du conseil souriaient, ils voulaient 15 qu'on allât lentement et sûrement, c'est-à-dire qu'on donnât aux Anglais le temps de reprendre courage. Ces conseillers donnaient tous des avis intéressés. Le duc d'Alençon voulait qu'on allât en Normandie, qu'on reconquît Alençon. Les autres demandèrent et obtinrent qu'on resterait sur la Loire, qu'on ferait le siège des petites places,[15] c'était l'avis le plus timide, et surtout l'intérêt 20 des maisons d'Orléans, d'Anjou, celui du Poitevin [16] la Trémouille, favori de Charles VII. . . .

Une bataille était imminente; Richemond venait pour en avoir l'honneur. Talbot et Falstoff s'étaient réunis; mais, chose étrange qui peint [17] et l'état du pays et cette guerre toute fortuite,[18] on ne savait où trouver l'armée 25 anglaise dans le désert [19] de la Beauce,[20] alors couverte de taillis [21] et de broussailles.[22] Un cerf [23] découvrit les Anglais; poursuivi par l'avant-garde [24] française, il alla se jeter dans leurs rangs.

Les Anglais étaient en marche, et n'avaient pas comme à l'ordinaire planté leur défense de pieux.[25] Talbot voulait seul se battre, enragé qu'il était, 30

1. beaucoup de.   2. événements heureux ou malheureux.   3. *wound.*   4. restes.
5. attribuaient.   6. avait . . . droit: que sa cause était juste.   7. sans hésitation.   8. imprudent.   9. grande peur.   10. très grande.   11. arriver avant.   12. voyage (à cheval).
13. *wisdom.*   14. grandes intelligences.   15. villes fortifiées.   16. originaire du Poitou, province de France au sud-ouest de Paris.   17. ou dépeint: représente (comme en un tableau).   18. *haphazard.*   19. *wilderness.*   20. pays de l'Orléanais (province dont Orléans était la capitale), au sud-ouest de Paris.   21. *copses.*   22. *bushes.*   23. *stag.*
24. *vanguard.*   25. morceaux de bois pointus aux deux bouts que l'on plantait en terre pour défendre un camp.

depuis Orléans, d'avoir montré le dos aux Français; sir Falstoff, au contraire, qui avait gagné la bataille des Harengs,[1] n'avait pas besoin d'une bataille pour se réhabiliter; il disait en homme sage qu'avec une armée découragée il fallait rester sur la défensive. Les gens d'armes français n'attendirent pas la fin de la dispute; ils arrivèrent au galop, et ne trouvèrent pas grande résis- 5 tance. Talbot s'obstina[2] à combattre, croyant peut-être se faire tuer, et ne réussit qu'à se faire prendre. La poursuite fut meurtrière[3]; deux mille Anglais couvrirent la plaine de leurs corps. La Pucelle pleurait à l'aspect de tous ces morts; elle pleura encore plus en voyant la brutalité du soldat,[4] et comme il traitait les prisonniers qui ne pouvaient se racheter[5]; l'un d'eux fut 10 frappé si rudement à la tête qu'il tomba expirant; la Pucelle n'y tint pas,[6] elle s'élança de cheval,[7] souleva la tête du pauvre homme, lui fit venir un prêtre, le consola, l'aida à mourir.

Après cette bataille de Patay (28 ou 29 juin),[8] le moment était venu, ou jamais, de risquer l'expédition de Reims. Les politiques voulaient qu'on 15 restât encore sur la Loire, qu'on s'assurât de Cosne et de la Charité. Ils eurent beau dire[9] cette fois; les voix timides ne pouvaient plus être écoutées. Chaque jour, affluaient[10] des gens de toutes les provinces qui venaient au bruit des miracles de la Pucelle, ne croyaient qu'en elle, et, comme elle, avaient hâte[11] de mener le roi à Reims. C'était un irrésistible élan[12] de pèlerinage et 20 de croisade. L'indolent jeune roi lui-même finit par se laisser soulever[13] à cette vague populaire, à cette grande marée[14] qui montait et poussait au nord. Roi, courtisans, politiques, enthousiastes, tous ensemble, de gré ou de force,[15] les fols, les sages, ils partirent. Au départ, ils étaient douze mille; mais le long de la route, la masse allait grossissant[16]; d'autres venaient, et toujours 25 d'autres; ceux qui n'avaient pas d'armures suivaient la sainte expédition en simples jacques,[17] tout[18] gentilshommes qu'ils pouvaient être, comme archers, comme coutiliers.[19]

[On arriva devant Troyes.[20]]

Troyes avait une garnison mêlée de Bourguignons et d'Anglais; à la première apparition de l'armée royale, ils osèrent faire une sortie. Il y 30 avait peu d'apparence[21] de forcer une grande ville, si bien gardée, et cela sans artillerie. Mais comment s'arrêter à en faire le siège? Comment, d'autre part, avancer en laissant une telle place derrière soi? l'armée souffrait déjà de la faim. Ne valait-il pas mieux s'en retourner? Les politiques triomphaient.

---

1. Pendant le siège d'Orléans un convoi de harengs (*herrings*) destinés aux Anglais fut attaqué par les Français qui furent repoussés (fév. 1427). Ce fut la Journée des Harengs. **2.** persista.   **3.** *bloody.*   **4.** du soldat = des soldats.   **5.** payer une rançon (*ransom*). **6.** n'y tint pas: *could not bear it.*   **7.** s'élança de cheval: *hastily dismounted.*   **8.** Lire 18 juin [Rudler].   **9.** Ils eurent beau dire: *Say what they might.*   **10.** venaient en foule. **11.** *haste.*   **12.** impulsion passionnée.   **13.** lit., *raised: carried along.*   **14.** *tide.*   **15.** de gré ou de force: *willy-nilly.*   **16.** allait grossissant: *kept on swelling.*   **17.** paysans. **18.** *though.*   **19.** soldats armés de la *coutille*, arme tranchante, espèce de grand *couteau.* **20.** capitale de la Champagne.   **21.** Il . . . apparence: Il était peu probable (qu'on pût).

Il n'y eut qu'un vieux conseiller armagnac, le président [1] Maçon, qui fut d'avis contraire, qui comprit que dans une telle entreprise la sagesse était du côté de l'enthousiasme, que dans une croisade populaire, il ne fallait pas raisonner. « Quand le roi a entrepris ce voyage, dit-il, il ne l'a pas fait pour [2] la grande puissance de gens d'armes, ni pour le grand argent qu'il eût, ni 5 parce que le voyage lui semblait possible ; il l'a entrepris parce que Jeanne lui disait d'aller en avant [3] et de se faire couronner à Reims, qu'il y trouverait peu de résistance, tel étant le bon plaisir de Dieu. »

La Pucelle . . . assura que dans trois jours on pourrait entrer dans la ville. « Nous en attendrions bien [4] six, dit le chancelier, si nous étions sûrs que 10 vous dites vrai. — Six ? vous y entrerez demain ! »

Elle prend son étendard ; tout le monde la suit aux fossés [5] ; elle y jette tout ce qu'on trouve, fagots, portes, tables, solives.[6] Et cela allait si vite que les gens de la ville crurent qu'en un moment il n'y aurait plus de fossés. Les Anglais commencèrent à s'éblouir,[7] comme à Orléans ; ils croyaient voir une 15 nuée [8] de papillons [9] blancs qui voltigeaient [10] autour du magique étendard. Les bourgeois, de leur côté, avaient grand'peur, se souvenant que c'était à Troyes [11] que s'était conclu le traité qui déshéritait Charles VII ; ils craignaient qu'on ne fît un exemple de leur ville ; ils se réfugiaient déjà aux églises ; ils criaient qu'il fallait se rendre. Les gens de guerre ne demandaient pas mieux.[12] 20 Ils parlementèrent,[13] et obtinrent de s'en aller avec tout ce qu'ils avaient.

Ce qu'ils avaient, c'étaient surtout des prisonniers, des Français. Les conseillers de Charles VII qui dressèrent la capitulation n'avaient rien stipulé pour ces malheureux. La Pucelle y songea seule. Quand les Anglais sortirent avec leurs prisonniers garrottés,[14] elle se mit aux portes, et s'écria : « O mon 25 Dieu ! ils ne les emmèneront [15] pas ! » Elle les retint en effet, et le roi paya leur rançon.

Maître de Troyes le 9 juillet, il fit le 15 son entrée à Reims ; et le 17 (dimanche) il fut sacré. Le matin même, la Pucelle mettant, selon le précepte de l'Évangile,[16] la réconciliation avant le sacrifice,[17] dicta une belle lettre pour 30 le duc de Bourgogne ; sans rien rappeler, sans irriter, sans humilier personne, elle lui disait avec beaucoup de tact et de noblesse : « Pardonnez l'un à l'autre de bon cœur,[18] comme doivent faire loyaux chrétiens. »

Charles VII fut oint [19] par l'archevêque de l'huile de la sainte ampoule [20] qu'on apporta de Saint-Remi ! [21] Il fut, conformément au rituel antique,[22] 35

---

1. président (d'une chambre du parlement). **2.** à cause de. **3.** *forward.* **4.** volontiers. **5.** *moats.* **6.** *joists.* **7.** (lit., *be dazzled*) : *have hallucinations brought on by panic;* devinrent fous de terreur. **8.** *cloud.* **9.** *butterflies.* **10.** *flying about.* **11.** *Voir note 10, page 510.* **12.** ne . . . mieux : *were only too glad (to concur).* **13.** discutèrent les conditions de la capitulation. **14.** solidement attachés (*bound*). **15.** *take them away.* **16.** *Gospel.* **17.** *If thou bringest thy gift to the altar, and there rememberest that thy brother hath aught against thee, leave there thy gift . . . and go thy way: first be reconciled to thy brother, and come and offer thy gift* (MATTH., V, 22–23). **18.** *wholeheartedly.* **19.** *anointed.* **20.** ampoule (*phial*) qui contenait l'huile sainte qui servait à oindre les rois de France. La légende fait remonter la sainte ampoule à saint Remi qui sacra Clovis, le premier roi chrétien. **21.** (église de) Saint-Remi à Reims (pas la cathédrale). **22.** *ancient* (not *antique*).

soulevé sur son siège [1] par les pairs [2] ecclésiastiques, servi des pairs laïques [3] et au sacre et au repas. Puis il alla à Saint-Marcou [4] toucher les écrouelles.[5] Toutes les cérémonies furent accomplies, sans qu'il y manquât rien. Il se trouva le vrai roi, et le seul, dans les croyances du temps. Les Anglais pouvaient désormais [6] faire sacrer Henri [7]; ce nouveau sacre ne pouvait être, dans 5 la pensée des peuples, qu'une parodie de l'autre.

Au moment où le roi fut sacré, la Pucelle se jeta à genoux, lui embrassant [8] les jambes et pleurant à chaudes larmes.[9] Tout le monde pleurait aussi.

On assure qu'elle lui dit: « O gentil [10] roi, maintenant est fait plaisir de Dieu qui voulait que je fisse lever le siège d'Orléans, et que je vous amenasse 10 en votre cité de Reims, recevoir votre saint sacre, montrant que vous êtes vrai roi, et qu'à vous doit appartenir le royaume de France. »

La Pucelle avait raison; elle avait fait et fini ce qu'elle avait à faire. Aussi, dans la joie même de cette triomphante solennité, elle eut l'idée, le pressentiment peut-être, de sa fin prochaine. Lorsqu'elle entrait à Reims avec le roi, 15 et que tout le peuple venait au-devant en chantant des hymnes: « O le bon et dévot peuple! dit-elle. . . . Si je dois mourir, je serais bien heureuse que l'on m'enterrât [11] ici! — Jeanne, lui dit l'archevêque, où croyez-vous donc mourir? — Je n'en sais rien, où il plaira à Dieu. . . . Je voudrais bien qu'il lui plût que je m'en allasse garder les moutons avec ma sœur et mes frères. . . . Ils 20 seraient si joyeux de me revoir! . . . J'ai fait du moins ce que notre Seigneur m'avait commandé de faire. » Et elle rendit grâces en levant les yeux au ciel. Tous ceux qui la virent en ce moment, dit la vieille chronique, « crurent mieux que jamais que c'estoit [12] chose venue de la part de Dieu. »

III. JEANNE EST TRAHIE ET LIVRÉE

Telle fut la vertu [13] du sacre et son effet tout-puissant dans la France du 25 nord, que dès lors l'expédition sembla n'être qu'une paisible prise de possession, un triomphe, une continuation de la fête de Reims. Les routes s'aplanissaient [14] devant le roi, les villes ouvraient leurs portes et baissaient leurs ponts-levis.[15] C'était comme un royal pèlerinage de la cathédrale de Reims à Saint-Médard de Soissons,[16] à Notre-Dame de Laon.[16] S'arrêtant quelques 30 jours dans chaque ville, chevauchant à son plaisir, il entra dans Château-Thierry,[16] dans Provins,[16] d'où, bien refait [17] et reposé, il reprit vers la Picardie [18] sa promenade triomphale.[19]

1. *seat, (coronation) chair.* 2. *peers.* 3. *lay* (i.e., not *ecclesiastical*). 4. église à Reims. 5. *scrofula* or *King's evil.* On disait que les écrouelles pouvaient être guéries miraculeusement par le simple fait que le roi les touchait. 6. *after that.* 7. *Voir page 510, lignes 10–11, et note 10, page 510.* 8. jetant les *bras* autour de. 9. pleurant abondamment. 10. noble; (*Cf.* Gentil dauphin, *note 13, page 516*). 11. *should bury;* (*Cf.* Angl. *inter*). 12. c'était. 13. efficacité. 14. *were made plane, smooth.* 15. *drawbridges.* 16. *Voir la carte, page 508.* 17. *restored.* 18. *Picardy.* Province du nord de la France qui ne fut réunie définitivement à la couronne qu'en 1477. 19. reprit sa promenade triomphale: *set out again on his leisurely and triumphant progress.*

[Malgré le désir qu'elle avait exprimé à l'archevêque de Reims: celui de rentrer chez elle après le sacre de Charles VII, Jeanne resta auprès du roi qui la combla [1] de faveurs. Elle était riche maintenant, anoblie,[2] honorée, l'égale des seigneurs et des princes. Aux yeux du peuple, c'était une sainte. On la croyait capable de prédire [3] l'avenir, de résoudre des problèmes sur lesquels l'Église elle-même était divisée, de faire des miracles: guérir les malades ou même ressusciter les morts. Une si belle fortune devait susciter [4] des jalousies. Il était à prévoir que le moindre échec [5] déchaînerait [6] contre elle des ressentiments.

Cependant [7] les Anglais, qui s'étaient tenus tranquilles après la bataille de Patay, se disposaient à enrayer [8] les progrès de la cause de Charles VII. Comprenant que ç'avait été une grosse erreur de ne pas faire sacrer le petit roi Henri, le cardinal de Winchester débarqua en France avec Henri et une nouvelle armée qu'il mena à Paris. Malgré les conseils de Jeanne, le roi marcha sur Paris et le 8 septembre (jour de la Nativité de Notre-Dame) les Français attaquèrent un fort au nord de la capitale et furent repoussés. Quinze cents hommes et Jeanne elle-même qui menait l'attaque, furent blessés. On ne manqua pas [9] de la blâmer de cet échec. Pendant l'hiver suivant, quoique mal soutenue [10] par la cour et l'armée, elle continua la lutte et prit plusieurs villes, mais au siège de Compiègne elle fut faite prisonnière par les Bourguignons, alliés des Anglais. Winchester voulait la faire condamner comme sorcière pour se venger, sans doute, des humiliations qu'elle avait infligées aux armes anglaises, mais aussi et surtout pour discréditer le sacre de Charles VII, car si on prouvait que le sacre de Charles avait été l'œuvre [11] du diable, celui de Henri pouvait passer pour une œuvre de Dieu. Mais il eût fallu pour cela s'emparer [12] de la personne de la Pucelle et les Bourguignons avaient trop conscience de l'avantage que leur procurait la possession d'une telle prisonnière pour la livrer sans en tirer parti.[13] Winchester offrit de l'acheter; promit trois cents livres de rente à l'un, dix mille francs (une rançon [14] de prince) à l'autre. Il ne s'en tint pas à [15] des offres d'argent: il menaça le duc de Bourgogne, alla même jusqu'à interdire tout commerce entre l'Angleterre et les Pays-Bas.[16] La Pucelle fut ainsi marchandée,[17] achetée, passée de main en main, de prison en prison jusqu'au moment où les Anglais l'eurent enfin et purent commencer leur procès.]

IV. LE PROCÈS. JEANNE REFUSE DE SE SOUMETTRE À L'ÉGLISE

Le 9 janvier 1431, Cauchon [18] ouvrit la procédure à Rouen.[19] Il fit siéger [20] près de lui le vicaire de l'inquisition et débuta par tenir une sorte de consultation avec huit docteurs, licenciés [21] ou maîtres ès [22] arts de Rouen. Il leur montra les informations qu'il avait recueillies [23] sur la Pucelle. Ces informations prises d'avance par les soins des ennemis de l'accusée, ne parurent pas 5 suffisantes aux légistes [24] rouennais [25]; elles l'étaient si peu en effet, que le

---

1. loaded. **2.** ennobled. **3.** foretell. **4.** causer. **5.** setback, failure. **6.** (lit., unchain), let loose. **7.** pendant ce temps. **8.** check. **9.** ne . . . did not fail to. **10.** supported, helped. **11.** ouvrage, acte. **12.** saisir, prendre. **13.** tirer . . .: faire leur profit. **14.** ransom. **15.** s'en tint à: se limita à. **16.** Low-Countries (Holland and Belgium). Le duc de Bourgogne était comte de Flandre; l'interruption du commerce entre l'Angleterre et la Flandre aurait ruiné les Flamands qui vendaient aux Anglais des toiles (linens) et leur achetaient la laine pour la fabrication du drap. **17.** bargained for. **18.** Pierre Cauchon, évêque de Beauvais, une créature de Winchester, « qui mangeait à la table de son maître, et qui jugerait ou jurerait tant qu'on en aurait besoin ». **19.** ancienne capitale de la Normandie. **20.** sit (on the bench). **21.** The licence is a university degree giving the holder (licencié) the right to practise law, medicine, etc. **22.** ès = en les: of. **23.** gathered. **24.** hommes de loi. **25.** de Rouen.

procès, d'abord défini d'après ces mauvaises données,[1] *procès de magie*, devint un *procès d'hérésie*.

Cauchon, pour se concilier ces Normands récalcitrants, pour les rendre moins superstitieux sur la forme des procédures, nomma l'un d'eux, Jean de la Fontaine,[2] conseiller examinateur. Mais il réserva le rôle le plus actif, 5 celui de promoteur du procès,[3] à un certain Estivet, un de ses chanoines [4] de Beauvais, qui l'avait suivi. Il trouva moyen de perdre un mois dans ces préparatifs,[5] mais enfin, le jeune roi ayant été ramené à Londres (9 février), Winchester, tranquille de ce côté, revint vivement au procès; il ne se fia [6] à personne pour en surveiller [7] la conduite [8]; il crut avec raison que l'œil du 10 maître vaut mieux, et s'établit à Rouen pour voir instrumenter [9] Cauchon.

La première chose était de s'assurer du moine qui représentait l'inquisition. . . . Celui-ci déclara « qu'il voudrait bien s'abstenir, tant pour le scrupule de sa conscience que pour la sûreté [10] du procès »; que l'évêque devrait plutôt lui substituer quelqu'un jusqu'à ce qu'il fût bien sûr que ses pouvoirs 15 suffisaient.

Il eut beau dire,[11] il ne put échapper; il jugea bon gré mal gré.[12] Ce qui sans doute, après la peur, aida à le retenir, c'est que Winchester lui fit allouer [13] vingt sols d'or [14] pour ses peines.[15] Le moine mendiant [16] n'avait peut-être vu jamais tant d'or dans sa vie. 20

Le 21 février, la Pucelle fut amenée devant ses juges. L'évêque de Beauvais l'admonesta [17] « avec douceur et charité, » la priant de dire la vérité sur ce qu'on lui demanderait, pour abréger son procès et décharger [18] sa conscience, sans chercher de subterfuges. — Réponse: « Je ne sais sur quoi vous me voulez interroger; vous pourriez bien me demander telles choses que je ne 25 vous dirais point. » Elle consentait à jurer de dire vrai sur tout ce qui ne touchait [19] point ses visions: « Mais pour ce dernier point, dit-elle, vous me couperiez plutôt la tête. » Néanmoins, on l'amena à jurer de répondre « sur ce qui toucherait la foi. »

Nouvelles instances [20] le jour suivant, 22 février, et encore le 24. Elle 30 résistait toujours: « C'est le mot des petits enfants, qu'*on pend souvent les gens pour avoir dit la vérité*. » Elle finit, de guerre lasse,[21] par consentir à jurer « de dire ce qu'elle saurait *sur son procès*, mais non tout ce qu'elle saurait. »

Interrogée sur son âge, ses nom et surnom, elle dit qu'elle avait environ 35 dix-neuf ans. « Au lieu où je suis née, on m'appelait Jehannette et en France [22]

---

1. *data*. 2. Ne pas confondre avec le poète du même nom qui était champenois et qui vécut au XVIIe siècle. 3. promoteur . . .: *prosecutor*. 4. *canons (of the church)*. 5. préliminaires. 6. *trusted*. 7. *supervise*. 8. direction; manière de *conduire* l'affaire. 9. *proceed*. 10. *ici:* légalité. 11. *Say what he might*. 12. bon gré mal gré: *i.e.* on le fit siéger sans tenir compte de ses objections. 13. donner, payer; (*Cf.* Angl., allow*ance*). 14. Le sol ou sou d'or valait à peu près 120 frs. Le vicaire reçut donc environ 2400 frs, ce qui correspond à une somme d'environ 30.000 frs aujourd'hui. 15. *for his trouble*. 16. moine . . .: *mendicant friar*. 17. *admonished*. 18. *unburden*. 19. concernait. 20. *renewed demands*. 21. de guerre lasse: *from sheer fatigue*. 22. *Voir page 57, note 17.*

Jehanne. ... » Mais quant au surnom (la Pucelle), il semble que, par un caprice de modestie féminine, elle eût eu peine à le dire; elle éluda par un pudique [1] mensonge [2]: « Du surnom, je n'en sais rien. »

Elle se plaignait d'avoir les fers [3] aux jambes. L'évêque lui dit que, puisqu'elle avait essayé plusieurs fois d'échapper, on avait dû lui mettre les fers. 5 « Il est vrai, dit-elle, je l'ai fait; c'est chose licite [4] à tout prisonnier. Si je pouvais m'échapper, on ne pourrait me reprendre [5] d'avoir faussé ma foi [6]; je n'ai rien promis. »

On lui ordonna de dire le *Pater* [7] et l'*Ave*,[8] peut-être dans l'idée superstitieuse que, si elle était vouée au diable, elle ne pourrait dire ces prières: « Je les dirai 10 volontiers si monseigneur de Beauvais veut m'ouïr [9] en confession. » Adroite et touchante demande; offrant ainsi sa confiance à son juge, à son ennemi, elle en eût fait son père spirituel et le témoin de son innocence.

Cauchon refusa; mais je croirais [10] aisément qu'il fut ému. Il leva la séance [11] pour ce jour, et le lendemain il n'interrogea pas lui-même; il en 15 chargea l'un des assesseurs.[12]

A la quatrième séance, elle était animée d'une vivacité singulière. Elle ne cacha point qu'elle avait entendu ses voix: « Elles m'ont éveillée, dit-elle; j'ai joint les mains, et je les ai priées de me donner conseil; elles m'ont dit: Demande à Notre-Seigneur. — Et qu'ont-elles dit encore? — Que je vous 20 réponde hardiment. » [13]

« ... Je ne puis tout dire; j'ai plutôt peur de dire chose qui leur déplaise, que je n'ai de répondre à vous. ... Pour aujourd'hui, je vous prie de ne pas m'interroger. »

L'évêque insista, la voyant émue: « Mais, Jehanne, on déplaît donc [14] à 25 Dieu en disant des choses vraies? — Mes voix m'ont dit certaines choses, non pour vous, mais pour le roi. » Et elle ajouta vivement: « Ah! s'il les savait, il en serait plus aise [15] à dîner. ... Je voudrais qu'il les sût, et ne pas boire de vin d'ici à Pâques. »

Parmi ces naïvetés,[16] elle disait des choses sublimes: « Je viens de par [17] 30 Dieu; je n'ai que faire ici [18]; renvoyez-moi à Dieu, dont je suis venue. ... »

« Vous dites que vous êtes mon juge; avisez [19] bien à ce que vous ferez, car vraiment je suis envoyée de Dieu; vous vous mettez en grand danger. »

Ces paroles sans doute irritèrent les juges, et ils lui adressèrent une insidieuse et perfide question: « Jehanne, croyez-vous être en état de grâce? » 35

Ils croyaient l'avoir liée [20] d'un lacs [21] insoluble. Dire non, c'était s'avouer indigne d'avoir été l'instrument de Dieu. Mais d'autre part, comment dire oui? Qui de nous, fragiles,[22] est sûr ici-bas d'être vraiment dans la grâce de

---

1. *chaste.* **2.** *subterfuge.* **3.** *ici:* chaînes. **4.** permise. **5.** reprocher. **6.** *broken my word.* **7.** *Pater Noster:* Notre Père. Premiers mots de l'oraison dominicale (*Lord's prayer*). **8.** *Ave Maria:* Je vous salue, Marie. **9.** entendre. **10.** *could believe.* **11.** *sitting.* **12.** *assistant (judge).* **13.** *boldly.* **14.** *then (according to what you say).* **15.** heureux. **16.** réponses naïves. **17.** de par (*vieille expression*): de, par l'ordre de. **18.** n'ai ... ici: *have no business here.* **19.** faites attention, réfléchissez bien. **20.** *bound, caught.* **21.** *snare.* **22.** faibles.

Dieu? Nul,[1] sinon l'orgueilleux,[2] le présomptueux, celui justement [3] qui de tous en est le plus loin.

Elle trancha le nœud [4] avec une simplicité héroïque et chrétienne:
« Si je n'y suis, Dieu veuille [5] m'y mettre. Si j'y suis, Dieu veuille m'y tenir. »

Les pharisiens [6] restèrent stupéfaits.[7] ...

Mais avec tout son héroïsme, c'était une femme pourtant. ... Après cette parole sublime, elle retomba, elle s'attendrit,[8] doutant de son état, comme il est naturel à une âme chrétienne, s'interrogeant et tâchant de se rassurer: « Ah! si je savais ne pas être en la grâce de Dieu, je serais la plus dolente [9] du monde. ... Mais, si j'étais en péché, la voix ne viendrait pas sans doute. ... Je voudrais que chacun pût l'entendre comme moi-même. ... »

Ces paroles rendaient prise [10] aux juges. Après une longue pause, ils revinrent à la charge avec un redoublement de haine, et lui firent coup sur coup [11] les questions qui pouvaient la perdre. Les voix ne lui avaient-elles pas dit de *haïr* les Bourguignons? ... N'allait-elle pas dans son enfance à l'arbre *des fées?* etc. Ils auraient déjà voulu la brûler comme sorcière.

A la cinquième séance, on l'attaqua par un côté délicat, dangereux, celui des apparitions. L'évêque, devenu tout à coup compatissant,[12] mielleux,[13] lui fit faire cette question: « Jehanne, comment vous êtes-vous portée [14] depuis samedi? — Vous le voyez, dit la pauvre prisonnière chargée de fers, le mieux que j'ai pu. »

« Jehanne, jeûnez-vous [15] tous les jours de ce carême? [16] — Cela est-il du procès? — Oui, vraiment. — Eh! bien, oui, j'ai toujours jeûné. »

On la pressa alors sur les visions, sur un signe qui aurait [17] apparu au dauphin, sur sainte Catherine et saint Michel. Entre autres questions hostiles et inconvenantes,[18] on lui demanda si, lorsqu'il lui apparaissait, saint Michel *était nu?* ... A cette vilaine question, elle répliqua, sans comprendre, avec une pureté céleste: « Pensez-vous donc que Notre-Seigneur n'ait pas de quoi le vêtir? » [19]

Le 3 mars, autres questions bizarres pour lui faire avouer quelque diablerie, quelque mauvaise accointance [20] avec le diable. « Ce saint Michel, ces saintes, ont-ils un corps, des membres? Ces figures sont-elles bien des anges? — Oui, je le crois aussi ferme que je crois en Dieu. » Cette réponse fut soigneusement notée.

Ils passent de là à l'habit d'homme,[21] à l'étendard: « Les gens d'armes ne se

---

1. aucun. **2.** *proud, self-satisfied.* **3.** *precisely.* **4.** trancha le nœud (lit., *cut through the knot): solved the difficulty.* (*Voir notes 6–8, page 510.*) **5.** Dieu...: *May God...* **6.** pharisees. **7.** *speechless.* **8.** *softened.* **9.** malheureuse. **10.** *offered another hold.* **11.** coup sur coup: rapidement, l'une après l'autre. **12.** plein de sollicitude, de compassion. **13.** (*de miel, honey): honeyed.* **14.** comment... portée? *how have you been (in health)?* **15.** *fast.* **16.** *Lent (season of fasting).* **17.** qui *aurait* (pas *avait*) paru. Le conditionnel ici exprime le doute; *a sign which,* it was alleged, *had appeared.* **18.** pas convenables; impudiques, (*immodest*). **19.** *clothe.* **20.** liaison familière, commerce. **21.** *Voir page 515, lignes 21–22.*

faisaient-ils pas des étendards à la ressemblance du vôtre? Ne les renouve-
laient-ils pas? — Oui, quand la lance en était rompue. — N'avez-vous pas
dit que ces étendards leur porteraient bonheur? — Non, je disais seulement:
Entrez hardiment parmi les Anglais, et j'y entrais moi-même.

— Mais pourquoi cet étendard fut-il porté en l'église de Reims, au sacre, 5
plutôt que ceux des autres capitaines?... — Il avait été à la peine,[1] c'était
bien raison[2] qu'il fût à l'honneur.

— Quelle était la pensée des gens qui vous baisaient les pieds, les mains et
les vêtements?[3] — Les pauvres gens venaient volontiers à moi parce que je
ne leur faisais point de déplaisir; je les soutenais et défendais, selon mon 10
pouvoir. »

Il n'y avait pas de cœur d'homme qui ne fût touché de telles réponses.
Cauchon crut prudent de procéder désormais avec quelques hommes sûrs[4]
et à petit bruit.[5] Depuis le commencement du procès, on trouve que le nombre des assesseurs varie à chaque séance; quelques-uns s'en vont, d'autres 15
viennent. Le lieu[6] des interrogatoires varie de même; l'accusée, interrogée
d'abord dans la salle du château de Rouen, l'est maintenant dans la prison.
Cauchon, « pour ne pas fatiguer les autres, » y menait seulement deux assesseurs et deux témoins (du 10 au 17 mars). Ce qui peut-être l'enhardit[7] à
procéder ainsi à huis[8] clos, c'est que désormais[9] il était sûr de l'appui[10] de 20
l'inquisition; le vicaire avait enfin reçu de l'inquisiteur général de France
l'autorisation de juger avec l'évêque (12 mars).

Dans ces nouveaux interrogatoires, on insiste seulement sur quelques points
indiqués d'avance par Cauchon.

Les voix lui ont-elles commandé cette sortie[11] de Compiègne où elle fut 25
prise? — Elle ne répond pas directement: « Les saintes m'avaient bien[12]
dit que je serais prise avant la Saint-Jean,[13] qu'il fallait qu'il fût ainsi fait,[14]
que je ne devais pas m'étonner,[15] mais prendre tout en gré,[16] et que Dieu
m'aiderait.... Puisqu'il a plu ainsi à Dieu, c'est pour le mieux que j'ai été
prise.   30

— Croyez-vous avoir bien fait de partir sans la permission de vos père
et mère? Ne doit-on pas honorer père et mère? — Ils m'ont pardonné.
— Pensiez-vous donc ne point pécher en agissant ainsi? — Dieu le commandait; quand j'aurais eu[17] cent pères et cent mères, je serais partie.

— Les voix ne vous ont-elles pas appelée fille de Dieu, fille de l'Église, la 35
fille au grand cœur? — Avant que le siège d'Orléans ait été levé, et depuis,
les voix m'ont appelée, et m'appellent tous les jours: « Jehanne la Pucelle,
fille de Dieu. »

---

    1. à la peine: *in all the trouble, fighting.*   2. c'était bien raison: il n'était que raisonnable.
3. *clothes* (not *vestments*, in this connection).   4. sur lesquels il pouvait compter.   5. dis-
crètement.   6. *locality.*   7. (le) rendit hardi; (lui) donna le courage.   8. porte.   9. à
partir de ce moment.   10. aide.   11. *sally.*   12. *ici:* il est vrai.   13. la (fête de) Saint-
Jean, 24 juin.   14. qu'il ... fait: *that it had to be so.*   15. *be astonished, upset.*   16. avec
résignation.   17. quand + conditionnel = même si + indicatif (impar. ou pl.-q.-par.)

— Était-il bien d'avoir attaqué Paris le jour de la Nativité de Notre-Dame?
— C'est bien fait de garder les fêtes de Notre-Dame; ce serait bien, en conscience,[1] de les garder tous les jours.

— Pourquoi avez-vous sauté de la tour de Beaurevoir? (ils auraient voulu
lui faire dire qu'elle avait voulu se tuer.) — J'entendais dire que les pauvres 5
gens de Compiègne seraient tués tous, jusqu'aux enfants de sept ans; et je
savais d'ailleurs que j'étais vendue aux Anglais; j'aurais mieux aimé mourir
que d'être entre les mains des Anglais.

— Sainte Catherine et sainte Marguerite haïssent-elles les Anglais? — Elles
aiment ce que Notre-Seigneur aime, et haïssent ce qu'il hait. — Dieu hait-il 10
les Anglais? — De l'amour ou haine [2] que Dieu a pour les Anglais et ce qu'il
fait de leurs âmes, je n'en sais rien; mais je sais bien qu'ils seront mis hors
de France, sauf ceux qui y périront. . . .

— Croyez-vous que votre roi a bien fait de tuer ou faire tuer monseigneur
de Bourgogne? — Ce fut grand dommage [3] pour le royaume de France. Mais, 15
quelque chose qu'il y eût entre eux, Dieu m'a envoyée au secours du roi de
France.

— Jehanne, savez-vous par révélation si vous échapperez? [4] — Cela ne
touche point votre procès. Voulez-vous que je parle contre moi? — Les voix
ne vous en ont rien dit? — Ce n'est point de votre procès; je m'en rapporte 20
à [5] Notre-Seigneur, qui en fera son plaisir. . . . » Et après un silence: « Par
ma foi, je ne sais ni l'heure, ni le jour. Le plaisir de Dieu soit fait. — Vos voix
ne vous en ont donc rien dit en général? — Eh bien! oui, elles m'ont dit que
je serais délivrée, que je sois gaie et hardie. . . . »

Un autre jour elle ajouta: « Les saintes me disent que je serai délivrée à 25
grande victoire [6]; et elles me disent encore: « Prends tout en gré [7]; ne te
soucie [8] de ton martyre; tu en viendras enfin [9] au royaume de Paradis. »
— Et depuis qu'elles ont dit cela vous vous tenez sûre d'être sauvée et de ne
point aller en enfer? — Oui, je crois aussi fermement ce qu'elles m'ont dit
que si j'étais sauvée déjà. — Cette réponse est de bien grand poids.[10] — Oui, 30
c'est pour moi un grand trésor. — Ainsi vous croyez que vous ne pouvez plus
faire de péché mortel? — Je n'en sais rien; je m'en rapporte de tout à Notre-
Seigneur. »

Les juges avaient enfin touché le vrai terrain de l'accusation, ils avaient
trouvé là une forte prise.[11] De faire passer pour sorcière, pour suppôt [12] du 35
diable, cette chaste et sainte fille, il n'y avait pas apparence,[13] il fallait y renoncer; mais dans cette sainteté même, comme dans celle de tous les mystiques,
il y avait un côté attaquable: la voix secrète égalée [14] ou préférée aux en-
seignements de l'Église, aux prescriptions de l'autorité, l'inspiration, mais

---

1. en vérité.   **2.** *hatred.*   **3.** chose déplorable.   **4.** *will escape.*   (Il ne s'agit pas ici
d'une évasion, mais du résultat du procès.)   **5.** m'en rapporte à: *refer it to; leave it to.*
6. à . . . victoire: avec éclat.   **7.** *Voir note 16, page 528.*   **8.** *worry.*   **9.** *come at last to.*
10. de . . . poids: très importante.   **11.** *hold.*   **12.** partisan.   **13.** il était peu probable
(qu'on pût le faire); *Cf. page 518, ll. 30–31.*   **14.** considérée comme l'égale.

libre, la révélation, mais personnelle, la soumission à Dieu; quel Dieu? le Dieu intérieur.

On finit ces premiers interrogatoires par lui demander si elle voulait s'en remettre de tous ses dits et faits à la détermination [1] de l'Église. A quoi elle répondit: « J'aime l'Église et je la voudrais soutenir de tout mon pouvoir. 5 Quant aux bonnes œuvres que j'ai faites, je dois m'en rapporter au Roi du ciel qui m'a envoyée. »

La question étant répétée, elle ne donna pas d'autre réponse, ajoutant: « C'est tout un, de Notre-Seigneur et de l'Église. »

On lui dit alors qu'il fallait distinguer, qu'il y avait l'Église *triomphante*, 10 Dieu, les saints, les âmes sauvées, et l'Église *militante*, autrement dit, le pape, les cardinaux, le clergé, les bons chrétiens, laquelle Église, « bien [2] assemblée » ne peut errer et est gouvernée du Saint-Esprit. « Ne voulez-vous donc pas vous soumettre à l'Église *militante?* — Je suis venue au roi de France de par Dieu, de par la vierge Marie, les saints et l'Église *victorieuse* de là-haut; 15 à cette Église, je me soumets, moi, mes œuvres, ce que j'ai fait ou à faire. — Et à l'Église *militante?* — Je ne répondrai maintenant rien autre chose. »

Si l'on en croyait [3] un des assesseurs, elle aurait dit [4] qu'en certains points elle n'en croyait ni évêque, ni pape, ni personne; que ce qu'elle avait, elle le tenait de Dieu.　　　　　20

La question du procès se trouva ainsi posée [5] dans sa simplicité, dans sa grandeur, le vrai débat s'ouvrit: d'une part, l'Église visible et l'autorité, de l'autre, l'inspiration attestant [6] l'Église invisible. . . . Invisible pour les yeux vulgaires, mais la pieuse fille la voyait clairement, elle la contemplait sans cesse et l'entendait en elle-même, elle portait en son cœur ces saintes et ces 25 anges. . . . Là était l'Église pour elle, là Dieu rayonnait [7]; partout ailleurs combien il était obscur! . . .

Tel étant le débat, il n'y avait pas de remède; l'accusée devait se perdre. Elle ne pouvait céder, elle ne pouvait, sans mentir, désavouer, nier, ce qu'elle voyait et entendait si distinctement. . . .　　　　　30

Un légiste de Rouen, ce même Jean de la Fontaine, ami de Cauchon et hostile à la Pucelle, ne crut pas en conscience pouvoir laisser ignorer [8] à une accusée sans conseil [9] qu'il y avait des juges d'appel, et que, sans rien sacrifier sur le fond,[10] elle pouvait y avoir recours. Deux moines crurent aussi que le droit suprême du pape devait être réservé.[11] Quelque peu régulier qu'il fût, 35 que des assesseurs pussent visiter isolément [12] et conseiller l'accusée, ces trois honnêtes gens, qui voyaient toutes les formes [13] violées par Cauchon pour le triomphe de l'iniquité, n'hésitèrent pas à les violer eux-mêmes dans l'intérêt de la justice. Ils allèrent intrépidement [14] à la prison, se firent ouvrir et lui

1. décision, jugement.　　2. *duly.*　　3. en croyait: acceptait comme vrai ce qu'a dit. 4. Le conditionnel dénote que Michelet lui-même n'accepte pas ce fait comme incontestable. 5. *put, defined.*　　6. *bearing witness to.*　　7. était lumineux, manifeste.　　8. rester dans l'ignorance.　　9. *advice or adviser.*　　10. *principles.*　　11. *safeguarded.*　　12. sans leurs collègues.　　13. règles de la procédure.　　14. courageusement.

conseillèrent l'appel. Elle appela le lendemain au pape et au concile.[1] Cauchon furieux fit venir les gardes, et leur demanda qui avait visité la Pucelle. Le légiste et les deux moines furent en grand danger de mort.[2] Depuis ce jour ils disparaissent, et avec eux disparaît du procès la dernière image du droit.[3]

Cauchon avait espéré d'abord mettre de son côté l'autorité des gens de loi, si grande à Rouen. Mais il avait vu bien vite qu'il faudrait se passer [4] d'eux. Lorsqu'il communiqua les premiers actes du procès à l'un de ces graves légistes, maître Jehan Lohier, celui-ci répondit net [5] que le procès ne valait rien, que tout cela n'était pas en forme, que les assesseurs n'étaient pas 10 libres, que l'on procédait à huis clos, que l'accusée, simple fille, n'était pas capable de répondre sur de si grandes choses et à de tels docteurs. Enfin, l'homme de la loi osa dire à l'homme d'Église: « C'est un procès contre l'honneur du prince dont cette fille tient le parti [6]; il faudrait l'appeler lui aussi et lui donner un défenseur. » [7] Cette gravité intrépide qui rappelle celle de 15 Papinien [8] devant Caracalla, aurait coûté cher à Lohier. Mais le Papinien normand n'attendit pas, comme l'autre, la mort sur sa chaise curule [9]; il partit à l'instant pour Rome.

Cauchon devait,[10] ce semble, être mieux soutenu des théologiens. Après les premiers interrogatoires, armé des réponses qu'elle avait données contre elle, 20 il s'enferma avec ses intimes, et s'aidant surtout de la plume [11] d'un habile universitaire [12] de Paris, il tira de ces réponses un petit nombre d'articles, sur lesquels on devait prendre l'avis [13] des principaux docteurs et des corps ecclésiastiques. C'était l'usage détestable, mais enfin (quoi qu'on ait dit) l'usage ordinaire et régulier des procès d'inquisition. Ces propositions ex- 25 traites des réponses de la Pucelle et rédigées [14] sous forme générale, avaient une fausse apparence d'impartialité. Dans la réalité, elles n'étaient qu'un travestissement de ses réponses, et ne pouvaient manquer d'être qualifiées par les docteurs consultés selon l'intention hostile de l'inique [15] rédacteur.[16]

Quelle que fût la rédaction, quelque terreur qui pesât sur les docteurs con- 30 sultés, leurs réponses furent loin d'être unanimes contre l'accusée. Parmi ces docteurs, les vrais théologiens, les croyants sincères, ceux qui avaient conservé la foi ferme du Moyen-âge, ne pouvaient rejeter si aisément les apparitions, les visions. Il eût fallu douter aussi de toutes les merveilles de la vie des saints, discuter [17] toutes les légendes. Le vénérable évêque d'Avranches, 35 qu'on alla consulter, répondit que, d'après les doctrines de saint Thomas, il

---

1. assemblée d'évêques. **2.** L'inquisiteur déclara que si l'on inquiétait (*molested*) les deux moines, il ne prendrait plus aucune part au procès (Note de MICHELET). **3.** image du droit: *semblance of legality*. **4.** *do without*. **5.** clairement et sans hésitation. **6.** tient le parti: représente. **7.** *counsel (to defend him)*. **8.** Jurisconsulte romain que l'empereur Caracalla fit mettre à mort parce qu'il avait refusé de faire un discours justifiant le meurtre de Géta, frère de l'empereur. **9.** (*Roman*) *magistrate's chair*. **10.** devait être: *should have been*. **11.** s'aidant de la plume (*making use of the pen*): *availing himself of the talent*. **12.** membre de l'université. **13.** opinion. **14.** *written down*. **15.** *iniquitous*. **16.** *reporter;* (*the university man referred to above*). **17.** examiner, mettre en doute.

n'y avait rien d'impossible dans ce qu'affirmait cette fille, rien qu'on dût rejeter à la légère.[1]

L'évêque de Lisieux, en avouant [2] que les révélations de Jeanne pouvaient lui être dictées par le démon, ajouta humainement qu'elles pouvaient aussi être *de simples mensonges*,[3] et que, si elle ne se soumettait à l'Église, elle 5 devait être jugée schismatique et véhémentement *suspecte* dans la foi.

Plusieurs légistes répondirent en normands,[4] la trouvant coupable et très coupable, *à moins qu'elle n'eût ordre de Dieu.* . . .

L'importante question de savoir si les révélations intérieures doivent se taire,[5] se désavouer elles-mêmes lorsque l'Église l'ordonne, ne s'agitait-elle [6] 10 pas en silence dans l'âme de celle qui affirmait et croyait le plus fortement? . . . J'ai quelque raison de le croire.

Tantôt elle déclara se soumettre au pape et demanda à lui être envoyée. Tantôt elle distingua, soutenant qu'en matière de *foi*, elle était soumise au pape, aux prélats, à l'Église, mais que, pour ce qu'elle avait *fait*, elle ne pou- 15 vait s'en remettre qu'à Dieu. Tantôt, elle ne distingua plus, et, sans explica- tion, s'en remit « à son Roi, au juge du ciel et de la terre. »

Quelque soin qu'on ait pris d'obscurcir ces choses, de cacher ce côté humain dans une figure qu'on voulait toute divine, les variations sont visibles. . . . J'attribuerais volontiers à ces combats intérieurs la maladie dont elle fut 20 atteinte et qui la mit bien près de la mort.

Elle tomba malade dans la semaine sainte. La tentation commença sans doute au dimanche des Rameaux.[7] Fille de la campagne, née sur la lisière [8] des bois, elle qui toujours avait vécu sous le ciel, il lui fallut passer ce beau jour de Pâques fleuries [9] au fond de la tour.[10] Le grand *secours* [11] qu'invoque 25 l'Église ne vint pas pour elle; *la porte ne s'ouvrit point.*[12]

Elle s'ouvrit le mardi, mais ce fut pour mener l'accusée à la grande salle du château par devant ses juges. On lui lut les articles qu'on avait tirés de ses réponses, et préalablement [13] l'évêque lui remontra [14] « que ces docteurs étaient tous gens d'Église, clercs et lettrés [15] en droit, divin et humain, et tous bénins [16] 30 et pitoyables,[17] voulaient procéder doucement, sans demander vengeance *ni punition corporelle*, mais que seulement ils voulaient l'éclairer et la mettre en la voie [18] de vérité et de salut; que, comme elle n'était pas assez instruite [19] en si haute matière, l'évêque et l'inquisiteur lui offraient qu'elle élût [20] un ou plusieurs des assistants pour la conseiller. » L'accusée, en présence de 35

1. à la légère: *lightly.* **2.** admettant. **3.** illusions, hallucinations. **4.** en normands: à la manière normande; *i.e.*, d'une façon équivoque. **5.** rentrer dans le silence; cesser de parler. **6.** *agiter* (une question); *raise a question.* **7.** *Palm Sunday.* **8.** bord. **9.** Pâques fleuries: dimanche des Rameaux. **10.** au fond . . .: *shut up in the dungeon.* **11.** « Deus in adjutorium meum intende » (*God, make haste for my help.* Ps. LXXI, 12). **12.** Tout le monde sait que l'office (*service*) de cette fête est un de ceux qui ont conservé les formes du Moyen-âge. La procession trouve la porte de l'église fermée, le célébrant frappe: « Attollite portas. . . .» (*Lift up your heads, O ye gates.* . . . Ps. XXIV, 7.) — et la porte s'ouvre au Seigneur (Note de MICHELET). **13.** avant (la lecture du document). **14.** lui fit remarquer, appela son attention sur le fait que. . . . **15.** clercs . . .: gens instruits. **16.** indulgents. **17.** enclins à la pitié, bons. **18.** chemin. **19.** *well enough informed.* **20.** choisît, nommât.

cette assemblée, dans laquelle elle ne trouvait pas un visage ami, répondit avec douceur: « En ce que vous m'admonestez [1] de mon bien et de notre foi, je vous remercie; quant au conseil que vous m'offrez, je n'ai point intention de me départir du [2] conseil de Notre-Seigneur. »

Le premier article touchait le point capital, la soumission. Elle répondit 5 comme auparavant [3]: « Je crois bien que notre saint-père,[4] les évêques et autres gens d'Église sont pour garder la *foi* chrétienne et punir ceux qui y défaillent.[5] Quant à mes *faits*, je ne me soumettrai qu'à l'Église du ciel, à Dieu et à la Vierge, aux saints et saintes du paradis. Je n'ai point failli en la foi chrétienne, et je n'y voudrais faillir. »   10

Et plus loin: « J'aime mieux mourir que révoquer ce que j'ai fait par le commandement de Notre-Seigneur. »

Ce qui peint [6] le temps, l'esprit inintelligent de ces docteurs, leur aveugle attachement à la lettre sans égard à l'esprit, c'est qu'aucun point ne leur semblait plus grave que le péché d'avoir pris un habit d'homme. Ils lui 15 remontrèrent que, selon les canons,[7] ceux qui changent ainsi l'habit de leur sexe sont abominables devant Dieu. D'abord elle ne voulut pas répondre directement, et demanda un délai jusqu'au lendemain. Les juges insistant pour qu'elle quittât cet habit, elle répondit: « Qu'il n'était pas en elle de dire quand elle pourrait le quitter. — Mais si l'on vous prive [8] d'entendre la 20 messe? — Eh bien, Notre-Seigneur peut bien me la faire entendre sans vous. — Voudrez-vous prendre l'habit de femme, pour recevoir votre Sauveur à Pâques? — Non, je ne puis quitter cet habit; pour recevoir mon Sauveur, je ne fais nulle différence de cet habit ou d'un autre. » — Puis elle semble ébranlée,[9] et demande qu'au moins on lui laisse entendre la messe, et elle 25 ajoute: « Encore si [10] vous me donniez une robe comme celles que portent les filles des bourgeois, une robe *bien longue.* »

On voit bien qu'elle rougissait de s'expliquer. La pauvre fille n'osait dire comment elle était dans sa prison, en quel danger continuel. Il faut savoir que trois soldats couchaient dans sa chambre, trois de ces brigands que l'on 30 appelait *houspilleurs*.[11] Il faut savoir qu'enchaînée à une poutre [12] par une grosse chaîne de fer, elle était presque à leur merci; l'habit d'homme qu'on voulait lui faire quitter était toute sa sauvegarde.... Que dire de l'imbécillité du juge, ou de son horrible connivence?

Sous les yeux de ces soldats, parmi leurs insultes et leurs dérisions,[13] elle était 35 de plus espionnée [14] du dehors; Winchester, l'inquisiteur, et Cauchon, avaient chacun une clef de la tour, et l'observaient à chaque heure; on avait tout exprès percé la muraille; dans cet infernal cachot,[15] chaque pierre avait des yeux.

Toute sa consolation, c'est qu'on avait d'abord laissé communiquer avec 40

1. *admonish.* **2.** renoncer à, abandonner. **3.** avant, en d'autres occasions. **4.** le pape. **5.** *fall away.* **6.** dépeint, indique clairement. **7.** lois de l'Église; règles concernant la discipline religieuse. **8.** *deprive.* **9.** *shaken.* **10.** *if only.* **11.** *roughs, "toughs."* **12.** *beam.* **13.** moqueries. **14.** *spied on.* **15.** *cell.*

elle un prêtre qui se disait prisonnier et du parti de Charles VII. Ce Loyseleur, comme on l'appelait, était un Normand qui appartenait aux Anglais.
Il avait gagné la confiance de Jeanne, recevait sa confession, et pendant ce
temps des notaires cachés écoutaient et écrivaient.... On prétend[1] que
Loyseleur l'encouragea à résister, pour la faire périr. Quand on délibéra si 5
elle serait mise à la torture (chose bien inutile puisqu'elle ne niait et ne
cachait rien), il ne se trouva que deux ou trois hommes pour conseiller cette
atrocité, et le confesseur fut des trois.

L'état déplorable de la prisonnière s'aggrava[2] dans la semaine sainte[3] par
la privation des secours de la religion. Le jeudi, la Cène[4] lui manqua; dans 10
ce jour où le Christ se fait l'hôte universel, où il invite les pauvres et tous
ceux qui souffrent, elle parut *oubliée.*[5]

Au vendredi saint,[6] au jour du grand silence, où tout bruit cessant, chacun
n'entend plus que son propre cœur, il semble que celui des juges ait parlé,
qu'un sentiment d'humanité et de religion se soit éveillé dans leurs vieilles 15
âmes scolastiques.[7] Ce qui est sûr, c'est qu'au mercredi, ils siégeaient trente-
cinq, et que le samedi ils n'étaient plus que neuf; les autres prétextèrent sans
doute les dévotions du jour.

Elle au contraire, elle avait repris cœur[8]; associant ses souffrances à celles
du Christ, elle s'était relevée.[9] Elle répondit de nouveau: « qu'elle s'en rap- 20
porterait à l'Église militante, *pourvu qu'elle ne lui commandât chose impossible.*
— Croyez-vous donc n'être point sujette à l'Église qui est en terre, à notre
saint-père le pape, aux cardinaux, archevêques, évêques et prélats? — Oui,
sans doute, *notre Sire*[10] *servi.*[11] — Vos voix vous défendent de vous soumettre
à l'Église militante? — Elles ne le défendent point, *Notre-Seigneur étant servi* 25
premièrement. »

V. LA TENTATION

Cette fermeté se soutint le samedi. Mais le lendemain, que devint-elle, le
dimanche, ce grand dimanche de Pâques? Que se passa-t-il dans ce pauvre
cœur, lorsque la fête universelle éclatant[12] à grand bruit par la ville, les
cinq cents cloches de Rouen jetant leurs joyeuses volées[13] dans les airs, le 30
monde chrétien ressuscitant avec le Sauveur, elle resta dans sa mort!

Qu'était donc en ce temps-là un si cruel isolement![14] Qu'était-ce pour une
jeune âme qui n'avait vécu que de foi!... Elle qui, parmi sa vie intérieure
de visions et de révélations, n'en avait pas moins[15] obéi docilement aux
commandements de l'Église, elle qui jusque-là s'était crue naïvement fille 35
soumise de l'Église, « bonne fille », comme elle disait, pouvait-elle voir sans

---

1. on dit (not *pretends*). 2. devint plus grave. 3. semaine qui précède Pâques (*Easter*).
4. *Holy Communion.* 5. « usquequo oblivisceris me in finem »; Offices du jeudi saint, *à
laudes;* (Note de MICHELET). 6. *Good Friday.* 7. *formalist.* (*Voir page 533, ll. 13–15.*)
8. *regained her courage.* 9. *risen (from the depths of her discouragement).* 10. Seigneur.
11. (étant d'abord) servi. 12. *bursting forth.* 13. *peals.* 14. *seclusion, loneliness.*
15. n'en ... moins: *had nonetheless.*

terreur que l'Église était contre elle? Seule, quand tous s'unissent en Dieu, seule exceptée de la joie du monde et de l'universelle communion, au jour où la porte du ciel s'ouvre au genre humain, seule en être exclue!...

Et cette exclusion était-elle injuste?... L'âme chrétienne est trop humble pour prétendre [1] jamais qu'elle a droit à recevoir son Dieu.... Qui était-elle 5 après tout, pour contredire ces prélats, ces docteurs? Comment osait-elle parler devant tant de gens habiles qui avaient étudié? Dans la résistance d'une ignorante aux doctes, d'une simple fille aux personnes élevées en autorité, n'y avait-il pas outrecuidance [2] et damnable orgueil?... Ces craintes lui vinrent certainement. 10

D'autre part, cette résistance n'est pas celle de Jeanne, mais bien des saintes et des anges qui lui ont dicté ses réponses et l'ont soutenue jusqu'ici.... Pourquoi, hélas! viennent-ils donc plus rarement dans un si grand besoin? Pourquoi ces consolants visages des saintes n'apparaissent-ils plus que dans une douteuse [3] lumière et chaque jour pâlissants?... Cette délivrance tant [4] 15 promise, comment n'arrive-t-elle pas?... Nul doute que la prisonnière ne se soit fait bien souvent ces questions, qu'elle n'ait tout bas, bien doucement, querellé [5] les saintes et les anges. Mais des anges qui ne tiennent point leur parole, sont-ce bien [6] des anges de lumière?... Espérons que cette horrible pensée ne lui traversa point l'esprit. 20

Elle avait un moyen d'échapper. C'était, sans désavouer expressément, de ne plus affirmer, de dire: « Il me semble. » Les gens de loi trouvaient tout simple qu'elle dît ce petit mot. Mais pour elle, dire une telle parole de doute, c'était au fond renier, c'était abjurer le beau rêve des amitiés célestes, trahir les douces sœurs d'en haut.... Mieux valait mourir.[7] ... Et en effet, l'infortunée, rejetée de l'Église visible, délaissée de l'invisible Église, du monde et de son propre cœur, elle défaillit.[8] ... Et le corps suivait l'âme défaillante. ...

Il se trouva justement que ce jour-là, elle avait goûté [9] d'un poisson que lui envoyait le charitable évêque de Beauvais, elle put se croire empoisonnée.[10] 30 L'évêque y [11] avait intérêt; la mort de Jeanne eût fini ce procès embarrassant, tiré le juge d'affaire.[12] Mais ce n'était pas le compte [13] des Anglais. Lord Warwick disait tout alarmé: « Le *Roi* ne voudrait pour rien au monde qu'elle mourût de sa mort naturelle; le *Roi* l'a achetée, elle lui coûte cher!... Il faut qu'elle meure par justice, qu'elle soit brûlée.... Arrangez-vous [14] pour 35 la guérir. »

On eut soin d'elle en effet, elle fut visitée, saignée,[15] mais elle n'en [16] alla pas mieux. Elle restait faible et presque mourante. Soit [17] qu'on craignît

---

1. *claim.* **2.** présomption. **3.** incertaine. **4.** si souvent. **5.** grondé, fait des reproches à. **6.** véritablement. **7.** Mieux ... mourir: La mort était préférable. **8.** *weakened.* **9.** *tasted.* **10.** put ... empoisonnée: *may well have thought that she had been poisoned.* **11.** y: à un empoisonnement. **12.** embarras. **13.** n'était ... compte: ne convenait (*suited*) pas. **14.** trouvez moyen de. **15.** *bled.* **16.** en: *for all that.* **17.** soit que ...: *either because ... or.*

qu'elle n'échappât ainsi et ne mourût sans rien rétracter, soit que cet affaiblissement du corps donnât espoir qu'on aurait meilleur marché [1] de l'esprit,
les juges firent une tentative [2] (18 avril). Ils vinrent la trouver dans sa chambre et lui remontrèrent qu'elle était en grand danger, si elle ne voulait prendre
conseil [3] et suivre l'avis de l'Église: « Il me semble, en effet, dit-elle, vu [4] mon 5
mal,[5] que je suis en grand péril de mort. S'il est ainsi, que Dieu veuille faire
son plaisir de moi, je voudrais avoir confession, recevoir mon Sauveur et être
mise en terre sainte.[6] — Si vous voulez avoir les sacrements de l'Église, il faut
faire comme les bons catholiques et vous soumettre à l'Église. » Elle ne répliqua rien. Puis, le juge répétant les mêmes paroles, elle dit: « Si le corps 10
meurt en prison, j'espère que vous le ferez mettre en terre sainte; si vous
ne le faites, je m'en rapporte à Notre-Seigneur. »

Déjà, dans ses interrogatoires, elle avait exprimé une de ses dernières
volontés. Demande: « Vous dites que vous portez l'habit d'homme par le
commandement de Dieu, et pourtant vous voulez avoir chemise de femme en 15
cas de mort? — Réponse: Il suffit qu'elle soit longue. » Cette touchante
réponse montrait assez qu'en cette extrémité, elle était bien moins préoccupée
de la vie que de la pudeur.[7]

Les docteurs prêchèrent longtemps la malade, et celui qui s'était chargé
spécialement de l'exhorter, un des scolastiques de Paris, maître Nicolas Midy, 20
finit par lui dire aigrement [8]: « Si vous n'obéissez à l'Église, vous serez
abandonnée comme une Sarrasine.[9] — Je suis bonne chrétienne, répondit-
elle doucement, j'ai été bien baptisée, je mourrai comme une bonne chrétienne. »

Ces lenteurs [10] portaient au comble [11] l'impatience des Anglais. Win 25
chester résolut que, sans s'arrêter aux lenteurs de ces Normands, on
s'adresserait directement au grand tribunal théologique, à l'Université de
Paris.

Tout en attendant la réponse, on faisait de nouvelles tentatives pour vaincre
la résistance de l'accusée; on employait la ruse, la terreur. Dans une seconde 30
monition [12] (2 mai), le prédicateur, maître Châtillon, lui proposa de s'en remettre de la vérité de ses apparitions à des gens de son propre parti.[13] Elle
ne donna [14] pas dans ce piège. « Je m'en tiens,[15] dit-elle, à mon juge, au Roi
du ciel et de la terre. » Elle ne dit plus cette fois, comme auparavant: « A
Dieu *et au pape.* » — « Eh bien! l'Église vous laissera, et vous serez en péril 35
du feu, pour l'âme et le corps. — Vous ne ferez ce que vous dites [sans] qu'il
ne vous en prenne mal au corps et à l'âme. » [16]

On ne s'en tint pas à [17] de vagues menaces. A la troisième monition qui eut

---

1. aurait . . . marché (lit., *have it cheaper*): *would more easily subdue or master.*   **2.** *attempt.*
3. prendre conseil: *be advised.*   **4.** *considering.*   **5.** maladie.   **6.** *consecrated.*   **7.** *modesty.*
8. *harshly.*   **9.** Sarrasine: Mahométane; c'est-à-dire, comme une payenne (*pagan*).   **10.** delays.   **11.** *to the utmost.*   **12.** *A monition is the formal notice which a bishop or ecclesiastical
court serves before censuring an offender.*   **13.** L'archevêque de Reims et l'église de Poitiers.
(Note de MICHELET).   **14.** tomba.   **15.** m'en tiens à: *I rely upon; abide by.*   **16.** prenne
mal . . . l'âme: *without evil befalling your body and soul.*   **17.** *Voir note 15.*

lieu dans sa chambre (11 mai), on fit venir le bourreau,[1] on affirma que la torture était prête. . . . Mais cela n'opéra [2] point. Il se trouva au contraire qu'elle avait repris tout son courage, et tel qu'elle ne l'eut jamais. Relevée [3] après la tentation, elle avait comme monté d'un degré vers les sources de la Grâce. « L'ange Gabriel est venu me fortifier, dit-elle; c'est bien [4] lui, les   5 saintes me l'ont assuré. . . . Dieu a toujours été le maître en ce que j'ai fait; le diable n'a jamais eu puissance en moi. . . . Quand vous me feriez [5] arracher les membres et tirer l'âme du corps, je n'en dirais pas autre chose. » L'Esprit éclatait [6] tellement en elle que Châtillon lui-même, son dernier adversaire, fut touché et devint son défenseur; il déclara qu'un procès conduit ainsi lui 10 semblait nul. Cauchon, hors de lui, le fit taire.

Enfin, arriva la réponse de l'Université. Elle décidait, sur les douze articles,[7] que cette fille était livrée au diable, impie [8] envers ses parents, altérée [9] de sang chrétien, etc. C'était l'opinion de la faculté de théologie. La faculté de droit, plus modérée, la déclarait punissable, mais avec deux restrictions: 15 1° [10] si elle s'obstinait; 2° si elle était dans son bon sens.

L'Université écrivait en même temps au pape, aux cardinaux, au roi d'Angleterre, louant [11] l'évêque de Beauvais, et déclarant « qu'il lui semblait avoir été tenue grande gravité, sainte et juste manière de procéder, et dont chacun devait être bien content. »
    20

Armés de cette réponse, quelques-uns voulaient qu'on la brûlât sans plus attendre; cela eût suffi pour la satisfaction des docteurs dont elle rejetait l'autorité, mais non pas pour celle des Anglais; il leur fallait une rétractation qui *infamât* [12] le roi Charles. On essaya d'une nouvelle monition, d'un nouveau prédicateur, maître Pierre Morice, qui ne réussit pas mieux; il eut beau 25 faire valoir [13] l'autorité de l'Université de Paris, « qui est la lumière de toute science »: — « Quand je verrais [5] le bourreau et le feu, dit-elle, quand je serais [5] dans le feu, je ne pourrais dire que ce que j'ai dit. »

On était arrivé au 23 mai, au lendemain de la Pentecôte [14]; Winchester ne pouvait plus rester à Rouen, il fallait en finir. On résolut d'arranger une 30 grande et terrible scène publique qui pût ou effrayer l'obstinée, ou tout au moins donner le change [15] au peuple. On lui envoya la veille au soir Loyseleur, Châtillon et Morice, pour lui promettre que si elle était soumise, si elle quittait l'habit d'homme, elle serait remise aux gens d'Église et qu'elle sortirait des mains des Anglais.
    35

Ce fut au cimetière de Saint-Ouen, derrière la belle et austère église monastique (déjà bâtie comme nous la voyons), qu'eut lieu cette terrible comédie. Sur un échafaud [16] siégeaient le cardinal Winchester, les deux juges et trente-trois assesseurs, plusieurs ayant leurs scribes assis à leurs pieds. Sur l'autre échafaud, parmi les huissiers [17] et les gens de torture était Jeanne en habit 40

1. *executioner.*   **2.** *worked.*   **3.** *restored.*   **4.** *most certainly.*   **5.** *Voir page 528, note 17.*
6. *shone forth.*   **7.** *Voir page 531, ll. 19–29.*   **8.** *impious.*   **9.** *thirsty.*   **10.** 1°, 2°: *primo, secundo.*   **11.** complimentant.   **12.** déshonorât.   **13.** faire valoir: vanter l'importance de.
14. *Whitsunday.*   **15.** donner . . .: *fool.*   **16.** *raised platform.*   **17.** *court attendants.*

d'homme; il y avait en outre [1] des notaires pour recueillir [2] ses aveux,[3] et un prédicateur [4] qui devait l'admonester.   Au pied, parmi la foule, se distinguait un étrange auditeur,[5] le bourreau sur la charrette,[6] tout prêt à l'emmener, dès qu'elle lui serait adjugée.[7]

Le prédicateur du jour, un fameux docteur, Guillaume Érard, crut devoir, 5 dans une si belle occasion, lâcher la bride [8] à son éloquence, et par zèle il gâta tout.   « O noble maison de France, criait-il, qui toujours avais été protectrice de la foi, as-tu été ainsi abusée,[9] de t'attacher à une hérétique et schismatique ... »   Jusque-là l'accusée écoutait patiemment, mais le prédicateur, se tournant vers elle, lui dit en levant le doigt: « C'est à toi, Jehanne, que je 10 parle, et je te dis que ton roi est hérétique et schismatique. »   A ces mots, l'admirable fille, oubliant tout son danger, s'écria: « Par ma foi, sire, révérence gardée, j'ose bien vous dire et jurer, sur peine [10] de ma vie, que c'est le plus noble chrétien de tous les chrétiens, celui qui aime le mieux la foi et l'Église, il n'est point tel que vous le dites. — Faites-la taire, » s'écria Cauchon.   15

Ainsi tant d'efforts, de travaux, de dépenses,[11] se trouvaient perdus.   L'accusée soutenait son dire.   Tout ce qu'on obtenait d'elle cette fois, c'était qu'elle voulait bien se soumettre *au pape.*   Cauchon répondait: « Le pape est trop loin. »   Alors il se mit à lire l'acte de condamnation tout dressé d'avance; il y était dit entre autres choses: « Bien plus, d'un esprit obstiné, vous avez 20 refusé de vous soumettre *au Saint-Père* et au concile, etc. »   Cependant Loyseleur, Érard, la conjuraient d'avoir pitié d'elle-même; l'évêque, reprenant quelque espoir, interrompit sa lecture.   Alors les Anglais devinrent furieux; un secrétaire de Winchester dit à Cauchon qu'on voyait bien qu'il favorisait cette fille, le chapelain du cardinal en disait autant.   « Tu en as menti, s'écria 25 l'évêque. — Et toi, dit l'autre, tu trahis le roi. »   Ces graves personnages semblaient sur le point de se gourmer [12] sur leur tribunal.

Érard ne se décourageait pas, il menaçait, il priait.   Tantôt il disait: « Jehanne, nous avons tant pitié de vous!... »   et tantôt: « Abjure,[13] ou tu seras brûlée! »   Tout le monde s'en mêlait,[14] jusqu'à un bon huissier qui, 30 touché de compassion, la suppliait de céder, et assurait qu'elle serait tirée des mains des Anglais, remise à l'Église.   « Eh bien, je signerai, » dit-elle.   Alors Cauchon, se tournant vers le cardinal, lui demanda respectueusement ce qu'il fallait faire.   « L'admettre à la pénitence, » [15] répondit le prince ecclésiastique.

Le secrétaire de Winchester tira de sa manche une toute petite révocation de 35 six lignes (celle qu'on publia ensuite avait six pages), il lui mit la plume en main, mais elle ne savait pas signer; elle sourit et traça un rond [16]; le secrétaire lui prit la main et lui fit faire une croix.

La sentence [17] de grâce était bien sévère: « Jehanne, nous vous condamnons

1. *furthermore.*   2. *glean, take note of.*   3. *avowals, admissions (that she had been mistaken).* 4. *preacher.*   5. *listener.*   6. *(two-wheel, springless) cart.*   7. *assigned by the court, given over.*   8. lâcher ...: *give rein.*   9. trompée (not *abused*).   10. *penalty.*   11. *expenses.* 12. se battre à coups de poing.   13. *forswear.*   14. *took a part (in it).*   15. *penance.* 16. *cercle.*   17. *jugement.*

par grâce et modération à passer le reste de vos jours en prison, au pain de douleur [1] et à l'eau d'angoisse,[2] pour y pleurer [3] vos péchés. »

Elle était admise par le juge d'Église à faire pénitence, nulle autre part sans doute que dans les prisons d'Église. L'*in pace* [4] ecclésiastique, quelque dur qu'il fût, devait au moins la tirer des mains des Anglais, la mettre à l'abri [5] de leurs outrages, sauver son honneur. Quels furent sa surprise et son désespoir, lorsque l'évêque dit froidement: « Menez-la où vous l'avez prise. »

Rien n'était fait; ainsi trompée, elle ne pouvait manquer de rétracter sa rétractation. Mais, quand elle aurait voulu [5] y persister, la rage des Anglais ne l'aurait pas permis. Ils étaient venus à Saint-Ouen, dans l'espoir de brûler en- [10] fin la sorcière; ils attendaient, haletants,[6] et on croyait les renvoyer ainsi, les payer d'un petit morceau de parchemin, d'une signature, d'une grimace.[7] . . . Au moment même où l'évêque interrompit la lecture de la condamnation, les pierres volèrent sur les échafauds, sans respect du cardinal. . . . Les docteurs faillirent périr en descendant dans la place; ce n'était partout qu'épées nues [15] qu'on leur mettait à la gorge; les plus modérés des Anglais s'en tenaient aux paroles outrageantes: « Prêtres, vous ne gagnez pas l'argent du roi. » Les docteurs, défilant [8] à la hâte, disaient tout tremblants: « Ne vous inquiétez, nous la retrouverons bien. »

Et ce n'était pas seulement la populace des soldats, le *mob* anglais, qui [20] montrait cette soif de sang. Les honnêtes gens,[9] les grands, les lords, n'étaient pas moins acharnés.[10] L'homme du roi, son gouverneur, lord Warwick, disait comme les soldats: « Le roi va mal,[11] la fille ne sera pas brûlée. » . . .

VI. LA MORT

Le vendredi et le samedi, l'infortunée prisonnière dépouillée [12] de l'habit d'homme, avait bien à craindre. La nature brutale, la haine furieuse, la [25] vengeance, tout devait pousser les lâches [13] à la dégrader avant qu'elle pérît, à souiller [14] ce qu'ils allaient brûler. . . .

« Quand vint le dimanche matin, jour de la Trinité, et qu'elle dut se lever (comme elle l'a rapporté à celui qui parle [15]), elle dit aux Anglais, ses gardes: « Déferrez-moi,[16] que je puisse me lever. » L'un d'eux ôta les habits de femme [30] qui étaient sur elle, vida le sac où était l'habit d'homme, et lui dit: « Lève-toi. — Messieurs, dit-elle, vous savez qu'il [17] m'est défendu; sans faute,[18] je ne le prendrai point. » Ce débat dura jusqu'à midi; et enfin, pour nécessité [19] de corps,[20] il fallut bien qu'elle sortît et prît cet habit. Au retour, ils ne voulurent point lui en donner d'autres, quelque supplication qu'elle fît. » [21]   [35]

---

1. *suffering.*   **2.** *anguish.*   **3.** *mourn over.*   **4.** *tomb-like prison; in pace:* formule qu'on grave souvent sur les tombes.   **5.** même si elle avait voulu.   **6.** *breathless.*   **7.** *pretence.* **8.** *filing past.*   **9.** *respectable people.*   **10.** *intent (on her death).*   **11.** Le roi va mal: *Things are going badly with the king.*   **12.** *stripped of, deprived of.*   **13.** *dastards.*   **14.** *sully.* **15.** . . . qui parle: déposition (*statement*) de l'huissier Massieu qui la suivit jusqu'au bûcher (*stake*) (Note de MICHELET).   **16.** Otez mes fers.   **17.** il: cet habit.   **18.** en vérité. **19.** *exigency.*   **20.** *body.*   **21.** *however earnestly she begged (them).*

Ce n'était pas au fond l'intérêt des Anglais qu'elle reprît l'habit d'homme et qu'elle annulât [1] ainsi une rétractation si laborieusement obtenue. Mais en ce moment leur rage ne connaissait plus de bornes.[2] Saintrailles [3] venait de faire une tentative hardie [4] sur Rouen. C'eût été un beau coup d'enlever [5] les juges sur leur tribunal, de mener à Poitiers Winchester et Bedford; celui-ci 5 faillit encore être pris au retour, entre Rouen et Paris. Il n'y avait plus de sûreté [6] pour les Anglais, tant que vivrait cette fille maudite, qui sans doute continuait ses maléfices [7] en prison. Il fallait qu'elle pérît.

Les assesseurs, avertis à l'instant de venir au château pour voir le changement d'habit, trouvèrent dans la cour une centaine d'Anglais qui leur barrèrent 10 le passage; pensant que ces docteurs, s'ils entraient, pouvaient gâter tout, ils levèrent sur eux les haches, les épées, et leur donnèrent la chasse, en les appelant *traîtres d'Armagnaux*. Cauchon, introduit à grand'peine,[8] fit le gai [9] pour plaire à Warwick, et dit en riant: « Elle est prise. »

Le lundi, il revint avec l'inquisiteur et huit assesseurs pour interroger la 15 Pucelle et lui demander pourquoi elle avait repris cet habit. Elle ne donna nulle excuse, mais acceptant bravement son danger, elle dit que cet habit convenait mieux tant qu'elle serait gardée par des hommes; que d'ailleurs [10] on lui avait manqué de parole.[11] Ses saintes lui avaient dit « que c'était grand'pitié d'avoir abjuré pour sauver sa vie. » Elle ne refusait pas au reste [12] de 20 reprendre l'habit de femme. « Qu'on me donne une prison douce et sûre,[13] disait-elle, je serai bonne et je ferai tout ce que voudra l'Église. »

L'évêque, en sortant, rencontra Warwick et une foule d'Anglais; et, pour se montrer bon Anglais, il dit en leur langue: « Farewell, farewell. » Ce joyeux adieu voulait dire à peu près: « Bonsoir, bonsoir, tout est 25 fini. »

Le mardi, les juges formèrent à l'archevêché une assemblée telle quelle [14] d'assesseurs, dont les uns n'avaient siégé qu'aux premières séances, les autres jamais, au reste gens de toute espèce, prêtres, légistes et jusqu'à trois médecins. Ils leur rendirent compte de ce qui s'était passé et leur demandèrent avis. 30 L'avis, tout autre qu'on ne l'attendait, fut qu'il fallait mander encore la prisonnière et lui relire son acte d'abjuration. Il est douteux que cela fût au pouvoir des juges. Il n'y avait plus au fond ni juges, ni jugement possible, au milieu de cette rage de soldats, parmi les épées. Il fallait du sang, celui des juges peut-être n'était pas loin de couler. Ils dressèrent à la hâte une cita 35 tion,[15] pour être signifiée [16] le lendemain à huit heures; elle ne devait plus comparaître [17] que pour être brûlée.

---

1. *nullify.* **2.** limites. **3.** Saintrailles, capitaine au service de Charles VII, s'était battu à Orléans et à Patay, après la mort de la Pucelle, continua la guerre contre les Anglais. **4.** audacieuse. **5.** *carry off.* **6.** *security.* **7.** *witchcraft.* **8.** à grand'peine: avec beaucoup de difficulté. **9.** fit le gai: fit semblant d'être gai. **10.** *furthermore.* **11.** manqué de parole: *not kept (their) word (to place her in a church prison or convent).* See page 537, ll. 33–35, *visit of Loyseleur, Châtillon and Morice.* **12.** *moreover.* **13.** où elle ne serait pas exposée aux brutalités de ses gardes. **14.** telle quelle: *of some kind or other.* **15.** *summons.* **16.** *served.* **17.** *appear (before the tribunal).*

Le matin, Cauchon lui envoya un confesseur, frère Martin l'Advenu, « pour lui annoncer sa mort et l'induire à pénitence.... Et quand il annonça à la pauvre femme la mort dont elle devait mourir ce jour-là, elle commença à s'écrier douloureusement, se détendre [1] et arracher les cheveux: « Hélas! me traite-t-on ainsi horriblement et cruellement, qu'il faille [2] que mon corps, 5 net et entier,[3] qui ne fut jamais corrompu, soit aujourd'hui consumé et rendu [4] en cendres! Ha! ha! j'aimerais mieux être décapitée sept fois que d'être ainsi brûlée!... Oh! j'en appelle à Dieu, le grand juge, des torts [5] et ingravances [6] qu'on me fait! »

Après cette explosion de douleur, elle revint à elle et se confessa, puis elle 10 demanda à communier. Le frère était embarrassé; mais l'évêque consulté répondit qu'on pouvait lui donner la communion « et tout ce qu'elle demanderait. » Ainsi, au moment même où il la jugeait hérétique relapse [7] et la retranchait [8] de l'Église, il lui donnait tout ce que l'Église donne à ses fidèles. Peut-être un dernier sentiment humain s'éleva dans le cœur du mauvais juge, 15 il pensa que c'était bien assez de brûler cette pauvre créature, sans la désespérer [9] et la damner. Peut-être aussi le mauvais prêtre, par une légèreté d'esprit fort,[10] accordait-il les sacrements comme chose sans conséquence [11] qui ne pouvait après tout que calmer et faire taire le patient.[12] ... Au reste, on essaya d'abord de faire la chose à petit bruit, on apporta l'eucharistie [13] 20 sans étole et sans lumière. Mais le moine s'en plaignit; et l'église de Rouen, dûment avertie,[14] se plut à témoigner [15] ce qu'elle pensait du jugement de Cauchon; elle envoya le corps du Christ [16] avec quantité de torches, un nombreux clergé, qui chantait des litanies et disait le long des rues au peuple à genoux: « Priez pour elle. » 25

Après la communion qu'elle reçut avec beaucoup de larmes, elle aperçut l'évêque et elle lui dit ce mot: « Évêque, je meurs par vous.... » Et encore: « Si vous m'eussiez mise aux prisons d'Église et donné des gardiens ecclésiastiques, ceci ne fût pas advenu.... C'est pourquoi j'en appelle de vous devant Dieu! » 30

Puis, voyant parmi les assistants [17] Pierre Morice, l'un de ceux qui l'avaient prêchée, elle lui dit: « Ah! maître Pierre, où serai-je ce soir? — N'avez-vous pas bonne espérance au Seigneur? — Oh! oui, Dieu aidant, je serai en Paradis! »

Il était neuf heures, elle fut revêtue [18] d'habits de femme et mise sur un 35 chariot.[19] A son côté, se tenait le confesseur frère Martin l'Advenu, l'huissier Massieu était de l'autre. Le moine augustin,[20] frère Isambart, qui avait déjà montré tant de charité et de courage, ne voulut pas la quitter. On assure que

---

1. *pull.* **2.** *should have to.* **3.** net et entier: *clean and whole.* **4.** réduit. **5.** *wrongs;* Cf. legal term: *tort.* **6.** *injustices.* **7.** *backslider.* **8.** *was cutting off.* **9.** *drive to despair.* **10.** esprit fort: *free-thinker.* **11.** importance. **12.** victime. **13.** le pain de la communion. **14.** informée. **15.** se plut ...: *was pleased to express.* **16.** corps du Christ: eucharistie. **17.** personnes présentes. (*Voir page 537, ll. 25-28.*) **18.** *clothed.* **19.** *cart* (not *chariot*). **20.** de l'ordre de saint Augustin.

le misérable [1] Loyseleur vint aussi sur la charrette et lui demanda pardon; les Anglais l'auraient tué sans le comte [2] de Warwick.

Jusque-là la Pucelle n'avait jamais désespéré, sauf peut-être sa tentation pendant la semaine sainte. Tout en disant, comme elle le dit parfois: « Ces Anglais me feront mourir, » au fond elle n'y croyait pas. Elle ne s'imaginait [5] point que jamais elle pût être abandonnée. Elle avait foi dans son Roi, dans le bon peuple de France. Elle avait dit expressément: « Il y aura en prison ou au jugement quelque trouble,[3] par quoi je serai délivrée ... délivrée à grande victoire! [4] ... » Mais quand le roi et le peuple lui auraient manqué, elle avait un autre secours, tout autrement [5] puissant et certain, celui de ses [10] amies d'en haut, des bonnes et chères Saintes.... Lorsqu'elle assiégeait Saint-Pierre, et que les siens l'abandonnèrent à l'assaut, les Saintes envoyèrent une invisible armée à son aide. Comment délaisseraient-elles [6] leur obéissante fille; elles lui avaient tant de fois promis *salut* et *délivrance!* ...

Quelles furent donc ses pensées, lorsqu'elle vit que vraiment il fallait mourir, [15] lorsque, montée sur la charrette, elle s'en allait à travers une foule, tremblante sous la garde de huit cents Anglais armés de lances et d'épées? Elle pleurait et se lamentait, n'accusant toutefois ni son Roi, ni ses Saintes.... Il ne lui échappait qu'un mot: « O Rouen, Rouen! dois-je donc mourir ici? »

Le terme du triste voyage était le Vieux-Marché, le marché au poisson. [20] Trois échafauds avaient été dressés. Sur l'un était la chaire [7] épiscopale et royale, le trône du cardinal d'Angleterre, parmi les sièges de ses prélats. Sur l'autre devaient figurer les personnages du lugubre drame, le prédicateur, les juges et le bailli, enfin la condamnée. On voyait à part un grand échafaud de plâtre, chargé et surchargé [8] de bois; on n'avait rien plaint [9] au bûcher, il [25] effrayait [10] par sa hauteur. Ce n'était pas seulement pour rendre l'exécution plus solennelle; il y avait une intention, c'était afin que, le bûcher étant si haut échafaudé,[11] le bourreau n'y atteignît [12] que par en bas, pour allumer seulement, qu'ainsi il ne pût abréger [13] le supplice,[14] ni expédier [15] la patiente comme il faisait des autres, leur faisant grâce [16] de la flamme. Ici, il ne [30] s'agissait pas [17] de frauder [18] la justice,[19] de donner au feu un corps mort; on voulait qu'elle fût bien réellement brûlée vive, que placée au sommet de cette montagne de bois, et dominant le cercle des lances et des épées, elle pût être observée de toute la place. Lentement, longuement brûlée sous les yeux d'une foule curieuse, il y avait lieu [20] de croire qu'à la fin elle laisserait surprendre [21] [35] quelque faiblesse, qu'il lui échapperait quelque chose qu'on pût donner pour un désaveu,[22] tout au moins des mots confus qu'on pourrait interpréter, peut-être de basses [23] prières, d'humiliants cris de grâce, comme d'une femme éperdue.[24] ...

---

1. *the wretch.* **2.** *earl.* **3.** *disturbance.* **4.** *Voir note 6, page 529.* **5.** tout autrement: bien plus. **6.** abandonneraient-elles. **7.** siège élevé. **8.** *laden and overladen: piled high.* **9.** *spared.* **10.** terrifiait. **11.** *built up.* **12.** *would reach.* **13.** *shorten.* **14.** souffrance. **15.** tuer. **16.** faisant grâce: *sparing.* **17.** il ne s'agissait pas: *one was not to.* **18.** *cheat.* **19.** *law. (Cf. cheat the gallows.)* **20.** *there was reason to.* **21.** laisserait ...: *(allow to be heard, seen), betray* **22.** *disavowal.* **23.** *cringing.* **24.** folle de détresse.

L'effroyable [1] cérémonie commença par un sermon. Maître Nicolas Midy, une des lumières de l'Université de Paris, prêcha sur ce texte édifiant: « Quand un membre de l'Église est malade, toute l'Église est malade. » Cette pauvre Église ne pouvait guérir qu'en se coupant un membre. Il concluait par la formule: « Jeanne, *allez* en paix, l'Église ne peut plus *te* défendre. »   5

Alors le juge d'Église, l'évêque de Beauvais, l'exhorta bénignement [2] à s'occuper de son âme et à se rappeler tous ses méfaits,[3] pour s'exciter à la contrition. Les assesseurs avaient jugé qu'il était de droit [4] de lui relire son abjuration; l'évêque n'en fit rien. Il craignait des démentis,[5] des réclamations.[6] Mais la pauvre fille ne songeait guère à chicaner [7] ainsi sa vie, elle 10 avait bien d'autres pensées. Avant même qu'on l'eût exhortée à la contrition, elle s'était mise à genoux, invoquant Dieu, la Vierge, saint Michel et sainte Catherine, pardonnant à tous et demandant pardon, disant aux assistants: « Priez pour moi! ... » Elle requérait [8] surtout les prêtres de dire chacun une messe pour son âme.... Tout cela de façon si dévote, si humble et si tou- 15 chante, que l'émotion gagnant, personne ne put plus se contenir [9]; l'évêque de Beauvais se mit à pleurer, celui de Boulogne sanglotait,[10] et voilà que les Anglais eux-mêmes pleuraient et larmoyaient [11] aussi, Winchester comme les autres.

Serait-ce dans ce moment d'attendrissement [12] universel, de larmes, de con- 20 tagieuse faiblesse, que l'infortunée, amollie [13] et redevenue simple femme, aurait avoué qu'elle voyait bien qu'elle avait eu tort, qu'on l'avait trompée apparemment en lui promettant délivrance? Nous n'en pouvons trop croire [14] là-dessus le témoignage [15] intéressé des Anglais. Toutefois, il faudrait bien peu connaître la nature humaine pour douter, qu'ainsi trompée dans son 25 espoir, elle n'ait vacillé [16] dans sa foi.... A-t-elle dit le mot? c'est chose incertaine; j'affirme qu'elle l'a pensé.

Cependant les juges, un moment décontenancés,[17] s'étaient remis et raffermis [18]; l'évêque de Beauvais, s'essuyant les yeux, se mit à lire la condamnation. Il remémora [19] à la coupable tous ses crimes, schisme, idolâtrie, 30 invocation de démons, comment elle avait été admise à pénitence, et comment, « séduite par le Prince du mensonge, elle était retombée, ô douleur! [20] *comme le chien qui retourne à son vomissement.*[21] ... Donc, nous prononçons [22] que vous êtes un membre pourri,[23] et comme tel, retranché de l'Église. Nous vous livrons à la puissance séculière, *la priant toutefois de modérer son juge- 35 ment en vous évitant [24] la mort et la mutilation des membres.* »

1. terrible, horrible.   **2.** avec douceur, sans sévérité.   **3.** *misdeeds.*   **4.** selon le droit, selon les formes légales.   **5.** contradictions.   **6.** *objections.*   **7.** défendre (en faisant valoir de petits détails).   **8.** priait.   **9.** se maîtriser, cacher son émotion.   **10.** *sobbed.* **11.** versaient (*shed*) des larmes; *whimpered.*   **12.** compassion.   **13.** *softened.*   **14.** n'en pouvons trop croire: *must not believe too readily.*   **15.** *testimony.*   **16.** *wavered, hesitated.* **17.** *put out of countenance, abashed.*   **18.** remis et raffermis: *pulled themselves together.* **19.** rappela.   **20.** ô douleur! *oh! the pity of it.*   **21.** "*As the dog returneth to his vomit, so the fool returneth to his folly*"; Prov. XXVI, 11.   **22.** prononçons (ce jugement); déclarons. **23.** *rotten.*   **24.** *avoiding, sparing.*

Délaissée ainsi de l'Église, elle se remit [1] en toute confiance à Dieu. Elle demanda la croix. Un Anglais lui passa une croix de bois, qu'il fit d'un bâton [2]; elle ne la reçut pas moins dévotement, elle la baisa et la mit, cette rude croix, sous ses vêtements et sur sa chair.[3] ... Mais elle aurait voulu la croix de l'église, pour la tenir devant ses yeux jusqu'à la mort. Le bon huissier 5 Massieu et frère Isambart firent tant [4] qu'on la lui apporta de la paroisse [5] Saint-Sauveur. Comme elle embrassait cette croix, et qu'Isambart l'encourageait, les Anglais commencèrent à trouver tout cela bien long; il devait être au moins midi; les soldats grondaient, les capitaines disaient: « Comment! prêtres, nous ferez-vous dîner ici? ... » Alors, perdant patience et 10 n'attendant pas l'ordre du bailli qui seul pourtant avait autorité pour l'envoyer à la mort, ils firent monter deux sergents pour la tirer des mains des prêtres. Au pied du tribunal, elle fut saisie par les hommes d'armes qui la traînèrent au bourreau, lui disant: « Fais ton office.[6] ... » Cette furie de soldats fit horreur; plusieurs des assistants, des juges même, s'enfuirent, pour 15 n'en pas voir davantage.

Quand elle se trouva en bas dans la place, entre ces Anglais qui portaient les mains sur elle, la nature pâtit [7] et la chair se troubla [8]; elle cria de nouveau: « O Rouen, tu seras donc ma dernière demeure! ... » Elle n'en dit pas plus, et *ne pécha pas par ses lèvres*, dans ce moment d'effroi et de trouble.[9] ... 20

Elle n'accusa ni son Roi, ni ses Saintes. Mais parvenue au haut du bûcher, voyant cette grande ville, cette foule immobile et silencieuse, elle ne put s'empêcher de dire « Ah! Rouen, Rouen, j'ai grand'peur [10] que tu n'aies à souffrir de ma mort! » Celle qui avait sauvé le peuple et que le peuple abandonnait, n'exprima en mourant (admirable douceur d'âme!) que de la 25 compassion pour lui. ...

Elle fut liée sous l'écriteau [11] infâme, mitrée d'une mitre où on lisait: « Hérétique, relapse, apostate, ydolastre.[12] ... » Et alors le bourreau mit le feu. ... Elle le vit d'en haut et poussa un cri. ... Puis, comme le frère qui l'exhortait ne faisait pas attention à la flamme, elle eut peur pour lui, s'oubliant elle- 30 même, et elle le fit descendre.

Ce qui prouve bien que jusque-là elle n'avait rien rétracté expressément,[13] c'est que ce malheureux Cauchon fut obligé (sans doute par la haute volonté satanique [14] qui présidait) à venir au pied du bûcher, obligé à affronter [15] de près la face de sa victime, pour essayer d'en tirer quelque parole. ... Il n'en 35 obtint qu'une, désespérante.[16] Elle lui dit avec douceur ce qu'elle avait déjà dit: « Évêque, je meurs par vous. ... Si vous m'aviez mise aux prisons d'Église, ceci ne fût pas advenu. » On avait espéré sans doute que, se croyant abandonnée de son Roi, elle l'accuserait enfin et parlerait contre lui. Elle le

---

1. se remit ... à: *cast herself upon.* 2. *stick.* 3. *flesh.* 4. firent tant: *so exerted themselves.* 5. *parish.* 6. remplis tes fonctions. 7. souffrit. 8. *weakened, quailed.* 9. *terror and confusion.* 10. *I greatly fear.* 11. *board, notice.* 12. idolâtre. 13. en termes clairs. 14. haute volonté satanique: allusion à Winchester. 15. *confront* (not *affront*). 16. *despairing, anything but comforting.*

défendit encore: « Que j'aie bien fait, que j'aie mal fait, mon Roi n'y est pour rien; ce n'est pas lui qui m'a conseillée. »

Cependant la flamme montait. . . . Au moment où elle la toucha, la malheureuse frémit et demanda *de l'eau* bénite [1]; *de l'eau,* c'était apparemment le cri de la frayeur. . . . Mais, se relevant aussitôt, elle ne nomma plus que Dieu, que ses anges et ses Saintes: « Oui, mes voix étaient de Dieu, mes voix ne m'ont pas trompée! . . . » Que toute incertitude ait cessé dans les flammes, cela nous doit faire croire qu'elle accepta la mort pour la *délivrance* promise, qu'elle n'entendit [2] plus le *salut* au sens judaïque [3] et matériel, comme elle avait fait jusque-là, qu'elle vit clair enfin, et que, sortant des ombres, elle obtint ce qui lui manquait encore de lumière et de sainteté.

Cette grande parole est attestée par le témoin obligé et juré de la mort, par le dominicain qui monta avec elle sur le bûcher, qu'elle en fit descendre, mais qui d'en bas lui parlait, l'écoutait et lui tenait la croix.

Nous avons encore un autre témoin de cette mort sainte, un témoin bien grave. Cet homme, dont l'histoire doit conserver le nom, était le moine augustin, déjà mentionné, frère Isambart de La Pierre; dans le procès, il avait failli périr pour avoir conseillé la Pucelle, et néanmoins, quoique si bien désigné [4] à la haine des Anglais, il voulut monter avec elle dans la charrette, lui fit venir la croix de la paroisse, l'assista parmi cette foule furieuse, et sur l'échafaud et au bûcher.

Vingt ans après, les deux religieux, simples moines, voués [5] à la pauvreté et n'ayant rien à gagner ni à craindre en ce monde, déposent [6] ce qu'on vient de lire: « Nous l'entendions, disent-ils, dans le feu, invoquer ses Saintes, son archange; elle répétait le nom du Sauveur. . . . Enfin, laissant tomber sa tête, elle poussa un grand cri: « Jésus! »

« Dix mille hommes pleuraient. . . . » Quelques Anglais seuls riaient ou tâchaient de rire. Un d'eux, des plus furieux, avait juré de mettre un fagot au bûcher; elle expirait au moment où il le mit, il se trouva mal,[7] ses camarades le menèrent à une taverne pour le faire boire et reprendre ses esprits [8]; mais il ne pouvait se remettre: « J'ai vu, disait-il hors de lui-même, j'ai vu, de sa bouche, avec le dernier soupir, s'envoler une colombe. » [9] D'autres avaient lu dans les flammes le mot qu'elle répétait: « Jésus! » Le bourreau alla le soir trouver frère Isambart; il était tout épouvanté [10]; il se confessa, mais il ne pouvait croire que Dieu lui pardonnât jamais. . . . Un secrétaire du roi d'Angleterre disait tout haut [11] en revenant: « Nous sommes perdus, nous avons brûlé une sainte! »

---

1. *holy.*   **2.** *understand; interpret.*   **3.** *Jewish (Old Testament).*   **4.** indiqué.   **5.** *dedicated (by their vows).*   **6.** *testify.*   **7.** se trouva mal: *was taken ill, felt faint.*   **8.** reprendre ses esprits: *come to himself.*   **9.** *dove.*   **10.** *frightened, terrified.*   **11.** *aloud, openly.*

UN CŒUR SIMPLE

par GUSTAVE FLAUBERT

(1821–1880)

Le père de Flaubert était médecin-chef de l'Hôtel-Dieu de Rouen et occupait, avec sa famille, un logement dans les bâtiments mêmes de ce grand hôpital.

On pense que le milieu sans joie où il passa ses premières années l'orienta vers le réalisme attristé qui caractérise ses œuvres.

Il alla compléter son instruction à Paris, mais il ne goûta jamais la gaîté de la vie d'étudiant dans la grande ville. Il fit deux voyages en Orient d'où il rapporta des impressions profondes dont on trouve les échos dans certains de ses écrits.

Son père mort, il s'établit dans une propriété aux environs de Rouen, sur les bords de la Seine: Le Croisset. Ayant quelque fortune, il put consacrer de nombreuses années à son art. Il portait à son style qui, aux yeux de la postérité, est demeuré un modèle de perfection, une minutieuse attention.

Au point de vue de la quantité, son œuvre est relativement peu considérable, elle brille surtout par sa qualité.

Certains de ses écrits, entre autres *Salammbô* (1862) et *La Tentation de Saint Antoine* (1874), portent l'empreinte du romantisme qui a prévalu en France pendant près de quarante ans. D'autres, au contraire, trahissent (*betray*) ces dispositions au réalisme et à l'objectivité pour lesquelles il est particulièrement célèbre. Quand on ne nomme pas Balzac comme père du réalisme, ce titre revient à Flaubert. C'est surtout à sa direction que nous devons l'art magistral de son disciple Guy de Maupassant (voir plus bas, pages 657–664). Le roman le plus célèbre de Flaubert, *Madame Bovary* (1856), est entièrement réaliste; sa longueur, toutefois, ne nous permet pas de le reproduire ici. Il en est de même de *L'Éducation sentimentale* (1869). Mais un de ses derniers récits, *Un Cœur simple*, est considéré aussi comme un modèle du genre. Il fait partie d'un recueil intitulé *Trois Contes* (1877). Les deux autres contes sont: *La Légende de saint Julien l'Hospitalier*, et *Hérodias*.

Flaubert a aussi laissé un roman inachevé, *Bouvard et Pécuchet*, qui fut publié après sa mort. La forte personnalité de cet écrivain s'exprime d'une façon très originale dans sa *Correspondance*, publiée aussi après sa mort.

Au sujet du récit qui va suivre, *Un Cœur simple*, nous reproduisons quelques lignes de l'excellent article du critique Émile Henriot, paru dans le journal *Le Temps*, le 8 décembre 1936, à l'occasion d'une nouvelle édition des *Trois Contes:* « Les Flaubertins, qui ont un faible pour ce chef-d'œuvre, y voient à juste titre les pages dans lesquelles, sous l'objectivité du récit, Flaubert a mis le plus de lui, et le plus d'émotion personnelle. A lire en survol (*cursorily*) et d'un œil rapide l'histoire de cette pauvre fille, ignorante, inculte, dévouée, qui emploie son existence au service d'autrui, sans autre bonheur que la compagnie de son perroquet, entre ses lessives (*washings*) et ses casseroles (*saucepans*), il ne s'agit évidemment que de la peinture réaliste d'une vie plate (*dull, drab*); mais cette servante avait été celle d'une tante de Flaubert;

mais la petite ville de Pont-l'Évêque et le pays environnant de la campagne et de la côte (*shore*), c'est dans ce même décor (*scenery*) que Flaubert avait les souvenirs heureux de son enfance et de sa jeunesse: mais la plupart des comparses (*minor characters*) du conte, c'étaient autant de figures autrefois familières, désignées même dans le récit sous leur vrai nom — comme ces fermes de Toucques et de Geffosses que Mme Aubain (*Voir ll. 9–10 du texte*) vend (*sells*) à la première page d'*Un Cœur simple*, c'étaient les mêmes propriétés (*estates*) dont Flaubert avait dû se défaire (*dispose of, sell*), cette même année 1875, pour payer les dettes des siens (*his relatives*).... Flaubert n'était pas impassible quand il évoquait avec tant d'art la pitoyable créature. On s'y est mépris largement. Le dogmatique Brunetière [*a famous literary critic*] a blâmé Flaubert de son ironie, de sa cruauté, de sa méprisante dérision à l'égard de son humble modèle. Contresens pointé (*striking misinterpretation*). Flaubert n'en a qu'à (*Flaubert's bitterness is directed solely against*) la médiocrité de la vie qui écrase une juste innocente. Il n'a pour Félicité que de la pitié, et s'en est expliqué formellement (*explicitly*) auprès de son amie, Mme des Genettes: « Cela n'est nullement ironique comme vous le supposez, mais au contraire très sérieux et très triste. Je veux apitoyer (*move*), faire pleurer les âmes sensibles (*sensitive*) en étant une moi-même . . . Cette fois-ci on ne dira plus que je suis inhumain ». »

I

Pendant un demi-siècle, les bourgeoises de Pont-l'Évêque [1] envièrent à Mme Aubain sa servante Félicité.

Pour cent francs par an, elle faisait la cuisine et le ménage,[2] cousait, lavait, repassait,[3] savait brider un cheval,[4] engraisser les volailles,[5] battre le beurre,[6] et resta fidèle à sa maîtresse, — qui cependant n'était pas une personne 5 agréable.

Elle avait épousé un beau garçon sans fortune, mort au commencement de 1809, en lui laissant deux enfants très jeunes avec une quantité de dettes. Alors elle vendit ses immeubles,[7] sauf la ferme de Toucques et la ferme de Geffosses, dont les rentes montaient à 5,000 francs tout au plus, et elle 10 quitta sa maison de Saint-Melaine pour en habiter une autre moins dispendieuse,[8] ayant appartenu à ses ancêtres et placée derrière les halles.[9]

Cette maison, revêtue d'ardoises,[10] se trouvait entre un passage et une ruelle aboutissant à la rivière. Elle avait intérieurement des différences de niveau [11] qui faisaient trébucher.[12] Un vestibule étroit séparait la cuisine de la *salle* [13] 15 où Mme Aubain se tenait tout le long du jour, assise près de la croisée [14] dans un fauteuil de paille.[15] Contre le lambris,[16] peint en blanc, s'alignaient huit chaises d'acajou.[17] Un vieux piano supportait, sous un baromètre, un tas pyramidal de boîtes et de cartons.[18] Deux bergères [19] de tapisserie flanquaient [20] la cheminée en marbre jaune et de style Louis XV. La pendule,[21] 20

---

1. Petite ville de Basse-Normandie. **2.** *kept house.* **3.** *sewed, washed, ironed.* **4.** *harness a horse.* **5.** *fatten the hens.* **6.** *churn the butter.* **7.** *estates.* **8.** *expensive.* **9.** les halles: Place publique, ordinairement couverte, où se tient le marché (*market*). (*Larousse.*) **10.** *with a slate roof.* **11.** *level.* **12.** *stumble.* **13.** salle: *living room.* **14.** *window.* **15.** *straw-seated armchair.* **16.** *wainscot.* **17.** *mahogany.* **18.** *cardboard boxes of all kinds.* **19.** *easy chairs.* **20.** *stood on either side of.* **21.** *mantle clock.*

au milieu, représentait un temple de Vesta [1] ; — et tout l'appartement sentait un peu le moisi,[2] car le plancher [3] était plus bas que le jardin.

Au premier étage,[4] il y avait d'abord la chambre de « Madame, » très grande, tendue [5] d'un papier à fleurs pâles, et contenant le portrait de « Monsieur » en costume de muscadin.[6] Elle communiquait avec une chambre plus 5 petite, où l'on voyait deux couchettes d'enfants, sans matelas. Puis venait le salon, toujours fermé, et rempli de meubles recouverts d'un drap.[7] Ensuite un corridor menait à un cabinet d'étude ; des livres et des paperasses [8] garnissaient les rayons d'une bibliothèque entourant de ses trois côtés un large bureau [9] de bois noir.... Une lucarne [10] au second étage éclairait la 10 chambre de Félicité, ayant vue sur les prairies.

Elle se levait dès l'aube,[11] pour ne pas manquer la messe, et travaillait jusqu'au soir sans interruption ; puis, le dîner étant fini, la vaisselle en ordre [12] et la porte bien close, elle enfouissait la bûche sous les cendres [13] et s'endormait devant l'âtre,[14] son rosaire à la main. Personne, dans les mar- 15 chandages,[15] ne montrait plus d'entêtement.[16] Quant à la propreté,[17] le poli de ses casseroles [18] faisait le désespoir des autres servantes. Économe, elle mangeait avec lenteur, et recueillait du doigt sur la table les miettes [19] de son pain, — un pain de douze livres, cuit exprès pour elle, et qui durait vingt jours. 20

En toute saison elle portait un mouchoir d'indienne [20] fixé dans le dos par une épingle,[21] un bonnet lui cachant les cheveux, des bas [22] gris, un jupon [23] rouge, et par-dessus sa camisole un tablier à bavette,[24] comme les infirmières d'hôpital.

Son visage était maigre et sa voix aiguë.[25] A vingt-cinq ans, on lui en 25 donnait quarante. Dès la cinquantaine, elle ne marqua plus aucun âge ; — et, toujours silencieuse, la taille droite et les gestes mesurés, semblait une femme en bois, fonctionnant d'une manière automatique.

II

Elle avait eu, comme une autre, son histoire d'amour.

Son père, un maçon, s'était tué en tombant d'un échafaudage.[26] Puis sa 30 mère mourut, ses sœurs se dispersèrent, un fermier la recueillit,[27] et l'employa toute petite à garder les vaches dans la campagne. Elle grelottait [28] sous des haillons,[29] buvait à plat ventre [30] l'eau des mares,[31] à propos de rien était battue, et finalement fut chassée [32] pour un vol [33] de trente sous, qu'elle n'avait pas

1. Déesse du feu chez les Romains.   **2.** *smelled rather musty.*   **3.** *floor.*   **4.** *second floor.*   **5.** *papered.*   **6.** Nom donné à l'époque de la Révolution aux nobles portant des costumes élégants, et toujours parfumés de musc. (*Larousse.*)   **7.** *cloth.*   **8.** vieux papiers. **9.** *desk.*   **10.** *dormer window.*   **11.** *dawn.*   **12.** *dishes put away.*   **13.** *buried the log under the ashes.*   **14.** *hearth.*   **15.** *bargainings.*   **16.** obstination.   **17.** *cleanliness.*   **18.** *saucepans.*   **19.** *gathered ... the crumbs.*   **20.** *cotton kerchief.*   **21.** *pin.*   **22.** *stockings.*   **23.** *petticoat.*   **24.** *apron with bib.*   **25.** *shrill.*   **26.** *scaffolding.*   **27.** la prit chez lui.   **28.** *shivered.* **29.** *rags.*   **30.** *flat on her stomach.*   **31.** *ponds.*   **32.** *discharged.*   **33.** *theft.*

commis. Elle entra dans une autre ferme, y devint fille de basse-cour,[1] et, comme elle plaisait aux patrons, ses camarades la jalousaient. . . .

[Elle se laissa séduire par un garçon aux allures (*manners*) assurées qui s'approcha d'elle un jour qu'elle était allée avec les autres à la fête du village voisin; elle accepta des rendez-vous; il lui promit le mariage; puis cyniquement l'abandonna.]

Ce fut un chagrin désordonné.[2] Elle se jeta par terre, poussa des cris, appela le bon Dieu, et gémit[3] toute seule dans la campagne jusqu'au soleil levant. Puis elle revint à la ferme, déclara son intention d'en partir; et, au 5 bout du mois, ayant reçu ses comptes, elle enferma tout son petit bagage dans un mouchoir, et se rendit à Pont-l'Évêque.

Devant l'auberge,[4] elle questionna une bourgeoise en capeline de veuve,[5] et qui précisément cherchait une cuisinière. La jeune fille ne savait pas grand'chose, mais paraissait avoir tant de bonne volonté et si peu d'exigences, 10 que Mme Aubain finit par dire:

« Soit,[6] je vous accepte! »

Félicité, un quart d'heure après, était installée chez elle.

D'abord elle y vécut dans une sorte de tremblement que lui causaient « le genre de la maison »[7] et le souvenir de « Monsieur, » planant[8] sur tout! 15 Paul et Virginie, l'un âgé de sept ans, l'autre de quatre à peine, lui semblaient formés d'une matière précieuse; elle les portait sur son dos comme un cheval, et Mme Aubain lui défendit de les baiser à chaque minute, ce qui la mortifia. Cependant elle se trouvait heureuse. La douceur du milieu avait fondu[9] sa tristesse. 20

Tous les jeudis, des habitués venaient faire une partie de boston.[10] Félicité préparait d'avance les cartes et les chaufferettes.[11] Ils arrivaient à huit heures bien juste, et se retiraient avant le coup de onze.

Chaque lundi matin . . . la ville se remplissait d'un bourdonnement[12] de voix, où se mêlaient des hennissements[13] de chevaux, des bêlements[14] 25 d'agneaux, des grognements[15] de cochons, avec le bruit sec des carrioles[16] dans la rue. Vers midi, au plus fort[17] du marché, on voyait paraître sur le seuil[18] un vieux paysan de haute taille,[19] la casquette[20] en arrière, le nez crochu,[21] et qui était Robelin, le fermier de Geffosses. Peu de temps après, — c'était Liébard, le fermier de Toucques, petit, rouge, obèse, portant une veste grise 30 et des houseaux[22] armés d'éperons.[23]

Tous deux offraient à leur propriétaire des poules ou des fromages. Félicité invariablement déjouait leurs astuces[24]; et ils s'en allaient pleins de considération pour elle.

---

1. *poultry maid.*   2. *immoderate.*   3. *moaned.*   4. *inn*   5. *widow's hood.*   6. *Be it so! All right.*   7. « le genre de la maison »: *the high style of the household.*   8. *hovering.* 9. *melted.*   10. *a kind of whist.*   11. *footwarmers.*   12. *buzzing.*   13. *neighing.*   14. *bleating of lambs.*   15. *grunting.*   16. *sharp rumble of carts.*   17. au . . .: *at the height of.* 18. *threshold.*   19. *stature.*   20. *cap.*   21. *hooked nose.*   22. *leggings.*   23. *spurs.* 24. déjouait . . .: *outwitted their cunning.*

A des époques indéterminées, Mme Aubain recevait la visite du marquis de Gremanville, un de ses oncles, ruiné par la crapule [1] et qui vivait à Falaise [2] sur le dernier lopin [3] de ses terres.   Il se présentait toujours à l'heure du déjeuner, avec un affreux caniche [4] dont les pattes [5] salissaient [6] tous les meubles. Malgré ses efforts pour paraître gentilhomme jusqu'à soulever [7] son chapeau 5 chaque fois qu'il disait: « Feu mon père, » [8] l'habitude l'entraînant, il se versait à boire coup sur coup,[9] et lâchait des gaillardises.[10]   Félicité le poussait dehors poliment: « Vous en avez assez, Monsieur de Gremanville!   A une autre fois! » [11]   Et elle refermait la porte. . . .

L'éducation des enfants était faite par Guyot, un pauvre diable employé 10 à la Mairie,[12] fameux pour sa belle main,[13] et qui repassait son canif [14] sur sa botte.

Quand le temps était clair, on s'en allait de bonne heure à la ferme de Geffosses.

Félicité retirait de son cabas [15] des tranches [16] de viande froide, et on déjeunait 15 dans un appartement faisant suite à la laiterie.[17]   Il était le seul reste d'une habitation de plaisance, maintenant disparue.   Le papier de la muraille en lambeaux [18] tremblait aux courants d'air.   Mme Aubain penchait [19] son front, accablée [20] de souvenirs; les enfants n'osaient plus parler.   « Mais jouez donc! » disait-elle; ils décampaient. 20

Paul montait dans la grange,[21] attrapait des oiseaux, faisait des ricochets sur la mare, ou tapait avec un bâton les grosses futailles [22] qui résonnaient comme des tambours.[23]

Virginie donnait à manger aux lapins,[24] se précipitait pour cueillir des bluets,[25] et la rapidité de ses jambes découvrait ses petits pantalons brodés. 25

Un soir d'automne, on s'en retourna par les herbages.[26]

La lune à son premier quartier éclairait une partie du ciel, et un brouillard [27] flottait comme une écharpe [28] sur les sinuosités de la Toucques.   Des bœufs,[29] étendus au milieu du gazon,[30] regardaient tranquillement ces quatre personnes passer.   Dans la troisième pâture quelques-uns se levèrent, puis se mirent en 30 rond [31] devant elles. — « Ne craignez rien! » dit Félicité; et murmurant une sorte de complainte,[32] elle flatta sur l'échine [33] celui qui se trouvait le plus près; il fit volte-face,[34] les autres l'imitèrent.   Mais, quand l'herbage suivant fut traversé, un beuglement [35] formidable s'éleva.   C'était un taureau,[36] que cachait le brouillard.   Il avança vers les deux femmes.   Mme Aubain allait 35 courir. — « Non! non! moins vite! »   Elles pressaient le pas cependant, et entendaient par derrière un souffle [37] sonore qui se rapprochait.   Ses sabots,[38]

---

1. débauche.   **2.** En Normandie, non loin de Pont-l'Évêque.   **3.** (lit., *clod*), *last lot.* **4.** affreux . . . : *very ugly poodle.*   **5.** *paws.*   **6.** *soiled.*   **7.** *to raise.*   **8.** '*my late father.*' **9.** *drink after drink.*   **10.** *let out indecent talk.*   **11.** *So long!*   **12.** *Townhall.*   **13.** sa belle écriture.   **14.** *sharpened his penknife.*   **15.** panier plat de paille.   **16.** *slices.* **17.** *dairy.*   **18.** *in shreds.*   **19.** inclinait.   **20.** *overwhelmed.*   **21.** *barn, loft.*   **22.** *casks.* **23.** *drums.*   **24.** *rabbits.*   **25.** *cornflowers.*   **26.** *grass lands.*   **27.** *mist.*   **28.** *scarf.*   **29.** *oxen.* **30.** *grass.*   **31.** se mirent . . . : *formed a semicircle.*   **32.** *lament*   **33.** flatta . . . : *patted his back.* **34.** fit . . . : *turned about.*   **35.** *bellowing.*   **36.** *bull.*   **37.** *breathing.*   **38.** *hoofs.*

comme des marteaux,[1] battaient l'herbe de la prairie; voilà qu'il galopait maintenant! Félicité se retourna, et elle arrachait à deux mains des plaques [2] de terre qu'elle lui jetait dans les yeux. Il baissait le mufle,[3] secouait les cornes et tremblait de fureur en beuglant horriblement. Mme Aubain, au bout de l'herbage avec ses deux petits, cherchait éperdue [4] comment franchir [5] le haut bord.[6] Félicité reculait toujours devant le taureau, et continuellement lançait des mottes [7] de gazon qui l'aveuglaient,[8] tandis qu'elle criait: — « Dépêchez-vous! dépêchez-vous! »

Mme Aubain descendit le fossé,[9] poussa Virginie, Paul ensuite, tomba plusieurs fois en tâchant de gravir le talus,[10] et à force [11] de courage y parvint.[12]

Le taureau avait acculé [13] Félicité contre une claire-voie [14]; sa bave [15] lui rejaillissait [16] à la figure; une seconde de plus il l'éventrait.[17] Elle eut le temps de se couler entre [18] deux barreaux, et la grosse bête, toute surprise, s'arrêta.

Cet événement, pendant bien des années, fut un sujet de conversation à Pont-l'Évêque. Félicité n'en tira aucun orgueil,[19] ne se doutant même [20] pas qu'elle eût rien fait d'héroïque.

Virginie l'occupait exclusivement; — car elle eut, à la suite de son effroi,[21] une affection nerveuse, et M. Poupart, le docteur, conseilla les bains de mer de Trouville.

Dans ce temps-là, ils n'étaient pas fréquentés. Mme Aubain prit des renseignements,[22] consulta Bourais, fit des préparatifs comme pour un long voyage.[23] ...

Virginie, dès les premiers jours, se sentit moins faible, résultat du changement d'air et de l'action des bains. Elle les prenait en chemise, à défaut [24] d'un costume; et sa bonne la rhabillait dans une cabane de douanier [25] qui servait aux baigneurs.

L'après-midi, on s'en allait avec l'âne au-delà des Roches-Noires, du côté d'Hennequeville. Le sentier, d'abord, montait entre des terrains vallonnés comme la pelouse [26] d'un parc, puis arrivait sur un plateau où alternaient des pâturages et des champs en labour.[27]

... Presque toujours on se reposait dans un pré, ayant Deauville [28] à gauche, le Havre à droite et en face la pleine mer. ... Mme Aubain, assise, travaillait à son ouvrage de couture; Virginie près d'elle tressait des joncs [29]; Félicité sarclait des fleurs de lavande [30]; Paul, qui s'ennuyait, voulait partir.

D'autres fois, ayant passé la Toucques en bateau, ils cherchaient des co- quilles.[31]

... Le principal divertissement était le retour des barques. Dès qu'elles

1. *hammers.* 2. *clods.* 3. *muzzle, snout.* 4. *frantically.* 5. *climb over.* 6. *high bank.* 7. *lumps.* 8. *blinded.* 9. *ditch.* 10. *endeavoring to climb the bank.* 11. *by dint of.* 12. réussit. 13. *backed.* 14. *rail-fence.* 15. *foam.* 16. *bespattered.* 17. *ripped open.* 18. *slip through.* 19. *pride.* 20. *not suspecting.* 21. *fright.* 22. prit...: *made inquiries.* 23. Il ne s'agissait que d'un voyage de deux heures et demie. 24. *for want of.* 25. *customs officer's shack.* 26. vallonnés ...: *undulating like the lawn.* 27. labourés; *ploughed.* 28. fameuse station balnéaire de la Normandie. 29. *wove reeds.* 30. *weeded lavender.* 31. *shells.*

avaient dépassé les balises,[1] elles commençaient à louvoyer.[2] Leurs voiles[3] descendaient aux deux tiers des mâts; et, la misaine[4] gonflée comme un ballon, elles avançaient, glissaient dans le clapotement[5] des vagues, jusqu'au milieu du port, où l'ancre tout à coup tombait. Ensuite le bateau se plaçait contre le quai. Les matelots jetaient par-dessus le bordage[6] des poissons palpitants; une file de charrettes les attendait, et des femmes en bonnet de coton s'élançaient pour prendre les corbeilles[7] et embrasser leurs hommes. 5

Une d'elles, un jour, aborda[8] Félicité, qui peu de temps après entra dans la chambre, toute joyeuse. Elle avait retrouvé une sœur; et Nastasie Barette, femme Leroux, apparut, tenant un nourrisson[9] à sa poitrine,[10] de 10 la main droite un autre enfant, et à sa gauche un petit mousse[11] les poings sur les hanches[12] et le béret sur l'oreille.

Au bout d'un quart d'heure, Mme Aubain la congédia.[13]

On les rencontrait toujours aux abords[14] de la cuisine, ou dans les promenades que l'on faisait. Le mari ne se montrait pas. 15

Félicité se prit d'affection pour eux. Elle leur acheta une couverture,[15] des chemises, un fourneau[16]; évidemment ils l'exploitaient. Cette faiblesse agaçait[17] Mme Aubain, qui d'ailleurs n'aimait pas les familiarités du neveu, — car il tutoyait son fils; — et, comme Virginie toussait[18] et que la saison n'était plus bonne, elle revint à Pont-l'Évêque. 20

M. Bourais l'éclaira sur le choix d'un collège. Celui de Caen[19] passait pour le meilleur. Paul y fut envoyé; et fit bravement ses adieux, satisfait d'aller vivre dans une maison où il aurait des camarades.

Mme Aubain se résigna à l'éloignement[20] de son fils, parce qu'il était indispensable. Virginie y songea de moins en moins. Félicité regrettait son 25 tapage.[21] Mais une occupation vint la distraire[22]; à partir de Noël, elle mena tous les jours la petite fille au catéchisme.

III

Quand elle avait fait à la porte une génuflexion, elle s'avançait sous la haute nef[23] entre la double ligne des chaises, ouvrait le banc[24] de Mme Aubain, s'asseyait, et promenait ses yeux autour d'elle. 30

Les garçons à droite, les filles à gauche, emplissaient les stalles du chœur[25]; le curé se tenait debout près du lutrin[26]; sur un vitrail de l'abside,[27] le Saint-Esprit dominait la Vierge; un autre la montrait à genoux devant l'Enfant-Jésus, et, derrière le tabernacle, un groupe en bois représentait Saint-Michel terrassant[28] le dragon. 35

Le prêtre fit d'abord un abrégé de l'Histoire-Sainte. Elle croyait voir le

---

1. *buoys.* **2.** manœuvrer; *tack.* **3.** *sails.* **4.** la voile du mât d'avant. **5.** *plashing.* **6.** *side.* **7.** *baskets.* **8.** s'approcha de. **9.** *nurseling.* **10.** *breast.* **11.** *sailor boy.* **12.** *fists on the hips.* **13.** renvoya. **14.** dans le voisinage. **15.** *blanket.* **16.** *stove.* **17.** exaspérait. **18.** *was coughing.* **19.** une des principales villes de la Normandie, environ 60.000 habitants. **20.** absence. **21.** bruit; *racket.* **22.** *divert her mind (from her sorrow).* **23.** *nave.* **24.** ouvrit . . .: *opened the door of the pew.* **25.** *choir.* **26.** *lectern.* **27.** *stained glass window in the apse.* **28.** *overthrowing.*

paradis, le déluge, la tour de Babel, des villes tout en flammes, des peuples
qui mouraient, des idoles renversées; et elle garda de cet éblouissement [1] le
respect du Très-Haut et la crainte de sa colère. Puis, elle pleura en écoutant
la Passion. Pourquoi l'avaient-ils crucifié, lui qui chérissait les enfants,
nourrissait les foules, guérissait les aveugles, et avait voulu, par douceur,[2]
naître au milieu des pauvres, sur le fumier [3] d'une étable? Les semailles,
les moissons, les pressoirs,[4] toutes ces choses familières dont parle l'Évangile,
se trouvaient dans sa vie; le passage de Dieu les avait sanctifiées; et elle
aima plus tendrement les agneaux par amour de l'Agneau, les colombes [5] à
cause du Saint-Esprit. Elle avait peine à imaginer sa personne; car il n'était 10
pas seulement oiseau, mais encore un feu, et d'autres fois un souffle.[6]

. . . Quant aux dogmes, elle n'y comprenait rien, ne tâcha même pas de
comprendre. Le curé discourait, les enfants récitaient, elle finissait par s'endormir; et se réveillait tout à coup, quand ils faisaient en s'en allant claquer
leurs sabots sur les dalles.[7] 15

Ce fut de cette manière, à force [8] de l'entendre, qu'elle apprit le catéchisme,
son éducation religieuse ayant été négligée dans sa jeunesse; et dès lors elle
imita toutes les pratiques [9] de Virginie, jeûnait [10] comme elle, se confessait
avec elle. A la Fête-Dieu,[11] elles firent ensemble un reposoir.[12]

La première communion la tourmentait d'avance. Elle s'agita pour les 20
souliers, pour le chapelet,[13] pour le livre, pour les gants. Avec quel tremblement elle aida sa mère à l'habiller!

Pendant toute la messe, elle éprouva une angoisse. M. Bourais lui cachait
un côté du chœur; mais juste en face, le troupeau [14] des vierges portant des
couronnes blanches par-dessus leurs voiles abaissés formait comme un champ 25
de neige [15]; et elle reconnaissait de loin la chère petite à son cou plus mignon [16]
et son attitude recueillie.[17] La cloche tinta.[18] Les têtes se courbèrent [19]; il y
eut un silence. Aux éclats [20] de l'orgue, les chantres [21] et la foule entonnèrent [22]
l'*Agnus Dei* [23]; puis le défilé [24] des garçons commença; et, après eux, les filles
se levèrent. Pas à pas, et les mains jointes, elles allaient vers l'autel tout 30
illuminé, s'agenouillaient sur la première marche, recevaient l'hostie [25] successivement, et dans le même ordre revenaient à leurs prie-Dieu.[26] Quand ce fut
le tour de Virginie, Félicité se pencha pour la voir; et, avec l'imagination que
donnent les vraies tendresses, il lui sembla qu'elle était elle-même cette
enfant; sa figure devenait la sienne, sa robe l'habillait, son cœur lui battait 35
dans la poitrine; au moment d'ouvrir la bouche, en fermant les paupières,[27]
elle manqua s'évanouir.[28]

1. *dazzling vision.* **2.** *meekness.* **3.** *dung heap.* **4.** *sowings, harvests, winepresses.*
5. *doves.* **6.** *breath.* **7.** faisaient claquer . . .: *made a clatter with their wooden shoes on
the flagstones.* **8.** *by dint of.* **9.** *observances.* **10.** *fasted.* **11.** Fête du Saint Sacrement.
12. autel pour les processions religieuses; *repository.* **13.** *rosary.* **14.** *flock.* **15.** *snow
field.* **16.** *dainty.* **17.** sérieuse. **18.** sonna. **19.** *bowed.* **20.** *peals.* **21.** *choristers.*
22. commenèrent à chanter. **23.** Agneau de Dieu (chant qui fait partie du service de la
messe). **24.** *marching.* **25.** *host (bread or wafer of the communion).* **26.** *prayer-stool.*
27. *eyelids.* **28.** manqua . . .: *came near fainting.*

Le lendemain, de bonne heure, elle se présenta dans la sacristie,[1] pour que M. le curé lui donnât la communion. Elle la reçut dévotement, mais n'y goûta pas [2] les mêmes délices.

Mme Aubain voulait faire de sa fille une personne accomplie; et, comme Guyot ne pouvait lui montrer ni l'anglais ni la musique, elle résolut de la [5] mettre en pension chez les Ursulines d'Honfleur.[3]

L'enfant n'objecta rien. Félicité soupirait,[4] trouvant Madame insensible. Puis elle songea que sa maîtresse, peut-être, avait raison. Ces choses dépassaient sa compétence.[5]

Enfin, un jour, une vieille tapissière [6] s'arrêta devant la porte; et il en [10] descendit une religieuse qui venait chercher Mademoiselle. Félicité monta les bagages sur l'impériale,[7] fit des recommandations au cocher, et plaça dans le coffre [8] six pots de confitures [9] et une douzaine de poires, avec un bouquet de violettes.

Virginie, au dernier moment, fut prise d'un grand sanglot [10]; elle embrassait [15] sa mère qui la baisait au front en répétant: — « Allons! du courage! du courage! » Le marchepied [11] se releva, la voiture partit.

Alors Mme Aubain eut une défaillance [12]; et le soir tous ses amis, le ménage [13] Lormeau, Mme Lechaptois, ces demoiselles Rochefeuille, M. de Houppeville et Bourais se présentèrent pour la consoler. [20]

La privation de sa fille lui fut d'abord très douloureuse. Mais trois fois la semaine elle en recevait une lettre, les autres jours lui écrivait, se promenait dans son jardin, lisait un peu, et de cette façon comblait le vide [14] des heures.

Le matin, par habitude, Félicité entrait dans la chambre de Virginie, et [25] regardait les murailles. Elle s'ennuyait de n'avoir plus à peigner ses cheveux, à lui lacer ses bottines, à la border [15] dans son lit, — et de ne plus voir continuellement sa gentille figure, de ne plus la tenir par la main quand elles sortaient ensemble. Dans son désœuvrement,[16] elle essaya de faire de la dentelle.[17] Ses doigts trop lourds cassaient les fils [18]; elle n'entendait à rien,[19] [30] avait perdu le sommeil, suivant son mot,[20] était « minée. » [21]

Pour « se dissiper,[22] » elle demanda la permission de recevoir son neveu Victor.

Il arrivait le dimanche après la messe, les joues roses, la poitrine nue,[23] et sentant l'odeur de la campagne qu'il avait traversée. Tout de suite, elle [35] dressait son couvert.[24] Ils déjeunaient l'un en face de l'autre; et, mangeant elle-même le moins possible pour épargner [25] la dépense, elle le bourrait [26]

---

1. *vestry.*   2. *did not relish.*   3. ordre de religieuses. Honfleur, à l'embouchure (*mouth*) de la Seine, à quelques lieues (*leagues*) de Pont-l'Évêque.   4. *sighed.*   5. dépassaient...: *passed her understanding.*   6. véhicule léger, ouvert de tous côtés et couvert d'un toit. 7. *top (of a vehicle).*   8. *chest.*   9. *jam.*   10. *sob.*   11. *retractable step.*   12. eut...: *swooned.*   13. *couple.*   14. comblait...: *filled the void.*   15. *tuck in.*   16. manque d'occupation.   17. *lace.*   18. *broke the threads.*   19. ne s'intéressait.   20. suivant...: *as she said.*   21. *worried sick.*   22. se distraire (*voir page 552, note 22*).   23. (lit., *his chest bare*), *his shirt open.*   24. *set his place.*   25. économiser.   26. *stuffed.*

tellement de nourriture qu'il finissait par s'endormir. Au premier coup des
vêpres, elle le réveillait, brossait [1] son pantalon, nouait [2] sa cravate, et se
rendait à l'église, appuyée sur son bras dans un orgueil maternel.

Ses parents le chargeaient [3] toujours d'en tirer [4] quelque chose, soit un
paquet de cassonade,[5] du savon, de l'eau-de-vie,[6] parfois même de l'argent.   5
Il apportait ses nippes à raccommoder [7]; et elle acceptait cette besogne,[8]
heureuse d'une occasion qui le forçait à revenir.

Au mois d'août, son père l'emmena au cabotage.[9]

C'était l'époque des vacances. L'arrivée des enfants la consola. Mais
Paul devenait capricieux, et Virginie n'avait plus l'âge d'être tutoyée, ce qui 10
mettait une gêne,[10] une barrière entre elles.

Victor alla successivement à Morlaix, à Dunkerque et à Brighton [11]; au
retour de chaque voyage, il lui offrait un cadeau. La première fois, ce fut
une boîte en coquilles; la seconde, une tasse à café; la troisième, un grand
bonhomme en pain d'épices.[12] Il embellissait, avait la taille bien prise,[13] un 15
peu de moustache, de bons yeux francs, et un petit chapeau de cuir,[14] placé
en arrière comme un pilote. Il l'amusait en lui racontant des histoires mêlées
de termes marins.

Un lundi, 14 juillet 1819 (elle n'oublia pas la date), Victor annonça qu'il
était engagé au long cours,[15] et, dans la nuit du surlendemain,[16] par le paquebot 20
de Honfleur, irait rejoindre sa goëlette,[17] qui devait démarrer [18] du Havre pro-
chainement. Il serait, peut-être, deux ans parti.

La perspective d'une telle absence désola Félicité; et pour lui dire encore
adieu, le mercredi soir, après le dîner de Madame, elle chaussa des galoches,[19]
et avala [20] les quatre lieues qui séparent Pont-l'Évêque de Honfleur.   25

Quand elle fut devant le Calvaire,[21] au lieu de prendre à gauche, elle prit
à droite, se perdit dans des chantiers.[22]

[Elle arriva enfin au bateau, mais au moment où il allait partir. On retirait justement la passerelle (*gangway*). Elle put seulement apercevoir de loin son neveu qui
était appuyé nonchalamment à la poupe (*stern*).]

Les filles de l'auberge [23] s'éveillaient, comme elle entrait dans Pont-l'Évêque.

Le pauvre gamin [24] durant des mois allait donc rouler sur les flots! Ses
précédents voyages ne l'avaient pas effrayée. De l'Angleterre et de la Bre- 30
tagne, on revenait; mais l'Amérique, les Colonies, les Iles,[25] cela était perdu
dans une région incertaine, à l'autre bout du monde.

Dès lors, Félicité pensa exclusivement à son neveu. Les jours de soleil,

1. *brushed.*   **2.** *tied.*   **3.** *instructed him.*   **4.** obtenir.   **5.** *brown sugar.*   **6.** *brandy.*
7. nippes . . . : *ragged clothes to be mended.*   **8.** *task.*   **9.** *took him off on coastwise trips.*
10. contrainte.   **11.** ports de la Normandie, de la Bretagne et de l'Angleterre.   **12.** *ginger-
bread figure.*   **13.** *well built* (taille = *stature*).   **14.** *leather hat.*   **15.** long voyage, d'océan par
opposition à cabotage.   **16.** deux jours après.   **17.** *schooner.*   **18.** *leave her moorings.*
19. chaussa . . . : *put on wooden clogs.*   **20.** (lit., *swallowed*), *covered.*   **21.** *Calvary:* à l'entrée
de Honfleur.   **22.** *dockyards.*   **23.** *maids of the inn.*   **24.** *lad.*   **25.** *islands of the Carib-
bean.*

elle se tourmentait de la soif; quand il faisait de l'orage, craignait pour lui la foudre.[1] En écoutant le vent qui grondait [2] dans la cheminée et emportait les ardoises, elle le voyait battu par cette même tempête, au sommet d'un mât fracassé,[3] tout le corps en arrière, sous une nappe d'écume [4]; ou bien, — souvenirs de la géographie en estampes,[5] — il était mangé par les sauvages, 5 pris dans un bois par des singes,[6] se mourait le long d'une plage [7] déserte. Et jamais elle ne parlait de ses inquiétudes.

Mme Aubain en avait d'autres sur sa fille.

Les bonnes sœurs trouvaient qu'elle était affectueuse, mais délicate. La moindre émotion l'énervait. Il fallut abandonner le piano. 10

Sa mère exigeait du couvent une correspondance réglée.[8] Un matin que le facteur [9] n'était pas venu, elle s'impatienta; et elle marchait dans la salle, de son fauteuil à la fenêtre. C'était vraiment extraordinaire! depuis quatre jours, pas de nouvelles!

Pour qu'elle se consolât par son exemple, Félicité lui dit: 15

— « Moi, madame, voilà six mois que je n'en ai reçu!... »

— « De qui donc?... »

La servante répliqua doucement:

— « Mais... de mon neveu! »

— « Ah! votre neveu! » Et, haussant les épaules,[10] Mme Aubain reprít [11] 20 sa promenade, ce qui voulait dire: « Je n'y pensais pas!... Au surplus, je m'en moque! [12] un mousse,[13] un gueux,[14] belle affaire!... tandis que ma fille... Songez donc!... »

Félicité, bien que nourrie dans la rudesse,[15] fut indignée contre Madame, puis oublia. 25

Il lui paraissait tout simple de perdre la tête à l'occasion de [16] la petite.

Les deux enfants avaient une importance égale; un lien [17] de son cœur les unissait, et leurs destinées devaient être la même.

Le pharmacien lui apprit que le bateau de Victor était arrivé à la Havane. Il avait lu ce renseignement dans une gazette. 30

A cause des cigares, elle imaginait la Havane un pays où l'on ne fait pas autre chose que de fumer, et Victor circulait parmi des nègres dans un nuage de tabac. Pouvait-on « en cas de besoin » s'en retourner par terre? A quelle distance était-ce de Pont-l'Évêque? Pour le savoir, elle interrogea M. Bourais.

Il atteignit [18] son atlas, puis commença des explications sur les longitudes; 35 et il avait un beau sourire de cuistre [19] devant l'ahurissement [20] de Félicité. Enfin, avec son porte-crayon,[21] il indiqua... un point noir, imperceptible, en ajoutant: « Voici. » Elle se pencha sur la carte; ce réseau [22] de lignes coloriées fatiguait la vue, sans lui rien apprendre; et Bourais, l'invitant à

---

1. *lightning.* **2.** *howled.* **3.** *shattered mast.* **4.** *sheet of foam.* **5.** *engravings.* **6.** *monkeys.* **7.** *beach.* **8.** régulière. **9.** *mail carrier.* **10.** *shrugging her shoulders.* **11.** recommença. **12.** *what is more, I don't care.* **13.** *cabin-boy.* **14.** *beggar.* **15.** nourrie...: (lit., *fed on*), *used to harsh treatment.* **16.** à...: *on account of.* **17.** *bond.* **18.** *reached for.* **19.** pédant. **20.** *bewilderment.* **21.** *pencil holder.* **22.** *network.*

dire ce qui l'embarrassait, elle le pria de lui montrer la maison où demeurait
Victor. Bourais leva les bras, il éternua,[1] rit énormément; une candeur [2]
pareille excitait sa joie; et Félicité n'en comprenait pas le motif, — elle qui
s'attendait peut-être à voir jusqu'au [3] portrait de son neveu, tant son intelligence était bornée! [4]

Ce fut quinze jours après que Liébard, à l'heure du marché comme d'habitude, entra dans la cuisine, et lui remit une lettre qu'envoyait son beau-frère.
Ne sachant lire aucun des deux, elle eut recours à sa maîtresse.

Mme Aubain, qui comptait les mailles [5] d'un tricot, le posa près d'elle, dé-
cacheta [6] la lettre, tressaillit,[7] et, d'une voix basse, avec un regard profond:
« C'est un malheur ... qu'on vous annonce. Votre neveu ... »

Il était mort. On n'en disait pas davantage.

Félicité tomba sur une chaise, en s'appuyant la tête à la cloison,[8] et ferma
ses paupières, qui devinrent roses tout à coup. Puis, le front baissé, les
mains pendantes, l'œil fixe, elle répétait par intervalles:
« Pauvre petit gars! [9] pauvre petit gars! »

Liébard la considérait en exhalant des soupirs. Mme Aubain tremblait
un peu.

Elle lui proposa d'aller voir sa sœur, à Trouville.

Félicité répondit, par un geste, qu'elle n'en avait pas besoin.

Il y eut un silence. Le bonhomme Liébard jugea convenable [10] de se retirer.
Alors elle dit:
« Ça ne leur fait rien, à eux! » [11]

Sa tête retomba; et machinalement elle soulevait, de temps à autre, les
longues aiguilles [12] sur la table à ouvrage.

Des femmes passèrent dans la cour avec un bard [13] d'où dégouttelait [14] du
linge.

En les apercevant par les carreaux,[15] elle se rappela sa lessive [16]; l'ayant
coulée [17] la veille, il fallait aujourd'hui la rincer; et elle sortit de l'appartement.

Sa planche et son tonneau [18] étaient au bord de la Toucques. Elle jeta sur
la berge [19] un tas de chemises, retroussa [20] ses manches, prit son battoir [21]; et
les coups forts qu'elle donnait s'entendaient dans les autres jardins à côté.
Les prairies étaient vides, le vent agitait la rivière; au fond, de grandes
herbes s'y penchaient, comme des chevelures de cadavres [22] flottant dans l'eau.
Elle retenait sa douleur, jusqu'au soir fut très brave; mais, dans sa chambre,
elle s'y abandonna, à plat ventre [23] sur son matelas,[24] le visage dans l'oreiller,[25]
et les deux poings contre les tempes.

... Ses parents l'avaient toujours traité avec barbarie. Elle aima mieux

---

1. *sneezed.* **2.** *simplicity.* **3.** même le. **4.** limitée. **5.** *stitches of her knitting.* **6.** *un-sealed.* **7.** *gave a start.* **8.** *partition.* **9.** *lad.* **10.** *decent.* **11.** Ça ne ...: *What do they care!* **12.** *needles.* **13.** brouette (*wheelbarrow*). **14.** *dripped.* **15.** *windowpanes.* **16.** *wash.* **17.** l'ayant ...: (lit., *having run it*), i.e., *having run hot lye water through it.* **18.** *wash-board and tub.* **19.** *bank.* **20.** *rolled up.* **21.** *flat bat (for beating the clothes).* **22.** *hair of corpses.* **23.** *lying flat on her face.* **24.** *mattress.* **25.** *pillow.*

ne pas les revoir; et ils ne firent aucune avance, par oubli, ou endurcissement [1] de misérables.

Virginie s'affaiblissait. Mais l'automne s'écoula doucement.[2] Félicité rassurait Mme Aubain.

[Un soir, cependant, la nouvelle arriva qu'elle avait une fluxion de poitrine [3]; le cas était peut-être désespéré. Mme Aubain partit pour Honfleur immédiatement. Félicité passa la nuit dans la salle d'auberge espérant toujours des nouvelles.]

Enfin, au petit jour,[4] elle prit la diligence.[5] Virginie était morte. . . . 5

Quand Félicité parvint au second étage, dès le seuil de la chambre, elle aperçut Virginie étalée [6] sur le dos, les mains jointes, la bouche ouverte, et la tête en arrière sous une croix noire s'inclinant vers elle, entre les rideaux immobiles, moins pâles que sa figure. Mme Aubain, au pied de la couche qu'elle tenait dans ses bras, poussait des hoquets [7] d'agonie. La supérieure était de- 10 bout, à droite. Trois chandeliers sur la commode [8] faisaient des taches rouges, et le brouillard blanchissait les fenêtres. Des religieuses emportèrent Mme Aubain.

Pendant deux nuits, Félicité ne quitta pas la morte. Elle répétait les mêmes prières, jetait de l'eau bénite sur les draps, revenait s'asseoir, et la contemplait. 15 A la fin de la première veille,[9] elle remarqua que la figure avait jauni, les lèvres bleuirent, le nez se pinçait,[10] les yeux s'enfonçaient.[11] Elle les baisa plusieurs fois, et n'eût pas éprouvé [12] un immense étonnement si Virginie les eût rouverts; pour de pareilles âmes le surnaturel est tout simple. Elle fit sa toilette,[13] l'enveloppa de son linceul,[14] la descendit dans sa bière,[15] lui posa 20 une couronne, étala [16] ses cheveux. Ils étaient blonds, et extraordinaires de longueur à son âge. Félicité en coupa une grosse mèche [17] dont elle glissa la moitié dans sa poitrine, résolue à ne jamais s'en dessaisir.[18]

Le corps fut ramené à Pont-l'Évêque, suivant les intentions de Mme Aubain, qui suivait le corbillard,[19] dans une voiture fermée. . . . 25

Le désespoir de Mme Aubain fut illimité. . . .

Puis des années s'écoulèrent, toutes pareilles et sans autres épisodes que le retour des grandes fêtes: Pâques, l'Assomption, la Toussaint.[20] Des événements intérieurs faisaient une date, où l'on se reportait [21] plus tard. Ainsi, en 1825, deux vitriers [22] badigeonnèrent [23] le vestibule; en 1827, une portion 30 du toit, tombant dans la cour, faillit tuer un homme. L'été de 1828, ce fut à Madame [24] d'offrir le pain bénit [25]; Bourais, vers cette époque, s'absenta mystérieusement; et les anciennes connaissances peu à peu s'en allèrent: Guyot, Liébard, Mme Lechaptois, Robelin, l'oncle Gremanville, paralysé depuis longtemps. 35

1. *callousness.* 2. *passed quietly.* 3. fluxion . . . : *inflammation of the lungs.* 4. *at daybreak.* 5. *stagecoach.* 6. étendue. 7. *sobs.* 8. *bureau.* 9. *nightwatch.* 10. *was becoming pinched.* 11. *were sinking.* 12. *felt.* 13. *washed and dressed.* 14. *shroud.* 15. *coffin.* 16. *spread out.* 17. *lock.* 18. *part with it.* 19. *hearse.* 20. *All-Saints' Day, when as on Decoration Day, flowers are placed on the graves.* 21. *referred to.* 22. *glaziers.* 23. *whitewashed.* 24. à . . . : *Madame's turn.* 25. *holy bread* (le pain de la communion).

Une nuit, le conducteur de la malle-poste[1] annonça dans Pont-l'Évêque
ía Révolution de Juillet.[2]   Un sous-préfet[3] nouveau, peu de jours après, fut
nommé: le baron de Larsonnière, ex-consul en Amérique, et qui avait chez lui,
outre sa femme, sa belle-sœur avec trois demoiselles, assez grandes déjà.
On les apercevait sur leur gazon,[4] habillées de blouses flottantes; elles possé- 5
daient un nègre et un perroquet.[5]   Mme Aubain eut leur visite, et ne manqua
pas de la rendre.[6] . . .

Mme Aubain et Félicité causaient toujours de Virginie, se demandant si
telle chose lui aurait plu, en telle occasion ce qu'elle eût dit probablement.

Toutes ses petites affaires occupaient un placard[7] dans la chambre à deux 10
lits.   Mme Aubain les inspectait le moins souvent possible.   Un jour d'été,
elle se résigna; et des papillons[8] s'envolèrent de l'armoire.

Ses robes étaient en ligne sous une planche[9] où il y avait trois poupées,
des cerceaux,[10] un ménage,[11] la cuvette[12] qui lui servait.   Elles retirèrent
également les jupons, les bas, les mouchoirs, et les étendirent sur les deux 15
couches, avant de les replier.[13]   Le soleil éclairait ces pauvres objets, en faisait
voir les taches, et des plis formés par les mouvements du corps.   L'air était
chaud et bleu, un merle[14] gazouillait,[15] tout semblait vivre dans une douceur
profonde.   Elles retrouvèrent un petit chapeau de peluche, à longs poils,[16]
couleur marron[17]; mais il était tout mangé de vermine.   Félicité le réclama 20
pour elle-même.   Leurs yeux se fixèrent l'une sur l'autre, s'emplirent de
larmes; enfin la maîtresse ouvrit ses bras, la servante s'y jeta; et elles s'étrei-
gnirent,[18] satisfaisant leur douleur dans un baiser qui les égalisait.

C'était la première fois de leur vie, Mme Aubain n'étant pas d'une nature
expansive.   Félicité lui en fut reconnaissante comme d'un bienfait, et désor- 25
mais la chérit avec un dévouement bestial[19] et une vénération religieuse.

La bonté de son cœur se développa.

Quand elle entendait dans la rue les tambours[20] d'un régiment en marche,
elle se mettait devant la porte avec une cruche[21] de cidre, et offrait à boire
aux soldats.   Elle soigna des cholériques.[22]   Elle protégeait les Polonais[23];   et 30
même il y en eut un qui déclarait la vouloir épouser.   Mais ils se fâchèrent[24];
car un matin, en rentrant de l'angélus,[25] elle le trouva dans sa cuisine, où
il s'était introduit, et accommodé[26] une vinaigrette[27] qu'il mangeait tranquillement.

Après les Polonais, ce fut le père Colmiche, un vieillard passant pour[28] 35

1. *mail-coach driver.*   2. qui renversa le gouvernement réactionnaire de Charles X en
1830.   3. le sous-préfet est à la tête d'un arrondissement, tandis que le préfet administre un
département.   4. *lawn.*   5. *parrot.*   6. Selon l'étiquette française, ce sont les nouveaux
arrivés qui font d'abord visite aux voisins.   7. *closet.*   8. *moths.*   9. *shelf.*   10. *hoops.*
11. meubles d'une maison de poupée.   12. *washbowl.*   13. *fold again.*   14. *blackbird.*
15. *chirped.*   16. *hair, nap.*   17. *chestnut.*   18. s'embrassèrent.   19. comme celui d'un
animal.   20. *drums.*   21. *pitcher.*   22. *cholera patients.*   23. Des Polonais réfugiés en
France après une tentative de Révolution en 1830, laquelle fut sans résultat.   24. they fell
out.   25. prière du matin et du soir, (annoncée par un son de cloche) et qui commence
par les mots: « Ange de Dieu ».   26. préparé.   27. *meat with vinegar sauce.*   28. passant . . .: *who was supposed to.*

avoir fait des horreurs en 93.[1] Il vivait au bord de la rivière, dans les décombres [2] d'une porcherie.[3] Les gamins le regardaient par les fentes [4] du mur, et lui jetaient des cailloux qui tombaient sur son grabat,[5] où il gisait,[6] continuellement secoué par un catarrhe, avec des cheveux très longs, les paupières enflammées, et au bras une tumeur plus grosse que sa tête. Elle lui [5] procura du linge, tâcha de nettoyer son bouge,[7] rêvait à l'établir dans le fournil,[8] sans qu'il gênât Madame. Quand le cancer eut crevé,[9] elle le pansa [10] tous les jours, quelquefois lui apportait de la galette,[11] le plaçait au soleil sur une botte de paille [12]; et le pauvre vieux, en bavant [13] et en tremblant, la remerciait de sa voix éteinte,[14] craignait de la perdre, allongeait [15] les mains [10] dès qu'il la voyait s'éloigner. Il mourut; elle fit dire une messe pour le repos de son âme.

Ce jour-là, il lui advint un grand bonheur: au moment du dîner, le nègre de Mme de Larsonnière se présenta, tenant le perroquet dans sa cage, avec le bâton,[16] la chaîne et le cadenas.[17] Un billet de la baronne annonçait à Mme [15] Aubain que, son mari étant élevé [18] à une préfecture,[19] ils partaient le soir; et elle la priait d'accepter cet oiseau, comme un souvenir, et en témoignage [20] de ses respects.

Il occupait depuis longtemps l'imagination de Félicité, car il venait d'Amérique; et ce mot lui rappelait Victor, si bien qu'elle s'en informait [21] auprès du [20] nègre. Une fois même elle avait dit: — « C'est Madame qui serait heureuse de l'avoir! »

Le nègre avait redit le propos [22] à sa maîtresse, qui, ne pouvant l'emmener, s'en débarrassait [23] de cette façon.

IV

Il s'appelait Loulou. Son corps était vert, le bout de ses ailes [24] rose, son [25] front bleu, et sa gorge dorée.[25]

Mais il avait la fatigante [26] manie de mordre [27] son bâton, s'arrachait [28] les plumes, répandait l'eau de sa baignoire [29]; Mme Aubain, qu'il ennuyait, le donna pour toujours à Félicité.

Elle entreprit [30] de l'instruire; bientôt il répéta: « Charmant garçon! Serviteur, monsieur! [31] Je vous salue, Marie! » [32] Il était placé auprès de la porte, et plusieurs s'étonnaient qu'il ne répondît pas au nom de Jacquot, puisque tous les perroquets s'appellent Jacquot. On le comparait à une dinde,[33] à une bûche [34]: autant de coups de poignard [35] pour Félicité! Étrange obstination de Loulou, ne parlant plus du moment qu'on le regardait! [35]

---

1. 1793, l'année de la Terreur. 2. ruines. 3. *piggery.* 4. *cracks.* 5. *pallet.* 6. était couché. 7. (*clean his*) *hovel.* 8. *bakehouse* (four, oven). 9. *burst.* 10. *dressed it.* 11. gâteau plat (fait de farine (*flour*), de beurre et d'œufs). 12. *bundle of straw.* 13. *drooling.* 14. faible. 15. *stretched out.* 16. *parrot's perch.* 17. *padlock.* 18. *promoted.* 19. *Voir note 3, page 559.* 20. *token.* 21. *sought information.* 22. remarque. 23. *got rid of.* 24. bout...: *tip of his wings.* 25. *golden.* 26. *annoying.* 27. *bite.* 28. *tore out, plucked.* 29. *bath.* 30. *undertook.* 31. *Your servant, Sir!* 32. *Hail Mary!* 33. *fool,* (*turkey hen*). 34. *loghead.* 35. *dagger thrusts.*

Néanmoins il recherchait la compagnie; car le dimanche, pendant que *ces* demoiselles Rochefeuille, monsieur de Houppeville et de nouveaux habitués: Onfroy l'apothicaire, monsieur Varin et le capitaine Mathieu, faisaient leur partie de cartes, il cognait les vitres [1] avec ses ailes, et se démenait [2] si furieuse-ment qu'il était impossible de s'entendre.   5

La figure de Bourais, sans doute, lui paraissait très drôle. Dès qu'il l'aper-cevait, il commençait à rire, à rire de toutes ses forces. Les éclats [3] de sa voix bondissaient dans la cour, l'écho les répétait, les voisins se mettaient à leurs fenêtres, riaient aussi; et, pour n'être pas vu du perroquet, M. Bourais se coulait [4] le long du mur, en dissimulant [5] son profil avec son chapeau, 10 atteignait [6] la rivière, puis entrait par la porte du jardin; et les regards qu'il envoyait à l'oiseau manquaient de tendresse.

Loulou avait reçu du garçon boucher une chiquenaude,[7] s'étant permis d'enfoncer [8] la tête dans sa corbeille [9]; et depuis lors il tâchait toujours de le pincer à travers sa chemise. Fabu menaçait de lui tordre le cou,[10] bien qu'il 15 ne fût pas cruel, malgré le tatouage de ses bras et ses gros favoris.[11] Au con-traire! il avait plutôt du penchant [12] pour le perroquet, jusqu'à [13] vouloir, par humeur joviale, lui apprendre des jurons. Félicité, que ces manières effray-aient, le plaça dans la cuisine. Sa chaînette fut retirée, et il circulait par la maison.   20

Quand il descendait l'escalier, il appuyait [14] sur les marches la courbe de son bec, levait la patte [15] droite, puis la gauche; et elle avait peur qu'une telle gymnastique ne lui causât des étourdissements.[16] Il devint malade, ne pouvait plus parler ni manger. C'était sous sa langue une épaisseur, comme en ont les poules quelquefois. Elle le guérit, en arrachant cette 25 pellicule [17] avec ses ongles.[18] . . . Enfin, il se perdit.

Elle l'avait posé sur l'herbe pour le rafraîchir, s'absenta une minute; et, quand elle revint, plus de perroquet! D'abord elle le chercha dans les buis-sons,[19] au bord de l'eau et sur les toits, sans écouter sa maîtresse qui lui criait: — « Prenez donc garde! vous êtes folle! » Ensuite elle inspecta tous les 30 jardins de Pont-l'Évêque; et elle arrêtait les passants. — « Vous n'auriez pas vu, quelquefois, par hasard, mon perroquet? » A ceux qui ne connaissaient pas le perroquet, elle en faisait la description. Tout à coup, elle crut dis-tinguer derrière les moulins,[20] au bas de la côte,[21] une chose verte qui voltigeait.[22] Mais au haut de la côte, rien! Un porte-balle [23] lui affirma qu'il l'avait ren- 35 contré tout à l'heure, à Saint-Melaine, dans la boutique [24] de la mère Simon. Elle y courut. On ne savait pas ce qu'elle voulait dire. Enfin elle rentra, épuisée,[25] les savates en lambeaux,[26] la mort dans l'âme [27]; et, assise au milieu

---

1. *beat the window panes.*   2. *made such a fuss.*   3. *shrieks.*   4. *slipped.*   5. cachant.
6. *reached.*   7. *fillip.*   8. *thrust.*   9. *basket.*   10. *wring his neck.*   11. *side whiskers.*
12. (*a kind of*) *affection.*   13. *to the point of.*   14. posait.   15. *foot.*   16. *dizziness.*
17. *skin.*   18. *fingernails.*   19. *bushes.*   20. *flour mills.*   21. *at the foot of the slope.*
22. *fluttered.*   23. *peddler.*   24. *shop.*   25. *exhausted.*   26. *slippers in shreds.*   27. la
mort . . .: *in despair.*

du banc, près de Madame, elle racontait toutes ses démarches,[1] quand un poids léger lui tomba sur l'épaule, Loulou! Que diable avait-il fait? Peut-être qu'il s'était promené aux environs!

Elle eut du mal à s'en remettre,[2] ou plutôt ne s'en remit jamais.

Par suite d'un refroidissement,[3] il lui vint une angine[4]; peu de temps 5 après, un mal d'oreilles. Trois ans plus tard, elle était sourde; et elle parlait très haut, même à l'église. Bien que ses péchés auraient pu sans déshonneur pour elle, ni inconvénient[5] pour le monde, se répandre à tous les coins du diocèse, M. le curé jugea convenable[6] de ne plus recevoir sa confession que dans la sacristie. 10

Des bourdonnements[7] illusoires achevaient de la troubler. Souvent sa maîtresse lui disait: — « Mon Dieu! comme vous êtes bête! » elle répliquait: — « Oui, Madame, » en cherchant quelque chose autour d'elle.

Le petit cercle de ses idées se rétrécit encore,[8] et le carillon des cloches, le mugissement[9] des bœufs, n'existaient plus. Tous les êtres fonctionnaient 15 avec le silence des fantômes. Un seul bruit arrivait maintenant à ses oreilles, la voix du perroquet.

Comme pour la distraire, il reproduisait le tic tac du tournebroche,[10] l'appel aigu[11] d'un vendeur de poisson, la scie du menuisier[12] qui logeait en face; et, aux coups de la sonnette, imitait Mme Aubain, — « Félicité! la porte! la porte! » 20

Ils avaient des dialogues, lui, débitant à satiété[13] les trois phrases de son répertoire, et elle, y répondant par des mots sans plus de suite,[14] mais où son cœur s'épanchait.[15] Loulou, dans son isolement, était presque un fils, un amoureux. Il escaladait[16] ses doigts, mordillait[17] ses lèvres, se cramponnait à son fichu[18]; et, comme elle penchait son front en branlant[19] la tête à la 25 manière des nourrices,[20] les grandes ailes du bonnet et les ailes de l'oiseau frémissaient[21] ensemble.

Quand des nuages s'amoncelaient[22] et que le tonnerre grondait, il poussait des cris, se rappelant peut-être les ondées[23] de ses forêts natales. Le ruissellement[24] de l'eau excitait son délire; il voletait éperdu,[25] montait au plafond, 30 renversait tout, et par la fenêtre allait barboter[26] dans le jardin; mais revenait vite sur un des chenets,[27] et, sautillant[28] pour sécher ses plumes, montrait, tantôt sa queue, tantôt son bec.

Un matin du terrible hiver de 1837, qu'elle l'avait mis devant la cheminée, à cause du froid, elle le trouva mort, au milieu de sa cage, la tête en bas, et 35 les ongles dans les fils de fer.[29] Une congestion l'avait tué, sans doute? Elle crut à un empoisonnement par le persil[30]; et, malgré l'absence de toutes preuves, ses soupçons portèrent[31] sur Fabu.

1. tentatives. 2. *difficulty in recovering.* 3. *chill.* 4. *angina, sore throat.* 5. *harm, shock.* 6. *proper.* 7. *buzzings.* 8. *shrank still further.* 9. *bellowing.* 10. *turn-spit, roasting-jack.* 11. *shrill call.* 12. *cabinet maker.* 13. répétant sans cesse. 14. *connection.* 15. *overflowed.* 16. *climbed up.* 17. *nibbled.* 18. *clung to her kerchief.* 19. *bobbing.* 20. *children's nurses.* 21. *fluttered.* 22. s'accumulaient. 23. *showers.* 24. *(sound of) streaming.* 25. *distracted.* 26. *to paddle.* 27. *andirons* 28. *hopping about.* 29. *wires (of the cage).* 30. *parsley.* 31. *fell upon.*

Elle pleura tellement que sa maîtresse lui dit: — « Eh bien! faites-le empailler! » [1]

Elle demanda conseil au pharmacien, qui avait toujours été bon pour le perroquet.

Il écrivit au Havre. Un certain Fellacher se chargea de cette besogne. [5]
Mais, comme la diligence égarait [2] parfois les colis,[3] elle résolut de le porter elle-même jusqu'à Honfleur.

Les pommiers sans feuilles se succédaient aux bords de la route. De la glace couvrait les fossés.[4] Des chiens aboyaient autour des fermes; et les mains sous son mantelet, avec ses petits sabots [5] noirs et son cabas, elle mar- [10] chait prestement,[6] sur le milieu du pavé.

Elle traversa la forêt, dépassa le Haut-Chêne, atteignit Saint-Gatien.

Derrière elle, dans un nuage de poussière et emportée par la descente, une malle-poste [7] au grand galop se précipitait comme une trombe.[8] En voyant cette femme qui ne se dérangeait pas,[9] le conducteur se dressa par-dessus la [15] capote,[10] et le postillon criait aussi, pendant que ses quatre chevaux qu'il ne pouvait retenir accéléraient leur train [11]; les deux premiers la frôlaient [12]; d'une secousse [13] de ses guides, il les jeta dans le débord,[14] mais furieux releva le bras, et à pleine volée,[15] avec son grand fouet, lui cingla [16] du ventre au chignon [17] un tel coup qu'elle tomba sur le dos. [20]

Son premier geste, quand elle reprit connaissance,[18] fut d'ouvrir son panier. Loulou n'avait rien, heureusement. Elle sentit une brûlure [19] à la joue droite; ses mains qu'elle y porta étaient rouges. Le sang coulait.

Elle s'assit sur un mètre de cailloux,[20] se tamponna [21] le visage avec son mouchoir, puis elle mangea une croûte de pain, mise dans son panier par [25] précaution, et se consolait de sa blessure en regardant l'oiseau.

Arrivée au sommet d'Ecquemauville, elle aperçut les lumières de Honfleur qui scintillaient [22] dans la nuit comme une quantité d'étoiles; la mer, plus loin, s'étalait confusément. Alors une faiblesse [23] l'arrêta; et la misère de son enfance, la déception [24] du premier amour, le départ de son neveu, la mort de [30] Virginie, comme les flots d'une marée,[25] revinrent à la fois, et, lui montant à la gorge,[26] l'étouffaient.[27]

Puis elle voulut parler au capitaine du bateau; et, sans dire ce qu'elle envoyait, lui fit des recommandations.

Fellacher garda longtemps le perroquet. Il le promettait toujours pour la [35] semaine prochaine; au bout de six mois, il annonça le départ d'une caisse, et il n'en fut plus question.[28] C'était à croire [29] que jamais Loulou ne reviendrait. « Ils me l'auront volé! » pensait-elle.

1. *have him stuffed.* 2. *mislaid.* 3. paquets. 4. *ditches.* 5. *wooden shoes.* 6. vite.
7. *mail coach.* 8. *tornado.* 9. *did not get out of the way.* 10. *hood.* 11 *pace.* 12. *grazed.*
13. *jerk.* 14. bord de la route. 15. à pleine . . .: *with full swing.* 16. *lashed, struck.*
17. (lit., *from belly to nape*), *over all her body.* 18. *consciousness.* 19. *burning pain.*
20. tas de pierres destinées à la réparation de la route. 21. *dabbed.* 22. *twinkled.* 23. *fit of dizziness.* 24. *disappointment.* 25. *rising tide.* 26. *throat.* 27. *choked.* 28. il n'en . . .: *then a long silence.* 29. C'etait . . .: *One would have thought.*

Enfin il arriva, — et splendide, droit sur une branche d'arbre, qui se vissait [1] dans un socle d'acajou,[2] une patte en l'air, la tête oblique, et mordant une noix, que l'empailleur [3] par amour du grandiose avait dorée.[4]

Elle l'enferma [5] dans sa chambre.

Cet endroit, où elle admettait peu de monde, avait l'air tout à la fois d'une [5] chapelle et d'un bazar, tant il contenait d'objets religieux et de choses hétéroclites.[6]

Une grande armoire gênait [7] pour ouvrir la porte. En face de la fenêtre surplombant [8] le jardin, un œil-de-bœuf [9] regardait la cour; une table, près du lit de sangle,[10] supportait un pot à l'eau, deux peignes,[11] et un cube de savon [10] bleu dans une assiette ébréchée.[12] On voyait contre les murs: des chapelets, des médailles, plusieurs bonnes Vierges, un bénitier [13] en noix de coco; sur la commode, couverte d'un drap comme un autel,[14] la boîte en coquillages que lui avait donnée Victor; puis un arrosoir et un ballon,[15] des cahiers d'écriture,[16] la géographie en estampes,[17] une paire de bottines; et au clou [18] du [15] miroir, accroché [19] par ses rubans, le petit chapeau de peluche! Félicité poussait même ce genre de respect si loin, qu'elle conservait une des redingotes [20] de Monsieur. Toutes les vieilleries [21] dont ne voulait plus Mme Aubain, elle les prenait pour sa chambre. C'est ainsi qu'il y avait des fleurs artificielles au bord de la commode, et le portrait du comte d'Artois [22] dans [20] l'enfoncement [23] de la lucarne.

Au moyen d'une planchette,[24] Loulou fut établi sur un corps de cheminée qui avançait dans l'appartement. Chaque matin, en s'éveillant, elle l'apercevait à la clarté de l'aube,[25] et se rappelait alors les jours disparus, et d'insignifiantes actions jusqu'en leurs moindres détails, sans douleur, pleine de [25] tranquillité.

Ne communiquant avec personne, elle vivait dans une torpeur de somnambule. Les processions de la Fête-Dieu [26] la ranimaient. Elle allait quêter [27] chez les voisines des flambeaux [28] et des paillassons,[29] afin d'embellir le reposoir [30] que l'on dressait dans la rue.   [30]

A l'église, elle contemplait toujours le Saint-Esprit, et observa qu'il avait quelque chose du perroquet. Sa ressemblance lui parut encore plus manifeste sur une image d'Épinal,[31] représentant le baptême de Notre-Seigneur. Avec ses ailes de pourpre et son corps d'émeraude, c'était vraiment le portrait de Loulou.   [35]

L'ayant acheté, elle le suspendit à la place du comte d'Artois, — de sorte

1. *was screwed.* 2. *mahogany base.* 3. *taxidermist.* 4. *gilded.* 5. mit, plaça. 6. *odd.*
7. *hindered somewhat.* 8. *overlooking.* 9. petite fenêtre ovale. 10. *camp bed (with webbing*
(sangles) *instead of springs).* 11. *combs.* 12. *nicked plate.* 13. *holy water basin.* 14. *altar.*
15. *watering pot and ball.* 16. *copybooks.* 17. illustrée (estampe = *engraving*). 18. *nail.*
19. *suspendu.* 20. *frock coats.* 21. *old trash.* 22. devenu, sous le nom de Charles X,
roi de France en 1824. 23. *recess.* 24. *little shelf.* 25. *light of dawn.* 26. Corpus Christi
Day (le jeudi après la Pentecôte). 27. allait . . .: allait demander. 28. *candlesticks.*
29. *straw mats.* 30. l'autel pour la procession. 31. images coloriées pour enfants. Les
images d'Épinal sont d'une naïveté qui les a rendues populaires très longtemps en France
(Épinal, au nord-est, dans les Vosges).

que, du même coup d'œil, elle les voyait ensemble. Ils s'associèrent dans sa pensée, le perroquet se trouvant sanctifié par ce rapport avec le Saint-Esprit, qui devenait plus vivant à ses yeux et intelligible. Le Père, pour s'énoncer,[1] n'avait pu choisir une colombe, puisque ces bêtes-là n'ont pas de voix, mais plutôt un des ancêtres de Loulou. Et Félicité priait en regardant l'image, 5 mais de temps à autre se tournait un peu vers l'oiseau.

Elle eut envie de se mettre dans les demoiselles de la Vierge.[2] Mme Aubain l'en dissuada.

Un événement considérable surgit [3]: le mariage de Paul.

[Mme Aubain ne put s'entendre avec sa bru (*daughter-in-law*). Peu après, victime de manœuvres malhonnêtes de son notaire, M. Bourais, elle mourut à l'âge de 72 ans.]

Félicité la pleura, comme on ne pleure pas les maîtres. Que Madame 10 mourût avant elle, cela troublait ses idées, lui semblait contraire à l'ordre des choses, inadmissible et monstrueux.

Dix jours après (le temps d'accourir de Besançon [4]), les héritiers survinrent. La bru fouilla les tiroirs,[5] choisit des meubles, vendit les autres, puis ils regagnèrent l'enregistrement.[6]   15

Le fauteuil de Madame, son guéridon,[7] sa chaufferette, les huit chaises, étaient partis! La place des gravures se dessinait en carrés jaunes au milieu des cloisons. Ils avaient emporté les deux couchettes, avec leurs matelas, et dans le placard on ne voyait plus rien de toutes les affaires de Virginie! Félicité remonta les étages, ivre [8] de tristesse.   20

Le lendemain il y avait sur la porte une affiche [9]; l'apothicaire lui cria dans l'oreille que la maison était à vendre.

Elle chancela,[10] et fut obligée de s'asseoir.

Ce qui la désolait principalement, c'était d'abandonner sa chambre, — si commode [11] pour le pauvre Loulou. En l'enveloppant d'un regard d'angoisse, 25 elle implorait le Saint-Esprit, et contracta l'habitude idolâtre de dire ses oraisons agenouillée [12] devant le perroquet. Quelquefois, le soleil entrant par la lucarne frappait son œil de verre,[13] et en faisait jaillir [14] un grand rayon lumineux qui la mettait en extase.

Elle avait une rente [15] de trois cent quatre-vingts francs, léguée [16] par sa 30 maîtresse. Le jardin lui fournissait des légumes. Quant aux habits, elle possédait de quoi [17] se vêtir jusqu'à la fin de ses jours, et épargnait l'éclairage [18] en se couchant dès le crépuscule.[19]

Elle ne sortait guère, afin d'éviter la boutique du brocanteur,[20] où s'étalaient [21]

1. s'exprimer, se manifester.   **2.** un ordre semi-religieux pour encourager en commun les œuvres pieuses.   **3.** se produisit tout à coup.   **4.** en Franche-Comté, à l'est de la France, où demeurait maintenant Paul.   **5.** *searched the drawers.*   **6.** *Registry.*   **7.** petite table portative (*occasional table*).   **8.** (lit., *drunk*): *overcome.*   **9.** *notice.*   **10.** fut près de tomber.   **11.** *convenient.*   **12.** *kneeling.*   **13.** *fell upon its glass eye.*   **14.** *give forth.* **15.** *income.*   **16.** *bequeathed.*   **17.** *enough to.*   **18.** économisait la lumière.   **19.** *twilight.* **20.** *second-hand dealer's shop.*   **21.** étaient exposés.

quelques-uns des anciens meubles. Depuis son étourdissement,[1] elle traînait une jambe[2]; et, ses forces diminuant, la mère Simon, ruinée dans l'épicerie,[3] venait tous les matins fendre son bois[4] et pomper de l'eau.

Ses yeux s'affaiblirent. Les persiennes[5] n'ouvraient plus. Bien des années se passèrent. Et la maison ne se louait[6] pas, et ne se vendait pas. 5

Dans la crainte qu'on ne la renvoyât, Félicité ne demandait aucune réparation. Les lattes[7] du toit pourrissaient[8]; pendant tout un hiver son traversin[9] fut mouillé. Après Pâques, elle cracha du sang.

Alors la mère Simon eut recours à un docteur. Félicité voulut savoir ce qu'elle avait. Mais, trop sourde pour entendre, un seul mot lui parvint: 10 « Pneumonie. » Il lui était connu, et elle répliqua doucement[10] : — « Ah! comme Madame, » trouvant naturel de suivre sa maîtresse.

Le moment des reposoirs approchait.

Le premier était toujours au bas de la côte, le second devant la poste, le troisième vers le milieu de la rue. Il y eut des rivalités à propos de celui-là; 15 et les paroissiennes choisirent finalement la cour de Mme Aubain.

Les oppressions et la fièvre augmentaient. Félicité se chagrinait[11] de ne rien faire pour le reposoir. Au moins, si elle avait pu y mettre quelque chose! Alors elle songea au perroquet. Ce n'était pas convenable, objectèrent les voisines. Mais le curé accorda cette permission; elle en fut tellement heu- 20 reuse qu'elle le pria d'accepter, quand elle serait morte, Loulou, sa seule richesse.

Du mardi au samedi, veille[12] de la Fête-Dieu, elle toussa plus fréquemment. Le soir son visage était grippé, ses lèvres se collaient[13] à ses gencives,[14] des vomissements parurent; et le lendemain, au petit jour, se sentant très bas, 25 elle fit appeler un prêtre.

Trois bonnes femmes l'entouraient pendant l'extrême onction.

. . . Félicité de temps à autre parlait à des ombres.[15] Les bonnes femmes s'éloignèrent. La Simonne déjeuna.

Un peu plus tard, elle prit Loulou, et, l'approchant de Félicité: 30 « Allons! dites-lui adieu! »

Bien qu'il ne fût pas un cadavre, les vers[16] le dévoraient; une de ses ailes était cassée, l'étoupe[17] lui sortait du ventre. Mais, aveugle à présent, elle le baisa au front, et le gardait contre sa joue. La Simonne le reprit, pour le mettre sur le reposoir. 35

---

1. *fit of dizziness.* **2.** *dragged one leg.* **3.** *grocery.* **4.** *split her wood.* **5.** *blinds.* **6.** *rented.* **7.** *roof-laths.* **8.** *rotted.* **9.** *bolster.* **10.** *gently.* **11.** était triste. **12.** *eve.* **13.** adhéraient à. **14.** *gums.* **15.** *shades (of the departed).* **16.** *worms.* **17.** *stuffing.*

V

Les herbages envoyaient l'odeur de l'été; des mouches bourdonnaient [1]; le soleil faisait luire la rivière, chauffait les ardoises. La mère Simon, revenue dans la chambre, s'endormait doucement.

Des coups de cloche la réveillèrent; on sortait des vêpres. Le délire de Félicité tomba. En songeant à la procession, elle la voyait, comme si elle 5 l'eût suivie.

Tous les enfants des écoles, les chantres [2] et les pompiers [3] marchaient sur les trottoirs,[4] tandis qu'au milieu de la rue s'avançaient premièrement: le suisse [5] armé de sa hallebarde, le bedeau [6] avec une grande croix, l'instituteur [7] surveillant les gamins,[8] la religieuse inquiète de ses petites filles; trois des 10 plus mignonnes, frisées [9] comme des anges, jetaient dans l'air des pétales de roses; le diacre,[10] les bras écartés, modérait [11] la musique; et deux encenseurs [12] se retournaient à chaque pas vers le Saint-Sacrement, que portait, sous un dais de velours ponceau [13] tenu par quatre fabriciens,[14] M. le curé, dans sa belle chasuble. Un flot de monde se poussait derrière, entre les nappes [15] blanches 15 couvrant le mur des maisons; et l'on arriva au bas de la côte.

Une sueur [16] froide mouillait les tempes [17] de Félicité. La Simonne l'épongeait avec un linge, en se disant qu'un jour il lui faudrait passer par là.

Le murmure de la foule grossit, fut un moment très fort, s'éloignait.

Une fusillade [18] ébranla [19] les carreaux. C'était les postillons saluant l'os- 20 tensoir.[20] Félicité roula ses prunelles,[21] et elle dit, le moins bas qu'elle put: « Est-il bien? [22] » tourmentée du perroquet.

Son agonie commença. Un râle,[23] de plus en plus précipité, lui soulevait les côtes.[24] Des bouillons d'écume [25] venaient aux coins de sa bouche, et tout son corps tremblait. 25

Bientôt, on distingua le ronflement [26] des ophicléides,[27] les voix claires des enfants, la voix profonde des hommes. Tout se taisait par intervalles, et le battement des pas,[28] que des fleurs amortissaient,[29] faisait le bruit d'un troupeau sur du gazon.

Le clergé parut dans la cour. La Simonne grimpa sur une chaise pour 30 atteindre à l'œil-de-bœuf, et de cette manière dominait le reposoir.

Des guirlandes vertes pendaient sur l'autel, orné d'un falbala en point d'Angleterre.[30] Il y avait au milieu un petit cadre [31] enfermant des reliques, deux orangers dans les angles, et, tout le long, des flambeaux [32] d'argent et

---

1. *buzzed.*   **2.** *choristers.*   **3.** *firemen.*   **4.** *sidewalks.*   **5.** *head beadle.*   **6.** *beadle.*   **7.** maître d'école.   **8.** petits garçons.   **9.** *their hair curled.*   **10.** *deacon.*   **11.** *directed.*   **12.** *incense carriers.*   **13.** velours ponceau: *red velvet.*   **14.** *vestrymen.*   **15.** *tablecloths.*   **16.** *sweat.*   **17.** mouillait...: *moistened the temples.*   **18.** *volley of musketry.*   **19.** fit trembler.   **20.** « pièce d'orfèvrerie dans laquelle on expose l'hostie consacrée à l'autel » (*Larousse*); *monstrance.*   **21.** *eyeballs.*   **22.** Est-il...: *Is he all right?*   **23.** *death rattle.*   **24.** *ribs.*   **25.** *bubbles of froth.*   **26.** *blare.*   **27.** *A kind of brass horn.*   **28.** *tread of feet.*   **29.** affaiblissaient.   **30.** *flounce of English point lace.*   **31.** *frame.*   **32.** *candlesticks.*

des vases en porcelaine, d'où s'élançaient des tournesols,[1] des lis, des pivoines,
des digitales, des touffes d'hortensias.[2] Ce monceau de couleurs éclatantes
descendait obliquement, du premier étage jusqu'au tapis se prolongeant[3] sur
les pavés; et des choses rares tiraient les yeux. Un sucrier de vermeil[4] avait
une couronne de violettes, des pendeloques[5] en pierres d'Alençon[6] brillaient 5
sur de la mousse, deux écrans[7] chinois montraient leurs paysages. Loulou,
caché sous des roses, ne laissait voir que son front bleu, pareil à une plaque
de lapis.

Les fabriciens, les chantres, les enfants se rangèrent[8] sur les trois côtés
de la cour. Le prêtre gravit[9] lentement les marches,[10] et posa sur la dentelle 10
son grand soleil d'or[11] qui rayonnait. Tous s'agenouillèrent. Il se fit un
grand silence. Et les encensoirs, allant à pleine volée,[12] glissaient sur leurs
chaînettes.

Une vapeur d'azur monta dans la chambre de Félicité. Elle avança les
narines,[13] en la humant[14] avec une sensualité mystique; puis ferma les pau- 15
pières. Ses lèvres souriaient. Les mouvements de son cœur se ralentirent[15]
un à un, plus vagues chaque fois, plus doux, comme une fontaine s'épuise,[16]
comme un écho disparaît; et, quand elle exhala son dernier souffle, elle crut
voir, dans les cieux entr'ouverts, un perroquet gigantesque, planant[17] au-
dessus de sa tête. 20

1. *out of which sprang sunflowers.* 2. *lilies, peonies, foxgloves, bunches of hydrangeas.*
3. *s'étendant.* 4. *silver-gilt sugar bowl.* 5. *pendants.* 6. Cristaux provenant des
carrières (*quarries*) d'Alençon, en Normandie. 7. *screens.* 8. *lined up.* 9. monta.
10. *steps.* 11. l'ostensoir. 12. *in full swing.* 13. *nostrils.* 14. *breathing in.* 15. *became slower.* 16. *is running dry.* 17. *hovering.*

LE GENDRE[1] DE M. POIRIER

par ÉMILE AUGIER (1820–1889) *et* JULES SANDEAU (1811–1883)

On a parfois appelé Émile Augier « le Molière du XIXe siècle. » Il n'avait pas le génie de son illustre prédécesseur. Mais, comme lui et avec un rare talent, il a observé ses contemporains, ridiculisé leurs vices et leurs travers (*whims*), démasqué l'hypocrisie sous toutes ses formes, défendu les droits sacrés de la famille; il a, en outre, stigmatisé le pouvoir grandissant de l'argent dans la vie sociale et politique. C'est un fervent moraliste, un maître de l'*école du bon sens*.

Né à Valence, sur le Rhône, il vint très jeune à Paris, y fit de brillantes études, et se destina d'abord au barreau; mais, comme son grand-père Pigault-Lebrun, il se consacra bientôt uniquement à la poésie et à l'art dramatique. Dès lors, l'histoire de sa vie fut celle de ses œuvres.

Parmi ses nombreuses comédies (vers ou prose), écrites avec ou sans collaborateurs, il faut citer: *La Ciguë* (1844), œuvre de début, en vers, sujet antique, grand succès; *Gabrielle* (1849), où il s'essaye à *la comédie de mœurs*, mise en vogue grâce aux romans de Balzac et à *La Dame aux Camélias* de Dumas fils. Augier a trouvé sa voie. Suivent des pièces (antiromantiques) de satire morale ou politique, sans les tirades de Dumas: *Le Gendre de M. Poirier* (1854); *Les Lionnes pauvres; Les Effrontés; Le Fils de Giboyer; Maître Guérin; Jean de Thommeray; Les Fourchambault* (1878). Augier, comblé de gloire, prit alors sa retraite.

Il était membre de l'Académie française depuis 1858, devint sénateur en 1870, et commandeur de la Légion d'Honneur.

Jules Sandeau naquit à Aubusson, non loin de Poitiers, vint à Paris étudier le droit, mais y renonça pour s'adonner à la littérature. Il s'était attaché à Aurore Dudevant (George Sand) et écrivit avec elle *Prima Donna, Rose et Blanche*, qu'ils signèrent: *George et Jules Sand*. Elle avait pris la moitié de son nom et la garda pour signer les nombreux ouvrages qu'elle publia après leur séparation.

Il composa, de son côté, des romans qui le classèrent parmi nos meilleurs écrivains: il en transporta plusieurs à la scène où ils sont restés populaires. Citons: *Mlle de la Seiglière* (1848); *Sacs et Parchemins* (1851); Augier y trouva l'intrigue (*plot*) du *Gendre de M. Poirier*, mais il en modela autrement les personnages; *La Maison de Pénarsan* (1852) et *Jean de Pommeray* (1873), qu'Augier porta à la scène.

Sandeau fut conservateur de la Bibliothèque Mazarine; il entra à l'Académie française en 1858 et mourut officier de la Légion d'Honneur.

Le Gendre de M. Poirier passe pour être, à tous points de vue, le chef-d'œuvre d'Augier. Il y dépeint le conflit entre la noblesse et la bourgeoisie sous Louis-Philippe, le roi-citoyen (de la maison d'Orléans), après la chute des Bourbons en 1830.

Le marquis et le duc y représentent l'aristocratie, Poirier et Verdelet la haute bourgeoisie, avec les vices et les qualités de leurs classes respectives. Antoinette Poirier, marquise de Presles, les met d'accord. Fille de bourgeois, elle a l'âme d'une patricienne.

Cette pièce est lue, et souvent jouée, dans la plupart des écoles supérieures et des collèges d'Amérique.

1. *son-in-law.*

PERSONNAGES

M. POIRIER
GASTON, *marquis de Presles*
HECTOR, *duc de Montmeyran*
VERDELET, *ami de M. Poirier*
VATEL

CHEVASSUS
ANTOINETTE, *fille de M. Poirier*
LE PORTIER
UN DOMESTIQUE

La scène se passe à Paris, dans l'hôtel de M. Poirier.

ACTE PREMIER

Un salon très riche. Portes latérales, fenêtres au fond, donnant sur un jardin. Cheminée avec feu.

SCÈNE PREMIÈRE

UN DOMESTIQUE, LE DUC, *en uniforme de chasseur* [1] *d'Afrique*

Le Domestique. (*Assis, tenant un journal*) Je vous répète, brigadier,[2] que monsieur le marquis ne peut pas vous recevoir; il n'est pas encore levé.

Le Duc. A neuf heures! (*A part*) Au fait, le soleil se lève tard pendant la lune de miel. (*Haut*) A quelle heure déjeune-t-on ici?

Le Domestique. A onze heures. ... Mais qu'est-ce que ça vous fait? 5

Le Duc. Vous mettrez un couvert de plus.

Le Domestique. Pour votre colonel?

Le Duc. Oui, pour mon colonel. ... C'est le journal d'aujourd'hui?

Le Domestique. Oui, 15 février 1846.[3]

Le Duc. Donnez! 10

Le Domestique. Je ne l'ai pas encore lu.

Le Duc. Vous ne voulez pas me donner le journal? Alors vous voyez bien que je ne peux pas attendre. Annoncez-moi.

Le Domestique. Qui, vous?

Le Duc. Le duc de Montmeyran. 15

Le Domestique. Farceur![4]

SCÈNE II

LES MÊMES, GASTON

Gaston. Tiens, c'est toi? ... (*Ils s'embrassent.*)

Le Domestique. (*A part*) Fichtre [5] ... j'ai dit une bêtise.[6] ... (*Il sort.*)

Le Duc. Cher Gaston!

1. chasseur = soldat légèrement armé. Le corps colonial appelé « chasseurs d'Afrique » est à cheval. 2. caporal de cavalerie. 3. *Cf. last lines of the play.* 4. *Joker! (An American might have said: Smart guy! or Oh yeah!)* 5. exclamation de surprise: *Golly!* 6. *I made a boner!*

Gaston. Cher Hector! parbleu![1] je suis content de te voir!

Le Duc. Et moi donc!

Gaston. Tu ne pouvais arriver plus à propos!

Le Duc. A propos?

Gaston. Je te conterai cela.... Mais, mon pauvre garçon, comme te voilà fait![2] Qui reconnaîtrait, sous cette casaque,[3] un des princes de la jeunesse, l'exemple et le parfait modèle des enfants prodigues?

Le Duc. Après toi, mon bon.[4] Nous nous sommes rangés[5] tous les deux: toi, tu t'es marié; moi, je me suis fait soldat, et quoi que tu penses de mon uniforme, j'aime mieux mon régiment que le tien.

Gaston. (*Regardant l'uniforme du duc*) Bien obligé!

Le Duc. Oui, regarde-la, cette casaque. C'est le seul habit où l'ennui ne soit pas entré avec moi. Et ce petit ornement que tu feins de ne pas voir.... (*Il montre ses galons.*)

Gaston. Un galon de laine.[6]

Le Duc. Que j'ai ramassé dans la plaine d'Isly,[7] mon bon.

Gaston. Et quand auras-tu l'étoile des braves?[8]

Le Duc. Ah! mon cher, ne plaisantons plus là-dessus: c'était bon autrefois; aujourd'hui, la croix est ma seule ambition, et pour l'avoir, je donnerais gaiement une pinte de mon sang.

Gaston. Ah çà! tu es donc un troupier fini?

Le Duc. Hé! ma foi, oui! j'aime mon métier. C'est le seul qui convient à un gentilhomme ruiné, et je n'ai qu'un regret, c'est de ne pas l'avoir pris plus tôt. C'est amusant, vois-tu, cette existence active et aventureuse; il n'y a pas jusqu'à[9] la discipline qui n'ait son charme; c'est sain, cela repose l'esprit d'avoir sa vie réglée d'avance, sans discussion possible et par conséquent sans irrésolution et sans regret. C'est de là que viennent l'insouciance[10] et la gaieté. On sait ce qu'on doit faire, on le fait, et on est content.

Gaston. A peu de frais.[11]

Le Duc. Et puis, mon cher, ces idées patriotiques, dont nous nous moquions au café de Paris et que nous traitions de chauvinisme,[12] nous gonflent[13] diablement[14] le cœur en face de l'ennemi. Le premier coup de canon défonce les blagues,[15] et le drapeau n'est plus un chiffon[16] au bout d'une perche,[17] c'est la robe même de la patrie.

Gaston. Soit; mais ton enthousiasme pour un drapeau[18] qui n'est pas le tien....

---

1. par Dieu; *by Jove!* **2.** *how badly dressed you are! What a get up!* **3.** *military coat.*
4. *old dear.* **5.** *settled down.* **6.** insigne de brigadier, (*woolen chevron*). **7.** à la frontière du Maroc et de l'Algérie; le maréchal Bugeaud y battit les Marocains en 1843. **8.** la croix de la Légion d'Honneur. **9.** la discipline même a son charme. **10.** *lightheartedness.* **11.** *at little expense.* **12.** patriotisme outré, fanatique (*jingoism*); [d'après N. Chauvin, vétéran des guerres de Napoléon, rendu célèbre par un vaudeville *La Cocarde tricolore* (1831)].
13. *swell.* **14.** *deucedly.* **15.** défonce...: *knocks out all mockeries.* **16.** *rag.* **17.** *pole.*
18. le tricolore de la France républicaine, que Louis-Philippe (1830–1848) adopta. Gaston ne reconnaît que le drapeau blanc fleurdelisé de la dynastie des Bourbons.

Le Duc. Bah! on n'en voit plus la couleur au milieu de la fumée de la 40
poudre.

Gaston. Enfin, tu es content, c'est l'essentiel. Es-tu à Paris pour longtemps?

Le Duc. Pour un mois, pas plus. Tu sais comment j'ai arrangé ma vie?

Gaston. Non, comment?   45

Le Duc. Je ne t'ai pas dit?... C'est très ingénieux: avant de partir, j'ai
placé chez un banquier les bribes [1] de mon patrimoine, cent mille francs environ, dont le revenu [2] doit me procurer tous les ans trente jours de mon
ancienne existence, en sorte que j'ai soixante mille livres [3] de rente [4] pendant
un mois de l'année, et six sous par jour pendant les onze autres. J'ai naturelle- 50
ment choisi le carnaval pour mes prodigalités: il a commencé hier, j'arrive
aujourd'hui, et ma première visite est pour toi.

Gaston. Merci! Ah çà! je n'entends pas [5] que tu loges ailleurs que chez
moi.

Le Duc. Oh! je ne veux pas te donner d'embarras....   55

Gaston. Tu ne m'en donneras aucun, il y a justement dans l'hôtel [6] un
petit pavillon, au fond du jardin.

Le Duc. Tiens,[7] franchement, ce n'est pas toi que je crains de gêner,[8] c'est
moi. Tu comprends... tu vis en famille... ta femme, ton beau-père....

Gaston. Ah! oui, tu te figures, parce que j'ai épousé la fille d'un ancien 60
marchand de draps, que ma maison est devenue le temple de l'ennui, que ma
femme a apporté dans ses nippes [9] une horde farouche de vertus bourgeoises,
et qu'il ne reste plus qu'à écrire sur ma porte: « Ci-gît [10] Gaston, marquis de
Presles! » Détrompe-toi. Je mène un train de prince, je fais courir,[11] je joue
un jeu d'enfer, j'achète des tableaux, j'ai le premier cuisinier de Paris, un 65
drôle qui prétend [12] descendre de Vatel [13] et qui prend son art au grand sérieux;
je tiens table ouverte (entre parenthèses, tu dîneras demain avec tous nos
amis et tu verras comment je traite); bref, le mariage n'a rien supprimé de
mes habitudes, rien... que les créanciers.[14]

Le Duc. Ta femme, ton beau-père, te laissent ainsi la bride sur le cou?   70

Gaston. Parfaitement. Ma femme est une petite pensionnaire,[15] assez
jolie, un peu gauche, un peu timide, encore tout ébaubie [16] de sa métamorphose,
et qui, j'en jurerais, passe son temps à regarder dans son miroir la marquise
de Presles. Quant à M. Poirier, mon beau-père, il est digne de son nom.[17]
Modeste et nourrissant comme tous les arbres à fruit, il était né pour vivre en 75
espalier.[18] Toute son ambition était de fournir aux desserts d'un gentilhomme:
ses vœux sont exaucés.[19]

---

1. *scraps, crumbs.*   **2.** *income.*   **3.** francs.   **4.** *income.*   **5.** je ne veux pas.   **6.** *mansion.*   **7.** *Look here!*   **8.** embarrasser.   **9.** trousseau.   **10.** *Here lies (as on a tomb-
stone).*   **11.** *I race horses.*   **12.** un drôle...: *a fellow who claims.*   **13.** cuisinier du prince
de Condé qui se suicida (Chantilly, 1671) parce que le poisson de mer arriva en retard pour
le banquet offert à Louis XIV.   **14.** *creditors.*   **15.** *boarding-schoolgirl.*   **16.** *amazed, dazed.*
17. « Poirier » means *peartree.* (N. B. être "poire" = *to be a "sucker"*).   **18.** *on a trellis,*
comme les arbres fruitiers attachés à un treillis contre un mur.   **19.** *fulfilled.*

Le Duc.   Bah! il y a encore des bourgeois de cette pâte-là? [1]

Gaston.   Pour te le peindre en un mot, c'est George Dandin [2] à l'état de beau-père. . . . Sérieusement, j'ai fait un mariage magnifique.   80

Le Duc.   Je pense bien que tu ne t'es mésallié qu'à bon escient.[3]

Gaston.   Je t'en fais juge: Tu sais dans quelle position je me trouvais, Orphelin à quinze ans, maître de ma fortune à vingt, j'avais promptement exterminé mon patrimoine et m'étais mis en devoir d'amasser un capital de dettes digne du neveu de mon oncle.   Or, au moment où, grâce à mon activité, 85 ce capital atteignait le chiffre de cinq cent mille francs, mon septuagénaire d'oncle n'épousait-il pas tout à coup une jeune personne romanesque dont il se voyait adoré?   Corvisart [4] l'a dit, à soixante-dix ans on a toujours des enfants.   J'avais compté sans mes cousins; il me fallut décompter.

Le Duc.   Tu passais à l'état de neveu honoraire.   90

Gaston.   Je songeai à reprendre du service actif dans le corps des gendres; c'est alors que le ciel mit M. Poirier sur mon chemin.

Le Duc.   Où l'as-tu rencontré?

Gaston.   Il avait des fonds à placer [5] et cherchait un emprunteur [6]; c'était une chance de nous rencontrer: nous nous rencontrâmes.   Je ne lui offrais 95 pas assez de garanties pour qu'il fît de moi son débiteur; je lui en offrais assez pour qu'il fît de moi son gendre.   Je pris des renseignements sur sa moralité; je m'assurai que sa fortune venait d'une source honnête, et, ma foi, j'acceptai la main de sa fille.

Le Duc.   Avec quels appointements? [7]   100

Gaston.   Le bonhomme avait quatre millions, il n'en a plus que trois.

Le Duc.   Un million de dot! [8]

Gaston.   Mieux que cela: tu vas voir.   Il s'est engagé à payer mes dettes, et je crois même que c'est aujourd'hui que ce phénomène sera visible: ci,[9] cinq cent mille francs.   Il m'a remis, le jour du contrat, un coupon de rentes [10] de vingt-cinq mille francs: ci, cinq cents autres mille francs.   106

Le Duc.   Voilà le million; après?

Gaston.   Après?   Il a tenu à [11] ne pas se séparer de sa fille et à nous défrayer de tout dans son hôtel; en sorte que, logé, nourri, chauffé, voituré, servi, il me reste vingt-cinq mille livres de rentes pour l'entretien de ma femme et le mien.   111

Le Duc.   C'est très joli.

Gaston.   Attends donc!

Le Duc.   Il y a encore quelque chose?

Gaston.   Il a racheté le château de Presles, et je m'attends, d'un jour à l'autre, à trouver les titres de propriété sous ma serviette.   116

1. *of that ilk.*   **2.** personnage de Molière (1668): riche *bourgeois* qui, par vanité, a épousé une femme *noble* et, ridiculisé, s'en repent amèrement.   **3.** les yeux bien ouverts. **4.** médecin de Napoléon.   **5.** *to invest.*   **6.** *borrower.*   **7.** *with what emoluments?*   **8.** *dowry.* **9.** ci (*used in accounts before naming the total*) = *viz.*   **10.** *annuity bond.*   **11.** *insisted upon.*

Le Duc. C'est un homme délicieux!

Gaston. Attends donc!

Le Duc. Encore? 119

Gaston. Après la signature du contrat, il est venu à moi, il m'a pris les mains, et, avec une bonhomie touchante, il s'est confondu en excuses de n'avoir que soixante ans; mais il m'a donné à entendre qu'il se dépêcherait d'en avoir quatre-vingts. ... Au surplus,[1] je ne le presse pas ... il n'est pas gênant, le pauvre homme. Il se tient à sa place, se couche comme les poules,[2] se lève comme les coqs, règle les comptes, veille à l'exécution de mes moindres désirs; c'est un intendant [3] qui ne me vole pas [4]; je le remplacerais difficilement.

Le Duc. Décidément, tu es le plus heureux des hommes. 127

Gaston. Attends donc! Tu pourrais croire qu'aux yeux du monde [5] mon mariage m'a délustré,[6] m'a décati,[7] comme dirait M. Poirier: rassure-toi, je suis toujours à la mode; c'est moi qui donne le ton. Les femmes m'ont pardonné, et, enfin, comme j'avais l'honneur de te le dire, tu ne pouvais arriver plus à propos. 132

Le Duc. Pourquoi?

Gaston. Tu ne me comprends pas, toi, mon témoin [8] naturel, mon second obligé? 135

Le Duc. Un duel?

Gaston. Oui, mon cher, un joli petit duel, comme dans le bon temps. ... Eh bien! qu'en dis-tu? Est-il mort, ce marquis de Presles, et faut-il songer à le porter en terre?

Le Duc. Avec qui te bats-tu, et à quel propos? [9] 140

Gaston. Avec le vicomte de Pontgrimaud, à propos d'une querelle de jeu.[10]

Le Duc. Une querelle de jeu? alors cela peut s'arranger.

Gaston. Est-ce au régiment que l'on apprend à arranger les affaires d'honneur?

Le Duc. Tu l'as dit, c'est au régiment. C'est là qu'on apprend l'emploi du sang; tu ne me persuaderas pas qu'il en faille pour terminer une querelle de jeu? 147

Gaston. Et si cette querelle de jeu n'était qu'un prétexte? s'il y avait autre chose derrière?

Le Duc. Une femme? 150

Gaston. Voilà!

Le Duc. Une intrigue! déjà! ce n'est pas bien.

Gaston. Que veux-tu! ... une passion de l'an dernier que je croyais morte de froid, et qui, après mon mariage, a eu son été de la Saint-Martin.[11] Tu vois que ce n'est ni bien sérieux ni bien inquiétant. 155

Le Duc. Et peut-on savoir?

---

1. *moreover.*   **2.** *as the hens (early).*   **3.** *steward.*   **4.** *does not rob me.*   **5.** *society.* **6.** *delustered (the reference is to his scutcheon), made me lose cast.*   **7.** *taken the shine out of.* **8.** *my perennial witness, my faithful second (in all my duels).*   **9.** *pour quel motif?*   **10.** *a gambling quarrel.*   **11.** *Indian summer.*

Gaston. Je n'ai pas de secrets pour toi. . . . C'est la comtesse de Montjay.

Le Duc. Je t'en fais mon compliment; mais c'est furieusement grave. J'avais songé à lui faire la cour : j'ai reculé devant les périls d'une telle liaison, périls qui n'ont rien de chevaleresque. Tu n'ignores pas que la comtesse n'a pas de fortune personnelle ?　　161

Gaston. Qu'elle attend tout de son vieux mari, et qu'il aurait le mauvais goût de la déshériter, s'il lui découvrait une faiblesse ? Je sais tout cela.

Le Duc. Et, de gaieté de cœur, tu a repris une pareille chaîne ?　　164

Gaston. L'habitude, un reste d'amour, l'attrait du fruit défendu, le plaisir de couper l'herbe sous le pied ¹ à ce petit drôle ² de Pontgrimaud, que je déteste. . . .

Le Duc. Tu lui fais bien de l'honneur !　　168

Gaston. Que veux-tu ! il m'agace les nerfs,³ ce petit monsieur, qui se croit de noblesse d'épée ⁴ parce que M. Grimaud, son grand-père, était fournisseur aux armées.⁵ C'est ⁶ vicomte, on ne sait comment ni pourquoi, et ça veut être plus légitimiste ⁷ que nous; ça se porte à tout propos champion de la noblesse, pour avoir l'air de la représenter. . . . Si on fait une égratignure ⁸ à un Montmorency,⁹ ça crie comme si on l'écorchait ¹⁰ lui-même. . . . Bref, il y avait entre nous deux une querelle dans l'air; elle a crevé ¹¹ hier soir à une table de lansquenet.¹² Il en sera quitte pour un coup d'épée . . . ce sera le premier qu'on aura reçu dans sa famille.　　177

Le Duc. T'a-t-il envoyé ses témoins ?

Gaston. Je les attends. . . . Tu m'assisteras avec Grandlieu.

Le Duc. C'est entendu.¹³　　180

Gaston. Tu t'installes chez moi, c'est entendu aussi ?

Le Duc. Eh bien, soit.

Gaston. Ah çà ! quoique en carnaval, tu ne comptes pas rester déguisé en héros ?

Le Duc. Non. J'ai écrit de là-bas à mon tailleur. . . .　　185

Gaston. Tiens, j'entends des voix. . . . C'est mon beau-père; tu vas le voir au complet, avec son ami Verdelet, son ancien associé. . . . Parbleu ! . . . tu as de la chance.

SCÈNE III

LES MÊMES, POIRIER, VERDELET

Gaston. Bonjour, monsieur Verdelet, bonjour.

Verdelet. Votre serviteur, messieurs.

Gaston. (*Présentant* LE DUC) Un de mes bons amis, mon cher monsieur Poirier, le duc de Montmeyran.

---

1. *cut the ground from under him.* **2.** *rascal.* **3.** il m'irrite. **4.** *military nobility (the highest).* **5.** *army contractor.* **6.** il est (expression de mépris). **7.** royaliste fidèle aux Bourbons, opposé à la dynastie d'Orléans. **8.** *scratch.* **9.** Montmorency: *one of the oldest noble families of France.* **10.** écorcher, *to flay.* **11.** *burst, broke out.* **12.** jeu de cartes importé d'Allemagne. **13.** *understood, agreed.*

Le Duc. Brigadier aux chasseurs d'Afrique. 5

Verdelet. (*A part*) A la bonne heure![1]

Poirier. Très honoré, monsieur le duc!

Gaston. Plus honoré que vous ne pensez, cher monsieur Poirier: monsieur le duc veut bien accepter ici l'hospitalité que je me suis empressé de lui offrir. 10

Verdelet. (*A part*) Un rat de plus dans le fromage.[2]

Le Duc. Pardonnez-moi, monsieur, d'avoir accepté une invitation que mon ami Gaston m'a faite un peu étourdiment[3] peut-être.

Poirier. Monsieur . . . le marquis, mon gendre, n'a pas besoin de me consulter pour installer ses amis ici; les amis de nos amis.[4] . . . 15

Gaston. Très bien, monsieur Poirier. Hector occupera le pavillon du jardin. Est-il en état?

Poirier. J'y veillerai.

Le Duc. Je suis confus, monsieur, de l'embarras . . .

Gaston. Pas du tout! monsieur Poirier sera trop heureux. . . . 20

Poirier. Trop heureux.

Gaston. Vous aurez soin, n'est-ce pas, qu'on tienne aux ordres d'Hector le petit coupé[5] bleu?

Poirier. Celui dont je me sers habituellement?

Le Duc. Alors je m'oppose. . . . 25

Poirier. Oh! il y a une place de fiacres[6] au bout de la rue.

Verdelet. (*A part*) Cassandre! Ganache![7]

Gaston. (*Au* Duc) Et maintenant, allons visiter mes écuries.[8] . . . J'ai reçu hier un arabe dont tu me diras des nouvelles.[9] . . . Viens.

Le Duc. (*A* Poirier) Vous permettez, monsieur . . . Gaston est impatient 30 de me montrer son luxe, et je le conçois: c'est une façon pour lui de me parler de vous.

Poirier. Monsieur le duc comprend toutes les délicatesses de mon gendre.

Gaston. (*Bas, au* Duc) Tu vas me gâter[10] mon beau-père. (*Fausse sortie, sur la porte*) A propos, monsieur Poirier, vous savez que j'ai demain un 35 grand dîner; est-ce que vous nous ferez le plaisir d'être des nôtres?

Poirier. Non, merci . . . je dînerai chez Verdelet.

Gaston. Ah! monsieur Verdelet! je vous en veux[11] de m'enlever mon beau-père chaque fois que j'ai du monde ici.

Verdelet. (*A part*) Impertinent! 40

Poirier. A mon âge, on gêne la jeunesse.

Verdelet. (*A part*) Géronte[12], va!

Gaston. A votre aise, mon cher monsieur Poirier. (*Il sort avec* Le Duc.)

---

1. *That is good! Fine!* **2.** *One more rat in the cheese (another rat to feed)* = *another parasite.* **3.** *thoughtlessly.* **4.** Add: sont nos amis. **5.** voiture couverte à deux places. **6.** *cab stand.* **7.** *Old fool! Stupid!* personnages de comédie populaire. **8.** *stables.* **9.** (lit., *you'll give me news of it*) = *you'll exclaim at its beauty.* **10.** *spoil.* **11.** *I am annoyed at you.* **12.** vieillard débile et crédule du théâtre classique.

SCÈNE IV

Poirier, Verdelet

Verdelet. Je trouve ton gendre obséquieux avec toi. Tu me l'avais bien dit que tu saurais te faire respecter.

Poirier. Je fais ce qui me plaît. J'aime mieux être aimé que craint.

Verdelet. Ça n'a pas toujours été ton principe. Du reste, tu as réussi: ton gendre a pour toi des bontés familières qu'il ne doit pas avoir pour les 5 autres domestiques.

Poirier. Au lieu de faire de l'esprit,[1] mêle-toi de tes affaires.[2]

Verdelet. Je m'en mêle, parbleu! Nous sommes solidaires[3] ici, nous ressemblons un peu aux jumeaux siamois,[4] et, quand tu te mets à plat ventre[5] devant ce marquis, j'ai de la peine à me tenir debout.   10

Poirier. A plat ventre! Ne dirait-on pas?... ce marquis!... Crois-tu donc que son titre me jette de la poudre aux yeux?[6] J'ai toujours été plus libéral que toi, tu le sais bien, je le suis encore. Je me moque de la noblesse comme de ça![7] Le talent et la vertu sont les seules distinctions sociales que je reconnaisse et devant lesquelles je m'incline.   15

Verdelet. Diable! ton gendre est donc bien vertueux?

Poirier. Tu m'ennuies. Ne veux-tu pas que je lui fasse sentir qu'il me doit tout?[8]

Verdelet. Oh! oh! il te prend sur le tard[9] des délicatesses exquises. C'est le fruit de tes économies. Tiens, Poirier, je n'ai jamais approuvé ce mariage, 20 tu le sais; j'aurais voulu que ma chère filleule épousât un brave garçon de notre bord,[10] mais puisque tu ne m'as pas écouté....

Poirier. Ah! ah! écouter monsieur! il ne manquerait plus que cela![11]

Verdelet. Pourquoi donc pas?

Poirier. Oh! monsieur Verdelet! vous êtes un homme de bel esprit et de 25 beaux sentiments; vous avez lu des livres amusants; vous avez sur toutes choses des opinions particulières; mais en matière de sens commun, je vous rendrais des points.[12]

Verdelet. En matière de sens commun ... tu veux dire en matière commerciale. Je ne conteste pas: tu as gagné quatre millions tandis que j'amas- 30 sais à peine quarante mille livres de rentes.

Poirier. Et encore, grâce à moi.

Verdelet. D'accord! Cette fortune me vient par toi, elle retournera à ta fille, quand ton gendre t'aura ruiné.

Poirier. Quand mon gendre m'aura ruiné?   35

Verdelet. Oui, dans une dizaine d'années.

---

1. faire . . .: *being funny.* **2.** *mind your business.* **3.** *closely associated.* **4.** *Siamese twins.* **5.** *crawl on your belly.* **6.** *fascinates me (throws dust in my eyes).* **7.** Je me moque . . .: *I don't care* that *for titles (he snaps his fingers).* **8.** *owes me everything.* **9.** *in your old age.* **10.** *of our social class.* **11.** *that would be the climax.* **12.** *would give you odds.*

Poirier. Tu es fou!

Verdelet. Au train dont il y va,[1] tu sais trop bien compter pour ne pas voir que cela ne peut pas durer longtemps.

Poirier. Bien, bien, c'est mon affaire.   40

Verdelet. S'il ne s'agissait que de toi, je ne soufflerais mot.[2]

Poirier. Et pourquoi ne souffleriez-vous mot? vous ne me portez donc aucun intérêt? cela vous est égal qu'on me ruine, moi qui ai fait votre fortune!

Verdelet. Qu'est-ce qui te prend?[3]

Poirier. Je n'aime pas les ingrats!   45

Verdelet. Diantre![4] tu te rattrapes sur moi des[5] familiarités de ton gendre. Je te disais donc que, s'il ne s'agissait que de toi, je prendrais ton mal en patience, n'étant pas ton parrain[6]; mais je suis celui de ta fille.

Poirier. Et j'ai fait un beau pas de clerc[7] en vous donnant ce droit sur elle.

Verdelet. Ma foi! tu pouvais lui choisir un parrain qui l'aurait moins 50 aimée!

Poirier. Oui, je sais . . . vous l'aimez plus que je ne fais moi-même. . . . C'est votre prétention . . . et vous le lui avez persuadé, à elle.

Verdelet. Nous retombons dans cette litanie?[8] Va ton train![9]

Poirier. Oui, j'irai mon train. Croyez-vous qu'il me soit agréable de me 55 voir expulsé, par un étranger, du cœur de mon enfant?

Verdelet. Elle a pour toi toute l'affection . . .

Poirier. Ce n'est pas vrai, tu me supplantes! elle n'a de confiance et de câlineries[10] que pour toi.

Verdelet. C'est que je ne lui fais pas peur, moi. Comment veux-tu[11] que 60 cette petite ait de l'épanchement[12] pour un hérisson[13] comme toi? Elle ne sait par où te dorloter,[14] tu es toujours en boule.[15]

Poirier. C'est toi qui m'as réduit au rôle de père rabat-joie,[16] en prenant celui de papa-gâteau.[17] Ça n'est pas bien malin[18] de se faire aimer des enfants quand on obéit à toutes leurs fantaisies, sans se soucier de leurs véritables 65 intérêts. C'est les aimer pour soi, et non pour eux.

Verdelet. Doucement, Poirier; quand les vrais intérêts de ta fille ont été en jeu, ses fantaisies n'ont rencontré de résistance que chez moi. Je l'ai assez contrariée,[19] la pauvre Toinon, à l'occasion de son mariage, tandis que tu l'y poussais bêtement.   70

Poirier. Elle aimait le marquis. Laissez-moi lire mon journal. (*Il s'assied et parcourt le Constitutionnel.*[20])

Verdelet. Tu as beau dire[21] que l'enfant avait le cœur pris, c'est toi qui le lui as fait prendre. Tu as attiré M. de Presles chez toi.

---

1. *at the rate at which he is going.*   **2.** *I'd keep my mouth shut.*   **3.** *What ails you?* (*Why that formal* vous?)   **4.** diable!   **5.** tu me fais payer les . . .   **6.** *godfather.*   **7.** pas de clerc: *a boner* (faute d'un homme sans expérience).   **8.** *that same old rigmarole.*   **9.** *Go ahead, have it out.*   **10.** *cajolings.*   **11.** Comment . . .: *How can you expect?*   **12.** *heart effusions.*   **13.** *hedgehog.*   **14.** *pamper.*   **15.** *rolled up.*   **16.** *kill-joy.*   **17.** *fond daddy.*   **18.** difficile.   **19.** *vexed* (*by disapproving*).   **20.** *a liberal daily.*   **21.** Tu as . . .: *say if you will . . . but.*

Poirier. (*Se levant*) Encore un d'arrivé! M. Michaud, le propriétaire de 75 forges,[1] est nommé pair de France.

Verdelet. Qu'est-ce que ça me fait?[2]

Poirier. Comment, ce que ça te fait? Il t'est indifférent de voir un des nôtres parvenir, de voir que le gouvernement honore l'industrie en appelant à lui ses représentants! N'est-ce pas admirable, un pays et un temps où 80 le travail ouvre toutes les portes? Tu peux aspirer à la pairie, et tu demandes ce que cela te fait?

Verdelet. Dieu me garde d'aspirer à la pairie! Dieu garde surtout mon pays que j'y arrive!

Poirier. Pourquoi donc? M. Michaud y est bien! 85

Verdelet. M. Michaud n'est pas seulement un industriel, c'est un homme du premier mérite. Le père de Molière était tapissier[3]: ce n'est pas une raison pour que tous les fils de tapissier se croient poètes.

Poirier. Je te dis, moi, que le commerce est la véritable école des hommes d'État. Qui mettra la main au gouvernail,[4] sinon ceux qui ont prouvé qu'ils 90 savaient mener leur barque!

Verdelet. Une barque n'est pas un vaisseau, un batelier[5] n'est pas un pilote, et la France n'est pas une maison de commerce. J'enrage quand je vois cette manie qui s'empare de toutes les cervelles! On dirait, ma parole, que dans ce pays-ci le gouvernement est le passe-temps naturel des gens qui n'ont 95 plus rien à faire.... Un bonhomme comme toi et moi s'occupe pendant trente ans de sa petite besogne; il y arrondit sa pelote,[6] et un beau jour il ferme boutique et s'établit homme d'État.... Ce n'est pas plus difficile que cela! il n'y a pas d'autre recette! Morbleu[7] messieurs, que[8] ne vous dites-vous aussi bien: « J'ai tant auné[9] de drap que je dois savoir jouer du violon. » 101

Poirier. Je ne saisis pas le rapport.[10] ...

Verdelet. Au lieu de songer à gouverner la France, gouvernez votre maison. Ne mariez pas vos filles à des marquis ruinés qui croient vous faire honneur en payant leurs dettes avec vos écus.[11] ... 105

Poirier. Est-ce pour moi que tu dis cela?

Verdelet. Non, c'est pour moi.

SCÈNE V

LES MÊMES, ANTOINETTE

Antoinette. Bonjour, mon père; comment allez-vous? Bonjour, parrain. Tu viens déjeuner avec nous? tu es bien gentil!

Poirier. Il est gentil!... Qu'est-ce que je suis donc alors, moi qui l'ai invité?

---

1. *iron master.* 2. *What do I care?* 3. *upholsterer.* 4. *rudder, helm.* 5. *boatman.* 6. *feathers his nest,* (lit., *rounds out his ball of yarn*). 7. mort de Dieu! *s'death.* 8. pour-quoi. 9. mesuré. 10. *connection.* 11. (*coins*), *money.*

Antoinette. Vous êtes charmant! 5

Poirier. Je ne suis charmant que quand j'invite Verdelet. C'est agréable pour moi!

Antoinette. Où est mon mari?

Poirier. A l'écurie. Où veux-tu qu'il soit?

Antoinette. Est-ce que vous blâmez son goût pour les chevaux?... Il 10 sied [1] bien à un gentilhomme d'aimer les chevaux et les armes.

Poirier. Soit; mais je voudrais qu'il aimât autre chose.

Antoinette. Il aime les arts, la peinture, la poésie, la musique.

Poirier. Peuh! ce sont des arts d'agrément.[2]

Verdelet. Tu voudrais qu'il aimât des arts de désagrément peut-être; 15 qu'il jouât du piano?

Poirier. C'est cela; prends son parti devant Toinon, pour te faire aimer d'elle. (*A* ANTOINETTE.) Il me disait encore tout à l'heure que ton mari me ruine.... Le disais-tu?

Verdelet. Oui, mais tu n'as qu'à serrer les cordons de ta bourse.[3] 20

Poirier. Il est beaucoup plus simple que ce jeune homme s'occupe.

Verdelet. Il me semble qu'il s'occupe beaucoup.

Poirier. Oui, à dépenser de l'argent du matin au soir. Je lui voudrais une occupation plus lucrative.

Antoinette. Laquelle?... Il ne peut pourtant pas vendre du drap ou de 25 la flanelle.

Poirier. Il en est incapable. On ne lui demande pas tant de choses: qu'il prenne tout simplement une position conforme à son rang; une ambassade, par exemple.

Verdelet. Prendre une ambassade! Ça ne se prend pas comme un rhume.[4] 30

Poirier. Quand on s'appelle le marquis de Presles, on peut prétendre [5] à tout.

Antoinette. Mais on est obligé de ne prétendre à rien, mon père.

Verdelet. C'est vrai: ton gendre a des opinions....

Poirier. Il n'en a qu'une, c'est la paresse.[6]

Antoinette. Vous êtes injuste, mon père, mon mari a ses convictions. 35 (*Elle va à la fenêtre.*)

Verdelet. A défaut de conviction, il a l'entêtement [7] chevaleresque de son parti. Crois-tu que ton gendre renoncera aux traditions de sa famille, pour le seul plaisir de renoncer à sa paresse?

Poirier. (*A demi-voix*) Tu ne connais pas mon gendre, Verdelet; moi, 40 je l'ai étudié à fond, avant de lui donner ma fille. C'est un étourneau [8]; la légèreté de son caractère le met à l'abri [9] de toute espèce d'entêtement. Quant à ses traditions de famille, s'il y tenait beaucoup, il n'eût pas épousé mademoiselle Poirier.

---

1. *it becomes.*   **2.** arts sans utilité (agrément = *pleasure*).   **3.** *tighten your purse strings.*
4. *cold in the head.*   **5.** *aspire to, lay claim to.*   **6.** *laziness.*   **7.** *stubbornness.*   **8.** (*starling*) *light headed fellow.*   **9.** *shelters.*

Verdelet. C'est égal,[1] il eût été prudent de le sonder à ce sujet avant le 45
mariage.

Poirier. Que tu es bête! j'aurais eu l'air de lui proposer un marché; il
aurait refusé tout net. On n'obtient de pareilles concessions que par les
bons procédés, par une obsession lente et insensible.... Depuis trois mois
il est ici comme un coq en pâte.[2] 50

Verdelet. Je comprends: tu as voulu graisser la girouette[3] avant de souffler
dessus.

Poirier. Tu l'as dit, Verdelet. (*A* ANTOINETTE.) On est bien faible pour
sa femme, pendant la lune de miel. Si tu lui demandais ça gentiment ... le
soir ... tout en déroulant tes cheveux.... 55

Antoinette. Oh! mon père!

Poirier. Dame! c'est comme cela que madame Poirier m'a demandé de
la mener à l'Opéra, et je l'y ai menée le lendemain.... Tu vois!

Antoinette. Je n'oserai jamais parler à mon mari d'une chose si grave.

Poirier. Ta dot peut cependant bien te donner voix au chapitre.[4] 60

Antoinette. Il lèverait les épaules, il ne me répondrait pas.

Verdelet. Il lève les épaules quand tu lui parles?

Antoinette. Non, mais ...

Verdelet. Oh! oh! tu baisses les yeux.... Il paraît que ton mari te traite
un peu légèrement. C'est ce que j'ai toujours craint. 65

Poirier. Est-ce que tu as à te plaindre de lui?

Antoinette. Non, mon père.

Poirier. Est-ce qu'il ne t'aime pas?

Antoinette. Je ne dis pas cela.

Poirier. Qu'est-ce que tu dis, alors? 70

Antoinette. Rien.

Verdelet. Voyons, ma fille, explique-toi franchement avec tes vieux amis.
Nous ne sommes créés et mis au monde que pour veiller sur ton bonheur;
à qui te confieras-tu, si tu te caches de ton père et de ton parrain? Tu as du
chagrin. 75

Antoinette. Je n'ai pas le droit d'en avoir ... mon mari est très doux et
très bon.

Poirier. Eh bien, alors?

Verdelet. Est-ce que cela suffit? Il est doux et bon, mais il ne fait guère
plus attention à toi qu'à une jolie poupée,[5] n'est-ce pas? 80

Antoinette. C'est ma faute. Je suis timide avec lui; je n'ose lui ouvrir ni
mon esprit ni mon cœur. Je suis sûre qu'il me prend pour une pensionnaire
qui a voulu être marquise.

Poirier. Cet imbécile![6]

---

1. *All the same.* **2.** coq qu'on empâte (lit., *a rooster being fattened*), corresponding to Engl.
pig in clover. **3.** *grease the weathercock* (pour qu'elle tourne facilement). **4.** voix au
chapitre: lit., *voice in the chapter* (or *council*); *the right to speak.* **5.** *doll.* **6.** *The fool!*

Verdelet. Que ne t'expliques-tu à lui ? 85

Antoinette. J'ai essayé plusieurs fois ; mais le ton de sa première réponse était toujours en tel désaccord avec ma pensée que je n'osais plus continuer. Il y a des confidences qui veulent être encouragées ; l'âme a sa pudeur.[1] Tu dois comprendre cela, mon bon Tony ?

Poirier. Eh bien ! et moi, est-ce que je ne le comprends pas ? 90

Antoinette. Vous aussi, mon père. Comment dire à Gaston que ce n'est pas son titre qui m'a plu, mais la grâce de ses manières et de son esprit, son humeur chevaleresque, son dédain des mesquineries [2] de la vie ? comment lui dire enfin qu'il est l'homme de mes rêveries, si, au premier mot, il m'arrête par une plaisanterie ? 95

Poirier. S'il plaisante, c'est qu'il est gai, ce garçon.

Verdelet. Non, c'est que sa femme l'ennuie.

Poirier. (*A* Antoinette) Tu ennuies ton mari ?

Antoinette. Hélas ! j'en ai peur ! 99

Poirier. Parbleu ! ce n'est pas toi qui l'ennuies, c'est son oisiveté.[3] Un mari n'aime pas longtemps sa femme quand il n'a pas autre chose à faire que de l'aimer.

Antoinette. Est-ce vrai, Tony ?

Poirier. Puisque je te le dis, tu n'as pas besoin de consulter Verdelet. 104

Verdelet. Je crois, en effet, que la passion s'épuise [4] vite et qu'il faut l'administrer comme la fortune, avec économie.

Poirier. Un homme a des besoins d'activité qui veulent être satisfaits à tout prix et qui s'égarent [5] quand on leur barre le chemin.

Verdelet. Une femme doit être la préoccupation et non l'occupation de son mari. 110

Poirier. Pourquoi ai-je toujours adoré ta mère ? c'est que je n'avais jamais le temps de penser à elle.

Verdelet. Ton mari a vingt-quatre heures par jour pour t'aimer. . . .

Poirier. C'est trop de douze.

Antoinette. Vous m'ouvrez les yeux. 115

Poirier. Qu'il prenne un emploi et les choses rentreront dans l'ordre.[6]

Antoinette. Qu'en dis-tu, Tony ?

Verdelet. C'est possible ! La difficulté est de le faire consentir.

Poirier. J'attacherai le grelot.[7] Soutenez-moi tous les deux.

Verdelet. Est-ce que tu comptes aborder la question tout de suite ? 120

Poirier. Non, après déjeuner. J'ai observé que monseiur le marquis a la digestion gaie.

---

1. modestie et discrétion. **2.** détails vulgaires. **3.** *idleness.* **4.** *gets exhausted.* **5.** *go astray.* **6.** rentreront . . .: *will right themselves.* **7.** (lit., *I'll attach the bell*), *I'll bell the cat.* Je commencerai l'attaque (*I shall bell the cat,* grelot = *sleigh-bell*).

SCÈNE VI

Les Mêmes, Gaston, Le Duc

Gaston. (*Présentant* Le Duc *à sa femme*) Ma chère Antoinette, monsieur de Montmeyran; ce n'est pas un inconnu pour vous.

Antoinette. En effet, monsieur, Gaston m'a tant de fois parlé de vous, que je crois tendre la main à un ancien ami.

Le Duc. Vous ne vous trompez pas, madame; vous me faites comprendre 5 qu'un instant peut suffire pour improviser une vieille amitié. (*Bas, au* Marquis.) Elle est charmante, ta femme.

Gaston. (*Bas, au* Duc) Oui, elle est gentille. (*A* Antoinette.) J'ai une bonne nouvelle à vous annoncer, ma chère: Hector veut bien demeurer avec nous pendant tout son congé.[1] 10

Antoinette. Que c'est aimable à vous, monsieur! J'espère que votre congé est long?

Le Duc. Un mois, et je retourne en Afrique.

Verdelet. Vous donnez là un noble exemple, monsieur le duc; c'est bien à vous de n'avoir pas considéré l'oisiveté comme un héritage de famille. 15

Gaston. (*A part*) Une pierre dans mon jardin![2] Il finira par le paver, ce bon monsieur Verdelet. (*Entre un domestique apportant un tableau.*)

Le Domestique. On vient d'apporter ce tableau pour monsieur le marquis.

Gaston. Mettez-le sur cette chaise, près de la fenêtre . . . là! c'est bien! (Le Domestique *sort.*) Viens voir cela, Montmeyran. 20

Le Duc. C'est charmant! le joli effet de soir! Ne trouvez-vous pas, madame?

Antoinette. Oui, charmant! . . . et comme c'est vrai! . . . que tout cela est calme, recueilli![3] On aimerait à se promener dans ce paysage silencieux.

Poirier. (*A* Verdelet, *lui montrant le journal*) Pair de France! 25

Gaston. Regarde donc cette bande de lumière verte, qui court entre les tons orangés de l'horizon et le bleu froid du reste du ciel! comme c'est rendu![4]

Le Duc. Et le premier plan![5] . . . quelle pâte,[6] quelle solidité!

Gaston. Et le miroitement[7] presque imperceptible de cette flaque[8] d'eau sous le feuillage . . . est-ce joli! 30

Poirier. Voyons ça, Verdelet. . . . (*S'approchant tous deux*) Eh bien! qu'est-ce que ça représente?

Verdelet. Parbleu! ça représente neuf heures du soir, en été, dans les champs.

Poirier. Ça n'est pas intéressant, ce sujet-là, ça ne dit rien! J'ai dans ma chambre une gravure qui représente un chien au bord de la mer, aboyant[9] 35 devant un chapeau de matelot[10] . . . à la bonne heure! ça se comprend, c'est ingénieux, c'est simple et touchant.

---

1. *furlough.* **2.** Une insinuation contre moi. **3.** propre à la méditation. **4.** bien exprimé. **5.** *foreground.* **6.** *what (boldness in the use of) pigments.* **7.** *shimmer.* **8.** *pool.* **9.** *barking.* **10.** *sailor.*

Gaston. Eh bien, monsieur Poirier ... puisque vous aimez les tableaux touchants, je vous en ferai faire un d'après un sujet que j'ai pris moi-même sur nature.[1] Il y avait sur une table un petit oignon coupé en quatre, un pauvre petit oignon blanc! le couteau était à côté. ... Ce n'était rien et ça tirait les larmes des yeux. **40**

Verdelet. (*Bas, à* POIRIER) Il se moque de toi.

Poirier. (*Bas, à* VERDELET) Laisse-le faire.

Le Duc. De qui est ce paysage? **45**

Gaston. D'un pauvre diable plein de talent, qui n'a pas le sou.

Poirier. Et combien avez-vous payé ça?

Gaston. Cinquante louis.

Poirier. Cinquante louis! le tableau d'un inconnu qui meurt de faim! A l'heure du dîner, vous l'auriez eu pour vingt-cinq francs. **50**

Antoinette. Oh! mon père!

Poirier. Voilà une générosité bien placée!

Gaston. Comment, monsieur Poirier! trouveriez-vous mauvais qu'on protège les arts?

Poirier. Qu'on protège les arts, bien! mais les artistes, non ... ce sont **55** tous des fainéants [2] et des débauchés. On raconte d'eux des choses qui donnent la chair de poule [3] et que je ne me permettrais pas de répéter devant ma fille.

Verdelet. (*Bas, à* POIRIER) Quoi donc?

Poirier. (*Bas*) On dit, mon cher. ... (*Il le prend à part et lui parle dans* **60** *le tuyau de l'oreille.*)

Verdelet. Tu crois ces choses-là, toi?

Poirier. Je l'ai entendu dire à des gens qui le savaient.

Un Domestique. (*Entrant*) Madame la marquise est servie.

Poirier. (*Au* DOMESTIQUE) Vous monterez une fiole de mon Pomard [4] de **65** 1811.... (*Au* DUC) année de la comète [5] ... monsieur le duc! ... quinze francs la bouteille! Le roi n'en boit pas de meilleur. (*Bas, à* VERDELET) Tu n'en boiras pas ... ni moi non plus.

Gaston. (*Au* DUC) Quinze francs la bouteille, en rendant le verre,[6] mon bon.

Verdelet. (*Bas, à* POIRIER) Il se moque toujours de toi, et tu le souffres? **70**

Poirier. (*Bas*) Il faut être coulant en affaires.[7] (*Ils sortent.*)

1. *from nature.* **2.** *lazy, idle fellows.* **3.** *goose-flesh.* **4.** vin de Pomard: (village de Bourgogne fameux pour ses vins). **5.** En 1811 parut une grande comète et cette même année le vin fut abondant et excellent. **6.** *on returning the empty bottle.* **7.** coulant ...: *easy going in business.*

ACTE DEUXIÈME

Même décor [1]

SCÈNE PREMIÈRE

Gaston, Le Duc, Antoinette, Verdelet, Poirier

On sort de la salle à manger.

Gaston. Eh bien, Hector, qu'en dis-tu? Voilà la maison! c'est ainsi tous les jours que Dieu fait. Crois-tu qu'il y ait au monde un homme plus heureux que moi?

Le Duc. Ma foi! j'avoue que je te porte envie, tu me réconcilies avec le mariage. 5

Antoinette. (*Bas, à* Verdelet) Quel charmant jeune homme, que M. de Montmeyran!

Verdelet. (*Bas*) Il me plaît beaucoup.

Gaston. (*A* Poirier, *qui entre le dernier*) Monsieur Poirier, il faut que je vous le dise une bonne fois, vous êtes un homme excellent, croyez bien que 10 vous n'avez pas affaire à un ingrat.

Poirier. Oh! monsieur le marquis!

Gaston. Appelez-moi Gaston, que diable! Et vous, mon cher monsieur Verdelet, savez-vous bien que j'ai plaisir à vous voir?

Antoinette. Il est de la famille, mon ami. 15

Gaston. Touchez donc là,[2] mon oncle!

Verdelet. (*Lui donnant la main, à part*) Il n'est pas méchant.

Gaston. Conviens,[3] Hector, que j'ai eu de la chance! Tenez, monsieur Poirier, j'ai un poids [4] sur la conscience. Vous ne songez qu'à faire de ma vie une fête de tous les instants; ne m'offrirez-vous jamais une occasion de 20 m'acquitter? Tâchez donc une fois de désirer quelque chose qui soit en mon pouvoir.

Poirier. Eh bien, puisque vous êtes en si bonnes dispositions, accordez-moi un quart d'heure d'entretien [5]; je veux avoir avec vous une conversation sérieuse. 25

Le Duc. Je me retire.

Poirier. Au contraire, monsieur, faites-nous l'amitié de rester. Nous allons tenir en quelque sorte un conseil de famille; vous n'êtes pas de trop, non plus que Verdelet.

Gaston. Diantre, cher beau-père, un conseil de famille! voudriez-vous me 30 faire interdire,[6] par hasard?

Poirier. Dieu m'en garde, mon cher Gaston! Asseyons-nous. (*On s'assied en cercle autour de la cheminée à gauche de la scène.*)

---

1. *stage setting.* **2.** Touchez . . . là: *then shake hands.* **3.** *Admit.* **4.** *weight, burden.* **5.** *conversation.* **6.** me rendre légalement incapable d'administrer ma fortune.

Gaston. La parole est à monsieur Poirier.[1]

Poirier. Vous êtes heureux, mon cher Gaston, vous le dites, et c'est ma 35 plus douce récompense.

Gaston. Je ne demande qu'à doubler la gratification.

Poirier. Mais voilà trois mois donnés aux douceurs de la lune de miel, la part du roman me semble suffisante, et je crois l'instant venu de penser à l'histoire.

Gaston. Palsambleu![2] vous parlez comme un livre; pensons à l'histoire, 40 je le veux bien.

Poirier. Que comptez-vous faire?

Gaston. Aujourd'hui?

Poirier. Et demain, et à l'avenir . . . vous devez avoir une idée.

Gaston. Sans doute, mon plan est arrêté[3]: je compte faire aujourd'hui 45 ce que j'ai fait hier, et demain ce que j'aurai fait aujourd'hui. . . . Je ne suis pas un esprit versatile malgré mon air léger, et, pourvu que l'avenir ressemble au présent, je me tiens satisfait.

Poirier. Vous êtes cependant trop raisonnable pour croire à l'éternité de la lune de miel. 50

Gaston. Trop raisonnable, vous l'avez dit, et trop ferré[4] sur l'astronomie. . . . Mais vous n'êtes pas sans avoir lu Henri Heine?[5]

Poirier. Tu dois avoir lu ça, Verdelet?

Verdelet. Je l'ai lu, j'en conviens.

Poirier. Cet être-là a passé sa vie à faire l'école buissonnière.[6] 55

Gaston. Eh bien! Henri Heine, interrogé sur le sort des vieilles pleines lunes, répond qu'on les casse pour en faire des étoiles.

Poirier. Je ne saisis[7] pas. . . .

Gaston. Quand notre lune de miel sera vieille, nous la casserons, et il y aura de quoi faire toute une voie lactée.[8] 60

Poirier. L'idée est sans doute fort gracieuse.[9]

Le Duc. Elle n'a de mérite que son extrême simplicité.

Poirier. Mais sérieusement, mon gendre, la vie un peu oisive que vous menez ne vous semble-t-elle pas funeste[10] au bonheur d'un jeune ménage?

Gaston. Nullement. 65

Verdelet. Un homme de votre valeur ne peut pas se condamner au désœuvrement[11] à perpétuité.

Gaston. Avec de la résignation. . . .

Antoinette. Ne craignez-vous pas, mon ami, que l'ennui ne vous **gagne**?

Gaston. Vous vous calomniez, ma chère. 70

Antoinette. Je n'ai pas la vanité de croire que je puisse remplir **votre** existence toute entière, et, je vous l'avoue, je serais heureuse de vous voir suivre l'exemple de monsieur de Montmeyran.

---

1. La parole . . .: *M. Poirier has the floor.* **2.** = par le sang de Dieu, *'sblood.* **3.** *made.* **4.** *well informed.* **5.** poète allemand (1799–1856) réfugić en France (1830–1856). **6.** perdre son temps en choses inutiles, comme l'enfant qui court les buissons aux heures d'école. **7.** *grasp.* **8.** *Milky Way.* **9.** *pretty.* **10.** *fatal.* **11.** inaction.

Gaston. (*Se levant en s'adossant à la cheminée*) Me conseillez-vous de m'engager,[1] par hasard? 75

Antoinette. Non, certes.

Gaston. Mais pourquoi donc, alors?

Poirier. Nous voudrions vous voir prendre une position digne de votre nom.

Gaston. Il n'y a que trois positions que mon nom me permette: soldat, 80 évêque ou laboureur.[2] Choisissez.

Poirier. Nous nous devons tous à la France: la France est notre mère.

Verdelet. Je comprends le chagrin d'un fils qui voit sa mère se remarier[3]; je comprends qu'il n'assiste pas à la noce; mais, s'il a du cœur, il ne boudera[4] pas sa mère; et, si le second mari la rend heureuse, il lui tendra bientôt la 85 main.

Poirier. L'abstention de la noblesse ne peut durer éternellement; elle commence elle-même à le reconnaître, et déjà plus d'un grand nom a donné l'exemple: M. de Valchevrière, M. de Chazerolle, M. de Mont-Louis. . . .

Gaston. Ces messieurs ont fait ce qu'il leur a convenu de faire; je ne les 90 juge pas, mais il ne m'est pas permis de les imiter.

Antoinette. Pourquoi donc, mon ami?

Gaston. Demandez à Montmeyran.

Verdelet. L'uniforme de M. le duc répond pour lui.

Le Duc. Permettez, monsieur: le soldat n'a qu'une opinion, le devoir; 95 qu'un adversaire, l'ennemi.

Poirier. Cependant, monsieur, on pourrait vous répondre. . . . 97

Gaston. Brisons là,[5] monsieur Poirier; il n'est pas question ici de politique. Les opinions se discutent, les sentiments ne se discutent pas. Je suis lié par la reconnaissance: ma fidélité est celle d'un serviteur et d'un ami. . . . Plus un mot là-dessus. (*Au* DUC) Je te demande pardon, mon cher; c'est la première fois qu'on parle politique ici, je te promets que ce sera la dernière.

Le Duc. (*Bas, à* ANTOINETTE) On vous a fait faire une maladresse,[6] madame.

Antoinette. Ah! monsieur, je le sens trop tard! 105

Verdelet. (*Bas, à* POIRIER) Te voilà dans de beaux draps![7]

Poirier. (*Bas*) Le premier assaut a été repoussé, mais je ne lève pas le siège.

Gaston. Sans rancune,[8] monsieur Poirier; je me suis exprimé un peu vertement,[9] mais j'ai l'épiderme délicat à cet endroit, et, sans le vouloir, j'en suis certain, vous m'aviez égratigné.[10] Je ne vous en veux pas, touchez là. 111

1. *to enlist in the army.* 2. *bishop or ploughman. The nobles of pre-Revolution days lost caste by engaging in business. They might, however, accept office in the army or the church or cultivate their estates.* 3. *The Bourbons had been eliminated in 1830. France had chosen a king of the house of Orléans, hence this reference to a second marriage of France.* 4. *will not sulk.* 5. finissons cette discussion. 6. *awkward step or action.* 7. *in a pretty fix (between nice sheets).* 8. *No ill-feeling.* 9. *harshly.* 10. *scratched.*

Poirier. Vous êtes trop bon.

Un Domestique. Il y a, dans le petit salon, des gens qui prétendent avoir rendez-vous avec monsieur Poirier.

Poirier. Très bien, priez-les de m'attendre un instant, je suis à eux.[1] (LE DOMESTIQUE *sort.*) Vos créanciers, mon gendre.   116

Gaston. Les vôtres, cher beau-père, je vous les ai donnés.

Le Duc. En cadeau de noces.

Verdelet. Adieu, monsieur le marquis.

Gaston. Vous nous quittez déjà !   120

Verdelet. Le mot est aimable. Antoinette m'a donné une petite commission.[2]

Poirier. Tiens ! laquelle ?

Verdelet. C'est un secret entre elle et moi.

Gaston. Savez-vous bien que si j'étais jaloux . . .   125

Antoinette. Mais vous ne l'êtes pas.

Gaston. Est-ce un reproche ? Eh bien, je veux être jaloux. Monsieur Verdelet, au nom de la loi, je vous enjoins de me dévoiler ce mystère.

Verdelet. A vous moins qu'à personne.

Gaston. Et pourquoi, s'il vous plaît ?   130

Verdelet. Vous êtes la main droite d'Antoinette, et la main droite doit ignorer. . . .

Gaston. Ce que donne la main gauche. Vous avez raison, j'ai été indiscret, et je me mets à l'amende.[3] (*Donnant sa bourse à* ANTOINETTE) Joignez mon offrande à la vôtre, ma chère enfant.   135

Antoinette. Merci pour mes pauvres.

Poirier. (*A part*) Comme il y va ![4]

Le Duc. Me permettez-vous, madame, de vous voler aussi un peu de bénédictions ? (*Lui donnant sa bourse*) Elle est bien légère, mais c'est l'obole [5] du brigadier.   140

Antoinette. Offerte par le cœur d'un duc.

Poirier. (*A part*) Ça n'a pas le sou, et ça fait l'aumône !

Verdelet. Et toi, Poirier, n'ajouteras-tu rien à ma récolte ? [6]

Poirier. Moi, j'ai donné mille francs au bureau de bienfaisance.[7]   144

Verdelet. A la bonne heure. Adieu, messieurs. Votre charité ne figurera pas sur les listes du bureau, mais elle n'en est pas plus mauvaise. (*Il sort avec* ANTOINETTE.)

---

1. (*present for immediate future*) *I'll see them in a minute.*   2. *errand.*   3. *fine myself.*
4. (*how he goes at it!*), *the extravagance!*   5. *mite.*   6. (*harvest*) *collection.*   7. *benevolent society.*

SCÈNE II

Les Mêmes *moins* Verdelet *et* Antoinette

Poirier. A bientôt, monsieur le marquis; je vais payer vos créanciers.

Gaston. Ah çà! monsieur Poirier, parce que ces gens-là m'ont prêté de l'argent, ne vous croyez pas tenu d'être poli avec eux. — Ce sont d'abominables coquins [1] ... Tu as dû les connaître, Hector? le père Salomon, monsieur Chevassus, monsieur Cogne. 5

Le Duc. Si je les ai connus! ... Ce sont les premiers arabes [2] auxquels je me sois frotté. Ils me prêtaient à cinquante pour cent, au denier [3] deux, comme disaient nos pères.

Poirier. Quel brigandage! Et vous aviez la sottise ... Pardon, monsieur le duc ... pardon! 10

Le Duc. Que voulez-vous! Dix mille francs au denier deux font encore plus d'usage que rien du tout à cinq pour cent.

Poirier. Mais, monsieur, il y a des lois contre l'usure.

Le Duc. Les usuriers les respectent et les observent, ils ne prennent que l'intérêt légal; seulement on leur fait un billet [4] et on ne touche [5] que moitié 15 en espèces.[6]

Poirier. Et le reste?

Le Duc. On le touche en lézards empaillés,[7] comme du temps de Molière ... car les usuriers ne progressent plus, sans doute, pour avoir atteint la perfection tout d'abord. 20

Gaston. Comme les Chinois.[8]

Poirier. J'aime à croire, mon gendre, que vous n'avez pas emprunté à ce taux.[9]

Gaston. J'aimerais à le croire aussi, beau-père.

Poirier. A cinquante pour cent! 25

Gaston. Ni plus ni moins.

Poirier. Et vous avez touché des lézards empaillés?

Gaston. Beaucoup.

Poirier. Que ne m'avez-vous dit cela plus tôt? Avant votre mariage, j'aurais obtenu une transaction. 30

Gaston. C'est justement ce que je ne voulais pas. Il ferait beau voir que le marquis de Presles rachetât sa parole au rabais,[10] et fît lui-même cette insulte à son nom.

Poirier. Cependant, si vous ne devez que moitié ...

Gaston. Je n'ai reçu que moitié, mais je dois le tout; ce n'est pas à ces 35 voleurs que je le dois, c'est à ma signature.

---

1. *scoundrels.* **2.** *ici:* usuriers. **3.** *interest due at 50 per 100 (i.e., one dime for two).* **4.** *promissory note.* **5.** reçoit. **6.** *one half only in cash.* **7.** *stuffed. In Molière's* L'Avare, *Act II, scene I, the miser paid part of the capital loaned by him in old furniture, muskets, musical instruments, a stuffed lizard, etc.* **8.** dont la civilisation est restée stationnaire depuis des siècles. **9.** *rate of interest.* **10.** à un prix diminué.

Poirier. Permettez, monsieur le marquis, je me crois honnête homme; je n'ai jamais fait tort [1] d'un sou à personne, et je suis incapable de vous donner un conseil indélicat; mais il me semble qu'en remboursant ces drôles de leurs déboursés réels, et en y ajoutant les intérêts composés à six pour cent, 40 vous auriez satisfait à la plus scrupuleuse probité.

Gaston. Il ne s'agit pas ici de probité, c'est une question d'honneur.

Poirier. Quelle différence faites-vous donc entre les deux?

Gaston. L'honneur est la probité du gentilhomme.

Poirier. Ainsi, nos vertus changent de nom quand vous voulez bien les 45 pratiquer? Vous les décrassez [2] pour vous en servir? Je m'étonne d'une chose, c'est que le nez d'un noble daigne s'appeler comme le nez d'un bourgeois.

Gaston. C'est que tous les nez sont égaux.

Le Duc. A six pouces près.[3]   50

Poirier. Croyez-vous donc que les hommes ne le soient pas?

Gaston. La question est grave.

Poirier. Elle est résolue depuis longtemps, monsieur le marquis.

Le Duc. Nos droits sont abolis, mais non pas nos devoirs. De tous nos privilèges il ne nous reste que deux mots, mais deux mots que nulle main 55 humaine ne peut rayer: *Noblesse oblige.* Et quoi qu'il arrive, nous resterons toujours soumis à un code plus sévère que la loi, à ce code mystérieux que nous appelons l'honneur.

Poirier. Eh bien, monsieur le marquis, il est heureux pour votre honneur que ma probité paie vos dettes. Seulement, comme je ne suis pas gentilhomme, je 60 vous préviens que je vais tâcher de m'en tirer [4] au meilleur marché possible.

Gaston. Ah! vous serez bien fin,[5] si vous faites lâcher prise [6] à ces bandits: ils sont maîtres de la situation.

Poirier. Nous verrons, nous verrons. (*A part*) J'ai mon idée, je vais leur jouer une petite comédie de ma façon. (*Haut*) Je ne veux pas les irriter 65 en les faisant attendre plus longtemps.

Le Duc. Non, diable! ils vous dévoreraient. (Poirier *sort.*)

SCÈNE III

Gaston, Le Duc, *puis* Antoinette

Gaston. Pauvre monsieur Poirier! j'en suis fâché pour lui . . . cette révélation lui gâte tout le plaisir qu'il se faisait de payer mes dettes.

Le Duc. Écoute donc: ils sont rares les gens qui savent se laisser voler. C'est un art de grand seigneur.

Un Domestique. Messieurs de Ligny et de Chazerolle demandent à parler 5 à monsieur le marquis de la part de [7] monsieur de Pontgrimaud.

---

1. *wronged.*   **2.** nettoyez, polissez.   **3.** *Within six inches.*   **4.** *to get off.*   **5.** *clever.*
6. lâcher . . .: *let go their hold; give way.*   **7.** de la . . .: au nom de.

Gaston. C'est bien. (Le Domestique *sort.*) Va recevoir ces messieurs, Hector. Tu n'as pas besoin de moi pour arranger la partie.¹

Antoinette. (*Entrant*) Une partie?

Gaston. Oui, j'ai gagné une grosse somme à Pontgrimaud et je lui ai promis 10 sa revanche.² (*A* Hector) Que ce soit demain, dans l'après-midi.

Le Duc. (*Bas, à* Gaston) Quand te reverrai-je?

Gaston. (*De même*) Madame de Montjay m'attend à trois heures. Eh bien, à cinq heures, ici. (Le Duc *sort.*)

SCÈNE IV

Gaston, Antoinette

Gaston. (*S'assied sur un canapé, ouvre une revue, bâille, et dit à sa femme*) Viendrez-vous ce soir aux Italiens?³

Antoinette. Oui, si vous y allez.

Gaston. J'y vais. . . . Quelle robe mettrez-vous?

Antoinette. Celle qui vous plaira.   5

Gaston. Oh! cela m'est égal⁴ . . . je veux dire que vous êtes jolie avec toutes.

Antoinette. Vous qui avez si bien le sentiment de l'élégance, mon ami, vous devriez me donner des conseils.

Gaston. Je ne suis pas un journal de modes, ma chère enfant; au surplus, vous n'avez qu'à regarder les grandes dames et à prendre modèle. . . . Voyez 10 madame de Nohan, madame de Villepreux . . .

Antoinette. Madame de Montjay . . .

Gaston. Pourquoi madame de Montjay plus qu'une autre?

Antoinette. Parce qu'elle vous plaît plus qu'une autre.

Gaston. Où prenez-vous cela?   15

Antoinette. L'autre soir, à l'Opéra, vous lui avez fait une longue visite dans sa loge.⁵ Elle est très jolie. . . . A-t-elle de l'esprit?⁶

Gaston. Beaucoup. (*Un silence*)

Antoinette. Pourquoi ne m'avertissez-vous pas, quand je fais quelque chose qui vous déplaît?   20

Gaston. Je n'y ai jamais manqué.

Antoinette. Oh! vous ne m'avez jamais adressé une remontrance.

Gaston. C'est donc que vous ne m'avez jamais rien fait qui m'ait déplu.

Antoinette. Sans aller bien loin, tout à l'heure, en insistant pour que vous prissiez un emploi, je vous ai froissé.⁷   25

Gaston. Je n'y pensais déjà plus.

Antoinette. Croyez bien que, si j'avais su à quel sentiment respectable je me heurtais . . .

----

1. *the game.*   2. *return match.*   3. au (théâtre des) Italiens, le théâtre fréquenté par le beau monde.   4. cela m'est indifférent.   5. *opera box.*   6. *Is she intelligent, smart?* 7. un peu vexé, offensé.

Gaston. En vérité, ma chère enfant, on dirait que vous me faites des excuses.   30

Antoinette. C'est que j'ai peur que vous n'attribuiez à une vanité puérile. . . .

Gaston. Et quand vous auriez[1] un peu de vanité, le grand crime!

Antoinette. Je n'en ai pas, je vous jure.

Gaston. (*Se levant*) Alors, ma chère, vous êtes sans défauts; car je ne vous en voyais pas d'autres. . . . Savez-vous bien que vous avez fait la conquête 35 de Montmeyran? Il y a là de quoi[2] être fière. Hector est difficile.

Antoinette. Moins que vous.

Gaston. Vous me croyez difficile? Vous voyez bien que vous avez de la vanité, je vous y prends.

Antoinette. Je ne me fais pas d'illusion sur moi-même, je sais tout ce qui 40 me manque pour être digne de vous . . . mais si vous vouliez prendre la peine de diriger mon esprit, de l'initier aux idées de votre monde, je vous aime assez pour me métamorphoser.

Gaston. (*Lui baisant la main*) Je ne pourrais que perdre à la métamorphose, madame; je serais d'ailleurs un mauvais instituteur.[3] Il n'y a qu'une 45 école où l'on apprenne ce que vous croyez ignorer: c'est le monde.[4] Étudiez-le.

Antoinette. Oui, je prendrai modèle sur madame de Montjay.

Gaston. Encore ce nom! . . . me feriez-vous l'honneur d'être jalouse? Prenez garde, ma chère, ce sentiment est du dernier bourgeois.[5] Apprenez, 50 puisque vous me permettez de faire le pédagogue, apprenez que dans notre monde le mariage n'est pas le ménage[6]; nous ne mettons en commun que les choses nobles et élégantes de la vie. Ainsi, quand je suis loin de vous, ne vous inquiétez pas de ce que je fais; dites-vous seulement: « Il fatigue ses défauts pour m'apporter une heure de perfection . . . ou à peu près. » 55

Antoinette. Je trouve que votre plus grand défaut, c'est votre absence.

Gaston. Le madrigal est joli, et je vous en remercie.

SCÈNE V

LES MÊMES, CHEVASSUS

Gaston. Qui vient là?

Chevassus. Un de vos créanciers.

Gaston. Vous ici, monsieur Chevassus? vous vous êtes trompé de porte, l'escalier de service[7] est de l'autre côté.

Chevassus. Je ne voulais pas sortir sans vous voir, monsieur le marquis: 5 ces messieurs qui étaient avec moi auraient eu le même désir, mais ils ne sont pas entrés, par modestie, et je viens de leur part. . . .

Gaston. Dites-leur que je les tiens quittes de leurs remercîments.

---

1. et quand vous auriez: et même si vous aviez. 2. bonne raison d'être fière. 3. *instructor.* 4. la haute société. 5. *in the worst taste.* 6. *family life.* 7. *back stairs.*

Chevassus. Pardon! en leur nom et au mien, je viens chercher les vôtres.

Gaston. Qu'est-ce à dire? 10

Chevassus. Vous nous avez assez longtemps traités de Gobsecks, de grippe-sous et de fesse-mathieux.[1] . . .

Gaston. Je ne vous en fais pas mes excuses.

Chevassus. Je suis bien aise de vous dire que nous sommes d'honnêtes gens.

Gaston. Quelle est cette plaisanterie? 15

Chevassus. Ce n'est pas une plaisanterie, c'est un fait: nous vous avons prêté notre argent au taux du commerce.

Gaston. Comment dites-vous?

Chevassus. A six pour cent, pas davantage.

Gaston. Mes billets n'ont-ils pas été acquittés [2] intégralement? 20

Chevassus. Il s'en faut d'une bagatelle.[3] . . .

Gaston. Finissons, s'il vous plaît.

Chevassus. Comme qui dirait deux cent dix-huit mille francs. Hélas! oui, il a fallu en passer par là ou tout perdre. Votre beau-père voulait absolument qu'on vous mît à Clichy.[4] 25

Gaston. Mon beau-père voulait? . . .

Chevassus. Oui, oui! il paraît que vous lui en faites voir de cruelles,[5] à ce pauvre homme. Ce n'est pas que je le plaigne au surplus, il a fait une sottise [6] qui ne lui coûtera jamais assez. En attendant, elle nous coûte cher à nous.

Gaston. Votre père, madame, a joué là une comédie indigne. (*A* Chevas- 30
sus) Je reste votre débiteur et celui de ces messieurs. J'ai vingt-cinq mille livres de rente.

Chevassus. Vous savez bien que vous n'y pouvez pas toucher sans le consentement de votre femme. Nous avons vu le contrat; on vous a lié [7] les mains, et vous ne rendez pas votre femme assez heureuse. . . . (Antoinette 35 *s'assied à la table et écrit rapidement.*)

Gaston. Sortez! [8]

Chevassus. Doucement! on ne chasse pas comme chiens d'honnêtes gens dont on est l'obligé . . . qui ont cru que la signature du marquis de Presles valait quelque chose . . . et qui se sont trompés! 40

Antoinette. (*Tendant un papier à* Chevassus) Vous ne vous êtes pas trompés, monsieur: vous êtes tous payés.

Gaston. (*Intercepte le papier, le lit et le donnant à* Chevassus) Et maintenant, dehors! [9]

Chevassus. Trop bon, monsieur le marquis! mille fois trop bon! (*Il sort* 45
avec force révérences.[10])

---

1. Gobseck: *a miserly character in one of Balzac's novels;* grippe-sous: *penny-grubbers;* fesse-mathieux: *skinflints.* **2.** payés. **3.** *except for a trifle* (il s'en faut = *there is lacking*). **4.** vieille prison pour débiteurs insolvables, supprimée en 1867. **5.** *you lead him a life.* **6.** *committed a blunder* (*in marrying his daughter to him*). **7.** *bound.* **8.** *Get out!* **9.** *And now, out!* **10.** *bowing repeatedly.*

SCÈNE VI

ANTOINETTE, GASTON

Gaston. (*Enlevant sa femme dans ses bras*) Tiens, toi, je t'adore!

Antoinette. Cher Gaston!

Gaston. Où diable monsieur ton père a-t-il pris le cœur qu'il t'a donné?

Antoinette. Ne jugez pas mon père trop sévèrement, mon ami!... Il est
bon et généreux, mais il a des idées étroites [1] et ne connaît que son droit. 5
C'est la faute de son esprit, et non celle de son cœur. Enfin, mon ami, si
vous trouvez que j'ai fait mon devoir à propos, pardonnez à mon père le
moment d'angoisses.[2] ...

Gaston. J'aurais mauvaise grâce [3] à vous rien refuser.

Antoinette. Vous ne lui ferez pas mauvais visage? [4] bien sûr? 10

Gaston. Non, puisque c'est votre bon plaisir, chère marquise ... marquise,
entendez-vous? ...

Antoinette. Appelez-moi votre femme ... c'est le seul titre dont je puisse
être fière!

Gaston. Vous m'aimez donc un peu? 15

Antoinette. Vous ne vous en étiez pas aperçu, ingrat!

Gaston. Si fait [5] ... mais j'aime à vous l'entendre dire ... surtout dans
ce moment-ci. (*La pendule sonne trois heures.*) Trois heures! (*A part*)
Diable!... madame de Montjay qui m'attend chez elle.

Antoinette. A quoi pensez-vous en souriant? 20

Gaston. Voulez-vous faire un tour de promenade au Bois [6] avec moi?

Antoinette. Mais ... je ne suis pas habillée.

Gaston. Vous jetterez un châle sur vos épaules.... Sonnez votre femme
de chambre. (ANTOINETTE *sonne.*)

SCÈNE VII

LES MÊMES, POIRIER

Poirier. Eh bien! mon gendre, vous avez vu vos créanciers?

Gaston. (*Sèchement*) Oui, monsieur....

Antoinette. (*Bas, à* GASTON, *lui prenant le bras*) Rappelez-vous votre
promesse.

Gaston. (*D'un air aimable*) Oui, cher beau-père, je les ai vus. (*Entre* 5
la FEMME DE CHAMBRE.)

Antoinette. (*A la* FEMME DE CHAMBRE) Apportez-moi un châle et un
chapeau, et dites qu'on attelle.[7]

Gaston. (*A* POIRIER) Permettez-moi de vous témoigner [8] mon admira-

1. *narrow.* 2. *discomfort.* 3. J'aurais...: *it would hardly be graceful of me.* 4. ferez
pas...: *not be unpleasant to him.* 5. *Yes I had.* 6. au Bois de Boulogne, le grand parc
parisien. 7. prépare chevaux et voiture. 8. exprimer.

tion pour votre habileté¹ ... vous avez joué ces drôles-là sous jambe.² 10
(*Bas, à* ANTOINETTE.) Je suis gentil?

Poirier. Vous prenez la chose mieux que je n'espérais ... j'étais préparé
à de fières ruades ³ de votre honneur.

Gaston. Je suis raisonnable, cher beau-père. ... Vous avez agi selon vos
idées: je le trouve d'autant moins mauvais,⁴ que cela ne nous a pas empêchés 15
d'agir selon les nôtres.

Poirier. Hein?

Gaston. Vous n'avez soldé ⁵ à ces faquins ⁶ que leur créance réelle ⁷; nous
avons payé le reste.

Poirier. (*A sa fille*) Comment, tu as signé! (ANTOINETTE *fait signe que* 20
oui.) Ah! Dieu du ciel! qu'as-tu fait là?

Antoinette. Je vous demande pardon, mon père. ...

Poirier. Je me mets la cervelle à l'envers ⁸ pour te gagner une somme
rondelette,⁹ et tu la jettes par la fenêtre! Deux cent dix-huit mille francs!

Gaston. Ne pleurez pas, monsieur Poirier, c'est nous qui les perdons, et 25
c'est vous qui les gagnez. (LA FEMME DE CHAMBRE *entre tenant un châle et*
un chapeau.)

Antoinette. Adieu, mon père, nous allons au Bois.

Gaston. Donnez-moi le bras, ma femme. (*Ils sortent.*)

SCÈNE VIII

POIRIER, *seul*

Ah! mais ... il m'ennuie, mon gendre. Je vois bien qu'il n'y a rien à tirer
de lui.¹⁰ ... Ce garçon-là mourra dans la gentilhommerie finale. Il ne veut
rien faire, il n'est bon à rien, il me coûte les yeux de la tête,¹¹ il est maître chez
moi. ... Il faut que ça finisse. (*Il sonne. Entre un* DOMESTIQUE.) Faites
monter le portier et le cuisinier. (LE DOMESTIQUE *sort.*) Nous allons voir, 5
mon gendre! ... J'ai assez fait le gros dos et la patte de velours.¹² Vous ne
voulez pas faire de concessions, mon bel ami? A votre aise! je n'en ferai
pas plus que vous: restez marquis, je redeviens bourgeois. J'aurai du moins
le contentement de vivre à ma guise.¹³

SCÈNE IX

POIRIER, LE PORTIER

Le Portier. Monsieur m'a fait demander?

Poirier. Oui, François, monsieur vous a fait demander. Vous allez mettre
sur-le-champ ¹⁴ l'écriteau ¹⁵ sur la porte.

---

1. *cleverness.* **2.** joué sous jambe: *baffled (tripped up).* **3.** fières ...: protestations
(lit., *mighty kicks*). **4.** je le trouve ...: *I find it the less annoying because* ... **5.** *paid off.*
6. *rascals.* **7.** *just claim.* **8.** je me mets ...: *I rack my brains* (lit., *I turn my brains inside
out*). **9.** *roundish.* **10.** rien à ...: *nothing can be done with him.* **11.** *costs me enormously.*
12. *arched my back and drawn in my claws.* **13.** selon mon plaisir. **14.** immédiatement.
15. *notice.*

Le Portier. L'écriteau?

Poirier. « A louer [1] présentement un magnifique appartement au premier 5
étage,[2] avec écuries et remises. » [3]

Le Portier. L'appartement de monsieur le marquis?

Poirier. Vous l'avez dit, François.

Le Portier. Mais, monsieur le marquis ne m'a pas donné d'ordres. . . .

Poirier. Qui est le maître ici, imbécile? à qui est l'hôtel? 10

Le Portier. A vous, monsieur.

Poirier. Faites donc ce que je vous dis, sans réflexion.[4]

Le Portier. Oui, monsieur. (*Entre* VATEL.)

Poirier. Allez, François. (LE PORTIER *sort.*) Approchez, monsieur Vatel;
vous préparez un grand dîner pour demain? 15

Vatel. Oui, monsieur, et j'ose dire que le menu ne serait pas désavoué par
mon illustre aïeul. Ce sera véritablement un objet d'art, et monsieur Poirier
sera étonné.

Poirier. Avez-vous le menu sur vous?

Vatel. Non, monsieur, il est à la copie [5]; mais je le sais par cœur. 20

Poirier. Veuillez me le réciter.

[*Vatel récite un menu très varié, d'une somptueuse élégance. Poirier lui en impose
un autre plus modeste, composé des plats* (dishes) *ordinaires et substantiels de la riche
cuisine bourgeoise. Vatel se révolte.*]

Vatel. Je vous donne ma démission.[6]

Poirier. J'allais vous la demander, mon bon ami; mais, comme on a huit
jours pour remplacer un domestique. . . .

Vatel. Un domestique! Monsieur, je suis un cuisinier. 25

Poirier. Je vous remplacerai par une cuisinière. En attendant, vous êtes
pour huit jours encore à mon service, et vous voudrez bien exécuter le menu.

Vatel. Je me brûlerais la cervelle [7] plutôt que de manquer à mon nom.[8]

Poirier. (*A part*) Encore un qui tient à son nom! (*Haut*) Brûlez-vous
la cervelle, monsieur Vatel, mais ne brûlez pas vos sauces. . . . Bien le bon- 30
jour. (VATEL *sort.*) Et, maintenant, allons écrire quelques invitations à
mes vieux camarades de la rue des Bourdonnais.[9] Monsieur le marquis de
Presles, on va vous couper vos talons rouges! [10] (*Il sort en fredonnant* [11] *le
premier couplet de Monsieur et Madame Denis.*)

1. *For rent.* **2.** *on the second floor.* **3.** *coach-houses.* **4.** sans . . .: *and no back-talk.*
5. à la copie: *being copied.* **6.** *resignation.* **7.** lit., *burn my brains. I would blow out my
brains.* (*Cf. l. 30,* brûlez vos sauces.) **8.** *not live up to my name.* **9.** rue de riches marchands. **10.** *red heels,* privilège réservé aux nobles. **11.** *humming;* la chanson populaire
de Désaugiers (1772–1827).

ACTE TROISIÉME

Même décor

SCÈNE PREMIÈRE

GASTON, ANTOINETTE

Gaston. La bonne promenade, la bonne bouffée [1] de printemps! on se croirait en avril.

Antoinette. Vous ne vous êtes pas trop ennuyé, vraiment?

Gaston. Avec vous, ma chère? Vous êtes tout simplement la plus charmante femme que je connaisse. 5

Antoinette. Des compliments, monsieur?

Gaston. Non pas! la vérité sous sa forme la plus brutale. Quelle jolie excursion j'ai faite dans votre esprit! que de points de vue inattendus! que de découvertes! je vivais auprès de vous sans vous connaître, comme un Parisien dans Paris. 10

Antoinette. Je ne vous déplais pas trop?

Gaston. C'est à moi de vous faire cette question. Je ressemble à un campagnard qui a hébergé [2] une reine déguisée; tout à coup la reine met sa couronne et le rustre [3] confus s'inquiète de ne pas lui avoir fait plus de fête.

Antoinette. Rassurez-vous, bon villageois, votre reine n'accusait que son 15 incognito.

Gaston. Pourquoi l'avoir si longtemps gardé, méchante? Est-ce par coquetterie et pour faire nouvelle lune? [4] Vous avez réussi; je n'étais que votre mari, je veux être votre amant.

Antoinette. Non, cher Gaston, restez mon mari; il me semble qu'on peut 20 cesser d'aimer son amant, mais non pas d'aimer son mari.

Gaston. A la bonne heure, vous n'êtes pas romanesque.

Antoinette. Je le suis à ma manière; j'ai, là-dessus, des idées qui ne sont peut-être plus de mode, mais qui sont enracinées [5] en moi comme toutes les impressions d'enfance: quand j'étais petite fille, je ne comprenais pas que 25 mon père et ma mère ne fussent pas parents; et le mariage m'est resté dans l'esprit comme la plus tendre et la plus étroite des parentés. L'amour pour un autre homme que mon mari, pour un étranger, me paraît un sentiment contre nature.

Gaston. Voilà des idées de matrone romaine, ma chère Antoinette; con- 30 servez-les toujours pour mon honneur et mon bonheur.

Antoinette. Prenez garde! il y a le revers de la médaille! [6] je suis jalouse, je vous en avertis. [7] Comme il n'y a pour moi qu'un homme au monde, il me

1. *breath.* 2. *logé.* 3. *rustique.* 4. *Add: de* miel. 5. *rooted.* 6. (lit., *an obverse to the medal*): *another side to the picture.* 7. *warn.*

faut toute son affection.   Le jour où je découvrirais qu'il la porte ailleurs, je
ne ferais ni plainte ni reproche, mais le lien [1] serait rompu; mon mari re- 35
deviendrait tout à coup un étranger pour moi . . . je me croirais veuve.[2]

   Gaston. (*A part*) Diable! (*Haut*) Ne craignez rien à ce sujet, chère
Antoinette . . . nous allons vivre comme deux tourtereaux,[3] comme Philémon
et Baucis,[4] sauf la chaumière.[5] . . . Vous ne tenez pas à la chaumière?

   Antoinette. Pas le moins du monde.   40

   Gaston. Je veux donner une fête splendide pour célébrer notre mariage,
je veux que vous éclipsiez toutes les femmes et que tous les hommes me
portent envie.

   Antoinette. Faut-il tant de bruit [6] autour du bonheur?

   Gaston. Est-ce que vous n'aimez pas les fêtes?   45

   Antoinette. J'aime tout ce qui vous plaît. Avons-nous du monde à dîner
aujourd'hui?

   Gaston. Non, c'est demain; aujourd'hui, nous n'avons que Montmeyran.
Pourquoi cette question?

   Antoinette. Dois-je faire une toilette?   50

   Gaston. Parbleu! — je veux qu'en te voyant Hector ait envie de se marier.
Va, chère enfant; cette journée te sera comptée dans mon cœur.

   Antoinette. Oh! je suis bien heureuse! (*Elle sort.*)

SCÈNE II

Le Marquis *seul, puis* Poirier

   Gaston. Il n'y a pas à dire, elle est plus jolie que madame de Montjay. . . .
Que le diable m'emporte si je ne suis pas en train de devenir amoureux de ma
femme!. . . L'amour est comme la fortune: pendant que nous le cherchons
bien loin, il nous attend chez nous, les pieds sur les chenets.[7] (*Entre* Poirier.)
Eh bien! cher beau-père, comment gouvernez-vous ce petit désespoir? 5
Êtes-vous toujours furieux contre votre panier percé [8] de gendre? Avez-vous
pris votre parti? [9]

   Poirier. Non, monsieur; mais j'ai pris un parti.[10]

   Gaston. Violent?

   Poirier. Nécessaire!   10

   Gaston. Y a-t-il de l'indiscrétion à vous demander . . . ?

   Poirier. Au contraire, monsieur, c'est une explication que je vous dois. . . .
(*Il lui montre un siège; ils s'asseyent tous deux, l'un à droite et l'autre à gauche
de la table du milieu.*) En vous donnant ma fille et un million, je m'imaginais
que vous consentiriez à prendre une position.   15

---

1. *bond.*   **2.** *widow.*   **3.** *turtle-doves.*   **4.** types légendaires de l'amour conjugal, fidèle
jusqu'à la mort; La Fontaine les a chantés.   **5.** *thatched cottage* (où demeuraient Philémon
et Baucis dans leur vieillesse).   **6.** *so much ado.*   **7.** (lit., *feet on andirons*) *at our fireside.*
8. (lit., *bottomless basket*), *spendthrift.*   **9.** *resigned yourself.*   **10.** *come to a decision.*

Gaston.   Ne revenons pas là-dessus, je vous prie.

Poirier.   Je n'y reviens que pour mémoire.... Je reconnais que j'ai eu tort d'imaginer qu'un gentilhomme consentirait à s'occuper comme un homme, et je passe condamnation.[1] Mais, dans mon erreur, je vous ai laissé mettre ma maison sur un ton [2] que je ne peux pas soutenir à moi seul; et, 20 puisqu'il est bien convenu [3] que nous n'avons à nous deux que ma fortune, il me paraît juste, raisonnable et nécessaire de supprimer de mon train [4] ce qu'il me faut rabattre [5] de mes espérances. J'ai donc songé à quelques réformes que vous approuverez sans doute.

Gaston.   Allez, Sully! [6] allez, Turgot! [6] ... coupez, taillez, j'y consens! 25 Vous me trouvez en belle humeur, profitez-en!

Poirier.   Je suis ravi de votre condescendance.   J'ai donc décidé, arrêté, ordonné ...

Gaston.   Permettez, beau-père: si vous avez décidé, arrêté, ordonné, il me paraît superflu que vous me consultiez.   30

Poirier.   Aussi ne vous consulté-je pas; je vous mets au courant,[7] voilà tout.

Gaston.   Ah! vous ne me consultez pas?

Poirier.   Cela vous étonne?

Gaston.   Un peu; mais, je vous l'ai dit, je suis en belle humeur.   35

Poirier.   Ma première réforme, mon cher garçon ...

Gaston.   Vous voulez dire mon cher Gaston, je pense?   La langue vous a fourché.[8]

Poirier.   Cher Gaston, cher garçon ... c'est tout un.... De beau-père à gendre, la familiarité est permise.   40

Gaston.   Et, de votre part, monsieur Poirier, elle me flatte et m'honore.... Vous disiez donc que votre première réforme? ...

Poirier.   (*Se levant*) C'est, monsieur, que vous me fassiez le plaisir de ne plus me gouailler.[9] Je suis las de vous servir de plastron.[10]

Gaston.   Là, là, monsieur Poirier, ne vous fâchez pas!   45

Poirier.   Je sais très bien que vous me tenez pour un très petit personnage et pour un très petit esprit; mais ...

Gaston.   Où prenez-vous cela?

Poirier.   Mais vous saurez qu'il y a plus de cervelle dans ma pantoufle [11] que sous votre chapeau.   50

Gaston.   Ah! fi! voilà qui est trivial [12] ... vous parlez comme un homme du commun.

Poirier.   Je ne suis pas un marquis, moi!

Gaston.   Ne le dites pas si haut, on finirait par le croire.

1. je me reconnais coupable d'erreur.   **2.** *style.*   **3.** *agreed.*   **4.** *way of living.*   **5.** diminuer.   **6.** ministres des finances: Sully de Henri IV, Turgot de Louis XIV qui tous deux insistèrent sur la nécessité de supprimer les dépenses inutiles.   **7.** mets ...: *I'm informing you.*   **8.** *it was a slip of the tongue.*   **9.** ridiculiser.   **10.** (*fencing*) breast-pad; *I'm tired of being the butt of your jokes.*   **11.** *slipper.*   **12.** vulgaire.

Poirier. Qu'on le croie ou non, c'est le cadet de mes soucis.[1] Je n'ai 55
aucune prétention à la gentilhommerie, Dieu merci! je n'en fais pas assez
de cas pour cela.

Gaston. Vous n'en faites pas de cas?

Poirier. Non, monsieur, non! Je suis un vieux libéral, tel que vous me
voyez; je juge les hommes sur leur mérite, et non sur leurs titres; je me ris 60
des hasards de la naissance; la noblesse ne m'éblouit[2] pas, et je m'en moque
comme de l'an quarante[3]: je suis bien aise de vous l'apprendre.

Gaston. Me trouveriez-vous du mérite, par hasard?

Poirier. Non, monsieur, je ne vous en trouve pas.

Gaston. Non! Alors, pourquoi m'avez-vous donné votre fille? 65

Poirier. (*Interdit*) Pourquoi je vous ai donné . . .

Gaston. Vous aviez donc une arrière-pensée?

Poirier. Une arrière-pensée?

Gaston. Permettez! Votre fille ne m'aimait pas quand vous m'avez attiré
chez vous; ce n'étaient pas mes dettes qui m'avaient valu l'honneur de votre 70
choix; puisque ce n'est pas non plus mon titre, je suis bien obligé de croire
que vous aviez une arrière-pensée.

Poirier. (*Se rasseyant*) Quand même,[4] monsieur! . . . quand j'aurais[5]
tâché de concilier mes intérêts avec le bonheur de mon enfant, quel mal y
verriez-vous? qui me reprochera, à moi qui donne un million de ma poche, 75
qui me reprochera de choisir un gendre en état de me dédommager[6] de mon
sacrifice, quand d'ailleurs il est aimé de ma fille? j'ai pensé à elle d'abord,
c'était mon devoir; à moi, ensuite, c'était mon droit.

Gaston. Je ne conteste pas, M. Poirier. Vous n'avez eu qu'un tort,[7] c'est
de manquer de confiance en moi. 80

Poirier. C'est que vous n'êtes pas encourageant.

Gaston. Me gardez-vous rancune de quelques plaisanteries? Je ne suis
peut-être pas le plus respectueux des gendres, et je m'en accuse; mais dans
les choses sérieuses je suis sérieux. Il est très juste que vous cherchiez en
moi l'appui[8] que j'ai trouvé en vous. 85

Poirier. (*A part*) Comprendrait-il[9] la situation?

Gaston. Voyons, cher beau-père, à quoi puis-je vous être bon? si tant est
que[10] je puisse être bon à quelque chose.

Poirier. Eh bien, j'avais rêvé que vous iriez aux Tuileries.[11]

Gaston. Encore! c'est donc votre marotte[12] de danser à la cour? 90

1. le cadet . . .: la moindre de mes inquiétudes (cadet = dernier né, donc le plus petit).
2. *dazzle.* **3.** l'an quarante (de la République). A l'époque de la Révolution, on réforma
même le calendrier. L'année 1792 devint l'an 1 de la République. Les royalistes, qui ne croyaient pas que la République durerait (*would last*) quarante ans, disaient, en parlant d'un événement qui ne leur inspirait aucune appréhension, qu'ils s'en moquaient (*were indifferent to it*)
comme de l'an quarante. **4.** *Even so, even if.* **5.** quand . . .: même si j'avais. **6.** indem-
niser. **7.** faute. **8.** *support.* **9.** *Is it possible that he understands?* **10.** si tant est
que . . .: *if indeed.* **11.** palais des rois de France, à Paris. Aller aux Tuileries = aller à
la cour. **12.** idée fixe, *hobby.*

Poirier. Il ne s'agit pas de danser. Faites-moi l'honneur de me prêter des idées moins frivoles. Je ne suis ni vain ni futile.

Gaston. Qu'êtes-vous donc, ventre-saint-gris![1] expliquez-vous.

Poirier. (*Piteusement*) Je suis ambitieux!   94

Gaston. On dirait que vous en rougissez; pourquoi donc? Avec l'expérience que vous avez acquise dans les affaires, vous pouvez prétendre[2] à tout. Le commerce est la véritable école des hommes d'État.

Poirier. C'est ce que Verdelet me disait ce matin.

Gaston. C'est là qu'on puise[3] cette hauteur de vues, cette élévation de sentiments, ce détachement des petits intérêts qui font les Richelieu[4] et les Colbert.   101

Poirier. Oh! je ne prétends pas . . .

Gaston. Mais qu'est-ce qui pourrait donc bien lui convenir, à ce bon monsieur Poirier? Une préfecture?[5] Fi donc! Le conseil d'État?[6] non! Un poste diplomatique? justement l'ambassade de Constantinople est vacante. . . .   106

Poirier. J'ai des goûts sédentaires: je n'entends pas le turc.

Gaston. Attendez! (*Lui frappant sur l'épaule*) Je crois que la pairie vous irait comme un gant.[7]

Poirier. Oh! croyez-vous?   110

Gaston. Mais, voilà le diable! vous ne faites partie d'aucune catégorie . . . vous n'êtes pas encore de l'Institut.[8]

Poirier. Soyez donc tranquille![9] je payerai, quand il le faudra, trois mille francs de contributions directes.[10] J'ai à la banque trois millions qui n'attendent qu'un mot de vous pour s'abattre sur de bonnes terres.[11]   115

Gaston. Ah! Machiavel![12] Sixte-Quint![13] vous les roulerez[14] tous!

Poirier. Je crois que oui.

Gaston. Mais j'aime à penser que votre ambition ne s'arrête pas en si bon chemin? Il vous faut un titre.

Poirier. Oh! je ne tiens pas à ces hochets[15] de la vanité: je suis, comme je vous le disais, un vieux libéral.   121

Gaston. Raison de plus. Un libéral n'est tenu de[16] mépriser que l'ancienne noblesse; mais la nouvelle, celle qui n'a pas d'aïeux[17] . . .

Poirier. Celle qu'on ne doit qu'à soi-même!

Gaston. Vous serez comte.   125

1. (ventre du Saint-Christ): exclamation favorite du roi Henri IV, adoptée par les partisans des Bourbons. **2.** *aspire to.* **3.** *draws, acquires.* **4.** fameux ministres; Richelieu (1585–1642) de Louis XIII, Colbert (1619–1683) de Louis XIV. **5.** *governorship of a department.* **6.** assemblée qui prépare les lois. **7.** *would fit you as a glove.* **8.** corps savant, composé de 5 Académies dont la première est l'Académie Française. **9.** soyez . . .: *Oh, as for that, don't worry.* **10.** contributions . . .: *taxes.* **11.** propriétés importantes, condition requise pour la pairie. **12.** (1480–1527), homme d'état italien, auteur du *Prince*, code du souverain rusé et sans scrupules. **13.** (1521–1590), pape célèbre pour son astuce (*cunning*), pour ses réformes dans l'Église et pour son influence dans les guerres de religion en France. **14.** duperez; *outwit.* **15.** *playthings, baubles.* **16.** est tenu de, *is required to.* **17.** ancêtres.

Poirier.   Non.   Il faut être raisonnable.   Baron, seulement.

Gaston.   Le baron Poirier!... cela sonne bien à l'oreille.

Poirier.   Oui, le baron Poirier!

Gaston.   (*Le regardant et partant d'un éclat de rire*)   Je vous demande pardon; mais là, vrai! c'est trop drôle!   Baron! monsieur Poirier!... baron de Catillard![1]   13

Poirier.   (*A part*)   Je suis joué![2]...

SCÈNE III

Les Mêmes, Le Duc

Gaston.   Arrive donc, Hector! arrive donc!—Sais-tu pourquoi Jean Gaston de Presles a reçu trois coups[3] d'arquebuse à la bataille d'Ivry?[4]   Sais-tu pourquoi François Gaston de Presles est monté le premier à l'assaut de La Rochelle?[5]   Pourquoi Louis Gaston de Presles s'est fait sauter[6] à La Hogue?[7] Pourquoi Philippe Gaston de Presles a pris deux drapeaux à Fontenoy?[8]   5 Pourquoi mon grand-père est mort à Quiberon?[9]   C'était pour que monsieur Poirier fût un jour pair de France et baron!

Le Duc.   Que veux-tu dire?

Gaston.   Voilà le secret du petit assaut qu'on m'a livré ce matin.

Le Duc.   (*A part*)   Je comprends!   10

Poirier.   Savez-vous, monsieur le duc, pourquoi j'ai travaillé quatorze heures par jour pendant trente ans? pourquoi j'ai amassé, sou par sou, quatre millions, en me privant de tout?   C'est afin que monsieur le marquis Gaston de Presles, qui n'est mort ni à Quiberon, ni à Fontenoy, ni à La Hogue, ni ailleurs, puisse mourir de vieillesse sur un lit de plume,[10] après   15 avoir passé sa vie à ne rien faire.

Le Duc.   Bien répliqué, monsieur!

Gaston.   Voilà qui promet pour la tribune.[11]

Le Domestique.   Il y a là des messieurs qui demandent à voir l'appartement.

Gaston.   Quel appartement?   20

Le Domestique.   Celui de monsieur le marquis.

Gaston.   Le prend-on pour un muséum d'histoire naturelle?

Poirier.   (*Au* Domestique)   Priez ces messieurs de repasser.[12]   (Le Domestique *sort.*)   Excusez-moi, mon gendre; entraîné[13] par la gaieté de votre entretien,[14] je n'ai pas pu vous dire que je loue le premier étage de mon hôtel.   25

Gaston.   Hein?

1. nom d'une grosse poire d'hiver.   2. *He made a fool of.*   3. *musket shots.*   4. près de Paris; Henri IV y battit son rival, le duc de Guise, en 1590.   5. ville forte des Huguenots, assiégée et prise par Richelieu en 1622.   6. *was blown up.*   7. bataille navale gagnée (1692) par la flotte anglo-hollandaise, malgré l'héroïque résistance de l'amiral Tourville.   8. ville belge où Maurice de Saxe battit les Anglais (1745).   9. en Bretagne; le général Hoche y défit les émigrés français et de leurs alliés anglais (1795).   10. *feather bed.*   11. *platform* (*from which speakers address the House*).   12. revenir.   13. *carried away.*   14. conversation.

Poirier. C'est une des petites réformes dont je vous parlais.

Gaston. Et où comptez-vous me loger?

Poirier. Au deuxième [1]; l'appartement est assez vaste pour nous contenir tous. 30

Gaston. L'arche de Noé!

Poirier. Il va sans dire que je loue les écuries et les remises.

Gaston. Et mes chevaux? vous les logerez au deuxième aussi?

Poirier. Vous les vendrez.

Gaston. J'irai donc à pied? 35

Le Duc. Ça te fera du bien. Tu ne marches pas assez.

Poirier. D'ailleurs, je garde mon coupé bleu. Je vous le prêterai.

Le Duc. Quand il fera beau.

Gaston. Ah çà! monsieur Poirier!...

Le Domestique. (*Rentrant*) Monsieur Vatel demande à parler à monsieur 40 le marquis.

Gaston. Qu'il entre. (*Entre* VATEL *en habit noir.*) Quelle est cette tenue,[2] monsieur Vatel? êtes-vous d'enterrement, ou la marée [3] manque-t-elle?

Vatel. Je viens donner ma démission à monsieur le marquis.

Gaston. Votre démission? la veille [4] d'une bataille! 45

Vatel. Telle est l'étrange position qui m'est faite; je dois déserter pour ne pas me déshonorer; que monsieur le marquis daigne jeter les yeux sur le menu que m'impose monsieur Poirier.

Gaston. Que vous impose monsieur Poirier? Voyons cela. (*Lisant*) Le lapin sauté? [5] 50

Poirier. C'est le plat de mon vieil ami Ducaillou.

Gaston. La dinde aux marrons? [6]

Poirier. C'est le régal [7] de mon camarade Groschenet.

Gaston. Vous traitez la rue des Bourdonnais?

Poirier. En même temps que le faubourg Saint-Germain.[8] 55

Gaston. J'accepte votre démission, Monsieur Vatel. (VATEL *sort.*) Ainsi demain mes amis auront l'honneur d'être présentés aux vôtres?

Poirier. Vous l'avez dit, ils auront cet honneur. Monsieur le duc sera-t-il humilié de manger ma soupe entre monsieur et madame Pincebourde?

Le Duc. Nullement. Cette petite débauche ne me déplaira pas. Madame 60 Pincebourde doit chanter au dessert? [9]

Gaston. Après dîner nous ferons un cent de piquet.[10]

Le Duc. Ou un loto.[10]

Poirier. Ou un nain-jaune.[10]

Gaston. Et de temps en temps, j'espère, nous renouvellerons cette bam- 65 boche? [11]

---

1. *third floor.* **2.** *What is* (*the meaning of*) *that* (*black*) *coat?* **3.** *sea fish;* allusion au suicide de l'ancêtre de Vatel. **4.** *on the eve.* **5.** *fried rabbit.* **6.** *turkey stuffed with chest-nuts.* **7.** plat favori. **8.** faubourg...: quartier aristocratique de Paris. **9.** chanter...: habitude commune alors chez les bourgeois. **10.** jeux favoris des bourgeois. **11.** *spree.*

Poirier. Mon salon sera ouvert tous les soirs et vos amis seront toujours les bienvenus.

Gaston. Décidément, monsieur Poirier, votre maison va devenir un lieu de délices, une petite Capoue.[1] Je craindrais de m'y amollir, j'en sortirai 70 pas plus tard que demain.

Poirier. J'en serai au regret . . . mais mon hôtel n'est pas une prison. Quelle carrière embrasserez-vous? la médecine ou le barreau?

Gaston. Qui parle de cela?

Poirier. Les ponts et chaussées [2] peut-être? ou le professorat? car vous 75 ne pensez pas tenir votre rang avec neuf mille francs de rente?

Le Duc. Neuf mille francs de rente?

Poirier. (*A* GASTON) Dame! le bilan [3] est facile à établir: vous avez reçu cinq cent mille francs de la dot de ma fille. La corbeille de noces [4] et les frais d'installation en ont absorbé cent mille. Vous venez d'en donner 80 deux cent dix-huit mille à vos créanciers, il vous en reste donc cent quatre-vingt-deux mille, qui, placés au taux légal, représentent neuf mille livres de rente. . . . Est-ce clair? Est-ce avec ce revenu que vous nourrirez vos amis de carpes à la Lithuanienne et de volailles à la Concordat? Croyez-moi, mon cher Gaston, restez chez moi; vous y serez encore mieux que chez vous. 85 Pensez à vos enfants . . . qui ne seront pas fâchés de trouver un jour dans la poche du marquis de Presles les économies du bonhomme Poirier. Au revoir, mon gendre, je vais régler le compte de monsieur Vatel. (*Il sort.*)

SCÈNE IV

LE DUC, LE MARQUIS

Ils se regardent un instant. LE DUC éclate de rire.

Gaston. Tu trouves cela drôle, toi?

Le Duc. Ma foi, oui! Voilà donc ce beau-père modeste et nourrissant comme les arbres à fruit? ce George Dandin? Tu as trouvé ton maître, mon fils. Mais, au nom du ciel, ne fais pas cette piteuse mine![5] Regarde-toi, tu as l'air d'un paladin [6] qui partait pour la croisade et que la pluie a fait 5 rentrer! Ris donc un peu; l'aventure n'est pas tragique.

Gaston. Tu as raison! . . . Parbleu! monsieur Poirier, mon beau-père, vous me rendez là un service dont vous ne vous doutez pas.

Le Duc. Un service?

Gaston. Oui, mon cher, oui, j'allais tout simplement me couvrir de ridicule; 10 j'étais en chemin de devenir amoureux de ma femme. . . . Heureusement monsieur Poirier m'arrête à la première station.

1. près de Naples; Annibal, après avoir battu les Romains à Cannes, y prit ses quartiers d'hiver et, dit-on, ses troupes s'y amollirent (*became soft*) dans les délices du climat, du repos et des plaisirs. 2. *civil engineering* (*bridges and highways*). 3. compte. 4. corbeille de noces: (lit., *wedding basket*) *wedding gifts.* 5. *sorry look.* 6. chevalier.

Le Duc. Ta femme n'est pas responsable des sottises de Poirier. Elle est charmante.

Gaston. Laisse-moi donc tranquille ! Elle ressemble à son père. 15

Le Duc. Pas le moins du monde.

Gaston. Je te dis qu'elle a un air de famille . . . je ne pourrais plus l'embrasser sans penser à ce vieux crocodile. Et puis, je voulais bien rester au coin du feu . . . mais du moment qu'on y met la marmite.¹ . . . (*Il tire sa montre.*) Bonsoir ! 20

Le Duc. Où vas-tu ?

Gaston. Chez madame de Montjay : voilà deux heures qu'elle m'attend.

Le Duc. Non, Gaston, n'y va pas.

Gaston. Ah ! on veut me rendre la vie dure ici ; on veut me mettre en pénitence.² . . . 25

Le Duc. Écoute-moi donc !

Gaston. Tu n'as rien à me dire.

Le Duc. Et ton duel ?

Gaston. Tiens ! c'est vrai . . . je n'y pensais plus.

Le Duc. Tu te bats demain à deux heures, au bois de Vincennes. 30

Gaston. Très bien ! De l'humeur dont je suis, Pontgrimaud passera demain un joli quart d'heure.

SCÈNE V

Les Mêmes, Verdelet, Antoinette

Antoinette. Vous sortez, mon ami ?

Gaston. Oui, madame, je sors. (*Il sort.*)

Verdelet. Dis donc, Toinon ? il ne paraît pas d'humeur aussi charmante que tu le disais.

Antoinette. Je n'y comprends rien. . . . 5

Le Duc. Il se passe ici des choses graves, madame.

Antoinette. Quoi donc ? . . .

Le Duc. Votre père est ambitieux.

Verdelet. Ambitieux ! . . . Poirier ?

Le Duc. Il avait compté sur le nom de son gendre pour arriver. . . . 10

Verdelet. A la pairie, comme M. Michaud ! (*A part*) Vieux fou !

Le Duc. Irrité du refus de Gaston, il cherche à se venger à coups d'épingle,³ et je crains bien que ce ne soit vous qui payiez les frais de la guerre.

Antoinette. Comment cela ?

Verdelet. C'est bien simple . . . si ton père rend la maison odieuse à ton 15 mari, il cherchera des distractions dehors.

Antoinette. Des distractions dehors ?

Le Duc. Monsieur Verdelet a mis le doigt sur le danger, et vous seule

---

1. pot (pot-au-feu = symbole de la vie bourgeoise). **2.** mettre en . . . : *punish me, make me stand in the corner.* **3.** *with pin-pricks.*

pouvez le prévenir. Si votre père vous aime, mettez-vous entre lui et Gaston. Obtenez la cessation immédiate des hostilités; rien n'est encore perdu ... 20 tout peut se réparer.

Antoinette. « Rien n'est encore perdu! tout peut se réparer! » Vous me faites trembler! Contre qui donc ai-je à me défendre?

Le Duc. Contre votre père.

Antoinette. Non, vous ne me dites pas tout. ... Les torts de mon père 25 ne m'enlèveraient pas mon mari en un jour. ... Il fait la cour à une femme, n'est-ce pas?

Le Duc. Non, madame; mais ...

Antoinette. Pas de ménagements,[1] monsieur le duc ... j'ai une rivale.

Le Duc. Calmez-vous, madame. 30

Antoinette. Je le devine, je le sens, je le vois. ... Il est auprès d'elle.

Le Duc. Non, madame, il vous aime.

Antoinette. Il ne me connaît que depuis une heure! Ce n'est pas à moi qu'il a senti le besoin de raconter sa colère. ... Il a été se plaindre ailleurs.

Verdelet. Ne te bouleverse pas comme ça, Toinon; il a été prendre l'air, 35 voilà tout. C'était mon remède quand Poirier m'exaspérait. (*Entre un* Domestique *avec une lettre sur un plat d'argent.*)

Le Domestique. Une lettre pour monsieur le marquis.

Antoinette. Il est sorti; mettez-la là. (*Elle regarde la lettre. A part.*) Une écriture de femme. (*Haut*) De quelle part? 40

Le Domestique. C'est le valet de pied de madame de Montjay qui l'a apportée. (*Il sort.*)

Antoinette. (*A part*) De madame de Montjay!

Le Duc. Je verrai Gaston avant vous, madame; si vous voulez, je lui remettrai cette lettre? 45

Antoinette. Craignez-vous que je ne l'ouvre?

Le Duc. Oh! madame!

Antoinette. Elle se sera croisée[2] avec Gaston.

Verdelet. Qu'est-ce que tu vas supposer là? La maîtresse de ton mari n'aurait pas l'imprudence de lui écrire chez toi. 50

Antoinette. Pour ne point oser lui écrire chez moi, il faudrait qu'elle me méprisât bien! D'ailleurs je ne dis pas que ce soit sa maîtresse. Je dis qu'il lui fait la cour. Je le dis parce que j'en suis sûre.

Le Duc. Je vous jure, madame ...

Antoinette. L'oseriez-vous jurer sérieusement, monsieur le duc? 55

Le Duc. Mon serment[3] ne vous prouverait rien, car un galant homme[4] a le droit de mentir en pareil cas. Quoiqu'il en soit, madame, je vous ai prévenue[5] du danger; je vous ai indiqué le moyen d'y échapper, j'ai rempli mon devoir d'ami et d'honnête homme,[4] ne m'en demandez pas plus. (*Il sort.*)

---

1. Pas de ménagements: (lit., *no considerateness*), i.e., *don't spare me by your reticence.* **2.** se sera ...: *must have crossed on the way.* **3.** *oath.* **4.** *gentleman.* **5.** *warned.*

SCÈNE VI

ANTOINETTE, VERDELET

Antoinette. Ah! je viens de perdre tout ce que j'avais gagné dans le cœur de Gaston. . . . Il m'appelait marquise, il y a une heure. . . . Mon père lui a rappelé brutalement que je suis mademoiselle Poirier.

Verdelet. Eh bien, est-ce qu'on ne peut pas aimer mademoiselle Poirier?

Antoinette. Mon dévouement aurait fini par le toucher peut-être, ma 5 tendresse par attirer la sienne; il était déjà sur la pente insensible [1] qui le conduisait à moi! mon père lui fait rebrousser chemin! [2] — Sa maîtresse! Il est impossible qu'elle le soit déjà, n'est-ce pas, Tony? Est-ce que tu crois qu'elle l'est?

Verdelet. Moi? pas du tout! 10

Antoinette. Qu'il lui fasse la cour depuis quelques jours, je le comprends; mais pour être son amant, il faudrait qu'il eût commencé le lendemain de notre mariage, et ce serait infâme!

Verdelet. Oui, mon enfant.

Antoinette. Il ne m'a pas épousée avec la certitude qu'il ne m'aimerait 15 jamais . . . il n'a pas dû me condamner si vite.

Verdelet. Non, sans doute.

Antoinette. Tu n'en as pas l'air bien sûr. . . . Es-tu fou, Tony, d'accueillir [3] un soupçon si odieux! Je te jure que mon mari est incapable d'une infamie. Réponds donc que c'est évident! Le prends-tu pour un misérable? [4] 20

Verdelet. Non pas!

Antoinette. Alors tu peux jurer qu'il est innocent . . . jure-le, mon bon Tony, jure-le!

Verdelet. Je le jure! je le jure!

Antoinette. Pourquoi lui écrit-elle? 25

Verdelet. Pour l'inviter à quelque soirée, tout simplement.

Antoinette. Une soirée bien pressée, puisqu'elle envoie l'invitation par un domestique. — Oh! quand je pense que le secret de ma destinée est enfermée sous ce pli.[5] . . . Allons-nous-en . . . cette lettre m'attire . . . je suis tentée.[6] *(Elle la remet sur la table et reste immobile à la regarder.)* 30

Verdelet. Viens, tu as raison. *(Elle ne bouge pas.)*

1. *gentle slope.* **2.** retourner en arrière. **3.** recevoir favorablement. **4.** *scoundrel.* **5.** *fold.* **6.** *tempted.*

SCÈNE VII

LES MÊMES, POIRIER

Poirier. Dis donc, fifille [1] . . . Antoinette. . . . (*A* VERDELET.) Qu'est-ce qu'elle regarde là, une lettre? (*Il prend la lettre.*)

Antoinette. Laissez, mon père! c'est une lettre pour monsieur de Presles.

Poirier. (*Regardant l'adresse*) Jolie écriture! (*Il la flaire.*[2]) Ça ne sent pas le tabac. C'est une lettre de femme.   5

Antoinette. (*Vivement*) Oui, de madame de Montjay, je sais ce que c'est.

Poirier. Comme tu as l'air agitée.[3] . . . Est-ce que tu as la fièvre? (*Il lui prend la main.*) Tu as la fièvre!

Antoinette. Non, mon père.

Poirier. Si fait! [4] Il y a quelque chose.   10

Antoinette. Il n'y a rien, je vous assure. . . .

Verdelet. (*Bas, à* POIRIER) Laisse-la donc tranquille. . . .

Poirier. Est-ce que le marquis te ferait des traits,[5] par hasard? Nom de nom! [6] si je le savais!

Antoinette. Si vous m'aimez, mon père . . .   15

Poirier. Si je t'aime!

Antoinette. Ne tourmentez plus Gaston.

Poirier. Est-ce que je le tourmente! je fais des économies, voilà tout.

Verdelet. Tu fais des taquineries,[7] et elles retombent sur ta fille.

Poirier. Mêle-toi de ce qui te regarde. (*A* ANTOINETTE.) Voyons, 20 qu'est-ce qu'il t'a fait, ce monsieur? je veux le savoir.

Antoinette. Rien . . . rien . . . n'allez pas le quereller, au nom du ciel!

Poirier. Pourquoi mangeais-tu des yeux cette lettre? Est-ce que tu crois que madame de Montjay . . . ?

Antoinette. Non, non . . .   25

Poirier. Elle le croit, n'est-ce pas, Verdelet?

Verdelet. Elle suppose . . .

Poirier. Il est facile de s'en assurer. (*Il rompt le cachet* [8].)

Antoinette. Mon père! . . . le secret d'une lettre est sacré!

Poirier. Il n'y a de sacré pour moi que ton bonheur.   30

Verdelet. Prends garde, Poirier! . . . Que dira ton gendre?

Poirier. Je me soucie bien [9] de mon gendre! (*Il ouvre la lettre.*)

Antoinette. Ne lisez pas, au nom du ciel!

Poirier. Je lirai. . . . Si ce n'est pas mon droit, c'est mon devoir. (*Lisant*) « Cher Gaston . . . » Ah! le scélérat! (*Il froisse* [10] *la lettre et la jette avec* 35 *colère.*)

Antoinette. Oh! mon Dieu! . . . (*Elle tombe dans un fauteuil.*)

1. *girlie.* 2. *smells.* 3. *upset.* 4. Mais oui, vraiment! 5. infidélités. 6. *attenuated form of* nom de Dieu. 7. *teasing annoyances.* 8. *seal.* 9. *I should care* (*ironical*). 10. *crumples.*

Poirier. (*Prenant* VERDELET *au collet*) [1] C'est toi qui m'as laissé faire ce mariage-là.

Verdelet. C'est trop fort! [2] 40

Poirier. Quand je t'ai consulté, pourquoi ne t'es-tu pas mis en travers? pourquoi ne m'as-tu pas dit ce qui devait arriver?

Verdelet. Je te l'ai dit vingt fois!... mais monsieur était ambitieux!

Poirier. Ça m'a bien réussi! [3]

Verdelet. Elle perd connaissance. [4] 45

Poirier. Ah! mon Dieu!

Verdelet. (*A genoux devant* ANTOINETTE) Toinon, mon enfant, reviens à toi....

Poirier. Ôte-toi de là. [5] ... Est-ce que tu sais ce qu'il faut lui dire! (*A genoux devant* ANTOINETTE.) Toinon, mon enfant, reviens à toi. 50

Antoinette. Ça n'est rien, mon père.

Poirier. Sois tranquille [6] ... je te débarrasserai de ce monstre.

Antoinette. Qu'ai-je donc fait au bon Dieu pour être éprouvée [7] de la sorte! Après trois mois de mariage! Non! le lendemain! le lendemain! Il ne m'a pas été fidèle un jour! Il a couru chez cette femme en sortant de mes bras.... 55 Il n'avait donc pas senti battre mon cœur? il n'avait donc pas compris que je me donnais à lui tout entière? Le malheureux! j'en mourrai!

Poirier. Tu en mourras?... je te le défends! Qu'est-ce que je deviendrais, [8] moi! Ah! le brigand! [9] ... Où vas-tu?

Antoinette. Chez moi. [10] 60

Poirier. Veux-tu que je t'accompagne?

Antoinette. Merci, mon père.

Verdelet. (*A* POIRIER) Laissons-la pleurer seule ... les larmes la soulageront. [11]

SCÈNE VIII

POIRIER, VERDELET

Poirier. Quel mariage! quel mariage! (*Il se promène en se donnant des coups de poing.* [12])

Verdelet. Calme-toi, Poirier ... tout peut se réparer. Notre devoir, maintenant, c'est de rapprocher ces deux cœurs.

Poirier. Mon devoir, je le connais, et je le ferai. (*Il ramasse la lettre.*) 5

Verdelet. Je t'en supplie, pas de coup de tête! [13]

1. *coat collar.*   **2.** *Well, I never!*   **3.** Ça m'a ...: *things turned out well for me!*   **4.** *She is fainting.*   **5.** Ôte-toi de là: *Get away from there.*   **6.** *Don't worry.*   **7.** *made to suffer.* **8.** *What would become of me?*   **9.** *rascal.*   **10.** *To my room.*   **11.** *will relieve her.*   **12.** *hitting himself with his fists.*   **13.** pas de ...: *do nothing rash.*

SCÈNE IX

Les Mêmes, Gaston, *qui va à la table et cherche fiévreusement dans les papiers et albums qui la couvrent*

Poirier. Vous cherchez quelque chose, monsieur ?

Gaston. Oui, une lettre.

Poirier. De madame de Montjay. Ne cherchez pas, elle est dans ma poche.

Gaston. L'auriez-vous ouverte, par hazard ?

Poirier. Oui, monsieur, je l'ai ouverte.   5

Gaston. Vous l'avez ouverte ? Savez-vous bien, monsieur, que c'est une indignité, que c'est l'action d'un malhonnête homme ?

Verdelet. Monsieur le marquis ! . . . Poirier !

Poirier. Il n'y a qu'un malhonnête homme ici, c'est vous !

Gaston. Pas de reproches ! En me volant le secret de mes fautes, vous 10 avez perdu le droit de les juger ! Il y a quelque chose de plus inviolable que la serrure d'un coffre-fort,[1] monsieur ; c'est le cachet d'une lettre, car il ne se défend pas.

Verdelet. (*A* Poirier) Qu'est-ce que je te disais ?

Poirier. C'est trop fort. Un père n'aurait pas le droit ! . . . Mais je suis 15 bien bon de répondre ! Vous vous expliquerez devant les tribunaux, monsieur le marquis.

Verdelet. Les tribunaux !

Poirier. Ah ! vous croyez qu'on peut impunément apporter dans nos familles l'adultère et le désespoir ? Un bon procès,[2] monsieur ! un procès en 20 séparation de corps !

Gaston. Un procès ? où cette lettre sera lue ?

Poirier. En public ; oui, monsieur, en public !

Verdelet. Es-tu fou, Poirier ? un pareil scandale . . .

Gaston. Mais vous ne songez pas que vous perdez[3] une femme !   25

Poirier. Vous allez me parler de son honneur, peut-être ?

Gaston. Oui, de son honneur, et, si ce n'est pas assez pour vous, sachez qu'il y va de sa ruine. . . .

Poirier. Tant mieux, morbleu, j'en suis ravi ! Elle ne sera jamais trop punie, celle-là !   30

Gaston. Monsieur . . .

Poirier. En voilà une, par exemple, qui n'intéressera personne ! Prendre le mari d'une pauvre jeune femme après trois mois de mariage !

Gaston. Elle est moins coupable que moi, n'accusez que moi. . . .

Poirier. Si vous croyez que je ne vous méprise pas comme le dernier des 35 derniers ![4] . . . N'êtes-vous pas honteux ? sacrifier une femme charmante. . . . Que lui reprochez-vous ? Trouvez-lui un défaut, un seul, pour vous excuser !

1. *lock of a safe.*   2. *law suit; petition for judicial separation.* (La loi du divorce date de 1882.)   3. *are ruining.*   4. l'homme le plus vil; *the lowest of the low.*

Un cœur d'or! des yeux superbes! Et une éducation! Tu sais ce qu'elle m'a coûté, Verdelet?

Verdelet. Modère-toi, de grâce. . . . 40

Poirier. Crois-tu que je ne me modère pas? Si je m'écoutais!. . . mais non . . . il y a des tribunaux . . . je vais chez mon avoué.[1]

Gaston. Attendez jusqu'à demain, monsieur, je vous en supplie . . . donnez-vous le temps de la réflexion.

Poirier. C'est tout réfléchi. 45

Gaston. (*A* VERDELET) Aidez-moi à prévenir un malheur irréparable.

Verdelet. Ah! vous ne le connaissez pas!

Gaston. (*A* POIRIER) Prenez garde, monsieur. Je dois sauver cette femme, je dois la sauver à tout prix. . . . Comprenez donc que je suis responsable de tout! 50

Poirier. Je l'entends bien ainsi.

Gaston. Vous ne savez pas jusqu'où le désespoir pourrait m'emporter!

Poirier. Des menaces?

Gaston. Oui! des menaces; rendez-moi cette lettre. . . . Vous ne sortirez pas! 55

Poirier. De la violence! faut-il que je sonne mes gens?[2]

Gaston. C'est vrai! ma tête se perd. Écoutez-moi, du moins. Vous n'êtes pas méchant!. . . c'est la colère, c'est la douleur qui vous égare.[3]

Poirier. Colère légitime, douleur respectable!

Gaston. Oui, monsieur, je reconnais mes fautes; je les déplore . . . mais, 60
si je vous jurais de ne plus revoir madame de Montjay, si je vous jurais de consacrer ma vie au bonheur de votre fille?

Poirier. Ce serait la seconde fois que vous le jureriez. . . . Finissons!

Gaston. Arrêtez! vous aviez raison ce matin, c'est le désœuvrement[4] qui m'a perdu. 65

Poirier. Ah! vous le reconnaissez maintenant.

Gaston. Eh bien, si je prenais un emploi? . . .

Poirier. Un emploi? vous?

Gaston. Vous avez le droit de douter de ma parole, je le sais; mais gardez cette lettre, et si je manque[5] à mes engagements, vous serez toujours à 70
temps. . . .

Poirier. C'est vrai, oui, c'est vrai.

Verdelet. Eh bien, tu acceptes? Tout vaut mieux qu'une séparation.

Poirier. Ce n'est pas tout à fait mon avis. . . . Cependant puisque tu l'exiges. . . . (*Au* MARQUIS) Je souscris[6] pour ma part, monsieur, au traité 75
que vous m'offrez. . . . Il ne reste plus qu'à le soumettre à ma fille.

Verdelet. Oh! ce n'est pas ta fille qui demandera du scandale.

Poirier. Allons la trouver. (*A* GASTON) Croyez bien, monsieur, qu'en

---

1. *solicitor;* qui prépare les documents d'un procès. **2.** *must I ring for my servants?* **3.** trouble l'esprit. **4.** *idleness.* **5.** *fail to fulfill.* **6.** *agree.*

tout ceci je ne consulte que le bonheur de mon enfant. Pour que vous n'ayez pas le droit d'en douter, je vous déclare d'avance que je n'attends plus 80 rien de vous, que je n'accepterai rien, et resterai Gros-Jean [1] comme devant.

Verdelet. C'est bien, Poirier.

Poirier. (*A* VERDELET) A moins pourtant qu'il ne rende ma fille si heureuse ... si heureuse! ... (*Ils sortent.*)

SCÈNE X

GASTON, *seul*

Tu l'as voulu, marquis de Presles! Est-ce assez d'humiliations! Ah! madame de Montjay! ... En ce moment mon sort se décide. Que vont-ils me rapporter? Ma condamnation ou celle de cette infortunée? la honte ou le remords? Et tout cela pour une fantaisie d'un jour! Tu l'as voulu, marquis de Presles ... n'accuse que toi! (*Il reste absorbé.*)   5

SCÈNE XI

GASTON, LE DUC

Le Duc. (*Entrant, et frappant sur l'épaule de* GASTON) Qu'as-tu donc?

Gaston. Tu sais ce que mon beau-père me demandait ce matin?

Le Duc. Eh bien?

Gaston. Si on te disait que j'y consens?

Le Duc. Je répondrais que c'est impossible.   5

Gaston. C'est pourtant la vérité.

Le Duc. Es-tu fou? Tu le disais toi-même, s'il est un homme qui n'ait pas le droit. . . .

Gaston. Il le faut. . . . Mon beau-père a ouvert une lettre de madame de Montjay; dans sa colère, il voulait la porter chez son avoué, et, pour l'arrêter, 10 j'ai dû me mettre à sa discrétion.

Le Duc. Pauvre ami! dans quel abîme as-tu roulé!

Gaston. Ah! si Pontgrimaud me tuait demain, quel service il me rendrait!

Le Duc. Voyons, voyons, pas de ces idées-là!

Gaston. Cela arrangerait tout.   15

Le Duc. Tu n'as que vingt-cinq ans, ta vie peut être belle encore.

Gaston. Ma vie? ... Regarde où j'en suis: ruiné, esclave d'un beau-père dont le despotisme s'autorisera de mes fautes, mari d'une femme que j'ai blessée [2] au cœur et qui ne l'oubliera jamais! ... Tu dis que ma vie peut être belle encore! ... Mais je suis dégoûté de tout et de moi-même! ... 20 Mes étourderies, mes sottises, mes égarements [3] m'ont amené à ce point que

---

1. homme du commun. **2.** *wounded.* **3.** étourderies ...: *thoughtless acts, follies, misconduct.*

tout me manque à la fois: la liberté, le bonheur domestique, l'estime du monde et la mienne propre!... Quelle pitié![1]...

Le Duc. Du courage, mon ami; ne te laisse pas abattre!

Gaston. (*Se levant*) Oui, je suis un lâche![2] Un gentilhomme a le droit 25 de tout perdre, fors l'honneur.[3]

Le Duc. Que veux-tu faire?

Gaston. Ce que tu ferais à ma place.

Le Duc. Non.

Gaston. Tu vois bien que si,[4] puisque tu m'as compris.... Tais-toi!... 30 je n'ai plus que mon nom, et je veux le garder intact.... On vient.

SCÈNE XII

Les Mêmes, Poirier, Antoinette, *et* Verdelet

Antoinette. Non, mon père, non, c'est impossible.... Tout est fini entre monsieur de Presles et moi!

Verdelet. Je ne te reconnais plus là, mon enfant.

Poirier. Mais puisque je te dis qu'il prendra une occupation! qu'il ne reverra jamais cette femme! qu'il te rendra heureuse!   5

Antoinette. Il n'y a plus de bonheur pour moi! Si monsieur de Presles ne m'a pas aimée librement, croyez-vous qu'il m'aimera par contrainte?

Poirier. (*Au* Marquis) Parlez donc, monsieur!

Antoinette. Monsieur de Presles se tait; il sait que je ne croirais pas à ses protestations. Il sait aussi que tout lien est rompu entre nous, et qu'il 10 ne peut plus être qu'un étranger pour moi.... Reprenons donc tous les deux ce que la loi peut nous rendre de liberté.... Je veux une séparation, mon père. Donnez-moi cette lettre: c'est à moi, à moi seule, qu'il appartient d'en faire usage! Donnez-la-moi!

Poirier. Je t'en supplie, mon enfant, pense au scandale qui va nous 15 éclabousser[5] tous.

Antoinette. Il ne salira[6] que les coupables!

Verdelet. Pense à cette femme que tu vas perdre à jamais....

Antoinette. A-t-elle eu pitié de moi?... Mon père, donnez-moi cette lettre. Ce n'est pas votre fille qui vous la demande, c'est la marquise de Presles 20 outragée.

Poirier. La voilà.... Mais puisqu'il prendrait une occupation...

Antoinette. Donnez. (*Au* Marquis.) Je tiens ma vengeance, monsieur, elle ne saurait m'échapper. Vous aviez engagé votre honneur pour sauver votre maîtresse, je le dégage[7] et vous le rends. (*Elle déchire[8] la lettre et la* 25 *jette au feu.*)

---

1. *The wretched business!* **2.** *coward.* **3.** fors = excepté; allusion à la parole de François Ier après sa défaite à Pavie (1525): « Tout est perdu fors l'honneur ». **4.** *You see that I am right (in contemplating suicide).* **5.** *bespatter.* **6.** *will disgrace* (lit., *sully*). **7.** *free.* **8.** *tears up.*

Poirier. Eh bien! qu'est-ce qu'elle fait?

Antoinette. Mon devoir!

Verdelet. Brave enfant!

Le Duc. Noble cœur! 30

Gaston. Oh! madame, comment vous exprimer?... Orgueilleux que j'étais! je croyais m'être mésallié... vous portez mon nom mieux que moi! Ce ne sera pas trop de toute ma vie pour réparer le mal que j'ai fait.

Antoinette. Je suis veuve, monsieur.... (*Elle prend le bras de* VERDELET *pour sortir.*) 35

ACTE QUATRIÈME

Même décor

SCÈNE I

VERDELET, ANTOINETTE, POIRIER

ANTOINETTE *est assise entre* VERDELET *et* POIRIER.

Verdelet. Je te dis que tu l'aimes encore.

Poirier. Et moi, je te dis que tu le hais.

Verdelet. Mais non, Poirier. . . .

Poirier. Mais si!... Ce qui s'est passé hier ne te suffit pas? Tu voudrais que ce vaurien [1] m'enlevât ma fille à présent? 5

Verdelet. Je voudrais que l'existence d'Antoinette ne fût pas à jamais perdue, et, à la façon dont tu t'y prends. . . .

Poirier. Je m'y prends comme il me plaît, Verdelet.... Ça t'est facile de faire le bon apôtre,[2] tu n'es pas à couteaux tirés [3] avec le marquis, toi! Une fois qu'il aurait emmené sa femme, tu serais toujours fourré [4] chez elle, 10 et pendant ce temps, je vivrais dans mon trou,[5] seul, comme un chat-huant [6] ... voilà ton rêve! Oh! je te connais, va! Égoïste comme tous les vieux garçons![7] . . .

Verdelet. Prends garde, Poirier! Es-tu sûr qu'en poussant les choses à l'extrême, tu n'obéisses pas toi-même à un sentiment d'égoïsme? . . . 15

Poirier. Nous y voilà! C'est moi qui suis l'égoïste ici! parce que je défends le bonheur de ma fille! parce que je ne veux pas que mon gueux [8] de gendre m'arrache mon enfant pour la torturer! (*A sa fille.*) Mais dis donc quelque chose!... ça te regarde plus que moi.

Antoinette. Je ne l'aime plus, Tony. Il a tué dans mon cœur tout ce qui 20 fait l'amour.

Poirier. Ah!

---

1. *good-for-nothing.*   2. faire...: *play the part of the kindly fellow.*   3 *at daggers drawn.*   4. *poking around.*   5. *hole.*   6. *owl.*   7. *bachelors.*   8. *wretch*

Antoinette. Je ne le hais pas, mon père; il m'est indifférent, je ne le connais plus.

Poirier. Ça me suffit. 25

Verdelet. Mais, ma pauvre Toinon, tu commences la vie à peine. As-tu jamais réfléchi sur la destinée d'une femme séparée de son mari? T'es-tu jamais demandé?...

Poirier. Ah! Verdelet, fais-nous grâce de [1] tes sermons! Elle sera, pardieu, bien à plaindre avec son bonhomme de père, qui n'aura plus d'autre 30 ambition que de l'aimer et de la dorloter![2] Tu verras, fifille, quelle bonne petite existence nous mènerons à nous deux.... (*Montrant* VERDELET.) A nous trois! car je vaux mieux que toi, gros égoïste!... Tu verras comme nous t'aimerons, comme nous te câlinerons![3] Ce n'est pas nous qui te planterons là pour courir après des comtesses!... Allons, faites tout de suite 35 une risette [4] à ce père ... dites que vous serez heureuse avec lui.

Antoinette. Oui, mon père, bien heureuse.

Poirier. Tu l'entends, Verdelet?

Verdelet. Oui, oui.

Poirier. Quant à ton garnement [5] de mari ... tu as été trop bonne pour 40 lui, ma fille ... nous le tenions!... Enfin!... Je lui servirai une pension de mille écus, et il ira se faire pendre [6] ailleurs.

Antoinette. Ah! qu'il prenne tout, qu'il emporte tout ce que je possède.

Poirier. Non pas!

Antoinette. Je ne demande qu'une chose, c'est de ne jamais le revoir. 45

Poirier. Il entendra parler de moi sous peu.[7]... Je viens de lui décocher [8] un dernier trait....

Antoinette. Qu'avez-vous fait?

Poirier. Hier, en te quittant, je suis allé avec Verdelet chez mon notaire.

Antoinette. Eh bien? 50

Poirier. J'ai mis en vente le château de Presles, le château de messieurs ses pères.

Antoinette. Vous avez fait cela? Et toi, Tony, tu l'as laissé faire?

Verdelet. (*Bas, à* ANTOINETTE) Sois tranquille.

Poirier. Oui, oui. La bande noire [9] a bon nez, et j'espère qu'avant un 55 nois, ce vestige de la féodalité ne souillera [10] plus le sol d'un peuple libre. Sur son emplacement, on plantera des betteraves [11]; avec ses matériaux, on bâtira des chaumières pour l'homme utile, pour le laboureur, pour le vigneron [12]; le parc de ses pères, on le rasera,[13] on le sciera [14] en petits morceaux, on le brûlera dans la cheminée des bons bourgeois qui ont gagné de quoi acheter 60 du bois. J'en ferai venir quelques stères [15] pour ma consommation personnelle.

---

1. *spare us.* **2.** *coddle.* **3.** *make a pet of.* **4.** gentil sourire d'enfant. **5.** *scamp.* **6.** *hang.* **7.** avant longtemps, bientôt. **8.** *let fly (an arrow).* **9.** spéculateurs qui, pendant la Révolution, achetaient les domaines des nobles émigrés, démolissaient leurs châteaux et morcelaient leurs parcs en terrains à bâtir. **10.** *pollute, sully.* **11.** *beet roots.* **12.** *vine-grower.* **13.** *shall be razed.* **14.** *will be sawed up.* **15.** mètres cubes; *cords (of wood).*

Antoinette. Mais il croira que c'est une vengeance. . . .

Poirier. Il aura raison.

Antoinette. Il croira que c'est moi. . . .

Verdelet. (*Bas, à* Antoinette) Sois donc tranquille, mon enfant.   65

Poirier. Je vais voir si les affiches [1] sont prêtes, des affiches énormes dont nous couvrirons les murs de Paris. — « A vendre, le château de Presles ! »

Verdelet. Il est peut-être déjà vendu.

Poirier. Depuis hier soir ? Allons donc ! [2] je vais chez l'imprimeur. [3]

SCÈNE II

Verdelet, Antoinette

Verdelet. Ton père est absurde ! si on le laissait faire, il rendrait tout rapprochement [4] impossible entre ton mari et toi.

Antoinette. Qu'espères-tu donc, mon pauvre Tony ? Mon amour est tombé de trop haut pour pouvoir se relever jamais. Tu ne sais pas ce que monsieur de Presles était pour moi. . . .   5

Verdelet. Mais si, mais si, je le sais.

Antoinette. Ce n'était pas seulement un mari, c'était un maître dont j'aurais été fière d'être la servante. Je ne l'aimais pas seulement, je l'admirais comme le représentant d'un autre âge. Ah ! Tony, quel réveil ! [5]

Un Domestique. (*Entrant*) Monsieur le marquis demande si madame peut 10 le recevoir ?

Antoinette. Non.

Verdelet. Reçois-le, mon enfant. (*Au* Domestique) Monsieur le marquis peut entrer. (Le Domestique *sort.*)

Antoinette. A quoi bon ? [6] (Le Marquis *entre.*)   15

Gaston. Rassurez-vous, madame, vous n'aurez pas longtemps l'ennui de ma présence. Vous l'avez dit hier, vous êtes veuve, et je suis trop coupable pour ne pas sentir que votre arrêt [7] est irrévocable. Je viens vous dire adieu.

Verdelet. Comment, monsieur ?

Gaston. Oui, monsieur, je prends le seul parti honorable qui me reste, et 20 vous êtes homme à le comprendre.

Verdelet. Mais, monsieur . . .

Gaston. Je vous entends. . . . Ne craignez rien de l'avenir, et rassurez monsieur Poirier. J'ai un état, [8] celui de mon père: soldat. Je pars demain pour l'Afrique avec monsieur de Montmeyran, qui me sacrifie son congé.   25

Verdelet. (*Bas, à* Antoinette) C'est un homme de cœur. [9]

Antoinette. (*Bas*) Je n'ai jamais dit qu'il fût lâche. [10]

Verdelet. Voyons, mes enfants . . . ne prenez pas de résolutions extrêmes. . . .

---

1. *posters.*   **2.** *Go on! Nonsense!*   **3.** *printer.*   **4.** réconciliation.   **5.** *awakening*
6. *What's the good?*   **7.** décision.   **8.** *profession.*   **9.** *courage.*   **10.** poltron, sans courage.

Vos torts sont bien grands, monsieur le marquis, mais vous ne demandez
qu'à les réparer, j'en suis sûr.   30

Gaston. Ah! s'il était une expiation! (*Un silence.*) Il n'en est pas, monsieur. (*A* ANTOINETTE) Je vous laisse mon nom, madame, vous le garderez
sans tache.[1] J'emporte le remords d'avoir troublé votre vie, mais vous êtes
jeune, vous êtes belle, et la guerre a d'heureux hasards.[2]

SCÈNE III

LES MÊMES, LE DUC

Le Duc. Je viens te chercher.

Gaston. Allons! (*Tendant la main à* VERDELET) Adieu, monsieur Verdelet.
(*Ils s'embrassent.*) Adieu, madame, adieu pour toujours.

Le Duc. Il vous aime, madame.

Gaston. Tais-toi!   5

Le Duc. Il vous aime éperdument.[3] . . . En sortant de l'abîme dont vous
l'avez tiré, ses yeux se sont ouverts, il vous a vue telle que vous êtes.

Antoinette. Mademoiselle Poirier l'emporte sur [4] madame de Montjay? . . .
quel triomphe! . . .

Verdelet. Ah! tu es cruelle!   10

Gaston. C'est justice, monsieur. Elle était digne de l'amour le plus pur,
et je l'ai épousée pour son argent. J'ai fait un marché![5] un marché que je
n'ai pas même eu la probité de tenir. (*A* ANTOINETTE.) Oui, le lendemain
de notre mariage, je vous sacrifiais, par forfanterie,[6] à une femme qui ne vous
vaut pas. C'était trop peu de votre jeunesse, de votre grâce, de votre pureté: 15
pour éclairer ce cœur aveugle, il vous a fallu en un jour me sauver deux
fois l'honneur. Quelle âme assez basse pour résister à tant de dévouement?
et que prouve mon amour, qui puisse me relever [7] à vos yeux? En vous
aimant, je fais ce que tout homme ferait à ma place; en vous méconnaissant,[8]
je fais ce que n'eût fait personne. Vous avez raison, madame, méprisez un 20
cœur indigne de vous; j'ai tout perdu, jusqu'au droit de me plaindre, et je
ne me plains pas. . . . Viens, Hector.

Le Duc. Attends. . . . Savez-vous, où il va, madame? Sur le terrain.[9]

Verdelet et Antoinette. Sur le terrain?

Gaston. Que fais-tu?   25

Le Duc. Puisque ta femme ne t'aime plus, on peut bien lui dire. . . . Oui,
madame, il va se battre.

Antoinette. Ah! Tony, sa vie est en danger. . . .

Le Duc. Que vous importe, madame? Tout n'est-il pas rompu entre
vous?   30

---

1. *without blemish.* **2.** *accidents.* **3.** follement. **4.** *has the better of.* **5.** *bargain.*
6. *swagger (just to flout decency of behavior).* **7.** *to rehabilitate me.* **8.** *failing to appreciate.*
9. *duelling ground.*

Antoinette. Oui, oui, je le sais, tout est rompu.... Monsieur de Presles peut disposer de sa vie.... Il ne me doit plus rien....

Le Duc. (*A* GASTON) Allons, viens.... (*Ils vont jusqu'à la porte.*)

Antoinette. Gaston!

Le Duc. Tu vois bien qu'elle t'aime encore!   35

Gaston. (*Se jetant à ses pieds*) Ah! madame, s'il est vrai, si je ne suis pas sorti tout à fait de votre cœur, dites un mot... donnez-moi le désir de vivre. (*Entre* POIRIER.)

SCÈNE IV

LES MÊMES, POIRIER

Poirier. Qu'est-ce que vous faites donc là, monsieur le marquis?

Antoinette. Il va se battre!

Poirier. Un duel! cela t'étonne? Les maîtresses, les duels, tout cela se tient. Qui a terre a guerre.[1]

Antoinette. Que voulez-vous dire, mon père?... Supposeriez-vous...?[2] 5

Poirier. J'en mettrais ma main au feu.[3]

Antoinette. Ce n'est pas vrai, n'est-ce pas, monsieur? Vous ne répondez pas?

Poirier. Crois-tu qu'il aura la franchise de l'avouer?

Gaston. Je ne sais pas mentir, madame. Ce duel est tout ce qui reste d'un passé odieux.[4]   10

Poirier. Il a l'impudence d'en convenir![5] Quel cynisme!

Antoinette. Et on me dit que vous m'aimez!... Et j'étais prête à vous pardonner au moment où vous alliez vous battre pour votre maîtresse!... On faisait de cette dernière offense un piège[6] à ma faiblesse.... Ah! monsieur le duc!   15

Le Duc. Il vous l'a dit, madame, ce duel est le reliquat[7] d'un passé qu'il déteste et qu'il voudrait anéantir.[8]

Verdelet. (*Au* MARQUIS) Eh bien, monsieur, c'est bien simple; si vous n'aimez plus madame de Montjay, ne vous battez pas pour elle.

Gaston. Quoi! monsieur, faire des excuses!   20

Verdelet. Il s'agit de donner à Antoinette une preuve de votre sincérité; c'est la seule que vous puissiez lui offrir. Le sacrifice qu'on vous demande est très grand, je le sais; mais, s'il l'était moins, pourrait-il racheter vos torts?[9]

Poirier. (*A part*) Voilà cet imbécile qui va les raccommoder,[10] maintenant!

Gaston. Je ferais avec joie le sacrifice de ma vie pour réparer mes fautes, 25 mais celui de mon honneur, la marquise de Presles ne l'accepterait pas.

Antoinette. Et si vous vous trompiez, monsieur? si je vous le demandais?

Gaston. Quoi! madame, vous exigeriez?...

---

1. (lit., *he who has lands has wars*). *Every privilege has its obligations.*   **2.** *Do you mean (that it is for M me de M ontjay)?*   **3.** *I am sure of it.* (lit., *I'd put my hand in the fire (to prove it)) — Allusion to the ordeal by fire.*   **4.** *hateful.*   **5.** admettre.   **6.** *snare.*   **7.** *remnant.*
8. annihiler.   **9.** racheter ...: *make up for your misdeeds.*   **10.** réconcilier.

Antoinette. Que vous fassiez pour moi presque autant que pour madame de Montjay? Oui, monsieur. Vous consentiez pour elle à renier [1] le passé 30 de votre famille, et vous ne renonceriez pas pour moi à un duel . . . à un duel qui m'offense? Comment croirai-je à votre amour, s'il est moins fort que votre vanité?

Poirier. D'ailleurs, vous serez bien avancé quand vous aurez attrapé un mauvais coup! [2] Croyez-moi, prudence est mère de sûreté.   35

Verdelet. (*A part*) Vieux serpent!

Gaston. Voilà ce qu'on dirait, madame.

Antoinette. Qui oserait douter de votre courage? N'avez-vous pas fait vos preuves?

Poirier. Et que vous importe l'opinion d'un tas de godelureaux? [3] Vous 40 aurez l'estime de mes amis, cela doit vous suffire.

Gaston. Vous le voyez, madame, on rirait de moi, vous n'aimeriez pas longtemps un homme ridicule.

Le Duc. Personne ne rira de toi. C'est moi qui porterai tes excuses sur le terrain, et je te promets qu'elles n'auront rien de plaisant. [4]   45

Gaston. Comment! tu es aussi d'avis . . .?

Le Duc. Oui, mon ami: ton duel n'est pas de ceux qu'il ne faut pas arranger, et le sacrifice dont se contente ta femme ne touche qu'à ton amour-propre. [5]

Gaston. Des excuses, sur le terrain! . . .

Poirier. J'en ferais, moi. . . .   50

Verdelet. Décidément, Poirier, tu veux forcer ton gendre à se battre?

Poirier. Moi? Je fais tout ce que je peux pour l'en empêcher. [6]

Le Duc. Allons, Gaston, tu n'as pas le droit de refuser cette marque d'amour à ta femme.

Gaston. Eh bien! . . . non! c'est impossible.   55

Antoinette. Mon pardon est à ce prix.

Gaston. Reprenez-le donc, madame, je ne porterai pas loin mon désespoir.

Poirier. Ta ra ta ta. Ne l'écoute pas, fifille; quand il aura l'épée à la main, il se défendra malgré lui.

Antoinette. Si madame de Montjay vous défendait de vous battre, vous 60 lui obéiriez. Adieu.

Gaston. Antoinette . . . au nom du ciel! . . .

Le Duc. Elle a mille fois raison.

Gaston. Des excuses! moi!

Antoinette. Ah! vous n'avez que de l'orgueil! [7]   65

Le Duc. Voyons, Gaston, fais-toi violence. Je te jure que moi, à ta place, je n'hésiterais pas.

Gaston. Eh bien. . . . A un Pontgrimaud! [8] . . . Va sans moi. (*Il tombe dans un fauteuil.*)

1. *disown.*   2. *When you get hurt.*   3. *fops.*   4. *funny.*   5. *pride.*   6. *prevent.*
7. *pride.*   8. *to a (contemptible fellow such as) P.!*

Le Duc. (*A* ANTOINETTE). Eh bien! madame, êtes-vous contente de lui? 70

Antoinette. Oui, Gaston, tout est réparé. Je n'ai plus rien à vous pardonner, je vous crois, je suis heureuse, je vous aime. (*Elle lui prend la tête dans ses mains et l'embrasse au front.*) Et, maintenant, va te battre, va!...

Gaston. (*Bondissant* [1]) Oh! chère femme, tu as le cœur de ma mère!

Antoinette. Celui de la mienne, monsieur. . . .   75

Poirier. (*A part*) Que les femmes sont bêtes, mon Dieu!

Gaston. (*Au* DUC) Allons vite! nous arriverons les derniers.

Antoinette. Vous tirez bien l'épée,[2] n'est-ce pas?

Le Duc. Comme Saint-Georges,[3] madame, et un poignet d'acier![4] Monsieur Poirier, priez pour Pontgrimaud.   80

Antoinette. (*A* GASTON) N'allez pas tuer ce pauvre jeune homme, au moins.

Gaston. Il en sera quitte pour une égratignure,[5] puisque tu m'aimes. Partons, Hector. (*Entre un* DOMESTIQUE *avec une lettre sur un plat d'argent.*)

Antoinette. Encore une lettre?   85

Gaston. Ouvrez-la vous-même.

Antoinette. C'est la première, monsieur.

Gaston. Oh! j'en suis sûr.

Antoinette. (*Ouvre la lettre*) C'est M. de Pontgrimaud.

Gaston. Bah![6]   90

Antoinette. (*Lisant*) « Mon cher marquis, Nous avons fait tous les deux nos preuves. Je n'hésite donc pas à vous dire que je regrette un moment de vivacité[7] . . . »

Gaston. Oui, de ma part.

Antoinette. « Vous êtes le seul homme du monde à qui je consentisse à 95 faire des excuses. Et je ne doute pas que vous ne les acceptiez aussi galamment qu'elles vous sont faites. »

Gaston. Ni plus ni moins.

Antoinette. « Tout à vous de cœur, Vicomte de Pontgrimaud. »

Le Duc. Il n'est pas vicomte, il n'a pas de cœur, il n'a pas de Pont; mais il est Grimaud,[8] sa lettre finit bien.   101

Verdelet. (*A* GASTON) Tout s'arrange pour le mieux, mon cher enfant: j'espère que vous voilà corrigé?

Gaston. A tout jamais,[9] cher monsieur Verdelet. A partir d'aujourd'hui, j'entre dans la vie sérieuse et calme; et pour rompre irrévocablement avec les folies de mon passé, je vous demande une place dans vos bureaux.   106

Verdelet. Dans mes bureaux! vous? un gentilhomme?

Gaston. Ne dois-je pas nourrir ma femme?

Verdelet. C'est bien, monsieur le marquis.

---

1. *Starting (in joyful surprise).* **2.** *You are a good swordsman?* **3.** allusion à Saint Georges, vainqueur du Dragon. **4.** *a wrist firm as steel.* **5.** *He will get off with a mere scratch.* **6.** *You don't say so!* **7.** *temper.* **8.** *scribbler.* **9.** *For all time.*

Poirier. C'est très bien, mon gendre; voilà des sentiments véritablement libéraux. Vous étiez digne d'être un bourgeois; nous pouvons nous entendre. Faisons la paix et restez chez moi. 112

Gaston. Faisons la paix, je le veux bien, monsieur. Quant à rester ici, c'est autre chose. Vous m'avez fait comprendre le bonheur du charbonnier [1] qui est maître chez lui. Je ne vous en veux pas, mais je m'en souviendrai. 115

Poirier. Et vous emmenez ma fille? vous me laissez seul dans mon coin?

Antoinette. J'irai vous voir souvent, mon père.

Gaston. Et vous serez toujours le bienvenu chez moi.

Poirier. Ma fille va être la femme d'un commis-marchand! [2] 119

Verdelet. Non, Poirier; ta fille sera châtelaine de Presles. Le château est vendu depuis ce matin, et, avec la permission de ton mari, Toinon, ce sera mon cadeau de noces.[3]

Antoinette. Bon Tony!... Vous me permettez d'accepter, Gaston?

Gaston. Monsieur Verdelet est de ceux envers qui la reconnaissance [4] est douce. 125

Verdelet. Je quitte le commerce, — je me retire chez vous, monsieur le marquis, si vous le trouvez bon, et nous cultiverons vos terres ensemble: c'est un métier de gentilhomme.

Poirier. Eh bien, et moi? on ne m'invite pas?... Tous les enfants sont des ingrats, mon pauvre père avait raison. 130

Verdelet. Achète une propriété,[5] et viens vivre auprès d'eux.

Poirier. Tiens, c'est une idée.

Verdelet. Pardieu! tu n'as que cela à faire: car tu es guéri de ton ambition, je pense. 134

Poirier. Oui, oui. (*A part*) Nous sommes en quarante-six; je serai député de l'arrondissement de Presles en quarante-sept, et pair de France en quarante-huit.[6]

1. allusion au proverbe: « Charbonnier est maître chez lui » (charbonnier = *charcoalburner, a poor man*). 2. *merchant's clerk.* 3. *wedding present.* 4. gratitude. 5. *estate.* 6. En 1848, il y eut une révolution et la Chambre des Pairs fut abolie.

L'ATTAQUE DU MOULIN

par ÉMILE ZOLA

(1840–1902)

La vie de Zola fut une suite ininterrompue d'efforts, de débats, de déceptions et de triomphes. Fils d'un ingénieur italien établi en France et d'une mère provençale, il eut dans le Midi une enfance libre et heureuse. Mais, son père mort, il vint achever ses études à Paris et y vécut courageusement dans une noire misère, rêvant le succès et la gloire. La grande librairie Hachette lui confia son service de la Presse: il fut ainsi mis en rapport avec les journaux et leur envoya des articles qui firent sensation, ceux surtout où il défendait l'impressionniste Édouard Manet.

Rédacteur au *Figaro* et au *Messager de Moscou*, il poursuivit sa carrière de démolisseur des gloires littéraires les mieux établies. Il souleva ainsi des tempêtes de jalousies et de haines qui le réjouissaient parce qu'elles lui faisaient de la publicité. De 1864 à 1868, il publia ses *Contes à Ninon* et trois romans dont l'un (*Thérèse Raquin*) offrait une saisissante peinture de l'obsession du remords et le classait parmi les écrivains de marque.

C'est alors qu'il conçut et exécuta (1871–1893) la grande œuvre naturaliste à laquelle son nom reste attaché: *Les Rougon-Macquart, histoire naturelle et sociale d'une famille sous le second Empire*. Elle comprend vingt volumes dont plusieurs (*L'Assommoir, Nana*, etc.) firent scandale. Il y conte l'histoire d'une famille issue d'une femme névrosée dont, fatalement, la lésion organique exercera une influence grave et diverse sur tous ses descendants, ce qui permet à l'auteur de peindre tous les mondes où vivent ces descendants. Zola applique, dans cette nouvelle *Comédie Humaine*, sa théorie du *Naturalisme* qu'il a promulguée et défendue en maints ouvrages de polémique. Il prétend transférer au roman les procédés de la science expérimentale et, faisant œuvre de savant, il revendique le droit de tout dire et tout peindre sans se préoccuper de la morale et de la décence.

Cette épopée pessimiste des *Rougon-Macquart* est une œuvre monumentale où l'auteur voit surtout l'*extérieur* de ses personnages et se plaît à en révéler les difformités. Zola manque de psychologie, mais c'est un puissant créateur. Il donne une âme aux choses, il en fait des symboles où palpite une vie intense. Malgré ses prétentions à la science, il est resté romantique. N'a-t-il pas dit: « J'ai trop trempé dans la mixture romantique? » *Les Rougon-Macquart* obtinrent un énorme succès en France et à l'étranger.

Ce n'est plus le pur naturaliste, c'est presque un poète que l'on trouve dans ses derniers romans: *Rome, Paris, Lourdes*, et les quatre Évangiles: *Fécondité, Travail, Vérité, Justice*.

Toujours prêt à combattre, Zola prit hardiment la défense de l'accusé dans la fameuse Affaire Dreyfus qui divisa la France pendant de longues années. Il mourut, asphyxié, avant d'avoir vu le triomphe de cette cause qui fut sa passion suprême.

L'Attaque du Moulin est une des nouvelles qui composent le volume des *Soirées de Médan*, auquel collaborèrent plusieurs amis et disciples du maître, habitués de sa maison. Alfred Bruneau la mit en musique, comme il l'avait fait pour *Le Rêve* du même auteur: elle fut très applaudie à l'Opéra.

CHAPITRE I

Le moulin[1] du père[2] Merlier, par cette belle soirée d'été, était en grande fête. Dans la cour, on avait mis trois tables, placées bout à bout, et qui attendaient les convives.[3] Tout le pays[4] savait qu'on devait fiancer, ce jour-là, la fille Merlier, Françoise, avec Dominique, un garçon qu'on accusait de fainéantise,[5] mais que les femmes, à trois lieues à la ronde,[6] regardaient 5 avec des yeux luisants,[7] tant il avait bon air.[8]

Ce moulin du père Merlier était une vraie gaieté. Il se trouvait juste au milieu de Rocreuse, à l'endroit où la grand'route fait un coude.[9] Le village n'a qu'une rue, deux files[10] de masures,[11] une file à chaque bord de la route; mais là, au coude, des prés[12] s'élargissent,[13] de grands arbres, qui suivent le 10 cours de la Morelle, couvrent le fond de la vallée d'ombrages[14] magnifiques.

Il n'y a pas, dans toute la Lorraine,[15] un coin[16] de nature plus adorable. A droite et à gauche, des bois épais, des futaies[17] séculaires[18] montent des pentes[19] douces, emplissent[20] l'horizon d'une mer de verdure; tandis que, vers le midi, la plaine s'étend,[21] d'une fertilité merveilleuse, déroulant à l'infini 15 des pièces de terre[22] coupées[23] de haies vives.[24]

Mais ce qui fait surtout le charme de Rocreuse, c'est la fraîcheur de ce trou de verdure,[25] aux journées les plus chaudes de juillet et d'août. La Morelle descend des bois de Gagny, et il semble qu'elle prenne le froid des feuillages sous lesquels elle coule pendant des lieues; elle apporte les bruits murmurants, 20 l'ombre glacée[26] et recueillie[27] des forêts.

Et elle n'est point la seule fraîcheur: toutes sortes d'eaux courantes chantent sous les bois; à chaque pas, des sources jaillissent[28]; on sent, lorsqu'on suit les étroits[29] sentiers,[30] comme des lacs souterrains qui percent sous la mousse et profitent des moindres fentes[31] au pied des arbres, entre les 25 roches, pour s'épancher[32] en fontaines cristallines. Les voix chuchotantes[33] de ces ruisseaux s'élèvent si nombreuses et si hautes, qu'elles couvrent[34] le chant des bouvreuils.[35] On se croirait dans quelque parc enchanté, avec des cascades tombant de toutes parts.

En bas, les prairies[36] sont trempées.[37] Des marronniers[38] gigantesques font 30 des ombres noires. Au bord des prés, de longs rideaux de peupliers[39] alignent

1. *mill.*   2. *old, old man.*   3. *guests.*   4. environs; *district.*   5. *paresse.*   6. (lit., *three leagues round*): *ten miles round.*   7. *shining.*   8. avait bon air: était beau, bien fait. 9. (lit., *elbow*): *bend.*   10. lignes.   11. petites maisons en mauvais état.   12. *meadows.* 13. *broaden out.*   14. *shady places.*   15. Province française dont une partie fut cédée à l'Allemagne à la conclusion de la guerre de 1870, mais reprise après la guerre mondiale. 16. *nook.*   17. forêts de grands arbres.   18. âgées de cent ans et plus.   19. *slopes.* 20. *fill.*   21. *spreads out.*   22. pièces de terre; champs.   23. séparées par.   24. *quickset hedges.*   25. trou de verdure: *verdant hollow.*   26. très froide; *Cf.* Angl., *glacier, glacial.* 27. calme, tranquille.   28. *gush forth.*   29. *narrow.*   30. petits chemins.   31. plus petites crevasses.   32. *overflow.*   33. *whispering.*   34. *drown, overpower.*   35. *bullfinches.* 36. *meadows* (not *prairies*).   37. saturées.   38. *horse-chestnut trees.*   39. rideaux de peupliers: On trouve un peu partout en France, plantés au bord des ruisseaux, des rangées de peupliers (*poplars*) qui servent à protéger les cultures contre les vents (*winds*). Vues d'un certain angle, ces rangées de peupliers ont l'aspect d'immenses rideaux (*curtains*).

leurs tentures bruissantes.[1] Il y a deux avenues d'énormes platanes [2] qui montent, à travers champs, vers l'ancien château de Gagny, aujourd'hui en ruines.

Dans cette terre continuellement arrosée,[3] les herbes grandissent démesurément.[4] C'est comme un fond de parterre [5] entre les deux coteaux boisés,[6] mais de parterre naturel, dont les prairies sont les pelouses,[7] et dont les arbres géants dessinent les colossales corbeilles.[8] Quand le soleil, à midi, tombe d'aplomb,[9] les ombres bleuissent, les herbes allumées [10] dorment dans la chaleur, tandis qu'un frisson [11] glacé passe sous les feuillages.

Et c'était là que le moulin du père Merlier égayait [12] de son tic-tac un coin de verdures folles.[13] La bâtisse,[14] faite de plâtre et de planches,[15] semblait vieille comme le monde. Elle trempait à moitié dans la Morelle,[16] qui arrondit à cet endroit un clair bassin.[17] Une écluse [18] était ménagée,[19] la chute tombait de quelques mètres sur la roue du moulin, qui craquait [20] en tournant, avec la toux [21] asthmatique d'une fidèle servante vieillie dans la maison.

Quand on conseillait au père Merlier de la changer, il hochait [22] la tête en disant qu'une jeune roue serait plus paresseuse et ne connaîtrait pas si bien le travail; et il raccommodait [23] l'ancienne avec tout ce qui lui tombait sous la main, des douves [24] de tonneau,[25] des ferrures [26] rouillées,[27] du zinc, du plomb. La roue en paraissait plus gaie, avec son profil devenu étrange, toute empanachée [28] d'herbes et de mousses. Lorsque l'eau la battait de son flot [29] d'argent, elle se couvrait de perles, on voyait passer [30] son étrange carcasse sous une parure [31] éclatante [32] de colliers de nacre.[33]

La partie du moulin qui trempait [34] ainsi dans la Morelle, avait l'air d'une arche [35] barbare, échouée [36] là. Une bonne moitié du logis [37] était bâtie sur des pieux.[38] L'eau entrait sous le plancher, il y avait des trous, bien connus dans le pays pour les anguilles [39] et les écrevisses [40] énormes qu'on y prenait. En dessous de la chute, le bassin était limpide comme un miroir, et lorsque la roue ne le troublait pas de son écume,[41] on apercevait des bandes de gros poissons qui nageaient avec des lenteurs d'escadre.[42]

Un escalier rompu descendait à la rivière, près d'un pieu où était amarrée [43] une barque.[44] Une galerie de bois passait au-dessus de la roue. Des fenêtres s'ouvraient, percées [45] irrégulièrement. C'était un pêle-mêle d'encoignures,[46] de petites murailles,[47] de constructions ajoutées après coup,[48] de poutres [49] et de toitures [50] qui donnaient au moulin un aspect d'ancienne citadelle dé-

---

1. *rustling tapestries.* **2.** *plane trees.* **3.** *watered.* **4.** excédant la *mesure* ordinaire; abondamment, à profusion. **5.** jardin. **6.** petites montagnes couvertes d'arbres. **7.** *lawns.* **8.** *flower beds.* **9.** verticalement. **10.** *sun-lit.* **11.** *shiver, shudder.* **12.** rendait gai. **13.** sauvages, pas cultivées. **14.** mâçonnerie. **15.** *planks.* **16.** Elle trempait . . . Morelle: *Half of it was built over the Morelle.* **17.** arrondit . . . bassin: forme un bassin rond. **18.** *dam.* **19.** *built.* **20.** se rapporte au bruit que faisait la roue, donc: *creaked*, pas *cracked.* **21.** *cough.* **22.** *shook.* **23.** réparait. **24.** *staves.* **25.** *barrel.* **26.** *iron fittings: odds and ends of iron.* **27.** *rusty.* **28.** comme ornée de plumes. **29.** *flow, stream.* **30.** passer (en tournant). **31.** *attire.* **32.** brillante. **33.** colliers de nacre: *necklaces of mother-of-pearl.* **34.** *steeped.* **35.** *ark* (not *arch*). **36.** *stranded, run aground.* **37.** habitation. **38.** *stakes, piles.* **39.** *eels.* **40.** *crayfish.* **41.** *foam.* **42.** avec . . . escadre: *stately as ships.* **43.** (en parlant d'un bateau): attachée. **44.** petit bateau. **45.** (en parlant de portes ou *f*enêtres): placées dans un mur. **46.** angles. **47.** murs. **48.** après que le reste fut bâti. **49.** *beams.* **50.** *roofs.*

mantelée. Mais des lierres [1] avaient poussé,[2] toutes sortes de plantes grim-
pantes [3] bouchaient [4] les crevasses trop grandes et mettaient un manteau
vert à la vieille demeure.[5] Les demoiselles qui passaient dessinaient sur leurs
albums le moulin du père Merlier.

Du côté de la route, la maison était plus solide. Un portail [6] en pierre 5
s'ouvrait sur la grande cour, que bordaient à droite et à gauche des hangars [7]
et des écuries.[8] Près d'un puits,[9] un orme [10] immense couvrait de son ombre
la moitié de la cour. Au fond, la maison alignait les quatre fenêtres de son
premier étage,[11] surmonté d'un colombier.[12] La seule coquetterie [13] du père
Merlier était de faire badigeonner [14] cette façade tous les dix ans. Elle venait 10
justement d'être blanchie, et elle éblouissait [15] le village, lorsque le soleil
l'allumait, au milieu du jour.

Depuis vingt ans, le père Merlier était maire de Rocreuse. On l'estimait
pour la fortune qu'il avait su [16] faire. On lui donnait [17] quelque chose comme
quatre-vingt mille francs, amassés sou à sou. Quand il avait épousé Madeleine 15
Guillard, qui lui apportait en dot [18] le moulin, il ne possédait guère que ses
deux bras. Mais Madeleine ne s'était jamais repentie de son choix, tant il
avait su mener gaillardement [19] les affaires du ménage.[20]

Aujourd'hui, la femme était défunte, il restait veuf avec sa fille Françoise.
Sans doute, il aurait pu se reposer, laisser la roue du moulin dormir dans la 20
mousse; mais il se serait trop ennuyé, et la maison lui aurait semblé morte.
Il travaillait toujours, pour le plaisir. Le père Merlier était alors un grand
vieillard, à longue figure silencieuse, qui ne riait jamais, mais qui était tout
de même très gai en dedans. On l'avait choisi pour maire, à cause de son
argent, et aussi pour le bel air [21] qu'il savait prendre, lorsqu'il faisait un ma- 25
riage.[22]

Françoise Merlier venait d'avoir dix-huit ans. Elle ne passait pas pour
une des belles filles du pays, parce qu'elle était chétive.[23] Jusqu'à quinze ans,
elle avait même été laide.[24] On ne pouvait pas comprendre, à Rocreuse, comment la fille du père et de la mère Merlier, tous deux si bien plantés,[25] poussait 30
mal et d'un air de regret.[26] Mais à quinze ans, tout en restant délicate, elle
prit une petite figure,[27] la plus jolie du monde. Elle avait des cheveux noirs,
des yeux noirs, et elle était toute rose avec ça; une bouche qui riait toujours,
des trous [28] dans les joues, un front clair où il y avait comme une couronne de
soleil.

35

Quoique chétive pour le pays, elle n'était pas maigre, loin de là; on voulait

---

1. *ivy.*   **2.** *grown.*   **3.** *climbing.*   **4.** remplissaient.   **5.** *dwelling.*   **6.** grande porte
d'entrée.   **7.** *sheds.*   **8.** *stables.*   **9.** *well.*   **10.** *elm.*   **11.** premier étage: *second story.*
12. pigeonnier; endroit où l'on élève des pigeons.   **13.** vanité.   **14.** blanchir à la chaux
(*lime*).   **15.** *dazzled.*   **16.** avait réussi à.   **17.** attribuait, devinait qu'il avait.   **18.** argent
ou biens qu'une femme apporte en mariage.   **19.** joyeusement, avec courage.   **20.** *household.*   **21.** dignité.   **22.** En France, les mariages se font devant le maire; le mariage civil
doit précéder le mariage religieux.   **23.** pas robuste.   **24.** *plain, homely.*   **25.** bien faits,
robustes.   **26.** d'un air de regret: à contre cœur, comme si elle ne le désirait pas.   **27.** visage.
28. fossettes; *dimples.*

dire simplement qu'elle n'aurait pas pu lever un sac de blé; mais elle devenait toute potelée [1] avec l'âge, elle devait finir [2] par être ronde et friande comme une caille.[3] Seulement, les longs silences de son père l'avaient rendue raisonnable très jeune. Si elle riait toujours, c'était pour faire plaisir aux autres. Au fond, elle était sérieuse.

Naturellement, tout le pays la courtisait, plus encore pour ses écus [4] que pour sa gentillesse.[5] Et elle avait fini par faire un choix, qui venait de scandaliser la contrée.[6] De l'autre côté de la Morelle, vivait un grand garçon, que l'on nommait Dominique Penquer. Il n'était pas de Rocreuse. Dix ans auparavant, il était arrivé de Belgique, pour hériter d'un oncle, qui possédait un petit bien,[7] sur la lisière [8] même de la forêt de Gagny, juste en face du moulin, à quelques portées de fusil.[9]

Il venait pour vendre ce bien, disait-il, et retourner chez lui. Mais le pays le charma, paraît-il, car il n'en bougea plus. On le vit cultiver son bout de champ,[10] récolter [11] quelques légumes dont il vivait. Il pêchait,[12] il chassait; plusieurs fois, les gardes [13] faillirent le prendre et lui dresser des procès-verbaux.[14] Cette existence libre, dont les paysans ne s'expliquaient pas bien les ressources, avait fini par lui donner un mauvais renom.[15] On le traitait [16] vaguement de braconnier.[17] En tous cas, il était paresseux, car on le trouvait souvent endormi dans l'herbe, à des heures où il aurait dû travailler.

La masure qu'il habitait, sous les derniers arbres de la forêt, ne semblait pas non plus [18] la demeure d'un honnête garçon. Il aurait eu un commerce avec les loups des ruines de Gagny, que cela n'aurait point surpris les vieilles femmes. Pourtant, les jeunes filles, parfois, se hasardaient [19] à le défendre, car il était superbe, cet homme louche,[20] souple et grand comme un peuplier, très blanc de peau, avec une barbe et des cheveux blonds qui semblaient de l'or au soleil. Or, un beau matin, Françoise avait déclaré au père Merlier qu'elle aimait Dominique et que jamais elle ne consentirait à épouser un autre garçon.

On pense quel coup de massue [21] le père Merlier reçut, ce jour-là! Il ne dit rien, selon son habitude. Il avait son visage réfléchi [22]; seulement, sa gaieté intérieure ne luisait plus dans ses yeux. On se bouda [23] pendant une semaine. Françoise, elle aussi, était toute grave. Ce qui tourmentait le père Merlier, c'était de savoir comment ce gredin [24] de braconnier avait bien [25] pu ensorceler [26] sa fille. Jamais Dominique n'était venu au moulin. Le meunier guetta [27] et il aperçut le galant,[28] de l'autre côté de la Morelle, couché dans l'herbe et

---

1. *chubby.*   **2.** devait finir: finirait certainement.   **3.** friande . . . caille: *as dainty a morsel as a quail.*   **4.** argent, fortune.   **5.** *prettiness* (not *gentleness*).   **6.** pays autour (de Rocreuse).   **7.** propriété, terre.   **8.** bord.   **9.** portée de fusil: distance qu'une balle de fusil porte (*travels*).   **10.** bout de champ: petit champ.   **11.** *harvest, gather.*   **12.** *fished.* **13.** *game keepers.*   **14.** *summons.*   **15.** réputation.   **16.** appelait.   **17.** *poacher.*   **18.** *either.* **19.** s'aventuraient à, étaient assez courageuses pour.   **20.** suspect, qui n'inspire pas confiance.   **21.** *bludgeon.*   **22.** méditatif.   **23.** se montra de la mauvaise humeur (par le silence, une expression peu aimable, etc.).   **24.** *rascal.*   **25.** (how) on earth, (how) in the world. **26.** *bewitch.*   **27.** observa en secret.   **28.** l'amoureux.

feignant de dormir. Françoise, de sa chambre, pouvait le voir. La chose était claire, ils avaient dû s'aimer, en se faisant les doux yeux par-dessus la roue du moulin.

Cependant, huit autres jours s'écoulèrent.[1] Françoise devenait de plus en plus grave. Le père Merlier ne disait toujours rien. Puis, un soir, silencieuse- 5 ment, il amena lui-même Dominique. Françoise, justement,[2] mettait la table. Elle ne parut pas étonnée, elle se contenta [3] d'ajouter un couvert; seulement, les petits trous de ses joues venaient de se creuser [4] de nouveau, et son rire avait reparu.

Le matin, le père Merlier était allé trouver Dominique dans sa masure, 10 sur la lisière du bois. Là, les deux hommes avaient causé pendant trois heures, les portes et les fenêtres fermées. Jamais personne n'a su ce qu'ils avaient pu se dire. Ce qu'il y a de certain, c'est que le père Merlier en sortant traitait déjà Dominique comme son fils. Sans doute, le vieillard avait trouvé le garçon qu'il était allé chercher, un brave garçon, dans ce paresseux qui se 15 couchait sur l'herbe pour se faire aimer des filles.

Tout Rocreuse clabauda.[5] Les femmes, sur les portes, ne tarissaient [6] pas au sujet de la folie du père Merlier, qui introduisait ainsi chez lui un garnement.[7] Il laissa dire. Peut-être s'était-il souvenu de son propre mariage. Lui non plus ne possédait pas un sou vaillant,[8] lorsqu'il avait épousé Madeleine 20 et son moulin; cela pourtant ne l'avait point empêché de faire un bon mari.

D'ailleurs, Dominique coupa court aux cancans,[9] en se mettant si rude- ment [10] à la besogne,[11] que le pays en fut émerveillé. Justement [12] le garçon du moulin était tombé au sort,[13] et jamais Dominique ne voulut qu'on en engageât un autre. Il porta les sacs, conduisit la charrette, se battit avec la vieille roue, 25 quand elle se faisait prier [14] pour tourner, tout cela d'un tel cœur,[15] qu'on venait le voir par plaisir. Le père Merlier avait son rire silencieux. Il était très fier d'avoir deviné [16] ce garçon. Il n'y a rien comme l'amour pour donner du courage aux jeunes gens.

Au milieu de toute cette grosse besogne, Françoise et Dominique s'adoraient. 30 Ils ne se parlaient guère, mais ils se regardaient avec une douceur souriante. Jusque-là, le père Merlier n'avait pas dit un seul mot au sujet du mariage; et tous deux respectaient ce silence, attendant la volonté du vieillard. Enfin, un jour, vers le milieu de juillet, il avait fait mettre trois tables dans la cour, sous le grand orme, en invitant ses amis de Rocreuse à venir le soir boire un 35 coup [17] avec lui. Quand la cour fut pleine et que tout le monde eut le verre en main, le père Merlier leva le sien très haut, en disant:

---

1. passèrent. **2.** à ce moment-là. **3.** contenta de: *she just.* **4.** venaient de se creuser: étaient revenus, avaient reparu. **5.** *chattered, tittle-tattled.* **6.** cessaient, finis- saient (de clabauder). **7.** *good-for-nothing fellow.* **8.** un sou vaillant: *red cent.* **9.** *tittle- tattle.* **10.** courageusement (not *rudely*). **11.** travail. **12.** *it so happened that.* **13.** tombé au sort: était tombé sur un mauvais numéro en tirant au sort. *The army, in those days, was recruited by drawing lots* (le tirage au sort). *Those who drew "good" numbers were not called to the colors.* **14.** se faisait prier: hésitait à, refusait de. **15.** si volontiers, avec tant de courage. **16.** *fathomed.* **17.** boire un coup: *have a drink; empty a glass.*

— C'est pour avoir le plaisir de vous annoncer que Françoise épousera ce gaillard-là dans un mois, le jour de la Saint-Louis.[1]

Alors, on trinqua[2] bruyamment. Tout le monde riait. Mais le père Merlier haussant[3] la voix, dit encore:

— Dominique, embrasse ta promise. Ça se doit.[4]   5

Et ils s'embrassèrent, très rouges, pendant que l'assistance riait plus fort. Ce fut une vraie fête. On vida un petit tonneau. Puis, quand il n'y eut là que les amis intimes, on causa d'une façon calme. La nuit était tombée, une nuit étoilée et très claire. Dominique et Françoise, assis sur un banc, l'un près de l'autre, ne disaient rien. Un vieux paysan parlait de la guerre que 10 l'empereur avait déclarée à la Prusse. Tous les gars[5] du village étaient déjà partis. La veille,[6] des troupes avaient encore passé. On allait se cogner dur.[7]

— Bah ! dit le père Merlier avec l'égoïsme d'un homme heureux, Dominique est étranger, il ne partira pas.... Et si les Prussiens venaient, il serait là pour défendre sa femme.   15

Cette idée que les Prussiens pouvaient venir parut une bonne plaisanterie. On allait leur flanquer une raclée soignée,[8] et ce serait vite fini.

— Je les ai déjà vus, je les ai déjà vus, répéta d'une voix sourde le vieux paysan.

Il y eut un silence. Puis, on trinqua une fois encore. Françoise et Domi- 20 nique n'avaient rien entendu; ils s'étaient pris doucement la main, derrière le banc, sans qu'on pût les voir, et cela leur semblait si bon, qu'ils restaient là, les yeux perdus au fond des ténèbres.[9]

Quelle nuit tiède[10] et superbe ! Le village s'endormait aux deux bords de la route blanche, dans une tranquillité d'enfant. On n'entendait plus, de 25 loin en loin,[11] que le chant de quelque coq éveillé trop tôt. Des grands bois voisins, descendaient de longues haleines[12] qui passaient sur les toitures comme des caresses. Les prairies, avec leurs ombrages noirs, prenaient une majesté mystérieuse et recueillie,[13] tandis que toutes les sources, toutes les eaux courantes qui jaillissaient dans l'ombre, semblaient être la respiration 30 fraîche et rythmée de la campagne endormie.

Par instants, la vieille roue du moulin, ensommeillée,[14] paraissait rêver comme ces vieux chiens de garde qui aboient en ronflant; elle avait des craquements, elle causait toute seule, bercée[15] par la chute de la Morelle, dont la nappe[16] rendait le son musical et continu d'un tuyau d'orgues.[17] 35 Jamais une paix plus large n'était descendue sur un coin plus heureux de la nature.

---

1. la (fête de) Saint-Louis (25 août). **2.** *clinked glasses.* **3.** élevant; *raising.* **4.** Ça se doit: Ça doit se faire; c'est la coutume qu'il faut suivre. **5.** (*prononcer* gɑ:): jeunes hommes. **6.** jour précédent. **7.** on allait . . . dur: *there was going to be some hard hitting.* **8.** flanquer . . . soignée: (*familier*): *"give them a jolly good thrashing."* **9.** nuit noire. **10.** ni froide ni chaude; douce. **11.** de loin en loin, (*se rapporte ici au temps*): *at intervals.* **12.** *breaths, breezes.* **13.** calme. **14.** lourde de sommeil; *sleepy.* **15.** lit., *rocked* (*in a cradle*): *soothed.* **16.** *sheet* (*of water*). *The word evokes the smooth surface of the water falling over the dam.* **17.** tuyau d'orgues: *organ pipe*

CHAPITRE II

Un mois plus tard, jour pour jour, juste la veille de la Saint-Louis, Rocreuse était dans l'épouvante.[1] Les Prussiens avaient battu l'empereur et s'avançaient à marches forcées vers le village. Depuis une semaine, des gens qui passaient sur la route annonçaient les Prussiens: « Ils sont à Lormière, ils sont à Novelles »; et, à entendre dire qu'ils se rapprochaient si vite, Rocreuse, 5 chaque matin, croyait les voir descendre par les bois de Gagny. Ils ne venaient point cependant, cela effrayait[2] davantage. Bien sûr qu'ils tomberaient sur le village pendant la nuit et qu'ils égorgeraient[3] tout le monde.

La nuit précédente, un peu avant le jour, il y avait eu une alerte. Les habitants s'étaient réveillés, en entendant un grand bruit d'hommes sur la 10 route. Les femmes déjà se jetaient à genoux et faisaient des signes de croix, lorsqu'on avait reconnu des pantalons rouges,[4] en entr'ouvrant prudemment les fenêtres. C'était un détachement français. Le capitaine avait tout de suite demandé[5] le maire du pays, et il était resté au moulin, après avoir causé avec le père Merlier. 15

Le soleil se levait gaiement, ce jour-là. Il ferait chaud, à midi. Sur les bois, une clarté blonde flottait, tandis que dans les fonds,[6] au-dessus des prairies, montaient des vapeurs blanches. Le village, propre et joli, s'éveillait dans la fraîcheur, et la campagne, avec sa rivière et ses fontaines, avait des grâces mouillées de bouquet.[7] 20

Mais cette belle journée ne faisait rire personne. On venait de voir le capitaine tourner autour du moulin, regarder les maisons voisines, passer de l'autre côté de la Morelle, et de là, étudier le pays avec une lorgnette; le père Merlier, qui l'accompagnait, semblait donner des explications. Puis, le capitaine avait posté des soldats derrière des murs, derrière des arbres, dans des 25 trous. Le gros[8] du détachement campait dans la cour du moulin. On allait donc se battre? Et quand le père Merlier revint, on l'interrogea. Il fit un long signe de tête, sans parler. Oui, on allait se battre.

Françoise et Dominique étaient là, dans la cour, qui le regardaient. Il finit par ôter sa pipe de la bouche, et dit cette simple phrase: 30

— Ah! mes pauvres petits, ce n'est pas demain que je vous marierai!

Dominique, les lèvres serrées, avec un pli de colère au front, se haussait[9] parfois, restait les yeux fixés sur les bois de Gagny, comme s'il eût voulu voir arriver les Prussiens. Françoise, très pâle, sérieuse, allait et venait, fournissant aux soldats ce dont ils avaient besoin. Ils faisaient la soupe dans un coin 35 de la cour, et plaisantaient, en attendant de manger.

Cependant, le capitaine paraissait ravi.[10] Il avait visité les chambres et

1. terreur. 2. alarmait. 3. (lit., couperaient la *gorge*); tueraient; *butcher*. 4. pantalons rouges: c'est-à-dire, soldat français. Avant 1914, le soldat français portait le pantalon rouge, la veste (*coat*) et la capote (*overcoat*) bleues, etc. 5. *inquired for* (not *demanded*). 6. parties basses du terrain. 7. grâces . . . bouquet: *charm of a dew-covered nosegay*. 8. Le plus grand nombre. 9. *rose on tiptoe*. 10. très content.

la grande salle du moulin donnant sur la rivière. Maintenant, assis près du puits, il causait avec le père Merlier.

— Vous avez là une vraie forteresse, disait-il. Nous tiendrons bien [1] jusqu'à ce soir.... Les bandits sont en retard. Ils devraient être ici.

Le meunier restait grave. Il voyait son moulin flamber comme une torche. 5 Mais il ne se plaignait pas, jugeant cela inutile. Il ouvrit seulement la bouche pour dire:

— Vous devriez faire cacher la barque derrière la roue. Il y a là un trou où elle tient.... Peut-être qu'elle pourra servir.

Le capitaine donna un ordre. Ce capitaine était un bel homme d'une 10 quarantaine [2] d'années, grand et de figure aimable. La vue de Françoise et de Dominique semblait le réjouir. Il s'occupait [3] d'eux, comme s'il avait oublié la lutte prochaine. Il suivait Françoise des yeux, et son air disait clairement qu'il la trouvait charmante. Puis, se tournant vers Dominique:

— Vous n'êtes donc pas à l'armée, mon garçon? lui demanda-t-il brusque- 15 ment.

— Je suis étranger, répondit le jeune homme.

Le capitaine parut goûter médiocrement [4] cette raison. Il cligna [5] les yeux et sourit. Françoise [6] était plus agréable à fréquenter que le canon. Alors, en le voyant sourire, Dominique ajouta: 20

— Je suis étranger, mais je loge une balle [7] dans une pomme, à cinq cents mètres.... Tenez, mon fusil de chasse [8] est là, derrière vous.

— Il pourra vous servir, répliqua simplement le capitaine.

Françoise s'était approchée, un peu tremblante. Et, sans se soucier du monde [9] qui était là, Dominique prit et serra dans les siennes les deux mains 25 qu'elle lui tendait, comme pour se mettre sous sa protection. Le capitaine avait souri de nouveau, mais il n'ajouta pas une parole. Il demeurait assis, son épée entre les jambes, les yeux perdus, paraissant rêver.

Il était déjà dix heures. La chaleur devenait très forte. Un lourd silence se faisait. Dans la cour, à l'ombre des hangars, les soldats s'étaient mis à 30 manger la soupe. Aucun bruit ne venait du village, dont les habitants avaient tous barricadé leurs maisons, portes et fenêtres. Un chien, resté seul sur la route, hurlait. Des bois et des prairies voisines, pâmés [10] par la chaleur, sortait une voix lointaine, prolongée, faite de tous les souffles épars.[11] Un coucou chanta. Puis, le silence s'élargit [12] encore. 35

Et, dans cet air endormi, brusquement, un coup de feu éclata. Le capitaine se leva vivement, les soldats lâchèrent leurs assiettes de soupe, encore à moitié pleines. En quelques secondes, tous furent à leur poste de combat; de bas en haut, le moulin se trouvait occupé. Cependant, le capitaine, qui s'était

---

1. résisterons certainement. 2. *about forty.* 3. s'intéressait à. 4. goûter médiocrement: apprécier assez peu. 5. ferma à demi. 6. (Il pensait que) Françoise. 7. *bullet.* 8. *sporting gun, fowling piece.* 9. sans ... monde: sans faire attention aux personnes présentes. 10. endormis. 11. répandus çà et là; *various, scattered.* 12. devint plus grand.

porté sur la route, n'avait rien vu; à droite, à gauche, la route s'étendait, vide
et toute blanche. Un deuxième coup de feu se fit entendre, et toujours rien,
pas une ombre. Mais, en se retournant, il aperçut du côté de Gagny, entre
deux arbres, un léger flocon [1] de fumée qui s'envolait, pareil à un fil de la
Vierge.[2] Le bois restait profond et doux.   5

— Les gredins se sont jetés dans la forêt, murmura-t-il. Ils nous savent ici.

Alors, la fusillade continua, de plus en plus nourrie,[3] entre les soldats
français, postés autour du moulin, et les Prussiens, cachés derrière les arbres.
Les balles sifflaient au-dessus de la Morelle, sans causer de pertes [4] ni d'un
côté ni de l'autre. Les coups étaient irréguliers, partaient de chaque buisson [5]; 10
et l'on n'apercevait toujours que les petites fumées, balancées mollement [6]
par le vent.

Cela dura près de deux heures. L'officier chantonnait [7] d'un air indifférent.
Françoise et Dominique, qui étaient restés dans la cour, se haussaient et
regardaient par-dessus une muraille basse. Ils s'intéressaient surtout à un 15
petit soldat, posté au bord de la Morelle, derrière la carcasse d'un vieux
bateau; il était à plat ventre, guettait, lâchait son coup de feu,[8] puis se laissait
glisser dans un fossé,[9] un peu en arrière, pour recharger son fusil; et ses mouvements étaient si drôles, si rusés, si souples, qu'on se laissait aller à [10] sourire en
le voyant.   20

Il dut apercevoir quelque tête de Prussien, car il se leva vivement et épaula;
mais, avant qu'il eût tiré, il jeta un cri, tourna sur lui-même [11] et roula dans le
fossé où ses jambes eurent un instant le roidissement convulsif des pattes
d'un poulet qu'on égorge. Le petit soldat venait de recevoir une balle en
pleine poitrine. C'était le premier mort. Instinctivement, Françoise avait 25
saisi la main de Dominique et la lui serrait, dans une crispation [12] nerveuse.

— Ne restez pas là, dit le capitaine. Les balles viennent jusqu'ici.

En effet, un petit coup sec s'était fait entendre dans le vieil orme, et un bout
de branche tombait en se balançant. Mais les deux jeunes gens ne bougèrent
pas, cloués [13] par l'anxiété du spectacle. A la lisière du bois, un Prussien était 30
brusquement sorti de derrière un arbre comme d'une coulisse,[14] battant l'air
de ses bras et tombant à la renverse.[15] Et rien ne bougea plus, les deux morts
semblaient dormir au grand soleil, on ne voyait toujours personne dans la
campagne alourdie. Le pétillement [16] de la fusillade lui-même cessa. Seule,
la Morelle chuchotait avec son bruit clair.   35

Le père Merlier regarda le capitaine d'un air de surprise, comme pour lui
demander si c'était fini.

— Voilà le grand coup,[17] murmura celui-ci. Méfiez-vous.[18] Ne restez pas là.

---

1. *tuft, puff.*   **2.** fil de la Vierge: *gossamer thread.*   **3.** plus vigoureuse, plus fréquente.
4. *casualties.*   **5.** *bush.*   **6.** lentement, paresseusement.   **7.** chantait tout bas.
8. lâchait son . . . feu; *fired his shot.*   **9.** *ditch.*   **10.** se laissait aller à: se permettait de.
11. tourna sur lui-même: *spun round.*   **12.** contraction involontaire.   **13.** fixés sur place.
14. *wing (of a stage).*   **15.** à la renverse: sur le dos.   **16.** *crackling.*   **17.** Voilà . . . coup:
We'll be getting it now.   **18.** *Beware.*

Il n'avait pas achevé qu'une décharge effroyable [1] eut lieu. Le grand orme fut comme fauché,[2] une volée de feuilles tournoya. Les Prussiens avaient heureusement tiré trop haut. Dominique entraîna, emporta presque Françoise, tandis que le père Merlier les suivait, en criant:

— Mettez-vous dans le petit caveau,[3] les murs sont solides.   5

Mais ils ne l'écoutèrent pas, ils entrèrent dans la grande salle, où une dizaine de soldats attendaient en silence, les volets [4] fermés, guettant par des fentes.[5] Le capitaine était resté seul dans la cour, accroupi [6] derrière la petite muraille, pendant que des décharges furieuses continuaient. Au dehors, les soldats qu'il avait postés, ne cédaient le terrain que pied à pied. Pourtant, ils 10 rentraient un à un en rampant,[7] quand l'ennemi les avait délogés de leurs cachettes. Leur consigne [8] était de gagner du temps, de ne point se montrer, pour que les Prussiens ne pussent savoir quelles forces ils avaient devant eux. Une heure encore s'écoula. Et, comme un sergent arrivait, disant qu'il n'y avait plus dehors que deux ou trois hommes, l'officier tira sa montre, en mur- 15 murant:

— Deux heures et demie. . . . Allons, il faut tenir quatre heures.

Il fit fermer le grand portail de la cour, et tout fut préparé pour une résistance énergique. Comme les Prussiens se trouvaient de l'autre côté de la Morelle, un assaut immédiat n'était pas à craindre. Il y avait bien [9] un pont à 20 deux kilomètres, mais ils ignoraient sans doute son existence, et il était peu croyable qu'ils tenteraient de passer à gué [10] la rivière. L'officier fit donc simplement surveiller [11] la route. Tout l'effort allait porter du côté de la campagne.

La fusillade de nouveau avait cessé. Le moulin semblait mort sous le 25 grand soleil. Pas un volet n'était ouvert, aucun bruit ne sortait de l'intérieur. Peu à peu, cependant, des Prussiens se montraient à la lisière du bois de Gagny. Ils allongeaient [12] la tête, s'enhardissaient. Dans le moulin, plusieurs soldats épaulaient [13] déjà; mais le capitaine cria:

— Non, non, attendez. . . . Laissez-les s'approcher.   30

Ils y mirent beaucoup de prudence, regardant le moulin d'un air méfiant.[14] Cette vieille demeure, silencieuse et morne,[15] avec ses rideaux de lierre, les inquiétait. Pourtant, ils avançaient. Quand ils furent une cinquantaine dans la prairie, en face, l'officier dit un seul mot:

— Allez !   35

Un déchirement [16] se fit entendre, des coups [17] isolés suivirent. Françoise, agitée d'un tremblement, avait porté [18] malgré elle les mains à ses oreilles. Dominique, derrière les soldats, regardait; et, quand la fumée se fut un peu dissipée, il aperçut trois Prussiens étendus sur le dos, au milieu du pré. Les

---

1. *frightful.* **2.** coupé comme avec une faux (*scythe*). **3.** petite cave. **4.** *blinds; shutters.* **5.** (lit., *cracks*): *openings.* **6.** *crouched.* **7.** *crawling.* **8.** ordres, instructions. **9.** bien = il est vrai. **10.** passer à gué: *ford.* **11.** *watch.* **12.** avançaient. **13.** (lit., *raised to the shoulder*): *took aim.* **14.** d'un air méfiant: *with suspicion.* **15.** triste. **16.** *rending.* **17.** coups (de fusil): *shots.* **18.** levé, mis.

autres s'étaient jetés derrière les saules [1] et les peupliers. Et le siège commença.

Pendant plus d'une heure, le moulin fut criblé [2] de balles. Elles en fouettaient [3] les vieux murs comme une grêle.[4] Lorsqu'elles frappaient sur de la pierre, on les entendait s'écraser et retomber à l'eau. Dans le bois, elles s'enfonçaient [5] avec un bruit sourd.[6] Parfois, un craquement annonçait que la roue venait d'être touchée. Les soldats, à l'intérieur, ménageaient [7] leurs coups, ne tiraient que lorsqu'ils pouvaient viser.[8] De temps à autre, le capitaine consultait sa montre. Et, comme une balle fendait un volet et allait se loger dans le plafond:

— Quatre heures, murmura-t-il. Nous ne tiendrons jamais.

Peu à peu, en effet, cette fusillade terrible ébranlait [9] le vieux moulin. Un volet tomba à l'eau, troué comme une dentelle, et il fallut le remplacer par un matelas.[10] Le père Merlier, à chaque instant, s'exposait pour constater [11] les avaries [12] de sa pauvre roue, dont les craquements lui allaient au cœur. Elle était bien finie, cette fois; jamais il ne pourrait la raccommoder.

Dominique avait supplié Françoise de se retirer, mais elle voulait rester avec lui; elle s'était assise derrière une grande armoire [13] de chêne, qui la protégeait. Une balle pourtant arriva dans l'armoire, dont les flancs rendirent un son grave. Alors, Dominique se plaça devant Françoise. Il n'avait pas encore tiré, il tenait son fusil à la main, ne pouvant approcher des fenêtres dont les soldats tenaient toute la largeur. A chaque décharge, le plancher tressaillait.[14]

— Attention! attention! cria tout d'un coup le capitaine.

Il venait de voir sortir du bois toute une masse sombre. Aussitôt s'ouvrit un formidable feu de peloton. Ce fut comme une trombe [15] qui passa sur le moulin. Un autre volet partit, et par l'ouverture béante [16] de la fenêtre, les balles entrèrent. Deux soldats roulèrent sur le carreau.[17] L'un ne remua plus; on le poussa contre le mur, parce qu'il encombrait.[18] L'autre se tordit en demandant qu'on l'achevât; mais on ne l'écoutait point, les balles entraient toujours, chacun se garait [19] et tâchait de trouver une meurtrière [20] pour riposter.[21]

Un troisième soldat fut blessé; celui-là ne dit pas une parole, il se laissa couler [22] au bord d'une table, avec des yeux fixes et hagards. En face de ces morts, Françoise, prise d'horreur, avait repoussé machinalement sa chaise, pour s'asseoir à terre, contre le mur; elle se croyait là plus petite et moins en danger. Cependant, on était allé prendre tous les matelas de la maison, on avait rebouché [23] à moitié la fenêtre. La salle s'emplissait de débris, d'armes rompues, de meubles éventrés.[24]

1. *willows.* 2. *riddled.* 3. *lashed.* 4. *hail.* 5. pénétraient. 6. *muffled.* 7. employaient (leurs munitions) avec économie. 8. *take aim.* 9. faisait trembler. 10. *mattress.* 11. voir, prendre connaissance de. 12. dommage. 13. *wardrobe.* 14. tremblait. 15. cyclone; tempête d'une extrême violence. 16. *gaping.* 17. roulèrent sur le carreau: *rolled over on the (brick) floor.* 18. *was in the way.* 19. se mettait à l'abri (*shelter*) des balles. 20. *loophole.* 21. *retaliate.* 22. *ici:* tomber doucement. 23. *blocked up.* 24. lit., *disemboweled: (of furniture) ripped, torn or split open.*

— Cinq heures, dit le capitaine. Tenez bon. . . . Ils vont chercher à passer l'eau.

A ce moment, Françoise poussa un cri. Une balle, qui avait ricoché, venait de lui effleurer [1] le front. Quelques gouttes de sang parurent. Dominique la regarda; puis, s'approchant de la fenêtre, il lâcha son premier coup de feu, 5 et il ne s'arrêta plus. Il chargeait, tirait, sans s'occuper de ce qui se passait près de lui; de temps à autre seulement, il jetait un coup d'œil sur Françoise. D'ailleurs, il ne se pressait pas, visait avec soin.

Les Prussiens, longeant [2] les peupliers, tentaient le passage de la Morelle, comme le capitaine l'avait prévu; mais, dès qu'un d'entre eux se hasardait, 10 il tombait frappé à la tête par une balle de Dominique. Le capitaine, qui suivait ce jeu, était émerveillé.[3] Il complimenta le jeune homme, en lui disant qu'il serait heureux d'avoir beaucoup de tireurs de sa force.[4] Dominique ne l'entendait pas. Une balle lui entama [5] l'épaule, une autre lui contusionna [6] le bras. Et il tirait toujours. 15

Il y eut deux nouveaux morts. Les matelas, déchiquetés,[7] ne bouchaient plus les fenêtres. Une dernière décharge semblait devoir emporter le moulin. La position n'était plus tenable. Cependant, l'officier répétait:

— Tenez bon . . . Encore une demi-heure.

Maintenant, il comptait les minutes. Il avait promis à ses chefs d'arrêter 20 l'ennemi là jusqu'au soir, et il n'aurait pas reculé d'une semelle [8] avant l'heure qu'il avait fixée pour la retraite. Il gardait son air aimable, souriait à Françoise, afin de la rassurer. Lui-même venait de ramasser le fusil d'un soldat mort et faisait le coup de feu.[9]

Il n'y avait plus que quatre soldats dans la salle. Les Prussiens se mon- 25 traient en masse sur l'autre bord de la Morelle, et il était évident qu'ils allaient passer la rivière d'un moment à l'autre. Quelques minutes s'écou- lèrent encore. Le capitaine s'entêtait,[10] ne voulait pas donner l'ordre de la retraite, lorsqu'un sergent accourut,[11] en disant:

— Ils sont sur la route, ils vont nous prendre par derrière. 30

Les Prussiens devaient avoir trouvé le pont. Le capitaine tira sa montre.

— Encore cinq minutes, dit-il. Ils ne seront pas ici avant cinq minutes.

Puis, à six heures précises, il consentit enfin à faire sortir ses hommes par une petite porte qui donnait sur une ruelle.[12] De là, ils se jetèrent dans un fossé, ils gagnèrent la forêt de Sauval. Le capitaine avait, avant de partir, 35 salué très poliment le père Merlier, en s'excusant. Et il avait même ajouté:

— Amusez-les. . . . Nous reviendrons.

Cependant, Dominique était resté seul dans la salle. Il tirait toujours, n'entendant rien, ne comprenant rien. Il n'éprouvait que le besoin de dé- fendre Françoise. Les soldats étaient partis, sans qu'il s'en doutât le moins 40

1. toucher légèrement en passant.   2. suivant la ligne (des peupliers).   3. très étonné.
4. de sa force: *as skillful as he*.   5. blessa légèrement.   6. *bruised*.   7. *hacked to pieces*.
8. reculé d'une semelle: *fallen back* (the width) *of a sole*.   9. faisait . . . feu: *was firing*.
10. s'obstinait.   11. courut vers lui.   12. petite rue.

du monde.[1] Il visait et tuait son homme à chaque coup. Brusquement, il y
eut un grand bruit. Les Prussiens, par derrière, venaient d'envahir la cour.
Il lâcha un dernier coup, et ils tombèrent sur lui, comme son fusil fumait
encore.

Quatre hommes le tenaient. D'autres vociféraient autour de lui, dans une 5
langue effroyable. Ils faillirent l'égorger tout de suite. Françoise s'était jetée
en avant, suppliante. Mais un officier entra et se fit remettre le prisonnier.
Après quelques phrases qu'il échangea en allemand avec les soldats, il se
tourna vers Dominique et lui dit rudement,[2] en très bon français:

— Vous serez fusillé dans deux heures.   10

CHAPITRE III

C'était une règle posée [3] par l'état-major [4] allemand: tout Français n'appartenant pas à l'armée régulière et pris les armes à la main, devait être fusillé.
Les compagnies franches [5] elles-mêmes n'étaient pas reconnues comme belligé-
rantes.   En faisant ainsi de terribles exemples sur les paysans qui défendaient
leurs foyers,[6] les Allemands voulaient empêcher la levée en masse,[7] qu'ils 15
redoutaient.

L'officier, un homme grand et sec, d'une cinquantaine d'années, fit subir à
Dominique un bref interrogatoire. Bien qu'il parlât le français très purement,
il avait une raideur toute prussienne.

— Vous êtes de ce pays?   20

— Non, je suis Belge.

— Pourquoi avez-vous pris les armes?... Tout ceci ne doit pas vous
regarder.[8]

Dominique ne répondit pas. A ce moment, l'officier aperçut Françoise debout et très pâle, qui écoutait; sur son front blanc, sa légère blessure mettait 25
une barre rouge. Il regarda les jeunes gens l'un après l'autre, parut comprendre, et se contenta d'ajouter:

— Vous ne niez pas avoir tiré?

— J'ai tiré tant que j'ai pu, répondit tranquillement Dominique.

Cet aveu était inutile, car il était noir de poudre, couvert de sueur, taché 30
de quelques gouttes de sang qui avait coulé de l'éraflure [9] de son épaule.

— C'est bien, répéta l'officier. Vous serez fusillé dans deux heures.

Françoise ne cria pas. Elle joignit les mains et les éleva dans un geste de
muet désespoir. L'officier remarqua ce geste. Deux soldats avaient emmené Dominique dans une pièce voisine, où ils devaient le garder à vue. La 35
jeune fille était tombée sur une chaise, les jambes brisées [10]; elle ne pouvait

---

1. s'en . . . monde: *without his noticing it in the least.* **2.** *gruffly.* **3.** *laid down, enacted.*
4. *staff, command.* **5.** compagnies franches: *companies of citizens organized for defense, but
not forming part of the regular army.* **6.** *hearths, homes.* **7.** levée en masse: prise d'armes
par tout le peuple. **8.** concerner; être (votre) affaire. **9.** légère blessure. **10.** n'ayant
plus la force de la soutenir.

pleurer, elle étouffait. Cependant, l'officier l'examinait toujours. Il finit par lui adresser la parole:

— Ce garçon est votre frère? demanda-t-il.

Elle dit non de la tête. Il resta raide,[1] sans un sourire. Puis, au bout d'un silence: 5

— Il habite le pays depuis longtemps?

Elle dit oui, d'un nouveau signe.

— Alors il doit très bien connaître les bois voisins?

Cette fois, elle parla.

— Oui, monsieur, dit-elle en le regardant avec quelque surprise. 10

Il n'ajouta rien et tourna sur ses talons, en demandant qu'on lui amenât le maire du village. Mais Françoise s'était levée, une légère rougeur au visage, croyant avoir saisi le but de ses questions et reprise d'espoir. Ce fut elle-même qui courut pour trouver son père.

Le père Merlier, dès que les coups de feu avaient cessé, était vivement 15 descendu par la galerie de bois, pour visiter sa roue. Il adorait sa fille, il avait une solide amitié pour Dominique, son futur gendre[2]; mais sa roue tenait aussi une large place dans son cœur. Puisque les deux petits, comme il les appelait, étaient sortis sains et saufs[3] de la bagarre,[4] il songeait à son autre tendresse, qui avait singulièrement souffert, celle-là. Et, penché sur la 20 grande carcasse de bois, il en étudiait les blessures d'un air navré.[5]

Cinq palettes[6] étaient en miettes,[7] la charpente centrale était criblée.[8] Il fourrait[9] les doigts dans les trous des balles, pour en mesurer la profondeur; il réfléchissait à la façon dont il pourrait réparer toutes ces avaries. Françoise le trouva qui bouchait déjà des fentes avec des débris et de la 25 mousse.

— Père, dit-elle, ils vous demandent.

Et elle pleura enfin, en lui contant ce qu'elle venait d'entendre. Le père Merlier hocha la tête. On ne fusillait pas les gens comme ça. Il fallait voir. Et il rentra dans le moulin, de son air silencieux et paisible. Quand l'officier 30 lui eut demandé des vivres[10] pour ses hommes, il répondit que les gens de Rocreuse n'étaient pas habitués à être brutalisés,[11] et qu'on n'obtiendrait rien d'eux si l'on employait la violence. Il se chargeait de tout,[12] mais à la condition qu'on le laissât agir seul. L'officier parut se fâcher d'abord de ce ton tranquille; puis, il céda, devant les paroles brèves et nettes du vieillard. 35 Même il le rappela, pour lui demander:

— Ces bois-là, en face, comment les nommez-vous?

— Les bois de Sauval.

— Et quelle est leur étendue?[13]

Le meunier le regarda fixement. 40

1. *stiff.*   2. *son-in-law.*   3. *safe and sound.*   4. tumulte.   5. extrêmement triste.
6. *paddles (of a wheel).*   7. (lit., *crumbs*): petits morceaux.   8. pleine de trous (comme un crible, *sieve*).   9. *poked.*   10. provisions, victuailles.   11. *bullied.*   12. se . . . tout: *took charge of everything.*   13. grandeur, dimension.

— Je ne sais pas, répondit-il.

Et il s'éloigna.

Une heure plus tard, la contribution de guerre en vivres et en argent, réclamée [1] par l'officier, était dans la cour du moulin. La nuit venait, Françoise suivait avec anxiété les mouvements des soldats. Elle ne s'éloignait 5 pas de la pièce dans laquelle était enfermé Dominique. Vers sept heures, elle eut une émotion poignante; elle vit l'officier entrer chez le prisonnier, et, pendant un quart d'heure, elle entendit leurs voix qui s'élevaient.

Un instant, l'officier reparut sur le seuil [2] pour donner un ordre en allemand, qu'elle ne comprit pas; mais, lorsque douze hommes furent venus se 10 ranger [3] dans la cour, le fusil au bras, un tremblement la saisit, elle se sentit mourir. C'en était donc fait [4]; l'exécution allait avoir lieu. Les douze hommes restèrent là dix minutes, la voix de Dominique continuait à s'élever sur un ton de refus violent. Enfin, l'officier sortit, en fermant brutalement la porte et en disant: 15

— C'est bien, réfléchissez ... Je vous donne jusqu'à demain matin.

Et, d'un geste, il fit rompre les rangs aux douze hommes. Françoise restait hébétée.[5] Le père Merlier, qui avait continué de fumer sa pipe, en regardant le peloton d'un air simplement curieux, vint la prendre par le bras, avec une douceur paternelle. Il l'emmena dans sa chambre. 20

— Tiens-toi tranquille, lui dit-il, tâche de dormir. ... Demain, il fera jour, et nous verrons.

En se retirant, il l'enferma [6] par prudence. Il avait pour principe que les femmes ne sont bonnes à rien, et qu'elles gâtent tout, lorsqu'elles s'occupent d'une affaire sérieuse. Cependant, Françoise ne se coucha pas. Elle demeura 25 longtemps assise sur son lit, écoutant les rumeurs de la maison. Les soldats allemands, campés dans la cour, chantaient et riaient; ils durent manger et boire jusqu'à onze heures, car le tapage [7] ne cessa pas un instant. Dans le moulin même, des pas lourds résonnaient de temps à autre, sans doute des sentinelles qu'on relevait.[8] 30

Mais, ce qui l'intéressait surtout, c'étaient les bruits qu'elle pouvait saisir dans la pièce qui se trouvait sous sa chambre. Plusieurs fois elle se coucha par terre, elle appliqua son oreille contre le plancher. Cette pièce était justement celle où l'on avait enfermé Dominique. Il devait marcher [9] du mur à la fenêtre, car elle entendit longtemps la cadence régulière de sa promenade; 35 puis, il se fit un grand silence, il s'était sans doute assis. D'ailleurs, les rumeurs cessaient, tout s'endormait. Quand la maison lui parut s'assoupir,[10] elle ouvrit sa fenêtre le plus doucement possible, elle s'accouda.[11]

Au dehors, la nuit avait une sérénité tiède. Le mince [12] croissant de la lune, qui se couchait derrière les bois de Sauval, éclairait la campagne d'une lueur 40

1. *demanded* (not *reclaimed*). 2. *threshold*. 3. se mettre en ligne, en rang. 4. C'en ... fait: *It was all over.* 5. devenue comme stupide. 6. ferma à clef la porte de sa chambre. 7. (grand) bruit. 8. changeait. 9. devait marcher: marchait probablement. 10. s'endormir. 11. appuya ses coudes (*elbows*) sur le rebord (*sill*) de la fenêtre. 12. *narrow*.

de veilleuse.[1] L'ombre allongée des grands arbres barrait de noir les prairies, tandis que l'herbe, aux endroits découverts, prenait une douceur de velours verdâtre.

Mais Françoise ne s'arrêtait[2] guère au charme mystérieux de la nuit. Elle étudiait la campagne, cherchant les sentinelles que les Allemands avaient dû poster de ce côté. Elle voyait parfaitement leurs ombres s'échelonner[3] le long de la Morelle. Une seule se trouvait devant le moulin, de l'autre côté de la rivière, près d'un saule dont les branches trempaient dans l'eau. Françoise la distinguait parfaitement. C'était un grand garçon qui se tenait immobile, la face tournée vers le ciel, de l'air rêveur d'un berger.[4]

Alors, quand elle eut ainsi inspecté les lieux avec soin, elle revint s'asseoir sur son lit. Elle y resta une heure, profondément absorbée. Puis elle écouta de nouveau: la maison n'avait plus un souffle.[5] Elle retourna à la fenêtre, jeta un coup d'œil; mais sans doute une des cornes[6] de la lune qui apparaissait encore derrière les arbres, lui parut gênante,[7] car elle se remit à attendre.

Enfin, l'heure lui sembla venue. La nuit était toute noire, elle n'apercevait plus la sentinelle en face, la campagne s'étalait comme une mare d'encre. Elle tendit l'oreille un instant et se décida. Il y avait là, passant près de la fenêtre, une échelle[8] de fer, des barres scellées[9] dans le mur, qui montait de la roue au grenier,[10] et qui servait autrefois aux meuniers pour visiter certains rouages[11]; puis, le mécanisme avait été modifié, depuis longtemps l'échelle disparaissait sous les lierres épais qui couvraient ce côté du moulin.

Françoise, bravement, enjamba[12] la balustrade de sa fenêtre, saisit une des barres de fer et se trouva dans le vide. Elle commença à descendre. Ses jupons l'embarrassaient[13] beaucoup. Brusquement, une pierre se détacha de la muraille et tomba dans la Morelle avec un rejaillissement[14] sonore. Elle s'était arrêtée, glacée d'un frisson. Mais elle comprit que la chute d'eau, de son ronflement[15] continu, couvrait à distance tous les bruits qu'elle pouvait faire, et elle descendit alors plus hardiment,[16] tâtant le lierre du pied,[17] s'assurant des échelons.[18]

Lorsqu'elle fut à la hauteur de la chambre qui servait de prison à Dominique, elle s'arrêta. Une difficulté imprévue faillit lui faire perdre tout son courage: la fenêtre de la pièce du bas n'était pas régulièrement percée au-dessous de la fenêtre de sa chambre, elle s'écartait[19] de l'échelle, et lorsqu'elle allongea la main, elle ne rencontra que la muraille. Lui faudrait-il donc remonter, sans pousser son projet jusqu'au bout? Ses bras se lassaient,[20] le murmure de la Morelle, au-dessous d'elle, commençait à lui donner des vertiges.

Alors, elle arracha[21] du mur de petits fragments de plâtre et les lança[22]

---

1. night-light. **2.** remarquait, pensait à. **3.** (shadows) cast like rungs of a ladder (échelons). **4.** shepherd. **5.** plus un souffle: plus le moindre bruit. **6.** horns. **7.** troublesome. **8.** ladder. **9.** fixées. **10.** garret, loft. **11.** wheels (of a mechanism). **12.** passa (la jambe) au-dessus (de la balustrade). **13.** got in her way (not embarrassed). **14.** splash. **15.** rumble. **16.** sans hésitation, courageusement. **17.** tâtant du pied: feeling with her foot. **18.** rungs. **19.** was at some distance. **20.** se fatiguaient. **21.** broke off. **22.** jeta.

dans la fenêtre de Dominique. Il n'entendait pas, peut-être dormait-il. Elle émietta [1] encore la muraille, elle s'écorchait [2] les doigts. Et elle était à bout de force, elle se sentait tomber à la renverse, lorsque Dominique ouvrit enfin doucement.

— C'est moi, murmura-t-elle. Prends-moi vite, je tombe. 5

C'était la première fois qu'elle le tutoyait.[3] Il la saisit, en se penchant, et l'apporta dans la chambre. Là, elle eut une crise de larmes,[4] étouffant ses sanglots, pour qu'on ne l'entendît pas. Puis, par un effort suprême, elle se calma.

— Vous êtes gardé? demanda-t-elle à voix basse. 10

Dominique, encore stupéfait [5] de la voir ainsi, fit un simple signe, en montrant sa porte. De l'autre côté, on entendait un ronflement; la sentinelle, cédant au sommeil, avait dû se coucher [6] par terre, contre la porte, en se disant que, de cette façon, le prisonnier ne pouvait bouger.

— Il faut fuir,[7] reprit-elle vivement. Je suis venue pour vous supplier de 15 fuir et pour vous dire adieu.

Mais lui ne paraissait pas l'entendre. Il répétait:

— Comment, c'est vous, c'est vous. . . . Oh! que vous m'avez fait peur! Vous pouviez vous tuer.

Il lui prit les mains, il les baisa. 20

— Que je vous aime, Françoise! . . . Vous êtes aussi courageuse que bonne. Je n'avais qu'une crainte, c'était de mourir sans vous avoir revue. . . . Mais vous êtes là, et maintenant ils peuvent me fusiller. Quand j'aurai passé un quart d'heure avec vous, je serai prêt.

Peu à peu, il l'avait attirée à lui, et elle appuyait sa tête sur son épaule. 25 Le danger les rapprochait. Ils oubliaient tout dans cette étreinte.[8]

— Ah! Françoise, reprit Dominique d'une voix caressante, c'est aujourd'hui la Saint-Louis, le jour si longtemps attendu de notre mariage. Rien n'a pu nous séparer, puisque nous voilà tous les deux seuls, fidèles au rendez-vous. . . . N'est-ce pas? c'est à cette heure le matin des noces. 30

— Oui, oui, répéta-t-elle, le matin des noces.

Ils échangèrent un baiser en frissonnant.[9] Mais, tout d'un coup, elle se dégagea, la terrible réalité se dressait [10] devant elle.

— Il faut fuir, il faut fuir, bégaya-t-elle.[11] Ne perdons pas une minute.

Et comme il tendait les bras dans l'ombre pour la reprendre, elle le tutoya 35 de nouveau:

— Oh! je t'en prie, écoute-moi. . . . Si tu meurs, je mourrai. Dans une heure, il fera jour. Je veux que tu partes tout de suite.

Alors, rapidement, elle expliqua son plan. L'échelle de fer descendait jus-

---

1. enleva des miettes (petits fragments). **2.** déchirait la peau de. **3.** disait *tu* et *toi* au lieu de *vous* en lui parlant, (signe d'intimité). **4.** eut . . . larmes: *burst into tears.* **5.** immobile et muet de surprise. **6.** avait . . . coucher: *must have lain down.* **7.** *flee.* **8.** action de serrer quelqu'un dans ses bras. **9.** *quivering with emotion.* **10.** s'élevait. **11.** *she faltered, stammered.*

qu'à la roue; là, il pourrait s'aider des palettes et entrer dans la barque qui se trouvait dans un enfoncement.[1] Il lui serait facile ensuite de gagner l'autre bord de la rivière et de s'échapper.

— Mais il doit y avoir des sentinelles? dit-il.

— Une seule, en face, au pied du premier saule. 5

— Et si elle m'aperçoit, si elle veut crier?

Françoise frissonna. Elle lui mit dans la main un couteau qu'elle avait descendu. Il y eut un silence.

— Et votre père, et vous? reprit Dominique. Mais non, je ne puis fuir. . . . Quand je ne serai plus là, ces soldats vous massacreront peut-être . . . Vous 10 ne les connaissez pas. Ils m'ont proposé de me faire grâce, si je consentais à les guider dans la forêt de Sauval. Lorsqu'ils ne me trouveront plus, ils sont capables de tout.

La jeune fille ne s'arrêta pas à discuter. Elle répondait simplement à toutes les raisons qu'il donnait: 15

— Par amour pour moi, fuyez. . . . Si vous m'aimez, Dominique, ne restez pas ici une minute de plus.

Puis, elle promit de remonter dans sa chambre. On ne saurait pas qu'elle l'avait aidé. Elle finit par le prendre dans ses bras, par l'embrasser, pour le convaincre, avec un élan de passion extraordinaire. Lui, était vaincu. Il ne 20 posa plus qu'une question.

— Jurez-moi que votre père connaît votre démarche et qu'il me conseille la fuite?

— C'est mon père qui m'a envoyée, répondit hardiment Françoise.

Elle mentait. Dans ce moment, elle n'avait qu'un besoin immense, le 25 savoir en sûreté, échapper à cette abominable pensée que le soleil allait être le signal de sa mort. Quand il serait loin, tous les malheurs pouvaient fondre [2] sur elle; cela lui paraîtrait doux, du moment où il vivrait. L'égoïsme de sa tendresse le voulait vivant, avant toutes choses.

— C'est bien, dit Dominique, je ferai comme il vous plaira. 30

Alors, ils ne parlèrent plus. Dominique alla rouvrir la fenêtre. Mais, brusquement,[3] un bruit les glaça.[4] La porte fut ébranlée,[5] et ils crurent qu'on l'ouvrait. Évidemment, une ronde [6] avait entendu leurs voix. Et tous deux debout, serrés l'un contre l'autre, attendaient dans une angoisse indicible.[7] La porte fut de nouveau secouée; mais elle ne s'ouvrit pas. Ils eurent chacun 35 un soupir étouffé; ils venaient de comprendre, ce devait être le soldat couché en travers du seuil, qui s'était retourné. En effet, le silence se fit, les ronflements recommencèrent.

Dominique voulut absolument que Françoise remontât d'abord chez elle. Il la prit dans ses bras, il lui dit un muet adieu. Puis, il l'aida à saisir l'échelle 40 et se cramponna [8] à son tour. Mais il refusa de descendre un seul échelon

---

1. *recess, hollow.* **2.** *swoop down upon (like a bird of prey).* **3.** soudainement. **4.** *chilled them with fright.* **5.** *shaken.* **6.** *patrol.* **7.** qu'on ne peut pas *dire* ou décrire. **8.** *held fast.*

avant de la savoir dans sa chambre. Quand Françoise fut rentrée, elle laissa tomber d'une voix légère comme un souffle :

— Au revoir, je t'aime !

Elle resta accoudée, elle tâcha de suivre Dominique. La nuit était toujours très noire. Elle chercha la sentinelle et ne l'aperçut pas; seul, le saule faisait 5 une tache pâle, au milieu des ténèbres. Pendant un instant, elle entendit le frôlement [1] du corps de Dominique le long du lierre. Ensuite la roue craqua, et il y eut un léger clapotement [2] qui lui annonça que le jeune homme venait de trouver la barque. Une minute plus tard, en effet, elle distingua la silhouette sombre de la barque sur la nappe grise de la Morelle. 10

Alors, une angoisse terrible la reprit à la gorge. A chaque instant, elle croyait entendre le cri d'alarme de la sentinelle; les moindres bruits, épars [3] dans l'ombre, lui semblaient des pas précipités de soldats, des froissements [4] d'armes, des bruits de fusils qu'on armait. Pourtant, les secondes s'écoulaient, la campagne gardait sa paix souveraine. Dominique devait aborder à l'autre 15 rive. Françoise ne voyait plus rien. Le silence était majestueux. Et elle entendit un piétinement,[5] un cri rauque, la chute sourde d'un corps. Puis, le silence se fit plus profond. Alors, comme si elle eût senti la mort passer, elle resta toute froide, en face de l'épaisse nuit.

CHAPITRE IV

Dès le petit jour,[6] des éclats de voix ébranlèrent le moulin. Le père Merlier 20 était venu ouvrir la porte de Françoise. Elle descendit dans la cour, pâle et très calme. Mais là, elle ne put réprimer [7] un frisson,[8] en face du cadavre d'un soldat prussien, qui était allongé près du puits, sur un manteau étalé.[9]

Autour du corps, des soldats gesticulaient, criaient sur un ton de fureur. Plusieurs d'entre eux montraient les poings [10] au village. Cependant, l'officier 25 venait de faire appeler le père Merlier, comme maire de la commune.

— Voici, lui dit-il d'une voix étranglée [11] par la colère, un de nos hommes que l'on a trouvé assassiné sur le bord de la rivière. . . . Il nous faut un exemple éclatant,[12] et je compte que vous allez nous aider à découvrir le meurtrier.

— Tout ce que vous voudrez, répondit le meunier avec son flegme. Seule- 30 ment, ce ne sera pas commode.[13]

L'officier s'était baissé pour écarter un pan [14] du manteau, qui cachait la figure du mort. Alors apparut une horrible blessure. La sentinelle avait été frappée à la gorge, et l'arme était restée dans la plaie.[15] C'était un couteau de cuisine à manche [16] noir. 35

— Regardez ce couteau, dit l'officier au père Merlier, peut-être nous aidera-t-il dans nos recherches.

1. *rustling.* 2. bruit que font les petites vagues; *plashing.* 3. dispersés, isolés. 4. *clashing.* 5. bruit de pas. 6. point du jour. 7. arrêter, retenir. 8. *shudder.* 9. *spread out.* 10. *fists.* 11. *choking.* 12. manifeste, public; qui fait une forte impression. 13. facile. 14. *corner, skirt (of a cloak).* 15. blessure encore ouverte. 16. *handle.*

Le vieillard avait eu un tressaillement.[1] Mais il se remit[2] aussitôt, il répondit, sans qu'un muscle de sa face bougeât:

— Tout le monde a des couteaux pareils, dans nos campagnes. . . . Peut-être que votre homme s'ennuyait de se battre et qu'il se sera fait son affaire lui-même. Ça se voit. 5

— Taisez-vous! cria furieusement l'officier. Je ne sais ce qui me retient de mettre le feu aux quatre coins du village.

La colère heureusement l'empêchait de remarquer la profonde altération[3] du visage de Françoise. Elle avait dû s'asseoir sur le banc de pierre, près du puits. Malgré elle, ses regards ne quittaient plus ce cadavre, étendu à terre, 10 presque à ses pieds. C'était un grand et beau garçon, qui ressemblait à Dominique, avec des cheveux blonds et des yeux bleus. Cette ressemblance lui retournait le cœur.[4] Elle pensait que le mort avait peut-être laissé là-bas, en Allemagne, quelque amoureuse qui allait pleurer. Et elle reconnaissait son couteau dans la gorge du mort. Elle l'avait tué. 15

Cependant, l'officier parlait de frapper Rocreuse de mesures terribles, lorsque des soldats accoururent. On venait de s'apercevoir seulement de l'évasion de Dominique. Cela causa une agitation extrême. L'officier se rendit sur les lieux, regarda par la fenêtre laissée ouverte, comprit tout, et revint exaspéré. 20

Le père Merlier parut très contrarié[5] de la fuite de Dominique.

— L'imbécile! murmura-t-il, il gâte[6] tout.

Françoise qui l'entendit, fut prise d'angoisse. Son père, d'ailleurs, ne soupçonnait pas sa complicité. Il hocha la tête, en lui disant à demi-voix:

— A présent, nous voilà propres![7] 25

— C'est ce gredin! c'est ce gredin! criait l'officier. Il aura gagné les bois. . . . Mais il faut qu'on nous le retrouve, ou le village payera pour lui.

Et, s'adressant au meunier:

— Voyons, vous devez savoir où il se cache?

Le père Merlier eut son rire silencieux, en montrant la large étendue des 30 coteaux boisés.

— Comment voulez-vous trouver un homme là-dedans? dit-il.

— Oh! il doit y avoir des trous que vous connaissez. Je vais vous donner dix hommes. Vous les guiderez.

— Je veux bien. Seulement, il nous faudra huit jours pour battre[8] tous les 35 bois des environs.

La tranquillité du vieillard enrageait l'officier. Il comprenait en effet le ridicule de cette battue. Ce fut alors qu'il aperçut sur le banc Françoise pâle et tremblante. L'attitude anxieuse de la jeune fille le frappa. Il se tut un instant, examinant tour à tour le meunier et Françoise. 40

---

1. *shudder.* **2.** reprit possession de lui-même. **3.** *discomposure.* **4.** retournait le cœur: *made her sick.* **5.** vexé. **6.** *is spoiling.* **7.** nous . . . propres (*familier*): *we are in a fine mess now.* **8.** *scour.*

— Est-ce que cet homme, finit-il par demander brutalement au vieillard, n'est pas l'amant de votre fille?

Le père Merlier devint livide, et l'on put croire qu'il allait se jeter sur l'officier pour l'étrangler. Il se raidit, il ne répondit pas. Françoise avait mis son visage entre ses mains. 5

— Oui, c'est cela, continua le Prussien, vous ou votre fille l'avez aidé à fuir. Vous êtes son complice. . . . Une dernière fois, voulez-vous nous le livrer?

Le meunier ne répondit pas. Il s'était détourné, regardant au loin d'un air indifférent, comme si l'officier ne s'adressait pas à lui. Cela mit le comble à la colère [1] de ce dernier. 10

— Eh bien! déclara-t-il, vous allez être fusillé à sa place.

Et il commanda une fois encore le peloton d'exécution. Le père Merlier garda son flegme. Il eut à peine un léger haussement d'épaules, tout ce drame lui semblait d'un goût médiocre.[2] Sans doute il ne croyait pas qu'on fusillât un homme si aisément.[3] Puis, quand le peloton fut là, il dit avec gravité: 15

— Alors, c'est sérieux? . . . Je veux bien. S'il vous en faut un absolument, moi autant qu'un autre.

Mais Françoise s'était levée, affolée,[4] bégayant:

— Grâce, monsieur, ne faites pas du mal à mon père. Tuez-moi à sa place. . . . C'est moi qui ai aidé Dominique à fuir. Moi seule suis coupable. 20

— Tais-toi, fillette, s'écria le père Merlier. Pourquoi mens-tu? . . . Elle a passé la nuit enfermée dans sa chambre, monsieur. Elle ment, je vous assure.

— Non, je ne mens pas, reprit ardemment la jeune fille. Je suis descendue par la fenêtre, j'ai poussé Dominique à s'enfuir. . . . C'est la vérité, la seule vérité. . . . 25

Le vieillard était devenu très pâle. Il voyait bien dans ses yeux qu'elle ne mentait pas, et cette histoire l'épouvantait. Ah! ces enfants, avec leurs cœurs, comme ils gâtaient tout! Alors, il se fâcha.

— Elle est folle, ne l'écoutez pas. Elle vous raconte des histoires stupides. . . . Allons, finissons-en. 30

Elle voulut protester encore. Elle s'agenouilla,[5] elle joignit les mains. L'officier, tranquillement, assistait [6] à cette lutte douloureuse.

— Mon Dieu! finit-il par dire, je prends votre père, parce que je ne tiens plus l'autre. . . . Tâchez de retrouver l'autre, et votre père sera libre.

Un moment, elle le regarda, les yeux agrandis [7] par l'atrocité de cette propo- 35 sition.

— C'est horrible, murmura-t-elle. Où voulez-vous que je retrouve Dominique, à cette heure? Il est parti, je ne sais plus.

— Enfin, choisissez. Lui ou votre père.

— Oh! mon Dieu! est-ce que je puis choisir? Mais je saurais [8] où est 40

---

1. comble . . . colère: exaspéra au dernier degré. **2.** goût médiocre: *rather poor taste.*
3. facilement. **4.** (lit., *maddened*): très troublée. **5.** se mit à genoux (*knees*). **6.** était présent et observait. **7.** dilatés. **8.** même si je savais.

Dominique, que je ne pourrais pas choisir!.... C'est mon cœur que vous coupez.... J'aimerais mieux mourir tout de suite. Oui, ce serait plus tôt fait. Tuez-moi, je vous en prie, tuez-moi. ...

Cette scène de désespoir et de larmes finissait par impatienter l'officier. Il s'écria: 5

— En voilà assez! Je veux être bon, je consens à vous donner deux heures.... Si, dans deux heures, votre amoureux n'est pas là, votre père payera pour lui.

Et il fit conduire le père Merlier dans la chambre qui avait servi de prison à Dominique. Le vieux demanda du tabac et se mit à fumer. Sur son visage 10 impassible on ne lisait aucune émotion. Seulement, quand il fut seul, tout en fumant, il pleura deux grosses larmes qui coulèrent lentement sur ses joues. Sa pauvre et chère enfant, comme elle souffrait!

Françoise était restée au milieu de la cour. Des soldats prussiens passaient en riant. Certains lui jetaient des mots, des plaisanteries qu'elle ne comprenait 15 pas. Elle regardait la porte par laquelle son père venait de disparaître. Et, d'un geste lent, elle portait la main à son front, comme pour l'empêcher d'éclater.

L'officier tourna sur ses talons, en répétant:

— Vous avez deux heures. Tâchez de les utiliser.

Elle avait deux heures. Cette phrase bourdonnait[1] dans sa tête. Alors, 20 machinalement, elle sortit de la cour, elle marcha devant elle. Où aller? que faire? Elle n'essayait même pas de prendre un parti,[2] parce qu'elle sentait bien l'inutilité de ses efforts. Pourtant, elle aurait voulu voir Dominique. Ils se seraient entendus[3] tous les deux, ils auraient peut-être trouvé un expédient. 25

Et, au milieu de la confusion de ses pensées, elle descendit au bord de la Morelle, qu'elle traversa en-dessous de l'écluse, à un endroit où il y avait de grosses pierres. Ses pieds la conduisirent sous le premier saule, au coin de la prairie. Comme elle se baissait, elle aperçut une mare de sang qui la fit pâlir. C'était bien là. Et elle suivit les traces de Dominique dans l'herbe foulée[4]; 30 il avait dû courir, on voyait une ligne de grands pas coupant la prairie de biais. Puis, au delà, elle perdit ces traces. Mais, dans un pré voisin, elle crut les retrouver. Cela la conduisit à la lisière de la forêt, où toute indication s'effaçait.

Françoise s'enfonça[5] quand même sous les arbres. Cela la soulageait[6] 35 d'être seule. Elle s'assit un instant. Puis, en songeant que l'heure s'écoulait, elle se remit debout. Depuis combien de temps avait-elle quitté le moulin? Cinq minutes? une demi-heure? Elle n'avait plus conscience du temps. Peut-être Dominique était-il allé se cacher dans un taillis[7] qu'elle connaissait, et où ils avaient, une après-midi, mangé des noisettes[8] ensemble. Elle se 40 rendit au taillis, le visita.

---

1. *drummed, buzzed.*   **2.** décision.   **3.** *would have decided on some plan of action.*
4. *trampled.*   **5.** pénétra.   **6.** Cela la soulageait: *It was a relief.*   **7.** *copse.*   **8.** *hazel-nuts.*

Un merle [1] seul s'envola, en sifflant [2] sa phrase douce et triste. Alors, elle pensa qu'il s'était réfugié dans un creux [3] de roches, où il se mettait parfois à l'affût [4]; mais le creux de roches était vide. A quoi bon le chercher? elle ne le trouverait pas; et peu à peu le désir de le découvrir la passionnait,[5] elle marchait plus vite. L'idée qu'il avait dû monter dans un arbre lui vint brus- 5 quement. Elle avança dès lors, les yeux levés, et pour qu'il la sût près de lui, elle l'appelait tous les quinze à vingt pas. Des coucous répondaient, un souffle qui passait dans les branches lui faisait croire qu'il était là et qu'il descendait.

Une fois même, elle s'imagina le voir; elle s'arrêta, étranglée,[6] avec l'envie 10 de fuir. Qu'allait-elle lui dire? Venait-elle donc pour l'emmener et le faire fusiller? Oh, non, elle ne parlerait point de ces choses. Elle lui crierait de se sauver, de ne pas rester dans les environs. Puis, la pensée de son père qui l'attendait, lui causa une douleur aiguë.[7] Elle tomba sur le gazon, en pleurant, en répétant tout haut: 15

— Mon Dieu! mon Dieu! pourquoi suis-je là!

Elle était folle d'être venue. Et, comme prise de peur, elle courut, elle chercha à sortir de la forêt. Trois fois, elle se trompa,[8] et elle croyait qu'elle ne retrouverait plus le moulin, lorsqu'elle déboucha [9] dans une prairie, juste en face de Rocreuse. Dès qu'elle aperçut le village, elle s'arrêta. Est-ce 20 qu'elle allait rentrer seule?

Elle restait debout, quand une voix l'appela doucement [10]:

— Françoise! Françoise!

Et elle vit Dominique qui levait la tête, au bord d'un fossé. Juste Dieu! elle l'avait trouvé! Le ciel voulait donc sa mort? Elle retint un cri, elle se 25 laissa glisser [11] dans le fossé.

— Tu me cherchais? demanda-t-il.

— Oui, répondit-elle, la tête bourdonnante, ne sachant ce qu'elle disait.

— Ah! que se passe-t-il?

Elle baissa les yeux, elle balbutia.   30

— Mais, rien, j'étais inquiète, je désirais te voir.

Alors, tranquillisé, il lui expliqua qu'il n'avait pas voulu s'éloigner. Il craignait pour eux. Ces gredins de Prussiens étaient très capables de se venger sur les femmes et sur les vieillards. Enfin, tout allait bien, et il ajouta en riant: 35

— La noce sera pour dans huit jours, voilà tout.

Puis, comme elle restait bouleversée,[12] il redevint grave.

— Mais, qu'as-tu? tu me caches quelque chose.

— Non, je te jure. J'ai couru pour venir.

Il l'embrassa, en disant que c'était imprudent pour elle et pour lui de causer 40

1. *blackbird.* **2.** (lit., *whistling*): *singing.* **3.** *hollow.* **4.** où . . . affût: *where he used to lie in wait (for game).* **5.** remplissait d'ardeur. **6.** *choking.* **7.** *acute.* **8.** se trompa (de chemin). **9.** émergea, sortit (de la forêt). **10.** *gently.* **11.** passa légèrement, furtivement. **12.** agitée, très émue.

davantage [1]; et il voulut remonter le fossé, afin de rentrer dans la forêt. Elle le retint. Elle tremblait.

— Écoute, tu ferais peut-être bien tout de même de rester là. . . . Personne ne te cherche, tu ne crains rien.[2]

— Françoise, tu me caches quelque chose, répéta-t-il.   5

De nouveau, elle jura qu'elle ne lui cachait rien. Seulement, elle aimait mieux le savoir près d'elle. Et elle bégaya encore d'autres raisons. Elle lui parut si singulière,[3] que maintenant lui-même aurait refusé de s'éloigner. D'ailleurs, il croyait au retour des Français. On avait vu des troupes du côté de Sauval.   10

— Ah! qu'ils se pressent, qu'ils soient ici le plus tôt possible! murmura-t-elle avec ferveur.

A ce moment, onze heures sonnèrent au clocher de Rocreuse. Les coups [4] arrivaient, clairs et distincts. Elle se leva, effarée [5]; il y avait deux heures qu'elle avait quitté le moulin.   15

— Écoute, dit-elle rapidement, si nous avions besoin de toi, je monterai dans ma chambre et j'agiterai mon mouchoir.

Et elle partit en courant, pendant que Dominique, très inquiet, s'allongeait [6] au bord du fossé, pour surveiller le moulin. Comme elle allait rentrer dans Rocreuse, Françoise rencontra un vieux mendiant, le père Bontemps, qui 20 connaissait tout le pays. Il la salua, il venait de voir le meunier au milieu des Prussiens; puis, en faisant des signes de croix et en marmottant [7] des mots entrecoupés,[8] il continua sa route.

— Les deux heures sont passées, dit l'officier quand Françoise parut.

Le père Merlier était là, assis sur le banc, près du puits. Il fumait toujours. 25 La jeune fille, de nouveau, supplia, pleura, s'agenouilla. Elle voulait gagner du temps. L'espoir de voir revenir les Français avait grandi en elle, et tandis qu'elle se lamentait, elle croyait entendre au loin les pas cadencés d'une armée. Oh! s'ils avaient paru, s'ils les avaient tous délivrés!

— Écoutez, monsieur, une heure, encore une heure. . . . Vous pouvez bien 30 nous accorder une heure!

Mais l'officier restait inflexible. Il ordonna même à deux hommes de s'emparer [9] d'elle et de l'emmener, pour qu'on procédât à l'exécution du vieux tranquillement. Alors, un combat affreux [10] se passa dans le cœur de Françoise. Elle ne pouvait laisser ainsi assassiner son père. Non, non, elle 35 mourrait plutôt avec Dominique; et elle s'élançait vers sa chambre, lorsque Dominique lui-même entra dans la cour.

L'officier et les soldats poussèrent un cri de triomphe. Mais lui, comme s'il n'y avait eu là que Françoise, s'avança vers elle, tranquille, un peu sévère.   40

---

1. plus longtemps.   **2.** tu ne crains rien: tu n'as rien à craindre; tu ne cours aucun danger.   **3.** étrange.   **4.** *strokes.*   **5.** l'air hagard, effrayée.   **6.** *lay at full length.*   **7.** *mumbling.*   **8.** interrompus, qui n'avaient pas de suite.   **9.** saisir.   **10.** horrible.

— C'est mal, dit-il. Pourquoi ne m'avez-vous pas ramené? Il a fallu que le père Bontemps me contât les choses [1] . . . Enfin, me voilà.

CHAPITRE V

Il était trois heures. De grands nuages noirs avaient lentement empli le ciel, la queue [2] de quelque orage voisin. Ce ciel jaune, ces haillons cuivrés [3] changeaient la vallée de Rocreuse, si gaie au soleil, en un coupe-gorge [4] plein 5 d'une ombre louche.[5] L'officier prussien s'était contenté de faire enfermer Dominique, sans se prononcer [6] sur le sort qu'il lui réservait. Depuis midi, Françoise agonisait dans une angoisse abominable. Elle ne voulait pas quitter la cour, malgré les instances [7] de son père. Elle attendait les Français. Mais les heures s'écoulaient, la nuit allait venir, et elle souffrait d'autant plus, que 10 tout ce temps gagné ne paraissait pas devoir [8] changer l'affreux dénouement.[9]

Cependant, vers trois heures, les Prussiens firent leurs préparatifs de départ. Depuis un instant, l'officier s'était, comme la veille, enfermé avec Dominique. Françoise avait compris que la vie du jeune homme se décidait. Alors, elle joignit les mains, elle pria. Le père Merlier, à côté d'elle, gardait son attitude 15 muette et rigide de vieux paysan, qui ne lutte pas contre la fatalité des faits.

— Oh! mon Dieu! oh! mon Dieu! balbutiait [10] Françoise, ils vont le tuer. . . .

Le meunier l'attira près de lui et la prit sur ses genoux comme un enfant.

A ce moment, l'officier sortait, tandis que, derrière lui, deux hommes amenaient Dominique. 20

— Jamais, jamais! criait ce dernier. Je suis prêt à mourir.

— Réfléchissez bien, reprit l'officier. Ce service que vous me refusez, un autre nous le rendra. Je vous offre la vie, je suis généreux. . . . Il s'agit simplement de nous conduire à Montredon, à travers bois. Il doit y avoir des sentiers. 25

Dominique ne répondait plus.

— Alors, vous vous entêtez?

— Tuez-moi, et finissons-en,[11] répondit-il.

Françoise, les mains jointes, le suppliait de loin. Elle oubliait tout, elle lui aurait conseillé une lâcheté.[12] Mais le père Merlier lui saisit les mains, pour 30 que les Prussiens ne vissent pas son geste de femme affolée.

— Il a raison, murmura-t-il, il vaut mieux mourir.

Le peloton d'exécution était là. L'officier attendait une faiblesse de Dominique. Il comptait toujours le décider. Il y eut un silence. Au loin, on entendait de violents coups de tonnerre. Une chaleur lourde écrasait [13] la 35 campagne. Et ce fut dans ce silence qu'un cri retentit:

1. Il a . . . choses: *I should not have known how things were but for old Bontemps.* 2. *tail end.* 3. haillons cuivrés: *copper-colored shreds (of cloud).* 4. not *cut-throat,* but *place where one might expect to have one's throat cut: alley, slum.* 5. qui n'inspire pas confiance. 6. annoncer sa décision. 7. prières. 8. ne . . . devoir: *gave no promise.* 9. fin (d'un drame). 10. *stammered, stuttered.* 11. finissons-en: *let us have done with it.* 12. *act of cowardice.* 13. oppressait.

— Les Français ! les Français !

C'étaient eux, en effet. Sur la route de Sauval, à la lisière du bois, on distinguait la ligne des pantalons rouges. Ce fut, dans le moulin, une agitation extraordinaire. Les soldats prussiens couraient, avec des exclamations gutturales. D'ailleurs, pas un coup de feu n'avait encore été tiré. 5

— Les Français ! les Français ! cria Françoise en battant des mains.

Elle était comme folle. Elle venait de s'échapper de l'étreinte de son père, et elle riait, les bras en l'air. Enfin, ils arrivaient donc, et ils arrivaient à temps, puisque Dominique était encore là, debout !

Un feu de peloton terrible qui éclata comme un coup de foudre à ses oreilles, 10 la fit se retourner. L'officier venait de murmurer :

— Avant tout, réglons cette affaire.[1]

Et, poussant lui-même Dominique contre le mur d'un hangar, il avait commandé le feu. Quand Françoise se tourna, Dominique était par terre, la poitrine trouée [2] de douze balles. 15

Elle ne pleura pas, elle resta stupide. Ses yeux devinrent fixes, et elle alla s'asseoir sous le hangar, à quelques pas du corps. Elle le regardait, elle avait par moments un geste vague et enfantin de la main. Les Prussiens s'étaient emparés du père Merlier comme d'un otage.

Ce fut un beau combat. Rapidement, l'officier avait posté ses hommes, 20 comprenant qu'il ne pouvait battre en retraite,[3] sans se faire écraser.[4] Autant valait-il vendre chèrement sa vie. Maintenant, c'étaient les Prussiens qui défendaient le moulin, et les Français qui l'attaquaient. La fusillade commença avec une violence inouïe.[5] Pendant une demi-heure, elle ne cessa pas. Puis, un éclat sourd [6] se fit entendre, et un boulet cassa une maîtresse branche 25 de l'orme séculaire. Les Français avaient du canon. Une batterie, dressée [7] juste au-dessus du fossé, dans lequel s'était caché Dominique, balayait [8] la grande rue de Rocreuse. La lutte, désormais, ne pouvait être longue.

Ah ! le pauvre moulin ! Des boulets le perçaient de part en part.[9] Une moitié de la toiture fut enlevée. Deux murs s'écroulèrent.[10] Mais c'était 30 surtout du côté de la Morelle que le désastre devint lamentable. Les lierres, arrachés des murailles ébranlées, pendaient comme des guenilles [11]; la rivière emportait des débris de toutes sortes, et l'on voyait, par une brèche, la chambre de Françoise, avec son lit, dont les rideaux blancs étaient soigneusement tirés. Coup sur coup, la vieille roue reçut deux boulets, et elle eut un gémissement 35 suprême: les palettes furent charriées [12] dans le courant, la carcasse s'écrasa.[13] C'était l'âme du gai moulin qui venait de s'exhaler.

Puis, les Français donnèrent l'assaut. Il y eut un furieux combat à l'arme blanche.[14] Sous le ciel couleur de rouille,[15] le coupe-gorge de la vallée s'em-

---

1. *let us settle this business.* **2.** *percée.* **3.** *battre en retraite: withdraw.* **4.** *crush.* **5.** *lit.,* dont on n'a pas ouï (entendu) parler: *extraordinaire.* **6.** éclat sourd: *dull explosion.* **7.** *set up.* **8.** *swept.* **9.** de part en part: *through and through.* **10.** *crumbled, collapsed.* **11.** *rags.* **12.** *emportés.* **13.** *collapsed, fell in.* **14.** (*lit., white weapon): sword, bayonet.* **15.** *rust.*

plissait de morts. Les larges prairies semblaient farouches, avec leurs grands
arbres isolés, leurs rideaux de peupliers qui les tachaient [1] d'ombre. A droite
et à gauche, les forêts étaient comme les murailles d'un cirque qui enfermaient
les combattants, tandis que les sources, les fontaines et les eaux courantes
prenaient des bruits de sanglots, dans la panique de la campagne.   5

Sous le hangar, Françoise n'avait pas bougé, accroupie en face du corps de
Dominique. Le père Merlier venait d'être tué raide par une balle perdue.[2]
Alors, comme les Prussiens étaient exterminés et que le moulin brûlait, le
capitaine français entra le premier dans la cour. Depuis le commencement de
la campagne, c'était l'unique succès qu'il remportait. Aussi, tout enflammé,[3] 10
grandissant sa haute taille, riait-il de son air aimable de beau cavalier. Et,
apercevant Françoise imbécile [4] entre les cadavres de son mari et de son père,
au milieu des ruines fumantes du moulin, il la salua galamment de son épée,
en criant:

— Victoire ! victoire !   15

1. *stained, spotted.*   2. *stray.*   3. enthousiasmé.   4. réduite à un état d'imbécillité;
ne comprenant plus rien.

LA CHÈVRE DE M. SEGUIN

par ALPHONSE DAUDET

(1840–1897)

Alphonse Daudet est le plus humain des romanciers de l'époque réaliste. Il ne décrit que ce qu'il a vu et observé, mais il n'a pas regardé le monde avec l'œil irrité d'un Flaubert, avec l'œil indifférent d'un Maupassant; il l'a contemplé avec des yeux de poète qu'anime la flamme d'un cœur compatissant: il s'intéresse à ses personnages, il rit et pleure avec eux: on voit qu'il a connu leurs plaisirs et leurs souffrances. Il faut lire, dans son *Petit Chose*, l'histoire de sa joyeuse enfance à Nîmes, sa vie d'écolier vagabond à Lyon, son bref mais misérable séjour au Collège d'Alais, son départ pour la terre promise après la ruine de sa famille.

La terre promise, c'était Paris, où son frère Ernest (secrétaire du duc de Morny, président du Sénat), le reçut comme un fils, bien qu'il fût très pauvre lui-même. Alphonse écrivit des vers et réussit, non sans peine, à les faire imprimer. Ces poèmes (*Les Amoureuses*) d'un débutant — il n'avait que 17 ans — étaient gracieux et spirituels: on les récita dans les salons, on fêta l'auteur, il fut reçu chez la princesse Mathilde où fréquentaient Flaubert, les Goncourt, Coppée, etc. Le duc de Morny lui donna un emploi dans ses bureaux. Il publia des contes, des nouvelles, des souvenirs de Provence. Il écrivit aussi pour le théâtre, où il n'eut jamais qu'un succès tardif: (*La dernière Idole, L'Œillet blanc, L'Arlésienne, L'Obstacle*, etc.).

Sa mauvaise santé l'obligea à faire quelques séjours en Provence, en Corse, en Algérie. Il en rapporta les fameuses *Lettres de mon Moulin*, les *Contes du Lundi*, c'est-à-dire la partie la plus pittoresque, la plus durable de son œuvre; il en rapporta aussi son délicieux personnage de *Tartarin*. La guerre de 1870 interrompit son travail d'écrivain, mais elle lui fournit la matière d'admirables *Contes*, tels que *La dernière Classe, Le Siège de Berlin, L'Enfant espion*.

Daudet entreprit aussi une série de grands romans: *Fromont jeune et Risler aîné, Le Nabab, Numa Roumestan, Jack, Les Rois en exil, Sapho, La Lutte pour la Vie, L'Immortel, L'Évangéliste*, les suites de *Tartarin, La Petite Paroisse, Soutien de famille*. Il y peint encore tantôt son Midi, tantôt le tout Paris bohème, littéraire, mondain et populaire. Il a conté lui-même la genèse de plusieurs de ses romans dans ses charmants *Trente Ans de Paris* et ses *Souvenirs d'un homme de lettres*. Comme Dickens dont il est l'admirateur, il s'attache surtout aux classes moyennes et aux gens du peuple: il en parle avec une sympathie que sa gaieté méridionale et son ironie parisienne rendent encore plus attrayante.

Aussi Daudet devint-il, en France et à l'étranger, l'idole du peuple et des gens de lettres: il avait conquis les raffinés et les simples; sa maison de Champrosay était le rendez-vous des artistes et des écrivains. Édouard Rod disait de lui: « Il a écrit en aimant, on l'aime en le lisant. »

Daudet travaillait avec une ardeur fiévreuse d'autant plus héroïque qu'il souffrait atrocement, mais en silence, d'une cruelle maladie. Il vécut ainsi treize ans dans un effort désespéré pour cacher son martyre à sa famille: « Je ne sais qu'une chose, crier à mes enfants: Vive la vie! Déchiré de maux comme je le suis, c'est dur. » Il succomba enfin à la fatigue et à la maladie, malgré l'admirable dévouement de sa femme, elle-même écrivain distingué, dans son nouvel appartement de la rue de l'Université où il corrigeait les épreuves de son dernier roman: *Soutien de famille*.

La Chèvre de M. Seguin fait partie des *Lettres de mon Moulin*.

A M. Pierre Gringoire,[1] *poète lyrique à Paris*

Tu seras bien toujours le même, mon pauvre Gringoire !

Comment ! on t'offre une place de chroniqueur [2] dans un bon journal de Paris, et tu as l'aplomb [3] de refuser. . . . Mais regarde-toi, malheureux garçon ! [4] Regarde ce pourpoint [5] troué, ces chausses en déroute,[6] cette face maigre qui crie la faim.[7] Voilà pourtant où t'a conduit la passion des belles 5 rimes ! Voilà ce que t'ont valu [8] dix ans de loyaux services dans les pages du sire Apollon.[9] . . . Est-ce que tu n'as pas honte, à la fin?

Fais-toi donc chroniqueur, imbécile ! [10] fais-toi chroniqueur ! Tu gagneras de beaux écus à la rose,[11] tu auras ton couvert chez Brébant,[12] et tu pourras te montrer les jours de première [13] avec une plume neuve à ta barrette.[14] . . . 10

Non? Tu ne veux pas? . . . Tu prétends [15] rester libre à ta guise [16] jusqu'au bout. . . . Eh bien, écoute un peu [17] l'histoire de la *chèvre* [18] de *M. Seguin*. Tu verras ce que l'on gagne à vouloir vivre libre.

M. Seguin n'avait jamais eu de bonheur avec ses chèvres.

Il les perdait toutes de la même façon: un beau matin, elles cassaient leur 15 corde,[19] s'en allaient dans la montagne, et là-haut le loup [20] les mangeait. Ni les caresses de leur maître, ni la peur du loup, rien ne les retenait. C'était, paraît-il, des chèvres indépendantes, voulant à tout prix [21] le grand air [22] et la liberté.

Le brave [23] M. Seguin, qui ne comprenait rien au caractère de ses bêtes, était 20 consterné.[24] Il disait:

— C'est fini; les chèvres s'ennuient chez moi, je n'en garderai pas une.[25]

Cependant il ne se découragea pas, et, après avoir perdu six chèvres de la même manière, il en acheta une septième; seulement, cette fois, il eut soin de la prendre toute jeune, pour qu'elle s'habituât [26] mieux à demeurer chez lui. 25

Ah ! Gringoire, qu'elle était jolie la petite chèvre de M. Seguin ! qu'elle était

---

1. poète dramatique et satirique (1474–1538). Dans son roman, *Notre-Dame de Paris* (1831), Victor Hugo raconte une aventure de Gringoire dans le quartier des mendiants (*beggars*). (*Voir note 7, page 652.*) C'est à l'ombre (*shade*) de ce poète, type de tous les poètes miséreux (*needy*), que Daudet dédie ce conte. 2. *reporter.* 3. *"nerve."* 4. *poor wretch.* 5. *doublet.* 6. *hose in ruin.* 7. crie la faim: *proclaims hunger.* 8. (valoir, *be worth*): *brought to you.* 9. dieu des arts et de la poésie. Du temps de Gringoire on disait encore poliment Monseigneur Jésus, Madame sa Mère, Monsieur Saint Joseph, etc. Daudet adopte ce style en parlant d'Apollon. 10. *you duffer!* 11. écus *ou* nobles à la rose: pièces de monnaie portant la rose de Lancastre. Ces pièces eurent cours (*served as currency*) en France après la bataille d'Azincourt, quand Henri V d'Angleterre fut déclaré roi de France. 12. place (*cover*) chez Brébant: (restaurateur chez qui se réunissaient des gens de lettres). 13. première représentation de nouvelles pièces de théâtre. 14. petit bonnet porté à l'époque. 15. *intend, insist upon.* 16. *to please your fancy.* 17. *just listen.* 18. *goat.* 19. *broke their tether.* 20. *wolf.* 21. *at all cost.* 22. *open air.* 23. *good, kindly.* 24. *dismayed.* 25. il me sera impossible d'en garder une. 26. *should get used to.*

jolie avec ses yeux doux, sa barbiche [1] de sous-officier,[2] ses sabots noirs et luisants,[3] ses cornes zébrées [4] et ses longs poils [5] blancs qui lui faisaient une houppelande ! [6] C'était presque aussi charmant que le cabri d'Esméralda,[7] tu te rappelles, Gringoire ? — et puis, docile, caressante, se laissant traire [8] sans bouger, sans mettre son pied dans l'écuelle.[9] Un amour [10] de petite chèvre. . . . 5

M. Seguin avait derrière sa maison un clos [11] entouré d'aubépines.[12] C'est là qu'il mit sa nouvelle pensionnaire.[13] Il l'attacha à un pieu,[14] au plus bel endroit du pré,[15] en ayant soin de lui laisser beaucoup de corde, et de temps en temps il venait voir si elle était bien.[16] La chèvre se trouvait très heureuse et broutait [17] l'herbe de si bon cœur que M. Seguin était ravi. 10

— Enfin, pensait le pauvre homme, en voilà une qui ne s'ennuiera pas chez moi !

M. Seguin se trompait, sa chèvre s'ennuya.

Un jour, elle se dit en regardant la montagne :

— Comme on doit être bien là-haut ! Quel plaisir de gambader [18] dans la 15 bruyère,[19] sans cette maudite longe [20] qui vous écorche le cou ! [21] . . . C'est bon pour l'âne [22] ou pour le bœuf [23] de brouter dans un clos ! . . . Les chèvres, il leur faut du large.[24]

A partir de ce moment, l'herbe du clos lui parut fade.[25] L'ennui lui vint. Elle maigrit,[26] son lait se fit rare.[27] C'était pitié [28] de la voir tirer tout le jour 20 sur sa longe, la tête tournée du côté de la montagne, la narine [29] ouverte, en faisant Mé ! . . . tristement.

M. Seguin s'apercevait bien [30] que sa chèvre avait quelque chose, mais il ne savait pas ce que c'était. . . . Un matin, comme il achevait de la traire, la chèvre se retourna et lui dit dans son patois : 25

— Écoutez, monsieur Seguin, je me languis [31] chez vous, laissez-moi aller dans la montagne.

— Ah ! mon Dieu ! . . . Elle aussi ! cria M. Seguin stupéfait [32] et du coup [33] il laissa tomber son écuelle ; puis, s'asseyant dans l'herbe à côté de sa chèvre :

— Comment, Blanquette, tu veux me quitter ! 30

Et Blanquette répondit :

— Oui, monsieur Seguin.

— Est-ce que l'herbe te manque ici ?

— Oh ! non, monsieur Seguin.

1. *goatee.*   2. *non-commissioned officer.*   3. *black and shiny hoofs.*   4. *striped.*   5. *hair.*
6. espèce de grand pardessus (*overcoat*) très ample.   7. cabri: petite chèvre. Dans *Notre-Dame de Paris*, Victor Hugo raconte qu'Esméralda, une gitane (*gipsy*), sauva Gringoire que le Roi des Mendiants avait condamné à mort, en promettant de l'épouser. Elle avait une chèvre savante (*trained*) que Gringoire, naturellement, connaissait de son vivant, et dont son ombre devait se souvenir.   8. *milk.*   9. *bowl, basin.*   10. *darling.*   11. *inclosure.*
12. *hawthorns.*   13. *boarder.*   14. *stake.*   15. *meadow.*   16. *was comfortable.*   17. *browsed.*
18. *gambol.*   19. *heather.*   20. *cursed tether.*   21. *galls your neck.*   22. *donkey.*   23. *ox.*
24. beaucoup d'espace.   25. *tasteless.*   26. *got thin.*   27. *became scarce.*   28. Cela faisait pitié (not *it was a pity*).   29. *nostril.*   30. *did not fail to notice.*   31. *or je m'ennuie.*
32. *dumfounded.*   33. *from the shock of it.*

— Tu es peut-être attachée de trop court [1]; veux-tu que j'allonge la corde?

— Ce n'est pas la peine,[2] monsieur Seguin.

— Alors, qu'est-ce qu'il te faut! qu'est-ce que tu veux?

— Je veux aller dans la montagne, monsieur Seguin.

— Mais, malheureuse,[3] tu ne sais pas qu'il y a le loup dans la montagne. . . . 5
Que feras-tu quand il viendra? . . .

— Je lui donnerai des coups de corne,[4] monsieur Seguin.

— Le loup se moque bien [5] de tes cornes. Il m'a mangé des biques [6] autrement encornées [7] que toi. . . . Tu sais bien, la pauvre vieille Renaude qui
était ici l'an dernier? une maîtresse [8] chèvre, forte et méchante comme un 10
bouc.[9] Elle s'est battue [10] avec le loup toute la nuit . . . puis, le matin, le
loup l'a mangée.

— *Pécaïre!* [11] Pauvre Renaude! Ça ne fait rien,[12] monsieur Seguin, laissez-
moi aller dans la montagne.

— Bonté divine! [13] . . . dit M. Seguin; mais qu'est-ce qu'on leur fait donc à 15
mes chèvres? Encore une que le loup va me manger. . . . Eh bien, non . . .
je te sauverai malgré toi, coquine! [14] et de peur que [15] tu ne rompes ta corde, je
vais t'enfermer dans l'étable,[16] et tu y resteras toujours.

Là-dessus,[17] M. Seguin emporta la chèvre dans une étable toute noire, dont
il ferma la porte à double tour.[18] Malheureusement, il avait oublié la fenêtre, 20
et à peine eut-il le dos tourné,[19] que la petite s'en alla. . . .

Tu ris, Gringoire? Parbleu! je crois bien [20]; tu es du parti [21] des chèvres, toi,
contre ce bon M. Seguin. . . . Nous allons voir si tu riras tout à l'heure.

Quand la chèvre blanche arriva dans la montagne, ce fut un ravissement [22]
général. Jamais les vieux sapins [23] n'avaient rien vu d'aussi joli. On la reçut 25
comme une petite reine. Les châtaigniers [24] se baissaient jusqu'à [25] terre pour
la caresser du bout [26] de leurs branches. Les genêts d'or [27] s'ouvraient sur son
passage, et sentaient bon tant qu'ils pouvaient. Toute la montagne lui fit fête.

Tu penses, Gringoire, si notre chèvre était heureuse! Plus de corde, plus
de pieu . . . rien qui l'empêchât de gambader, de brouter à sa guise. . . . 30
C'est là qu'il y en avait de l'herbe! [28] jusque par-dessus les cornes, mon cher. . . .
Et quelle herbe! Savoureuse, fine, dentelée,[29] faite de mille plantes. . . .
C'était bien autre chose que le gazon [30] du clos. Et les fleurs donc! [31] . . . De
grandes campanules [32] bleues, des digitales de pourpre à longs calices,[33] toute
une forêt de fleurs sauvages débordant de sucs capiteux! [34] . . . 35

1. *tied too short.* **2.** *It is no good.* **3.** *you poor thing.* **4.** *I shall butt him.* **5.** *What
does the wolf care?* **6.** (*populaire*): chèvres. **7.** plus fortement encornées (*horned*).
8. *ici:* grande, robuste, puissante. **9.** *ugly as a ram.* **10.** *fought.* **11.** exclamation méridionale (*southern*) dénotant la pitié. *Ici:* Oh! la pauvre! **12.** *But it makes no difference.*
13. *Good gracious!* **14.** *you rascal.* **15.** de peur que: *lest.* **16.** *stable.* **17.** *Whereupon.*
18. *double-locked.* **19.** *hardly had he turned his back.* **20.** *Of course; you would!* **21.** es du
parti: *take sides with.* **22.** *delight.* **23.** *fir trees.* **24.** *chestnut trees.* **25.** *bent right down.*
26. *end, tip.* **27.** *golden broom.* **28.** (*meadow*) *grass,* (*composed of a variety of grasses*).
See note 30. **29.** *savory, delicate, filigreed.* **30.** (*lawn*) *grass.* **31.** *And what flowers!*
32. *bell-flowers* (*campanulas*). **33.** *foxgloves with long cups.* **34.** *overflowing with intoxi-
cating juices;* (capiteux: qui porte à la tête, comme le vin).

La chèvre blanche, à moitié soûle,[1] se vautrait [2] là-dedans les jambes en l'air et roulait le long des talus,[3] pêle-mêle avec les feuilles tombées et les châtaignes.[4] . . . Puis, tout à coup, elle se redressait d'un bond [5] sur ses pattes. Hop! la voilà partie, la tête en avant, à travers les maquis [6] et les buissières,[7] tantôt sur un pic, tantôt au fond d'un ravin, là-haut, en bas, partout. . . . On aurait dit qu'il y avait dix chèvres de M. Seguin dans la montagne.

C'est qu'elle [8] n'avait peur de rien, la Blanquette.

Elle franchissait d'un saut [9] de grands torrents qui l'éclaboussaient [10] au passage de poussière [11] humide et d'écume.[12] Alors, toute ruisselante,[13] elle allait s'étendre [14] sur quelque roche plate [15] et se faisait sécher par le soleil.[16] . . . Une fois, s'avançant au bord d'un plateau, une fleur de cytise [17] aux dents, elle aperçut en bas, tout en bas dans la plaine, la maison de M. Seguin avec le clos derrière. Cela la fit rire aux larmes.

— Que c'est petit! dit-elle; comment ai-je pu tenir là-dedans? [18]

Pauvrette! de se voir si haut perchée, elle se croyait au moins aussi grande que le monde. . . .

En somme, ce fut une bonne journée pour la chèvre de M. Seguin. Vers le milieu du jour, en courant de droite et de gauche, elle tomba dans [19] une troupe de chamois en train de croquer une lambrusque à belles dents.[20] Notre petite coureuse [21] en robe blanche fit sensation. On lui donna la meilleure place à la lambrusque et tous ces messieurs furent très galants. . . . Il paraît même, — ceci doit rester entre nous, Gringoire, — qu'un jeune chamois à pelage noir [22] eut la bonne fortune de plaire à Blanquette. Les deux amoureux s'égarèrent parmi le bois [23] une heure ou deux, et si tu veux savoir ce qu'ils se dirent, va le demander aux sources bavardes [24] qui courent invisibles dans la mousse.

Tout à coup le vent fraîchit.[25] La montagne devint violette [26]; c'était le soir. . . .

— Déjà! dit la petite chèvre; et elle s'arrêta fort étonnée.

En bas, les champs étaient noyés de brume.[27] Le clos de M. Seguin disparaissait dans le brouillard,[28] et de la maisonnette on ne voyait plus que le toit avec un peu de fumée. Elle écouta les clochettes d'un troupeau [29] qu'on ramenait, et se sentit l'âme toute triste. . . . Un gerfaut,[30] qui rentrait, la frôla [31] de ses ailes en passant. Elle tressaillit [32]. . . puis ce fut un hurlement [33] dans la montagne:

— Hou! hou!

---

1. *half drunk.*　**2.** *se roulait.*　**3.** *along the slopes.*　**4.** *chestnuts.*　**5.** *suddenly, she would bound up again.*　**6.** *thickets.*　**7.** *box groves.*　**8.** *For, you see.*　**9.** *in one bound she cleared.*　**10.** *sprinkled.*　**11.** *dust.*　**12.** *foam.*　**13.** *dripping.*　**14.** allait s'étendre: *lay down.*　**15.** *flat rock.*　**16.** *made the sun dry her.*　**17.** *cluster of laburnum.*　**18.** *how could it hold (contain) me.*　**19.** *fell in with.*　**20.** *who were crunching a wild vine with great relish.*　**21.** vagabonde, aventurière.　**22.** *dark-coated.*　**23.** *lost themselves in the forest.*　**24.** *babbling springs.*　**25.** *became cooler.*　**26.** *purple.*　**27.** *fields drowned in mist.*　**28.** *fog.*　**29.** *bells of a herd.*　**30.** *falcon.*　**31.** *grazed.*　**32.** *started.*　**33.** *howling.*

Elle pensa au loup; de tout le jour la folle [1] n'y avait pas pensé.... Au même moment une trompe [2] sonna bien loin dans la vallée. C'était ce bon M. Seguin qui tentait un dernier effort.

— Hou! hou!... faisait le loup.

— Reviens! reviens!... criait la trompe. 5

Blanquette eut envie de revenir, mais en se rappelant le pieu, la corde, la haie [3] du clos, elle pensa que maintenant elle ne pouvait plus se faire [4] à cette vie, et qu'il valait mieux rester.

La trompe ne sonnait plus....

La chèvre entendit derrière elle un bruit de feuilles. Elle se retourna et 10 vit dans l'ombre [5] deux oreilles courtes, toutes droites,[6] avec deux yeux qui reluisaient.[7]... C'était le loup.

Énorme, immobile, assis sur son train de derrière,[8] il était là regardant la petite chèvre blanche et la dégustant [9] par avance. Comme il savait bien qu'il la mangerait, le loup ne se pressait pas; seulement, quand elle se retourna, 15 il se mit à rire méchamment.

— Ha! ha! la petite chèvre de M. Seguin; et il passa sa grosse langue rouge sur ses babines [10] d'amadou.[11]

Blanquette se sentit perdue.... Un moment, en se rappelant l'histoire de la vieille Renaude, qui s'était battue toute la nuit pour être mangée le matin, 20 elle se dit qu'il vaudrait peut-être mieux se laisser manger tout de suite; puis, s'étant ravisée,[12] elle tomba en garde,[13] la tête basse et la corne en avant, comme une brave chèvre de M. Seguin qu'elle était.... Non pas qu'elle eût l'espoir de tuer le loup, — les chèvres ne tuent pas le loup, — mais seulement pour voir si elle pourrait tenir [14] aussi longtemps que la Renaude.... 25

Alors le monstre s'avança, et les petites cornes entrèrent en danse.

Ah! la brave chevrette, comme elle y allait de bon cœur! Plus de dix fois, je ne mens pas,[15] Gringoire, elle força le loup à reculer [16] pour reprendre haleine.[17] Pendant ces trêves [18] d'une minute, la gourmande [19] cueillait en hâte encore un brin [20] de sa chère herbe; puis elle retournait au combat, la bouche pleine.... 30 Cela dura toute la nuit. De temps en temps la chèvre de M. Seguin regardait les étoiles danser dans le ciel clair, et elle se disait:

— Oh! pourvu que je tienne [21] jusqu'à l'aube....

L'une après l'autre, les étoiles s'éteignirent.[22] Blanquette redoubla de [23] coups de corne, le loup de coups de dents.... Une lueur pâle parut dans l'hori- 35 zon.... Le chant d'un coq enroué [24] monta d'une métairie.[25]

---

1. the (little) scatter-brain. **2.** horn. **3.** hedge. **4.** reprendre l'habitude, s'adapter. **5.** darkness. **6.** erect. **7.** shone. **8.** hindquarters. **9.** smacking his lips. **10.** lips. **11.** amadou: tinder; substance très douce au toucher et de couleur brune qui prend feu aisément et dont on se servait autrefois dans les briquets (tinder-boxes). **12.** changed her mind; thought better of it. **13.** stood on the defensive. **14.** hold out. **15.** (lit., I'm not lying): honor bright. **16.** retreat, fall back. **17.** breath. **18.** truces. **19.** glutton. **20.** picked ... a blade. **21.** si seulement je puis tenir. **22.** went out. **23.** redoubla de: gave twice as many. **24.** hoarse rooster. **25.** farm.

— Enfin ! dit la pauvre bête qui n'attendait plus que le jour pour mourir; et elle s'allongea [1] par terre dans sa belle fourrure [2] blanche toute tachée de sang.[3] . . .

Alors le loup se jeta sur la petite chèvre et la mangea.

Adieu, Gringoire !

L'histoire que tu as entendue n'est pas un conte [4] de mon invention. Si jamais tu viens en Provence,[5] nos ménagers [6] te parleront souvent de la *cabro de moussu Seguin, que se battégue touto la neui emé lou loup, e piei lou matin lou loup la mangé.*[7]

Tu m'entends bien, Gringoire:

E piei lou matin lou loup la mangé.

1. *stretched out.* **2.** *fur.* **3.** *stained with blood.* **4.** (*mere*) *tale.* **5.** ancienne province du Sud-Est de la France. **6.** *farmers* (*in Provence*). **7.** en langue provençale: « La chèvre de Monsieur Seguin qui se battit toute la nuit avec le loup, et puis le matin le loup la mangea.»

APPARITION

par GUY DE MAUPASSANT

(1850–1893)

La vie de Maupassant fut pleine de contradictions. Athlète sain et robuste, il voulait jouir de tous les plaisirs; il n'y trouva que désillusion. Il semblait défier la maladie et la mort; la peur de la mort hanta ses dernières années. Appelé aux honneurs par sa naissance et son talent, il les fuyait, il *cachait sa vie;* mais, avant de mourir, il fut atteint du délire des grandeurs. Acclamé comme un maître écrivain dont l'art promettait merveilles, il disparut soudain, emporté par la plus lamentable des folies. Peu d'hommes ont payé plus cher la rançon de leur gloire.

Il appartenait à une vieille et noble famille de Lorraine dont une branche s'était établie en Normandie. Il naquit au château de Miromesnil. Son enfance s'écoula, heureuse, exubérante, entre ce château et la plage (*beach*) d'Étretat, où il prit le goût de la vie libre, l'amour de la mer et des sports. Sa mère l'appelait son « poulain échappé » (*runaway colt*). Élève au petit séminaire d'Yvetot, il s'y montra très indocile. On le plaça au lycée de Rouen. Le poète Louis Bouilhet, ami de la famille, lui ouvrit sa maison et l'encouragea à écrire des vers. La guerre de 1870 éclata. Guy s'engagea dans un corps de mobiles et vit de près les horreurs de l'invasion. Peut-être fut-ce le point de départ de sa misanthropie.

Sa famille ruinée, il vient à Paris chercher fortune. D'abord employé aux bureaux de la Marine, il passe (grâce à Flaubert, grand ami de sa mère) à ceux de l'Instruction Publique où le ministre Bardoux le choisit bientôt pour secrétaire. C'est la vie assurée. Quand il le peut, il s'échappe de son bureau pour canoter (*go boating*) sur la Seine, ou pour aller soumettre à Flaubert quelques essais en prose ou en vers. Celui-ci le prend pour disciple et lui enseigne l'art d'écrire, ne lui permettant de rien publier avant d'avoir atteint la perfection. Il lui communique aussi sa haine des platitudes de la vie moderne. A cette rude discipline qui dura sept ans, Maupassant apprit à observer le détail typique qui caractérise et distingue tout être et toute chose (« il n'y a pas deux grains de sable pareils »); puis à trouver l'unique mot qui exprime ce détail.

Il avait rencontré chez Flaubert beaucoup d'hommes de lettres. Invité par Zola à ses fameuses *Soirées de Médan,* il y lut sa nouvelle, *Boule de Suif.* On l'acclama. Il la fit imprimer, elle eut du succès. Flaubert venait de mourir (1880). Maupassant abandonna son bureau pour vivre désormais de sa plume.

Alors commence vraiment sa carrière littéraire, et son œuvre est le reflet de sa vie. Élevé en Normandie, il peindra la Normandie, hommes et choses. Il a servi en 1870; il contera des histoires de guerre, des histoires vécues. Il a travaillé aux bureaux des Ministères; il mettra en scène des bureaucrates, et souvent aussi les canotiers de la Seine. Les romans *Bel Ami, Mont-Oriol,* nous révèleront les salles de la presse et les boulevards qu'il a fréquentés. Voyageur, il dira ses impressions (*Au Soleil, La Vie errante, Sur l'eau*). Redevenu mondain, il racontera le monde en de beaux romans (*Pierre et Jean, Fort comme la mort, Notre Cœur*). Hanté par la peur de la mort, il écrira des Contes qui font frissonner (*Apparition, La Main, La Nuit, Qui sait? Le Horla,* etc.).

Dans ses 14 volumes de *Contes* gais ou tristes, il s'est documenté directement sur la vie et sur la nature. Rien de livresque chez lui. Et l'on ne saurait trouver style plus objectif, plus clair, plus précis et plus impersonnel.

Le succès de ses pièces de théâtre, *Histoire du vieux temps*, *Musotte*, *La Paix du ménage*, promettait à Maupassant une belle carrière dramatique. Mais l'excès du travail et des plaisirs, l'abus de la morphine et du hachisch, la pratique des sciences occultes avaient tendu ses nerfs, affaibli ses facultés cérébrales. Il dut se soigner dans le Midi; il tenta de se suicider. On le ramena à Paris. Il vécut environ deux ans d'une vie animale que traversaient de pitoyables crises de démence. La mort le délivra en 1893; il n'avait que 43 ans! La France perdait en lui son plus parfait conteur réaliste. On lui érigea une belle statue au Parc Monceau, à Paris.

On parlait de séquestration à propos d'un procès [1] récent. C'était à la fin d'une soirée intime, rue de Grenelle, dans un ancien hôtel,[2] et chacun avait son histoire, une histoire qu'il affirmait vraie.

Alors le vieux marquis de la Tour-Samuel, âgé de quatre-vingt-deux ans, se leva et vint s'appuyer [3] à la cheminée.[4] Il dit de sa voix un peu tremblante: 5

— Moi aussi, je sais une chose étrange, tellement étrange qu'elle a été l'obsession de ma vie. Voici maintenant cinquante-six ans que cette aventure m'est arrivée, et il ne se passe pas un mois sans que je la revoie en rêve. Il m'est demeuré [5] de ce jour-là une marque, une empreinte de peur, me comprenez-vous? Oui, j'ai subi [6] l'horrible épouvante,[7] pendant dix minutes, 10 d'une telle façon que depuis cette heure une sorte de terreur constante m'est restée dans l'âme. Les bruits inattendus [8] me font tressaillir [9] jusqu'au cœur; les objets que je distingue mal dans l'ombre du soir me donnent une envie folle de me sauver. J'ai peur la nuit, enfin.

Oh! je n'aurais pas avoué [10] cela avant d'être arrivé à l'âge où je suis. 15 Maintenant je peux tout dire. Il est permis de n'être pas brave devant les dangers imaginaires, quand on a quatre-vingt-deux ans. Devant les dangers véritables, je n'ai jamais reculé,[11] Mesdames.

Cette histoire m'a tellement bouleversé [12] l'esprit, a jeté en moi un trouble [13] si profond, si mystérieux, si épouvantable, que je ne l'ai même jamais ra- 20 contée. Je l'ai gardée dans le fond [14] intime de moi, dans ce fond où l'on cache les secrets pénibles,[15] les secrets honteux, toutes les inavouables faiblesses que nous avons dans notre existence.

Je vais vous dire l'aventure telle quelle,[16] sans chercher à l'expliquer. Il est bien certain qu'elle est explicable, à moins que je n'aie eu mon heure de 25 folie. Mais non, je n'ai pas été fou, et je vous en donnerai la preuve. Imaginez ce que vous voudrez. Voici les faits tout simples.

C'était en 1827, au mois de juillet. Je me trouvais à Rouen en garnison.

Un jour, comme je me promenais sur le quai,[17] je rencontrai un homme que je crus reconnaître sans me rappeler au juste qui c'était. Je fis, par 30

1. *lawsuit, trial.* **2.** grande maison particulière, à la ville. **3.** *lean.* **4.** *mantelpiece.* **5.** Il m'est demeuré: J'ai gardé. **6.** *experienced.* **7.** terreur. **8.** *unexpected.* **9.** sauter. **10.** confessé. **11.** *fallen back.* **12.** agité, troublé. **13.** agitation. **14.** *depths.* **15.** qui font souffrir. **16.** telle quelle: *such as it was.* **17.** (du port).

instinct, un mouvement pour m'arrêter. L'étranger aperçut ce geste, me regarda et tomba dans mes bras.

C'était un ami de jeunesse que j'avais beaucoup aimé. Depuis cinq ans que je ne l'avais vu, il semblait vieilli d'un demi-siècle.[1] Ses cheveux étaient tout blancs; et il marchait courbé,[2] comme épuisé.[3] Il comprit ma surprise 5 et me conta sa vie. Un malheur terrible l'avait brisé.

Devenu follement [4] amoureux d'une jeune fille, il l'avait épousée dans une sorte d'extase de bonheur. Après un an d'une félicité surhumaine et d'une passion inapaisée,[5] elle était morte subitement d'une maladie de cœur, tuée par l'amour lui-même, sans doute. 10

Il avait quitté son château le jour même de l'enterrement,[6] et il était venu habiter son hôtel de Rouen. Il vivait là, solitaire et désespéré, rongé [7] par la douleur, si misérable qu'il ne pensait qu'au suicide.

— Puisque je te retrouve ainsi, me dit-il, je te demanderai de me rendre un grand service, c'est d'aller chercher chez moi dans le secrétaire [8] de ma 15 chambre, de notre chambre, quelques papiers dont j'ai un urgent besoin. Je ne puis charger de ce soin [9] un subalterne ou un homme d'affaires, car il me faut une impénétrable discrétion et un silence absolu. Quant à moi, pour rien au monde je ne rentrerai dans cette maison.

Je te donnerai la clef de cette chambre que j'ai fermée moi-même en partant, 20 et la clef de mon secrétaire. Tu remettras en outre[10] un mot de moi à mon jardinier qui t'ouvrira le château.[11]

Mais viens déjeuner avec moi demain, et nous causerons de cela.

Je lui promis de lui rendre ce léger [12] service. Ce n'était d'ailleurs qu'une promenade pour moi, son domaine se trouvant situé à cinq lieues [13] de Rouen 25 environ. J'en avais pour [14] une heure à cheval.

A dix heures, le lendemain, j'étais chez lui. Nous déjeunâmes en tête-à-tête; mais il ne prononça pas vingt paroles. Il me pria de l'excuser; la pensée de la visite que j'allais faire dans cette chambre, où gisait [15] son bonheur, le bouleversait, me disait-il. Il me parut en effet singulièrement agité, pré- 30 occupé, comme si un mystérieux combat se fût livré [16] dans son âme.

Enfin il m'expliqua exactement ce que je devais faire. C'était bien simple. Il me fallait prendre deux paquets de lettres et une liasse [17] de papiers enfermés dans le premier tiroir [18] de droite du meuble [19] dont j'avais la clef. Il ajouta:

— Je n'ai pas besoin de te prier de n'y point jeter les yeux.[20] 35

Je fus presque blessé [21] de cette parole, et je le lui dis un peu vivement. Il balbutia [22]:

— Pardonne-moi, je souffre trop.

1. vieilli d'un demi-siècle: *half a century older.* **2.** *bent.* **3.** sans forces. **4.** *madly* (not *foolishly*). **5.** *unsated.* **6.** *burial.* **7.** tourmenté. **8.** *writing-desk* (*with lid and inside drawers*). **9.** charger de ce soin (*care, commission*): *intrust with this errand.* **10.** be- *sides.* **11.** grande maison de campagne. **12.** *slight.* **13.** environ vingt kilomètres. **14.** J'en avais pour: C'était l'affaire de. **15.** *lay.* **16.** *was being fought.* **17.** quantité de papiers *liés* (*tied*) ensemble. **18.** *drawer.* **19.** *piece of furniture* (le secrétaire). **20.** jeter les yeux (lit.. *cast eyes upon*): *glance at them.* **21.** offensé. **22.** *stammered.*

Et il se mit à pleurer.[1]

Je le quittai vers une heure pour accomplir ma mission.

Il faisait un temps radieux, et j'allais au grand trot à travers les prairies,[2] écoutant des chants d'alouettes[3] et le bruit rythmé de mon sabre sur ma botte.

Puis j'entrai dans la forêt et je mis au pas mon cheval.[4] Des branches 5 d'arbres me caressaient le visage; et parfois j'attrapais[5] une feuille avec mes dents et je la mâchais[6] avidement, dans une de ces joies de vivre[7] qui vous emplissent,[8] on ne sait pourquoi, d'un bonheur tumultueux et comme insaissable,[9] d'une sorte d'ivresse[10] de force.

En approchant du château, je cherchai dans ma poche la lettre que j'avais 10 pour le jardinier, et je m'aperçus avec étonnement qu'elle était cachetée.[11] Je fus tellement surpris et irrité que je faillis revenir[12] sans m'acquitter de ma commission. Puis je songeai que j'allais montrer là une susceptibilité de mauvais goût. Mon ami avait pu d'ailleurs fermer ce mot sans y prendre garde,[13] dans le trouble où il était.   15

Le manoir semblait abandonné depuis vingt ans. La barrière,[14] ouverte et pourrie,[15] tenait debout on ne sait comment. L'herbe emplissait les allées[16]; on ne distinguait plus les plates-bandes[17] du gazon.[18]

Au bruit que je fis en tapant à coups de pied dans un volet,[19] un vieil homme sortit d'une porte de côté et parut stupéfait de me voir. Je sautai à terre et 20 je remis ma lettre. Il la lut, la relut, la retourna, me considéra en dessous,[20] mit le papier dans sa poche et prononça:

— Eh bien! qu'est-ce que vous désirez?

Je répondis brusquement:

— Vous devez le savoir, puisque vous avez reçu là-dedans les ordres de 25 votre maître; je veux entrer dans ce château.

Il semblait atterré.[21] Il déclara:

— Alors, vous allez dans . . . dans sa chambre?

Je commençais à m'impatienter.

— Parbleu![22] Mais est-ce que vous auriez l'intention de m'interroger, par 30 hasard?

Il balbutia:

— Non . . . Monsieur . . . mais c'est que . . . c'est qu'elle n'a pas été ouverte depuis . . . depuis la . . . mort. Si vous voulez m'attendre cinq minutes, je vais aller . . . aller voir si . . .   35

Je l'interrompis avec colère:

— Ah! ça, voyons, vous fichez-vous de moi?[23] Vous n'y pouvez pas entrer, puisque voici la clef.

---

1. se mit à pleurer: *he broke down.*   **2.** *meadows.*   **3.** *larks.*   **4.** je mis . . . cheval: *I walked my horse.*   **5.** *caught.*   **6.** *chewed.*   **7.** joie de vivre, *joy of being alive.*   **8.** *fill.* **9.** inexplicable.   **10.** *rapture, frenzy.*   **11.** *sealed.*   **12.** je faillis revenir: *I came near retracing my steps.*   **13.** sans y prendre garde: *absentmindedly.*   **14.** *gate.*   **15.** *rotten.* **16.** *paths.*   **17.** *flower beds.*   **18.** *lawn.*   **19.** *shutter.*   **20.** me considéra en dessous: *gave me a sly glance.*   **21.** *dumfounded.*   **22.** *Why, of course!*   **23.** vous fichez-vous de moi? *are you making a fool of me?*

Il ne savait plus que dire.

— Alors, Monsieur, je vais vous montrer la route.

— Montrez-moi l'escalier et laissez-moi seul. Je la trouverai bien sans vous.

— Mais . . . Monsieur . . . cependant . . .

Cette fois, je m'emportai tout à fait [1]: 5

— Maintenant, taisez-vous, n'est-ce pas? ou vous aurez affaire à moi.[2]

Je l'écartai [3] violemment et je pénétrai dans la maison.

Je traversai d'abord la cuisine, puis deux petites pièces que cet homme habitait avec sa femme. Je franchis [4] ensuite un grand vestibule, je montai l'escalier et je reconnus la porte indiquée par mon ami. 10

Je l'ouvris sans peine et j'entrai.

L'appartement était tellement sombre que je n'y distinguai rien d'abord. Je m'arrêtai, saisi par cette odeur moisie et fade [5] des pièces inhabitées [6] et condamnées,[7] des chambres mortes. Puis, peu à peu, mes yeux s'habituèrent à l'obscurité, et je vis assez nettement une grande pièce en désordre, avec un 15 lit sans draps,[8] mais gardant ses matelas [9] et ses oreillers,[10] dont l'un portait l'empreinte profonde d'un coude [11] ou d'une tête comme si on venait de se poser dessus.

Les sièges [12] semblaient en déroute.[13] Je remarquai qu'une porte, celle d'une armoire [14] sans doute, était demeurée entr'ouverte.[15] 20

J'allai d'abord à la fenêtre pour donner du jour et je l'ouvris; mais les ferrures [16] du contrevent [17] étaient tellement rouillées [18] que je ne pus les faire céder.

J'essayai même de les casser avec mon sabre, sans y parvenir.[19] Comme je m'irritais de ces efforts inutiles, et comme mes yeux s'étaient enfin parfaite- 25 ment accoutumés à l'ombre, je renonçai à l'espoir d'y voir plus clair et j'allai au secrétaire.

Je m'assis dans un fauteuil,[20] j'abattis la tablette,[21] j'ouvris le tiroir indiqué. Il était plein jusqu'aux bords.[22] Il ne me fallait que trois paquets, que je savais comment reconnaître, et je me mis à les chercher. 30

Je m'écarquillais les yeux [23] à déchiffrer les suscriptions,[24] quand je crus entendre ou plutôt sentir un frôlement [25] derrière moi. Je n'y pris point garde, pensant qu'un courant d'air avait fait remuer [26] quelque étoffe. Mais, au bout d'une minute, un autre mouvement, presque indistinct, me fit passer sur la peau [27] un singulier petit frisson [28] désagréable. C'était tellement bête 35 d'être ému, même à peine,[29] que je ne voulus pas me retourner, par pudeur [30] pour moi-même. Je venais alors de découvrir la seconde des liasses qu'il me fallait, et je trouvais justement la troisième, quand un grand et pénible

---

1. je m'emportai tout à fait: *I flew into a real passion.* **2.** vous . . . moi: *I'll deal with you.* **3.** *pushed him aside.* **4.** traversai. **5.** *moldy and stale.* **6.** *uninhabited.* **7.** qu'on n'ouvre jamais. **8.** *sheets.* **9.** *mattresses.* **10.** *pillows.* **11.** *elbow.* **12.** *seats.* **13.** grand désordre. **14.** *wardrobe.* **15.** *half open.* **16.** *iron-fastenings.* **17.** *volet.* **18.** *rusty.* **19.** sans y réussir, sans succès. **20.** chaise à bras. **21.** j'abattis la tablette: *I pulled down the slab.* **22.** *edges.* **23.** Je m'écarquillais les yeux: *I strained my eyes.* **24.** *headings.* **25.** *rustle.* **26.** bouger. **27.** *skin.* **28.** *shudder.* **29.** *even the least little bit.* **30.** respect.

soupir, poussé [1] contre mon épaule, me fit faire un bond de fou [2] à deux mètres de là. Dans mon élan [3] je m'étais retourné, la main sur la poignée [4] de mon sabre, et certes, si je ne l'avais pas senti à mon côté, je me serais enfui comme un lâche.[5]

Une grande femme vêtue de blanc me regardait, debout derrière le fauteuil 5 où j'étais assis une seconde plus tôt.

Une telle secousse [6] me courut dans les membres que je faillis m'abattre à la renverse ! [7] Oh ! personne ne peut comprendre, à moins de les avoir ressenties, ces épouvantables [8] et stupides terreurs. L'âme se fond [9]; on ne sent plus son cœur; le corps entier devient mou comme une éponge [10]; on 10 dirait que tout l'intérieur de nous s'écroule.[11]

Je ne crois pas aux fantômes; eh bien ! j'ai défailli [12] sous la hideuse peur des morts; et j'ai souffert, oh ! souffert en quelques instants plus qu'en tout le reste de ma vie, dans l'angoisse [13] irrésistible des épouvantes surnaturelles.

Si elle n'avait pas parlé, je serais mort peut-être ! Mais elle parla; elle 15 parla d'une voix douce et douloureuse qui faisait vibrer les nerfs. Je n'oserais pas dire que je redevins maître de moi et que je retrouvai ma raison. Non. J'étais éperdu à ne plus savoir [14] ce que je faisais; mais cette espèce de fierté intime que j'ai en moi, un peu d'orgueil de métier [15] aussi, me faisaient garder, presque malgré moi, une contenance honorable. Je posais [16] pour moi, et pour 20 elle sans doute, pour elle, quelle qu'elle fût, femme ou spectre. Je me suis rendu compte [17] de tout cela plus tard, car je vous assure que, dans l'instant de l'apparition, je ne songeais à rien. J'avais peur.

Elle dit:

— Oh ! Monsieur, vous pouvez me rendre un grand service ! 25

Je voulus répondre, mais il me fut impossible de prononcer un mot. Un bruit vague sortit de ma gorge.

Elle reprit:

— Voulez-vous ? Vous pouvez me sauver, me guérir. Je souffre affreuse-ment. Je souffre, oh ! je souffre ! 30

Et elle s'assit doucement dans mon fauteuil. Elle me regardait:

— Voulez-vous ?

Je fis: « Oui ! » de la tête, ayant encore la voix paralysée.

Alors elle me tendit un peigne en écaille [18] et elle murmura:

— Peignez-moi, oh ! peignez-moi; cela me guérira; il faut qu'on me peigne. 35 Regardez ma tête. . . . Comme je souffre; et mes cheveux, comme ils me font mal !

Ses cheveux dénoués,[19] très longs, très noirs, me semblait-il, pendaient par-dessus le dossier du fauteuil et touchaient la terre.

---

1. *breathed.* **2.** *mad leap.* **3.** *dash.* **4.** *hilt.* **5.** poltron, couard. **6.** émotion forte et subite. **7.** je faillis . . . renverse: *I nearly fell backwards.* **8.** *frightful.* **9.** *melts away, dissolves.* **10.** *sponge.* **11.** *crumbles.* **12.** *felt faint.* **13.** *anguish.* **14.** éperdu . . . savoir: *amazed to the point of not knowing.* **15.** *professional pride.* **16.** prenais une attitude (qui cachait mes sentiments). **17.** rendu compte: *realized.* **18.** *tortoise-shell comb.* **19.** *loose.*

Pourquoi ai-je fait ceci? Pourquoi ai-je reçu en frissonnant ce peigne, et pourquoi ai-je pris dans mes mains ses longs cheveux qui me donnèrent à la peau une sensation de froid atroce comme si j'eusse manié [1] des serpents? Je n'en sais rien.

Cette sensation m'est restée dans les doigts et je tressaille en y songeant.[2]   5

Je la peignai. Je maniai je ne sais comment cette chevelure de glace.[3] Je la tordis,[4] je la renouai et la dénouai [5]; je la tressai [6] comme on tresse la crinière [7] d'un cheval. Elle soupirait, penchait [8] la tête, semblait heureuse.

Soudain elle me dit: « Merci ! » m'arracha le peigne des mains et s'enfuit par la porte que j'avais remarquée entr'ouverte.   10

Resté seul, j'eus, pendant quelques secondes, ce trouble effaré [9] des réveils après les cauchemars.[10] Puis je repris enfin mes sens [11]; je courus à la fenêtre et je brisai les contrevents d'une poussée [12] furieuse.

Un flot [13] de jour entra. Je m'élançai sur la porte par où cet être était parti. Je la trouvai fermée et inébranlable.[14]   15

Alors une fièvre de fuite [15] m'envahit,[16] une panique, une vraie panique des batailles. Je saisis brusquement les trois paquets de lettres sur le secrétaire ouvert; je traversai l'appartement en courant, je sautai les marches de l'escalier quatre à quatre, je me trouvai dehors je ne sais par où, et, apercevant mon cheval à dix pas de moi, je l'enfourchai [17] d'un bond et partis au galop.   20

Je ne m'arrêtai qu'à Rouen, et devant mon logis. Ayant jeté la bride [18] à mon ordonnance,[19] je me sauvai dans ma chambre où je m'enfermai pour réfléchir.

Alors, pendant une heure, je me demandai anxieusement si je n'avais pas été le jouet [20] d'une hallucination. Certes, j'avais eu un de ces incompréhensibles ébranlements [21] nerveux, un de ces affolements du cerveau [22] qui 25 enfantent [23] les miracles, à qui le Surnaturel doit sa puissance.

Et j'allais croire à une vision, à une erreur de mes sens, quand je m'approchai de ma fenêtre. Mes yeux, par hasard, descendirent sur ma poitrine. Mon dolman [24] était plein de longs cheveux de femme qui s'étaient enroulés [25] aux boutons !   30

Je les saisis un à un et je les jetai dehors avec des tremblements dans les doigts.

Puis j'appelai mon ordonnance. Je me sentais trop ému, trop troublé, pour aller le jour même chez mon ami. Et puis je voulais mûrement [26] réfléchir à ce que je devais lui dire.   35

Je lui fis porter ses lettres, dont il remit un reçu au soldat. Il s'informa beaucoup de moi. On lui dit que j'étais souffrant, que j'avais reçu un coup de soleil,[27] je ne sais quoi. Il parut inquiet.

1. *handled.* **2.** je tressaille en y songeant: *the thought of it makes me shudder.* **3.** chevelure de glace: *ice-cold hair.* **4.** *twisted.* **5.** renouai, dénouai: *knotted, unknotted.* **6.** *plaited.* **7.** *mane.* **8.** *bent.* **9.** *bewildered.* **10.** *nightmares.* **11.** je repris mes sens: *I came to myself, recovered my senses.* **12.** *thrust.* **13.** *flood.* **14.** *unshakable.* **15.** fièvre (*fever*) de fuite: *mad impulse to run away.* **16.** *took hold of me.* **17.** *straddled.* **18.** *reins.* **19.** *orderly.* **20.** *sport.* **21.** chocs. **22.** *brain storms.* **23.** *produisent.* **24.** *coat* (*of a cavalry man*). **25.** *twisted around.* **26.** *seriously.* **27.** *sunstroke.*

Je me rendis chez lui le lendemain, dès l'aube,[1] résolu à lui dire la vérité. Il était sorti la veille au soir et pas rentré.

Je revins dans la journée, on ne l'avait pas revu. J'attendis une semaine. Il ne reparut pas. Alors je prévins la justice.[2] On le fit rechercher partout, sans découvrir une trace de son passage ou de sa retraite.   5

Une visite minutieuse fut faite du château abandonné. On n'y découvrit rien de suspect.

Aucun indice [3] ne révéla qu'une femme y eût été cachée.

L'enquête n'aboutissant à rien,[4] les recherches furent interrompues.

Et, depuis cinquante-six ans, je n'ai rien appris. Je ne sais rien de plus. 10

1. *at dawn.* 2. informai la police. 3. signe, marque. 4. L'enquête n'aboutissant à rien: *The inquiry having led nowhere.*

CRAINQUEBILLE

par ANATOLE FRANCE

(1844–1924)

Anatole France est une des figures les plus complexes de la littérature française. Poète, conteur, critique, érudit, historien, philosophe, moraliste, il semble tenir à la fois de Renan, Voltaire, Diderot, Montaigne, Rabelais, d'Érasme et des philosophes d'Alexandrie; mais il se distingue d'eux tous par la perfection d'un style très personnel, clair, élégant, cadencé, plus encore peut-être que par sa vaste érudition, par son amour de l'antiquité grecque, par l'ironie de ses paradoxes et le raffinement de son scepticisme, par son sens aigu de l'harmonie en toutes choses. C'est un charmeur.

Fils d'un père lettré, royaliste et clérical, M. France Thibaut, lequel tenait, sur la rive gauche de la Seine, une librairie fréquentée le soir par des amis qui maudissaient la Révolution et adoraient les institutions et l'art du passé — fils d'une mère dévote qui lui faisait lire la Bible en images et la Légende Dorée (des Saints), tout en lui contant des histoires païennes de fées, de géants, d'ondines (*sea-nymphs*) et de salamandres — l'enfant apprit dans ce milieu à aimer l'histoire et la légende, l'art grec et l'art religieux. Élève au Collège Stanislas, il ne s'y passionna que pour Homère et pour les tragiques grecs qui l'initièrent à la poésie du malheur. Sa véritable école, ce fut celle du foyer et celle de la rue où il aimait à contempler les humbles gens de métier, à s'attarder aux étalages des libraires et des bouquinistes sur les quais de la Seine.

A l'âge de 15 ans, il publie une *Légende de Sainte Radegonde*. Mais c'est en 1868 qu'il se révèle au public lettré par une magistrale étude sur *Alfred de Vigny*. Dès lors, les ouvrages se succèdent sans répit: une quarantaine de volumes de sujets très variés, tous écrits dans une langue savoureuse, où l'ironie, la pitié, le paradoxe, la satire politique et morale expriment (en des conversations, en des digressions plus intéressantes que l'objet du récit) la philosophie indulgente d'un sceptique qui a « pillé les âges » et espère, malgré tout, une humanité meilleure.

Nous lui devons des vers très remarquables, *Poèmes dorés*, *Noces corinthiennes*, œuvres de jeunesse trahissant déjà cette double hantise qui sera la marque de son génie: *tendresse pour la souffrance, regret de la joie de vivre*, qu'il reproche au Christianisme d'avoir bannie de la terre.

L'œuvre en prose comprend: des articles de critique; des récits autobiographiques, *Le Livre de mon ami*, *Pierre Nozière*, etc.; plusieurs volumes de *Contes* philosophiques et satiriques, où il se rit des défaillances de la religion, de la science, de la politique, de la justice (comme *Crainquebille* que nous reproduisons dans ce volume); des romans, *Le Crime de Sylvestre Bonnard* (1881) qui obtint un succès mondial, *Les Désirs de Jean Servien*, *Thaïs*, *Le Lys rouge;* une série de volumes où le dilettante s'amuse à mettre de spirituels paradoxes sur les questions les plus brûlantes dans la bouche de Jérôme Coignard et de M. Bergeret: *Les Opinions de Jérôme Coignard*, *La Rôtisserie de la Reine Pédauque*, etc.; des satires historiques et sociales: *L'Île des Pinguoins*, *Les Dieux ont soif*, etc.; de délicieux essais; une farce d'après Rabelais, *La Comédie de celui qui épousa une femme muette;* et une *Vie de Jeanne d'Arc*, qui lui coûta vingt années d'études et fut très discutée.

Anatole France fut quelque temps bibliothécaire au Sénat. Pendant quelques années, il fut un socialiste militant. Il était, depuis 1896, membre de l'Académie française.

I. DE LA MAJESTÉ DES LOIS

La majesté de la justice réside tout entière dans chaque sentence rendue par le juge au nom du peuple souverain. Jérôme Crainquebille, marchand ambulant,[1] connut [2] combien la loi est auguste, quand il fut traduit [3] en police correctionnelle [4] pour outrage [5] à un agent de la force publique.[6] Ayant pris place, dans la salle magnifique et sombre, sur le banc des accusés, il vit les 5 juges, les greffiers,[7] les avocats en robe, l'huissier [8] portant la chaîne,[9] les gendarmes et, derrière une cloison,[10] les têtes nues des spectateurs silencieux. Et il se vit lui-même assis sur un siège [11] élevé, comme si de paraître devant des magistrats l'accusé lui-même en recevait un funeste [12] honneur. Au fond de la salle, entre les deux assesseurs,[13] M. le président Bourriche siégeait. 10 Les palmes d'officier d'académie [14] étaient attachées sur sa poitrine. Un buste de la République et un Christ en croix surmontaient le prétoire,[15] en sorte que toutes les lois divines et humaines étaient suspendues sur la tête de Crainquebille. Il en conçut une juste terreur. N'ayant point l'esprit philosophique, il ne se demanda pas ce que voulaient dire ce buste et ce crucifix 15 et il ne rechercha pas si Jésus et Marianne,[16] au Palais,[17] s'accordaient ensemble. C'était pourtant matière à réflexion, car enfin la doctrine pontificale et le droit canon [18] sont opposés, sur bien des points, à la Constitution de la République et au Code civil. Les Décrétales [19] n'ont point été abolies, qu'on sache.[20] L'Église du Christ enseigne comme autrefois que seuls sont légitimes 20 les pouvoirs auxquels elle a donné l'investiture.[21] Or la République française prétend encore ne pas relever de la puissance pontificale.[22]

Crainquebille ne se livrait à aucune considération historique, politique ou sociale. Il demeurait dans l'étonnement. L'appareil [23] dont il était environné lui faisait concevoir une haute idée de la justice. Pénétré de respect, 25 submergé d'épouvante,[24] il était prêt à s'en rapporter [25] aux juges sur sa propre culpabilité. Dans sa conscience, il ne se croyait pas criminel; mais il sentait combien c'est peu que la conscience d'un marchand de légumes devant les symboles de la loi et les ministres de la vindicte [26] sociale. Déjà son avocat l'avait à demi persuadé qu'il n'était pas innocent.   30

1. (vegetable) peddler. **2.** découvrit. **3.** arraigned. **4.** police correctionnelle: tribunal qui juge les délits (misdemeanors); les crimes sont jugés par la Cour d'Assises. **5.** insulte. **6.** agent . . . publique: policeman. **7.** clerks of the Court. **8.** tipstaff, usher. **9.** insigne de sa fonction. **10.** partition. **11.** chaise. **12.** baleful. **13.** assistant judges. En France, le juge-président est toujours assisté de deux collègues. **14.** décoration de l'Ordre académique fondé par Napoléon Bonaparte. **15.** court room; ici: judges' bench. **16.** nom populaire donné à l'effigie de la République. Cf. Uncle Sam, John Bull. **17.** Palais (de Justice). **18.** droit canon: lois de l'Église. **19.** lettres où les anciens papes décidaient quelque point de dogme ou de discipline. Elles constituent le Code ecclésiastique, le droit canon. **20.** so far as is known. **21.** donné l'investiture: c'est-à-dire, qu'elle a reconnus et consacrés. **22.** relever . . . pontificale: dépendre de l'autorité du pape. **23.** pompe. **24.** overwhelmed with fright. **25.** accepter ou laisser la décision. **26.** réprobation.

Une instruction [1] sommaire et rapide avait relevé [2] les charges qui pesaient sur lui.[3]

II. L'AVENTURE DE CRAINQUEBILLE

Jérôme Crainquebille, marchand des quatre-saisons,[4] allait par la ville, poussant sa petite voiture et criant: *Des choux, des navets, des carottes!* [5] Et, quand il avait des poireaux,[6] il criait: *Bottes d'asperges!* parce que les poireaux 5 sont les asperges du pauvre. Or, le 20 octobre, à l'heure de midi, comme il descendait la rue Montmartre, madame Bayard, la cordonnière [7] « A l'Ange gardien », sortit de sa boutique [8] et s'approcha de la voiture légumière. Soulevant dédaigneusement une botte de poireaux:

— Ils ne sont guère beaux, vos poireaux. Combien la botte? 10

— Quinze sous, la bourgeoise.[9] Y a pas [10] meilleur.

— Quinze sous, trois mauvais poireaux?

Et elle rejeta la botte dans la charrette, avec un geste de dégoût.

C'est alors que l'agent 64 survint [11] et dit à Crainquebille:

— Circulez! [12] 15

Crainquebille, depuis cinquante ans, circulait du matin au soir. Un tel ordre lui sembla légitime et conforme à la nature des choses. Tout disposé à y obéir, il pressa la bourgeoise de prendre ce qui était à sa convenance.

— Faut [13] encore que je choisisse la marchandise, répondit aigrement [14] la cordonnière. 20

Et elle tâta [15] de nouveau toutes les bottes de poireaux, puis elle garda celle qui lui parut la plus belle et elle la tint contre son sein [16] comme les saintes, dans les tableaux d'église, pressent sur leur poitrine la palme triomphale.

— Je vas [17] vous donner quatorze sous. C'est bien assez. Et encore il faut que j'aille les chercher dans la boutique, parce que je ne les ai pas sur moi. 25

Et, tenant ses poireaux embrassés, elle rentra dans la cordonnerie où une cliente, portant un enfant, l'avait précédée.

A ce moment, l'agent 64 dit pour la deuxième fois à Crainquebille:

— Circulez!

— J'attends mon argent, répondit Crainquebille. 30

— Je ne vous dis pas d'attendre votre argent; je vous dis de circuler, reprit l'agent avec fermeté.

Cependant la cordonnière, dans sa boutique, essayait des souliers bleus à un enfant de dix-huit mois dont la mère était pressée.[18] Et les têtes vertes des poireaux reposaient sur le comptoir. 35

Depuis un demi-siècle qu'il poussait sa voiture dans les rues, Crainquebille avait appris à obéir aux représentants de l'autorité. Mais il se trouvait cette

1. *examination (of the case).* 2. *laid bare.* 3. qui pesaient (*weighed*) sur lui: *for which he was indicted.* 4. *costermonger.* 5. *cabbages, turnips, carrots.* 6. *leeks.* 7. *shoemaker's wife.* 8. *shop.* 9. (*populaire*): *lady.* 10. (*populaire*): Il n'y a pas. 11. apparut. 12. *Move on!* 13. Il faut. 14. *sourly.* 15. *felt, handled.* 16. *bosom.* 17. vais. 18. *in a hurry.*

fois dans une situation particulière, entre un devoir [1] et un droit.[2] Il n'avait pas l'esprit juridique. Il ne comprit pas que la jouissance [3] d'un droit individuel ne le dispensait pas d'accomplir un devoir social. Il considéra trop son droit qui était de recevoir quatorze sous, et il ne s'attacha pas assez à son devoir qui était de pousser sa voiture et d'aller plus avant et toujours plus 5 avant. Il demeura.[4]

Pour la troisième fois, l'agent 64, tranquille et sans colère, lui donna l'ordre de circuler. Contrairement à la coutume du brigadier [5] Montauciel, qui menace sans cesse et ne sévit [6] jamais, l'agent 64 est sobre d'avertissements [7] et prompt à verbaliser.[8] Tel est son caractère. Bien qu'un peu sournois,[9] 10 c'est un excellent serviteur et un loyal soldat. Le courage d'un lion et la douceur d'un enfant. Il ne connaît que sa consigne.[10]

— Vous n'entendez donc pas, quand je vous dis de circuler !

Crainquebille avait de rester en place une raison trop considérable à ses yeux pour qu'il ne la crût pas suffisante. Il l'exposa simplement et sans art: 15

— Nom de nom ! [11] puisque je vous dis que j'attends mon argent.

L'agent 64 se contenta de répondre:

— Voulez-vous que je vous f . . . une contravention ? [12] Si vous le voulez, vous n'avez qu'à le dire.

En entendant ces paroles, Crainquebille haussa [13] lentement les épaules et 20 coula sur l'agent un regard [14] douloureux qu'il éleva ensuite vers le ciel. Et ce regard disait:

« Que Dieu me voie ! Suis-je un contempteur [15] des lois ? Est-ce que je me ris des décrets et des ordonnances [16] qui régissent mon état ambulatoire ? [17] A cinq heures du matin, j'étais sur le carreau des Halles.[18] Depuis sept heures, 25 je me brûle [19] les mains à mes brancards [20] en criant: *Des choux, des navets, des carottes!* J'ai soixante ans sonnés.[21] Je suis las.[22] Et vous me demandez si je lève le drapeau [23] noir de la révolte. Vous vous moquez et votre raillerie est cruelle. »

Soit que l'expression de ce regard lui eût échappé, soit qu'il n'y trouvât 30 pas une excuse à la désobéissance, l'agent demanda d'une voix brève et rude si c'était compris.

Or, en ce moment précis, l'embarras des voitures [24] était extrême dans la rue Montmartre. Les fiacres, les haquets, les tapissières,[25] les omnibus, les camions,[26] pressés les uns contre les autres, semblaient indissolublement joints 35 et assemblés. Et sur leur immobilité frémissante [27] s'élevaient des jurons [28] et des cris. Les cochers de fiacre échangeaient de loin, et lentement, avec les garçons bouchers des injures [29] héroïques, et les conducteurs d'omnibus, con-

---

1. *duty.* **2.** *right.* **3.** *enjoyment.* **4.** resta là. **5.** caporal. **6.** punit. **7.** *warnings.* **8.** *make official report.* **9.** *sly, crafty.* **10.** *orders.* **11.** *a mild form of the oath:* nom de Dieu. **12.** f . . . une contravention: *summon you.* **13.** *shrugged.* **14.** *glance.* **15.** *despiser.* **16.** *enactments and regulations.* **17.** *my itinerant business.* **18.** le carreau des Halles: *the stone flags of the Central Market.* **19.** *chafe, burn.* **20.** *shafts (of my pushcart).* **21.** passés. **22.** fatigué. **23.** lève le drapeau: *raise the standard.* **24.** *traffic jam.* **25.** *cabs, drays, vans.* **26.** *trucks.* **27.** tremblante d'impatience. **28.** *oaths.* **29.** insultes.

sidérant Crainquebille comme la cause de l'embarras, l'appelaient « sale [1] poireau ».

Cependant sur le trottoir,[2] des curieux se pressaient,[3] attentifs à la querelle. Et l'agent, se voyant observé, ne songea plus qu'à faire montre [4] de son autorité. 5

— C'est bon, dit-il.

Et il tira de sa poche un calepin crasseux [5] et un crayon très court.

Crainquebille suivait son idée et obéissait à une force intérieure. D'ailleurs il lui était impossible maintenant d'avancer ou de reculer. La roue de sa charrette était malheureusement prise dans la roue d'une voiture de laitier.[6] 10

Il s'écria en s'arrachant les cheveux sous sa casquette:

— Mais, puisque je vous dis que j'attends mon argent! C'est-il pas [7] malheureux! Misère de misère! Bon sang de bon sang! [8]

Par ces propos,[9] qui pourtant exprimaient moins la révolte que le désespoir, l'agent 64 se crut insulté. Et comme, pour lui, toute insulte revêtait nécessaire- 15 ment la forme traditionnelle, régulière, consacrée, rituelle et pour ainsi dire liturgique de « Mort aux vaches ! » [10] c'est sous cette forme que spontanément il recueillit et concréta [11] dans son oreille les paroles du délinquant.

— Ah ! vous avez dit: « Mort aux vaches ! » C'est bon. Suivez-moi.

Crainquebille, dans l'excès de la stupeur et de la détresse, regardait avec ses 20 gros yeux brûlés du soleil l'agent 64, et de sa voix cassée,[12] qui lui sortait tantôt de dessus la tête et tantôt de dessous les talons,[13] s'écriait, les bras croisés sur sa blouse bleue:

— J'ai dit: « Mort aux vaches »? Moi?... Oh !

Cette arrestation fut accueillie [14] par les rires des employés de commerce et 25 des petits garçons. Elle contentait le goût que toutes les foules [15] d'hommes éprouvent pour les spectacles ignobles et violents. Mais, s'étant frayé un passage [16] à travers le cercle populaire, un vieillard très triste, vêtu de noir et coiffé d'un chapeau de haute forme,[17] s'approcha de l'agent et lui dit très doucement et très fermement, à voix basse: 30

— Vous vous êtes mépris.[18] Cet homme ne vous a pas insulté.

— Mêlez-vous de ce qui vous regarde,[19] lui répondit l'agent, sans proférer de menaces, car il parlait à un homme proprement mis.[20]

Le vieillard insista avec beaucoup de calme et de ténacité. Et l'agent lui intima l'ordre de s'expliquer chez le commissaire.[21] 35

Cependant Crainquebille s'écriait:

— Alors que j'ai dit [22] « Mort aux vaches ! » Oh !...

Il prononçait ces paroles étonnées quand madame Bayard, la cordonnière,

---

1. *dirty.* **2.** *sidewalk.* **3.** *formed a dense crowd.* **4.** *make a display.* **5.** *greasy note-book.* **6.** marchand de lait. **7.** N'est-ce-pas? **8.** *(popular exclamation of discontent): Lawk o' mercy!* **9.** paroles. **10.** lit., *death to the cows (an insult to the police).* **11.** *gave a form to.* **12.** *cracked.* **13.** *heels.* **14.** *greeted.* **15.** *crowds.* **16.** *pushed his way.* **17.** *top hat.* **18.** *mistaken.* **19.** *Mind your business.* **20.** correctement habillé. **21.** *police magistrate.* **22.** Alors ... dit: Comment? vous dites que j'ai dit.

vint à lui, les quatorze sous dans la main. Mais déjà l'agent 64 le tenait au collet,[1] et madame Bayard, pensant qu'on ne devait rien à un homme conduit au poste,[2] mit les quatorze sous dans la poche de son tablier.[3]

Et, voyant tout à coup sa voiture en fourrière,[4] sa liberté perdue, l'abîme [5] sous ses pas et le soleil éteint,[6] Crainquebille murmura: 5

— Tout de même![7] . . .

Devant le commissaire, le vieillard déclara que, arrêté sur son chemin par un embarras de voitures, il avait été témoin de la scène, qu'il affirmait que l'agent n'avait pas été insulté, et qu'il s'était totalement mépris. Il donna ses noms et qualités: docteur David Matthieu, médecin en chef de l'hôpital 10 Ambroise-Paré, officier de la Légion d'honneur.[8] En d'autres temps, un tel témoignage aurait suffisamment éclairé [9] le commissaire. Mais alors, en France, les savants [10] étaient suspects.

Crainquebille, dont l'arrestation fut maintenue, passa la nuit au violon [11] et fut transféré, le matin, dans le panier à salade,[12] au Dépôt.[13] 15

La prison ne lui parut ni douloureuse ni humiliante. Elle lui parut nécessaire. Ce qui le frappa en entrant ce fut la propreté [14] des murs et du carrelage.[15] Il dit:

— Pour un endroit propre, c'est un endroit propre. Vrai de vrai! On mangerait par terre. 20

Laissé seul, il voulut tirer [16] son escabeau [17]; mais il s'aperçut qu'il était scellé [18] au mur. Il en exprima tout haut sa surprise:

— Quelle drôle d'idée! Voilà une chose que j'aurais pas inventée, pour sûr.

S'étant assis, il tourna ses pouces [19] et demeura dans l'étonnement. Le silence et la solitude l'accablaient.[20] Il s'ennuyait et il pensait avec inquiétude 25 à sa voiture mise en fourrière encore toute chargée de choux, de carottes, de céleri, de mâche [21] et de pissenlit.[22] Et il se demandait anxieux:

— Où qu'ils [23] m'ont étouffé [24] ma voiture?

Le troisième jour, il reçut la visite de son avocat, maître [25] Lemerle, un des plus jeunes membres du barreau de Paris, président d'une des sections de la 30 « Ligue de la Patrie française ».

Crainquebille essaya de lui conter son affaire, ce qui ne lui était pas facile, car il n'avait pas l'habitude de la parole. Peut-être s'en serait-il tiré [26] pourtant, avec un peu d'aide. Mais son avocat secouait la tête d'un air méfiant à tout ce qu'il disait, et feuilletant [27] des papiers, murmurait: 35

— Hum! hum! je ne vois rien de tout cela au dossier.[28]. . .

---

1. le tenait au collet: *had collared him.*   **2.** poste ou bureau (de police).   **3.** *apron.*
4. *impounded.*   **5.** *abyss.*   **6.** *gone out.*   **7.** *Just the same!* (*Who would have thought it!*)
8. ordre créé par Napoléon Bonaparte pour récompenser les grands services militaires ou civiques.   **9.** *enlightened.*   **10.** *scholars.*   **11.** *lock-up.*   **12.** *police patrol-wagon (black Maria).*   **13.** *city prison where accused persons are detained until their trial.*   **14.** *cleanliness.*
15. *brick floor.*   **16.** *draw forward.*   **17.** *stool.*   **18.** fixé.   **19.** *thumbs.*   **20.** *crushed.*
21. *corn-salad.*   **22.** *dandelion.*   **23.** où qu'ils ont (*populaire*): où est-ce qu'ils ont?   **24.** (lit., *smothered*): *concealed.*   **25.** *title given to lawyers. This lawyer was appointed by the judge to defend the poor peddler.*   **26.** s'en serait-il tiré: aurait-il réussi.   **27.** *perusing.*   **28.** *file (of the case), official report.*

Puis, avec un peu de fatigue, il dit en frisant [1] sa moustache blonde:

— Dans votre intérêt, il serait peut-être préférable d'avouer.[2] Pour ma part j'estime que votre système de dénégations absolues est d'une insigne maladresse.[3]

Et dès lors Crainquebille eût fait des aveux s'il avait su ce qu'il fallait avouer. 5

III. CRAINQUEBILLE DEVANT LA JUSTICE

Le président Bourriche consacra six minutes pleines à l'interrogatoire de Crainquebille. Cet interrogatoire aurait apporté plus de lumière si l'accusé avait répondu aux questions qui lui étaient posées. Mais Crainquebille n'avait pas l'habitude de la discussion, et dans une telle compagnie le respect 10 et l'effroi [4] lui fermaient la bouche. Aussi gardait-il le silence, et le président faisait lui-même les réponses; elles étaient accablantes. Il conclut:

— Enfin, vous reconnaissez avoir dit: « Mort aux vaches ! »

— J'ai dit: « Mort aux vaches ! » parce que monsieur l'agent a dit: « Mort aux vaches ! » Alors j'ai dit: « Mort aux vaches ! » 15

Il voulait faire entendre qu'étonné par l'imputation la plus imprévue, il avait, dans sa stupeur, répété les paroles étranges qu'on lui prêtait [5] faussement et qu'il n'avait certes point prononcées. Il avait dit: « Mort aux vaches ! » comme il eût dit: « Moi ! tenir des propos injurieux,[6] l'avez-vous pu croire ? » 20

M. le président Bourriche ne le prit pas ainsi.

— Prétendez-vous, dit-il, que l'agent a proféré [7] ce cri le premier?

Crainquebille renonça à s'expliquer. C'était trop difficile.

— Vous n'insistez pas. Vous avez raison, dit le président.

Et il fit appeler les témoins. 25

L'agent 64, de son nom Bastien Matra, jura de dire la vérité et de ne rien dire que la vérité. Puis il déposa [8] en ces termes:

— Étant de service le 20 octobre, à l'heure de midi, je remarquai, dans la rue Montmartre, un individu qui me sembla être un vendeur ambulant et qui tenait sa charrette indûment arrêtée à la hauteur du numéro 328, ce qui 30 occasionnait un encombrement de voitures.[9] Je lui intimai par trois fois l'ordre de circuler, auquel il refusa d'obtempérer.[10] Et sur ce que je l'avertis que j'allais verbaliser,[11] il me répondit en criant: « Mort aux vaches ! » ce qui me sembla être injurieux.

Cette déposition, ferme et mesurée, fut écoutée avec une évidente faveur 35 par le Tribunal. La défense avait cité [12] madame Bayard, cordonnière, et M. David Matthieu, médecin en chef de l'hôpital Ambroise-Paré, officier de la Légion d'honneur. Madame Bayard n'avait rien vu ni entendu. Le

1. *curling.* 2. confesser. 3. *egregious blunder.* 4. terreur. 5. *imputed.* 6. paroles insultantes. 7. *uttered.* 8. *testified.* 9. *traffic block.* 10. obéir. 11. *summon.* 12. appelé.

docteur Matthieu se trouvait dans la foule assemblée autour de l'agent qui sommait le marchand de circuler. Sa déposition amena un incident.

— J'ai été témoin de la scène, dit-il. J'ai remarqué que l'agent s'était mépris: il n'avait pas été insulté. Je m'approchai et lui en fis l'observation. L'agent maintint le marchand en état d'arrestation et m'invita à le suivre au com- 5 missariat. Ce que je fis. Je réitérai ma déclaration devant le commissaire.

— Vous pouvez vous asseoir, dit le président. Huissier, rappelez le témoin Matra. — Matra, quand vous avez procédé à l'arrestation de l'accusé, monsieur le docteur Matthieu ne vous a-t-il pas fait observer que vous vous mépreniez? 10

— C'est-à-dire, monsieur le président, qu'il m'a insulté.

— Que vous a-t-il dit?

— Il m'a dit: « Mort aux vaches! »

Une rumeur et des rires s'élevèrent dans l'auditoire.

— Vous pouvez vous retirer, dit le président avec précipitation. 15

Et il avertit [1] le public que si ces manifestations indécentes [2] se reproduisaient, il ferait évacuer [3] la salle. Cependant la défense [4] agitait triomphalement les manches de sa robe, et l'on pensait en ce moment que Crainquebille serait acquitté.

Le calme s'étant rétabli, maître Lemerle se leva. Il commença sa plaidoirie 20 par l'éloge des agents de la Préfecture,[5] « ces modestes serviteurs de la société, qui, moyennant [6] un salaire dérisoire, endurent des fatigues et affrontent des périls incessants, et qui pratiquent l'héroïsme quotidien. Ce sont d'anciens soldats, et qui restent soldats. Soldats, ce mot dit tout. . . . »

Et maître Lemerle s'éleva, sans effort, à des considérations très hautes sur 25 les vertus militaires. Il était de ceux, dit-il, « qui ne permettent pas qu'on touche à l'armée, à cette armée nationale à laquelle il était fier d'appartenir ».

Le président inclina la tête.

Maître Lemerle, en effet, était lieutenant dans la réserve. Il était aussi candidat nationaliste dans le quartier des Vieilles-Haudriettes. 30

Il poursuivit:

— Non certes, je ne méconnais [7] pas les services modestes et précieux que rendent journellement les gardiens de la paix à la vaillante population de Paris. Et je n'aurais pas consenti à vous présenter, messieurs, la défense de Crainquebille si j'avais vu en lui l'insulteur d'un ancien soldat. On accuse mon 35 client d'avoir dit: « Mort aux vaches! » Le sens de cette phrase n'est pas douteux. Si vous feuilletez le *Dictionnaire de la langue verte*,[8] vous y lirez: « *Vachard*, paresseux,[9] fainéant [10]; qui s'étend [11] paresseusement comme une » vache, au lieu de travailler. — *Vache*, qui se vend à la police; mouchard. » [12] *Mort aux vaches!* se dit dans un certain monde. Mais toute la question est 40

1. *warned.* **2.** *indecorous.* **3.** *clear.* **4.** maître Lemerle. **5.** Préfecture (de Police): l'emploi et les bureaux du Préfet de la police, administrateur chargé de veiller à la sureté publique. **6.** pour. **7.** *belittle.* **8.** langue verte: *slang.* **9.** *lazy fellow.* **10.** *sluggard.* **11.** se couche. **12.** *police-spy, stool-pigeon.*

celle-ci: Comment Crainquebille l'a-t-il dit? Et même, l'a-t-il dit? Permettez-moi, messieurs, d'en douter.

» Je ne soupçonne l'agent Matra d'aucune mauvaise pensée. Mais il accomplit, comme nous l'avons dit, une tâche pénible. Il est parfois fatigué, excédé,[1] surmené.[2] Dans ces conditions il peut avoir été la victime d'une sorte 5 d'hallucination de l'ouïe.[3] Et quand il vient vous dire, messieurs, que le docteur David Matthieu, officier de la Légion d'honneur, médecin en chef de l'hôpital Ambroise-Paré, un prince de la science et un homme du monde, a crié: « Mort aux vaches ! » nous sommes bien forcés de reconnaître que Matra est en proie [4] à la maladie de l'obsession, et, si le terme n'est pas trop fort, au 10 délire de la persécution.

» Et alors même que [5] Crainquebille aurait crié: « Mort aux vaches ! » il resterait à savoir si ce mot a, dans sa bouche, le caractère d'un délit.[6] Crainquebille est l'enfant naturel d'une marchande ambulante, perdue [7] d'inconduite et de boisson,[8] il est né alcoolique. Vous le voyez ici abruti [9] par 15 soixante ans de misère. Messieurs, vous direz qu'il est irresponsable. »

Maître Lemerle s'assit et M. le président Bourriche lut entre ses dents un jugement qui condamnait Jérôme Crainquebille à quinze jours de prison et cinquante francs d'amende.[10] Le tribunal avait fondé sa conviction sur le témoignage de l'agent Matra. 20

Mené par les longs couloirs [11] sombres du Palais, Crainquebille ressentit un immense besoin de sympathie. Il se tourna vers le garde de Paris qui le conduisait et l'appela trois fois:

— Cipal ! [12] . . . Cipal ! . . . Hein? cipal ! . . .

Et il soupira: 25

— Il y a seulement quinze jours, si on m'avait dit qu'il m'arriverait ce qu'il m'arrive ! . . .

Puis il fit cette réflexion:

— Ils parlent trop vite, ces messieurs. Ils parlent bien, mais ils parlent trop vite. On peut pas s'expliquer avec eux. . . . Cipal, vous trouvez pas 30 qu'ils parlent trop vite?

Mais le soldat marchait sans répondre ni tourner la tête.

Crainquebille lui demanda:

— Pourquoi que vous me répondez pas?

Et le soldat garda le silence. Et Crainquebille lui dit avec amertume [13]: 35

— On parle bien à un chien. Pourquoi que vous me parlez pas? Vous ouvrez jamais la bouche: vous avez donc pas peur qu'elle pue? [14]

[Nous avons supprimé le chapitre IV du texte où l'auteur présente une longue apologie pour M. le Président Bourriche, en démontrant les défaillances de la justice française au moment du procès Crainquebille.]

1. *exhausted.* **2.** *overworked.* **3.** *hearing.* **4.** *prey, victim.* **5.** alors même que: même si. **6.** *misdemeanor.* **7.** *ruined by.* **8.** *drink.* **9.** *besotted.* **10.** *fine.* **11.** *corridors.* **12.** *garde munici*pal (soldat de la garde municipale de Paris, régiment chargé de maintenir l'ordre dans la capitale). **13.** *bitterness.* **14.** *stinks.*

V. DE LA SOUMISSION DE CRAINQUEBILLE
AUX LOIS DE LA RÉPUBLIQUE

Crainquebille, reconduit en prison, s'assit sur son escabeau enchaîné, plein d'étonnement et d'admiration. Il ne savait pas bien lui-même que les juges s'étaient trompés.[1] Le Tribunal lui avait caché ses faiblesses intimes sous la majesté des formes. Il ne pouvait croire qu'il eût raison contre des magistrats dont il n'avait pas compris les raisons: il lui était impossible de concevoir 5 que quelque chose clochât[2] dans une si belle cérémonie. Car, n'allant ni à la messe, ni à l'Élysée,[3] il n'avait, de sa vie, rien vu de si beau qu'un jugement en police correctionnelle. Il savait bien qu'il n'avait pas crié « Mort aux vaches ! » Et, qu'il eût été condamné à quinze jours de prison pour l'avoir crié, c'était, en sa pensée, un auguste mystère, un de ces articles de foi auxquels les 10 croyants[4] adhèrent sans les comprendre, une révélation obscure, éclatante, adorable et terrible.

Ce pauvre vieil homme se reconnaissait coupable d'avoir mystiquement offensé l'agent 64, comme le petit garçon qui va au catéchisme se reconnaît coupable du péché[5] d'Ève. Il lui était enseigné, par son arrêt,[6] qu'il avait 15 crié: « Mort aux vaches ! » C'était donc qu'il avait crié: « Mort aux vaches ! » d'une façon mystérieuse, inconnue de lui-même. Il était transporté dans un monde surnaturel. Son jugement était son apocalypse.[7]

S'il ne se faisait pas une idée nette du délit, il ne se faisait pas une idée plus nette de la peine.[8] Sa condamnation lui avait paru une chose solennelle, 20 rituelle et supérieure, une chose éblouissante[9] qui ne se comprend pas, qui ne se discute pas, et dont on n'a ni à se louer,[10] ni à se plaindre.[11] A cette heure il aurait vu[12] le président Bourriche, une auréole[13] au front, descendre, avec des ailes[14] blanches, par le plafond entr'ouvert,[15] qu'il n'aurait pas été surpris de cette nouvelle manifestation de la gloire judiciaire. Il se serait dit: « Voilà 25 mon affaire qui continue ! »

Le lendemain son avocat vint le voir:

— Eh bien ! mon bonhomme, vous n'êtes pas trop mal ? Du courage ! deux semaines sont vite passées. Nous n'avons pas trop à nous plaindre.

— Pour ça, on peut dire que ces messieurs ont été bien doux, bien polis; 30 pas un gros mot.[16] J'aurais pas cru. Et le cipal avait mis des gants[17] blancs. Vous avez pas vu ?

— Tout pesé,[18] nous avons bien fait d'avouer.

— Possible.

— Crainquebille, j'ai une bonne nouvelle à vous annoncer. Une personne 35 charitable, que j'ai intéressée à votre position, m'a remis[19] pour vous une

---

1. *had made a mistake.* **2.** (lit., *should limp*): *should go wrong.* **3.** le palais du Président de la République. **4.** *believers.* **5.** *sin.* **6.** *sentence.* **7.** obscure allégorie; comme l'Apocalypse de Saint Jean. **8.** *punishment.* **9.** *dazzling.* **10.** *congratulate.* **11.** *complain.* **12.** *had he seen.* **13.** *nimbus.* **14.** *wings.* **15.** *half-opened ceiling.* **16.** *not a coarse word.* **17.** *gloves.* **18.** *All things weighed (considered).* **19.** *handed.*

somme de cinquante francs qui sera affectée au payement de l'amende à
laquelle vous avez été condamné.

— Alors quand que [1] vous me donnerez les cinquante francs?

— Ils seront versés au greffe.[2] Ne vous en inquiétez pas.

— C'est égal. Je remercie tout de même la personne.   5

Et Crainquebille méditatif murmura:

— C'est pas ordinaire ce qui m'arrive.

— N'exagérez rien, Crainquebille. Votre cas n'est pas rare, loin de là.

— Vous pourriez pas me dire où qu'ils m'ont étouffé [3] ma voiture?

VI. CRAINQUEBILLE DEVANT L'OPINION

Crainquebille, sorti de prison, poussait sa voiture rue Montmartre en criant: 10
Des choux, des navets, des carottes! Il n'avait ni orgueil,[4] ni honte de son
aventure. Il n'en gardait pas un souvenir pénible. Cela tenait,[5] dans son
esprit, du théâtre, du voyage et du rêve. Il était surtout content de marcher
dans la boue,[6] sur le pavé de la ville, et de voir sur sa tête le ciel tout en eau [7]
et sale comme le ruisseau,[8] le bon ciel de sa ville. Il s'arrêtait à tous les coins 15
de rue pour boire un verre; puis, libre et joyeux, ayant craché [9] dans ses
mains pour en lubrifier la paume calleuse, il empoignait [10] les brancards [11] et
poussait la charrette, tandis que, devant lui, les moineaux,[12] comme lui
matineux [13] et pauvres, qui cherchaient leur vie sur la chaussée,[14] s'envolaient
en gerbe [15] avec son cri familier: *Des choux, des navets, des carottes!* Une 20
vieille ménagère,[16] qui s'était approchée, lui disait en tâtant des céleris:

— Qu'est-ce qui vous est donc arrivé, père Crainquebille? Il y a bien trois
semaines qu'on ne vous a pas vu. Vous avez été malade? Vous êtes un peu
pâle.

— Je vas vous dire, m'ame Mailloche, j'ai fait le rentier.[17]   25

Rien n'est changé dans sa vie, à cela près [18] qu'il va chez le troquet [19] plus
souvent que d'habitude, parce qu'il a l'idée que c'est fête,[20] et qu'il a fait connaissance avec des personnes charitables. Il rentre un peu gai, dans sa soupente.[21] Étendu dans le plumard,[22] il ramène sur lui les sacs que lui a prêtés
le marchand de marrons [23] du coin et qui lui servent de couverture, et il 30
songe: « La prison, il n'y a pas à se plaindre; on y a tout ce qui vous faut.
Mais on est tout de même mieux chez soi. »

Son contentement fut de courte durée. Il s'aperçut vite que les clientes lui
faisaient grise mine.[24]

— Des beaux céleris, m'ame Cointreau !   35

---

1. quand que: quand est-ce que?   **2.** versés au greffe: *deposited at the Clerk's office.*
3. *suffocated;* pop.: *put up.* **4.** vanité. **5.** tenait de: ressemblait à. **6.** *mud.* **7.** saturé
d'eau. **8.** *gutter.* **9.** *spat.* **10.** saisissait fermement. **11.** *shafts.* **12.** *sparrows.* **13.** *early
risers.* **14.** rue. **15.** s'envolaient en gerbe: *flew up in flocks.* **16.** *housewife.* **17.** j'ai fait
le rentier (*gentleman of leisure*): je n'ai pas travaillé. **18.** à cela près: excepté. **19.** mastro-
quet; *tavern-keeper.*   **20.** que c'est (jour de) fête.   **21.** *garret.*   **22.** (*populaire*): lit.
23. *chestnuts.* **24.** lui faisaient grise mine: n'étaient pas aimables.

— Il ne me faut rien.

— Comment, qu'il ne vous faut rien? Vous vivez pourtant pas de l'air du temps.

Et m'ame Cointreau, sans lui faire de réponse, rentrait fièrement dans la grande boulangerie [1] dont elle était la patronne.[2] Les boutiquières [3] et les 5 concierges,[4] naguère [5] assidues autour de sa voiture verdoyante et fleurie, maintenant se détournaient de lui. Parvenu [6] à la cordonnerie de l'Ange Gardien, qui est le point où commencèrent ses aventures judiciaires, il appela:

— M'ame Bayard, m'ame Bayard, vous me devez quinze sous de l'autre fois.

Mais m'ame Bayard, qui siégeait [7] à son comptoir, ne daigna pas tourner la 10 tête.

Toute la rue Montmartre savait que le père Crainquebille sortait de prison, et toute la rue Montmartre ne le connaissait plus. Le bruit de sa condamnation était parvenu jusqu'au faubourg [8] et à l'angle tumultueux de la rue Richer. Là, vers midi, il aperçut madame Laure, sa bonne et fidèle cliente, 15 penchée sur la voiture du petit Martin. Elle tâtait un gros chou. Ses cheveux brillaient au soleil comme d'abondants fils d'or [9] largement tordus.[10] Et le petit Martin, un pas grand'chose,[11] un sale coco,[12] lui jurait, la main sur son cœur, qu'il n'y avait pas plus belle marchandise que la sienne. A ce spectacle le cœur de Crainquebille se déchira.[13] Il poussa sa voiture sur celle du petit 20 Martin et dit à madame Laure, d'une voix plaintive et brisée:

— C'est pas bien [14] de me faire des infidélités.[15]

Madame Laure, comme elle le reconnaissait elle-même, n'était pas duchesse. Ce n'est pas dans le monde [16] qu'elle s'était fait une idée du panier à salade et du Dépôt. Mais on peut être honnête dans tous les états, pas vrai? [17] 25 Chacun a son amour-propre,[18] et l'on n'aime pas avoir affaire à un individu qui sort de prison. Aussi ne répondit-elle à Crainquebille qu'en simulant un haut-le-cœur.[19] Et le vieux marchand ambulant, ressentant l'affront, hurla [20]:

— Dessalée! [21] va!

Madame Laure en laissa tomber son chou vert et s'écria: 30

— Eh! va donc, vieux cheval de retour! [22] Ça sort de prison, et ça insulte les personnes!

Crainquebille, s'il avait été de sang-froid, n'aurait jamais reproché à madame Laure sa condition.[23] Mais il était hors de lui.[24] Un cercle de curieux se forma autour de madame Laure et de Crainquebille, qui échangèrent plu- 35 sieurs injures solennelles, et qui eussent égrené tout du long leur chapelet,[25] si un agent soudainement apparu ne les avait, par son silence et son im-

---

1. *bakery shop.*   **2.** propriétaire.   **3.** *shopkeepers.*   **4.** *janitresses.*   **5.** récemment. **6.** Étant arrivé.   **7.** *sat in state.*   **8.** faubourg (*suburb*) Montmartre.   **9.** *golden threads.* **10.** *twisted.*   **11.** un pas grand'chose: *worthless fellow.*   **12.** (*populaire*): "*a rotten fellow.*" **13.** *broke; was torn.*   **14.** Ce (n')est pas bien.   **15.** faire des infidélités: *be unfaithful.* **16.** dans le (beau) monde.   **17.** (n'est-il) pas vrai?   **18.** *self-respect.*   **19.** simulant un haut-le-cœur: faisant un geste de dégoût.   **20.** *howled.*   **21.** *Dirty wench!*   **22.** va donc . . . retour: *go to, you old jailbird.*   **23.** *ici:* profession.   **24.** furieux.   **25.** égrené leur chapelet (lit., *told their beads*): *exhausted their vocabulary of insults.*

mobilité, rendus tout à coup aussi muets et immobiles que lui. Ils se séparèrent. Mais cette scène acheva [1] de perdre Crainquebille dans l'esprit du faubourg Montmartre et de la rue Richer.

VII. LES CONSÉQUENCES

Pourtant dans le fond de son cœur, il ne la méprisait [2] pas d'être ce qu'elle était. Il l'estimait plutôt, la sachant économe et rangée.[3] Autrefois ils 5 causaient tous deux volontiers ensemble. Elle lui parlait de ses parents qui habitaient la campagne. Et ils formaient tous deux le même vœu de cultiver un petit jardin et d'élever des poules.[4] C'était une bonne cliente. De la voir acheter des choux au petit Martin, un sale coco, un pas grand'chose, il en avait reçu un coup dans l'estomac [5]; et quand il l'avait vue faisant mine de 10 le mépriser, la moutarde lui avait monté au nez,[6] et dame ! [7]

Le pis,[8] c'est qu'elle n'était pas la seule qui le traitât comme un galeux.[9] Personne ne voulait plus le connaître. Tout comme madame Laure, madame Cointreau la boulangère, madame Bayard de l'Ange Gardien le méprisaient et le repoussaient. Toute la société, quoi. 15

Alors ! parce qu'on avait été mis pour quinze jours à l'ombre,[10] on n'était plus bon seulement à vendre des poireaux ! Est-ce que c'était juste ? Est-ce qu'il y avait du bon sens à faire mourir de faim un brave [11] homme parce qu'il avait eu des difficultés avec les flics ? [12] S'il ne pouvait plus vendre ses légumes, il n'avait plus qu'à crever.[13] 20

Comme le vin mal traité, il tournait à l'aigre.[14] Après avoir eu « des mots » [15] avec madame Laure, il en avait maintenant avec tout le monde. Pour un rien, il disait leur fait [16] aux chalandes [17] et sans mettre de gants,[18] je vous prie de le croire. Si elles tâtaient un peu longtemps la marchandise, il les appelait proprement râleuses [19] et purées [20]; pareillement chez le troquet, il en- 25 gueulait [21] les camarades. Son ami, le marchand de marrons, qui ne le reconnaissait plus,[22] déclarait que ce sacré père [23] Crainquebille était un vrai porcépic.[24] On ne peut le nier: il devenait incongru, mauvais coucheur,[25] mal embouché,[26] fort en gueule.[27] C'est que, trouvant la société imparfaite, il avait moins de facilité qu'un professeur de l'École des sciences morales et politiques 30 à exprimer ses idées sur les vices du système et sur les réformes nécessaires, et que ses pensées ne se déroulaient pas dans sa tête avec ordre et mesure.

Le malheur le rendait injuste. Il se revanchait [28] sur ceux qui ne lui voulaient pas de mal et quelquefois sur de plus faibles que lui. Une fois, il donna

---

1. finit. **2.** *despised.* **3.** *steady.* **4.** *chickens.* **5.** un coup dans l'estomac: *a blow below the belt.* **6.** la moutarde . . . au nez: il s'était mis en colère. **7.** *and so, don't you see.* **8.** *The worst of it.* **9.** *mangy fellow.* **10.** (lit., *in the shade*): *in jail.* **11.** *decent.* **12.** (*populaire*): *policemen,* "*cops.*" **13.** (lit., *burst*): "*peg out,*" "*kick the bucket.*" **14.** *was turning sour.* **15.** *tiffs.* **16.** il disait leur fait: *he told his opinion of them.* **17.** clientes. **18.** sans mettre de gants (lit., *without putting gloves on*): "*straight.*" **19.** *hagglers.* **20.** *niggards.* **21.** "*bawled out.*" **22.** qui le trouvait très changé. **23.** *blasted old man.* **24.** *porcupine.* **25.** (lit., *bad bedfellow*): *hard to get on with.* **26.** *foul-mouthed.* **27.** "*with too much mouth.*" **28.** *took it out on.*

une gifle [1] à Alphonse, le petit du marchand de vin, qui lui avait demandé si l'on était bien à l'ombre. Il le gifla et lui dit :

— Sale gosse ! [2] c'est ton père qui devrait être à l'ombre au lieu de s'enrichir à vendre du poison.

Acte et parole qui ne lui faisaient pas honneur, car, ainsi que le marchand 5 de marrons le lui remontra [3] justement, on ne doit pas battre un enfant, ni lui reprocher son père, qu'il n'a pas choisi.

Il s'était mis à boire. Moins il gagnait d'argent, plus il buvait d'eau-de-vie.[4] Autrefois économe et sobre, il s'émerveillait lui-même de ce changement.

— J'ai jamais été fricoteur,[5] disait-il. Faut croire qu'on devient moins 10 raisonnable en vieillissant.

Parfois il jugeait sévèrement son inconduite [6] et sa paresse :

— Mon vieux Crainquebille, t'es plus bon [7] que pour lever le coude.[8]

Parfois il se trompait lui-même et se persuadait qu'il buvait par besoin :

— Faut comme ça, de temps en temps, que je boive un verre pour me donner 15 des forces et pour me rafraîchir. Sûr que j'ai quelque chose de brûlé [9] dans l'intérieur. Et il y a encore que la boisson [10] comme rafraîchissement.

Souvent il lui arrivait de manquer la criée [11] matinale et il ne se fournissait [12] plus que de marchandise avariée [13] qu'on lui livrait à crédit. Un jour, se sentant les jambes molles et le cœur las, il laissa sa voiture dans la remise [14] et 20 passa toute la sainte journée à tourner autour de l'étal [15] de madame Rose, la tripière,[16] et devant tous les troquets des Halles. Le soir, assis sur un panier,[17] il songea, et il eut conscience de sa déchéance.[18] Il se rappela sa force première [19] et ses antiques travaux, ses longues fatigues et ses gains heureux, ses jours innombrables, égaux et pleins ; les cent pas,[20] la nuit, sur le carreau des Halles, 25 en attendant la criée ; les légumes enlevés par brassées [21] et rangés avec art dans la voiture, le petit noir [22] de la mère Théodore avalé [23] tout chaud d'un coup, au pied levé,[24] les brancards empoignés solidement ; son cri, vigoureux comme le chant du coq, déchirant [25] l'air matinal, sa course par les rues populeuses, toute sa vie innocente et rude [26] de cheval humain, qui, durant un 30 demi-siècle, porta, sur son étal roulant, aux citadins brûlés de veilles et de soucis,[27] la fraîche moisson [28] des jardins potagers.[29] Et secouant la tête il soupira [30] :

— Non ! j'ai plus le courage que j'avais. Je suis fini. Tant va la cruche à l'eau qu'à la fin elle se casse.[31] Et puis, depuis mon affaire en justice, je n'ai 35 plus le même caractère.[32] Je suis plus le même homme, quoi !

---

1. *slap.* **2.** *beastly brat.* **3.** montra en le désapprouvant. **4.** *brandy.* **5.** *(populaire):* *wastrel.* **6.** mauvaise conduite. **7.** tu n'es plus bon. **8.** lever le coude: boire. **9.** *burnt.* **10.** (il n'y a) encore que la boisson: *there is nothing like drink.* **11.** *auction sale* (*in the Central Market*). **12.** achetait. **13.** *damaged.* **14.** *shed.* **15.** *stall.* **16.** marchande de tripes, etc. **17.** *basket.* **18.** *downfall.* **19.** d'autrefois. **20.** (lit., *hundred steps*): *walking up and down while waiting.* **21.** *armfuls.* **22.** *black coffee.* **23.** *swallowed.* **24.** au moment de partir. **25.** *rending.* **26.** dure, pénible. **27.** brûlés de veilles et de soucis: *consumed with night labors and worries.* **28.** *crop, harvest.* **29.** *vegetable gardens.* **30.** *sighed.* **31.** Tant va . . . casse: *The pitcher goes to the well so often that finally it is broken.* **32.** disposition.

Enfin il était démoralisé. Un homme dans cet état-là, autant dire que c'est un homme par terre et incapable de se relever. Tous les gens qui passent lui pilent dessus.[1]

VIII. LES DERNIÈRES CONSÉQUENCES

La misère[2] vint, la misère noire. Le vieux marchand ambulant, qui rapportait autrefois du faubourg Montmartre les pièces de cent sous à plein sac,[3] maintenant n'avait plus un rond.[4] C'était l'hiver. Expulsé de sa soupente, il coucha sous des charrettes, dans une remise. Les pluies étant tombées pendant vingt-quatre jours, les égouts[5] débordèrent[6] et la remise fut inondée.

Accroupi[7] dans sa voiture, au-dessus des eaux empoisonnées, en compagnie des araignées,[8] des rats et des chats faméliques,[9] il songeait[10] dans l'ombre. N'ayant rien mangé de la journée et n'ayant plus pour se couvrir les sacs du marchand de marrons, il se rappela les deux semaines durant lesquelles le gouvernement lui avait donné le vivre et le couvert.[11] Il envia le sort des prisonniers, qui ne souffrent ni du froid ni de la faim, et il lui vint une idée:

— Puisque je connais le truc,[12] pourquoi que[13] je m'en servirais pas?

Il se leva et sortit dans la rue. Il n'était guère plus de onze heures. Il faisait un temps aigre[14] et noir. Une bruine[15] tombait, plus froide et plus pénétrante que la pluie. De rares passants se coulaient au ras des murs.[16]

Crainquebille longea l'église Saint-Eustache et tourna dans la rue Montmartre. Elle était déserte. Un gardien de la paix se tenait planté sur le trottoir, au chevet[17] de l'église, sous un bec de gaz,[18] et l'on voyait, autour de la flamme, tomber une petite pluie rousse.[19] L'agent la recevait sur son capuchon,[20] il avait l'air transi,[21] mais soit qu'il préférât la lumière à l'ombre, soit qu'il fût las de marcher, il restait sous son candélabre, et peut-être s'en faisait-il un compagnon, un ami. Cette flamme tremblante était son seul entretien[22] dans la nuit solitaire. Son immobilité ne paraissait pas tout à fait humaine; le reflet de ses bottes sur le trottoir mouillé, qui semblait un lac, le prolongeait inférieurement et lui donnait de loin l'aspect d'un monstre amphibie, à demi sorti des eaux. De plus près, encapuchonné[23] et armé, il avait l'air monacal[24] et militaire. Les gros traits de son visage, encore grossis par l'ombre du capuchon, étaient paisibles et tristes. Il avait une moustache épaisse, courte et grise. C'était un vieux sergot,[25] un homme d'une quarantaine d'années.

Crainquebille s'approcha doucement de lui et, d'une voix hésitante et faible, lui dit:

1. lui pilent dessus: marchent sur lui et l'écrasent. **2.** extrême pauvreté. **3.** à plein sac: *in plenty.* **4.** *a red cent.* **5.** *sewers.* **6.** *overflowed.* **7.** *Crouching.* **8.** *spiders.* **9.** qui meurent de faim. **10.** méditait. **11.** *board and lodging.* **12.** *trick.* **13.** pourquoi (est-ce) que ... **14.** froid et humide. **15.** petite pluie très fine. **16.** se coulaient ... murs: *slipped along, hugging the walls.* **17.** (lit., tête): partie orientale de l'église, formant la tête de la croix. **18.** *street lamp.* **19.** *reddish.* **20.** *hood.* **21.** être transi: avoir très froid. **22.** *ici:* compagnie. **23.** dans son capuchon. **24.** d'un moine. **25.** *(populaire):* sergent.

— Mort aux vaches !

Puis il attendit l'effet de cette parole consacrée. Mais elle ne fut suivie d'aucun effet. Le sergot resta immobile et muet, les bras croisés sous son manteau court. Ses yeux, grands ouverts et qui luisaient [1] dans l'ombre, regardaient Crainquebille avec tristesse, vigilance et mépris. 5

Crainquebille, étonné, mais gardant encore un reste de résolution, balbutia [2]:

— Mort aux vaches ! que je vous ai dit.

Il y eut un long silence durant lequel tombait la pluie fine et rousse et régnait l'ombre glaciale. Enfin le sergot parla: 10

— Ce n'est pas à dire.[3] . . . Pour sûr et certain que ce n'est pas à dire. A votre âge on devrait avoir plus de connaissance.[4] . . . Passez votre chemin.

— Pourquoi que vous m'arrêtez pas ? demanda Crainquebille.

Le sergot secoua la tête sous son capuchon humide:

— S'il fallait empoigner [5] tous les poivrots [6] qui disent ce qui n'est pas à 15 dire, y en aurait de l'ouvrage ! [7] . . . Et de quoi que ça servirait ? [8]

Crainquebille, accablé par ce dédain magnanime, demeura longtemps stupide et muet, les pieds dans le ruisseau. Avant de partir, il essaya de s'expliquer:

— C'était pas pour vous que j'ai dit: « Mort aux vaches ! » C'était pas plus pour l'un que pour l'autre que je l'ai dit. C'était pour une idée. 20

Le sergot répondit avec une austère douceur [9]:

— Que ce soye [10] pour une idée ou pour autre chose, ce n'était pas à dire, parce que quand un homme fait son devoir et qu'il endure bien des souffrances, on ne doit pas l'insulter par des paroles futiles. . . . Je vous réitère [11] de passer votre chemin. 25

Crainquebille, la tête basse, et les bras ballants,[12] s'enfonça [13] sous la pluie dans l'ombre.

---

1. brillaient.   **2.** dit avec hésitation.   **3.** Ce n'est pas une chose à dire.   **4.** sagesse. **5.** saisir, arrêter.   **6.** *drunkards.*   **7.** travail à faire.   **8.** de quoi . . . servirait: à quoi est-ce que cela servirait ?   **9.** *gentleness.*   **10.** Que ce soye (soit): *Whether it is.*   **11.** répète. **12.** *hanging loose and swinging.*   **13.** *moved on into.*

CHOIX DE POÈMES

CHARLES D'ORLÉANS

(1391–1465)

Ce poète de sang royal était neveu du malheureux roi Charles VI. Un de ses fils succéda à Charles VIII et régna sous le nom de Louis XII.

Son père à lui, Louis d'Orléans, fut assassiné en 1407. Charles devint donc, très jeune encore, chef du parti dynastique qui luttait contre les prétentions du roi d'Angleterre au trône de France. Fait prisonnier à la désastreuse bataille d'Azincourt (1415), il fut emmené en Angleterre. Sa captivité dura 25 ans. Il occupa ses loisirs à composer en latin, en anglais, mais surtout en français, des poèmes où il chantait la patrie absente, la nature, l'amour, etc.

Libéré en 1440, il rentra en France, se retira en son château de Blois et y établit une cour littéraire « l'école du bien penser, bien dire et bien aimer » que fréquentèrent les poètes du temps. Il y acheva ses jours en 1465.

Son œuvre comprend des centaines de poésies légères (poésies fugitives) à forme fixe: *rondeaux, ballades, chansons*, etc., écrites pendant ou après sa captivité. La plupart sont exquises de grâce et de délicatesse, riches de belles images et de refrains harmonieux: le vers sonne clair, facile et musical.

[Dans le *rondeau*, les deux premiers vers du premier quatrain servent de refrain au second quatrain, et le premier vers seul sert de refrain au troisième quatrain. Voici un *rondeau* où, comme tous les troubadours, Charles d'Orléans chante le retour du printemps.]

RONDEAU

A. *Le temps a laissé son manteau* [1]
B. *De vent, de froidure* [2] *et de pluie,*
b. Et s'est vêtu [3] de broderie, [4]
a. De soleil luisant [5] clair et beau.

a. Il n'y a bête ni oiseau 5
b. Qu'en [6] son jargon [7] ne chante ou crie:

A. *Le temps a laissé son manteau*
B. *De vent, de froidure et de pluie.*

a. Rivière, fontaine et ruisseau [8]
b. Portent, en livrée jolie, 10
b. Gouttes d'argent, [9] d'orfévrerie, [10]
a. Chacun s'habille de nouveau [11]:
A. *Le temps a laissé son manteau.*

FRANÇOIS VILLON

(1431–1483?)

Né à Paris, de parents pauvres, François Montcorbier, tout enfant, connut la misère. Protégé par le chapelain Guillaume Villon dont il prit le nom, il étudia à l'Université

---

1. *coat.* **2.** *cold.* **3.** *has donned.* **4.** *embroidery.* **5.** *shining.* **6.** Au XVe siècle on élidait le *i* de *qui* tout comme le *e* de *que*. **7.** « langage particulier à certains milieux »; *ici:* le langage des animaux. **8.** *stream.* **9.** *drops of silver.* **10.** *jewelry.* **11.** met un vêtement ⟨*clothing*⟩ nouveau.

de Paris; mais il préférait aux leçons des maîtres la compagnie de jeunes débauchés et de femmes légères. En 1457, dans une des querelles alors si fréquentes, un homme fut tué. On accusa Villon et ses camarades; ils furent condamnés à être pendus.

Le poète Charles d'Orléans obtint sa grâce; mais Villon dut quitter Paris et vagabonda à travers la province. Il est difficile de suivre sa trace. On le retrouve en Poitou où il fut membre des Confrères de la Passion; à Orléans, où il fut mis en prison, pour on ne sait quelle offense; à Blois, chez le prince Charles d'Orléans. Il ne put revenir à Paris qu'à l'avènement de Louis XI, en 1461. La date de sa mort est incertaine.

Villon est le plus original, le plus personnel des poètes de la fin du Moyen-âge. Sa vie aventureuse et misérable se reflète dans toute son œuvre.

Il a excellé dans la ballade, comme Charles d'Orléans dans le rondeau. Qui ne connaît sa « Ballade des Pendus », sa « Ballade à Notre Dame », et cette « Ballade des Dames du temps jadis » que nous donnons dans ce volume? C'est celle dans laquelle il s'attriste (*grieves*) sur la fragilité de toutes choses, surtout sur la mort: les plus belles choses doivent périr un jour — il ne faut pas demander pourquoi; nous ne savons pas; c'est tout comme les neiges de l'hiver qui disparaissent au soleil du printemps. Il nous a laissé, avec ses ballades, rondeaux, etc., un spirituel *Petit Testament*, où il distribue son avoir à ses amis, et un *Grand Testament*, où il nous dit ses remords et fait de sérieuses réflexions sur la destinée humaine.

La grande vogue du poète subit une éclipse pendant le XVIe siècle et la période classique du XVIIe siècle. Mais depuis lors Villon a été considéré comme le plus grand poète français du Moyen-âge.

[La *ballade* a trois strophes de huit vers octosyllabiques arrangés symétriquement, avec un vers-refrain à la fin de chaque strophe. Puis il y a encore une demi-strophe, appelée *envoi* (car le poème était généralement adressé à quelque personne particulière) et qui est construite sur le même modèle que la seconde moitié des strophes précédentes.]

BALLADE DES DAMES DU
TEMPS JADIS [1]

a.   Dites-moi où, n'en [2] quel pays,
b.   Est Flora,[3] la belle Romaine;
a.   Archipiada,[4] ou Thaïs,[5]
b.   Qui fut sa cousine germaine [6];
b.   Écho,[7] parlant quand bruit on
         mène [8]   5

c.   Dessus rivière ou sur étang,[9]
b.   Qui beauté eut trop plus qu'humaine? [10]
C.   *Mais où sont les neiges d'antan?* [11]

a.   Où est la très sage [12] Héloïse,[13]
b.   Pour qui fut châtié et puis
         moine,[14]   10
a.   Pierre Abailard [15] à Saint-Denis [16]

1. autrefois.   **2.** n'en: et en.   **3.** Il y eut plusieurs courtisanes romaines du nom de Flora. La plus célèbre est la plus ancienne à qui on attribue l'institution des florales (en l'honneur de Flora, la déesse des fleurs). Une autre Flora fut la maîtresse du grand Pompée.   **4.** Peut-être Archippa, l'amante de Sophocle; mais on a aussi suggéré que Villon avait pensé à dire Alcibiade, renommé chez les Grecs pour sa beauté. L'érudition élémentaire de Villon l'aurait alors trompé. Alcibiade, quoique très beau, était un homme et non une dame.   **5.** Il s'agit ici probablement de la fameuse courtisane égyptienne des premiers temps du Christianisme (4e siècle) qui inspira le roman d'Anatole France (1890) et l'opéra de Massenet (1894). Il y a eu une autre fameuse Thaïs, danseuse professionnelle qui enivrait la jeunesse Athénienne (4e siècle avant J.-C.) et séduisit par ses charmes Alexandre le Grand.   **6.** cousine germaine (*first cousin*) par la beauté.   **7.** nymphe de la mythologie antique.   **8.** *speaking when a sound is made.*   **9.** *pond.*   **10.** *beauty much above human beauty.*   **11.** (*antan* vient du latin *ante annum*): *snows of yesteryear.*   **12.** ici: *learned.*   **13.** nièce d'un chanoine (*canon*) de Paris, qui tomba amoureuse (*fell in love*) de celui qui avait été chargé de lui enseigner la philosophie.   **14.** *monk.*   **15.** un des maîtres les plus célèbres de l'Université de Paris au XIIe siècle.   **16.** abbaye près de Paris où Abailard résida quelque temps après son aventure avec Héloïse.

b. (Pour son amour eut cet es-
   soine[1])?
b. Semblablement, où est la reine[2]
c. Qui commanda que Buridan[3]
b. Fût jeté en un sac en Seine? ... 15
C. *Mais où sont les neiges d'antan?*

a. La reine Blanche[4] comme un lys,[5]
b. Qui chantait à voix de sirène[6];
a. Berthe au grand pied,[7] Bétrix,[8]
   Allys[9];
b. Harembourges,[10] qui tint le
   Maine,   20

b. Et Jehanne,[11] la bonne Lorraine,
c. Qu'Anglais brûlèrent à Rouen
b. Où sont-elles, Vierge souveraine?
C. *Mais où sont les neiges d'antan?*

Envoi

b. Prince,[12] n'enquérez[13] de semaine   25
c. Où elles sont, ni de cet an,[14]
b. Que[15] ce refrain ne vous re-
   maine[16]:
C. *Mais où sont les neiges d'antan?*

PIERRE DE RONSARD

(1524–1585)

Pierre de Ronsard naquit près de Vendôme. Il commença ses études au Collège de Navarre à Paris. Son père ayant une charge à la cour, Pierre fut, à 15 ans, page du Dauphin, puis du duc d'Orléans et de Jacques V, roi d'Écosse. Il alla ensuite en Bavière et au Piémont comme secrétaire des ambassadeurs L. de Baïf et L. du Bellay. Il pouvait donc espérer une brillante carrière diplomatique: une surdité (*deafness*) précoce l'obligea à y renoncer: il n'avait que 18 ans.

Il résolut d'étudier les langues et les littératures grecque et latine dont la Renaissance proclamait la supérieure beauté. Il s'enferma au Collège Coquerel, à Paris, que dirigeait le grand helléniste Daurat; on ne vit jamais travailleur plus enthousiaste. Avec ses camarades Antoine de Baïf, Rémi Belleau et, plus tard, Joachim du Bellay, il conçut l'ambitieux projet d'enrichir la langue et de régénérer la poésie françaises: il trouvait trop rudes et trop vulgaires les poèmes de Villon et de Clément Marot.

A 25 ans, il publia ses premiers sonnets (*Amours*) et quatre livres d'*Odes*. Ce fut une révélation, une révolution littéraire. L'Académie des Jeux Floraux de Toulouse le proclama *prince des poètes*. Il devint le favori des rois Henri II, François II, Charles IX qui le traita d'égal à égal, et Henri III. Les reines Élizabeth et Marie Stuart (alors en prison) lui envoyèrent de magnifiques présents. Jamais poète vivant ne fut plus fêté; Ronsard devint le chef de la nouvelle école littéraire *La Pléiade*.[17]

Ces hommages ne le trouvèrent pas insensible, mais ils redoublèrent son activité. Son œuvre comprend plus de 300.000 vers. Il traite tous les genres, sauf le drama-

1. (*vieux français*): châtiment.   2. Marguerite de Bourgogne, célèbre pour ses nombreuses amours, et qui faisait, selon la légende, attacher dans un sac et jeter dans la Seine les amants dont elle était fatiguée; elle habitait la Tour de Nesle aujourd'hui détruite. 3. Buridan échappa du reste à la mort; il devint plus tard un professeur de l'Université de Paris, célèbre pour sa dialectique.   4. La reine Blanche de Castille, mère de Saint Louis (XIIIe siècle).   5. *lily*.   6. Blanche de Castille était poète.   7. surnom de la mère de Charlemagne.   8. Béatrice de Provence, belle-sœur de Saint Louis.   9. Alix de Savoie, femme de Louis VI (XIIe siècle).   10. comtesse de la Province du Maine (XIIe siècle). 11. Jeanne d'Arc: née à Domrémy, en Lorraine.   12. C'était au Prince (celui qui présidait une académie provinciale de poètes) qu'on adressait l'envoi d'une ballade. 13. ne demandez; *do not inquire*.   14. ne demandez pas, ni cette semaine ni cette année, où elles sont.   15. Que = sans que.   16. rappelle.   17. *Voir page 5.*

tique, il emploie tous les rythmes, toutes les formes de poésie: *odes, sonnets, chansons, élégies, satires, épithalames, églogues,* etc. Il commence même un grand poème épique, *La Franciade.*

Après la mort de Charles IX (1574), Ronsard, infirme, se retira en son prieuré de Tours et y acheva sa glorieuse vieillesse. Il mourut âgé de 61 ans.

L'œuvre de Ronsard est disparate, très inégale. Mais, quand il ne cherche pas à faire parade d'érudition, quand il chante simplement ses sentiments, son amour de l'art et de la nature, on découvre des beautés de premier ordre dans ses odes et sonnets (voir les morceaux cités plus loin). Ce poète qui aspire au sublime excelle dans le gracieux.

Ronsard tomba en discrédit au XVII e siècle. Le XVIII e parut l'ignorer, mais l'âge suivant lui rendit justice. On le considère aujourd'hui comme un précurseur des grands lyriques modernes.

A CASSANDRE [1]

Mignonne,[2] allons voir si la rose
Qui, ce matin, avait déclose [3]
Sa robe de pourpre [4] au soleil,
A point perdu, cette vêprée [5]
Les plis [6] de sa robe pourprée   5
Et son teint [7] au vôtre pareil.

Las![8] voyez comme, en peu d'espace,[9]
Mignonne, elle a dessus la place,

Las, las, ses beautés laissé choir! [10]
O vraiment marâtre [11] nature,   10
Puisqu'une telle fleur ne dure
Que du matin jusques au soir !

Donc, si vous me croyez, mignonne,
Tandis que votre âge fleuronne [12]
En sa plus verte nouveauté,   15
Cueillez,[13] cueillez votre jeunesse:
Comme à cette fleur, la vieillesse
Fera ternir [14] votre beauté.

SONNET [15] A HÉLÈNE [16]

a. Quand vous serez bien vieille, au soir, à la chandelle,[17]
b. Assise auprès du feu, dévidant [18] et filant,[19]
b. Direz,[20] chantant mes vers, en vous émerveillant [21]:
a. Ronsard me célébrait du temps que j'étais belle.

a. Lors [22] vous n'aurez servante oyant [23] telle nouvelle,[24]   5
b. Déjà sous le labeur à demi sommeillant,[25]
b. Qui au bruit de Ronsard ne s'aille réveillant,[26]
a. Bénissant votre nom de louange immortelle.

1. Nom poétique sous lequel Ronsard chante Diane de Salvati, belle Florentine qu'il rencontra à la cour de Blois, quand il avait 20 ans.   **2.** *darling.*   **3.** ouvert (*unclosed*). **4.** rouge.   **5.** (*poétique*): ce soir.   **6.** *folds.*   **7.** *complexion.*   **8.** Hélas !   **9.** (de temps). **10.** tomber.   **11.** (proprement *stepmother*): méchante.   **12.** fleurit, est en fleur.   **13.** *gather, enjoy.*   **14.** *tarnish.*   **15.** poème sans refrain, mais à forme fixe pour l'arrangement des rimes; 14 vers: deux quatrains, suivis de deux tercets.   Ce sonnet a été écrit vers 1574. **16.** Hélène de Surgères, dame d'honneur de Catherine de Médicis.   Le poète avait environ 50 ans lorsqu'il écrivit ce sonnet.   **17.** *candlelight.*   **18.** *unwinding (thread).*   **19.** *spinning.* **20.** (vous) direz.   **21.** *marveling.*   **22.** alors.   **23.** entendant.   **24.** (lit., *this news*): *this wonderful thing.*   **25.** *drowsy, half asleep.*   **26.** Qui au bruit . . . immortelle: *Who does not start up on hearing* (au bruit) *of Ronsard's bestowal of immortal praise upon your name.*

c. Je serai sous la terre, et, fantôme sans os,[1]
c. Par les ombres myrteux [2] je prendrai mon repos: 10
d. Vous serez au foyer [3] une vieille accroupie,[4]

e. Regrettant mon amour et votre fier [5] dédain.
e. Vivez, si m'en croyez,[6] n'attendez à demain:
d. Cueillez dès aujourd'hui [7] les roses de la vie.

JOACHIM DU BELLAY

(1524 ?–1560)

Le poète le plus important de la Pléiade après Ronsard, Joachim du Bellay, naquit à Liré (entre Nantes et Angers). Appartenant à une famille qui s'était illustrée à la guerre, dans l'Église et la diplomatie, et même dans les lettres, il aspirait à une vie active et glorieuse. Une longue maladie mit fin à son ambition; il se résigna à embrasser l'état ecclésiastique, mais il ne renonça pas aux plaisirs mondains; il était bien vu à la cour.

Il se lia avec Ronsard et, comme lui, se passionna pour l'antiquité grecque et latine. Deux ouvrages le rendirent précocement célèbre: *Olive* où, s'inspirant de Pétrarque, il chantait en 115 sonnets sa passion pour son amie Viole, et un petit livre en prose, *Défense et Illustration de la Langue française* (1549), qui devint le manifeste de la Pléiade. Le jeune auteur y montrait que le français, loin d'être une langue barbare, pouvait atteindre à la perfection du grec et du latin. Et il promettait d'illustrer sa doctrine par des œuvres.

Il tint parole. Il excella surtout dans le sonnet. C'est lui qui acclimata en France ce genre de poème venu d'Italie.

Son oncle, le cardinal du Bellay, l'emmena à Rome. Il s'y rendit à regret, car il aimait la cour. Mais ce séjour de trois ans en Italie fut favorable à l'homme de lettres. C'est là qu'il écrivit ses meilleurs poèmes: *Antiquités de Rome, Regrets* dont nous citons un sonnet.

Il rentra enfin dans sa chère patrie. On le nomma chanoine de l'église Notre-Dame. Il mourut prématurément en 1560.

Aux œuvres déjà mentionnées il faut ajouter ses charmants *Jeux Rustiques*, des *Odes*, des *Hymnes*, des *Élégies*, des vers latins *Xenia et alia carmina*, et la traduction en vers des cinquième et sixième livres de l'*Énéide* de Virgile.

REGRETS

a. Heureux qui, comme Ulysse,[8] a fait un beau voyage,
b. Ou comme celui-là qui conquit la Toison,[9]
b. Et puis est retourné, plein d'usage et raison,[10]
a. Vivre entre ses parents le reste de son âge![11]

1. *bones.* **2.** *shade of the myrtle groves (the Elysian Fields).* **3.** *fireside.* **4.** *sitting all bent up.* **5.** *haughty.* **6.** si (vous) m'en croyez. **7.** *this very day.* **8.** Ulysse, après la prise de Troie par les Grecs, dont il était un des chefs, fut poursuivi par l'animosité du dieu Neptune; il ne put rentrer dans son royaume de l'île d'Ithaque qu'après un long voyage rempli d'aventures. **9.** Jason, autre héros de la légende grecque, qui fit un long voyage pour aller conquérir la Toison d'Or (*Golden Fleece*). **10.** *full of experience and judgment.* **11.** (*poétique*): vie.

a.   Quand reverrai-je, hélas ! de mon petit village   5

b.   Fumer [1] la cheminée, et en quelle saison,

b.   Reverrai-je le clos [2] de ma pauvre maison,

a.   Qui m'est [3] une province, et beaucoup davantage ?

c.   Plus me plaît le séjour [4] qu'ont bâti mes aïeux,[5]

c.   Que des palais romains le front audacieux,[6]   10

d.   Plus que le marbre dur [7] me plaît l'ardoise [8] fine;

e.   Plus mon Loyre gaulois [9] que le Tibre latin,

e.   Plus mon petit Liré [10] que le mont Palatin [11]

d.   Et plus que l'air marin [12] la douceur Angevine.[13]

FRANÇOIS DE MALHERBE

(1555–1628)

François de Malherbe naquit à Caen, en Normandie. Son père, magistrat distingué, lui fit donner une belle éducation. Entré, à 20 ans, au service du Gouverneur de Provence, il semblait préférer la philosophie à la littérature; il écrivit cependant quelques odes, entre autres la « Consolation à M. du Périer, » qui révélaient un talent remarquable. Le cardinal du Perron s'intéressa à l'auteur et lui assura la protection d'Henri IV.

Encouragé, Malherbe vint à Paris où le roi lui donna une pension, un logement, « l'accommoda comme un prince. » Il s'imposa la mission de « dégasconner » [14] la cour et de régenter [15] le « Parnasse ». Il remplit cette tâche jusqu'à l'heure de sa mort avec l'intransigeance d'un dictateur. On le nomma « tyran des mots et des syllabes ».

Son œuvre poétique ne comprend qu'un volume: des *Odes* écrites pour la plupart sur des sujets de circonstance, des *Paraphrases des Psaumes*, quelques *Sonnets* et *Chansons*. Prince des versificateurs, il *fabriquait* ses vers avec une patience et un art infinis. C'était un poète de raison plus que d'inspiration.

Son œuvre de réformateur fut très importante. C'est lui qui fixa la forme du vers alexandrin de nos grands classiques, vers si bien adapté à l'esprit d'ordre du siècle de Louis XIV. « Enfin Malherbe vint, » a dit Boileau. Le règne de Ronsard était fini.

CONSOLATION À MONSIEUR DU PÉRIER

[Ami de M. du Périer, avocat au Parlement d'Aix-en-Provence, Malherbe veut le consoler de la mort de sa fille. Dans ces strophes, les vers alexandrins de douze syllabes alternent avec les vers de six.]

1. *smoke.*   2. *close, garden.*   3. qui est pour moi.   4. maison.   5. ancêtres.   6. *proud façade.*   7. marbre dur (des palais).   8. *slate.*   9. Loire gaulois (ou français): grand fleuve que le poète oppose au Tibre romain.   10. village natal du poète.   11. où les empereurs romains avaient construit leurs somptueux palais.   12. de la mer.   13. le doux climat de l'Anjou, sa province.   14. Henri IV et ses courtisans étaient originaires du Midi et avaient l'accent et les tournures de Gascogne.   15. cést-à-dire: donner des règles aux poètes.

Ta douleur, du Périer, sera donc éternelle,
    Et les tristes discours
Que te met en l'esprit [1] l'amitié [2] paternelle
    L'augmenteront toujours?

Le malheur de ta fille, au tombeau descendue   5
    Par un commun trépas,[3]
Est-ce quelque dédale [4] où ta raison perdue
    Ne se retrouve pas? [5]

Je sais de quels appas [6] son enfance était pleine,
    Et n'ai pas entrepris,   10
Injurieux ami,[7] de soulager [8] ta peine
    Avecque [9] son mépris.[10]

Mais elle était du monde, où les plus belles choses
    Ont le pire destin [11];
Et, rose, elle a vécu ce que vivent les roses,   15
    L'espace d'un matin.

Puis quand ainsi serait [12] que, selon ta prière,
    Elle aurait obtenu
D'avoir en cheveux blancs terminé sa carrière,
    Qu'un fût-il advenu? [13]   20

Penses-tu que, plus vieille, en la maison céleste
    Elle eût eu plus d'accueil,[14]
Ou qu'elle eût moins senti la poussière funeste
    Et les vers du cercueil? [15]

Non, non, mon du Périer; aussitôt que la Parque [16]   25
    Ote l'âme du corps,
L'âge s'évanouit [17] au deçà [18] de la barque,[19]
    Et ne suit pas les morts . . .

  .   .   .   .

La mort a des rigueurs [20] à nulle autre pareilles [21]
    On a beau la prier,[22]   30

1. que suggère à ton esprit. **2.** *ici:* affection, amour. **3.** trépas: *c'est-à-dire,* la mort (qui est le sort commun de tous les hommes). **4.** labyrinthe. **5.** *cannot find its way.* **6.** charmes. **7.** injurieux ami: *as a tactless friend.* **8.** *alleviate.* **9.** avecque (souvent employé en poésie): avec. **10.** *by contempt of her,* (*by minimizing her charms*): or *by contempt of it,* (*by minimizing your sorrow*). **11.** *worst destiny.* **12.** quand ainsi serait: même si cela était. **13.** quelle aurait été sa destinée? **14.** bienvenue. **15.** poussière . . . cercueil (*coffin*): *the fatal dust and the worms of the grave.* **16.** *Atropos, one of the three divinities presiding over the fate of men. Clotho spun the thread of men's lives, Lachesis wound it on a spindle and Atropos severed it.* **17.** *age vanishes,* (*ceases to exist*). **18.** au deçà = en deçà, *on this side.* **19.** *Caron's boat in which souls were ferried across the river of death.* **20.** cruautés. **21.** comparables (à aucune autre). **22.** on a . . . prier: c'est en vain qu'on la prie (de ne pas frapper).

La cruelle qu'elle est se bouche les oreilles,[1]
　　Et nous laisse crier.

Le pauvre en sa cabane,[2] où le chaume [3] le couvre,
　　Est sujet à ses lois;
Et la garde qui veille [4] aux barrières [5] du Louvre [6]　　　　　35
　　N'en défend point nos Rois.

De murmurer contre elle et perdre patience
　　Il est mal à propos [7];
Vouloir ce que Dieu veut est la seule science
　　Qui nous met en repos.　　　　　　　　　　　　　　　　40

VINCENT VOITURE

(1598–1648)

　　Voiture n'était pas de famille noble; mais, grâce à son esprit et à l'élégance de ses manières, il occupa une brillante situation à la cour et dans le grand monde. Né à Amiens, fils d'un riche fermier des vins qui suivait la cour, il obtint la confiance du frère de Louis XIII, Gaston d'Orléans et, plus tard, celle du cardinal de Richelieu lequel, à son tour, lui assura les bonnes grâces de la reine Marie de Médicis. On lui donna plusieurs missions, on le combla de faveurs. Il mourut à 50 ans. Il appartenait à l'Académie française depuis sa fondation.

　　C'est surtout à Hôtel de Rambouillet que brilla Voiture. Il était l'âme des réunions dans cet illustre salon où le moindre incident provoquait des querelles littéraires qui passionnaient dames, seigneurs et écrivains. On citait les bons mots de Voiture, on lisait et relisait ses petits poèmes, *rondeaux, sonnets, chansonnettes*. On se disputait les nombreuses lettres qu'il écrivait pendant ses voyages et qui forment une *Correspondance* frivole, amusante, mais d'un esprit souvent artificiel et emphatique.

　　Comme poète, il ne fut guère qu'un *rimeur de salon* galant, spirituel, qui avait le génie des choses légères. Voiture voulait plaire et amuser; il y réussit, mais il abusa trop des pointes (*witticisms*), des jeux de mots, des équivoques qui étaient dans le goût du temps.

CHANSON A SYLVIE [8]

J'avais de l'amour pour vous,
　　Charmante Sylvie,
Mais vos injustes courroux [9]
　　Ont refroidi [10] mon envie.
Je sais aimer constamment　　　　　5

Mais si l'on n'aime également,
　　Ma foi, je m'en ennuie.[11]

Votre bouche et vos beaux yeux,
　　Les rois de ma vie,
Et votre ris [12] gracieux,　　　　　10
　　Avaient mon âme asservie [13];

---

　　1. . . . oreilles: (lit., *stops up her ears*), refuse d'écouter.　　**2.** hutte, petite maison.
3. *thatch.*　　**4.** *keeps watch.*　　**5.** *gates.*　　**6.** palais des rois de France.　　**7.** mal à propos: *unseemly, to no purpose.*　　**8.** Sylvie est un de ces noms empruntés à l'antiquité et qui couvrent, peut-être, le nom de quelque dame réelle.　　**9.** *ire.*　　**10.** *cooled down.*　　**11.** *Upon my word, it irks me.*　　**12.** (*poétique*): rire.　　**13.** *enslaved.*

Vous m'aviez gagné le cœur,
Mais quand on a trop de rigueur,
Ma foi, je m'en ennuie.

J'approuve un feu [1] bien heureux   15
Qui deux âmes lie,[2]
Et tient deux cœurs amoureux
Sans peine et mélancolie.
J'aime les douces amours,
Mais pour soupirer [3] tous les jours,   20
Ma foi, je m'en ennuie.

J'approuve un cœur enflammé
Qui se glorifie
D'aimer sans qu'il soit aimé,
Et son plaisir sacrifie.   25
Je le fais bien [4] quelquefois,

Mais quand cela passe trois mois,
Ma foi, je m'en ennuie.

Vous exercez sur mon cœur
Trop de tyrannie;   30
Je ne vis plus qu'en langueur,
C'est une peine infinie
Que de vivre en vous aimant,
Et pour vous parler franchement,
Ma foi, je m'en ennuie.   35

Si vous pensez honorer
Une âme transie,[5]
Qui meurt pour vous adorer,
Pour moi, je vous remercie.
Je ne veux point tant d'honneur.   40
Gardez-l(e) à quelque grand seigneur,
Ma foi, je m'en ennuie.

JEAN DE LA FONTAINE

(1621–1695)

Le prince des fabulistes naquit à Château-Thierry. Indolent et rêveur, il eut une jeunesse peu studieuse. Il pensa un moment à entrer dans les Ordres, mais il ne put s'habituer à la discipline des Oratoriens de Reims. Il rentra chez lui et s'y livra à la dissipation et à sa passion de la lecture, très indifférent aux choses de la vie pratique. Son père le maria et lui céda sa charge de maître des eaux et forêts: mais le jeune homme ne prit au sérieux ni ses devoirs de mari ni ses nouvelles fonctions qui, cependant, l'obligèrent à parcourir bois et champs et lui inspirèrent l'amour de la nature, sentiment rare chez les poètes d'alors.

La duchesse de Bouillon, nièce de Mazarin, le présenta au surintendant Fouquet. Ce généreux protecteur des lettres devina le talent de La Fontaine et lui accorda une pension. On sait comment le poète lui demeura fidèle dans sa disgrâce.

La Fontaine quitte sa femme et son fils et va à Paris où de grandes dames (Mme de la Sablière, Mme d'Hervart) lui donnent l'hospitalité. Il vit comme un grand enfant, il amuse ses protecteurs par ses étonnantes distractions. Louis XIV se montre mal disposé pour lui, sans doute à cause des *Contes et Nouvelles* (1665–1685) que le poète commence à publier et que le roi juge trop licencieux. Il ne permettra à l'Académie d'élire La Fontaine qu'en 1684.

Celui-ci se consolait dans la société de ses amis Molière, Boileau et Racine, lesquels tâchaient de stimuler son ambition. « Papillon (*butterfly*) du Parnasse », il dispersait son talent en des œuvres de second ordre. Il pouvait faire mieux. Molière avait deviné son génie: « Nos beaux esprits, disait-il, n'effaceront pas le *bonhomme*. » La publication des *Fables* (1668–1694) justifia l'augure de Molière et procura à l'auteur l'amitié d'importants personnages.

La Fontaine avait enfin trouvé sa voie: la fable en vers. Il prend beaucoup de

1. flamme, amour. **2.** *links two souls.* **3.** *sigh.* **4.** *I even do it.* **5.** *chilled.*

sujets traités avant lui par Ésope, etc.; mais il les transforme, il en fait une œuvre d'art. Au lieu d'être une simple démonstration d'un point de morale, sa fable devient un drame vivant où chaque personnage, homme ou animal, agit suivant sa nature et parle le langage de sa condition. Ce qui lui importe avant tout, c'est l'intérêt du récit et la vérité des peintures. Ses douze livres de fables sont comme une vaste fresque où l'on voit défiler la société de son temps et celle de tous les temps.

LE CORBEAU [1] ET LE RENARD [2]

> Maître [3] Corbeau, sur un arbre perché,
> 　Tenait en son bec un fromage.
> Maître Renard, par l'odeur alléché,[4]
> 　Lui tint à peu près ce langage [5]:
> « Hé! bonjour, Monsieur du [6] Corbeau,   5
> Que vous êtes joli! que vous me semblez beau!
> 　Sans mentir,[7] si votre ramage [8]
> 　Se rapporte à [9] votre plumage,
> Vous êtes le phénix [10] des hôtes [11] de ces bois. »
> A ces mots, le Corbeau ne se sent pas de joie [12];   10
> 　Et pour montrer sa belle voix,
> Il ouvre un large bec, laisse tomber sa proie.
> Le Renard s'en saisit, et dit: « Mon bon Monsieur,
> 　Apprenez que tout flatteur
> Vit aux dépens [13] de celui qui l'écoute: 15
> Cette leçon vaut bien un fromage, sans doute. »
> 　Le Corbeau, honteux et confus,[14]
> Jura, mais un peu tard, qu'on ne l'y prendrait [15] plus.

LE LIÈVRE [16] ET LES GRENOUILLES [17]

> 　Un lièvre en son gîte [18] songeait
> (Car que faire en un gîte, à moins que l'on ne songe?)
> Dans un profond ennui [19] ce lièvre se plongeait:
> Cet animal est triste, et la crainte le ronge.[20]
> 　« Les gens de naturel peureux [21]   5
> 　Sont, disait-il, bien malheureux:
> Ils ne sauraient [22] manger morceau qui leur profite;
> Jamais un plaisir pur; toujours assauts [23] divers.

---

1. *crow.* **2.** *fox.* **3.** titre donné autrefois aux artisans qui avaient fait un chef d'œuvre (*masterpiece*) approuvé par leur corporation; titre donné encore aujourd'hui aux hommes de loi (avocats, avoués, notaires). **4.** attiré. **5.** lui tint ... langage: lui parla à peu près en ces termes. **6.** Pour flatter le corbeau, le renard l'anoblit: Monsieur *du* Corbeau. **7.** sans mentir: sincèrement. **8.** le chant des oiseaux dans les branches (ramée). Encore une flatterie. On parle du *cri* du corbeau, jamais de son ramage. **9.** se rapporte à: est comparable à (par sa beauté). **10.** oiseau fabuleux unique de son espèce. **11.** habitants. **12.** ne se sent pas de joie: *is beside himself with joy.* **13.** *at the expense.* **14.** *crestfallen.* **15.** *would trick* or *catch him.* **16.** *hare.* **17.** *frogs.* **18.** *lair; resting place.* **19.** tristesse. **20.** *gnaws; devours.* **21.** très timide. **22.** pourraient. **23.** alarmes.

Voilà comme je vis: cette crainte maudite
M'empêche de dormir sinon les yeux ouverts. 10
Corrigez-vous,[1] dira quelque sage cervelle.[2]
   Eh! la peur se corrige-t-elle?
   Je crois même qu'en bonne foi [3]
   Les hommes ont peur comme moi. »
   Ainsi raisonnait notre lièvre, 15
   Et cependant faisait le guet.[4]
   Il était douteux,[5] inquiet:
Un souffle, une ombre, un rien, tout lui donnait la fièvre.
   Le mélancolique animal,
   En rêvant à cette matière, 20
Entend un léger bruit: ce lui fut un signal
   Pour s'enfuir devers [6] sa tanière.[7]
Il s'en alla passer sur le bord d'un étang.[8]
Grenouilles aussitôt de sauter dans les ondes [9];
Grenouilles de rentrer en leurs grottes [10] profondes. 25
   « Oh! dit-il, j'en fais faire autant
   Qu'on m'en fait faire! Ma présence
Effraie [11] aussi les gens! je mets l'alarme [12] au camp!
   Et d'où me vient cette vaillance? [13]
Comment! des animaux qui tremblent devant moi! 30
   Je suis donc un foudre de guerre! [14]
Il n'est, je le vois bien, si poltron [15] sur la terre,
Qui ne puisse trouver un plus poltron que soi. »

LE MEUNIER,[16] SON FILS ET L'ANE [17]

J'ai lu dans quelque endroit qu'un meunier et son fils,
L'un vieillard, l'autre enfant, non pas des plus petits,
Mais garçon de quinze ans, si j'ai bonne mémoire,
Allaient vendre leur âne, un certain jour de foire.[18]
Afin qu'il fût plus frais et de meilleur débit,[19] 5
On lui lia [20] les pieds, on vous [21] le suspendit;
Puis cet homme et son fils le portent comme un lustre.[22]
« Pauvres gens,[23] idiots, couple ignorant et rustre! » [24]
Le premier qui les vit de rire s'éclata [25];

1. changez, amendez. 2. sage cervelle (*ironique*): cervelle = *brain of an animal.* 3. en bonne foi: *in very truth.* 4. faisait le guet: *was on the watch.* 5. plein d'hésitation. 6. vers. 7. *burrow.* 8. très petit lac. 9. (*poétique*): eaux. 10. trous (*holes*) sous les rochers au fond de l'étang. 11. fait peur. 12. mets l'alarme: provoque une panique. 13. grand courage. 14. foudre de guerre: terrible guerrier. 15. si grand poltron. 16. *miller.* 17. *ass.* 18. *fair.* 19. de meilleur débit: vendu pour plus d'argent. 20. *bound, tied.* 21. *A case of what is known as an ethical dative* (*omit in translation*). *Cf.* Engl.: *Saddle me the ass.* 22. chandelier à plusieurs branches qu'on suspend au plafond (*ceiling*). 23. pauvres gens: *the poor fools!* 24. *loutish.* 25. On dirait aujourd'hui *éclata.*

« Quelle farce, dit-il, vont jouer ces gens-là?   10
Le plus âne des trois n'est pas celui qu'on pense. »
Le meunier, à ces mots, connaît son ignorance;
Il met sur pieds sa bête, et la fait détaler.[1]
L'âne, qui goûtait [2] fort l'autre façon d'aller,
Se plaint en son patois.   Le meunier n'en a cure [3];   15
Il fait monter son fils, il suit: et, d'aventure,[4]
Passent trois bons marchands.   Cet objet [5] leur déplut.[6]
Le plus vieux au garçon s'écria tant qu'il [7] put:
« Oh là! oh! descendez, que l'on ne vous le dise,[8]
« Jeune homme, qui menez laquais à barbe grise!   20
« C'était à vous de suivre, au vieillard de monter.
« — Messieurs, dit le meunier, il vous faut contenter. »
L'enfant met pied à terre,[9] et puis le vieillard monte,
Quand trois filles passant, l'une dit: « C'est grand'honte [10]
« Qu'il faille voir ainsi clocher [11] ce jeune fils,   25
« Tandis que ce nigaud,[12] comme un évêque assis,
« Fait le veau [13] sur son âne, et pense être bien sage.
« — Il n'est, dit le meunier, plus de veaux à mon âge;
« Passez votre chemin, la fille, et m'en croyez. »
Après maints quolibets [14] coup sur coup [15] renvoyés,[16]   30
L'homme crut avoir tort et mit son fils en croupe.[17]
Au bout de trente pas, une troisième troupe
Trouve encore à gloser.[18]   L'un dit: « Ces gens sont fous;
« Le baudet [19] n'en peut plus [20]; il mourra sous leurs coups.
« Hé quoi? charger ainsi cette pauvre bourrique! [21]   35
« N'ont-ils point de pitié de leur vieux domestique?
« Sans doute qu'à la foire ils vont vendre sa peau.
« — Parbleu! dit le meunier, est bien fou du cerveau
« Qui prétend contenter tout le monde et son père:
« Essayons toutefois si par quelque manière   40
« Nous en viendrons à bout. » [22] Ils descendent tous deux.
L'âne se prélassant [23] marche seul devant eux.
Un quidam [24] les rencontre, et dit: « Est-ce la mode
« Que baudet aille à l'aise et meunier s'incommode?
« Qui de l'âne ou du maître est fait pour se lasser? [25]   45

1. marcher, trotter (devant lui).   **2.** aimait.   **3.** n'en a cure: *pays no attention to it.*
4. par hasard.   **5.** chose qu'ils virent.   **6.** *displeased.*   **7.** tant que: aussi fort que.
8. que . . . dise: sans qu'on ait à vous le répéter; tout de suite.   **9.** met pied à terre: descend.   **10.** *shame.*   **11.** *limp along.*   **12.** *duffer, fool.*   **13.** fait le veau, (lit., *plays the calf*): *lolls.*   **14.** railleries.   **15.** coup sur coup: successivement et rapidement.   **16.** échangés. **17.** *crupper.*   **18.** critiquer, faire des remarques.   **19.** âne.   **20.** n'en peut plus: est à bout de forces; *"all in."*   **21.** vieille ânesse.   **22.** en viendrons à bout: réussirons (à contenter tout le monde).   **23.** marchant gravement comme un *prélat.*   **24.** un individu, homme quelconque. **25.** se fatiguer.

« Je conseille à ces gens de le faire enchâsser.[1]

« Ils usent leurs souliers et conservent leur âne.

« Nicolas, au rebours [2]; car, quand il va voir Jeanne,

« Il monte sur sa bête; et la chanson le dit.

« Beau trio de baudets ! » Le meunier répartit: 50

« Je suis âne, il est vrai, j'en conviens, je l'avoue;

« Mais que dorénavant [3] on me blâme, ou me loue,

« Qu'on dise quelque chose ou qu'on ne dise rien,

« J'en veux faire à ma tête. » [4]   Il le fit, et fit bien.

LE LOUP ET LE CHIEN

Un loup n'avait que les os et la peau
    Tant les chiens faisaient bonne garde.[5]
Ce loup rencontre un dogue [6] aussi puissant [7] que beau,
Gras, poli,[8] qui s'était fourvoyé [9] par mégarde.[10]
    L'attaquer, le mettre en quartiers,[11]   5
    Sire loup l'eût fait volontiers;
    Mais il fallait livrer [12] bataille,
    Et le mâtin [13] était de taille [14]
    A se défendre hardiment.[15]
    Le loup donc l'aborde [16] humblement,   10
Entre en propos,[17] et lui fait compliment
    Sur son embonpoint [18] qu'il admire.
    « Il ne tiendra qu'à vous,[19] beau sire,
D'être aussi gras que moi, lui répartit le chien.
    Quittez les bois, vous ferez bien: 15
    Vos pareils [20] y sont misérables,
    Cancres,[21] hères,[22] et pauvres diables,
Dont la condition est de mourir de faim.
Car quoi ! rien d'assuré ! [23] point de franche lippée ! [24]
    Tout à la pointe de l'épée ! [25]   20
Suivez-moi, vous aurez un bien meilleur destin. »
    Le loup reprit: « Que me faudra-t-il faire?
— Presque rien, dit le chien: donner la chasse aux gens
    Portant bâton [26] et mendiants:

---

1. mettre dans une châsse (*case*) comme une relique.   **2.** Nicolas, au rebours: C'est le contraire de ce que fait Nicolas.   **3.** *henceforth.*   **4.** faire à (sa) tête: *follow (one's) own fancy.*   **5.** Tant . . . bonne garde: *So efficient were the dogs in their watching.*   **6.** *mastiff; Cf.* Engl. *dog.*   **7.** très fort, très robuste.   **8.** *shiny.*   **9.** (du latin *foris*, hors de; *via*, chemin): perdu.   **10.** manque d'attention.   **11.** mettre en quartiers: *tear to bits.*   **12.** *give.*   **13.** (*dans la vieille langue:* mastin); Cf. Engl. *mastiff.*   **14.** grandeur et force.   **15.** courageusement et énergiquement.   **16.** accoste.   **17.** se met à causer.   **18.** (en + bon + point): *plumpness.*   **19.** il ne tiendra qu'à vous: cela dépendra entièrement de vous.   **20.** semblables; *i.e.*, les autres loups, les renards, etc.   **21.** *wretches.*   **22.** gens misérables et qu'on méprise.   **23.** certain.   **24.** franche lippée: bon repas *franc; i.e.*, qui ne coûte rien.   **25.** à la pointe de l'épée: par le moyen des armes, avec effort et dangereusement.   **26.** *stick.*

Flatter ceux du logis,[1] à son maître complaire,[2]   25
   Moyennant quoi [3] votre salaire
Sera force [4] reliefs [5] de toutes les façons,
   Os de poulets, os de pigeons;
   Sans parler de maintes [6] caresses. »
Le loup déjà se forge [7] une félicité   30
   Qui le fait pleurer de tendresse.
Chemin faisant,[8] il vit le cou du chien pelé.[9]
« Qu'est-ce là? lui dit-il. — Rien. — Quoi! rien? — Peu de chose!
— Mais encore? [10] — Le collier dont je suis attaché
De ce que vous voyez est peut-être la cause.   35
   — Attaché! dit le loup: vous ne courez donc pas
   Où vous voulez? — Pas toujours; mais qu'importe?
   — Il importe si bien que de tous vos repas
   Je ne veux en aucune sorte,
Et ne voudrais pas même à ce prix d'un trésor. » [11]   40
Cela dit, maître loup s'enfuit, et court encore.[12]

J.-B. JOSEPH DE GRÉCOURT

(1684–1743)

Le XVIIIe siècle n'a pas produit de grands poètes lyriques capables de chanter Dieu, la nature, les passions du cœur: J.-B. Rousseau, Louis Racine, Le Franc de Pompignan ne furent vraiment que de très habiles versificateurs. Mais il compte un assez grand nombre d'auteurs qui excellèrent dans la poésie légère où suffisaient l'esprit, l'ironie, la bonne humeur et la grâce même un peu affectée. Au sonnet, au rondeau ils préférèrent des formes moins savantes, comme le couplet, le récit, l'épigramme.

Tel fut l'abbé de Grécourt qui, cependant, ne publia rien ou presque rien de son vivant. Né à Tours, il y resta jusqu'à sa mort. Homme d'Église, il vécut en épicurien. Sa conversation était si gaie, si libre, si spirituelle, si licencieuse parfois, que de grands seigneurs recherchèrent sa compagnie. Il refusa toutes les situations qu'on lui offrit, préférant la tranquillité et la bonne chère (*food*). C'est à table que, d'ordinaire, il improvisait ses poèmes pour amuser ses compagnons de plaisir. De là, une certaine négligence inhérente aux impromptus; mais on y remarque une grande facilité de versification, de la finesse, de la vivacité et de l'esprit.

Voici un exemple de sa manière:

LES QUATRE AGES DES FEMMES

Philis, plus avare [13] que tendre,   Un jour exigea [14] de Lisandre
Ne gagnant rien à refuser,   Trente moutons [15] pour un baiser.

---

   1. maison.   **2.** faire plaisir.   **3.** moyennant quoi: *by means of which, in exchange for which.*   **4.** une abondance de.   **5.** restes (d'un repas).   **6.** bien des, beaucoup de.   **7.** se crée, s'imagine.   **8.** chemin faisant: *while going along.*   **9.** *hairless.*   **10.** mais soyez plus précis; que voulez-vous dire?   **11.** *treasure.*   **12.** « court encore » a un double sens: *still running* et *still at large.*   **13.** *grasping.*   **14.** *exacted.*   **15.** *sheep.*

Le lendemain, nouvelle affaire, 5	Fut trop heureuse de lui rendre
Pour le berger [1] le troc [2] fut bon,	Tous ses moutons pour un baiser.
Il exigea de la bergère	
Trente baisers pour un mouton.	Le lendemain Philis peu sage,[3]
	Aurait donné moutons et chien,
Un autre jour Philis plus tendre,	Pour un baiser que ce volage [4] 15
Craignant de déplaire au berger, 10	A Lisette donnait pour rien.

PIERRE JEAN DE BÉRANGER

(1780–1857)

Béranger, né à Paris, appartenait à une famille de soldats sans fortune et fut élevé par son vieux grand-père comme un enfant du peuple. Pendant la Révolution, on le confia à une tante qui tenait une auberge (*inn*) à Péronne. A 14 ans, on le mit apprenti chez un imprimeur de la ville; c'est là sans doute qu'il prit le goût de la lecture, de la poésie et de l'étude. En 1796, il était de retour à Paris et travaillait dans une banque fondée par son père. Il montra de l'aptitude pour la finance, mais la vocation littéraire fut la plus forte.

Protégé par Lucien Bonaparte et par le poète Arnault, il quitta les affaires pour entrer dans les bureaux de l'Université; sa vie matérielle était assurée, il pouvait donner ses loisirs à la poésie.

Il résolut de se consacrer à la Chanson qu'avait popularisée Désaugiers et d'en devenir le prince comme La Fontaine l'était de la Fable. Il le devint en effet. De 1815 à 1833, il publia plusieurs volumes de *Chansons*, écrites dans tous les tons, joyeuses, intimes, patriotiques, voltairiennes, politiques, qui lui valurent une immense popularité, mais qui, plus d'une fois aussi, le firent condamner à l'amende (*fine*) et à plusieurs mois de prison. Il avait dû quitter son bureau de l'Université et ne vivait plus que de sa plume, assez médiocrement.

Modeste, il refusa tous les honneurs. Il ne voulut entrer ni à l'Académie ni à la Chambre des Députés. Il préférait le calme et l'indépendance. Il mourut en 1857, laissant une réputation incomparable de bonté et de générosité. L'État lui fit faire de belles funérailles.

Béranger fut un maître chansonnier d'un talent très original et très divers, qui sut parfois élever la chanson à la hauteur de l'ode et qui se révéla toujours comme « l'ami du peuple, » le défenseur de la liberté, le prophète de la paix et du progrès.

LE ROI D'YVETOT

[Vers le VIIe siècle, raconte la légende, un seigneur d'Yvetot, petit pays de Normandie, avait obtenu le privilège de convertir son domaine en royaume. Ce monarque, bon enfant et gai viveur, n'eut d'autre ambition que d'assurer son confort et celui de ses sujets. Tout le monde vit dans le héros de la chanson (écrite en 1813) une caricature de Napoléon: il paraît que l'Empereur eut le bon esprit de s'en amuser. Du reste, ce fut Béranger qui, plus tard, raviva par d'autres chansons la légende napoléonienne.]

---

1. *shepherd.* **2.** *barter, exchange.* **3.** peu raisonnable. **4.** inconstant.

Il était un roi d'Yvetot
  Peu connu dans l'histoire,
Se levant tard, se couchant tôt,
  Dormant fort bien sans gloire,
Et couronné par Jeanneton [1]   5
D'un simple bonnet de coton,[2]
  Dit-on.
Oh! oh! oh! oh! ah! ah! ah! ah!
Quel bon petit roi c'était là!
  La, la.   10

Il faisait ses quatre repas
  Dans son palais de chaume,[3]
Et sur un âne,[4] pas à pas,
  Parcourait [5] son royaume.
Joyeux, simple et croyant le bien,   15
Pour toute garde [6] il n'avait rien
  Qu'un chien.
Oh! oh! oh! oh! ah! ah! ah! ah!
Quel bon petit roi c'était là!
  La, la.   20

Il n'avait de goût onéreux [7]
  Qu'une soif un peu vive [8];
Mais, en rendant son peuple heureux,
  Il faut bien qu'un roi vive.[9]
Lui-même, à table et sans suppôt,[10]   25

Sur chaque muid [11] levait [12] un pot [13]
  D'impôt.[14]
Oh! oh! oh! oh! ah! ah! ah! ah!
Quel bon petit roi c'était là!
  La, la.   30

. . . .

Il n'agrandit [15] point ses États,
  Fut un voisin commode,[16]
Et, modèle des potentats,
  Prit le plaisir pour code.
Ce n'est que lorsqu'il expira   35
Que le peuple, qui l'enterra,[17]
  Pleura.
Oh! oh! oh! oh! ah! ah! ah! ah!
Quel bon petit roi c'était là!
  La, la.   40

On conserve encor le portrait
  De ce digne et bon prince:
C'est l'enseigne d'un cabaret [18]
  Fameux dans la province.
Les jours de fête, bien souvent,   45
La foule [19] s'écrie en buvant [20]
  Devant [21]:
Oh! oh! oh! oh! ah! ah! ah! ah!
Quel bon petit roi c'était là!
  La, la.   50

ALPHONSE DE LAMARTINE

(1790–1869)

Lamartine fut le premier en date des grands poètes lyriques de l'ère romantique. D'une famille d'ardents royalistes menacés par la Révolution, il passa son enfance au château de Milly, près de Mâcon sa ville natale, et fut élevé par un prêtre du voisinage: il continua ses études à Belley, chez les Pères de la Foi. Son aversion pour Napoléon le poussa à voyager. C'est au cours de ces voyages qu'il rencontra près de Naples l'héroïne de son futur roman *Graziella*, et, à Aix-les-Bains en Savoie, la femme (Elvire) qu'il allait chanter dans *Le Lac* et en d'autres poèmes.

En 1820, il publia son premier volume de vers, *Méditations*, qui fit une énorme

1. (*populaire*): Jeanne *ou* Jeannette. **2.** bonnet de coton: *nightcap*. **3.** *thatch.* **4.** *donkey.* **5.** *went all over.* **6.** *bodyguard.* **7.** *expensive taste.* **8.** *lively thirst.* **9.** *a king must live, must not he?* **10.** *tax collector.* **11.** grand tonneau (*barrel*). **12.** *collected.* **13.** deux pintes. **14.** taxe. **15.** *enlarged.* **16.** *peaceful neighbor.* **17.** *buried.* **18.** *sign of a wine shop.* **19.** *crowd.* **20.** *while drinking.* **21.** *in front (of it).*

sensation. On admira ces poèmes d'un accent nouveau, d'une émotion si profonde, d'une inspiration si religieuse: ils inauguraient en France la grande poésie lyrique personnelle. Le succès de ce volume ouvrit à Lamartine la carrière diplomatique. On l'envoya à Naples, à Londres et plus tard à Florence. Il épousa la fille d'un riche Anglais, major Birch, qui devait lui être si dévouée. En 1823 parurent ses *Nouvelles Méditations*. Quelques années après il donnait ses *Harmonies poétiques* et entrait à l'Académie.

Voulant sans doute imiter Chateaubriand, il fit ce somptueux *Voyage en Orient* qu'il raconta en 1835 et durant lequel il eut la douleur de perdre sa fille. Ce voyage l'ayant presque ruiné, il se retira, désenchanté, à Milly et y élabora, avec ses *Recueillements poétiques*, deux longs fragments d'une grande épopée où il voulait raconter en symboles l'histoire et la destinée de l'humanité. Ces fragments étaient *Jocelyn* et *La Chute d'un Ange* qu'il publia de 1836 à 1838.

Pendant quelques années Lamartine joua un rôle politique. Il eut le courage de braver une populace en démence et, par son éloquence, de lui faire rejeter le drapeau rouge. Le coup d'État de Louis Napoléon (1851) qui allait rétablir l'Empire mit fin à sa carrière politique.

Rentré dans la vie privée, le poète ne songea plus qu'à continuer la publication de ses souvenirs (*Confidences, Nouvelles Confidences, Graziella, Raphaël, Geneviève*, etc.) et à rétablir sa fortune. Appauvri par sa vie fastueuse et ses libéralités, il dut se faire l'esclave des éditeurs. De là la production hâtive et forcément négligée d'une quantité d'ouvrages en prose et de son *Cours familier de Littérature* où, cependant, on découvre des pages admirables. Le Gouvernement, quand il mourut, voulut lui faire des funérailles nationales: le poète avait demandé qu'on l'enterrât dans sa terre de Saint-Point. On respecta sa volonté.

C'est l'auteur des *Méditations* qui a inauguré en France la poésie lyrique de son siècle. Personne n'a chanté avec plus d'émotion vraie les éternels sujets: Dieu, la nature, l'amour, la douleur, le mystère de la destinée humaine. On peut lui appliquer son propre vers:

« L'homme est un dieu tombé qui se souvient des cieux. »

LE LAC

[D'une santé précaire, Lamartine se reposait à Aix-les-Bains (Savoie), sur les bords du lac du Bourget. Il y rencontra la jeune femme d'un savant parisien, M. Charles. Les deux convalescents s'aimèrent et, la saison finie, prirent rendez-vous pour l'année suivante. Gravement malade, Mme Charles dut rester à Paris, où elle mourut peu de temps après. Revenu seul près du lac, le poète évoque ici leurs jours de bonheur trop vite écoulés.

Les strophes du « Lac », récitées dans un salon à Paris, y furent acclamées et commencèrent la réputation de Lamartine.]

> Ainsi, toujours poussés vers de nouveaux rivages,[1]
> Dans la nuit éternelle emportés sans retour,[2]
> Ne pourrons-nous jamais sur l'océan des âges
>   Jeter l'ancre [3] un seul jour?
>
> O lac! l'année à peine a fini sa carrière,   5
> Et près des flots [4] chéris qu'elle devait revoir,[5]

1. *shores.* **2.** emportés sans retour: *carried away without possibility of return.* **3.** *anchor*
4. *waves.* **5.** devait revoir: *was to have seen again.*

Regarde ! je viens seul m'asseoir sur cette pierre
　　Où tu la vis s'asseoir !

Tu mugissais [1] ainsi sous ces roches profondes;
Ainsi tu te brisais [2] sur leurs flancs déchirés [3];　　　　10
Ainsi le vent jetait l'écume de tes ondes [4]
　　Sur ses pieds adorés.

Un soir, t'en souvient-il? nous voguions [5] en silence;
On n'entendait au loin, sur l'onde et sous les cieux,
Que le bruit des rameurs [6] qui frappaient en cadence　　15
　　Tes flots harmonieux.

Tout à coup des accents inconnus à la terre
Du rivage charmé frappèrent les échos;
Le flot fut attentif, et la voix qui m'est chère
　　Laissa tomber ces mots:　　　　20

« O temps, suspends ton vol ! [7] et vous, heures propices,
　　Suspendez votre cours !
Laissez-nous savourer les rapides délices [8]
　　Des plus beaux de nos jours !

« Assez de malheureux ici-bas [9] vous implorent:　　　　25
　　Coulez,[10] coulez pour eux;
Prenez avec leurs jours les soins [11] qui les dévorent;
　　Oubliez les heureux.

« Mais je demande en vain quelques moments encore,
　　Le temps m'échappe [12] et fuit [13];　　　　30
Je dis à cette nuit: Sois plus lente [14]; et l'aurore [15]
　　Va dissiper la nuit.

« Aimons donc, aimons donc ! de l'heure fugitive,
　　Hâtons-nous, jouissons ! [16]
L'homme n'a point de port,[17] le temps n'a point de rive [18];　　35
　　Il coule, et nous passons ! »

Temps jaloux, se peut-il [19] que ces moments d'ivresse,[20]
　　Où l'amour à longs flots nous verse [21] le bonheur,

1. *moaned.*　2. *(your waves) broke.*　3. *jagged.*　4. *foam of thy waves.*　5. *we were wafted
along.*　6. *oarsmen.*　7. *stay thy flight.*　8. *the fleeting delights.*　9. *here below.*　10. *flow.*
11. *cares, sorrows.*　12. *slips from my grasp.*　13. *flees.*　14. *delay! be slower!*　15. *dawn.*
16. Hâtons-nous, jouissons: *Let us hasten to enjoy.*　17. *haven.*　18. *shore; limit.*　19. *est-
il possible . . .*　20. *ecstasy.*　21. *pours.*

S'envolent [1] loin de nous de la même vitesse [2]
    Que les jours de malheur?   40

Eh quoi! n'en pourrons-nous fixer au moins la trace? [3]
Quoi! passés pour jamais? quoi! tout entiers perdus?
Ce temps qui les donna, ce temps qui les efface,
    Ne nous les rendra plus?

Éternité, néant,[4] passé, sombres abîmes,   45
Que faites-vous des jours que vous engloutissez? [5]
Parlez: nous rendrez-vous ces extases sublimes
    Que vous nous ravissez?

O lac! rochers muets! grottes! forêt obscure!
Vous que le temps épargne [6] ou qu'il peut rajeunir,[7]   50
Gardez de cette nuit, gardez, belle nature,
    Au moins le souvenir!

Qu'il soit dans ton repos, qu'il soit dans tes orages,[8]
Beau lac, et dans l'aspect de tes riants coteaux,[9]
Et dans ces noirs sapins,[10] et dans ces rocs sauvages   55
    Qui pendent [11] sur tes eaux!

Qu'il soit dans le zéphyr qui frémit [12] et qui passe,
Dans les bruits de tes bords par tes bords répétés,
Dans l'astre au front d'argent [13] qui blanchit ta surface
    De ses molles clartés! [14]   60

Que le vent qui gémit,[15] le roseau qui soupire,[16]
Que les parfums légers de ton air embaumé,[17]
Que tout ce qu'on entend, l'on voit ou l'on respire,[18]
    Tout dise: « Ils ont aimé! »

ALFRED DE MUSSET

(1810–1857)

    Le plus jeune des grands poètes romantiques, Alfred de Musset, naquit à Paris d'une vieille famille qui avait donné plusieurs écrivains à la France. Son père, littérateur distingué, aimait Rousseau et l'avait même édité. Alfred fit de brillantes études, après quoi il hésita sur le choix d'une carrière. C'était le moment de la lutte

---

1. *fly away.* **2.** rapidité. **3.** *mark their passage.* **4.** *nothingness.* **5.** *swallow up.*
6. *spares.* **7.** *renew.* **8.** *storms.* **9.** *cheerful hills.* **10.** *spruce, pine trees.* **11.** *overhang.*
12. *quivers.* **13.** astre au front d'argent: *silver-faced orb.* **14.** *with its soft light.* **15.** *moans.*
16. *sighing reed.* **17.** *sweet-smelling.* **18.** *breathes.*

ardente des romantiques contre les classiques; il se lança dans le mouvement avec l'enthousiasme juvénile de ses vingt ans. Mais son bon sens naturel lui fit bientôt voir les exagérations de la nouvelle doctrine et il en parla plus d'une fois avec une amusante impertinence. Cet « enfant de génie » était très indocile.

Encouragé par Hugo, il publia en 1830 ses *Contes* (en vers) *d'Espagne et d'Italie*. Ce fut un scandale et une révélation. Ces récits d'une fantaisie alerte, où il se plaisait à choquer la morale, annonçaient un talent très original. Il donna ensuite son *Spectacle dans un Fauteuil:* deux pièces en vers (*La Coupe et les Lèvres, A quoi rêvent les jeunes Filles*) remplies de traits à la Shakespeare et à la Marivaux.

Musset connut bientôt les tourments de la passion déçue qu'il avait décrits dans *Namouna.* Mais son fatal amour pour la romancière George Sand, leur voyage en Italie, leur séparation, firent de lui un homme nouveau, désabusé, mélancolique, grandi par la souffrance. Et nous avons maintenant le poète immortel des *Nuits*, du *Souvenir*, de *Rolla*, des *Stances à la Malibran*, de la *Lettre à Lamartine*, de l'*Espoir en Dieu*, poèmes émus, éloquents, pathétiques, d'une haute inspiration et d'une forme toute classique.

La prose de Musset n'est pas moins savoureuse que ses vers, sobre, claire, facile, légère. Les *Comédies et Proverbes*, écrits pour être lus, mais représentés en Russie, puis à Paris, font encore les délices du public de la Comédie-Française, tant ils sont ingénieux et parfumés de poésie! Musset semble s'être peint lui-même dans le Perdican d'*On ne badine pas avec l'Amour*, dans *Fantasio* et dans le tragique *Lorenzaccio.*

Les *Contes et Nouvelles* sont des modèles de récits alertes, fantaisistes et spirituels. Dans ses *Confessions d'un Enfant du Siècle* (1836), il peint la mélancolie de la jeunesse romantique.

Les dernières années de Musset furent presque stériles. Il était sujet à des crises nerveuses, à des hallucinations, que l'abus des boissons ne pouvait qu'aggraver. Il mourut à l'âge de 47 ans. Il était membre de l'Académie depuis 1852. Sa tombe, au Père-Lachaise, est encore aujourd'hui un lieu de pèlerinage littéraire.

LA NUIT DE MAI

[« La Nuit de Mai », dont nous donnons ici les principaux passages, est un dialogue entre le poète sombre, désespéré par sa rupture avec George Sand, et sa Muse qui voudrait l'obliger à reprendre sa lyre et, s'il est trop triste pour chanter le printemps, à chanter sa propre douleur, car

« Les plus désespérés sont les chants les plus beaux. »]

La Muse

Poète, prends ton luth [1] et me donne un baiser;
La fleur de l'églantier [2] sent ses bourgeons [3] éclore.[4]
Le printemps naît [5] ce soir; les vents vont s'embraser [6];
Et la bergeronnette,[7] en attendant l'aurore,[8]
Aux premiers buissons verts commence à se poser.   5
Poète, prends ton luth, et me donne un baiser.

1. *lute.* Ancien instrument de musique rappelant la guitare. Le poète « chante » en s'accompagnant d'un luth imaginaire. « Prends ton luth » signifie donc: Remets-toi à ton travail de poète.   2. rose sauvage (qui fleurit au printemps).   3. *buds.*   4. s'ouvrir.   5. vient, commence.   6. devenir (plus) chauds.   7. *wagtail.*   8. *dawn.*

Le Poète

Comme il fait noir dans la vallée !
J'ai cru qu'une forme voilée [1]
Flottait [2] là-bas sur la forêt.
Elle sortait de la prairie;   10
Son pied rasait [3] l'herbe fleurie;
C'est une étrange rêverie;
Elle s'efface et disparaît.

La Muse

Poète, prends ton luth; la nuit, sur la pelouse,[4]
Balance le zéphyr dans son voile odorant.[5]   15
La rose, vierge encore, se referme jalouse [6]
Sur le frelon nacré [7] qu'elle enivre en mourant.[8]
Écoute ! tout se tait [9]; songe à ta bien-aimée.
Ce soir, sous les tilleuls à la sombre ramée,[10]
Le rayon du couchant [11] laisse un adieu plus doux.[12]   20

Le Poète

Pourquoi mon cœur bat-il si vite?
Qu'ai-je donc en moi qui s'agite
Dont je me sens épouvanté?
Ne frappe-t-on pas à ma porte?
Pourquoi ma lampe à demi morte [13]   25
M'éblouit-elle [14] de clarté?
Dieu puissant ! tout mon corps frissonne.[15]
Qui vient? qui m'appelle? — Personne.
Je suis seul; c'est l'heure qui sonne;
O solitude ! ô pauvreté !   30

La Muse

Poète, prends ton luth; le vin de la jeunesse
Fermente cette nuit dans les veines de Dieu.[16]
Mon sein est inquiet [17]; la volupté l'oppresse,
Et les vents altérés [18] m'ont mis la lèvre en feu.[19]

---

1. *veiled.*   **2.** *hovered.*   **3.** touchait à peine (en flottant à la surface).   **4.** *lawn.*
5. balance . . . odorant: *wafts the zephyr in its scented veil.*   **6.** (lit., *jealously*): *passionately.*
7. *iridescent hornet.*   (nacre: *mother-of-pearl.*)   **8.** *enraptures (by her perfume) as she (the rose)
dies.*   **9.** *is hushed.*   **10.** *dark-leaved lime-trees.*   **11.** du (soleil) couchant.   **12.** plus doux
(qu'en hiver).   **13.** presque éteinte.   **14.** *dazzle.*   **15.** tremble (comme de froid).   **16.** (*image
panthéiste*): la nature.   **17.** *is disquieted.*   **18.** secs, brûlants.   **19.** *have set my lips aflame
(with passion*).

O paresseux enfant ! regarde, je suis belle.   35
Notre premier baiser, ne t'en souviens-tu pas,
Quand je te vis si pâle au toucher de mon aile,
Et que, les yeux en pleurs, tu tombas dans mes bras ?
Ah ! Je t'ai consolé d'une amère [1] souffrance !
Hélas ! bien jeune encor, tu te mourais d'amour.   40
Console-moi ce soir, je me meurs d'espérance ;
J'ai besoin de prier pour vivre jusqu'au jour.

Le Poète

Est-ce toi dont la voix m'appelle,
O ma pauvre Muse ! est-ce toi ?
O ma fleur ! ô mon immortelle !   45
Seul être pudique [2] et fidèle
Où [3] vive encor l'amour de moi !
Oui, te voilà, c'est toi, ma blonde,
C'est toi, ma maîtresse et ma sœur !
Et je sens, dans la nuit profonde, [4]   50
De ta robe d'or qui m'inonde [5]
Les rayons glisser [6] dans mon cœur.

La Muse

Poète, prends ton luth ; c'est moi, ton immortelle,
Qui t'ai vu cette nuit triste et silencieux,
Et qui, comme un oiseau que sa couvée [7] appelle,   55
Pour pleurer avec toi descends du haut des cieux.
Viens, tu souffres, ami. Quelque ennui [8] solitaire
Te ronge, [9] quelque chose a gémi [10] dans ton cœur ;
Quelque amour t'est venu, comme on en voit sur terre,
Une ombre de plaisir, [11] un semblant [12] de bonheur.   60
Viens, chantons devant Dieu ; chantons dans tes pensées,
Dans tes plaisirs perdus, dans tes peines passées ;
Partons, dans un baiser, pour un monde inconnu.
Éveillons au hasard les échos de ta vie,
Parlons-nous [13] de bonheur, de gloire et de folie, [14]   65
Et que ce soit un rêve, [15] et le premier venu.
Inventons quelque part des lieux où l'on oublie [16] ;
Partons, nous sommes seuls, l'univers est à nous . . .

---

1. *bitter.* **2.** *chaste.* **3.** où = en qui. **4.** *deep, dark.* **5.** *spreads over me.* **6.** *steal into.*
7. *brood.* **8.** tristesse. **9.** consume, dévore. **10.** *moaned.* **11.** le moindre (le plus petit)
plaisir. **12.** illusion. **13.** nous = l'un à l'autre, ensemble. **14.** extase. **15.** *let it be a
dream.* **16.** *places of forgetfulness.*

Prends ton luth ! prends ton luth ! je ne peux plus me taire.
Mon aile me soulève au souffle [1] du printemps.   70
Le vent va m'emporter ; je vais quitter la terre.
Une larme [2] de toi ! Dieu m'écoute ; il est temps.

Le Poète

S'il ne te faut, ma sœur chérie,
Qu'un baiser d'une lèvre amie
Et qu'une larme de mes yeux,   75
Je te les donnerai sans peine [3] ;
De nos amours qu'il te souvienne, [4]
Si tu remontes dans les cieux.
Je ne chante ni l'espérance,
Ni la gloire, ni le bonheur,   80
Hélas ! pas même la souffrance.
La bouche garde le silence [5]
Pour écouter parler le cœur.

La Muse

Crois-tu donc que je sois comme le vent d'automne,
Qui se nourrit de pleurs jusque sur un tombeau,   85
Et pour qui la douleur n'est qu'une goutte d'eau ?
O poète ! un baiser, c'est moi qui te le donne.
L'herbe que je voulais arracher [6] de ce lieu,
C'est ton oisiveté [7] ; ta douleur est à Dieu.
Quel que soit le souci [8] que ta jeunesse endure,   90
Laisse-la s'élargir, [9] cette sainte blessure [10]
Que les noirs séraphins [11] t'ont faite au fond du cœur ;
Rien ne nous rend si grands qu'une grande douleur,
Mais, pour en être atteint, [12] ne crois pas, ô poète,
Que ta voix ici-bas doive rester muette.   95
Les plus désespérés [13] sont les chants les plus beaux,
Et j'en sais d'immortels qui sont de purs sanglots. [14]
Lorsque le pélican, lassé [15] d'un long voyage,
Dans les brouillards [16] du soir retourne à ses roseaux, [17]
Ses petits affamés [18] courent sur le rivage [19]   100
En le voyant au loin s'abattre [20] sur les eaux.
Déjà, croyant saisir et partager leur proie, [21]

---

1. *on the breath.*   **2.** *Come, a tear (a poem) from you.*   **3.** *willingly.*   **4.** *n'oublie pas.*
5. *keeps silent.* **6.** *uproot.* **7.** *idleness.* **8.** *suffering.* **9.** *grow.* **10.** *that sacred wound (the faithlessness of his mistress).* **11.** (lit., *dark seraphim*): *spirits of darkness; demons.* **12.** *hurt though you be.* **13.** *despairing.* **14.** *sobs.* **15.** *fatigué.* **16.** *mists.* **17.** *reeds (of the shore).*
18. *qui ont très faim.* **19.** *shore.* **20.** *descendre et se poser.* **21.** *booty, prey.*

Ils courent à leur père avec des cris de joie
En secouant leurs becs sur leurs goîtres hideux.
Lui,[1] gagnant à pas lents [2] une roche élevée,   105
De son aile pendante abritant sa couvée,[3]
Pêcheur mélancolique, il regarde les cieux.
Le sang coule à longs flots de sa poitrine ouverte [4];
En vain il a des mers fouillé la profondeur [5]:
L'Océan était vide et la plage [6] déserte;   110
Pour toute nourriture il apporte son cœur.
Sombre et silencieux, étendu sur la pierre,
Partageant à ses fils ses entrailles de père,
Dans son amour sublime il berce [7] sa douleur,
Et, regardant couler sa sanglante mamelle,[8]   115
Sur son festin de mort il s'affaisse [9] et chancelle,[10]
Ivre [11] de volupté, de tendresse et d'horreur.
Mais parfois, au milieu du divin sacrifice,
Fatigué de mourir dans un trop long supplice,[12]
Il craint [13] que ses enfants ne le laissent vivant [14];   120
Alors il se soulève, ouvre son aile au vent,
Et, se frappant le cœur avec un cri sauvage,
Il pousse [15] dans la nuit un si funèbre [16] adieu,
Que les oiseaux des mers désertent le rivage,
Et que le voyageur attardé [17] sur la plage,   125
Sentant passer la mort, se recommande à Dieu.[18]
Poète, c'est ainsi que font les grands poètes.
Ils laissent s'égayer [19] ceux qui vivent un temps;
Mais les festins [20] humains qu'ils servent à leurs fêtes
Ressemblent la plupart à ceux des pélicans.   130
Quand ils parlent ainsi d'espérances trompées,[21]
De tristesse et d'oubli,[22] d'amour et de malheur,
Ce n'est pas un concert à dilater [23] le cœur.
Leurs déclamations [24] sont comme des épées:
Elles tracent dans l'air un cercle éblouissant,[25]   135
Mais il y pend [26] toujours quelque goutte de sang.

1. lui = le pélican.   2. gagnant à pas lents: *slowly wending his way.*   3. *shielding its brood.*   4. *blood flows in streams from its riven breast.*   5. En vain . . . profondeur: *fruitlessly it has searched the depths of the seas.*   6. *shore.*   7. *lulls.*   8. *watching the blood flow from its breast.*   9. *sinks.*   10. *totters.*   11. *rapt.*   12. *torture.*   13. *fears.*   14. *alive.*   15. *utters.* 16. *dismal.*   17. *wandering late at night.*   18. The legend of the pelican feeding its young with its own flesh, in which poets have seen a symbol of parental devotion and which Musset tells here to justify his use of private sorrow as a source of poetic inspiration, is based on an imperfect observation of that strange bird's habits.   The mother bird feeds her young with fish which she has caught and stored in her pouch.   The blood which stains the white feathers of her breast at feeding time is not her own but that of the fish which she has caught and killed.   19. se réjouir.   20. *feasts; ici:* poèmes.   21. qui ne se sont pas réalisées. 22. *oblivion.*   23. à donner la joie.   24. *ici:* chants, poèmes.   25. *dazzling.*   26. Mais il y pend . . . sang: *But always from them hangs some drop of blood.*

Le Poète

O Muse ! spectre insatiable,
Ne m'en demande pas si long.[1]
L'homme n'écrit rien sur le sable [2]
A l'heure où passe l'aquilon.[3]   140
J'ai vu le temps où ma jeunesse
Sur mes lèvres était sans cesse
Prête à chanter comme un oiseau;
Mais j'ai souffert un dur martyre,[4]
Et le moins que j'en pourrais dire,[5]   145
Si je l'essayais sur ma lyre,
La briserait comme un roseau.

VICTOR HUGO

[Pour la biographie du poète, voir l'introduction à *Ruy Blas*. Dans les divers épisodes de *La Légende des Siècles*, Hugo a voulu refléter l'esprit des âges successifs de
l'humanité: dans celui-ci, il nous reporte à l'âge biblique et peint le remords de Caïn,
meurtrier de son frère Abel. (Voir la *Genèse*, *IX*.) Le poète a pris quelques libertés
avec le texte sacré. Le poème a paru dans *La Légende des Siècles*, en 1859.]

LA CONSCIENCE

Lorsque avec ses enfants vêtus de peaux de bêtes,[6]
Échevelé,[7] livide au milieu des tempêtes,
Caïn se fut enfui [8] de devant Jéhovah,
Comme le soir tombait, l'homme sombre arriva
Au bas [9] d'une montagne en une grande plaine;   5
Sa femme fatiguée et ses fils hors d'haleine [10]
Lui dirent: — Couchons-nous sur la terre, et dormons. —
Caïn, ne dormant pas, songeait [11] au pied des monts.
Ayant levé la tête, au fond [12] des cieux funèbres [13]
Il vit un œil, tout grand ouvert dans les ténèbres,[14]   10
Et qui le regardait dans l'ombre [15] fixement.
— Je suis trop près, dit-il avec un tremblement.
Il réveilla ses fils dormant, sa femme lasse,[16]
Et se remit à fuir [17] sinistre dans l'espace.
Il marcha trente jours, il marcha trente nuits.   15
Il allait, muet,[18] pâle et frémissant aux bruits,[19]
Furtif, sans regarder derrière lui, sans trêve,[20]

1. si long: *so much.* 2. *sand.* 3. le vent du nord. 4. *martyrdom.* 5. Et le moins . . .
dire: *And the least I might say.* 6. *clad in animals' skins.* 7. *disheveled.* 8. *had fled.*
9. au pied. 10. *out of breath.* 11. méditait. 12. *in the depths.* 13. *dismal skies.* 14. *darkness.* 15. nuit. 16. fatiguée. 17. *resumed his flight.* 18. silencieux. 19. *shuddering at
any noise.* 20. arrêt.

Sans repos, sans sommeil. Il atteignit la grève [1]
Des mers dans le pays qui fut depuis Assur.[2]
— Arrêtons-nous, dit-il, car cet asile [3] est sûr.[4]   20
Restons-y. Nous avons du monde atteint les bornes.[5]
Et, comme il s'asseyait, il vit dans les cieux mornes [6]
L'œil à la même place au fond de l'horizon.
Alors il tressaillit [7] en proie au noir frisson.[8]
— Cachez-moi, cria-t-il; et, le doigt sur la bouche,   25
Tous ses fils regardaient trembler l'aïeul farouche.[9]
Caïn dit à Jabel, père de ceux qui vont
Sous des tentes de poil [10] dans le désert profond:
— Étends [11] de ce côté la toile [12] de la tente. —
Et l'on développa la muraille flottante [13];   30
Et, quand on l'eut fixée avec des poids de plomb [14]:
— Vous ne voyez plus rien? dit Tsilla, l'enfant blond,
La fille de ses fils, douce comme l'aurore [15];
Et Caïn répondit: — Je vois cet œil encore! —
Jubal, père de ceux qui passent dans les bourgs [16]   35
Soufflant dans des clairons [17] et frappant des tambours,[18]
Cria: — Je saurai bien construire une barrière. —
Il fit un mur de bronze et mit Caïn derrière.
Et Caïn dit: — Cet œil me regarde toujours!
Hénoch [19] dit: — Il faut faire une enceinte de tours [20]   40
Si terrible, que rien ne puisse approcher d'elle.
Bâtissons [21] une ville avec sa citadelle.
Bâtissons une ville, et nous la fermerons. —
Alors Tubalcaïn, père des forgerons,[22]
Construisit une ville énorme et surhumaine.   45
Pendant qu'il travaillait, ses frères, dans la plaine,
Chassaient les fils d'Enos et les enfants de Seth [23];
Et l'on crevait [24] les yeux à quiconque [25] passait;
Et, le soir, on lançait des flèches [26] aux étoiles.
Le granit remplaça la tente aux murs de toiles,   50
On lia [27] chaque bloc avec des nœuds de fer,[28]
Et la ville semblait une ville d'enfer [29];
L'ombre [30] des tours faisait la nuit dans les campagnes [31];
Ils donnèrent aux murs l'épaisseur des montagnes;

---

1. *shore.* **2.** *Assyria.* **3.** *refuge.* **4.** *secure.* **5.** *limites.* **6.** *gloomy.* **7.** *started.*
8. *dismal shudder.* **9.** *grim sire.* **10.** de poil: *made of the hairy skin of animals.* **11.** *spread out.*
12. *canvas.* **13.** développa . . . flottante: *unfolded the fluttering wall.* **14.** *leaden weights.*
15. *sweet as dawn.* **16.** villes. **17.** *blowing bugles.* **18.** *beating drums.* **19.** Le fils aîné de
Caïn. **20.** *a city fenced with towers.* **21.** *let us build.* **22.** *blacksmiths.* **23.** le fils que
Jéhovah donna à Ève pour la consoler de la mort d'Abel; et Enos est le fils de Seth. **24.** *put
out.* **25.** *anyone who.* **26.** *arrows.* **27.** *bound.* **28.** *iron clasps.* **29.** *hell.* **30.** *shadow.*
31. faisait . . . campagnes: *cast darkness over the surrounding country.*

Sur la porte on grava [1]: « Défense à Dieu d'entrer. »   55
Quand ils eurent fini de clore et de murer,
On mit l'aïeul au centre en une tour de pierre.
Et lui restait lugubre et hagard. — O mon père !
L'œil a-t-il disparu ? dit en tremblant Tsilla.
Et Caïn répondit : — Non, il est toujours là.   60
Alors il dit. Je veux habiter sous la terre
Comme dans son sépulcre un homme solitaire ;
Rien ne me verra plus, je ne verrai plus rien. —
On fit donc une fosse,[2] et Caïn dit : C'est bien !
Puis il descendit seul sous cette voûte [3] sombre.   65
Quand il se fut assis sur sa chaise dans l'ombre
Et qu'on eut sur son front fermé le souterrain,[4]
L'œil était dans la tombe et regardait Caïn.

APRÈS LA BATAILLE

[Épisode de la guerre d'Espagne (1808–1813). Le père de Victor Hugo était général
dans l'armée de Napoléon.]

Mon père, ce héros au sourire si doux,
Suivi d'un seul housard [5] qu'il aimait entre tous
Pour sa grande bravoure et pour sa haute taille,[6]
Parcourait [7] à cheval, le soir d'une bataille,
Le champ [8] couvert de morts sur qui tombait la nuit.   5
Il lui sembla, dans l'ombre, entendre un faible bruit.
C'était un Espagnol de l'armée en déroute [9]
Qui se traînait [10] sanglant [11] sur le bord [12] de la route,
Râlant,[13] brisé,[14] livide, et mort plus qu'à moitié,
Et qui disait : — A boire,[15] à boire par pitié ! —   10
Mon père, ému,[16] tendit [17] à son housard fidèle
Une gourde [18] de rhum qui pendait à sa selle,[19]
Et dit : — Tiens, donne à boire à ce pauvre blessé. —
Tout à coup,[20] au moment où le housard baissé [21]
Se penchait vers lui, l'homme, une espèce de Maure,   15
Saisit un pistolet qu'il étreignait [22] encore,
Et vise [23] au front mon père en criant : Caramba ! [24]
Le coup [25] passa si près que le chapeau tomba
Et que le cheval fit un écart [26] en arrière.
— Donne-lui tout de même [27] à boire, dit mon père.   20

1. engraved.   2. grave.   3. vault.   4. cave.   5. hussar; soldat de la cavalerie légère.
6. stature.   7. was going over.   8. battlefield.   9. routed army.   10. was crawling along.
11. bleeding.   12. side.   13. with the death rattle.   14. crushed.   15. (Donnez-moi) à boire.
16. moved.   17. handed.   18. flask.   19. saddle.   20. soudain.   21. stooping.   22. was
clasping.   23. takes aim at.   24. Spanish swearword; an American soldier would probably
have said: "to hell with you!"   25. bullet.   26. started.   27. all the same.

OCEANO NOX [1]

Oh ! combien de marins,[2] combien de capitaines
Qui sont partis joyeux pour des courses lointaines,[3]
Dans ce morne [4] horizon se sont évanouis ! [5]
Combien ont disparu, dure et triste fortune ! [6]
Dans une mer sans fond, par une nuit sans lune,   5
Sous l'aveugle [7] océan à jamais enfouis ! [8]

Combien de patrons [9] morts avec leurs équipages ! [10]
L'ouragan [11] de leur vie a pris toutes les pages
Et d'un souffle [12] il a tout dispersé sur les flots ! [13]
Nul ne saura leur fin dans l'abîme [14] plongée.   10
Chaque vague en passant d'un butin [15] s'est chargée;
L'une a saisi l'esquif,[16] l'autre les matelots ! [17]

Nul ne sait votre sort,[18] pauvres têtes perdues !
Vous roulez à travers les sombres étendues,[19]
Heurtant [20] de vos fronts morts des écueils [21] inconnus.   15
Oh ! que de [22] vieux parents, qui n'avaient plus qu'un rêve,
Sont morts en attendant tous les jours sur la grève [23]
        Ceux qui ne sont pas revenus !

On s'entretient [24] de vous parfois dans les veillées.[25]
Maint [26] joyeux cercle, assis sur des ancres rouillées,[27]   20
Mêle [28] encor quelque temps vos noms d'ombre couverts
Aux rires, aux refrains,[29] aux récits d'aventure,
Aux baisers qu'on dérobe [30] à vos belles futures,[31]
Tandis que vous dormez dans les goëmons [32] verts !

On demande : — Où sont-ils ? sont-ils rois dans quelque île ?   25
Nous ont-ils délaissés [33] pour un bord [34] plus fertile ? —
Puis votre souvenir même est enseveli.
Le corps se perd dans l'eau, le nom dans la mémoire.
Le temps, qui sur toute ombre en verse [35] une plus noire,
Sur le sombre océan jette le sombre oubli.[36]   30

1. la nuit sur l'océan.   2. *sailors.*   3. longs voyages périlleux.   4. sombre, mélancolique.
5. ont complètement disparu.   6. destinée.   7. qui ne voit pas (ce qu'il fait); *ici:* insensible.   8. (*lit.*, mis dans un creux): *entombed.*   9. capitaines.   10. *crews.*   11. *hurricane.*
12. *breath, puff.*   13. les vagues (*waves*), la mer.   14. *abyss.*   15. *booty.*   16. *boat;* Cf. *skiff.*
17. marins.   18. ce qui (vous) est arrivé.   19. *stretches, broad spaces.*   20. frappant.
21. rochers cachés sous l'eau.   22. que de: combien de.   23. *seashore* (*of pebble or shingle*).
24. parle, cause.   25. *evening gatherings.*   26. plus d'un, plusieurs.   27. *rusty.*   28. *mingle,*
associate.   29. chansons.   30. prend (par surprise).   31. (*populaire*): fiancées.   32. plantes
marines.   33. abandonnés.   34. dans le sens de pays.   35. *pours, spreads.*   36. *oblivion,*
forgetfulness.

Bientôt des yeux de tous votre ombre est disparue.
L'un n'a-t-il pas sa barque et l'autre sa charrue? [1]
Seules, durant ces nuits où l'orage [2] est vainqueur,[3]
Vos veuves [4] aux fronts blancs, lasses [5] de vous attendre,
Parlent encor de vous en remuant [6] la cendre [7]   35
    De leur foyer [8] et de leur cœur!

Et quand la tombe [9] enfin a fermé leur paupière,[10]
Rien ne sait plus vos noms, pas même une humble pierre
Dans l'étroit cimetière où l'écho nous répond.
Pas même un saule vert [11] qui s'effeuille [12] à l'automne,   40
Pas même la chanson naïve et monotone
Que chante un mendiant [13] à l'angle d'un vieux pont!

Où sont-ils, les marins sombrés [14] dans les nuits noires?
O flots, que vous savez de lugubres histoires!
Flots profonds redoutés [15] des mères à genoux!   45
Vous vous les racontez en montant les marées,[16]
Et c'est ce qui vous fait [17] ces voix désespérées [18]
Que vous avez le soir quand vous venez vers nous!

THÉODORE DE BANVILLE

(1823-1891)

Théodore de Banville naquit à Moulins, au cœur de la France. Mais son père, capitaine de vaisseau, l'envoya très jeune à Paris pour y faire ses études: il devait y passer toute sa vie. Il était né poète et publia, dès l'âge de 19 ans, un volume de vers, *Cariatides*, qui eut du succès. Deux autres volumes, *Stalactites*, *Odes funambulesques*, consacrèrent sa réputation.

Dès lors et jusqu'à sa mort, Banville se voua au culte exclusif des lettres. Journaux et revues se disputèrent ses articles. Son œuvre est considérable — elle comprend des romans, des contes, des souvenirs, des études littéraires, des idylles, des ballades, de charmantes comédies en vers et une comédie en prose, *Gringoire* (1866), qui est un pur chef d'œuvre.

« Chaque phrase qu'il écrit est un vers, » a dit un critique, car Banville est poète avant tout et il cisèle son vers avec un art infini. Magicien des mots, il se délecte à choisir des rimes rares ou sonores, des rythmes bien cadencés et joyeux. Tous les jeunes poètes du temps étudièrent son *Petit Traité de la Poésie française* (1872).

Voici une chanson qui montre la souplesse du vers de Banville.

---

1. *plow.* **2.** tempête. **3.** est vainqueur: triomphe. **4.** *widows.* **5.** fatiguées. **6.** *stirring.* **7.** *ashes.* **8.** *hearth.* **9.** *ici:* mort. **10.** *eye-lid.* **11.** *(weeping) willow;* l'arbre que l'on plante souvent sur les tombes. **12.** perd ses feuilles. **13.** *beggar.* **14.** *foundered, sunk.* **15.** craints, qui font peur. **16.** en montant les marées: *as the tides come in.* **17.** *ici:* donne. **18.** *despairing.*

LA CHANSON DE MA MIE [1]

L'eau dans les grands lacs bleus
    Endormie,[2]
Est le miroir des cieux:
Mais j'aime mieux les yeux
    De ma mie.   5

Pour que l'ombre [3] parfois
    Nous sourie,
Un oiseau chante au bois,
Mais j'aime mieux la voix
    De ma mie.   10

La rosée,[4] à la fleur
    Défleurie [5]
Rend sa vive couleur;
Mais j'aime mieux un pleur [6]
    De ma mie.   15

Le temps vient tout briser.[7]
    On l'oublie:
Moi, pour le mépriser,[8]
Je ne veux qu'un baiser
    De ma mie.   20

La rose sur le lin [9]
    Meurt flétrie [10];
J'aime mieux pour coussin [11]
Les lèvres et le sein [12]
    De ma mie.   25

On change tour à tour [13]
    De folie:
Moi, jusqu'au dernier jour,
Je m'en tiens [14] à l'amour
    De ma mie.   30

THÉOPHILE GAUTIER

(1811–1872)

Théophile Gautier naquit à Tarbes, au pied des Pyrénées, mais fut amené très jeune à Paris. Au lycée Charlemagne, il se passionna pour le vieux français et pour les poètes de la Pléiade. Il se tourna alors vers la poésie où il allait se révéler maître coloriste, car il avait étudié la peinture. C'était d'ailleurs l'époque où une jeunesse turbulente se groupait autour de Victor Hugo. Gautier a raconté lui-même le rôle qu'il joua en 1830 à la fameuse bataille d'*Hernani*.

Ses premières *Poésies* parurent la même année. En 1835, son roman *Mademoiselle de Maupin* fit scandale, surtout par la préface: l'auteur y réclamait pour l'artiste le droit de faire de « l'art pour l'art », c'est-à-dire de traiter les sujets qui lui plaisent sans s'occuper de la morale. Dès lors Gautier était célèbre: il fut invité à collaborer à nombre de journaux et de revues: il s'y fit une haute réputation de critique d'art et de critique dramatique.

Il faut citer, parmi les poèmes, *La Comédie de la Mort*, où il semble avoir le vertige et l'horreur du néant, avec *Émaux et Camées* (1852) en vers de huit syllabes: c'est le chef-d'œuvre de Gautier que les Parnassiens [15] considèrent désormais comme un maître. Ses romans et nouvelles les plus célèbres sont: *Fortunio, Spirite, Jettatura, Avatar*, et surtout *Le Capitaine Fracasse:* l'auteur y mêle à plaisir la fantaisie et le réalisme, l'ironie et la gaieté.

1. En vieux français on élidait la voyelle *a* comme *e* devant une autre voyelle; on disait *m'amie*, comme *l'amie*; aujourd'hui on trouve encore gracieux ce *m'amie* qui continue à être employé en poésie, écrit souvent *ma mie*, au lieu de *m'amie*. **2.** dormant. **3.** *shadow (in the woods).* **4.** *dew.* **5.** *withered.* **6.** larme. **7.** *détruire.* **8.** *hold it in contempt.* **9.** *linen (of an embroidered cushion cover).* **10.** *faded.* **11.** *pillow.* **12.** *lips and bosom.* **13.** *in turn.* **14.** *remain true to.* **15.** Voir *Aperçu,* page 23.

Gautier est essentiellement un descriptif, amoureux de la beauté, de la couleur et de la forme. Il voit les choses avec des yeux de peintre, il excelle à créer des images, à exprimer des nuances. Son style, impeccable, est à la fois d'une richesse et d'une précision étonnantes.

Des revers de fortune, la chute de l'Empire en 1870, les privations du siège de Paris, une maladie de cœur, abrégèrent cette belle vie d'homme de lettres: le poète mourut en 1872.

SÉGUEDILLE

[Dans la « Séguedille » suivante, le poète indique, par une sorte d'harmonie imitative, la vivacité et la légèreté du pas de danse d'une *gitane* (*gipsy*) espagnole.

Le mot *seguidilla* signifie, en espagnol, une chansonnette avec ou sans danse, qu'on exécutait autrefois à la *suite* d'un acte. (*seguir:* suivre.)]

Un jupon [1] serré [2] sur les hanches,[3]
Un peigne [4] énorme à son chignon,
Jambe nerveuse [5] et pied mignon,[6]
Œil de feu,[7] teint [8] pâle et dents
          blanches,
   Alza! [9] Ola! [10]   5
   Voilà
La véritable Manola.[11]

Gestes hardis,[12] libre parole,[13]
Sel et piment [14] à pleine main,[15]
Oubli [16] parfait du lendemain,[17]   10
Amour fantasque et grâce folle,[18]
   Alza! Ola!
   Voilà
La véritable Manola.

Chanter, danser aux castagnettes,[15]
Et dans les courses de taureaux [19]
Juger les coups [20] de toreros
Tout en fumant des cigarettes,
   Alza! Ola!
   Voilà   20
La véritable Manola.

LECONTE DE LISLE

(1818–1894)

Charles Leconte de Lisle naquit à l'île Bourbon (La Réunion), vieille colonie française de l'Afrique orientale. L'enfant fut un pessimiste précoce: la sévère éducation qu'on lui infligea était bien faite pour déposer en lui un germe de révolte. Son père le destinant au commerce, il dut voyager dans l'Inde et ailleurs. Mais il n'avait aucun goût pour les affaires et il vint à Rennes, en Bretagne, où il étudia avec passion l'italien, le grec, l'histoire et la mythologie.

En 1846, il se fixa à Paris et s'y lia avec un groupe de jeunes gens qu'intéressaient les questions sociales. Ardent républicain, il prit une part active à la Révolution de 1848, mais la politique le dégoûta et il ne songea plus qu'à poursuivre son idéal artistique. Il publia, en 1853, ses *Poèmes antiques* qui lui obtinrent l'admiration et l'amitié de Victor Hugo. Il commença alors une longue série, en prose, de traductions d'une scrupuleuse exactitude: *Théocrite, Homère, Hésiode, Anacréon, Eschyle, Sophocle, Horace,* etc.

1. *skirt.* 2. *tight.* 3. *hips.* 4. *comb.* 5. *strong and slim leg.* 6. *tiny foot.* 7. *sparkling eye.* 8. *complexion.* 9. Alza (*espagnol*): *lève-toi.* 10. Olà! ou Holà! *Hallo!* 11. jeune ouvrière insouciante (*carefree*), amoureuse seulement de la vie. 12. *bold.* 13. *bold (of speech).* 14. *salt and pepper.* 15. *by the handful.* 16. *heedlessness.* 17. *the morrow.* 18. *frolicsome gracefulness.* 19. *bull fights.* 20. *feats.*

Les *Poèmes et poésies*, les *Poèmes barbares* (1859) attirèrent autour de lui beaucoup d'écrivains, tous ceux qui allaient le proclamer chef des Parnassiens. La célébrité ne vint qu'en 1870. Napoléon III lui accorda une modeste pension que la République confirma. En 1872 il fut nommé bibliothécaire du Sénat. Il donna bientôt sa tragédie *Les Érinnyes* qui eut de succès, et publia ses *Poèmes tragiques* qui furent couronnés par l'Académie (1884). Trois ans plus tard, il remplaçait Victor Hugo à l'Académie Française: c'est alors que Dumas fils lui reprocha d'avoir banni l'émotion de ses vers, d'être resté impassible devant l'homme et la nature.

Impassible, il l'était en effet. Il vivait dans une sphère inaccessible aux passions humaines, tout absorbé dans son art. Maître du rythme et de la rime, il a donné à ses poèmes la forme pure des classiques et la vive couleur des romantiques. On l'a souvent comparé à Hugo pour la vigueur de l'expression, la richesse du décor et la splendeur des métaphores.

[Les deux morceaux qui suivent sont extraits des *Poèmes barbares*. Comme Hugo dans sa *Légende des Siècles*, l'auteur se plaît à évoquer les temps primitifs de l'humanité. Ici, il montre ce qui reste de barbare dans l'homme à demi civilisé du Moyen-âge.]

LE CŒUR DE HIALMAR

Hialmar est le héros d'une vieille légende du Nord. Le sujet de ce poème est emprunté au Cycle d'Arngrim, dans la *Iceland Saga*.

Swafrlami (*Ivre de sommeil*), roi de la race d'Odin, a volé une épée forgée par les nains de la montagne (*sword forged by the dwarfs of the mountain*), l'épée Tyrfing (*Pourfendeuse; Giant-killer*). Les nains, impuissants à reconquérir Tyrfing, prononcent sur elle une malédiction: Elle causera la mort de celui qui la brandira; aucune blessure faite par elle ne guérira; par elle s'accompliront « trois exploits de honte et de douleur ». Ces trois exploits font le sujet des poèmes du Cycle d'Arngrim dont on n'a conservé que des fragments.

Arngrim (*Aigle irrité*), guerrier fameux de la mythologie du nord, tue Swafrlami, et ainsi entre en possession de Tyrfing. Il a douze fils; l'aîné, Agantyr, hérite de l'arme fatale après qu'elle a causé la mort du père; avec ses onze frères, il parcourt (*roams about*) le pays en quête d'aventures. Arrivant à Upsal, en Suède, Agantyr exige que le roi Ylmer lui donne sa fille, la belle Ingiborg. Alors Hialmar (*Grand cœur*), qui aime Ingiborg, s'offre pour délivrer le pays. Deux armées sont en présence; la bataille est formidable; les envahisseurs sont vaincus. Agantyr, malgré l'épée enchantée, est tué. Mais Hialmar a reçu vingt blessures de Tyrfing; il va donc mourir; avant de succomber, il peut encore envoyer son *Chant de mort*, avec son cœur, à celle pour laquelle il expire.]

Une nuit claire, un vent glacé.[1] La neige est rouge.
Mille braves sont là qui dorment sans tombeaux,[2]
L'épée au poing,[3] les yeux hagards. Pas un ne bouge.[4]
Au-dessus tourne et crie un vol [5] de noirs corbeaux.[6]

La lune froide verse [7] au loin sa pâle flamme.   5
Hialmar se soulève [8] entre les morts sanglants,[9]
Appuyé [10] des deux mains au tronçon de sa lame.[11]
La pourpre [12] du combat ruisselle [13] de ses flancs.

1. extrêmement froid.   2. sépulture.   3. *swords (still) in clenched fists.*   4. *moves.*
5. *flight.* 6. *crows.* 7. *sheds.* 8. *raises himself.* 9. *bloody.* 10. *supporting himself.*
11. *stump of his (broken) blade.* 12. (sang) rouge. 13. *streams.*

— Holà ! Quelqu'un a-t-il encore un peu d'haleine,[1]
Parmi tant de joyeux et robustes garçons   10
Qui, ce matin, riaient et chantaient à voix pleine
Comme des merles [2] dans l'épaisseur [3] des buissons? [4]

Tous sont muets.[5] Mon casque est rompu, mon armure
Est trouée,[6] et la hache a fait sauter ses clous.[7]
Mes yeux saignent.[8] J'entends un immense murmure   15
Pareil aux hurlements [9] de la mer ou des loups.[10]

Viens par ici, Corbeau, mon brave [11] mangeur d'hommes !
Ouvre-moi la poitrine [12] avec ton bec de fer.[13]
Tu nous retrouveras demain tels que nous sommes.[14]
Porte mon cœur tout chaud à la fille d'Ylmer.   20

Dans Upsal, où les Jarls [15] boivent la bonne bière,
Et chantent, en heurtant [16] les cruches d'or,[17] en chœur,
A tire d'aile [18] vole, ô rôdeur de bruyère ! [19]
Cherche ma fiancée et porte-lui mon cœur.

Au sommet de la tour que hantent les corneilles [20]   25
Tu la verras debout,[21] blanche, aux longs cheveux noirs.
Deux anneaux [22] d'argent fin lui pendent aux oreilles,
Et ses yeux sont plus clairs que l'astre des beaux soirs.[23]

Va, sombre messager, dis-lui bien que je l'aime,
Et que voici mon cœur. Elle reconnaîtra   30
Qu'il est rouge et solide et non tremblant et blême [24];
Et la fille d'Ylmer, Corbeau, te sourira !

Moi, je meurs. Mon esprit coule [25] par vingt blessures.
J'ai fait mon temps.[26] Buvez, ô loups, mon sang vermeil.[27]
Jeune, brave, riant, libre et sans flétrissures,[28]   35
Je vais m'asseoir parmi les Dieux, dans le soleil.

LA TÊTE DU COMTE

[On retrouve ici deux des héros du *Cid* de Corneille, mais la scène est plus barbare,
plus primitive. Le vieux Don Diego, souffleté (*slapped*) par le comte de Gormas, s'est
vu désarmer par lui quand il a voulu tirer l'épée. Il a chargé son fils Rodrigue de venger
cette insulte dans le sang du coupable. Et maintenant, dans la grande salle de son
palais, il attend, sombre et silencieux, le retour de Rodrigue.]

1. *breath, life.* **2.** *blackbirds.* **3.** *thickness.* **4.** *bushes.* **5.** silencieux. **6.** percée.
7. la hache . . . clous: *the battle-ax has sprung its rivets.* **8.** *are bleeding.* **9.** *howlings.*
10. *wolves.* **11.** bon. **12.** *chest.* **13.** *iron bill.* **14.** tels que nous sommes; *i.e.*, nous ne
bougerons pas pendant ton absence. **15.** barons. **16.** *clinking.* **17.** *golden tankards.*
18. *at full speed.* **19.** *prowler of the heaths.* **20.** *rooks.* **21.** *standing.* **22.** *rings.*
23. astre . . . soirs: la lune. **24.** pâle. **25.** *is leaking out.* **26.** *I have lived my life.*
27. rouge vif. **28.** taches sur l'honneur.

Les chandeliers de fer flambent [1] jusqu'au plafond [2]
Où, massive, reluit la poutre [3] transversale.
On entend crépiter [4] la résine qui fond.[5]

Hormis cela,[6] nul bruit.   Toute la gent vassale,[7]
Écuyers,[8] échansons,[9] pages, Maures lippus,[10]   5
Se tient debout et raide [11] autour de la grand'salle.

Entre les escabeaux [12] et les coffres trapus [13]
Pendent [14] au mur, dépouille [15] aux Sarrasins ravie,
Cottes,[16] pavois,[17] cimiers [18] que les coups ont rompus.

Don Diego, sur la table abondamment servie,   10
Songe, accoudé, muet,[19] le front contre le poing,
Pleurant [20] sa flétrissure [21] et l'honneur de sa vie.

Au travers de sa barbe et le long du pourpoint [22]
Silencieusement vont ses larmes amères,[23]
Et le vieux Cavalier ne mange et ne boit point.   15

Son âme, sans repos, roule mille chimères:
Hauts faits [24] anciens, désir de vengeance, remords
De tant vivre au delà [25] des forces [26] éphémères.

Il mâche [27] sa fureur comme un cheval son mors [28];
Il pense, se voyant séché [29] par l'âge aride,   20
Que dans leurs tombeaux froids bienheureux sont les morts.

Tous ses fils ont besoin d'éperon,[30] non de bride,[31]
Hors [32] Rui Diaz, pour laver la joue [33] où saigne,[34] là,
Sous l'offense impunie une suprême ride.[35]

O jour, jour détestable où l'honneur s'envola ! [36]   25
O vertu des aïeux par cet affront souillée ! [37]
O face que la honte avec deux mains voila ! [38]

Don Diego rêve ainsi, prolongeant la veillée,[39]
Sans ouïr,[40] dans sa peine enseveli,[41] crier [42]
De l'huis aux deux battants [43] la charnière rouillée.[44]   30

---

1. *blaze.*   **2.** *ceiling.*   **3.** *beam.*   **4.** *crackle.*   **5.** *melting.*   **6.** à l'exception de cela.   **7.** gent vassale: *tribe of menials.*   **8.** *squires.*   **9.** *cup-bearers.*   **10.** à grosses lèvres.   **11.** *stiff.* **12.** *stools.*   **13.** *squat.*   **14.** *hang.*   **15.** *spoils.*   **16.** *coats of mail.*   **17.** *shields.*   **18.** *crests of helmets.*   **19.** songe . . . muet: *meditates, resting on his elbow, in silence.*   **20.** *mourning.* **21.** tache sur l'honneur.   **22.** *doublet.*   **23.** *bitter.*   **24.** exploits.   **25.** *beyond.*   **26.** vigueur. **27.** *munches, champs.*   **28.** *bit.*   **29.** *withered.*   **30.** *spur.*   **31.** *rein.*   **32.** excepté.   **33.** *cheek.* **34.** *bleeds.*   **35.** *wrinkle.*   **36.** *flew away (left him).*   **37.** *tarnished, sullied.*   **38.** *veiled, covered.* **39.** *watch, evening.*   **40.** entendre.   **41.** *buried (absorbed) in his grief.*   **42.** *grating.*   **43.** huis (*poétique*) aux deux battants: *the double doors.*   **44.** *rusty hinge.*

Don Rui Diaz entre.   Il tient de son poing meurtrier [1]
Par les cheveux la tête à prunelle [2] hagarde,
Et la pose en un plat [3] devant le vieux guerrier.[4]

Le sang coule,[5] et la nappe [6] en est rouge. — Regarde !
Hausse [7] la face, père ! Ouvre les yeux et vois !   35
Je ramène l'honneur sous ton toit que Dieu garde.[8]

Père ! j'ai relustré [9] ton nom et ton pavois,[10]
Coupé la male [11] langue et bien fauché [12] l'ivraie.[13] —
Le vieux dresse [14] son front pâle et reste sans voix.

Puis il crie : — O mon Rui, dis si la chose est vraie !   40
Cache la tête sous la nappe, ô mon enfant !
Elle me change en pierre avec ses yeux d'orfraie.[15]

Couvre ! car mon vieux cœur se romprait, étouffant [16]
De joie, et ne pourrait, ô fils, te rendre grâce [17]
A toi, vengeur d'un droit [18] que ton bras sûr [19] défend.   45

A mon haut bout [20] sieds-toi,[21] cher astre [22] de ma race !
Par cette tête, sois tête et cœur de céans,[23]
Aussi bien que [24] je t'aime et t'honore et t'embrasse.

Vierge et Saints ! mieux que l'eau de tous les océans
Ce sang noir a lavé ma vieille joue en flamme.[25]   50
Plus de [26] jeûnes,[27] d'ennuis,[28] ni de pleurs malséants ! [29]

C'est bien lui ! Je le hais, certe, à me damner l'âme ! [30] —
Rui dit ; — L'honneur est sauf, et sauve la maison,
Et j'ai crié ton nom en enfonçant ma lame. [31]

Mange, père ! Diego murmure une oraison [32] ;   55
Et tous deux, s'asseyant côte à côte [33] à la table,
Graves et satisfaits, mangent la venaison,[34]

En regardant saigner [35] la Tête lamentable.

1. *death-dealing fist.* **2.** *eyeball.* **3.** *platter.* **4.** *warrior.* **5.** *flows.* **6.** *table cloth.* **7.** *lève.*
8. *which may God protect.* **9.** *refurbished.* **10.** *escutcheon.* **11.** *(poétique):* mauvaise.
12. *mown down.* **13.** *tares.* **14.** *relève.* **15.** *osprey.* **16.** *choking.* **17.** *thanks.* **18.** *right.*
19. *trusty.* **20.** *upper end (of my table).* **21.** assieds-toi. **22.** *star.* **23.** céans: *here, in this*
house. **24.** *insomuch as.* **25.** joue rougie (par la honte). **26.** plus de: *no more.* **27.** *fastings.*
28. *sorrows.* **29.** *unbecoming tears.* **30.** à me … âme: *to the point of damning my soul.*
31. *thrusting in my blade.* **32.** prière. **33.** *side by side.* **34.** *venison.* **35.** *bleed.*

SULLY-PRUDHOMME

(1839-1907)

Né à Paris, Sully-Prudhomme y fit des études scientifiques et accepta un poste d'ingénieur aux grands établissements métallurgiques du Creusot.   L'industrie ne lui plaisant pas, il revint à Paris, s'inscrivit à l'École de Droit (*School of Law*) et travailla quelque temps chez un notaire.   Mais la vocation littéraire fut la plus forte.

Sur le conseil de ses amis, il publia en 1865 un volume de vers: *Stances et Poèmes*, que suivirent bientôt *Les Épreuves, Croquis italiens* et *Solitudes*.   Il s'y révéla poète délicat, subtil psychologue et moraliste rempli de tristesse pour l'humanité souffrante.

« J'ai voulu tout aimer et je suis malheureux. »

Son domaine à lui, ce fut « le monde intérieur », les problèmes de la conscience, les angoisses de l'homme moderne.   Et il s'éleva graduellement (*Les Destins, Les vaines Tendresses, Justice, Le Zénith, Bonheur*, etc.) aux plus hautes conceptions philosophiques.

En 1877, l'Académie Française lui donna le prix Vitet pour l'ensemble de son œuvre. Trois ans plus tard, elle l'élut comme membre.   Il reçut en 1902 le prix Nobel de littérature et il en affecta le produit à la fondation d'un prix annuel que la Société des Gens de Lettres accorderait, après concours, au premier volume de vers d'un nouvel écrivain.

Lorsque Sully-Prudhomme mourut, en 1907, le monde perdit un noble poète et un parfait honnête homme.

[« Le Vase brisé » (*the Broken Vase*) est un des petits poèmes les plus connus de la littérature française.]

LE VASE BRISÉ

Le vase où meurt [1] cette verveine [2]
D'un coup d'éventail [3] fut fêlé [4];
Le coup dut l'effleurer à peine [5]:
Aucun bruit ne l'a révélé.

Mais la légère meurtrissure,[6]   5
Mordant [7] le cristal chaque jour,
D'une marche invisible et sûre
En a fait lentement le tour.[8]

Son eau fraîche a fui [9] goutte [10] à
　　goutte,
Le suc [11] des fleurs s'est épuisé [12];   10

Personne encore ne s'en doute,[13]
N'y touchez pas, il est brisé.

Souvent aussi la main qu'on aime,
Effleurant le cœur, le meurtrit;
Puis le cœur se fend [14] de lui-même, 15
La fleur de son amour périt;

Toujours [15] intact aux yeux du monde,
Il sent croître [16] et pleurer [17] tout
　　bas [18]
Sa blessure fine et profonde;
Il est brisé, n'y touchez pas.   20

1. *is dying.*   2. *verbena.*   3. *fan.*   4. *cracked.*   5. *hardly grazed.*   6. *bruise, wound.*
7. *biting into.*   8. *round.*   9. *escaped.*   10. *drop.*   11. *sap.*   12. *drained away.*   13. *suspects.*
14. *breaks.*   15. *still.*   16. *grow.*   17. (lit., *weep*): *bleed.*   18. en silence.

PAUL VERLAINE

(1844–1896)

Paul Verlaine naquit à Metz (Lorraine), où son père était en garnison. La famille ruinée, sa mère bientôt veuve, il entre aux bureaux de l'Hôtel de Ville, à Paris. Il fait bientôt la connaissance de Coppée, A. France, Hérédia, et d'autres poètes. On mène joyeuse vie, on s'occupe surtout de littérature, on cultive le vers parnassien, plastique, sculptural, impassible: « l'art doit être de glace. »[1] Verlaine publie, en 1866, ses *Poèmes Saturniens*. Mais il était trop vivant pour rester impassible: tout le reste de sa vie, il chantera ses sensations personnelles, cyniques ou mystiques. Bientôt viennent les *Fêtes galantes*, où vibre déjà un accent nouveau, douloureux et troublant. Puis, en 1870, c'est *La Bonne Chanson*, vers d'amour écrits pour sa fiancée.

La guerre éclate, suivie de la Commune où le poète est compromis. Brouillé avec sa femme, il disparaît avec le précoce poète Arthur Rimbaud. Vie errante et désordonnée en Angleterre, en Belgique. Un jour, il se querelle avec son jeune ami qu'il blesse de deux coups de revolver: on le condamne à la prison. Là, à Bruxelles, puis à Mons où, grâce à l'influence de Victor Hugo, on le traite avec douceur, il se repose, il écrit ses *Romances sans Paroles*. Bientôt il se repent, revient à Dieu avec une candeur parfaite, et compose ou médite les poèmes « les plus chrétiens de France » qui paraîtont en 1885 sous le titre de *Sagesse*.

Alors, c'est la gloire: on l'acclame, on le proclame (1894) « poète de la jeunesse française ».

Entre temps, il avait divorcé et faisait tous les métiers, en Angleterre, en France, pour nourrir sa vieille mère. Celle-ci morte, il retourne aux erreurs de sa jeunesse, tombe malade, traîne son existence de bohème du cabaret à l'église ou à l'hôpital et de l'hôpital au cabaret, composant çà et là des articles littéraires, rédigeant ses souvenirs (*Mes Hôpitaux*, *Mes Prisons*, etc.), écrivant des vers (*Bonheur*, *Parallèlement*, *Élégies*, etc.). Toujours sincère, il a conscience de sa fragilité morale: « *Et je m'en vais Au vent mauvais Qui m'emporte De çà de là Pareil à la Feuille morte.* » Il meurt à l'âge de 51 ans.

Il n'avait connu d'autre règle que l'instinct; c'était un enfant. « Mais, disait Jules Lemaître, cet enfant a une musique dans l'âme et, à certains jours, il entend des voix que nul autre avant lui n'avait entendues. » C'est pourquoi Verlaine a pu créer des rythmes nouveaux et rendre le vers français plus fluide, plus aérien et plus musical. Par sa vie comme par son œuvre, il nous rappelle La Fontaine et surtout François Villon.

MON RÉVE[2] FAMILIER

Je fais souvent ce rêve étrange et pénétrant
D'une femme inconnue, et que j'aime et qui m'aime,
Et qui n'est chaque fois ni tout à fait la même
Ni tout à fait une autre, et m'aime et me comprend.

Car elle me comprend, et mon cœur, transparent   5
Pour elle seule, hélas ! cesse d'être un problème
Pour elle seule, et les moiteurs[3] de mon front blême,[4]
Elle seule les sait rafraîchir, en pleurant.

1. Voir *Aperçu*, pages 23–24. 2. *dream.* 3. *sweating.* 4. pâle.

Est-elle brune, blonde ou rousse? — Je l'ignore.
Son nom? Je me souviens qu'il est doux et sonore   10
Comme ceux des aimés que la Vie exila.

Son regard est pareil au regard des statues,
Et pour sa voix, lointaine et calme et grave, elle a
L'inflexion des voix chères qui se sont tues.[1]

—*Poèmes Saturniens.*

FEMME ET CHATTE

Elle jouait avec sa chatte;
Et c'était merveille de voir
La main blanche et la blanche patte [2]
S'ébattre [3] dans l'ombre du soir.

Elle cachait, la scélérate,[4]   5
Sous ses mitaines de fil [5] noir
Ses meurtriers [6] ongles [7] d'agate,
Coupants et clairs comme un rasoir.

L'autre aussi faisait la sucrée [8]
Et rentrait [9] sa griffe [10] acérée,   10
Mais le diable n'y perdait rien . . .

Et dans le boudoir où, sonore,
Tintait [11] son rire aérien,
Brillaient quatre points de phosphore.[12]

—*Poèmes Saturniens.*

LA LUNE BLANCHE

La lune blanche
Luit dans les bois:
De chaque branche
Part une voix
Sous la ramée [13] . . .   5

O bien-aimée.

L'étang [14] reflète,
Profond miroir,
La silhouette
Du saule [15] noir   10
Où le vent pleure . . .

Rêvons, c'est l'heure.

Un vaste et tendre
Apaisement [16]
Semble descendre   15
Du firmament
Que l'astre irise . . .

C'est l'heure exquise.

—*La Bonne Chanson.*

1. qui . . . tues: qui ont cessé de parler. **2.** *paw.* **3.** *sport, frolic.* **4.** *the minx.* **5.** *lisle thread.* **6.** *death-dealing.* **7.** *fingernails.* **8.** *acted demurely (sugary).* **9.** *drew in.* **10.** *claw.* **11.** *sounded (used of a small bell).* **12.** *the four eyes glittered phosphorescent (like the Devil's own).* **13.** *foliage.* **14.** *pond.* **15.** *willow.* **16.** *peacefulness.*

LE CIEL EST, PAR DESSUS LE TOIT[1]

Le ciel est, par dessus le toit,
Si bleu, si calme !
Un arbre, par dessus le toit,
Berce [2] sa palme.[3]

La cloche,[4] dans le ciel qu'on voit, 5
Doucement tinte.[5]
Un oiseau sur l'arbre qu'on voit
Chante sa plainte.

Mon Dieu, mon Dieu, la vie est là,
Simple et tranquille.   10
Cette paisible rumeur-là
Vient de la ville.

Qu'as-tu fait, ô toi que voilà
Pleurant sans cesse,
Dis, qu'as-tu fait, toi que voilà,   15
De ta jeunesse ?
— Extrait de *Sagesse*.

ART POÉTIQUE

[Verlaine proteste ici contre le vers classique de Malherbe et de Boileau qui cherchait avant tout la régularité et la clarté parce qu'il était avant tout le langage de la raison. Verlaine condamne aussi le vers plastique et impersonnel des poètes parnassiens. Il demande un vers plus fluide, capable de rendre *musicalement* les sensations les plus vagues, les plus fugitives. — « Étendons, disait-il, les ailes du rêve. »

Ses disciples (les Symbolistes) voulurent faire de ce poème le Code de leur école et poussèrent souvent à l'excès les préceptes du maître. Il les désavouait, les traitait de « cymbalistes ». Il se refusait à passer pour Chef d'École:

« L'art, mes enfants, c'est d'être absolument soi-même. »]

De la musique avant toute chose,
Et pour cela préfère l'Impair [6]
Plus vague et plus soluble dans l'air,
Sans rien en lui qui pèse [7] ou qui pose.

Il faut aussi que tu n'ailles point   5
Choisir tes mots [8] sans quelque méprise [9]:
Rien de plus cher que la chanson grise
Où l'Indécis au Précis se joint.

C'est des beaux yeux derrière des voiles,
C'est le grand jour tremblant de midi,   10
C'est, par un ciel d'automne attiédi,[10]
Le bleu fouillis [11] des claires étoiles !

Car nous voulons la Nuance [12] encor,
Pas la couleur, rien que la nuance !

1. Ce poème est écrit en prison; voir notice p. 617. 2. *waves.* 3. branche. 4. *church bell.*
5. *tinkles.* 6. *The odd (number of syllables to the line) as against the traditional eight-, ten-,
and twelve-syllable line. Notice that the lines of this poem are of nine syllables.* 7. *is heavy,
clumsy, dull.* 8. il faut . . . mots: *and mind you don't go and choose your words.* 9. sans
quelque chose de vague (comme chez les Symbolistes). 10. *soft, mild.* 11. *medley.*
12. *shade, hue.*

Oh ! la nuance seule fiance [1]　　　　　　　　　　15
Le rêve au rêve et la flûte au cor ! [2]

Fuis du plus loin la Pointe [3] assassine,
L'Esprit cruel et le Rire impur,
Qui font pleurer les yeux de l'Azur,
Et tout cet ail [4] de basse cuisine.[5]　　　　　　20

Prends l'éloquence et tords-lui son cou ! [6]
Tu feras bien, en train d'énergie,[7]
De rendre un peu la Rime assagie.[8]
Si l'on n'y veille,[9] elle ira jusqu'où ?

Oh ! qui dira les torts [10] de la Rime ?　　　　　25
Quel enfant sourd [11] ou quel nègre fou
Nous a forgé [12] ce bijou d'un sou
Qui sonne creux et faux [13] sous la lime ? [14]

De la musique encore et toujours !
Que ton vers soit la chose envolée [15]　　　　　30
Qu'on sent qui fuit d'une âme en allée
Vers d'autres cieux à d'autres amours !

Que ton vers soit la bonne aventure
Éparse [16] au vent crispé du matin,
Qui va fleurant [17] la menthe et le thym . . .　　35
Et tout le reste est littérature.[18]

　　　　　　　　　　　　　— *Jadis et Naguère.*

FRANÇOIS COPPÉE

(1842–1908)

Né à Paris, dans une famille de fonctionnaire pauvre et laborieuse, le dernier-né de huit enfants, il était délicat, maladif, mais d'une intelligence précoce et rêveuse. Son père mort, il dut interrompre ses études pour aider sa mère et ses trois sœurs. Employé aux bureaux de l'Hôtel de Ville, il fréquenta un groupe de jeunes poètes très enthousiastes, Mérat, A. France, Hérédia, Verlaine, etc. C'était l'âge d'or du Parnasse. Il publia bientôt deux volumes de vers: *Le Reliquaire*, *Les Intimités*, qui attirèrent l'attention des connaisseurs.

1. *unites.* **2.** *horn.* **3.** *witticism, smartness.* **4.** (lit., *garlic*): *strong flavor.* **5.** *vile concoctions.* **6.** *wring its neck.* **7.** *while you are in good form.* **8.** *more reasonable, chastened.* **9.** *if we are not watchful.* **10.** *wrongs, faults.* **11.** *deaf.* **12.** *made, invented.* **13.** (of a metal): *hollow and base; not genuine.* **14.** *file. The art of the poet is frequently compared to that of the jeweler.* **15.** *winged.* **16.** *scattered.* **17.** *smelling of.* **18.** (mere) *literature.*

En 1869, il donna à l'Odéon un acte en vers: *Le Passant,* joué par la fameuse Agar et la débutante Sarah Bernhardt. Ce fut un triomphe, qui lui ouvrit les portes des salons du grande monde et lui valut l'amitié des lettrés et des artistes: il n'en resta pas moins simple, indulgent et généreux.

Bibliothécaire du Sénat, puis Archiviste de la Comédie Française, il continua son labeur d'écrivain et devint l'un des auteurs les plus populaires de France. Il fut élu (1884) à l'Académie Française.

Son œuvre est considérable. Elle comprend une quinzaine de pièces de théâtre: *Le Luthier de Crémone, Sévéro Torelli, Mme de Maintenon, Les Jacobites, La Guerre de Cent Ans, Le Pater, Pour la Couronne,* etc.; des vers: *Les Humbles, Le Cahier rouge, Intérieurs, Olivier, Les Élégies, Poésies diverses,* etc.; plusieurs volumes de contes en prose; quelques romans et un grand nombre d'articles dans la presse et les revues.

Coppée occupe une place très honorable dans la littérature du XIXe siècle. Sa grande originalité, c'est de s'être fait le chantre épique des petites gens qu'il connaissait si bien, c'est d'avoir su adapter aux réalités de la vie commune son vers un peu rude parfois, mais très moderne, toujours naturel et savoureux. Il a chanté, avec ceux de la province, les plus humbles artisans de son cher Paris:

> « . . . j'aime Paris d'une amitié malsaine,
> J'ai partout le regret des vieux bords de la Seine . . . »

Mort en 1908, François Coppée a laissé le souvenir d'un fervent patriote et d'un parfait honnête homme: il a su « mettre dans sa vie le charme et la poésie de ses livres ».

LA GRÈVE DES FORGERONS [1]

Mon histoire, messieurs les juges, sera brève.
Voilà. Les forgerons s'étaient tous mis en grève.
C'était leur droit. L'hiver était très dur; enfin,
Cette fois, le faubourg [2] était las d'avoir faim.
Le samedi, le soir du payement de semaine,   5
On me prend doucement par le bras, on m'emmène
Au cabaret; et, là, les plus vieux compagnons
— J'ai déjà refusé de vous livrer leurs noms —
Me disent: « Père Jean, nous manquons de courage;
Qu'on augmente la paye, ou sinon plus [3] d'ouvrage !   10
On nous exploite, et c'est notre unique moyen. [4]
Donc, nous vous choisissons, comme étant le doyen, [5]
Pour aller prévenir le patron, [6] sans colère,
Que, s'il n'augmente pas notre pauvre salaire,
Dès demain, tous les jours sont autant de lundis. [7]   15
Père Jean, êtes-vous notre homme? » Moi je dis:
« Je veux bien, puisque c'est utile aux camarades. »
Mon président, je n'ai pas fait de barricades;
Je suis un vieux paisible, et me méfie [8] un peu

---

1. *The blacksmiths' strike.*   **2.** *suburb; ici:* quartier ouvrier.   **3.** *no more.*   **4.** *only means.*
5. le plus âgé.   **6.** *boss.*   **7.** Autrefois, dans beaucoup d'ateliers (*workshops*) on ne travaillait pas le lundi.   **8.** *mistrust.*

Des habits noirs [1] pour qui l'on fait le coup de feu.[2]   20
Mais je ne pouvais pas leur refuser, peut-être.
Je prends donc la corvée,[3] et me rends chez le maître;
J'arrive, et je le trouve à table; on m'introduit.
Je lui dis notre gêne [4] et tout ce qui s'ensuit:
Le pain trop cher, le prix des loyers.[5] Je lui conte   25
Que nous n'en pouvons plus [6]; j'établis un long compte
De son gain et du nôtre, et conclus poliment
Qu'il pourrait, sans ruine, augmenter le payement.
Il m'écouta tranquille, en cassant des noisettes,[7]
Et me dit à la fin:

        « Vous, père Jean, vous êtes   30
Un honnête homme; et ceux qui vous poussent ici
Savaient ce qu'ils faisaient quand ils vous ont choisi.
Pour vous, j'aurai toujours une place à ma forge.
Mais sachez que le prix qu'ils demandent m'égorge,[8]
Que je ferme demain l'atelier et que ceux   35
Qui font les turbulents sont tous des paresseux.
C'est là mon dernier mot, vous pouvez le leur dire. »

Moi, je réponds:

        « C'est bien, monsieur. »

                    Je me retire,
Le cœur sombre, et m'en vais rapporter aux amis
Cette réponse, ainsi que je l'avais promis.   40
Là-dessus, grand tumulte. On parle politique.
On jure de ne pas rentrer à la boutique [9];
Et, dam! [10] je jure aussi, moi, comme les anciens.[11]
Oh! plus d'un, ce soir-là, lorsque devant les siens
Il jeta sur un coin de table sa monnaie,   45
Ne dut pas, j'en réponds, se sentir l'âme gaie,
Ni sommeiller [12] sa nuit tout entière, en songeant
Que de longtemps peut-être on n'aurait plus d'argent,
Et qu'il allait falloir s'accoutumer au jeûne.[13]
— Pour moi, le coup fut dur, car je ne suis plus jeune   50
Et je ne suis pas seul. — Lorsque, rentré chez nous,
Je pris mes deux petits-enfants sur mes genoux,
(Mon gendre a mal tourné,[14] ma fille est morte en couches [15])

---

1. (*strike*) *leaders.*   2. fait . . . feu: se bat, prend les armes.   3. prends la corvée: accepte cette tâche désagréable.   4. pauvreté, misère.   5. *house rents.*   6. *we can stand it no longer.*   7. *hazel nuts.*   8. (lit., *cuts my throat*): *ruins me.*   9. *shop* (but used here as a term of contempt).   10. *And, of course.*   11. vieux camarades.   12. dormir.   13. *fasting, starvation.*   14. *my son-in-law has gone to the bad; is a worthless fellow.*   15. *died in childbirth.*

Je regardai, pensif, ces deux petites bouches
Qui bientôt connaîtraient la faim; et je rougis [1]   55
D'avoir ainsi juré de rester au logis.
Mais je n'étais pas plus à plaindre que les autres;
Et comme on sait tenir un serment [2] chez les nôtres,
Je me promis encor de faire mon devoir.
Ma vieille femme alors rentra de son lavoir,[3]   60
Ployant [4] sous un paquet de linge tout humide;
Et je lui dis la chose avec un air timide.
La pauvre n'avait pas le cœur à se fâcher [5];
Elle resta, les yeux fixés sur le plancher,
Immobile longtemps, et répondit:

                      « Mon homme,   65
Tu sais bien que je suis une femme économe.
Je ferai ce qu'il faut; mais les temps sont bien lourds,[6]
Et nous avons du pain au plus pour quinze jours. »

Moi, je repris:

           « Cela s'arrangera peut-être ! »
Quand je savais qu'à moins de devenir un traître   70
Je n'y pouvais plus rien, et que les mécontents,
Afin de maintenir la grève plus longtemps,
Sauraient bien surveiller [7] et punir les transfuges.[8]

Et la misère vint. — O mes juges, mes juges !
Vous croyez bien [9] que, même au comble [10] du malheur,   75
Je n'aurais jamais pu devenir un voleur,[11]
Que rien que d'y songer,[12] je serais mort de honte;
Et je ne prétends pas qu'il faille tenir compte,[13]
Même au désespéré qui du matin au soir
Regarde dans les yeux son propre désespoir,   80
De n'avoir jamais eu de mauvaise pensée.
Pourtant, lorsqu'au plus fort de la saison glacée [14]
Ma vieille honnêteté voyait — vivants défis [15] —
Ma vaillante compagne et mes deux petits-fils
Grelotter [16] tous les trois près du foyer [17] sans flamme,   85
Devant ces cris d'enfants, devant ces pleurs [18] de femme,
Devant ce groupe affreux [19] de froid pétrifié,

---

1. *blushed, was ashamed.*   **2.** *oath.*   **3.** *wash-house.*   **4.** *bending.*   **5.** *get angry.*
6. difficiles.   **7.** *keep an eye on.*   **8.** *"scabs."*   **9.** *you may be sure.*   **10.** *height.*   **11.** *thief.*
12. rien que d'y songer: *at the very thought of it.*   **13.** (lit., *to keep account*): *to credit.*
14. hiver.   **15.** *challenges.*   **16.** *shiver.*   **17.** *fireplace.*   **18.** *tears.*   **19.** *dreadful.*

Jamais — j'en jure ici par ce Crucifié [1] —
Jamais dans mon cerveau [2] sombre n'est apparue
Cette action furtive et vile de la rue,　　　　　　　　　　90
Où le cœur tremble, où l'œil guette,[3] où la main saisit.
— Hélas ! si mon orgueil [4] à présent s'adoucit,
Si je plie [5] un moment devant vous, si je pleure,
C'est que je les revois, ceux de qui tout à l'heure
J'ai parlé, ceux pour qui j'ai fait ce que j'ai fait.　　　　95

Donc on se conduisit d'abord comme on devait:
On mangea du pain sec,[6] et l'on mit tout en gage.[7]
Je souffrais bien.　Pour nous, la chambre, c'est la cage,
Et nous ne savons pas rester à la maison.
Voyez-vous ! j'ai tâté [8] depuis de la prison,　　　　　100
Et je n'ai pas trouvé de grande différence.
Puis ne rien faire, c'est encore une souffrance.
On ne le croirait pas.　Eh bien, il faut qu'on soit
Les bras croisés par force; alors on s'aperçoit
Qu'on aime l'atelier, et que cette atmosphère　　　　　105
De limaille [9] et de feu, c'est celle qu'on préfère.

Au bout de quinze jours nous étions sans un sou.
— J'avais passé ce temps à marcher comme un fou,
Seul, allant devant moi, tout droit, parmi la foule.[10]
Car le bruit des cités vous endort et vous saoûle,[11]　　110
Et, mieux que l'alcool, fait oublier la faim.
Mais, comme je rentrais, une fois, vers la fin
D'une après-midi froide et grise de novembre,
Je vis ma femme assise en un coin de la chambre,
Avec les deux petits serrés contre son sein [12];　　　　115
Et je pensai: C'est moi qui suis leur assassin !
Quand la vieille me dit, douce et presque confuse:

« Mon pauvre homme, le Mont-de-Piété [13] refuse
Le dernier matelas,[14] comme étant trop mauvais.
Où vas-tu maintenant trouver du pain?

　　　　　　　　　　　　　　　　— J'y vais, »　　　120
Répondis-je; et prenant à deux mains mon courage,
Je résolus d'aller me remettre à l'ouvrage;
Et, quoique me doutant [15] qu'on m'y repousserait,

---

1. Il y avait alors une image du Christ dans les tribunaux.　**2.** *brain.*　**3.** *watches, spies.*
4. *pride.*　**5.** *bend.*　**6.** *dry, (without butter).*　**7.** *in pawn.*　**8.** *had a taste.*　**9.** *filings.*
10. *crowd.*　**11.** *intoxicates.*　**12.** *clasped to her bosom.*　**13.** *pawn-shop* (administré en France
par la ville ou par l'État).　**14.** *mattress.*　**15.** *suspecting.*

Je me rendis d'abord dans le vieux cabaret
Où se tenaient toujours les meneurs [1] de la grève.　　　　125
— Lorsque j'entrai, je crus, sur ma foi, faire un rêve:
On buvait là, tandis que d'autres avaient faim,
On buvait. — Oh! ceux-là qui leur payaient ce vin
Et prolongeaient ainsi notre horrible martyre,
Qu'ils entendent encore un vieillard les maudire! [2]　　　　130
— Dès que vers les buveurs je me fus avancé,
Et qu'ils virent mes yeux rouges, mon front baissé,
Ils comprirent un peu ce que je venais faire;
Mais, malgré leur air sombre et leur accueil [3] sévère,
Je leur parlai:

　　　　　　« Je viens pour vous dire ceci:　　　　135
C'est que j'ai soixante ans passés, ma femme aussi,
Que mes deux petits-fils sont restés à ma charge,
Et que dans la mansarde [4] où nous vivons au large,
— Tous nos meubles [5] étant vendus — on est sans pain.
Un lit à l'hôpital, mon corps au carabin, [6]　　　　140
C'est un sort pour un gueux [7] comme moi je suppose:
Mais pour ma femme et mes petits, c'est autre chose.
Donc, je veux retourner tout seul sur les chantiers. [8]
Mais, avant tout, il faut que vous le permettiez
Pour qu'on ne puisse pas sur moi faire d'histoires. [9]　　　　145
Voyez! j'ai les cheveux tout blancs et les mains noires,
Et voilà quarante ans que je suis forgeron.
Laissez-moi retourner tout seul chez le patron.
J'ai voulu mendier, [10] je n'ai pas pu.　Mon âge
Est mon excuse.　On fait un triste personnage　　　　150
Lorsqu'on porte à son front le sillon [11] qu'a gravé
L'effort continuel du marteau [12] soulevé,
Et qu'on veut au passant tendre une main robuste.
Je vous prie à deux mains.　Ce n'est pas trop injuste
Que ce soit le plus vieux qui cède le premier.　　　　155
— Laissez-moi retourner tout seul à l'atelier.
Voilà tout.　Maintenant, dites si ça vous fâche. »

Un d'entre eux fit vers moi trois pas et me dit:

　　　　　　　　　　　« Lâche! » [13]

Alors j'eus froid au cœur, et le sang m'aveugla. [14]
Je regardai celui qui m'avait dit cela.　　　　160

---

1. leaders.　2. curse.　3. reception.　4. attic room.　5. furniture.　6. medical student.
7. beggar.　8. shops.　9. sur moi ... histoires: say things about me.　10. beg.　11. furrow.
12. hammer.　13. coward.　14. blinded.

C'était un grand garçon, blême [1] aux reflets des lampes,
Un malin,[2] un coureur de bals,[3] qui, sur les tempes,[4]
Comme une fille,[5] avait deux gros accroche-cœurs.[6]
Il ricanait,[7] fixant sur moi ses yeux moqueurs:
Et les autres gardaient un si profond silence   165
Que j'entendais mon cœur battre avec violence.

Tout à coup j'étreignis [8] dans mes deux mains mon front
Et m'écriai:

    « Ma femme et mes deux fils mourront.
Soit ! Et je n'irai pas travailler. — Mais je jure
Que, toi, tu me rendras raison [9] de cette injure,[10]   170
Et que nous nous battrons, tout comme des bourgeois.
Mon heure? Sur-le-champ. — Mon arme? J'ai le choix;
Et, parbleu ! ce sera le lourd marteau d'enclume,[11]
Plus léger pour nos bras que l'épée ou la plume;
Et vous, les compagnons, vous serez les témoins.   175
Or çà,[12] faites le cercle et cherchez dans les coins
Deux de ces bons frappeurs de fer couverts de rouille,[13]
Et toi, vil insulteur de vieux, allons ! dépouille [14]
Ta blouse et ta chemise, et crache [15] dans ta main. »

Farouche [16] et me frayant des coudes un chemin [17]   180
Parmi les ouvriers, dans un coin des murailles
Je choisis deux marteaux sur un tas de ferrailles,[18]
Et, les ayant jugés d'un coup d'œil, je jetai
Le meilleur à celui qui m'avait insulté.
Il ricanait encor; mais, à toute aventure,[19]   185
Il prit l'arme, et gardant toujours cette posture
Défensive:

    « Allons, vieux, ne fais pas le méchant ! » [20]

Mais je ne répondis au drôle [21] qu'en marchant
Contre lui, le gênant [22] de mon regard honnête
Et faisant tournoyer au-dessus de ma tête   190
Mon outil [23] de travail, mon arme de combat.
Jamais le chien couché sous le fouet [24] qui le bat,
Dans ses yeux effarés [25] et qui demandent grâce,
N'eut une expression de prière aussi basse

---

1. très pâle.   **2.** *sly kind of fellow.*   **3.** *dance-hall devotee or "fan."*   **4.** *temples.*   **5.** *strumpet.*
6. *spit curls, kiss curls.*   **7.** *grinned.*   **8.** *grasped.*   **9.** me . . . raison: *give me satisfaction.*
10. insulte.   **11.** *anvil;* marteau d'enclume: *sledge hammer.*   L'étiquette du duel veut que
l'offensé choisisse l'arme du combat.   **12.** *now there!*   **13.** *rust.*   **14.** *strip off! off with!*
15. *spit.*   **16.** *angry.*   **17.** *elbowing my way.*   **18.** *heap of scrap-iron.*   **19.** sans plan bien
défini.   **20.** *don't be a bully.*   **21.** *wretch.*   **22.** embarrassant.   **23.** *tool.*   **24.** *whip.*   **25.** *scared.*

Que celle que je vis alors dans le regard   195
De ce louche [1] poltron, qui reculait, hagard,
Et qui vint s'acculer [2] contre le mur du bouge.[3]
Mais, il était trop tard, hélas ! Un voile rouge,
Une brume [4] de sang descendit entre moi
Et cet être pourtant terrassé [5] par l'effroi,[6]   200
Et d'un seul coup, d'un seul, je lui brisai [7] le crâne.

Je sais que c'est un meurtre [8] et que tout me condamne;
Et je ne voudrais pas vraiment qu'on chicanât [9]
Et qu'on prît pour un duel un simple assassinat.
Il était à mes pieds, mort, perdant sa cervelle,[10]   205
Et, comme un homme à qui tout à coup se révèle
Toute l'immensité du remords de Caïn,
Je restai là, cachant mes deux yeux sous ma main.
Alors les compagnons de moi se rapprochèrent,
Et voulant me saisir, en tremblant me touchèrent.   210
Mais je les écartai [11] d'un geste, sans effort,
Et leur dis: « Laissez-moi. Je me condamne à mort. »
Ils comprirent. Alors, ramassant ma casquette,[12]
Je la leur présentai, disant, comme à la quête [13]:
« Pour la femme et pour les petiots,[14] mes bons amis. »   215
Et cela fit dix francs, qu'un vieux leur a remis.
Puis j'allai me livrer moi-même au commissaire.[15]

A présent, vous avez un récit très sincère
De mon crime, et pouvez ne pas faire grand cas [16]
De ce que vous diront messieurs les avocats.   220
Je n'ai même conté le détail de la chose
Que pour bien vous prouver que, quelquefois, la cause
D'un fait vient d'un concours d'événements fatal.
Les mioches [17] aujourd'hui sont au même hôpital
Où le chagrin [18] tua ma vaillante compagne.   225
Donc, que pour moi ce soit la prison ou le bagne,[19]
Ou même le pardon, je n'en ai plus souci [20];
Et si vous m'envoyez à l'échafaud,[21] merci !

1. *despicable.*   2. *flatten.*   3. *pothouse, dive.*   4. *mist.*   5. *cowed.*   6. *fright.*
7. *smashed.*   8. *murder.*   9. *should quibble.*   10. *brains.*   11. *pushed aside.*   12. *cap.*
13. (*church*) *collection.*   14. *"kiddies."*   15. (*commissaire*) *de police.*   16. ne pas faire
grand cas: *make light of.*   17. *brats.*   18. *sorrow.*   19. *convict-settlement.*   20. *I care no
more.*   21. (lit., *scaffold*): *guillotine.*